新雅中文字典

國語・粵語注音

主編 何 容

新雅文化事業有限公司

新雅中文字典

主　　　　　編：	何　容	
國語・粵語注音：	黃港生	
校　　　　　對：	酈景華　黃港生　新雅校對組	
設　　　　　計：	新雅設計組	
製　　　　　作：	新雅製作部	
責　任　編　輯：	林少青	
出　　版　　者：	新雅文化事業有限公司	
	香港北角英皇道659號五樓D	
承　　印　　者：	天藝印刷廠	
	九龍福榮街348號地下D座	
開　　　　　度：	14.5 cm×10 cm（大64開本）	
字　　　　　數：	約 700,000	
原　　　　　版：	版權所有©1981 國語日報社	
香　　　　　港　版：	版權所有©1985 新雅文化事業有限公司	

原　序

·何　容·

　　《國語日報辭典》出版以來，最使我們覺得安慰的有兩件事。第一是讀者對那部辭典的關心。第二是讀者逐漸了解那部辭典的性質。

　　讀者關心《國語日報辭典》，有的熱心撰寫書評，有的寫信跟我們討論，更有可愛的小孩子跟可敬的家長打電話向我們提出種種建設性的意見。這些珍貴的意見，凡是目前辦得到的，我們一定在辭典每一次再版的時候，拿來做修改的根據。屬於遠大理想的，我們就珍藏起來，做將來編《國語日報大辭典》的參考。辭典的編輯，工作本身是既辛苦又沉悶的，我們只能從那工作的意義跟讀者的關懷得到鼓勵。

　　《國語日報辭典》的基本性質，是為一般讀者解決日常生活中所遭遇到的語言文字方面的問題。它並不是一部「偉大的辭典」或者「辭典界的鉅構」。它是平實的，是辭典中的平民，是人人的親切的朋友。我們所盼望的，是熱心學習國語的人能常常把它帶在身邊，常常把它打開來用。至於那集古今之大成的辭典，純粹用語言學觀點來編的辭典，含蘊大量人類知識的百科全書式的辭典，以及可以做研究漢學的工具用的深奧辭典，雖然都值得編，不過編出來以後，也仍舊代替不了《國語日報辭典》──一部用國語的觀點來編的新辭典。讀者、家長、教師已經慢慢了解這部辭典的性質，

而且加以重視。我們非常感激。

　　讀者的寶貴意見中，有一項是認為《國語日報辭典》部頭比較大，適合放在案頭，如果能再加以精簡，改寫整理，另編成一部小部頭的字典，讓學生能帶在身邊或放在書包裏，也是一件值得做的事。這部《國語日報字典》，就是根據讀者的這個意見編成的。

　　我們的做法是儘量把成語跟「詞」容納在「單字」的註解裏，字義的解釋儘量以「詞」跟成語做根據。這個做法，可以使這部字典統攝相當數量的成語跟常用詞，使這部字典兼具了辭典的性質跟功用。同時，為了國校學生查閱的方便，我們特地把《字音查字表》放在字典的前面。已經學會了注音符號的國校學生，都能熟練運用這種最快捷的查字法，並且利用這種查字法來學習《部首查字法》的種種煩瑣的規矩。

　　這個工作看似簡單，做起來可並不容易。好在本報社長夏承楹先生、出版部經理林良先生，早在一九七四年秋天就安排好了在出版部編譯組內成立一個工具書編輯室，聘請張席珍先生主持編務，蘇瑞章、林松培兩位先生擔任編輯，楊雅惠女士擔任助編。字典的編寫工作，自然就要辛苦他們四位了。我個人負責的是字典全稿的總校閱，並且承擔了這部字典的主編名義。至於字典的書型設計以及全部印製工作，一概由編譯組主任張劍鳴先生負責計畫進行。美術設計由藝術編輯吳昊先生負責。參加校對工作的，還有編譯組同仁黃

女娥、蘇秀絨、蔡惠光三位小姐。工作由一九七四年十月開始，完成於今年三月，前後歷時一年又六個月。

工具書的編寫，一向是團隊性的長期工作，工作者既要能跟別人配合得好，又要有忍受長期緊張工作的恒心跟耐性。這是很不容易的。讀者考驗字典，字典考驗編字典的人。回想一年半來大家的辛勞和合作，我心裏怎能不感激。主編人在書出版的日子，當着讀者的面，向自己的工作同伴道謝，早已經成爲工具書序文不變的體例。這種感激工作同伴的心情，只有親自嘗過編字典的苦頭的人，才能夠體會得到。

這部《國語日報字典》的性質，跟《國語日報辭典》的性質一樣。它不是一部搜集奇字、僻字、古字的「漢字大全」。它是用國語的觀點來編的一部字典，目標是爲讀者解決日常生活上必會遭遇到的一般語文問題，所以只處理了漢字總字數中比較常用的一萬個字，爲這些字注音並做解釋。我們認爲用國語的觀點幫助讀者弄清楚這一萬個字，是這部字典的任務。至於用國語的觀點來處理奇字、僻字、古字，供給讀者關於奇字、僻字、古字的知識，那是屬於另外一種性質的工作，只好等將來再做了。我們希望讀者能接受這部《國語日報字典》，就像接受《國語日報辭典》一樣。

一九七六年三月

目　錄

使用說明

一、**目的:** 本字典根據台灣《國語日報字典》整編而成，目的是藉本字典的輔助，使讀者弄清中國文字的「音」、「義」、「詞」，從而得到正確的理解和運用。

部分中國文字，經過了歷年的演變，出現了有繁體與簡體之分，爲了幫助讀者查閱這部分文字，本字典特地增編了「簡繁體對照檢字表」。

本字典適合於學生、教師及一般具有中等文化程度的社會人士使用。

二、**收字:** 本字典所收的「單字」、「異體字」超過一萬個，包括一般日常用字和歷史、地理、科學方面的用字在內。

在單字的注解裏面，更可以查到一些比較有特殊含義的語詞（複合詞）、成語，總數更在三萬個以上。這些語詞跟成語，有的出現在各條注解的「舉例」或「例句」之中，有的是在單字注解裏單列一條，加上詳細的解釋，使這本字典又兼有了精簡的「辭典」、「成語典」的性質，提高了實際上的使用價值。

三、**檢字:** 本字典按部首檢字法查字。另附難檢字表、簡繁體對照檢字表。

每個部首的頁次，可以在「部首索引」裏查到。「部

　　　　　首索引」除了排在字典本文之前，又分別重排在封面
　　　　　裏頁跟封底裏頁，檢查起來非常順手。

四、字頭：本字典的字頭一律用楷書體排印。同部首的字除開部
　　　　　首以外，按筆畫多少順次排列，在一個部首中同畫數
　　　　　的字，則按起筆的筆形排列。

五、注音：本字典對注音一項特別重視，這也可以說是這本字典
　　　　　最重要的特色。翻開這本字典的每一頁，都可以看出
　　　　　編者在這方面用心着意的地方。我們希望讀者能特別
　　　　　留意這本字典的這項長處。

　　　　　①國語注音：每個字頭之後，依據國語語音系統用漢
　　　　　　語拼音字母標音，外加（　）號。

　　　　　②粵語注音：在國語注音後，用國際音標注粵音。
　　　　　　「⑨」代表「粵音」，在國際音標右上方，標注阿
　　　　　　拉伯數目字「1、2、3、4、5、6、7、8、9」，分別代
　　　　　　表粵音的九個聲調「高平(1)、高上(2)、高去(3)、低
　　　　　　平(4)、低上(5)、低去(6)、高入(7)、中入(8)、低入(9)」。
　　　　　　國際音標之後是漢字直音（粵音），外加〔　〕號，有
　　　　　　些字沒有適當的同音字可借以注音的，則採用切
　　　　　　音，讀者只要將切音的兩個字急讀，則可得到正確
　　　　　　的讀音。有些字不好採用切音的，則採用同聲韻不
　　　　　　同調的字標出，讀者可按字旁標出的調來讀。如
　　　　　　「鱔」字，因沒有適當的同音字可注，故用和它同
　　　　　　聲韻的「善」字作注，「善」字旁注「低上」，我

們按此用低上的調讀之，則可得「鱔」字的正確讀音。有些字連同聲韻的音也找不到的，則不注直音。

③一個字因意義不同而有幾個音的，則在每個音前都加上一個「▲」符號作標誌。

④有些字連注兩個音以上的，國語音用「又讀」標明之，而粵音則在第二個音後面附注「（又）」字，表示「又音」。

⑤有些字注有「舊讀」，表示新舊讀法不同。

⑥在每一條注解裏，若是遇到容易誤會或錯讀的字，酌情加上漢語拼音。如「非」字條的第九義項「非難」後注「nàn」。這樣，讀者就不致把「非難」的「難」讀成「難易」的「難（nán）」。為了節省篇幅，在這種情況下我們不作粵語注音，讀者可從漢語拼音中類推出來。

六、釋義： 本字典裏的字義注解，以注明每個字所表示的各項意思跟用法為主；對於以這個字開頭所構成的複詞和成語，我們也選些常見常用的，含義比較特殊的，在字面上比較不容易領會的，附列出來，加上扼要的解釋。

字義注釋，原則上是以這個字的「本義」或最常用的字義居先，然後依次注出全部各項字義；作專名詞用的字義（地名、姓氏等）列在最末；然後再把需要附列出的複詞和成語，用一貫連續下來的項次號碼，陸

續接下去，逐項加以注解。

在注解裏所舉的例子（詞或句）當中，有特殊含義的部分，又用括號加了一些扼要的說明。

七、符號： ▲　黑三角。表示「破字音」，意思是這個字有好幾個讀音，不同的讀音也有不同的意思。

[文]　「文」字外面加上方框，意思是「文言文」。表示下面所列的注釋，是「文言文」中常有的用法。

❶　阿拉伯數目字外加圓圈反白。表示一個字有這幾種不同的解釋。

①　阿拉伯數目字外加圓圈。表示在❶❷……的任何一項解釋中又有幾項不同的解釋。

[粵]　「粵」字外加圓圈，代表後面的讀法就是「粵音」。

〔 〕　中括號中的漢字，表示與字頭單字的讀音相同。沒有同音字的，則採用切音的讀法。

八、附錄： 這本字典的附錄，都是日常生活中隨時需要參考查證的。計有：

①漢語拼音方案。

②標點符號用法簡表。

③中國歷代都邑、起訖年數表。

④度量衡（公制）表（另附「公制、英制換算表」）。

⑤化學元素表。

難查字表

（說明）

一、**目的**：部分中文字，很難弄清它究竟該屬於哪一部首，「難查字表」便是爲解決這一問題而編排的。

二、**筆畫**：字表裏的字，按照字的筆畫多少，從一畫到二十九畫，分開編排。同筆畫的字，按照字的起筆（開頭寫的第一筆）以橫、豎、點、斜的筆形爲先後歸類次序。其中三畫到十九畫各筆畫的字數較多，都分別標出了起筆類別。

辨認起筆類別，除了一般單純的橫（一）、豎（丨）、點（丶）、撇（丿）各種筆畫以外，橫鉤（ㄱ）跟橫折（フ乛乙）歸作【一】筆，豎鉤（亅）跟豎折（ㄥㄣ）歸作〔丨〕筆。各種直撇（丿）斜撇（ノ）跟斜折（ㄥㄑ），都歸作【丿】筆。

查到的字，按照字底下所列的頁次，就可以在字典正文裏查到字音、字義。

三、**舉例**：「爾」字，在十四畫，【一】。「艮」字，在六畫，【一】。「虱」字，在八畫，【一】。「凹」字，在五畫，【丨】。「壯」字，在七畫，【丨】。「酋」字，在九畫，【丶】。「絲」字，在十畫，【丿】。

一畫		下	1	【丨】		王	433	予	12
一	1	万	3	小	162	天	129	尹	165
乙	9	寸	160	上	2	夫	128	弔	197
二畫		工	176	口	76	井	13	丑	3
二	13	土	111	囗	106	元	38	尺	165
丁	1	士	124	巾	179	无	289	巴	178
十	66	才	235	山	170	旡	289	比	355
七	1	弋	196	【丶】		云	13	及	74
厂	71	大	128	亡	15	丏	3	【丨】	
了	12	丈	2	广	187	丏	3	屮	67
乜	9	尢	164	丫	5	支	275	夂	276
习	51	兀	38	【丿】		攴	276	少	163
刀刂	51	叉	6	个	17	五	13	止	346
力	58	己	178	乞	10	帀	179	日	289
又	74	已	178	乚	41	廿	66	曰	301
乃	7	巳	178	千	66	卅	66	中	5
卜	67	弓	197	凡	49	木	306	内	41
人	17	尸	165	丸	6	朩	3	水	361
入	41	也	10	夕	126	不	3	比	355
八	42	子	148	久	7	屯	169	爿	419
乂	7	孑	148	川	176	牙	421	(收)	276
九	10	孓	147	彳	204	戈	231	【丶】	
几	49	刃	51	么	8	犬	425	尣	45
匕	63	刄	51	幺	186	歹	349	斗	282
三畫		女	134	勹	62	反	74	卞	67
【一】		开	1	女	134	友	74	方	285
三	2	亍	13	四畫		尤	164	六	42
干	184	(廿)	66	【一】		仄	18	文	281
于	13	(叉)	51	亓	13	互	13	之	8

戶	233	勿	62	世	4	田	448	半	66
心	210	化	63	古	77	由	449	【丿】	
火	400	片	420	右	78	甲	448	牛	66
(冗)	151	氏	358	召	77	申	449	生	8
【丿】		斤	283	尤	307	歺	349	布	179
幺	10	爪	415	夯	130	冉	44	弁	194
乑	73	允	39	左	177	史	77	乏	8
戶	233	毌	354	瓦	443	央	130	乎	8
屯	169	母	354	丕	3	兄	39	生	446
兮	43	夂	276	石	481	皿	467	失	130
分	51	**五畫**		布	179	凹	50	矢	480
公	42	【一】		矛	479	凸	50	乍	8
凶	50	先	39	民	358	四	106	禾	496
爻	418	刊	52	司	78	出	50	戊	231
父	417	平	184	弗	197	以	19	冬	47
气	359	示	491	朮	462	屮	5	外	126
丰	5	玉	433	疋	454	册	44	用	447
牛	422	未	307	加	58	(水)	47	甩	447
午	66	末	307	北	63	(回)	107	包	62
手	235	巨	176	戊	231	(目)	19	皮	466
毛	356	巧	176	皮	466	(叺)	19	句	76
壬	124	功	58	(目)	19	【丶】		册	44
夭	129	正	346	【丨】		穴	503	匆	62
升	66	卉	66	卡	67	立	507	丘	4
丹	6	去	73	台	76	主	7	白	463
月	303	可	77	北	63	市	179	氐	358
及	74	叵	76	占	68	玄	432	卯	69
殳	352	丙	3	目	470	永	362	卮	69
欠	343	甘	445	且	3	必	211	斥	283

瓜	442	有	303	乩	10	缶	549	弄	194
母	354	而	562	【、】		耒	563	求	362
幼	186	至	585	字	148	朱	308	走	704
台	76	羽	557	交	15	先	39	赤	703
（片）	420	聿	569	亦	15	舌	588	芈	554
（处）	125	艮	592	衣	654	竹	509	豆	692
（佘）	418	丞	4	充	39	舛	589	車	717
（肬）	582	戌	231	亥	15	危	69	甫	447
六畫		戊	231	兆	39	色	593	更	301
【一】		成	231	州	176	旬	290	酉	744
丢	4	考	561	羊	554	凤	127	免	39
乩	10	（両）	41	米	521	臼	586	克	40
亘	14	（攷）	561	（并）	185	兵	7	束	309
划	52	（灰）	400	（肎）	572	乒	8	巫	177
夷	130	（异）	452	【丿】		自	584	汞	362
寺	160	【丨】		弇	43	向	79	夾	130
老	560	吊	78	兜	39	凶	107	辰	725
再	44	尖	163	名	78	血	650	豕	693
臣	583	劣	58	刖	52	舟	590	尨	164
吏	78	曳	75	各	78	行	651	甬	448
兩	665	光	39	余	41	糸	526	孝	149
西	665	此	347	有	303	（丟）	4	孜	149
耳	565	曳	301	全	41	（朵）	308	攻	276
共	43	虫	634	合	78	（争）	415	（两）	41
互	14	同	78	戌	231	**七畫**		【丨】	
死	349	曲	301	戊	231	【一】		芈	554
在	111	肉	570	成	231	况	14	肖	163
存	148	网	550	年	185	言	673	些	14
百	464	（艹）	603	甬	447	忢	211	卣	68

步 347	我 231	兩 41	罔 550	乳 11
串 5	每 354	協 67	岡 171	肴 572
邑 739	角 670	取 75	典 43	帛 179
足 707	兵 43	其 43	兒 40	斧 283
貝 696	身 716	直 470	戕 419	金 752
見 667	図 107	來 24	(峀) 294	舍 588
里 750	卵 69	奇 131	【、】	命 82
男 449	矣 480	隶 791	帘 180	知 480
壯 419	(兒) 695	門 777	垠 15	垂 114
妝 137	(兎) 40	承 240	卒 67	秉 496
(囘) 107	(喬) 529	函 50	夜 127	乖 9
【、】	八畫	非 803	羌 554	季 149
辛 724	【一】	兔 40	放 276	和 83
言 673	到 53	卷 69	卷 69	委 138
罕 550	奉 131	(固) 804	券 53	黍 212
戾 592	武 348	(刼) 58	並 4	佳 792
初 53	虱 634	(屆) 166	姜 138	周 84
弟 198	青 802	(直) 470	并 185	阜 783
兌 39	毒 354	(者) 561	(㳚) 603	臾 586
【丿】	表 654	(昏) 293	(徂) 165	兒 40
利 52	幸 185	(卧) 583	【丿】	卑 66
兌 39	卦 68	【丨】	竺 14	所 233
谷 691	長 776	串 5	刮 53	虱 634
走 726	亞 14	門 777	卷 69	(徂) 165
釆 750	東 311	尙 163	券 53	九畫
豸 696	或 231	肯 572	采 750	【一】
妥 136	事 12	卓 66	非 803	帝 180
希 179	臥 583	具 43	受 75	音 810
坐 113	雨 796	果 311	爭 415	奏 132

契	132	段	75	音	810	拜	241	哿	89
封	160	（屏）	167	哀	87	重	750	恭	216
哉	87	（負）	696	奕	132	香	827	眞	473
柬	315	（盃）	310	弈	195	風	818	辱	725
要	665	（耇）	561	竞	40	昇	195	髟	839
耶	741	（耇）	561	軍	718	叟	75	夏	125
甚	445	（盍）	467	差	177	禹	495	書	301
革	805	（昬）	291	美	554	盾	471	弱	199
巷	178	（既）	289	叛	75	胤	574	翌	356
南	67	（春）	225	前	54	（峋）	650	（耊）	561
胡	573	【丨】		酋	744	（叙）	278	（尅）	54
相	472	咼	86	首	826	（毡）	357	（晉）	294
巹	14	冑	45	（觗）	450	（乘）	114	（晋）	91
歪	348	胄	574	（羑）	554	（俞）	42	（眞）	473
甫	448	省	472	（亯）	16	十畫		（衰）	96
頁	811	韭	809	（剏）	56	【一】		【丨】	
泵	367	貞	696	（兹）	603	冓	45	举	6
面	804	則	54	（為）	416	紮	529	党	40
耐	562	禺	495	（窀）	783	馬	828	鬥	842
耍	562	冒	44	【丿】		秦	497	荆	602
致	585	韋	808	奐	132	泰	368	骨	835
咫	87	幽	186	酋	744	班	435	鬯	843
韋	808	皆	464	為	416	門	842	【、】	
者	561	段	75	食	821	栽	320	酒	745
飛	820	（毘）	355	爰	416	袁	656	高	838
韭	809	【、】		俞	42	耆	561	衰	655
皆	464	柒	315	俎	28	鬲	843	畝	450
咸	87	染	316	咸	87	或	202	席	180
威	140	帝	180	威	140	哥	89	唐	88

羔	554	彗	201	(勖)	60	(犁)	424	羿	133
兼	44	焉	404	【、】		(皐)	464	畫	451
料	282	票	493	商	16	(夠)	127	尋	161
【丿】		乾	11	執	150	(管)	513	巽	178
兼	44	麥	867	望	305	(啟)	91	粥	522
射	160	匏	63	產	446	(崪)	749	犀	424
眞	473	爽	418	麻	868	(型)	115	疏	454
臽	586	務	60	率	432	(絞)	278	斐	282
釜	752	晝	295	啓	91	(桼)	73	(疎)	454
弮	843	問	93	羞	555	(觕)	522	(畾)	450
乘	9	(啟)	91	鹿	865	(欹)	343	(奆)	65
烏	404	(型)	115	(麻)	868	十二畫		(髟)	839
島	172	(寬)	667	(高)	838	【一】		(憂)	232
敫	596	(埶)	628	(袞)	655	雇	792	(棊)	326
臯	464	(酐)	93	(窓)	504	貳	699	(棊)	438
師	181	【丨】		(窗)	505	斑	281	(喆)	90
鬼	844	問	93	【丿】		壹	125	【丨】	
邕	739	雀	792	甜	445	壺	124	喦	174
能	574	常	182	夠	127	報	118	悶	219
奚	132	眾	474	鳥	854	載	638	最	302
(隽)	793	彪	632	魚	846	裁	657	斐	282
(匒)	575	鹵	864	鳳	49	堯	118	黑	871
(糸)	534	匙	63	條	322	博	67	量	751
(盌)	486	勖	60	脩	576	覃	666	畢	451
十一畫		曼	301	旣	289	棗	327	裺	874
【一】		晃	45	兜	40	棘	325	(嵂)	348
啓	91	將	160	參	73	黃	869	【、】	
董	117	敗	277	巢	176	辜	724	就	165
執	117	(署)	451	(梨)	325	喪	96	棄	326

雇	792	載	719	鼎	875	(龜)	867	幕	183
善	96	鼓	876	(肖)	100	**十四畫**		蒙	615
着	475	聖	566	(歲)	348	**【一】**		夢	127
斑	438	幹	185	**【、】**		㭉	35	嘗	100
(準)	386	嗇	98	塞	119	肇	569	夥	127
(雙)	794	電	874	準	386	壽	125	暢	298
(竢)	28	勘	164	雍	794	臺	585	疑	454
【丿】		勞	56	羨	555	嘉	100	臧	584
斐	282	皙	453	義	555	聚	566	與	587
舜	589	(叠)	453	靖	802	斡	283	(羼)	321
爲	416	(樏)	165	(稟)	499	嘏	99	**【、】**	
舒	589	(彙)	201	廉	190	兢	40	榮	386
無	406	(綦)	326	(窻)	216	爾	418	齊	879
秸	174	(群)	555	(韵)	810	榦	331	肇	570
黍	870	(裘)	658	**【丿】**		朅	303	粼	523
喬	95	(卷)	649	亂	11	蕭	569	槀	331
勝	60	(堅)	692	孿	35	疑	454	(實)	700
象	693	(殨)	821	傻	35	臧	584	(頻)	367
粵	523	(韵)	810	腠	119	與	587	(凴)	227
須	811	**【丨】**		禽	495	輦	589	(麼)	869
幾	186	募	60	愛	223	(髦)	841	**【丿】**	
(嵅)	574	匙	164	弒	196	(棄)	336	毓	354
(臯)	464	歲	348	會	302	(斡)	724	夐	125
(象)	693	電	874	條	535	(盍)	65	與	587
(坐)	114	號	633	舅	587	(皷)	876	鼻	878
十三畫		嗣	98	鼠	877	(静)	802	孵	150
【一】		農	725	奧	133	(犎)	840	辠	476
壺	125	蜀	639	彙	201	**【丨】**		(緜)	543
嗀	200	業	330	(觧)	671	墓	120	(頪)	367

（島）172	貌 633	（蟲）649	【一】	（鯊）850
（躬）716	蝕 642	（隸）791	燮 413	（斷）284
十五畫	舖 589	（檗）337	轂 722	**十八畫**
【一】	靠 803	【丨】	穀 672	【一】
穀 501	黎 870	暹 299	幫 183	釐 751
憂 226	滕 385	蕪 622	戴 233	覆 666
豎 692	魯 846	冀 44	艱 592	隳 791
甌 559	樂 335	盧 469	賾 702	豐 692
（氈）725	潁 334	縣 541	隸 791	（擎）274
（賚）880	潁 410	興 587	輿 722	（眡）299
（贊）702	穎 392	舉 587	（賷）880	（豎）748
【丨】	畿 453	（舉）299	【丨】	（驗）834
慕 225	（縣）538	【丶】	虧 633	【丨】
輝 721	（槳）334	憲 228	嚮 146	舊 588
膚 580	（龐）867	龍 882	（舉）587	斃 351
齒 880	**十六畫**	贏 146	【丶】	豐 692
墨 121	【一】	義 556	豁 691	題 815
罵 552	穀 541	（冪）46	齋 880	雋 795
（戲）233	融 644	（窗）504	燮 413	叢 75
（嚚）103	賴 701	【丿】	（鯊）850	（疊）294
【丶】	整 280	穎 501	【丿】	【丶】
逾 762	燕 412	龜 883	龠 883	燦 340
麾 869	翰 559	穌 501	膽 686	鎏 767
慶 226	奮 133	麁 585	臏 702	【丿】
養 822	覦 804	暨 299	輿 722	魏 845
褒 661	歷 348	（舘）823	龜 355	雙 794
（蝨）634	臻 586	（燄）406	氈 357	騰 794
（窰）806	豫 694	（穎）501	（歛）281	爵 416
【丿】	冀 44	**十七畫**	（舉）587	歸 348

部首索引

【一部】

一 (yī)粵jet⁷〔壹〕❶數目的開始。大寫是「壹」；商碼作「│」，阿拉伯碼作「1」。整數的單位，單個的都叫一。❷第一。如「卷一」；「一等技術」。❸滿，整，全。如「一臉的汗」。❹每。如「一頁六百字」。❺一方面，一則。如「一不沾親，二不帶故」。❻另外的。如「蟬，一名知了」。❼某。如「一天，他來了」。❽專。如「一心一意」。❾相同，一致。如「長短不一」。❿一次。如「一而再，再而三」。⓫表示偶然、略微的意思。如「試一試」；「一不小心就會發生錯誤」。⓬剛剛。如「天一亮他就起來」。⓭國竟然，乃。如「一至此乎」。⓮國十分，極。如「汝之哭也，一似有深憂者」。⓯國助詞。如「吏呼一何怒」。⓰「一一」：指一件一件的。如「一一說明」。

一畫

丁 ▲(dīng)粵diŋ¹〔叮〕❶天干的第四位。表示第四的序次。❷記等第的符號，表示是第四等。❸人口。如「人丁」。❹僕人、工役。如「家丁」；「園丁」。❺指男人或者男孩子。如「壯丁」；「添丁」。❻國遭到。如「丁憂」；「丁艱」(都是說遇到父母的喪事，正在憂傷艱難之中)。❼姓。❽「丁丁」、「丁當」、「丁冬」、「丁東」、「丁丁噹噹」：都是形容玉珮、鐵馬、銅漏的聲音，或金屬撞擊的清脆響聲。

　　▲國(zhēng)粵dzɐŋ¹〔僧〕「丁丁」：伐木的聲音。詩經有「伐木丁丁」。

七 (qī)粵tsɐt⁷〔漆〕❶數目字。大寫是「柒」。商碼作「┴」；阿拉伯碼作「7」。❷喪事每七天設奠一次，到四十九日止。俗稱「做七」。❸「七七」：①人死後的第四十九日。②指「七七事變」：公元一九三七年七月七日，日本軍閥在北平(今稱北京)附近的盧溝橋，藉口演習，攻擊中國軍隊，引起中日之間的八年戰爭；到公元一九四五年八月，日本戰敗投降。

二畫

丌 (jī)粵gei¹〔基〕❶下基，托物的器具。❷姓。

下 ▲(xià)粵ha⁶〔夏〕❶方位，跟「上」相反，指位置低的。

如「山下」。❷低劣的。如「下等」。❸次序靠後的。如「下次」。❹图自謙詞。如「下情」。❺降，從上面落。如「下雨」；「下山」；「下樓」。❻使物下來。如「下貨」；「下半旗」。❼煮。如「下麪」；「下餃子」。❽图把他放進去。如「下獄」。❾公布。如「下令」。❿投送。如「下書」。⓫中。如「心下」；「意下」。⓬產生。如「下蛋」。⓭方面。如「兩下相思」。⓮座位，左方是下，右方是上。⓯從事某種動作。如「下手」。⓰用。如「下功夫」。⓱克服。如「攻下」。⓲副詞，接在動詞後面，表動作的完成。如「寫下」；「準備下」。⓳結束，告一段落。如「下課」；「下班」。⓴图讓步。如「僵持不下」。

▲(xià)⑧ha⁵〔何瓦切〕動作的次數。如「打三下」。

丈 (zhàng)⑧dzœŋ⁶〔象〕❶長度單位，十尺是一丈。❷量地。如「清丈土地」；「那塊地還沒有丈過呢」。❸古時候對年老男子的一種尊稱。如「老丈」。❹「丈夫」的簡稱(只用在親戚的尊稱上，不單用)。如「姑丈」；「姐丈」。❺丈人、丈母的兄弟。如「叔丈」；「舅丈」。

上 ▲(shàng)⑧sœŋ⁶〔尚〕❶方位，跟「下」相反，指高處。如「山上」。❷指上等的。如「上策」。❸前面的。如「上篇」；「上月」。❹從前稱皇帝叫皇上；簡稱「上」。❺內中。如「書上」；「心上」。❻右方，客位是上。❼關係於某事的詞，同「方面」。如「他在文字上可不行」。

▲(shàng)⑧sœŋ⁵〔沙養切〕❶升，由下而上。如「上樓」；「上山」。❷去，到。如「上任」；「上哪兒去」。❸登。如「上路」。❹進呈。如「上菜」；「上書」；「謹上(寫信時常用)」。❺教學。如「上了一課」。❻安裝。如「上刺刀」。❼旋緊機器的發條。如「上錶」。❽登載。如「上報」；「上帳」。❾塗抹。如「上藥」；「上顏色」。❿足夠某數。如「上千的人」。⓫出現。如「上電視」。⓬照出相來能顯出優美的姿態。如「她很上鏡」。

三 ▲(sān)⑧sam¹〔衫〕❶數目字。大寫作「叁」；商碼作「〣」；阿拉伯碼作「3」。❷稱多數，不一定就是「三」。如「烽火連三月」。❸「三三兩兩」：形容零散不成羣的樣子。

▲囝(sàn)粵sam³〔沙喊切〕屢次、再三。如「三思(再三考慮)」;「三復(反覆誦讀)」。

万
▲「萬」的簡化，見613頁。
▲ (mò) 粵 mɐk⁹〔墨〕「万俟」:複姓。

三畫

不
▲(bù)粵bɐt⁷〔畢〕❶表否定的詞。如「不可」;「不能」;「不會」。❷表未定的意思。如「不日」。❸問話用的詞。如「好不?」;「冷不?」(意思就是「好不好?」;「冷不冷?」)。
▲囝 (fǒu) 粵 fɐu²〔剖〕同「否」,見79頁。

丏
囝(miǎn)粵min⁵〔免〕❶看不見。❷古時候為了防禦而設的避箭的短牆。

不
▲ (dǔn) 粵 dɐn²〔蠹〕「白不」:江西景德鎮製瓷所用的土。

圼
▲囝 (niè) 粵 nip⁹〔聶〕lip⁹〔獵〕(俗)樹孤椿兒;只剩下根株的枯樹。

丐
(gài) 粵 kɔi³〔概〕❶囝乞求。史記有「丐沐沐我」。❷要飯的。如「乞丐」。❸囝給與。如「沾丐後人」。

丑
(chǒu) 粵 tsɐu²〔醜〕❶十二地支的第二位。❷丑時,夜

裏一點到三點。❸戲劇中表演滑稽的腳色。如「丑角」。❹姓。

四畫

丙
(bǐng)粵biŋ²〔炳〕❶天干的第三位。❷排列次序等第用的字,表示第三。❸囝借作「火」的隱語。信裏說「付丙」就是要收信的人看過以後把信燒掉,意思是保密。❹姓。

丕
囝 (pī) 粵 pei¹〔披〕大。如「丕業(偉大的事業)」。

且
▲ (qiě) 粵 tsɛ²〔扯〕❶囝尚且。如「然且不可」。❷姑且,暫時的。如「你且坐着」。❸表示經久。如「這衣服且穿哪」。❹又。如「既飽且醉」。❺表示同時作兩件事。如「且說且走」。❻表示更進一層的意思。如「況且」;「並且」。❼囝將。如「城且拔矣」。❽囝抑。如「且爾言過矣」。❾囝說數目差不多。如「來者且千人」。❿囝發語詞,同「夫」。
▲囝 (jū) 粵 dzœy¹〔追〕❶「且月」:陰曆六月。❷「次且」同「趑趄」:見705頁。❸「即且」同「蝍蛆」:見642頁。❹古文語尾餘聲或語中助詞,無義。如「狂童之狂也且」。

丘 (qiū) 粵jɐu¹〔休〕❶ 小土山。如「丘陵」。❷图墳墓。如「丘壟」。❸图田野。如「丘里」。❹图大。如「丘嫂」。❺姓。

世 (shì) 粵sɐi³〔細〕❶三十年爲一世。❷人一生叫一世。❸父子相繼爲一世。❹輩輩相傳的。如「世醫」;「世交」。❺時代。如「時世」。❻世界的簡稱。如「世上」;「世人」。❼姓。

五至六畫

丟(丢) (diū) 粵diu¹〔刁〕❶遺失。如「我的錢丟了。」❷扔,拋棄。如「不亂丟紙屑」。

丞 (chéng) 粵siŋ⁴〔成〕輔佐。古時官名。如「丞相(輔佐皇帝的最高官吏)」;「縣丞」;「府丞」。

【両】同「兩」,見41頁。
【两】同「兩」,見41頁。

七畫

並(竝) (bìng) 粵biŋ⁶〔巴認切〕❶同時,一起。如「齊頭並進」。❷平排着,靠在一起。如「並肩作戰」;「各項並列」。❸「並且」的簡詞,表示平列。如「除按時上課,並努力自修」。❹用在「不是」;「沒有」等詞的前頭。是按照實際情形來表示稍微反駁的口氣。如「實際人數並沒有你說的那麼多」;「我研究了一下,並不困難」。❺图如同口語裏的「連」。如「並此淺近者亦不能明」。

【丨部】

二至三畫

丫 (yā) 粵a¹〔鴉〕❶東西上面分叉的地方。如「腳丫縫兒」。❷「丫叉」：①樹木分歧的地方；也用來形容樹枝歧出。②兩隻手交叉着。❸「丫頭」：①婢女。②對年輕女孩子輕蔑的稱呼。③父母對自己的女兒，或長輩對晚輩女孩通俗親切的稱呼。❹「丫鬟」：鬟也作嬛。舊日大戶人家年幼的婢女。

丰 (fēng) 粵fuŋ¹〔風〕❶圀容貌美好或豐滿的樣子。詩經有「子之丰兮」。❷容貌儀態。如「丰采」。❸「豐」的簡寫，見692頁。

中 ▲(zhōng) 粵dzuŋ¹〔宗〕❶在四方、上下之間。如「中央」；「中原」。❷裏面。如「水中」；「山中」。❸在高低、大小之間的。如「中學」；「中型」。❹在左右或前後之間的。如「中指」；「中午」。❺在好壞之間的。如「中等貨」。❻正好，不太過也不欠缺。如「適中」。❼一半，半路。如「中途」；「中斷」。❽居間介紹的人。如「中人」；「中保」。❾表示正在做着。如「在交涉中」；「在談判中」。❿「中國」的簡稱。如「中文」；「中式建築」。⓫姓。

▲(zhòng) 粵dzuŋ³〔衆〕❶恰好達到或得到。如「中獎」；「中的」。❷遭受，感受。如「中暑」；「中了一槍」。❸對，正確。如「猜中了」；「說中了」。❹合。如「中意」；「中用」；「中選」。❺科舉時代考試及格。如「中舉」。

四至九畫

丱 (guàn) 粵gwan³〔慣〕「丱角」：①小孩子頭髮束成像兩個犄角的樣子。②指兒童時代。

串 (chuàn) 粵tsyn³〔寸〕❶許多個相連在一塊。如「一串珠子」；「一串兒鑰匙」。❷暗地勾結，進行壞事。如「勾串」。❸指混亂、錯誤的連接。如「電話串了線」；「東西串了味兒」。❹從這裏到那裏，有出入、來往的意思。如「串門兒去閒談」。❺扮演。如「客串」；「戲中串戲」。❻從這邊倒進那邊。如「把酒串回瓶子裏」。❼親戚。「親串」。

丳 圀(chǎn) 粵tsan²〔產〕烤肉的籤子。韓愈詩有「試將詩

義授，如以肉貫串」。

莝 図(zhuó)粵dzɔk⁹〔鑿〕叢生草。

【、部】

二至五畫

叉 ▲(chā)粵tsa¹〔差〕❶手指相錯，兩手的手指交叉。❷一端有歧頭的器具。如「叉子(餐具)」。❸用叉子刺東西。如「叉起一片西瓜」。❹用手卡着人的脖子把他推開。如「叉出門去」。

　▲(chá)粵tsa¹〔差〕❶擋住，卡住，不能通過。如「一塊骨頭叉在喉嚨裏」；「路上的車叉住了」。❷「叉車」：後面的車被前面的車擋住，兩車交錯。

　▲(chǎ)粵tsa⁵〔池瓦切〕❶分開，張開。如「叉開腿」。❷同「衩」。如「袴叉兒」。見654頁

丸 (wán)粵jyn⁴〔元〕jyn²〔苑〕(語)❶形狀小而圓的東西。如「彈丸」；「藥丸」。❷図揉成球形。如「丸此藥成小粒」。

【之】見丿部，第8頁。

丹 (dān)粵dan¹〔單〕❶紅色。如「丹楓」；「碧血丹心(比喻很忠心)」。❷精煉配合的藥劑(通常指丸粒或粉末狀的)。如「丸散膏丹」。❸「丹砂」：即是「朱砂」。❹「丹穴」：產朱砂的

地方。❺「丹田」：道家稱人身臍下三寸的地方。

主 (zhǔ)粵dzy²〔煮〕❶賓客或奴僕的相對詞。如「賓主盡歡」；「主僕相隨」。❷君主時代臣民對帝王的稱呼。如「主子」；「主上」。❸基督教徒對上帝，回教徒對眞宰都叫「主」。❹有物權或事權的人。如「店主」；「一家之主」。❺對事情負重要責任或主持者。如「主管」；「主婚」。❻指主權的所在。如「君主」；「民主」。❼事件的重要關係人。如「事主」；「失主」。❽主張。如「主戰」；「主和」。❾死人的牌位。如「木主」；「神主」。❿國「公主」的簡稱；封建時代娶公主為妻叫「尚主」。

乒 (pāng)粵bem¹〔泵〕東西相碰或墮地的聲響。如「櫥子上的東西乒的一聲掉下來了」。

【丿部】

一畫

乃(迺、廼)國▲(nǎi)粵nai⁵〔奶〕lai⁵〔離蟹切〕(俗)❶是(或者和「是」合用，成爲「乃是」)。如「此乃至理」；「誠信乃處世要則」。❷你的。如「乃祖」；「乃父」。❸其，他的。如「乃兄」。❹才，於是。如「事畢乃還」。❺竟，居然。如「事之出人意料乃至於此」。

▲(nǎi)粵oi²〔藹〕「欸乃」：搖櫓聲。

乂國▲(yì)粵ŋai⁶〔艾〕ai⁶〔挨低去〕(俗)❶「刈」的本字，見51頁。❷治理，安定，政治辦得好。如「海內乂安」。❸才德過人。如「俊乂」。

▲(ài)粵ŋoi⁶〔外〕oi⁶〔愛低去〕(俗)懲戒。如「懲乂」。

二至三畫

久 (jiǔ)粵geu²〔九〕❶時間長遠。如「長久」；「久遠」。❷經過的時間。如「他來很久了」。❸國舊。如「久要(舊時的約定)」。

公 ▲ (yāo) 粵 jiu¹〔邀〕同「幺」，見186頁。

▲「廠」的簡化，見869頁。

之 (zhī) 粵 dzi¹〔支〕❶跟「的」字用法一樣。如「大富之家」。❷図用在一個包孕句的子句的主語與述語之間，爲的是顯示子句不能獨立，使全句緊湊。如「大道之行也，天下爲公」；「人之爲學有難易乎」。❸図代名詞，和「他、它、那」一樣用法，但只能放在句的中間或末了。如「心甚惡之」；「愛之欲其生，惡之欲其死」。❹図往、去。如「不知所之」。❺図到。如「之死不悟」。❻図這，這個。如「之子于歸」。❼図語助詞，沒有意義。如「總之」；「則苗沛然興之矣」。❽此。如「之後（從此以後）」。❾「之字路」：曲折像「之」字一樣的道路。

四至九畫

乏 (fá) 粵 fet⁹〔罰〕❶欠缺。如「缺乏」。❷貧窮。如「匱乏」。❸疲倦。如「疲乏」。❹無用或無能的。如「貼乏了的膏藥」。❺図暫缺的職位。如「承乏（謙稱擔任缺人的職位）」。

生 (gǎ) 粵 ga²〔假〕❶調皮，難纏。如「這孩子很生」。❷「生雜子」：罵性情乖僻的人。

乎 (hū) 粵 fu⁴〔符〕❶詞尾，附在修飾語詞後頭。如「斷乎不可」；「幾乎喪命」；「巍巍乎高大無比」。❷用在語句裏的介詞，和「於」的用法一樣。如「合乎規定」；「出乎意料」。❸図文言裏的疑問助詞，像白話裏的「嗎」。如「賢者亦樂此乎？」❹図文言裏表感歎的助詞，像白話裏的「啊」；「呀」。如「悲乎！」；「惜乎！」。❺図文言裏表示推測語氣的詞，像白話裏的「吧」。如「其將歸乎？」❻図文言用在句裏使語氣舒緩的詞。如「事之成敗於天運乎何關？」❼図文言呼人的助詞。如「母乎！」；「吾師乎！」。

乍 (zhà) 粵 dza³〔炸〕❶忽然。如「乍寒乍熱」。❷剛剛開始。如「新來乍到」。❸「乍着膽子」：勉強振起勇氣的意思。❹「乍然」：突然。

乒 (pīng) 粵 piŋ¹〔怦〕❶表示聲音。如「乒乒乓乓」。❷「乒乓球」：桌球的舊稱。簡稱「乒乓」。

【乓】見、部，第7頁。

【丢】同「丟」，見第4頁。

乖 (guāi) 粵 gwai¹〔瓜挨切〕❶ 指小孩懂得規矩，聽大人的話，不淘氣。如「小寶是個乖孩子」。❷ 機伶。如「乖巧」；「賣乖」。❸ 因違反，不合。如「庶幾不與原意相乖」；「名實兩乖 (名實不合)」。❹ 因彆扭，性情不正常。如「乖僻」；「乖戾」。❺「乖乖」：長輩對孩子親愛的稱呼。

【垂】見土部，114頁。

【重】見里部，750頁。

乘 ▲ (chéng) 粵 sing⁴〔成〕❶ 用某種交通工具代步。如「乘車」；「乘船」。❷ 乘法。算法之一，求一數的若干倍的方法。❸ 順應，趁，藉着。如「乘勢」；「乘虛而入」。

▲ (shèng) 粵 sing⁶〔盛〕❶ 古時一輛由四匹馬拉的兵車叫一乘。如「萬乘之國」。❷ 史書。如「史乘」。❸ 佛教名詞，佛法深淺的階級。如「大乘」；「中乘」；「小乘」。

【乙部】

乙 (yǐ) 粵 jyt⁹〔月〕❶ 天干的第二位。普通用作「第二」或「次一等」的意思。❷ 人或地的代稱。如「乙方」；「某乙」。❸ 讀書到一個地方暫停，在上面畫一個「∨」的記號叫「乙」，也叫「鈎乙」。❹ 脫落的字在旁勾添。如「塗乙」。❺ 舊時商業上常用「乙」字代替「一」字。❻ 中國舊時音樂上表示聲音高低的符號，是「工尺」字裏的一個。相當於簡譜的「7」或低音「7」。❼ 有機化學名詞常用「甲」；「乙」；「丙」等字來定名詞，分出分子結構式的不同。如「乙炔 (電石氣)」；「乙烯 (生油氣)」；「乙醇 (酒精)」等等。

一至五畫

乜 ▲ (miē) 粵 mɛ¹〔咩〕❶「乜斜」：①斜眼看或眼睛困倦睜不開的樣子。②斜着腳步走路的樣子。❷「乜乜斜斜」：第二、三、四字都輕讀。同「乜斜」。

▲ (niè) 粵 mɛ⁵〔米野切〕姓。

▲ 粵 mɛt⁷〔媽弗切〕粵方言，甚麼的意思。

九 (jiǔ) ⑧ geu² 〔久〕 ❶ 數目字。在「八」後面，「十」的前面。大寫是「玖」。商碼作「久」，阿拉伯碼作「9」。❷ 形容多數，多次。如「九煉成鋼」；「九死一生」。❸「九九」：①冬至第二天起算，每九天爲「一九」，到了「九九」八十一天，天氣轉暖。②算法名，從一到九各兩數相乘的數，叫「九九」數。③指農曆九月九日的重陽節。❹图「九如」：祝頌的話。從詩經小雅天保篇裏九個「如」字的語句來的。原句是：「如山如阜，如岡如陵。如川之方至，以莫不增。如月之恆，如日之升。如南山之壽，不騫不崩。如松柏之茂，無不爾或承。」

乞 图(qǐ)⑧het⁷〔哈不切〕求。如「乞食」；「乞憐」。

也 (yě)⑧ja⁵〔以瓦切〕❶ 連帶着說，表示同樣的意思。如「我懂，你也懂」。❷ 表示「皆」；「都是」；「全」。有加重語氣的意思。如「他甚麼也不懂」。❸ 表示不全合理想，只是勉強可以，有減輕語氣的作用。如「這樣做也行」。❹ 表示轉折的語氣，常和「雖」、「雖然」相對應。如「事情雖難，也不能不做」。❺ 表示「還倒」；「卻還」的語氣。如「好在離家也不很遠」。❻ 用在句子中間，使語氣緩一緩。如「不知道對也不對」。❼ 用兩個「也」字前後呼應，使意思緊湊。如「左想也不妥，右想也不妥」。❽图用在文言句的末尾，表示語氣：①表示決斷。如「此城可克也」。②表示囑咐。如「不可不愼也」。③表示疑問。如「此爲誰也」。④表示感慨。如「此何言也」。❾图在文言文句的中間，表示語氣稍微停頓一下。如「大道之行也，天下爲公」。❿图句子裏的襯字，元代戲曲裏常見。如「待明朝早晨便來到也水濱」。

纠 (jiǔ)⑧geu²〔九〕「纠軍」：遼金時候的軍隊名，都是騎士，五十騎是一纠。遼用以掌禁衞；金用以戍邊堡。

【氹】同「凼」，見50頁。

乭 (dū)⑧duk⁷〔督〕「點乭」：畫家隨意點染。

乩 (jī)⑧gei¹〔基〕「扶乩」(「乩」也寫作「箕」)：又叫「扶鸞」，是一種迷信「請神仙」問吉凶的方法(用盤盛沙，用兩個人扶一個「丁」字形的木筆，把沙撥成字或圖畫，說是神的降示)。

七至十二畫

乳 (rǔ)粵jy⁵〔羽〕❶雌性哺乳類動物生子之後，乳房會分泌一種富有養分，用來哺育幼兒的液體。如「牛乳」。❷乳房的簡稱。❸像乳頭的物體。如「石鐘乳」。❹図養育，作動詞用。唐書有「如乳哺焉」。❺図滋生。如「孳乳」。❻初生的動物。如「乳燕」。❼像乳汁一樣的液體或顏色。如「乳膠」；「乳白」。

乾 ▲(gān)粵gon¹〔肝〕❶沒有水分或水分少的，跟「濕」相反。如「乾柴」。❷乾的食物。如「餅乾」；「牛肉乾」。❸水分變少、變沒了。如「乾枯」；「口乾舌燥」。❹沒了，光了。如「把錢花乾了」。❺空，徒然。如「乾等」；「乾着急」。❻沒有血緣關係，只是拜認結成的親屬。如「乾爹」；「乾女兒」。❼形容說話太直太粗。如「你說的話真乾」。❽當面說怨怒的話使人難為情。如「我又乾了他一頓」。❾慢待，置之不理。如「主人走了，把咱們乾起來了」。❿單單的，只，僅。如「不要乾說不做」。

▲(qián)粵kin⁴〔虔〕❶八卦一，卦形是「☰」，健行不息的意思。❷指「天」。如「乾坤」。❸指男方的。如「乾宅」。❹舊時稱君主或丈夫。如「乾綱」。❺姓。

亂 (luàn)粵lyn⁶〔嫩〕❶沒有秩序的，沒條理的。如「亂說一陣」；「一團亂麻」。❷指戰爭等大騷動。如「變亂」；「動亂」。❸混淆。如「以假亂真」。❹不按照正常的道理所做的事。如「淫亂」；「亂命」。❺図糊塗。如「酒不及亂」。❻図治理。論語有「予有亂臣十人」。

【亅部】

一至三畫

了 ▲(liǎo)粵liu⁵〔鳥〕❶明白，懂得。如「了解」；「一目了然」。❷盡，完結。如「沒完沒了」；「責任未了」。❸處理，調解。如「這一場糾紛怎麼了呢」。❹表示可能。如「辦得了」；「來不了」。❺囝完全地。如「了無懼容」。❻「了了」：①明白，清爽。②清理。如「了了虧空」。③囝聰明。如「小時了了，大未必佳」。❼「瞭」的簡化，見478頁。

▲(le)粵liu⁵〔鳥〕表示說話口氣的詞，也寫「嘞」：①表示已經。如「他們走了」。②表示完結。如「吃了飯就去」。③表示實行或實現。如「等一會他就出來了」；「說得他笑起來了」。④表示肯定。如「這就難怪了」；「這麼多工作，夠你做的了」。

予 ▲囝(yú)粵jy⁴〔余〕❶指自己，同「余」，相當白話的「我」。論語有「天生德於予」。❷囝「予取予求」：向我求取，一切依照自己的意思隨便要。

▲(yǔ)粵jy⁵〔羽〕❶賞賜，給，和「與」的意義相同。如「給予」。❷囝「准予」的「予」，有時有許可的意思。如「請予照准」。❸囝贊許。漢書有「春秋予之」。

七畫

事 (shì)粵si⁶〔士〕❶人類的所作所爲和遭遇。❷職業，職務。如「謀事」。❸變故，指不幸的事。如「出了事」；「平安無事」。❹囝侍奉。如「善事父母」。❺囝做。如「不事生產」。❻囝器物一件叫一事。白居易詩有「歌絃三數事」。❼囝通「剚」，見55頁。❽「事事」：①各種事情。如「事事都辦妥」。②囝做事。如「無所事事」。

【二部】

二 (èr)⑧ji⁶〔異〕❶數目字。大寫作「貳」或「弍」；商碼作「〢」；阿拉伯碼作「2」。❷第二。如「二次大戰」。❸較次一等的。如「二等貨」。❹兩樣。如「不二價」；「說一不二」。❺囡比。如「至高無二」；「功無二於天下」。❻囡改變，背叛，同「貳」。如「有死無二」。參見699頁「貳」。

一至二畫

彳 (chù)⑧tsuk⁷〔束〕小步。左步叫「彳」，右步叫「亍」，合起來走叫「行」。

于 ▲(yú)⑧jy¹〔於〕❶囡古詩文句子裏的虛字。如「黃鳥于飛」。❷囡「于歸」：指女子出嫁（「于」是往，「歸」是回去。女人出嫁，住在婆家，母家成為外家，所以說「出嫁」是「于歸」）。❸姓。❹通「於」，見286頁。
▲囡(xū)⑧hœy¹〔虛〕通「吁」，見79頁。

互 (hù)⑧wu⁶〔戶〕彼此連合。指一個對一個，或人對人。如「互不相讓」；「互推一個代表」。

井 (jīng)⑧dziŋ²〔整〕dzɛŋ²〔渣餅切〕(又)❶為了汲水，向地下鑿的深洞。如「水井」。❷像井的坑洞、礦坑。如「煤井」；「鹽井」。❸形容整齊而有秩序的樣子。如「井然不紊」；「井井有條」。❹星宿名，二十八宿之一。❺姓。❻「井田」：周代的農田制度，九百畝為一「井」，把一井畫為九區，每區一百畝；外面八區，每區一家，是私田；中間一區，由外面八家共同耕種，收穫歸公，是「公田」。因為形狀像「井」字，所以叫「井田」。❼「鄉井」：即是家鄉。也拆開來說。如「離鄉背井」。❽「市井」：即是市街，也指一般社會。如「市井小民」。

亓 (qí)⑧kei⁴〔其〕❶姓。❷古「其」字，見43頁。

五 (wǔ)⑧ŋ⁵〔午〕❶數目字。大寫時作「伍」；商碼作「〥」，阿拉伯碼作「5」。❷第五。如「小學五年級」❸「五經」：《詩》、《書》、《禮》、《易》、《春秋》的合稱。

云 (yún)⑧wɐn⁴〔雲〕❶說。如「人云亦云」。❷囡一句末了的虛字，從「聽說」來的。如「各項計劃尚待實施云」。❸囡古詩文用作襯字。如「歲云暮

矣」。❹古「雲」字，見797頁。
❺姓。❻図「云云」：引用文件
或別人的談話，用來代表所省
略的部分，即是「如此如此」或
「等等」的意思。❼図「云爾」：
語助詞。

四至五畫

互 (gèn) 粵 geng² 〔梗〕❶通，
連。說空間或時間的長遠，
由這頭到那頭連綿不斷。如
「亙古（最古的時候）以來」；
「綿亙數里」。❷姓。

亘 ▲「宣」的本字，見154頁。
▲「亙」的俗字，見本頁。

況 図(kuàng) 粵 fong³ 〔放〕古文
在一句開頭墊襯用的虛字。
如詩經有「況也永歎」。（「況」
字偏旁是「二」，俗與「況」、
「况」互相誤用。）

些 ▲(xiē) 粵 se¹ 〔賒〕❶若干。
如「講了些話」；「長些見
識」。❷表示在比較之中的略
微的差別。如「走快些」；「他
做得多些」。❸比較起來相當
多的數目。如「這些」；「好些
人」；「這麼些年」。
▲図(suò) 粵 so³ 〔沙個切〕古
書用在句子末了的助詞，好像
「兮」的口氣，楚辭裏用得比較
多。如「何為四方些」；「歸來
歸來，恐危身些」。

六畫

亟 ▲図(jí) 粵 gik⁷ 〔激〕緊急，
急切。如「需款孔亟」。
▲(qì) 粵 kei³ 〔冀〕屢次。如
「亟來請教」；「往來頻亟」。
【亝】同「齋」。見880頁。

亞 (yà) 粵 a³ 〔阿〕❶比較次一等
的。如「亞熱帶」；「這一隊
是籃球比賽的亞軍」。❷亞細
亞洲的簡稱。如「東亞」；「東
南亞」。❸図開，啟。如「半亞
朱扉」。

【一部】

一至二畫

亡 ▲ (wáng) 粵 mɔŋ⁴〔忙〕❶
滅。如「滅亡」;「亡國」。❷
逃。如「逃亡」;「亡命」。❸死
去。如「陣亡」。❹死去的人。
如「傷亡」;「悼亡（指妻）」。❺
図失去。如「歧路亡羊」。❻図
不在其處。論語有「孔子時其
亡也，而往拜之」。❼図通
「忘」，見212頁。

▲図 (wú) 粵 mou⁴〔無〕舊時
用作「無」。

亢 ▲ (kàng) 粵 kɔŋ³〔抗〕❶
高，傲。如「不卑不亢」。❷
過分，極。如「亢旱」。❸星宿
名，二十八宿之一。❹図通
「抗」。如「分庭亢禮（高下相
當，行平等之禮）」，參見239
頁。❺姓。

▲図 (gāng) 粵 gɔŋ¹〔江〕人
的脖子、喉嚨。如「扼其亢」。

四畫

交 (jiāo) 粵 gau¹〔郊〕❶付給，
付托。如「交付」;「這件事
交給他辦」。❷互相，共同，
彼此相對的動作。如「交換」;
「交流」。❸交叉。如「兩線相

交」。❹相接。如「交界」;「交
頭接耳」。❺朋友的往來。如
「交了幾個朋友」。❻朋友。如
「至交」;「手帕交」。❼「交易」
的簡稱。如「成交」。❽達到一
個時刻或季節。如「交十二
點」;「現在已經交春了」。❾
時會點。如「春夏之交」。❿一
齊。如「風雨交加」;「飢寒交
迫」。⓫雌雄相配。如「交
配」。⓬同「跤」，見709頁。

亥 (hài) 粵 hɔi⁶〔害〕❶十二地
支的末位。❷排列次序的用
字，表示第十二。❸亥時，指
夜裏九點到十一點。❹姓。

亦 (yì) 粵 jik⁹〔液〕❶連帶着
說，表示同樣、全部、勉強
可以的意思。如「人云亦云」;
「此亦大佳」;「即黍稷亦不能
辨」。❷只，但。如「子亦不努
力耳，此何困難之有」。❸襯
托語氣用的詞。如「不亦樂
乎」;「不亦快哉」。❹常跟口
語的「也」字相通。

五至六畫

亨 ▲ (hēng) 粵 hɐŋ¹〔鏗〕通
達，順利。如「萬事亨通」。

▲図 (pēng) 粵 paŋ¹〔烹〕同
「烹」，見404頁。

氓(吒) ▲ (máng) 粵 mɔŋ⁴
〔亡〕「流氓」:不務

正業的遊民和無賴漢。

▲図(méng)働mɐn⁴〔文〕通「民」，見358頁。

京 (jing)働giŋ¹〔經〕❶國都。如「京城」。❷図大。如「莫之與京」。❸古代量詞，一千萬叫「一京」。❹姓。

享(亯) (xiǎng)働hœŋ²〔響〕❶受用。如「享福」；「坐享其成」。❷図供奉或招待。祭祀叫「祭享」；請客吃飯叫「享客」。

【夜】見夕部，127頁。
【卒】見十部，67頁。

七至十九畫

亭 (ting)働tiŋ⁴〔廷〕❶亭子，在路旁或花園裏的建築物，有頂無牆，供人休息。❷在道旁建立的小型屋子，作辦公或營業用的。如「郵亭」；「票亭（賣車票的）」。❸妥帖。如「亭當」（也作「停當」）。❹図到。如「亭午」。❺「亭亭」：聳立或直立的樣子。如「亭亭玉立」。

亮 (liàng)働lœŋ⁶〔諒〕❶光明。❷光。如「火亮兒」；「點個亮兒來」。❸天明。如「才五點鐘天就亮了」。❹顯露。如「把底牌亮出來」。❺敞亮，痛快。如「心明眼亮」。❻聲音清高。如「響亮」。❼擺出來，亮相。如「把刀一亮」。❽図忠直清高。如「高風亮節」。

【兗】見儿部，40頁。
【帝】見巾部，180頁。
【音】見音部，810頁。

亳 (bó)働bɔk⁸〔博〕❶縣名，在安徽省。❷商朝的國都，在現在河南省商邱縣。

商 (shāng)働sœŋ¹〔傷〕❶討論或計劃事情。如「面商」；「商量好了再辦」。❷生意，做買賣。如「商人」；「經商」。❸算術除法演算的得數叫「商」。❹舊時五音（宮、商、角、徵、羽）之一。❺朝代名，成湯所建立的，國號商（公元前1766—前1122）。❻星宿名，常常跟參(shēn)星連在一起。❼姓。

【高】見高部，838頁。
【毫】見毛部，356頁。
【烹】見火部，404頁。
【率】見玄部，432頁。

亶 図(dǎn)働tan²〔坦〕真誠。如「亶其然乎」。

【豪】見豕部，694頁。

亹 (wěi)働mei⁵〔尾〕❶図勉力，不倦。易經有「成天下之亹亹」。❷図往前進的樣子。楚辭有「時亹而過中兮」。❸「亹源」：縣名，在青海省。

【人部】

人 (rén) 粵 jɐn⁴〔仁〕❶ 具智慧，能製造、使用生產工具的最高等動物。如「人跟禽獸有很大的不同」。❷指別人。如「人所周知」；「己所不欲，勿施於人」。❸人格。如「法人」；「自然人」。❹籍貫，是「人氏」的簡稱。如「他是廣東人」。❺指一般人。如「人云亦云」。❻姓。

一畫

个 「個」的古字，見29頁；「簡」的古字，見513頁。

二畫

仆 ▲(pū，又讀fù) 粵fu⁶〔付〕跌倒伏地。如「前仆後繼」。
▲「僕」的簡化，見35頁。

仃 (dīng) 粵diŋ¹〔丁〕「伶仃」：孤單的樣子。

仂 図(lè) 粵lɐk⁹〔離麥切〕lak⁹〔離額切〕(又)❶零星數目。❷「仂語」：不成句子的短語。

介 ▲(jiè) 粵gai³〔戒〕❶身上有甲殼的水產動物。如「鱗介」。❷古時候打仗所穿的鐵甲。如「介胄」。❸在中間做連繫。如「介紹」；「媒介」。❹梗直，不屈服。如「耿介」。❺図同「個」。如「一介書生」。❻図大。如「介弟(尊稱人的弟弟)」；「介福」。❼図同「芥」，形容細微、小。如「一介不取」。❽図助。詩經有「以介眉壽」。❾舊劇本用「介」表人的動作。如「哭介」；「笑介」。❿姓。⓫図「介然」：堅決、耿直。⓬図「介介」：有事存在心裏不能忘記。⓭「介意」：①放在心上想着。②在意、注意。
▲(gà) 粵gai³〔戒〕這樣的。如「像煞有介事」(吳語)。

今 (jīn) 粵gɐm¹〔甘〕❶跟「古」相反，等於現代。如「古今」。❷現在。如「今天」；「今世」。

仉 (zhǎng) 粵dzœŋ²〔掌〕姓。

仇 ▲(chóu) 粵tsɐu⁴〔酬〕sɐu⁴〔愁〕(又)敵對，怨恨。如「仇敵」；「仇恨」。
▲(qiú) 粵kɐu⁴〔求〕❶図匹配。❷姓。

什 ▲(shí) 粵sɐp⁹〔十〕❶同「十」字。如「什一(十分之一)」。❷古時軍隊編制，五人為「伍」，二「伍」為「什」。❸詩經的頌雅，十篇編成一卷，所以稱詩篇叫「篇什」。
▲(shén) 粵sɐm⁶〔甚〕「什

麼」同「甚麼」，見445頁。

▲ (shi) 粵 dzap⁹〔雜〕通「雜」，「雜貨」也作「什貨」，參見795頁。

仁 (rén) 粵 jɐn⁴〔人〕❶儒家所說寬惠行德的德行。❷有德的人。如「仁人」。❸果核裏的種子。如「杏仁」。❹通「人」字，如「同仁」(同「同人」)。

仍 (réng) 粵 jiŋ⁴〔刑〕❶照舊。如「仍舊」。❷团屢次。如「頻仍」。❸「仍然」：依然。如「教訓多次，仍然不改」。

仄 (zè) 粵 dzɛk⁷〔則〕❶团通「側」，傾斜。❷团狹小。如「仄小」。❸字音語音上、去、入三聲，總稱仄聲。如「平仄(平聲跟仄聲)」。

【化】見七部，63頁。

三畫

付 (fù) 粵 fu⁶〔父〕❶給，與。如「交付」。❷錢財的支出。

代 (dài) 粵 doi⁶〔待〕❶替。如「代耕」；「代理」。❷輪流更換。如「人才輩興」。❸時代，朝代。如「古代」；「周代」。❹世。如「五代同堂」。

他 (tā) 粵 ta¹〔它〕❶第三人稱代詞，指我你以外的第三人。❷別的。如「他人」；「他處」；「他鄉」。

仝 (tóng) 粵 tuŋ⁴〔銅〕❶姓。❷同「同」字，見78頁。

令 ▲(ling) 粵 liŋ⁶〔另〕❶從前把律法叫令。❷上級機關對下級機關的指示、告誡。❸尊長對晚輩的訓示或使喚。❹時節。如「時令」。❺使。如「令人感動」。❻尊稱別人的親屬。如「令尊」。❼团善、美。如「令德」；「令名」。❽古官名。如「令尹」；「縣令」。❾姓。

▲(ling) 粵 liŋ⁴〔零〕❶团「使令」：役使。❷「令丁」同「零丁」：見798頁。❸「令利」同「伶利」：見23頁。❹「令狐」：複姓。

▲(ling) 粵 lim¹〔黏〕量詞，紙五百張叫「一令」。

仟 (qiān) 粵 tsin¹〔千〕❶千字大寫。❷通「阡」，見783頁。

仙(僊) (xiān) 粵 sin¹〔先〕❶道家稱學道成功，能夠「長生」，有特殊本領的人。❷指某種成就特異的人。如「詩仙」。❸cent(一圓的百分之一)的簡譯。❹团人死。如「仙逝」。

仗 (zhàng) 粵 dzœŋ⁶〔丈〕❶兵器的總稱。如「兵仗」。❷兵衞。如「儀仗」。❸憑倚。如「仗勢欺人」。❹執，持。如

「仗劍」。❺戰爭。如「打仗」。

仕 (shì)（粵）si⁶〔士〕❶做官。如「學而優則仕」。❷官吏。如「仕宦」。❸象棋棋子之一，擺在「帥」的兩旁，用作護衞。

仞 (rèn)（粵）jen⁶〔刃〕❶古代量度單位，以八尺或七尺爲一仞。論語有「夫子之牆數仞」。❷囝測量深度。左傳有「仞溝洫」。

仔 ▲囝 (zī)（粵）dzi²〔子〕❶職任。如「仔肩（責任）」。❷「仔細」：①精審，不輕率。②注意，留神。❸「仔密」：質地緊密。如「這布料織得仔密」。
▲ (zǎi)（粵）dzɐi²〔濟〕❶稱小孩子。❷廣東話稱幼小的。如「豬仔」；「車仔」。

仨 (sā)（粵）sam¹〔三〕三個（這字後面不能再加「個」字）。

以（㠯、叺） (yī)（粵）jy⁵〔耳〕❶囝抽象名詞，緣故，理由。如「良有以也」。❷囝外動詞，用，爲。論語有「視其所以」。❸囝外動詞，說是，以爲。漢書有「人人自以得上意」。❹介詞，表動作所憑藉。莊子有「臣以神遇而不以目視」。❺介詞，表動作的起因。如「何以知之」。❻介詞，同「於」，放在形容詞下。左傳有「衆叛親離，難以濟矣」。❼介詞，同「於」，表時間。史記有「(田)文以五月五日生」。❽介詞，表率領。史記有「宮之奇以其族去虞」。❾囝介詞，表所用的名義或資格。史記有「韓說以校尉從大將軍」；「以將軍朔方，以右將軍將」。❿囝介詞，同「與」。論語有「滔滔者天下皆是也，而誰以易之」。⓫囝介詞，表事情的結果，相當「以至於」。漢書有「昔秦穆公不從百里奚、蹇叔之言，以敗其師」。⓬囝承接連詞，同「而」。禮記有「亡國之音哀以思」。⓭陪從連詞。加在「往」；「來」；「前」；「後」；「上」；「下」或「東」；「南」；「西」；「北」的前面。表時間或空間。⓮囝介詞，表論事的標準或依據。如「以貌取人」；「數以百計」；「以此而論」。

四畫

份 ▲(fèn)（粵）fɐn⁶〔防近切〕❶量詞。如「一份」。❷通「分」。如「部份」，參見51頁。
▲ (bīn)（粵）bɐn¹〔奔〕古「彬」字，跟「斌」通，見282頁。

仳 囝 (pī)（粵）pei²〔鄙〕分離。「仳離」：指離別，常指離婚方面。

伐 (fá)粵fet⁹〔佛〕❶征討。如「北伐」。❷擊，砍。如「伐木」。❸図自誇。如「不伐善」。

仿 (fǎng)粵foŋ²〔訪〕❶學別人的樣子。如「仿傚」。❷大致相同。如「相仿」。❸大概相似。如「仿彿」。

伕 (fū)粵fu¹〔夫〕「夫役」的「夫」的俗字，見128頁。

伏 (fú)粵fuk⁹〔服〕❶臉朝下，身子彎下去趴着。如「伏地不動」。❷藏着準備突然出來攻擊。如「伏兵」；「埋伏」。❸不露在表面的。如「伏礁」；「伏筆」。❹承認，同「服」。如「伏輸」；「不伏老」。❺侍奉。如「伏侍」。❻受到懲處。如「伏法」。❼図函牘的敬詞。如「伏維」；「伏祈」。❽時令名。如「伏天(夏至以後的第三個庚日起的三十天之內；又分為初伏、中伏、末伏各十天)」。❾使它服帖。如「降龍伏虎」。❿「伏特」(電位差或電壓的實用單位)的簡稱。⓫姓。

伉 (kàng)粵koŋ³〔抗〕❶配偶(夫婦)。如「伉儷」。❷同「抗」，剛直的樣子，參見239頁。

伙 (huǒ)粵fɔ²〔火〕❶同「火」。共事。古時軍制十人為「火」。同「火」的人互稱「火伴」，也寫成「伙伴」。❷通「夥」，聯合，共同。如「伙同」；「合伙」。❸「伙計」：商店的職工。❹「伙食」：飯食。

伎 図(jì)粵gei⁶〔忌〕❶才智。❷技藝。❸「伎倆」：手段、技巧(一般多用來說壞事情)。❹通「妓」，見137頁。

价 ▲図(jiè)粵gai³〔戒〕❶善，大。❷「价人」：舊稱供役使的人。

▲「價」的簡化，見36頁。

件 (jiàn)粵gin⁶〔健〕❶事物的單位。指事一椿或物一個。❷泛指可以論件的事物。如「機件」；「零件」。❸專指文件。如「來件」。

企 (qǐ)粵kei⁵〔卡里切〕❶図提起腳跟望着。如「翹企」(是盼望的意思)。❷企圖。圖謀，妄想。❸「企業」：生產事業的機構。❹「企鵝」：游禽類，南極的特產。嘴尖而硬，頭稍長，近尾處有短腳，前三趾張蹼，尾短翼小，善於潛水，在陸地上足尾並用，可以直立。

休 ▲(xiū)粵jeu¹〔丘〕❶歇息。如「休息」。❷終止，停歇。如「休學」。❸不可。如「你休打他的主意」。❹舊稱丈

夫把妻子趕回母家，斷絕夫妻關係爲「休妻」。❺罷官。如「休官」。❻图美、善。如「永垂無疆之休」。❼图喜樂。如「休戚」。❽图助詞。如「歸休」；「去休」。❾「休克」：醫學名詞，英語shock的音譯，是「暈厥」的意思。

▲通「煦」，見407頁。

仲 (zhòng) 粵 dzuŋ⁶〔頌〕❶位置在中間的。如「仲裁」。❷次序第二的。如「仲春」。❸姓。

任 ▲ (rèn) 粵 jɐm⁶〔賃〕❶職責。如「天降大任」。❷官員典守的職務。如「到任」。❸派用。如「任命」。❹擔負。如「任勞任怨」。❺聽憑。如「任意」；「放任」。❻無論。如「任他怎麼說都不行」。❼相信。如「信任」。❽图通「妊」，見137頁。

▲ (rén) 粵 jɐm⁴〔淫〕jɐm⁶〔賃〕(又)❶图堪，勝。史記有「病不任行」。❷图抵擋。如「衆怒難任」。❸姓。

伊 (yī) 粵 ji¹〔衣〕❶彼，他，她。如「伊人」。❷图語氣助詞。如「開幕伊始」(伊始即是事的開端)；「伊於胡底」(到什麼地步才算完，是感慨的話)。❸「伊斯蘭」：回教，穆

罕默德所創，教典叫可蘭經，盛行在中亞、北非洲、土耳其和中國西北一帶。❹河南省河名。❺姓。

仰 (yǎng) 粵 jœŋ⁵〔養〕❶頭向上抬，跟「俯」相反。如「仰首」。❷敬慕。如「敬仰」；「久仰」。❸倚賴。如「仰仗」。❹姓。

伍 (wǔ) 粵 ŋ⁵〔五〕❶古時軍隊編制，五人叫「伍」；引作指軍隊。如「入伍」。❷古時基層的民政組織，五戶叫「伍」。❸图儕輩，等類，相處在一夥兒。如「羞與爲伍」。❹「五」的大寫。❺姓。

仵 (wǔ) 粵 ŋ⁵〔五〕❶图相同。莊子有「以觭偶不仵之辭相應」。❷「仵作」：舊時檢驗死傷的雜吏，相當於現在的法醫。

伃 (yú) 粵 jy⁴〔如〕「倢伃」：見30頁「倢」字。

五畫

伯 ▲ (bó) 粵 bak⁸〔百〕❶年長的。舊以「伯、仲、叔、季」作兄弟排行次序，「伯」最大。❷父親的哥哥。如「伯父」。❸五等爵的第三等。如「伯爵」。❹图領袖。如「詩伯」。❺姓。

▲ (bǎi) 粵 bak⁸〔百〕「大伯

子」：丈夫的哥哥。

▲伯(bà)（粵）ba³〔霸〕通「霸」。「五伯」同「五霸」：見800頁。

伴(bàn)（粵）bun⁶〔叛〕❶同在一塊的人。如「伴侶」。❷陪着。如「伴遊」。

佈(bù)（粵）bou³〔布〕❶把事情用語言或文字使人知道。如「宣佈」；「公佈」。❷分布，陳列，整理。如「佈置」；「佈局」。❸通「布」，見179頁。

佛▲(fó)（粵）fet⁹〔乏〕❶梵語「佛陀」的簡稱。義譯是有最大的智慧，自覺而又能覺醒眾生，覺行圓滿。❷佛教(印度人釋迦牟尼所創立的宗教)，以成佛祖凡為主旨。後漢明帝時由西域傳入中國，現在盛行於亞洲東南部)的略稱。如「信佛」；「佛經」。❸廟裏的菩薩。

▲(fú)（粵）fet⁷〔拂〕「仿佛」：見20頁「仿」字。

但(dàn)（粵）dan⁶〔彈〕❶不過，轉折連詞。如「但是」。❷儘管。如「此係私室，但說無妨」。❸只。如「但願他早日恢復健康」。❹只要。如「但能節省就節省」。❺図僅僅。如「但微領耳」。❻姓。

低(dī)（粵）dei¹〔打溪切〕❶跟「高」相反：①由下到上的

距離近。如「這所房子太低」。②等級在下或課程較淺。如「低年級」。③程度差。如「水平很低」。④聲音細小。如「低聲說話」。❷指價格便宜。如「低價」。❸俯垂。如「低頭」。❹庸俗。如「低級趣味」。

佃▲(diàn)（粵）din⁶〔電〕❶耕作。如「佃作」。❷租地耕種。如「佃農」。

▲(tián)（粵）tin⁴〔田〕図打獵。如「以佃以漁」。

佗(tuó)（粵）tɔ⁴〔陀〕❶負荷。❷姓。❸「佗佗」：雍容自得的樣子。

佟(tóng)（粵）tuŋ⁴〔同〕姓。

你(nǐ)（粵）nei⁵〔您〕lei⁵〔李〕(俗)第二人稱代名詞，指在對面聽話的人。

佞(nìng)（粵）niŋ⁶〔擰〕liŋ⁶〔令〕(俗)❶才能，人自謙說「不佞」。❷善辯。如「佞人(指有口才而心術不正的人)」。❸「佞奉」：諂媚。

估▲(gū，又讀gǔ)（粵）gu²〔古〕❶論價。如「估一估價錢」。❷計算，料量。如「估量」。

▲(gù)（粵）gu³〔故〕「估衣」：出售的舊衣服。

佝(gōu)（粵）kɐu¹〔溝〕「佝僂」：因缺乏鈣質而引起的軟骨

症，小孩子得了這種病，常有「雞胸」、「駝背」的現象。

伶 (líng)㊀liŋ⁴〔零〕❶戲劇演員。如「女伶」。❷姓。❸「伶仃」也作「零丁」：孤獨沒有依靠的樣子。❹「伶俐」：形容靈活聰明。❺「伶牙俐齒」：形容人的口才好，能說善道。

何 ▲(hé)㊀hɔ⁴〔河〕❶表示疑問的詞。同「哪」；「怎樣」；「甚麼」；「爲甚麼」。如「何處」；「如何」；「何人」；「何必如此」。❷囡何等，多麼。如「明月何皎皎」。❸囡何處。如「子何之」。❹姓。

▲ 囡 (hè)㊀hɔ⁶〔賀〕同「荷」，負擔。見605頁。

伽 ▲(qié)㊀kɛ⁴〔騎〕❶佛經上用的譯音字。❷「伽藍」：佛寺。

▲ (jià)㊀ga¹〔加〕❶譯音字。❷「伽利略」：意大利天文學家，物理學家。

佔 (zhàn)㊀dzim³〔支厭切〕❶據有，取得。如「霸佔」；「佔優勢」。❷同「占」，見68頁。

佇(竚) 囡(zhù)㊀tsy⁵〔柱〕❶久站。❷盼望。如「佇望」。

住 (zhù)㊀dzy⁶〔支遇切〕❶居。如「家住哪裏」。❷宿。如「我只住一夜」。❸表示得到後不再變動。如「我捉住牠了」。❹牢固，穩妥的意思。如「站住腳了」。❺止。如「住手」；「雨住了」。

佌 囡(cǐ)㊀tsi²〔此〕小。

伸 (shēn)㊀sɛn¹〔辛〕❶舒展。如「伸懶腰」。❷申理。如「伸寃」。❸囡「伸證」：顯明的證據。

作 ▲(zuò)㊀dzɔk⁸〔昨〕❶做。如「作事」。❷鼓舞，振起。如「振作」。❸創造。如「創作」；「述而不作」。❹囡起。如「變色而作」。❺作品。如「傑作」；「不朽之作」。❻當，成。如「逾期作廢」；「把他當作好人」。

▲(zuō)㊀dzɔk⁸〔昨〕❶工人。如「瓦作」；「木作」；「作坊（工人工作的場所）」。❷招惹，自找。如「自作自受」。❸「作揖」：拱手行禮。

▲(zuó)㊀dzɔk⁸〔昨〕❶「作料」：調和食味的材料。❷「作摩」：尋思，揣測。❸「作踐」：糟蹋。❹「作興」：①或許。②慣例所許。

伺 ▲(sì)㊀dzi⁶〔自〕偵察，偵候。如「窺伺」。

▲(cì)㊀si⁶〔侍〕「伺候」：侍候，服侍。

佐 (zuǒ)粵dzɔ³〔支個切〕❶ 從旁幫助。❷図助手。如「佐貳之官」。

似 ▲ (sì)粵tsi⁵〔恃〕❶ 相像。如「相似」。❷ 比較而有等差。如「一個強似一個」。❸ 似乎是，表示擬議而不確定的意思。如「似有不合」。

▲ (shì)粵tsi⁵〔恃〕「似的」：用作後附的副詞，同「一樣」。也作「是的」。如「我看他有心事似的」。

佚 図 (yì) 粵jɐt⁹〔日〕❶ 通「逸」，見 732 頁。❷ 通「遺」，見737頁。❸ 過失。

佑 (yòu)粵jɐu⁶〔又〕扶助，保護。如「保佑」。❷通「祐」，見493頁。

位 (wèi)粵wɐi⁶〔胃〕❶ 事物所在的地方。如「地位」。❷ 職級。如「不計名位」。❸ 尊稱人的量詞。如「各位」；「諸位」。❹ 數的級。如「十位數」。

佘 (shé)粵sɛ⁴〔蛇〕姓。

余 ▲ (yú)粵jy⁴〔如〕❶ 図我。❷ 図「余月」：陰曆四月的別稱。❸ 姓。❹ 同「餘」，見823頁。

▲ (xú)粵tsœy⁴〔徐〕❶ 通「徐」。「余余」同「徐徐」：見206頁。❷「余吾」：水名，在河套西境。

佣 (yōng)粵juŋ²〔擁〕買賣貨物居間人所得的酬金。如「佣金」；「佣錢」。

【坐】見土部，113頁。
【佂】同「怔」，見215頁。
【攸】見攴部，276頁。

六畫

佰 (bǎi)粵bak⁸〔百〕❶ 古時軍制的百人之長。❷「百」的大寫，見464頁。

佩 (pèi)粵pui³〔配〕❶ 繫上去，插住。如「佩帶」。❷古人繫在衣帶上的玉質飾物。❸ 崇敬，信服。如「佩服」。

侔 図 (móu)粵mɐu⁴〔謀〕相等。如「相侔」。

佻 図 (tiāo)粵tiu¹〔挑〕❶ 不端重。如「佻巧」；「輕佻」。❷ 竊取。如「佻天以為己力」。❸「佻㒓」同「挑達(tà)」：見246頁。

侗 ▲図 (tóng)粵tuŋ⁴〔同〕「倥侗」：見30頁「倥」字。

▲ (dòng)粵duŋ⁶〔洞〕「侗族」：中國少數民族之一。居住貴州、湖南、廣西一帶。

▲ (tǒng) 粵 tuŋ²〔統〕「儱侗」：見38頁「儱」字。

來 ▲ (lái)粵lɔi⁴〔萊〕❶ 跟「去」、「往」相反。如「來

図「便佞」：辯而巧。❻「便娟」、「便嬛」：輕盈的樣子。

俜 (ping)粵pin¹〔怦〕「伶俜」：孤獨的樣子。

俘 (fú)粵fu¹〔呼〕❶捉住了。如「俘獲敵人十人」。❷戰時捉到的敵人。如「俘虜」；「戰俘」。

俛 ▲(fǔ)粵fu²〔苦〕同「俯」，見29頁。
　▲(miǎn)粵min⁵〔免〕同「勉」，見59頁。

俚 図(li)粵lei⁵〔里〕❶鄙俗。如「俚言」。❷聊。如「無俚(無聊)」。

俐 (lì)粵lei⁶〔利〕❶「伶俐」：聰明活潑。❷「俐落」：①爽利。②完畢的意思。如「這件事辦俐落了」。

侶 (lǔ)粵lœy⁵〔旅〕同伴。如「伴侶」。

侯 (hóu)粵heu⁴〔喉〕❶五等爵的第二等。如「侯爵」。❷図獸皮做的箭靶。❸図發語詞。同「惟」；「維」。詩經有「侯誰在矣」。❹図疑問詞，同「何」。漢書有「君乎，君乎，侯不邁哉」。❺姓。

俊 (jùn)粵dzœn³〔進〕❶才智勝過人的。如「俊傑」。❷指容貌秀美。如「俊俏」。❸図大。如「俊德」。

侷 (jú)粵guk⁹〔局〕「侷促」同「局促」：①地方狹窄，不舒適。②心神不寧的樣子。

俏 (qiào)粵tsiu³〔肖〕❶姿容輕盈俊美。如「俏佳人」。❷活潑有趣或輕薄尖刻。如「俏皮」。❸貨品銷路好，價格漲起。如「市價挺俏」。❹相似。如「俏似」。

俅 (qiú)粵keu⁴〔求〕❶図「俅俅」：恭順的樣子。❷「俅人」：中國少數民族，「獨龍族」的舊稱，住在雲南省。

侵 ▲(qīn)粵tsɐm¹〔雌庵切〕❶掠奪。如「侵佔」。❷興兵進犯。如「入侵」。❸図漸進。如「侵尋」。
　▲(qǐn)粵tsɐm²〔寢〕「貌侵」同「貌寢」：像貌醜。

係 (xì)粵hɐi⁶〔系〕❶図綑綁，同「繫」。孟子書有「係累其子弟」。❷図同「是」。如「確係」。❸關聯。如「關係」。❹連帶，牽涉。如「干係」。❺「係數」：代數式裏在未知數前面的數字。

俠 (xiá)粵hɐp⁹〔合〕❶稱扶弱抑強的人。如「俠士」；「俠客」。❷姓。

信 ▲(xìn)粵sœn³〔迅〕❶誠實。如「信實」。❷不懷疑，聽從。如「我說的他全信」。❸

書札。如「信件」。❹消息。如「音信」。❺符契憑證。如「信物」。❻囡眞的，可信的。如「此語信然」。❼囡放任，隨意。如「信口雌黃(比喻不問事實，隨便下論斷)」。❽姓。

▲(shēn)粵sɛn¹〔辛〕囡通「伸」，見23頁。

俎 (zǔ)粵dzɔ²〔左〕❶古代祭祀用的禮器，用木頭做架子再加油漆。❷厨房所用的砧板。如「刀俎」。❸姓。

促 (cù)粵tsuk⁷〔束〕❶靠近。如「促膝」。❷催迫。如「督促」。❸急。如「匆促」。❹「促織」：蟋蟀的別名。

俟(竢) ▲囡(sì)粵dzi⁶〔自〕❶等待。❷姓。

▲(qí)粵kei⁴〔其〕「万(mò)俟」：複姓。

俗 (sú)粵dzuk⁹〔濁〕❶風尚習慣。如「風俗」。❷平庸，不雅。如「俗氣」。❸指塵凡人間。如「俗念」。❹淺近的。如「通俗」。

侮 (wǔ)粵mou⁵〔母〕❶輕慢。如「欺侮」。❷欺凌。如「侮辱」。

俄 (é)粵ŋɔ⁴〔娥〕ɔ⁴〔柯低平〕(俗) ❶囡片刻，不久。如「俄頃」。❷「俄羅斯」的簡稱。❸「俄羅斯」：①中國少數民族名。②蘇聯的主要民族。③指沙皇俄國(蘇聯的前身)。

俑 (yǒng)粵juŋ²〔擁〕古時殉葬的土木偶。

八畫

倍 (bèi)粵pui⁵〔爬每切〕❶照原數加同樣的全數。如「加倍」。❷旺盛。如「精神百倍」。❸更加。如「每逢佳節倍思親」。

俾 (bǐ)粵bei²〔彼〕「俾使」：使的意思。

俵 囡(biào)粵biu²〔表〕分給，分散。如「俵分」；「俵散」。

倂(併) (bìng)粵biŋ³〔巴正切〕piŋ³〔聘〕(又) ❶並，合。如「合倂」；「一倂」。❷同「屏」，除去。見167頁。

俳 (pái)粵pai⁴〔排〕❶雜戲，滑稽戲。❷不莊重。❸「俳優」：戲劇演員。❹「俳佪」同「徘徊」：見206頁。

們 (men)粵mun⁴〔門〕表複數的詞尾。如「我們」；「朋友們」。

倣 (fǎng)粵foŋ²〔訪〕同「仿傚」的「仿」，見20頁。

俸 (fèng)粵fuŋ⁶〔鳳〕fuŋ²〔花擁切〕(語)公務人員所得的酬勞。如「薪俸」。

俯 (fǔ)⑧fu²〔苦〕❶向下，跟「仰」相反。如「俯衝」。❷上對下。如「俯允」。

倒 ▲(dǎo)⑧dou²〔睹〕❶跌下去。如「跌倒」。❷坍塌。如「房子倒了」。❸商店虧損停業。如「倒閉」。❹推翻。如「倒閣」。❺轉移，更換。如「倒手」。❻「倒車」：不能直達，在半路上換車。

▲(dào)⑧dou³〔到〕❶上下位置互換。如「書拿倒了」。❷反向。如「水倒流」。❸卻，反而。如「你想的倒不錯」。❹「倒車」：車往後退或掉頭。

▲(dào)⑧dou²〔睹〕❶由容器裏把液體傾出。如「把水倒出來」。❷扔掉。如「把垃圾倒了」。

倓 ⊠(tán)⑧tam⁴〔談〕安然不疑。

倘 (tǎng)⑧tɔŋ²〔他仿切〕要是，如果。如「倘若」。

俶 ▲(tì)⑧tik⁷〔倜〕⊠同「倜」，見本頁。

▲(chù)⑧tsuk⁷〔束〕❶開始。❷作。詩經有「有俶其城」。❸通「束」。如「俶裝」。見309頁。

倜 ⊠(tì)⑧tik⁷〔惕〕❶高舉。❷「倜儻」：指氣派高雅，行動不受習俗所拘束的樣子。

倪 (ní)⑧ŋei⁴〔危〕❶⊠弱小。如「旄倪(泛指老人和小孩)。❷⊠頭緒。如「端倪」。❸姓。

倈 ⊠▲(lái)⑧lɔi⁴〔來〕同「來」，見24頁。

▲(lài)⑧lɔi⁶〔耒〕同「徠」，慰勞。見207頁。

倆 ▲(liǎng)⑧lœŋ⁵〔兩〕隨機應變的才能。如「伎倆」。

▲(liǎ)⑧lœŋ⁵〔兩〕兩個(這字後面不能再加「個」字)。如「哥兒倆」；「爺兒倆」。

倫 (lún)⑧lœn⁴〔輪〕❶人與人之間的正常關係。如「倫常」。❷比，類。如「無與倫比」；「不倫不類」。❸次序。如「語無倫次」。❹姓。❺「倫理」：①人倫道德之理。②事物的條理(不專指道德)。

個(箇) ▲(gè)⑧gɔ³〔加課切〕❶指事物的整體。如「這件工作整個做完了」；「人人努力，個個爭先」。❷單獨，一個。如「個別」；「個人」。❸指人的身材。如「個兒」；「個子」；「大個子」。❹指物品的體積，如「買蛋要買大的個」。❺十進計數法的第一位。如「個位、十位」。❻⊠這個。如「個中」；「個裏」。❼人或事物最通用的

計數單位。如「幾十個人」。❽一，一個。如「寫個字」；「買個梨吃」。❾用來總括表示一種行動、態度或情況。如「來個不聞不問」；「把敵人打了個落花流水」。❿表示整體的一種動作，也可以說「一個」。如「行個禮」；「洗個澡」。⓫表示單純或最低限度，也可以說「一個」。如「魚就是吃個鮮」；「做人要靠個誠實」。⓬用「個」來總括約計的數量。如「多花個千兒八百的」。⓭作為日期的詞尾。如「今兒個（今天）」；「昨兒個（昨天）」。

▲(gě)粵go³〔加課切〕用於「自個兒」。

倌 (guān)粵gun¹〔官〕❶「堂倌」：酒飯館裏的跑堂兒(侍役)。❷「倌人」：①図專管駕車馬的官。②妓女的別稱。

倥 ▲(kōng)粵hung¹〔空〕図「倥侗」：小孩兒沒有知識。

▲(kǒng)粵hung²〔孔〕「倥傯」也作「倥傯」：①急促忙碌的樣子。②困苦。

候 (hòu)粵heu⁶〔后〕❶等待。如「等候」。❷探望，問好。如「問候」。❸時令。如「季候」。❹情狀。如「症候」；「火候」。❺付。如「候帳」。❻中醫稱診脈為「候脈」。❼図通

「喉」，見118頁。❽姓。

倢 (jié)粵dzit⁸〔節〕「倢伃」：是漢代宮中的女官，漢武帝所設置，位如上卿，爵比列侯。

借 (jiè)粵dzɛ³〔蔗〕❶把自己的財物貸給他人暫用，或暫時向人告貸財物。如「借錢」；「借據」。❷利用。如「借刀殺人」。❸通「藉」，假借，依托。如「借口」；「憑借」。❹図「借如」：假若。

俴 図(jiàn)粵tsin⁵〔踐〕淺。

俱 (jù，舊讀jū)粵kœy¹〔拘〕❶都，全。如「萬事俱備」。❷偕，同。如「與生俱來」。❸姓。❹「俱樂部」：英文club的譯名，公共娛樂的地方。

倨 図(jù)粵gœy³〔句〕❶傲慢無禮。如「倨傲」；「前倨後恭」。❷微曲。

倔 ▲(jué)粵gwɐt⁹〔掘〕「倔強」也作「倔彊」：剛強不肯屈服的樣子。

▲(juè)粵gwɐt⁹〔掘〕脾氣大，言語粗直，態度不好。如「這個人說的話好倔」。

倦 (juàn)粵gyn⁶〔技願切〕疲乏勞累，厭懶。

倩 ▲(qiàn)粵sin⁶〔善〕❶美。如「倩妝」。❷図笑起來嘴很

美的樣子。詩經有「巧笑倩兮」。

倩▲(qìng)⑧sin⁶〔善〕❶請別人代爲做事。辛稼軒詞有「倩何人喚取紅巾翠袖，搵英雄淚」。❷図女婿。如「妹倩(妹婿)」。

修(xiū)⑧seu¹〔收〕❶整治，修飾。❷図長。如「修竹」。❸砍削。如「修鉛筆」。❹研習。如「自修」。❺編寫，寫作。如「修書」。

倖(xìng)⑧heŋ⁶〔杏〕❶寵，溺愛。如「寵倖」；「得倖」。❷「徼倖」也作「傲倖」、「僥倖」；見37頁「傲」字；35頁「僥」字。❸「薄倖」：薄情，負心。

值(zhí)⑧dzik⁹〔夕〕❶價格，價錢。❷價格相當。如「值多少錢」。❸図當，遇。如「值此良辰」。❹輪替擔當職務。如「值日」；「值班」。❺指計算所得具體數目。如「數值」；「平均值」。

倬図(zhuō)⑧tsœk⁸〔綽〕❶顯著。❷大的。

倀図(chāng)⑧tsœŋ¹〔昌〕相傳爲虎所役使的鬼。如「爲虎作倀」。

倡▲(chàng)⑧tsœŋ³〔唱〕tsœŋ¹〔昌〕(又)發起，鼓動。如「提倡」。

▲図(chāng)⑧tsœŋ¹〔昌〕❶通「娼」，見142頁。❷通「猖」。如「倡狂」，見428頁。

倏(倏、儵)図(shū)⑧suk⁷〔叔〕急速的樣子。

倉(cāng)⑧tsɔŋ¹〔艙〕❶藏穀的地方。如「米倉」。❷図通「滄」。楊雄傳有「東燭倉海」。參見387頁。❸図通「艙」，見591頁。❹図通「蒼」，禮記有「駕倉龍」。見617頁。❺姓。❻「倉卒(cù)」也作「倉猝」：急忙的樣子。❼「倉皇」：恐懼而匆促忙亂。❽「倉庚」：黃鶯的別名。

俺(ǎn)⑧an²〔晏高上〕我(北方話)。

倚(yǐ)⑧ji²〔椅〕❶依，靠。如「倚靠」。❷偏。如「不偏不倚」。❸仗着。如「倚勢欺人」。

倭(wō)⑧wɔ¹〔窩〕古代稱日本人。

傯(傯)(zǒng)⑧dzug²〔腫〕「傯傯」：見30頁「倥」字。

【倮】同「裸」，見659頁。
【條】見木部，332頁。
【喪】同「喪」，見96頁。

九畫

偏 (piān)粵pin¹〔篇〕❶歪斜，不正。如「招牌掛偏了」。❷側重一面。❸表示出於不意。如「偏不湊巧」。❹表示相反的意思。如「應該去，他偏不去」。❺不公平。如「偏心」。❻「偏偏」：①偏巧，想不到，出於意外的。②表示相反的意思。

佰 図 (miǎn)粵min⁵〔免〕違背。

偷 (tōu)粵teu¹〔他歐切〕❶竊取。❷行動不使人知道。如「偷看」；「偷吃」。❸苟且。如「偷安」。❹輕薄，不淳厚。如「偷薄」。❺暗中與人發生男女關係。如「偷情」。

停 (tíng)粵tin⁴〔廷〕❶中止。如「雨停了」。❷暫住，暫時擱置。如「停工」。❸指十分之一，一成也叫一停。如「十停中去了九停」。

偈 ▲(jì)粵gei⁶〔技偽切〕「偈語」：佛家所唱的詞句。

▲図(jié)粵git⁹〔傑〕❶很雄健的樣子。❷疾馳的樣子。

假 ▲(jiǎ)粵ga²〔賈〕❶図借。如「久假不歸」。❷不是真的。如「假山」。❸若，設使。如「假如」。❹姓。

▲(jià)粵ga³〔嫁〕休息。如「休假」；「請假」；「假期」。

▲図 (xiá)粵ha⁴〔霞〕❶通「遐」，見734頁。❷通「暇」，見297頁。

偕 図 (xié，舊讀 jiē)粵gai¹〔佳〕共同。如「偕行」。

健 (jiàn)粵gin⁶〔件〕❶康強。如「健康」；「強健」。❷才力強幹。❸善於，很會。如「健飯」；「健談」。

偵 (zhēn，又讀zhēng)粵dziŋ¹〔晶〕候、探伺。如「偵候」；「偵察」。

偌 (ruò)粵jɛ⁶〔夜〕那麼，這樣。如「偌大的城市」。

做 (zuò)粵dzou⁶〔造〕❶為。如「做工」；「做事」。❷舉辦。如「做生日」；「做滿月」。

側 (cè，舊讀zè)粵dzɐk⁷〔則〕❶旁邊。如「側面」。❷傾斜。如「太陽側射」。❸永字八法裏稱楷書的「點」為側。❹偏重。如「側重」。

偲 ▲(sī)粵si¹〔司〕図「偲偲」：互相責勉的意思。論語有「服友切切偲偲」。

▲(sāi)粵soi¹〔腮〕図多才。詩經有「其人美且偲」。

偶 (ǒu)粵ŋeu⁵〔藕〕eu⁵〔嘔低上〕(俗)❶用土木金屬製成的像。如「偶像」。❷恰巧，間或，不是能預料或時常得到的。如「偶爾」。❸雙數。如

「偶數」。❹配偶，夫妻。如「佳偶」。❺図相對，相並。如「偶語(面對面談話)」。❻図相比的，同類的。如「無獨有偶」。

偃 (yǎn) 粵 jin² 〔演〕❶仰面倒下。如「偃臥」。❷図停止。如「偃武修文」。❸図驕傲，失意。如「偃蹇」。

偎 (wēi) 粵 wui¹ 〔煨〕靠近，表示親熱。如「偎傍」；「偎依」。

偉 (wěi) 粵 wei⁵ 〔卉〕❶奇大，高超。如「偉大」；「偉人」。❷姓。

【偪】同「逼」，見732頁。
【偢】同「瞅」，見477頁。
【偺】同「咱」，見87頁。
【脩】見肉部，576頁。

十畫

備 (bèi) 粵 bei⁶ 〔鼻〕❶完全。如「完備」；「齊備」。❷預籌，事先安排好。如「以備不虞」。

傍 ▲ (páng) 粵 pɔŋ⁴ 〔旁〕同「旁邊」的「旁」，見286頁。
▲ (bàng) 粵 bɔŋ⁶ 〔磅〕❶挨着，依靠。如「傍着他」；「傍人門戶」。❷臨近。如「傍晚」；「傍黑兒」；「傍亮兒」。

傅 (fù) 粵 fu⁶ 〔父〕❶図輔導。如「傅以德義」。❷老師。如

「師傅」。❸姓。❹図通「附」，見784頁。

傀 ▲ (kuī) 粵 fai³ 〔塊〕「傀儡」：①木偶戲裏的木頭人。②木偶戲的別稱。③指不能自主，受人支配、擺布的人。
▲ 図 (guī) 粵 gwei¹ 〔歸〕❶怪異。❷偉大。如「傀偉」。

傢 (jiā) 粵 ga¹ 〔家〕❶「傢伙」：①指日用器具。②對人戲謔或輕蔑的稱呼。❷「傢具」：家具的訛寫。

傑 (jié) 粵 git⁹ 〔桀〕❶才智出眾的人。如「豪傑」。❷特別優秀的。如「傑作」。

催 (jué) 粵 gɔk⁸ 〔角〕姓。

傔 図 (qiàn) 粵 him³ 〔欠〕侍從 (zòng)。

傒 ▲ (xī，舊讀 xì) 粵 hei⁴ 〔兮〕❶人名。左傳有「高傒」。❷稱江西人。如「傒語(江西人的語言)」。
▲ 図 (xì) 粵 hei⁶ 〔系〕通「繫」，見546頁。

傚 (xiào) 粵 heu⁶ 〔校〕同「仿效」的「效」，見277頁。

傖 図 (cāng，舊讀 chéng) 粵 tsɔŋ¹ 〔倉〕鄙視人的稱呼。如「傖父(鄙賤的人)」。

傘 (繖) (sǎn) 粵 san³ 〔汕〕❶蔽雨或遮太陽的用

具。如「雨傘」。❷像傘的東西。如「降落傘」。

傜 (yáo) ⑨ jiu⁴〔搖〕民族名，分布在兩廣、湖南、雲南等省。舊作「猺」，參見429頁。

【條】見糸部，535頁。

十一畫

僈 ⊗ (màn) ⑨ man⁶〔慢〕「僈僈」：舒緩。

僂 ▲(lǚ)⑨lœy⁵〔呂〕❶屈曲。如「傴僂(駝背)」。❷姓。

▲ (lóu) ⑨ lɐu⁴〔流〕「僂儸」同「嘍囉」：見99頁。

僇 ⊗ (lù)⑨kuk⁹〔錄〕同「戮」，見232頁。

僅 ▲ (jǐn) ⑨ gɐn²〔緊〕但，只，不過。

▲ (jìn) ⑨ gɐn⁶〔近〕⊗ 將近。杜甫詩有「山城僅百層」。

僉 ⊗ (qiān)⑨tsim¹〔簽〕衆人，全都。如「意見僉同」。

債 (zhài)⑨dzai³〔支崖切〕欠人的錢財。如「負債」。

傾 (qīng)⑨kiŋ¹〔卡英切〕❶偏側。如「傾斜」。❷倒塌。如「大廈將傾」。❸倒出。如「傾吐(心裏的話儘量說出，毫不保留)」。❹向往。如「傾心」。❺陷害。如「傾陷」。❻「傾城傾國」：形容絕世佳人。❼「傾家敗產」也作「傾家蕩產」：把

家產弄光。

傺 ⊗ (chì) ⑨ tsɐi³〔砌〕「侘傺」：不得志的樣子。

傳 ▲(chuán)⑨tsyn⁴〔全〕❶轉給別人。如「傳遞」。❷教人傳達意思。如「傳話」。❸命令人來。如「傳喚」。❹輾轉流傳。如「傳染」。❺「傳奇」：①小說，指內容奇特情節詭奇的。②戲曲。元曲又叫雜劇，也叫傳奇。後人因此把戲曲統稱爲傳奇。

▲(zhuàn)⑨dzyn⁶〔自願切〕❶解釋經義的書。如「左傳」。❷記人一生事迹的文字。如「傳記」。❸歷史記載。如「於傳有之」。❹古驛站。如「傳舍」。

傷 (shāng)⑨sœŋ¹〔商〕❶破裂處。如「傷口」。❷損害。如「烟酒能傷身體」。❸得罪。如「出口傷人」。❹悲哀。如「傷悼」。❺冒犯，開罪。如「你把人都給傷透了，誰還理你」。❻因爲過多而厭惡。如「吃糖吃傷了」。❼妨礙。如「無傷大雅」。

催 (cuī)⑨tsœy¹〔吹〕督促，叫人動作加快。如「催他趕緊辦」。

傲 (ào)⑨ŋou⁶〔遨低去〕ou⁶〔澳低去〕(俗)自大，對人輕慢。

如「驕傲」；「傲慢無禮」。

傴 (yǔ)粵jy²〔瘀〕❶駝背。❷「傴僂」：①脊梁彎曲的病。②恭敬的樣子。

傭 (yōng)粵juŋ⁴〔容〕❶受雇於人。❷僕役。

【僊】同「仙」，見18頁。
【芲】同「花」，見595頁。
【傻】同「傻」，見37頁。
【傯】同「傯」，見31頁。

十二畫

僰 (bó)粵bet⁹〔拔〕古種族名。現在雲南、四川、貴州還有這種人。

僕 (pú)粵buk⁹〔瀑〕❶舊稱供人使喚的工役。如「僮僕」。❷⊠舊時對自己的謙稱。❸⊠駕車。論語有「子適衛，冉有僕」。❹「僕僕風塵」：勞頓的樣子。

僨 ⊠ (fèn)粵 fen⁵〔奮〕❶毀壞，失敗。如「僨事（事情弄糟了）」。❷動起來。如「張脈僨興（興奮而血脈緊張）」。❸跌倒。

僤 ⊠(dàn)粵dan⁶〔但〕厚。詩經有「逢天僤怒」。

僮 ▲(tóng)粵tuŋ⁴〔同〕❶供使喚的僕人。如「僮僕」。❷同「童子」的「童」，見507頁。❸姓。

▲ (zhuàng)粵dzɔŋ⁶〔撞〕「僮族」：少數民族，主要聚居在廣西省西部。

僚 (liáo)粵liu⁴〔聊〕❶官員。如「百僚」。❷官署裏的同事。如「同僚」。

僬 (jiāo)粵 dziu¹〔招〕「僬僥(yáo)」：古時傳說的矮人。

僥 ▲ (jiǎo)粵 hiu¹〔囂〕「僥倖」：①希望得到不應得的。如「存着僥倖心理」。②碰巧得到意外的利益或幸而沒有受害。③也作「徼幸」，見210頁「徼」字。

▲ (yáo)粵 jiu⁴〔搖〕「僬僥」：見本頁「僬」字。

僦 (jiù)粵dzeu⁶〔就〕租賃。如「僦居」；「僦屋」。

僭(僭)(jiàn)粵tsim³〔塹〕假冒名義，超過本分。如「僭越」。

僛 ⊠(qī)粵hei¹〔欺〕傾側，同「攲」，見275頁。

僑 (qiáo)粵kiu⁴〔橋〕❶住在外地的人。如「華僑」。❷住在外地。如「僑居」。❸姓。

僖 (xī)粵hei¹〔希〕❶喜樂。❷姓。

僩 ⊠(xiàn)粵han⁵〔霞懶切〕❶威武的樣子。❷「僩然」：勁忿的樣子。

像(xiàng)粵dzœŋ⁶〔象〕❶形態模樣。如「形像」。❷摹仿人物的形像作的。如「畫像」;「偶像」。❸相似。如「他很像李先生」。❹彷彿,似乎。如「像是見過他」;「好像有人說話」。❺舉例、引證所用的詞。如「像這件事情是值得注意的」。

僝國(chán)粵san¹〔潺〕tsan⁴〔殘〕(又)「僝僽」:①呪罵,埋怨。②折磨,摧殘。

僧(sēng)粵dzɐŋ¹〔增〕皈依佛教出家受戒的人。俗稱「和尚」。

偽(僞)(wěi)粵ŋɐi⁶〔魏〕ɐi⁶〔矮低去〕(俗)❶假的。如「虛偽」;「偽證」。❷竊據的。如「偽政權」。❸國人為的。荀子書有「人之性惡,其善者偽也」。

【僢】同「啥」,見92頁。
【傭】同「雇」,見792頁。

十三畫

僻(pì)粵pik⁷〔闢〕❶荒遠的地方。如「偏僻」。❷不普通,不常見的。如「冷僻」。❸不平正的。如「邪僻」。❹性情古怪。如「孤僻」。

儋(dān)粵dam¹〔耽〕❶同「擔荷」的「擔」,見269頁。❷縣名,在廣東省。

傝國(tà)粵tat⁸〔撻〕❶逃。❷「佻傝」:輕薄無行的樣子。

儂(nóng)粵nuŋ⁴〔農〕luŋ⁴〔龍〕(俗)❶我(吳語)。❷你(吳語)。❸「渠儂」:他(吳語)。❹「儂人」:種族名,雲南省苗族。❺姓。

儈(kuài)粵kui²〔繪〕介紹買賣從中收取佣金的人。如「市儈」;「牙儈」。

價▲(jià)粵ga³〔嫁〕貨物所值。

　　▲(jia)粵ga³〔嫁〕吳語,像副詞尾「地」。如震天價響。

儉(jiǎn)粵gim⁶〔技驗切〕❶節省,不浪費。如「省吃儉用」。❷國不豐富的。如「儉腹(指人沒有學問)」;「儉歲(農作物收成不好)」。

僵(jiāng)粵gœŋ¹〔姜〕❶硬,挺,不能活動。如「僵卧」;「凍僵」。❷相持不下,無法解決。如「僵局」。❸挑撥激動。如「僵事」。❹通「殭」,見351頁。

儁國(jùn)粵dzœn³〔進〕通「俊」,才智過人。見27頁。

儇國(xuān)粵hyn¹〔圈〕聰明而輕薄。

僽國(zhòu)粵dzɐu³〔呪〕「僝僽」:見本頁「僝」字。

儆 (jǐng) 粵giŋ²〔竟〕❶告戒。如「儆戒」;「懲一儆百」。❷戒備。如「儆備」。

僿 図(sài) 粵tsɔi³〔賽〕薄情,無誠意。

傻(儍) (shǎ) 粵sɔ⁴〔沙俄切〕❶愚蠢無知。如「傻瓜」(罵人愚笨)。❷忠厚,不狡猾。❸害怕到愣住了。如「嚇傻了」。

儎 (zài) 粵 dzɔi³〔再〕。同「載」,見719頁。

僾 図(ài)粵ɔi³〔愛〕彷彿。禮記有「僾然必有見乎其位」。

儀 (yí)粵ji⁴〔兒〕❶舉止容貌。如「儀態」。❷禮節的程序。如「儀注」。❸法則,程式,標準。如「儀器」;「儀表」。❹餽贈的財物。如「賀儀」;「賻儀」。❺儀器的簡稱。如「渾天儀」。❻傾向,佩服。如「心儀其人」。❼姓。

億 (yì)粵jik⁷〔益〕❶數目字,萬萬叫億。古時把十萬叫億。❷図料度。如「億則屢中(預料得常常準確)」。❸図安。

【儌】同「徼」,見210頁。

十四至二十畫

儐 (bīn) 粵 ben³〔賓〕「儐相(xiàng)」:行結婚禮時引導新郎、新娘的人。男的叫男儐相;女的叫女儐相。

儗 図(nǐ) 粵ji⁵〔耳〕通「擬」,比。禮記有「儗人必於其倫」。見271頁。

儘 (jǐn)粵dzœn²〔準〕❶極。如「儘先」;「儘底下」。❷聽任,不限制。如「儘管」。

儕 図(chái)粵tsai⁴〔柴〕同輩。如「吾儕(我們)」。

儔 図(chóu)粵tsɐu⁴〔酬〕❶伴侶。如「鸞儔鳳侶」。❷「儔儷」:品類相等。

【儛】同「舞」,見589頁。

儒 (rú)粵jy⁴〔余〕❶孔子的學派。如「儒家」;「儒道」。❷稱讀書人,學者。如「儒生」。❸「侏儒」:矮人。

儦 図(biāo) 粵 biu¹〔標〕「儦儦」:走的樣子。詩經有「行人儦儦」。

儡 (lěi)粵lœy⁵〔呂〕「傀儡」:見33頁「傀」字。

償 (cháng)粵sœŋ⁴〔常〕❶歸還。如「償債」。❷酬報。如「如願以償」。❸抵當。如「得不償失」。

優 (yōu)粵jɐu¹〔休〕❶良好。如「優美」。❷充足。如「優裕」。❸勝利,佔上風。如「優勝」;「優勢」。❹戲劇演員。如「俳優」;「優伶」。❺姓。❻

「優閒」：閒暇自得。

儲（chǔ，舊讀chú）粵tsy⁵〔柱〕❶積蓄。如「積儲」。❷因副貳。太子也叫「儲副」、「儲嫡」、「儲宮」、「儲君」、「儲嗣」、「儲貳」。❸姓。

儱（lǒng）粵luŋ⁵〔壟〕「儱侗」同「籠統」：見520頁「籠」字。

儳（chàn）粵tsam³〔杉〕❶摻雜。禮記有「長者不及，毋儳言」。❷不整齊。❸苟且的樣子。禮記有「君子不以一日使其躬儳焉如不終日」。❹「儳道」：捷徑。

【儵】同「倏」，見31頁。

儺（nuó）粵nɔ⁴〔挪〕lɔ⁴〔羅〕（俗）舉辦迎神賽會來消災驅疫的迷信舉動。論語有「鄉人儺」。

儷（lì）粵lei⁶〔厲〕❶配偶。如「伉儷（夫婦）」。❷成雙的。如「儷影（指夫婦兩人的合影）」；「儷辭（對偶的文辭）」。

儸（luó）粵lɔ⁴〔羅〕「僂儸」同「嘍囉」：見99頁「嘍」字。

儻（tǎng）粵tɔŋ²〔躺〕❶倜儻：見29頁「倜」字。❷同「倘」，見29頁。

儼（yǎn）粵jim⁵〔染〕❶矜莊，恭敬。❷「儼然」：①矜莊的樣子。如「道貌儼然」。②齊整的樣子。如「屋舍儼然」。

【儿部】

一至三畫

兀（wù）粵ŋɐt⁹〔屹〕ɐt⁹（俗）❶因高而上平。如「蜀山兀」。❷元曲跟雜小說常用的口頭語。如「兀的（怎麼）」；「兀的般（這般）」；「兀那（那）」；「兀自（仍然還是）」。❸驟然出現的樣子。如「突兀」。❹獨自。如「兀立」；「兀坐」。❺鋸掉一腳的。如「兀者」。❻因「兀兀」：①勞苦用心的樣子。韓愈文有「恆兀兀以窮年」。②昏昏然的樣子。蘇軾詩有「不飲何為醉兀兀」。

元（yuán）粵jyn⁴〔原〕❶第一，開始的。如「元旦」。❷大，為首的。如「元勳」；「元惡」。❸舊有的，本來有的。現在多作「原」。❹有時和方圓的「圓」通，也指貨幣單位。如「元鋼（圓桿狀的鋼鐵材）」；「銀元」。❺因頭。如「喪其元」。❻代數式中稱表未知數的文字。如「一元二次方程式」。❼朝代名。蒙古人滅了南宋，建立了元朝（公元1277—1368）。❽姓。❾「元元本本」：頭緒清楚的意思。

允 (yǔn)⟨粵⟩wen⁵〔尹〕❶准許，肯。如「允諾」；「應允」。❷適當。如「公允無私」。❸囝信實，可靠。如「允稱妥善」。

兄 (xiōng)⟨粵⟩hiŋ¹〔卿〕❶哥哥。如「兄弟三人」。❷敬詞，對平輩朋友的尊稱。如「老兄」。

【兂】同「簪」，見519頁。

四畫

光 (guāng)⟨粵⟩gwoŋ¹〔桄〕goŋ¹〔江〕(俗)❶明亮。如「光明」。❷物體所發或反射的明亮現象。如「日光」；「月光」。❸榮耀。如「為國爭光」。❹使自己感覺榮幸，是對人說的客套話。如「光臨」；「光顧」。❺時光景物。如「春光明媚」。❻滑澤。如「光滑」。❼全沒有了。如「錢光了」；「人走光了」。❽獨，單。如「光剩下他一人在家」。❾裸露。如「光腳」；「光膀子」。❿姓。

先 ▲(xiān)⟨粵⟩sin¹〔仙〕❶時間在前的。如「事先做好準備」。❷次序在前的。如「首先」；「先斬後奏」。❸在某一時代之前的。如「先秦」；「先史時代」。❹指已經死去的人。如「先父」；「先烈」。❺囝急。如「先務」；「救災為先」。

❻囝指「祖先」、「上代」。如「不辱其先」。❼姓。

▲囝(xiàn)⟨粵⟩sin³〔扇〕❶不該在前而在前。孟子書有「疾行先長者」。❷率導。禮記有「天先乎地，君先乎臣」。

兇 (xiōng)⟨粵⟩huŋ¹〔空〕❶驚擾恐懼。❷通「凶」，見50頁。

兆 (zhào)⟨粵⟩siu⁶〔紹〕❶事件未發前的預徵。如「預兆」；「朕兆」。❷數詞：①一百萬；②一萬億。❸姓。

充 (chōng)⟨粵⟩tsuŋ¹〔匆〕❶滿，實。如「充滿」。❷填滿。如「充實」。❸溢。如「充血」。❹使用，擔任。如「充做軍用」；「曾充家庭教師」。❺假冒。如「拿假貨充真貨」。

五畫

免 ▲(miǎn)⟨粵⟩min⁵〔緬〕❶省去。如「免得麻煩」。❷脫避。如「免疫」。❸饒恕。如「免罪」。❹不可以，不要。如「閒人免進」。❺黜罷，解職。如「罷免」；「任免令」。

▲囝(wèn)⟨粵⟩men⁶〔問〕「祖免」：一種古禮。露左臂叫袒，括髮叫免。同一個高祖父的從兄弟死了，行這種喪禮。

兌 (duì)⟨粵⟩dœy³〔對〕❶掉換。如「兌換」。❷液體從甲器裏

注入乙器裏，並指液體往裏攙和。如「湯裏兌些水」。❸八卦之一，卦形是「☱」，象徵「沼澤」。

克 (kè) ⟨粵⟩hɐk⁷〔刻〕❶因勝，攻下來。如「戰必克，攻必取」。❷因能。如「克勤克儉」。❸制勝。如「柔能克剛」。❹譯名「克蘭姆」(gram)的簡稱，公制重量單位。一克爲一公斤的千分之一，舊稱「公分」或「公克」。❺「克拉」：即是卡拉特(carat)，珠玉的重量單位，每克拉合0.2公克。

六至十二畫

兔(兔) (tù) ⟨粵⟩tou³〔吐〕兔子，一種嚙齒類小獸，耳大尾短，上唇中裂，前腿短，後腿長，跑得快，毛可以做筆、皮草等。

児 (sì) ⟨粵⟩dzi⁶〔自〕雌性的犀牛。

兒 ▲(er) ⟨粵⟩ji⁴〔而〕❶孩子。如「育兒」；「兒戲」。❷父母稱子。如「大兒去當兵」。❸男孩。如「沒兒沒女」。❹子女對父母自稱。如「兒小明敬上」。❺指年輕男子說。如「兒女英雄」；「中華男兒」。

▲(er) ⟨粵⟩ji⁴〔而〕名詞、代名詞、動詞、形容詞、副詞的語尾。如「盤兒」；「這兒」；「玩兒」；「壓根兒」；「一點兒」。【在國語中「兒」作語尾讀作er的時候，跟前面的一個字音拼讀成一個「er化」的音節；並且常使前面的韻的部分發生變化，叫「er化韻」。】

兗(兖) (yǎn) ⟨粵⟩jin²〔演〕❶古九州之一，在現在山東省西北部和河北省西南部一帶。❷「兗州」：山東省舊府名，現在的滋陽縣是兗州府的舊治。

党 (dǎng) ⟨粵⟩dɔŋ²〔擋〕❶姓。❷「黨」的簡寫，見872頁。

兜 (dōu) ⟨粵⟩dɐu¹〔打歐切〕❶古時戰士戴的一種盔。如「兜鍪」。❷口袋一類的東西。如「裝雜物的布兜」。❸圍，繞。如「兜抄」。❹鬆鬆的包住。如「兜了一手巾棗兒」；「拿布把頭髮一兜」。❺攬，拉攏。如「兜生意」。

兢 (jīng) ⟨粵⟩giŋ¹〔京〕「兢兢」：小心謹慎的樣子。如「戰戰兢兢」；「兢兢業業」。【競】見立部，508頁。

【入部】

入 (rù) ㊁ jɐp⁹〔而拾切〕❶進，跟「出」相反。如「入口」；「入門」。❷沒。如「日出而作，日入而息」。❸收進，進款。如「量入為出」。❹參加。如「入會」；「入股」。❺切合。如「入時」；「入情入理」。❻到，達。如「入夜」；「入冬」。❼四聲(平上去入)的一種，國音已分別併入陰平、陽平、上聲、去聲四聲之中。

一至五畫

【亼】古「亼」字，見15頁。

內 ▲(nèi) ㊁nɔi⁶〔耐〕lɔi⁶〔耒〕(俗)❶裏面，跟「外」相反。如「屋內」。❷對別人稱自己的妻。如「內人」；「內子」；「內助」；「內兄(妻的哥哥)」；「內姪(妻的姪子)」。❸古時天子的禁宮。如「大內」。❹對某種事情有了解。如「內行」。

▲図(nà) ㊁nap⁹〔納〕lap⁹〔立〕(俗)同「納」，見528頁。

余 (cuān) ㊁tsyn¹〔村〕❶一種烹飪法，俗稱「余湯」，即是把食物投入沸水裏，稍微一煮，就連湯盛起來。❷「余子」：一種煮水用的壺，薄鐵製的，細長像筒子樣的，放在火爐裏，裏頭盛的水很快就煮開了。

全 (quán) ㊁tsyn⁴〔泉〕❶完備。如「文武雙全」。❷使完滿，不受損傷。如「保全」；「苟全性命」。❸統括，整個，遍。如「全體」；「全國上下」。❹皆，都。如「全來了」。❺平安。如「安全」。❻姓。

【兩】同「兩」，見本頁。

六至七畫

兩 (両、两) ▲(liǎng) ㊁lœŋ⁵〔離養切〕❶凡二的數都叫兩。如「兩個」；「左右兩邊」。❷這個和那個，這個或那個。如「模稜兩可」。❸另外的，不同的。如「他們的習慣跟我們的兩樣兒」。❹少數的，幾個(不一定是「二」)。如「請你向大家說兩句話」。❺図匹，古時布帛兩丈為一端，兩端為一匹，故稱匹為兩。如「重錦三十兩」。❻「兩兩」：指一雙一雙的。如「兩兩相對(這邊兩個那邊兩個，互相比對)」。

▲(liǎng)㊁lœŋ²〔拉獎切〕重量單位，十錢為一兩。

▲図(liàng)㊁lœŋ⁶〔亮〕同「輛」，見721頁。

俞（俞）▲（yú）粵jy⁴〔余〕❶
囡答應。如「俞
允」。❷姓。
　　▲囡（yù）粵jy⁶〔預〕同
「癒」，見461頁。

【八部】

八 （bā）粵bat⁸〔捌〕❶數目字。
大寫作「捌」；商碼作「亖」；
阿拉伯碼作「8」。❷「八卦」：
八種基本圖形。用「—」和「--」
符號組成；以「—」為陽，「--」
為陰。名稱是乾（☰）、坤
（☷）、震「☳」、巽（☴）、坎
（☵）、離（☲）、艮（☶）、兑
（☱）。分別象徵「天、地、
雷、風、水、火、山、澤」八
種自然形象。其中以「乾」、
「坤」兩卦的位置最重要。

二至十四畫

六 （liù）粵luk⁹〔綠〕數目字，大
寫作「陸」。商碼作「上」。阿
拉伯碼作「6」。

公 （gōng）粵guŋ¹〔工〕❶沒有
自私的念頭。如「公平合
理」；「天下為公」。❷有關眾
人的事務。如「辦公」。❸許多
人同意。如「公認」。❹眾人所
共有的。如「公物」。❺囡不獨
佔，跟大眾共享。如「公之同
好」。❻明白宣布。如「公之於
世」。❼五等爵的第一位。如
「公爵」。❽對人的尊稱。如
「李公」；「林公」。❾祖父、丈
夫的父親或兒童對男性老人的

稱呼。如「公婆」;「老公公」。❿古時對國君的稱呼。如「鄭莊公」;「晋文公」。⓫雄的禽獸。如「公雞」;「公牛」。⓬度量衡屬於公制的。在單位名稱上加「公」字,如「公斤」;「公尺」。⓭姓。⓮通「功」。詩經有「以奏膚公」(「膚公」即是「大功」,參見58頁)。

兮 囻(xī)⑧hei⁴〔奚〕文言裏的語助詞,同現在的「啊」或「呀」。史記有「力拔山兮氣蓋世」。

共 ▲(gòng)⑧guŋ⁶〔技動切〕❶公,同。如「這些財產是兄弟兩人共有的」。❷合。如「總共」。❸在一處。如「朝夕與共」。❹共產黨的簡稱。

▲囻(gōng)⑧guŋ¹〔工〕❶姓。❷通「恭」,見216頁。❸通「供」,見25頁。

【弁】同「并」,見185頁。

兵 (bīng)⑧biŋ¹〔冰〕❶戰士。如「兵士」;「兵來將擋」。❷兵器。如「秣馬厲兵(餵馬、磨兵器,準備作戰)」。❸關於戰爭的事。如「紙上談兵」;「兵不厭詐」。

典 (diǎn)⑧din²〔打演切〕❶一種標準規範,可以作爲依據或供模仿的。如「字典」;「法典」。❷制度,儀式。如「典

禮」;「開國盛典」。❸古書故事可以稱說的。如「他寫文章愛用典故」。❹法律上物權的一種。通常用產業作抵押來借錢,或把錢借給人,暫時佔用他的產業。如「典了幾間房子住」。❺主持。如「典試」。❻姓。

具 (jù)⑧gœy⁶〔巨〕❶器物,使用的東西。如「器具」;「用具」;「家具」。❷才幹。如「才具」;「抱將相之具」。❸備,辦。「具保」;「謹具薄禮」。❹有,顯出來。如「粗具規模」;「獨具隻眼(特別有卓越的見識、眼光)」。❺計算數目的詞。如「木箱一具」;「屍體一具」。❻寫出來。如「具名」;「知名不具」。❼囻僅有形式而無實際的。如「具文」;「具臣(充數而不做事的臣子)」。❽囻足以,足可。如「具見其有陰謀」。

其 ▲(qí)⑧kei⁴〔奇〕❶代名詞,即是他(它)或他(它)們。如「聽其自然」。❷他(它)的或是他(它)們的。如「知其一,不知其二」。❸這,那。如「正當其時」;「其中有個道理」。❹「尤其」、「極其」的「其」。是陪襯的字。❺囻或者。如「濃雲密佈,其將雨乎」。❻囻將要。如「五世其

昌」;「其始播百穀」。❼囝豈。如「君其忘之乎」;「一之謂甚,其可再乎」。❽囝可,應該,有勸使的意思。如「汝其速往」;「子其勉之」。❾囝夾在一句中間的虛字。詩經有「北風其涼,雨雪其雰」。❿「其次」:第二,差一點的。⓫「其他」、「其外」、「其餘」:都是指此外、另外的。⓬「其實」:論實在情形。如「看起來太陽圍着地球轉,其實地球是圍着太陽轉的」。

▲囝(ji)⑧gei¹〔基〕用在語末表示詰問的助詞。詩經有「夜如何其?夜未央」。

▲囝(ji)⑧gei³〔記〕用在句中的語助詞。詩經有「彼其之子,舍命不渝」。

兼 (jiān)⑧gim¹〔加尖切〕❶在原職務以外還擔任着別的職務。如「身兼數職」。❷不只一方面,也牽涉到別的方面。如「兼籌並顧」。❷囝加倍的。如「兼程」;「兼人之量」。

【巽】見巳部,178頁。
【與】見臼部,587頁。
【興】見臼部,587頁。

冀 (ji)⑧kei³〔曁〕❶囝希望。❷古時九州之一,包括現今河北、山西兩省和豫北、遼西等處。❸河北省的別名。❹姓

【冂部】

二至三畫

冇 (mǎo)⑧mou⁵〔母〕粤方言。沒有。

冉 (rǎn)⑧jim⁵〔染〕❶姓。❷「冉冉」:①漸進,慢慢地。如「冉冉白雲」;「太陽冉冉升起」。②柔弱下垂的樣子。如「垂楊冉冉」。

册 (cè)⑧tsak⁸〔拆〕❶古時封爵的符命。如「册命」。❷訂成本子的書。如「紀念册」。❸量詞,指書籍。如「書一册」。
【冋】同「回」,見107頁。

四至六畫

再 (zài)⑧dzoi³〔載〕❶又一次。如「再犯校規」。❷下一次。如「再來的時候」。❸更。如「再說詳細些」;「再好沒有了」。❹「再再」也作「一再」:一次又一次。
【罔】見网部,550頁。

七畫

冒 ▲(mào)⑧mou⁶〔務〕❶頂着,向着,勇往無所顧忌。如「冒險」;「冒雨而去」。❷鹵莽,不慎重。如「冒犯」。❸往

上起，往外透，發散出來。如「水裏冒泡兒」；「眼睛冒金星」。❹假託，假充。如「冒名頂替」。❺「冒失」也作「冒冒失失」：不慎重，莽撞。❻「冒號」：標點符號的一種（詳見附錄二）。

▲（mò）粵mek⁹〔墨〕「冒頓（dú）」：漢朝初年匈奴的單于的名字。

胄（zhòu）粵dzeu⁶〔就〕古時將士作戰時所戴的頭盔，用以保護頭和臉，略似現代軍人戴的鋼盔。（注意：另有肉部的「冑」字，字音和楷書字形都相同，但字義不同，見574頁。）

八至九畫

冓（gòu）粵geu³〔夠〕keu³〔扣〕〔又〕❶「中冓」：宮室深密處。詩經有「中冓之言」。❷木材交積。❸同「構」，見331頁。

冕（miǎn）粵min⁵〔免〕❶古時大夫以上的官所戴的禮帽。❷帝王所戴的皇冠。如「冕旒」；「加冕」。

【冖部】

冖（mì）粵mik⁹〔覓〕覆蓋，掩蔽。

二至六畫

冘▲（yín）粵jem⁴〔吟〕行走的樣子。漢書有「窮冘閼與」。

▲（yóu）粵jeu⁴〔由〕「冘豫」同「猶豫」：遲疑不決。後漢書有「冘豫不決」。
【冒】同「肯」，見572頁。
【罕】見网部，550頁。

冞（mí）粵mei⁴〔眉〕周深。詩經有「冞入其阻」。

七畫

冠▲（guān）粵gun¹〔官〕❶帽子。如「衣冠整齊」。❷帽子形的東西。花瓣也稱「花冠」；雞冠上突起的肉或鳥類頂上的羽毛都叫「冠子」。❸攏頭髮的東西。如「道冠（道士束髮的東西）」。❹姓。

▲（guàn）粵gun³〔貫〕❶佔第一位。如「勇冠三軍」。❷佔第一位的。「他的總成績為全校之冠」。❸图把帽子戴在頭上。如「冠以貂皮帽」。❹古時男子二十歲要行「冠禮」，表示

成人，所以用「冠」來代表二十歲。如「弱冠」。❺山東省縣名。

【軍】見車部，718頁。

八畫

冥 (ming) 粵min⁴〔明〕❶図昏暗。如「晦冥」。❷愚昧。如「冥頑不靈」。❸図高遠。如「萬丈絕冥」。❹図深奧。如「沉思冥想」。❺陰間，鬼魂所居之地。如「冥府」。❻喪葬或祭掃時候，跟冥界有關或認為是鬼魂所用的器物，都加上「冥」字。如「冥衣」；「冥婚」。❼図「冥冥」：①遠空。如「鴻飛冥冥」。②幽昧，晦暗。詩經有「維塵冥冥」。③專心沉默而精誠。荀子有「無冥冥之志者，無昭昭之明」。❽姓。

取 ▲(jù) 粵dzœy⁶〔罪〕「聚」的古體字，見566頁。

▲ (zuì) 粵 dzœy³〔醉〕同「最」，見302頁。

冢 (zhǒng)粵tsuŋ²〔寵〕❶高大的墳墓。❷山頂。詩經有「山冢崒崩」。❸図嫡長，排行在頭一個的。如「冢子」；「冢婦」。❹図大。如「冢宰(大宰相)」。

冤 (冤、寃) (yuān) 粵jyn¹〔淵〕❶委

屈，枉曲。如「喊冤」；「這案子裏可能有冤情」。❷仇恨。如「冤仇宜解不宜結」。❸欺騙或被欺騙。如「不要冤人」；「花眞錢買假貨，太冤了」。

十畫

冪 (冪) (mì) 粵mik⁹〔覓〕❶図遮蓋，用布罩或手巾搭上。❷図遮蓋器物的布。❸數學上把一數自乘的積數叫這個數的「乘冪」。如二次冪即是平方，三次冪即是立方等等。

【冫部】

三畫

冬 (dōng) 粵duŋ¹〔東〕❶一年四季的第四季，從立冬到立春，通常以陰曆十、十一、十二等三個月或陽曆十二、一、二等三個月爲冬(嚴格說起來，在氣候上各地冬季長短不同)。❷代表一年的時間，如「三冬兩夏」；「他在這兒住了兩冬」。

四畫

冰(氷) ▲(bīng) 粵biŋ¹〔兵〕❶水在攝氏零度或零度以下的低溫所凝結成的固體。如「冰塊」；「人造冰」。❷使用冰塊來防腐或減低溫度。如「太燙了，冰一冰再吃」。❸接觸到很涼的東西皮膚感覺難受。如「這些鐵做的器具眞冰手」。❹形容潔白。如「冰肌」。❺形容清澈。如「冰心」。❻用冷酷的態度對人。如「冷冰冰的面孔」。❼結晶體像冰樣的東西。如「冰糖」；「薄荷冰」。

▲ 図 (níng) 粵jiŋ⁴〔仍〕同「凝」，見49頁。

冱 図(hù)粵wu⁶〔互〕凍結，形容極寒冷。

冲 ▲同「沖」，見365頁。
▲「衝」的簡化，見652頁。

【次】見欠部，343頁。

【決】同「決」，見364頁。

五畫

冹 図(fú)粵fet⁷〔拂〕「潷冹」：見48頁「潷」字。

冷 (lěng) 粵laŋ⁵〔離猛切〕❶寒涼，跟「熱」相反。如「天氣漸漸冷了」。❷不應時，不受歡迎，沒有人過問的。如「冷貨」；「作了一任冷官兒」。❸生僻，不常見的。如「冷字眼兒」；「他學的是冷門科目」。❹寂寞、不熱鬧。如「冷冷清清」。❺不熱烈。如「態度很冷」；「心灰意冷」。❻趁人不準備時候突然攻擊。如「抽冷子」；「冷箭傷人」。❼純用理智，不帶感情的。如「頭腦冷靜」。❽姓。❾「冷淡」：①不熱鬧。如「家門冷淡」。②不熱情。如「態度冷淡」。③不穠豔。白居易詩有「白花冷淡無人愛，亦佔芳名道牡丹」。

冶 (yě) 粵je⁵〔野〕❶鎔化和煉製金屬，鑄造器物。如「礦冶」；「冶金學」。❷図從事鍛鑄的工匠。如「良冶之子」。❸

過分的修飾打扮。如「妖冶」。❹美麗。如「艷冶」;「春山淡冶」。❺姓。
【況】同「況」,見369頁。

六至七畫

洗 (xiǎn)⑧sin² 〔癬〕姓。

冽 ②(liè)⑧lit⁹ 〔列〕寒冷。如「冽風」;「朔風凜冽」。
【涚】同「涚」,見374頁。

八至九畫

凋 (diāo)⑧diu¹ 〔刁〕❶草枯,葉落,花謝。如「草木凋零」。❷②衰敗。如「凋敝」。

凍 (dòng)⑧duŋ³ 〔打控切〕❶因冷而凝結。如「水凍成冰了」。❷寒冷的侵襲。如「凍壞了」。❸放在冷的地方,或用冷藏法使東西受冷。如「把剩下的飯菜凍起來吧」。

凌 (líng)⑧liŋ⁴ 〔零〕❶積起來的碎冰。如「冰凌」。❷欺壓,侵犯。如「盛氣凌人」。❸升,向上起。如「壯志凌雲」。❹接近。如「凌晨」。❺②細碎,錯雜。如「凌雜」。❻姓。❼②通「陵」,踰越。如「凌駕其上」。見786頁。

清 ②(jìng)⑧dziŋ⁶ 〔靜〕寒涼。

准 (zhǔn)⑧dzœn² 〔準〕❶允許,許可。如「准他再試一次」。❷比照。如「准前例處理」。❸②確定。如「准於某日辦竣」。❹②公文用語。如「准此(依據、依照的意思)」。❺「準」的別體字,見386頁。

凇 ②(sōng)suŋ¹ 〔鬆〕冰。
【涼】同「涼」,見378頁。
【淨】同「淨」,見379頁。
【淒】同「淒」,見379頁。
【減】同「減」,見383頁。
【湊】同「湊」,見384頁。
【飡】同「餐」,見823頁。

十至十五畫

滭 ②(bì)⑧bɐt⁷ 〔畢〕「滭冹」:風寒。

凓 ②(lì)⑧lœt⁹ 〔律〕❶寒冷。❷因寒冷而發抖。

凔 ②(cāng)⑧tsɔŋ¹ 〔倉〕寒。列子有「日初出則凔凔涼涼」。
【凖】同「準」,見386頁。
【馮】見馬部,828頁。

凘 ②(sī)⑧si¹ 〔斯〕融解後隨水流動的冰。

澤 (duó)⑧dɔk⁹ 〔鐸〕屋簷下垂的冰結。

凜 (lǐn)⑧lɐm⁵ 〔廩〕❶寒冷。如「北風凜冽」。❷嚴肅,嚴

屬的樣子。如「凜不可犯」。❸ 図〔凜凜〕：①寒冷。②嚴肅令人敬畏的樣子。如「威風凜凜」。❹通「懍」，見228頁。

凝 (níng) ⑧jiŋ⁴〔仍〕❶液體受冷逐漸結成固體。如「凝結」。❷聚集。如「凝神」。

瀆 (dú) ⑧duk⁹〔讀〕同「瀆」。不敬；使人討厭。見397頁。

【几部】

几 ▲(jī) ⑧gei¹〔基〕小桌。如「茶几」。
▲「幾」的簡化，見186頁。

一至六畫

凡 (fán) ⑧fan⁴〔煩〕❶平平常常的，不出奇的。如「自命不凡」；「非同凡響」。❷概括指所有的，一切的。如「凡事都要小心謹慎」。❸图總共。如「全書凡十卷」。❹道家指塵世人間。如「仙女下凡」。❺中國人以往音樂上用來表示聲音高低的符號，是「工尺字」中的一個。❻「凡士林」：vaseline的音譯。是從重油中提製出來

的高級碳化氫混合物，像蠟樣的淡黃色或無色的油膏，也叫「石油脂」。可供製化妝品、滑潤劑、配藥、金屬防鏽等用途。

【凭】同「憑」，見227頁。

九至十二畫

凰 (huáng) ⑧woŋ⁴〔王〕「鳳凰」也作「鳳皇」：古時傳說的一種吉祥而美麗的鳥。雄的叫鳳，雌的叫凰。參見855頁「鳳」。

凱 (kǎi) ⑧hɔi²〔海〕❶打勝仗。如「凱歌（戰勝之歌）」；「凱旋（戰勝歸來）」。❷图通「愷」。「愷悌」也作「凱弟」，見224頁。

【鳧】見鳥部，854頁。

凳 (櫈) (dèng) ⑧dɐŋ³〔登高去〕「凳子」：是沒有靠背的椅子。如「木凳」；「板凳」；「長凳兒」。

【凴】同「憑」，見227頁。

【凵部】

二至四畫

凶 (xiōng) 粵 huŋ¹〔空〕❶惡。如「凶狠」。❷傷人。如「行凶」。❸饑饉。如「凶歲」;「凶年」。❹形容很厲害的情況或行為。如「病勢很凶」;「鬧得很凶」。❺「凶險」:危險。

凸 (tū) 粵 det⁹〔突〕高出的樣子,跟「凹」相反。

出 (chū) 粵 tsœt⁷〔齣〕❶跟「入」、「進」相反。從裏面到外面。如「出門」。❷發生。如「出芽兒」;「出疹子」。❸生產,出產。如「馬鞍山出鐵礦」。❹顯露。如「出面」;「出沒無常」。❺支付。如「出錢辦事」;「量入為出」。❻計劃,擬定。如「出題」;「出個樣子」。❼發洩。如「出出悶氣」。❽來到。如「出席」;「出場」。❾在動詞後面,表示實現、出現、發生、顯露等意思。如「聽出他的意思」;「做出這種事來」。❿超過。如「出眾」;「出類拔萃」。⓫囝生子。如「所出」。⓬囝釋放,解救。如「出民於水火」。⓭囝指離婚休妻。如「出妻」。⓮囝驅逐。左傳有「逐出武穆之族」。⓯囝逃亡。如「出亡」;「出奔」。⓰「齣」的簡化,見881頁。

凹 ▲ (āo) 粵 nep⁷〔粒〕lep⁷〔笠〕(俗)窪下。跟「凸」相反。

▲ (wā) 粵 wa¹〔蛙〕❶人兩顴之間稍稍凹入的面貌。如「凹心臉兒」。❷平面物體深陷的部分,。如「凹窞兒」。

凼(氹) (dàng) 粵 tɐm⁵〔鐵凜切〕水停聚的坑。

六至七畫

函(圅) (hán) 粵 ham⁴〔咸〕❶囝護身的甲。❷包容。如「包函」。❸封套。❹匣子。如「鏡函」;「劍函」。❺信件。如「函件」;「公函」。❻姓。

【幽】見幺部,186頁。

【刀部】

刀 (dāo) 粵dou¹〔都〕❶供切、割、斬、削的利器。如「菜刀」。❷古代一種形狀像刀的錢幣。如「刀布」。❸紙張單位，一百張叫「一刀」。

刁 (diāo) 粵diu¹〔丟〕❶狡詐、無賴。如「這個人真刁」。❷故意爲難。如「刁難」。❸姓。

一至三畫

双 (liǎng) 粵lœŋ²〔兩〕「斤兩」的「兩」字的俗寫。

刃(双) (rèn) 粵jen⁶〔孕〕❶刀口。❷図引伸作殺人。如「手刃仇人」。

分 ▲(fēn) 粵fen¹〔昏〕❶使離開，跟「合」相反。如「分類」。❷離開。如「分離」。❸判別，辨別。如「分辨」。❹支（對總體說的）。如「分部」。❺長度單位，一尺的百分之一。❻重量單位，一兩的百分之一。❼幣制單位，一元的百分之一。❽時間單位，一小時的六十分之一。❾地積單位，一畝的十分之一。❿小數單位，指十分之一。如「年利二分」。⓫角度單位，一度的六十分之一。⓬成數。如「七分收成」；「十分可靠」。⓭図一半。列子書上有「人生百年，書夜各分」。

▲(fèn) 粵fen⁶〔份〕❶各自所佔的範圍。如「職分」；「名分」。❷整體的一部。如「部分」。也作「份」。❸量詞，一組或一件叫「一分」。❹「分外」：超乎尋常。如「月到中秋分外明」。

切 ▲(qiè) 粵tsit⁸〔徹〕❶密合。如「密切」。❷靠近。如「切近」。❸急迫。如「迫切」。❹按。如「切脈」。❺古時的拼音。如「反切」。❻千萬。如「切勿」。❼符合。如「切實」。❽図「切切」：①再三告誡，有「千萬」的意思。如「切切勿違」。②悲哀。如「淒淒切切」。③懷念。張九齡詩有「切切故鄉情」。④聲音細長。白居易詩有「小絃切切如私語」。⑤急迫的樣子。

▲(qiē) 粵tsit⁸〔徹〕❶用刀割斷。如「切菜」。❷「切磋」：互相研究學問。

▲(qiè) 粵tsei³〔砌〕「一切」：所有，全部。

刈 図(yì) 粵ŋai⁶〔艾〕ai⁶〔挨低去〕(俗)❶割草。❷砍殺。❸像鐮刀一樣的農具。

刊(栞) (kān) 粵 hɔn¹〔哈安切〕hɔn²〔罕〕(又) ❶排版印刷。如「刊行」;「發刊」。❷刊物的簡稱。如「月刊」;「週刊」。❸図刻,在石上刻字。如「刊石」。❹削除,修改。如「刊誤」;「不刊之論」。

四畫

列(liè) 粵 lit⁹〔烈〕❶成排的一羣人或物。如「行列(直排叫行;橫排叫列)」。❷班次。❸擺出來。如「陳列」。❹指多數的。如「列位」;「列國」。❺姓。

划 ▲(huá) 粵 wa⁴〔華〕wa¹〔娃〕(又) ❶搖槳撥水使船前進。如「划船」。❷「划拳」也作「豁拳」:猜拳。
▲「劃」的簡化,見56頁。

刑(刑) (xíng) 粵 jiŋ⁴〔形〕❶法律名詞,罰的總稱。如「徒刑」。❷刑具的簡稱。❸用刑具拷打。如「用刑」。❹図通「型」,見115頁。

刓 図(wán) 粵 jyn⁴〔元〕用刀削、刻、挖。

刎 (wěn) 粵 men⁵〔敏〕用刀割脖子。如「自刎」。

刖 図(yuè) 粵 jyt⁹〔月〕古時把罪犯的兩隻腳砍斷的一種刑罰。

五畫

別 (bié) 粵 bit⁹〔罷熱切〕❶分辨。如「辨別」。❷分離。如「永別」。❸不要。如「你別罵人」。❹用針把東西編緊。如「把紀念章別在胸前」。❺折,轉。如「別起腿來」;「別過臉去」。❻另外的,其他的。如「別號」;「別處」。❼姓。

刨 ▲(páo) 粵 pau⁴〔庖〕❶挖。如「刨土」。❷除去,減去。
▲(bào) 粵 pau⁴〔庖〕同「鉋」,見885頁。

判 (pàn) 粵 pun³〔披貫切〕❶分。如「判別」。❷斷定。如「判斷」。❸古官名。如「判官」;「州判」。

利 (lì) 粵 lei⁶〔吏〕❶益處。如「利益」。❷使人有益或使自己有益。如「利他」;「利己」。❸本金所生的息金。如「利息」。❹做買賣所賺的錢。如「利潤」。❺方便。如「便利」。❻鋒銳的。如「利刃」。❼吉。如「利市」。❽私人的好處。如「利令智昏」。❾姓。❿「利害」:①利益和害處。②同「厲害」,含有劇烈、凶猛、凶等意義。③表示驚嘆。

初 (chū) 粵tsɔ¹〔蹉〕❶開始。如「人之初」。❷從前，原來。如「當初」;「和好如初」。❸第一次。如「初版」;「初稿」。❹表示最低的等級，是「基本」的意思。如「初等」;「初級班」。❺稱陰曆每月一日到十日，都加上初字，如初一、初二。❻姓。

删(刪) (shān) 粵san¹〔山〕削除，去掉。如「删改」。

【刧】同「劫」，見58頁。

六畫

到 (dào) 粵dou³〔妒〕❶抵達，來。如「他今天到香港」。❷去。如「到公園散步」。❸周密。如「周到」。❹得到。如「到手」。❺表示動作的效果。如「辦得到」。❻姓。

剁(剁) (duō) 粵 dɔ²〔躲〕doek⁸〔啄〕(又)用刀砍。如「剁肉餡兒」。

刮 (guā) 粵gwat⁸〔颳〕❶用刀刃去掉表面的東西。如「刮臉」。❷去垢。如「刮舌」。❸同「颳」，見819頁。

刻 (kè) 粵hɐk⁷〔克〕❶雕鏤。如「刻字」。❷牢記;由「雕鏤」引伸。如「這件事深深刻在我的心版上」。❸深入。如「深

刻」。❹苛毒，不厚道。如「刻薄」。❺時間單位，十五分鐘叫一刻。❻時間。如「頃刻」。

刳 (kū) 粵fu¹〔枯〕❶從中間剖開後再挖空。❷「刳腹」:剖開肚子。如「刳木為舟」。

刲 (guī) 粵gwɐi¹〔歸〕割。如「刲羊(是宰羊)」。

券 (quàn) 粵hyn³〔勸〕作憑據的票契。如「債券」;「優待券」。

制 (zhì) 粵dzɐi³〔際〕❶規模法度。如「兵制」;「幣制」。❷創作。如「制定」;「制作」。❸判斷。如「斷制」。❹喪禮裏服喪三年。如「守制」。❺限定、管束。如「制限」;「制裁」。❻合於規定形式的。如「制服」;「制帽」。❼「製」的簡化，見660頁。

剎 (chà) 粵tsat⁸〔察〕sat⁸〔殺〕(又)❶佛寺。❷「刹那」:形容極短的時間。

刷▲ (shuā) 粵tsat⁸〔察〕❶清除。如「刷洗」。❷除垢的器具。如「牙刷」。❸塗抹。如「刷上油漆」。❹表聲音的字。如「刷刷的響」。

▲ (shuà) 粵tsat⁸〔察〕❶挑選。如「刷選」。❷「刷白」:色青白。

刺 ▲(cì)粵tsi³〔次〕❶用尖銳的東西戳。如「一刀刺入肺部」。❷尖銳的東西。如「芒刺」;「刺刀」。魚的細骨也叫「刺」。❸暗殺。如「刺客」。❹尖銳的譏諷。如「諷刺」。❺暗中偵伺。如「刺探」。❻名片。如「名刺」。❼針黹。如「刺繡」。❽図古時在捉來的壯丁身上刺字讓他當兵。如「刺民為軍」。❾図「刺刺」:話多的樣子。

▲(qì)粵tsik⁸〔戚中入〕殺人。如「行刺」。

刵(èr)粵ji〔二〕nei⁶〔餌〕(又)古代把人的耳朵割掉的一種刑罰。

七畫

剃(鬀)(tì)粵tei³〔替〕❶削髮。如「剃頭」。❷用刀削刮。如「剃毛」。

剌 ▲図(là)粵lat⁹〔辣〕違背,惡劣。如「乖剌之心」。

▲(lá)粵lai¹〔拉〕割劃。如「剌開」。

▲(lā)粵la¹〔啦〕❶表示聲音。如「嘩剌剌」。❷常作譯音字。

剋(尅)(kēi)粵hɐk⁷〔克〕❶限定。如「剋期」;「剋日」。❷私自扣減。如「剋扣」。❸消化。如「他的胃不好,吃東西剋化不了」。

剄(jǐng)粵giŋ²〔境〕用刀割頸。如「自剄」。

前(qián)粵tsin⁴〔錢〕❶跟「後」相反。如「屋前」。❷比現在早的時候。如「前些日子」。❸進行。如「勇往直前」。❹先。如「事前」。❺過去的,前任的簡稱。如「前年」;「前校長」。❻次序。如「前五名」。

削(xuē,又讀xiāo)粵sœk⁸〔爍〕❶用刀刮。如「削黎」。❷說人肌肉瘦損。如「瘦削」。❸図刪除,奪去。如「削職」。

則(zé)粵dzɐk⁷〔仄〕❶法度,模範。如「法則」;「規則」。❷等級。如「上則田」。❸計數的量詞。如「日記一則」。❹図同「就」。如「飢則思食」。❺図仿效。易經有「河出圖,洛出書,聖人則之」。❻図同「乃」。孟子書有「此則寡人之罪也」。❼図表因果關係的承接連詞。孟子書有「仁則榮,不仁則辱」。❽図表對待關係的承接連詞。孟子書有「入則無法家拂士,出則無敵國外患者,國恆亡」。❾図猶「而」。孟子書有「竭力以事大國,則不得免焉」。❿図有「如果」意思的假設連詞。如「今則來,

沛公恐不得有此」。⓫囡有「已經」的意思。如「使子路反見之，至則行矣」。⓬當「做」講。如「則甚（做甚麼）」；「不則聲」。⓭「則個」：①舊小說戲曲裏常見的，意思是「便了」。如「待我勸解他則個」。②舊詞曲裏的詞，表示動作進行，是「着」的語氣。如「怕花前月下，得見則個」。

剉(cuò)⓹tso³〔錯〕❶折傷。❷砍，斬截。
【𠚹】同「剉」，見56頁。

八畫

剝▲(bō)⓹mɔk⁷〔莫高入〕❶削落。如「剝落」。❷奪去。如「剝奪」。
▲(bāo，舊讀bō)⓹mɔk⁷〔莫高入〕去掉皮殼，去掉外層。如「剝花生」；「剝衣服」。

剖(pōu)⓹feu²〔否〕❶破開。如「解剖」。❷分辨。如「剖白」。

剟囡(duō)⓹dzyt⁸〔綴〕❶用刀刺或割。❷通「刊」，削除。見52頁。

剔(tī)⓹tik⁷〔惕〕❶分解骨肉。❷挑選而把壞的去掉。如「剔除」。❸挑。如「剔牙」。

剛(gāng)⓹gɔŋ¹〔江〕❶堅強，跟「柔」相反。如「剛強」。❷時間過去不久。如「剛才」。❸恰好。如「剛巧」。

剞囡(jī)⓹gei¹〔基〕「剞劂」：①雕刻用的彎刀。②雕版。

剗▲囡(chǎn)⓹tsan²〔產〕削，平。
▲囡(chàn)⓹tsan²〔產〕攻，平治。

剚囡(zì)⓹dzi³〔志〕插。如「剚刃於腹」。

剒(cuò)⓹tsɔk⁸〔雌惡切〕斬。如「剒斷」。

剡▲囡(yǎn)⓹jim⁵〔染〕❶削尖。如「剡木爲矢」。❷斬。如「剡其脛」。
▲(shàn)⓹sin⁶〔善〕「剡溪」：水名，在浙江省嵊縣南，曹娥江的上游。

剜(wān)⓹wun²〔碗〕用刀挖出。如「剜肉補瘡（比喻只救眼前的緊急，不顧後果）」。
【荊】見艸部，602頁。
【釗】見金部，753頁。

剠▲同「掠」，見254頁。
▲同「黥」，見872頁。

九畫

副(fù)⓹fu³〔富〕❶第二的，次級的，主管人的助手。如「副經理」。❷輔助的。如「副食」。❸附帶產生的。如「副作用」；「副產品」。❹量詞，東

西一組叫一副。❺图相稱。如「名副其實」。❻图「副詞」：用作限制動詞、形容詞的詞。

剮(guǎ)粵gwa²〔寡〕❶從前凌遲處死割肉留骨的刑罰。❷碰着尖銳的東西上而割破。如「手上剮了一個口子」。

劐图(huō)粵wak⁹〔或〕破裂的聲音。

剪(jiǎn)粵dzin²〔展〕❶「剪子」也叫「剪刀」。兩個刀刃兒相對，用來剪東西的工具。❷用剪子剪斷東西。如「剪指甲」；「剪個紙人兒」。❸在車票上打洞。如「剪票」。❹兩手在背後交叉着。如「倒剪着手」。❺图消滅，剷除。如「剪滅寇賊」；「剪除惡人」。❻图「剪徑」：土匪強盜在路上搶劫商旅。

十畫

割(gē)粵got⁸〔葛〕❶用刀切斷或切破。如「割稻」；「割破了皮」。❷分。如「分割」；「割據」。❸捨去，離開。如「不忍割愛」；「兩人難割難捨」。

剴图(kǎi)粵hoi²〔海〕「剴切」：切中事理。

創(叔)▲(chuàng)粵tsɔŋ³〔愴〕❶初有，初造。如「創始」。❷图懲罰。書經有「予創若時」。

▲(chuāng)粵tsɔŋ¹〔倉〕❶戕傷。如「創痕」。❷通「瘡」，見459頁。

剩(賸)(shèng)粵siŋ⁶〔盛〕多餘下來的。如「剩飯」；「剩下」。

【荊】同「荆」，見602頁。
【剳】同「劄」，見本頁。

十一畫

剽图(piāo)粵piu³〔票〕❶劫奪。如「剽掠」。❷輕捷。如「剽悍」。

劙图(lí)粵lei⁴〔離〕用刀劃面。如「劙面」。

剷(chǎn)粵tsan²〔產〕❶通「鏟」，削平。見55頁。❷同「鏟」，見770頁。

【剿】同「勦」，見61頁。

十二畫

劃▲(huà)粵wak⁹〔或〕❶齊一，一律。如「劃一」。❷設計。如「籌劃」。❸分界。如「劃定界限」。

▲(huá)粵wak⁹〔或〕❶用刀把東西分開。如「劃開」。❷擦摩。如「劃火柴」。

劂图(jué)粵kyt⁸〔決〕「剞劂」：見55頁「剞」字。

劄(剳)(zhā)粵dzap⁸〔眨〕❶書信。❷舊時上級

政府機關對下級的一種公文書。❸「劄記」：把讀書心得、體會或見聞，摘錄要點，記錄下來，累積而成的文字。❹同「札」，見307頁。

【劕】見艸部，615頁。

十三至二十一畫

劈 ▲(pī)⑧pɛk⁸〔扒隻切〕❶用刀斧破開。如「劈柴」。❷雷擊。如「一棵老樹被雷劈了」。❸破裂了。如「竹竿劈了」。❹對準，正對着。如「劈面而來」；「劈頭打下」。❺「劈手」：指動作迅速。如「劈手來奪」。

▲(pǐ)⑧pɛk⁸〔扒隻切〕❶用手分裂。❷均分。❸分開來燒火用的木柴。如「劈柴(指已劈好的柴薪)」。

劉 (liú)⑧lɐu⁴〔流〕❶囵殺。❷古代的兵器名，斧一類的東西。❸姓。

劌 囵(guì)⑧gwɐi³〔貴〕傷，割。

劊 (guì)⑧kui²〔繪〕❶囵斬斷。❷「劊子手」：從前處決死囚的人。

劍(劔) (jiàn)⑧gim³〔加厭切〕❶兩邊有刃，中間有脊，一端有柄的一種兵器。❷姓。

劇 (jù)⑧kɛk⁹〔屐〕❶戲，演戲也叫演劇。❷厲害，猛烈。如「劇烈」。❸繁雜。如「繁劇」。❹姓。

劃 囵(huō)⑧wɔk⁹〔獲〕❶用刀裂開。❷通「穫」，見502頁。

劑 囵(jì)⑧dzɐi¹〔擠〕❶經過配合而成的東西。如「藥劑」。❷量詞。如「一劑藥」。

劓 囵(yì)⑧ji⁶〔義〕割鼻，古代五刑之一。

劖 囵(chán)⑧tsam⁴〔慚〕❶刺。❷砍斷。

【劒】同「劍」，見本頁。

劘 囵(mó)⑧mɔ⁴〔磨〕❶切，削。❷接觸。如「轂交蹄劘(形容車馬往來很多)」。

劙 囵▲(lí)⑧lɐi⁵〔禮〕刀刺。
▲(lí)⑧lɐi⁴〔離〕同「劙」，見56頁。

劚 囵(zhú)⑧dzuk⁷〔竹〕❶鋤頭一類的農具。❷砍。

【力部】

力 (lì) ⑧lik⁹〔歷〕❶人由體能產生的作用。如「體力」。❷人由智慧產生的作用。如「智力」;「心力」。❸物理學上稱凡是能使別的物體運動、靜止或轉變方向的作用。如「離心力」。❹勞力的人。如「苦力」。❺盡力的意思。如「力求上進」。❻圖堅持。如「主此議甚力」。❼姓。

三畫

功 (gōng) ⑧guŋ¹〔工〕❶事業。如「功業」。❷成效。如「功效」。❸勳勞。如「功勞」。❹「功服」:喪服的一種,分大功服(服喪九個月)、小功服(服喪五個月)兩種。❺「功率」(*power*):常簡稱「功」,物理學名詞,原動機或其他機械在單位時間內所能作成的工作效果。功率單位最常見的是「馬力」、「瓦特」。

加 (jiā) ⑧ga¹〔家〕❶增添。如「加多」。❷算法的一種,即是把幾個數合成一個數,符號是「十」。❸戴上。如「加冕」。❹圖勝過。如「無以加之」。❺增強主動努力。如「加以保

護」。❻加拿大(國家名)的簡稱。❼「加倫」:英文*gallon*的音譯,量度單位,英國制合4.54346公升,美國制合3.78521公升。

【幼】見幺部,186頁。

四至五畫

劣 (liè) ⑧lyt⁸〔捋〕跟「優」相反,不好的,不足的,弱的。如「劣等」;「卑劣」。

努 (nǔ) ⑧nou⁵〔腦〕lou⁵〔老〕(俗)❶把力量使出來。如「努力工作」;「努力向前跑」;「強努勁兒支持着」。❷圖突出。如「努目(生氣時兩隻眼睛瞪得大大的樣子)」。❸用力過度而受傷。如「他搬這塊大石頭,搬不動,努着了」。❹「努嘴兒」:①輕微噘嘴向人示意。②不高興的樣子。

劫 (刼、刧、刦) (jié) ⑧gip⁸〔加接切〕❶強奪。如「路劫」。❷脅制。如「劫制」。❸災難。如「浩劫」。

劬 圖(qú) ⑧kœy⁴〔渠〕勤勞的樣子。如「劬勞(勞苦,多指母親育子)」;詩經有「母氏劬勞」。

助 (zhù) ⑧dzɔ⁶〔座〕❶幫。如「揠苗助長」。❷圖有益。如

「助益」。

劭 図(shào)粵siu⁶〔邵〕❶勉勵，勸導。漢書有「先帝劭農」。❷優美。如「劭美」。❸「年高德劭」的「邵」也作「劭」。

六至八畫

劻 図(kuāng)粵hoŋ¹〔匡〕「劻勷」：急迫的樣子。

劾 (hé)粵het⁹〔核〕檢舉或攻訐別人的罪狀。如「彈劾」。

劼 図(jié)粵kit⁸〔揭〕❶慎重。❷穩固。❸勤勉。
【効】同「效」，見277頁。

勃 (bó)粵but⁹〔撥〕❶旺盛的樣子。如「蓬勃」。❷図吵架。如「勃谿」。❸忽然。如「勃興」。❹「勃勃」：形容興隆旺盛。如「生氣勃勃」；「野心勃勃」。❺「勃然」：生氣的樣子。如「勃然變色」。

勉 (miǎn)粵min⁵〔免〕❶盡力。如「奮勉」。❷勸導，鼓勵。如「勉勵」。❸「勉強」：①不自然。如「你看他那一臉勉強的樣子」。②努力；又力量不夠而硬做。如「他勉強把這件事扛了起來」。③壓迫別人做他不肯做的事。如「你勉強他作那件事，結果並沒成功」。④大體上不錯，但還有些不夠的地方。如「勉強合格」。❹図「勉勉」：勤勉不息的樣子。

勁 ▲図(jìn)粵giŋ³〔敬〕❶力量。如「使了大勁」。❷興趣。如「起勁」。❸「勁兒」：①力氣。②精神、興趣。如「一說吃，他就有勁兒了」。③親密的情意。如「上勁兒」。④笑人不好的態度。如「你看他那股勁兒」。

▲図(jìng)粵giŋ⁶〔競〕堅強；猛烈。如「勁敵」；「疾風知勁草」。

勅 図(chì)粵tsik⁷〔斥〕❶帝王的詔命。❷道士畫在符咒上的「命令」。❸同「敕」，見278頁。

勇 (yǒng)粵juŋ⁵〔移壟切〕❶人力氣大或膽量大。如「勇士」。❷敢作敢為，肯擔當責任。如「勇於負責」。❸清朝的士兵。如「兵勇」。❹「勇往」：大膽前進。如「勇往直前」。
【勈】見角部，671頁。

勍 図(qíng)粵kiŋ⁴〔瓊〕強。如「勍敵」。

勑 ▲同「敕」，見278頁。
▲同「倈」，見207頁。
【脅】見肉部，575頁。

九畫

勔 図 (miǎn) 粵 min⁵〔免〕勉勵。

動 (dòng) 粵 duŋ⁶〔洞〕❶改變原來的位置或狀態。跟「靜」相反。如「動態」。❷行為。如「舉動」。❸開始。如「動工」。❹使感覺上受到影響。如「動心」;「戲演得很動人」。❺放於動詞後面,表示效果。如「拿得動」;「搬得動」。❻図每每。如「動輒」。

勒 ▲(lè) 粵 lɛk⁹〔離麥切〕lak⁹〔離額切〕(又)❶帶嚼子的馬絡頭。❷抑迫。如「勒索」。❸図刻。如「勒石」。❹煞住。如「勒馬」。❺書法的橫的筆畫。❻姓。

▲(lēi) 粵 lɛk⁹〔離麥切〕lak⁹〔離額切〕(又)用繩帶捆住,或套住,再用力扯、拉。

勘 ▲(kān,舊讀kàn) 粵 hem³〔瞰〕考核,稽察。如「勘查」。

▲(kān) 粵 hem¹〔堪〕❶「校(jiào)勘」:把文字兩相比較而加以審定。❷「勘誤」同「刊誤」:校正文字的錯誤。

勖(勗) (xù) 粵 juk⁷〔郁〕勉勵。如「勖勉」。

務 (wù) 粵 mou⁶〔冒〕❶事情。如「庶務」。❷專力作事。如「務農」。❸必須,一定。如

「務必」。

十畫

勞 ▲(láo) 粵 lou⁴〔盧〕❶勤苦用力。如「勞心」;「勞力」。❷事功。如「勞績」。❸煩託。如「勞駕」。❹勞動者的簡稱。如「勞資雙方」。❺用力過多。如「勞累」。❻病名,中醫稱積久虛損或損傷太過的病叫勞。如「五勞七傷」。❼姓。

▲(lào) 粵 lou⁶〔路〕慰問。如「犒勞」;「勞軍」。

勝 ▲(shèng) 粵 siŋ³〔姓〕❶佔優勢,贏了。跟「敗」相反。如「優勝」;「戰勝」。❷優越,形勢好的地方。如「名勝」;「形勝」。❸越過。如「略勝一籌」。❹図被打敗或敗滅的。如「勝國」;「勝朝(前朝)」。❺古時婦人首飾。如「金勝」。❻姓。

▲(shēng) 粵 siŋ¹〔升〕❶能夠,足以。如「勝任」。❷図受得住,受得了。如「悲不自勝」。❸図盡。如「不勝感激」;「不可勝數」。

【勛】同「勳」,見61頁。

十一至十三畫

募 (mù) 粵 mou⁶〔務〕❶招集。如「招募」;「募工」。❷廣泛

徵求。如「募款」；「募捐」。

勠 図(lù)粵luk⁹〔錄〕同「勠力同心」的「勠」，見232頁。

勣 (jī)粵dzik⁷〔積〕通「績」，指功業。見543頁。

勦(剿) ▲(jiǎo)粵dziu²〔沼〕用武力消滅。如「圍勦」。

▲(chāo)粵tsau¹〔抄〕掩取為己有。如「勦襲(抄襲)」；「勦說」。

勤 (qín)粵kɐn⁴〔芹〕❶努力，不偷懶。如「勤勞」。❷勞苦。如「勤苦」。❸厚意待人。如「殷勤」。❹機構、團體所分派的職務。如「內勤」；「外勤」。

勢 (shì)粵sɐi³〔世〕❶地位高權力大所產生的一種無形強力。如「有錢有勢」。❷自然界一些動的力量。如「風勢」；「水勢」。❸動作的狀態。如「手勢」；「姿勢」。❹機會。如「乘勢」。❺形狀。如「形勢」；「地勢」。❻図雄性動物的外腎。如「去勢之馬」。

勱 図(mài)粵mai⁶〔賣〕勉力。

勰 図(xié)粵hip⁸〔協〕和，協。

十四至十八畫

勳(勛) (xūn)粵fɐn¹〔昏〕❶功績。❷「勳章」：國家頒給有功者的獎章。

勵 (lì)粵lei⁶〔厲〕❶努力。如「勵行」。❷勸勉。如「策勵」。❸姓。

勷 ▲図(ráng)粵jœŋ⁴〔羊〕「劻勷」：急迫的樣子。

▲図(xiāng)粵sœŋ¹〔箱〕同「襄助」的「襄」，見662頁。

勸 (quàn)粵hyn³〔券〕❶用言語開導別人，使他聽從。如「勸告」。❷図獎勵。如「勸農」。

【勹部】

一畫

勺▲ (sháo)〔粵〕dzœk⁸〔雀〕tsœk⁸〔卓〕(又)❶一種有柄的可以舀汁液的器具。❷容量單位。升的百分之一。❸炒菜勺的簡稱。❹「後腦勺」;「腦勺子」:指人後腦高突的部分。

▲ (zhuó)〔粵〕dzœk⁸〔雀〕❶周代的樂名,供幼童學習。❷樂器名,即是籥。❸通「酌」,見745頁。

二畫

勾▲ (gōu)〔粵〕ŋeu¹〔鈎〕eu¹〔歐〕(俗)❶屈曲。❷除去。如「勾消」。❸畫。如「勾臉」。❹暗通聲氣,互相連結。如「勾結」。❺用芡粉或麪粉使湯汁加濃。如「勾滷」;「勾芡」。❻書法筆畫末尾向上的「趯筆」。❼「勾股形」:直角三角形的別名。直角一旁的短邊叫「勾」;長邊叫「股」;對着直角的邊叫「弦」。❽通「鈎」,見756頁。

▲ (gòu)〔粵〕ŋeu¹〔鈎〕eu¹〔歐〕(俗)❶伸手探取。如「東西離得遠,勾不着。」❷「勾當」:①囵辦理。②多指不正當的行為。

句 (jiū)〔粵〕geu¹〔加歐切〕keu¹〔卡歐切〕(又)聚集。

勿 (wù)〔粵〕met⁹〔密〕不要,不可,禁止的詞。如「請勿說話」。

勻 (yún)〔粵〕wen⁴〔云〕❶平均。如「均勻」。❷分讓。如「你勻出一點兒給他用」。

三畫

包 (bāo)〔粵〕bau¹〔胞〕❶裹起來。如「把這些都包在一起」。❷包裹的東西。如「一包東西」。❸包裹物品的用具。如「皮包」;「書包」。❹寬容。如「包涵」。❺統括。如「包括」;「包含」。❻負全部責任。如「包辦」;「包治」。❼圍困而加以攻擊。如「包圍」;「包抄」。❽姓。

匆 (忽、怱、悤) (cōng)〔粵〕tsuŋ〔沖〕急急忙忙的,急促的。如「匆匆」;「匆忙」。
【句】見口部,76頁。

四至十四畫

匈 (xiōng)〔粵〕huŋ¹〔空〕❶「胸」本字。見575頁。❷囵「匈匈」:吵鬧嘈雜。❸譯音字。

如「匈牙利(國家名)」。❹「匈奴」：古代中國北方遊牧民族，活動在內蒙古一帶。在西漢時最強盛，時常入侵。後來被漢兵攻打，分為南北兩支，北支西走，南支歸降漢朝，遷到內地雜居。

【訇】見日部，290頁。

【甸】見田部，449頁。

匋 (táo)粵tou⁴〔逃〕同「陶器」的「陶」，見786頁。

匍匐 図(pú) 粵pou⁴〔袍〕「匍匐」：①手足着地向前爬行。形容時間急迫，想走快些，或是卑屈的意思。②竭力。詩經有「凡民有喪，匍匐救之」。

【訇】見言部，673頁。

【芻】見艸部，596頁。

【夠】同「夠」，見127頁。

匏 (páo)粵pau⁴〔刨〕❶葫蘆的一種，果實圓大而扁。❷八音之一。

匐 図(fú)粵fuk⁹〔伏〕「匍匐」：見本頁「匍」字。

匔 図(qióng)粵gun¹〔公〕「匔匔」：恭謹的樣子。

【匕部】

匕 (bǐ)粵bei³〔臂〕❶古時像羹匙、勺子的食器或鏟藥的器具。❷箭鏃。❸「匕首」：短劍，頭像匕，所以叫匕首。

二畫

化 ▲(huà)粵fa³〔花高去〕❶無形的改變。如「潛移默化」。❷天地生成萬物。如「造化」；「化育」。❸轉移民間的風俗。如「化俗」。❹超凡入聖的地步。如「化境」。❺人死。如「化鶴」。❻焚毀。如「化紙」。❼向人求乞。如「化緣」。❽融解。如「化冰」。

▲(huā)fa¹〔花〕「化子」也作「花子」：乞丐。

三至九畫

北 ▲(běi)粵bɐk⁷〔巴北切〕❶方位，跟「南」相對。如「北方」。❷向北走。如「北上」。❸打敗。如「敗北」。

▲(bèi)粵bui³〔貝〕分異。書經有「分北三苗」。

【旨】見日部，290頁。

【眞】見目部，473頁。

匙 ▲(chí)粵tsi⁴〔池〕「羹匙」：舀湯的食具。

▲(shi)粵si⁴〔時〕「鑰匙」：開鎖的器具。

【頃】見頁部，811頁。

【匚部】

三至四畫

匝 (zā)粵dzap⁸〔劄〕❶周徧。環繞一周叫「一匝」。❷「匝匝」：形容稠密的樣子。如「密匝匝」；「密密匝匝」。❸本作「帀」，見179頁。

匜 (yí)粵ji⁴〔移〕❶古時的盛水盥洗的器具。❷古時一種裝着酒喝的容器。

【巨】見工部，176頁。

【叵】見口部，76頁。

匟 (kàng) 粵 kɔŋ³〔抗〕「匟牀」：可以兩人並坐的精緻的木牀。牀上有小几子，牀前有擱腳的腳登子。放在大廳上，可坐可卧。

匡 (kuāng)粵hɔŋ¹〔康〕❶匡糾正。如「匡正」。❷匡輔助。如「匡助」。❸匡救。如「匡濟」。❹古地名，一在今河北省，一在今河南省。❺姓。

匠 (jiàng)粵dzœŋ⁶〔象〕❶有手藝的人。如「木匠」；「瓦匠」。❷匠機巧。如「匠心(心思靈巧)」。

五至十五畫

匣 (xiá)粵hap⁹〔峽〕藏東西的小箱子。如「匣子」。

匪 (fěi)粵fei²〔誹〕❶強盜。如「土匪」。❷行為不正的人。如「匪類」;「匪人」。❸囡作「非」、「不」解。如「匪易」;「夙夜匪懈」。

匭 (guǐ)粵gwɐi²〔軌〕匣子。

匯 (滙) (huì)粵wui⁶〔會〕❶水流會合。如「匯合」。❷由甲地把金錢委託金融機關寄到乙地。如「匯兌」。

匰 (dān)粵dan¹〔丹〕古時宗廟盛木主的器具。

匱 ▲囡(kuì)粵gwɐi⁶〔跪〕缺乏,盡。如「匱乏」;「孝子不匱」。

▲ (guì) 粵 gwɐi⁶〔跪〕同「櫃」,見340頁。

奩 (奩、匳) 囡(lián)粵lim⁴〔廉〕❶女子梳妝用的鏡匣。❷裝東西的小箱子。❸嫁妝。如「妝奩」。

匴 (suǎn)粵syn³〔算〕古時竹製的帽匣。

匵 囡(dú)粵 duk⁹〔讀〕同「櫝」,藏東西的櫃子。見340頁。

【匚部】

二畫

匹 ▲(pǐ)粵pɐt⁷〔疋〕❶量詞:①布一段叫一匹(現在一般為四十碼)。也寫作「疋」。②量詞,馬一頭叫一匹。❷配合,相敵。如「匹配」;「匹敵」。❸「匹夫」:①尋常的人。②指沒有學識,沒有智謀的平常人。如「匹夫之輩」(輕視之詞)。

七至九畫

匽 (yǎn)粵jin²〔演〕❶姓。❷通「偃」,見33頁。

匾 (biǎn)粵 bin²〔貶〕❶「匾額」:刻有橫寫題字的木板。❷囡圓形而淺邊的竹器。

匿 (nì)粵nik⁷〔溺〕lik⁷〔礫〕(俗)隱藏起來。如「匿名」;「隱匿」。

區 ▲ (qū)粵 kœy¹〔拘〕❶類別。如「區分」;「區別」。❷地界的劃分。如「區域」;「工業區」。❸「區區」:小或少的意思。如「區區幾十塊錢,何必計較」。

▲(ōu)粵ɐu¹〔歐〕❶古代容量單位。四升叫豆,四豆叫區。❷姓。

【十部】

十 (shí) 粵 sep⁹〔拾〕 ❶ 數目字，大寫作「拾」。商碼作「十」，阿拉伯碼作「10」。❷ 滿足的意思。如「十分」；「十足」。❸ 表示達到頂點。如「十全十美」。

一畫

千 (qiān) 粵 tsin¹〔遷〕 ❶ 數目字，大寫作「仟」，百的十倍。❷ 比喻多數。如「千言萬語」。❸「千萬」(祈求、囑咐的詞) 的略語。如「千祈」。❹ 姓。❺「千赫」：無線電波頻率的單位名稱，即是「千週」。

二畫

廿(卄) (niàn) 粵 je⁶〔夜〕ja⁶〔宜夏切〕(又) 二十。

升 (shēng) 粵 siŋ¹〔星〕 ❶ 容量單位，十升為一斗。❷ 上進，向上去。如「升級」；「上升」。又作「昇」。❸ 登上，「提高」。如「升階」。又作「昇」、「陞」。❹姓。

卅 (sà) 粵 sa¹〔沙〕三十。

午 (wǔ) 粵 ŋ⁵〔五〕 ❶ 地支的第七位。❷ 午時，上午十一點到下午一點。❸ 白天十二點以前叫「上午」；十二點正叫「正午」或「中午」；十二點以後叫「下午」。❹ 深夜十二點左右。如「午夜」。❺ 図縱橫相交。如「交午」；「旁(bàng)午(也指事務煩雜)」；「蠭午並起(眾人像蜂羣似地活動起來)」。❻ 図逆。禮記有「午其眾以伐有道」。❼ 図十二屬相(xiàng)以午為馬，所以古時官名「司馬」也稱為「典午」。❽「晌午」：正午。

【卆】同「卒」，見67頁。

三至四畫

半 (bàn) 粵 bun³〔巴貫切〕 ❶ 二分之一。如「半碗水」。❷ 不完全。如「半生不熟」。❸「半晌」：許久，一會兒。

卉 (huì) 粵 wɐi²〔毀〕花草的總稱。如「花卉」。

六至七畫

卑 (bēi) 粵 bei¹〔悲〕 ❶ 図低下。如「地勢卑濕」。❷ 低劣，下等。如「卑劣」；「卑賤」。❸ 謙恭和藹的。如「卑辭厚禮」。

卓▲ (zhuō) 粵 tsœk⁸〔綽〕 ❶ 高，不平凡。如「卓見」；「卓絕」。❷ 直立的樣子。如「卓立」。❸姓。

▲ (zhuō) ⑧ dzœk⁸〔雀〕tsœk⁸〔綽〕(又)同「桌」，見320頁。

協 (xié) ⑧ hip⁸〔脅〕❶和合，共同。如「協力」；「協和」。❷輔助。如「協助」。

卒 ▲ (zú) ⑧ dzœt⁷〔知恤切〕❶兵士。如「兵卒」。❷古時稱差役。如「隸卒」；「走卒」。❸終於，到底。如「卒有天下」。❹完畢，了了。如「卒業」；「卒其事」。❺死亡。如「暴卒」。❻象棋子之一。

▲ (cù) ⑧ tsyt⁸〔撮〕同「猝」。突然的意思。見428頁。

南 ▲ (nán) ⑧ nam⁴〔男〕lam⁴〔藍〕(俗)❶方位，跟「北」相對。如「南方」。❷向南走。如「南下」；「南行」。❸姓。

▲ (nā) ⑧ na⁴〔拿〕「南無(mó)」：梵語。歸命、歸禮、敬禮的意思；即是合掌稽首。

十畫

博 (bó) ⑧ bɔk⁸〔駁〕❶寬廣。如「寬衣博帶」。❷見識多。如「博學多才」。❸換、取。如「以博一笑」。❹「博士」：①學位之一。②中國古代掌學術的官名。❺賭博(即是賭錢)。❻姓。

【率】見玄部，432頁。

【卜部】

卜 ▲(bǔ)⑧buk⁷〔巴屋切〕❶用某種方法推斷吉凶。如「卜卦」。❷図預料。如「未卜先知」。❸図擇選。如「卜居」。❹姓。

▲「蔔」的簡化，見617頁。

二至六畫

卞 (biàn) ⑧ bin⁶〔辨〕❶図躁急。如「卞急」。❷姓。

【卝】同「丱」，見第5頁。

卡 ▲(kǎ)⑧ka¹〔崎鴉切〕❶兩腿向外彎曲。如「卡ㄨ着腿兒往前走」。❷card(名片、小硬紙片)的譯名。如「卡片」；「卡紙」。❸car(車)的譯名。如「卡車(大型的貨運汽車)」；「摩托卡」。❹計算熱量的單位，是英文calorie(卡路里)的簡譯。是指一公克水升高或降低攝氏溫度一度，所需或所放的熱量。❺「卡通」：英文cartoon的音譯，是美術上一種特殊取材的畫法，通常稱為「漫畫」，大半是以時事為題材的諷刺畫。拍製成的卡通電影叫做「動畫」。❻「卡介苗」：譯自英文BGG(*Bacillus of Albert Calmette and Camille Gué-*

rin），是由卡氏跟介氏二人發現而得名，也就是防癆疫苗，或稱結核菌素。這種疫苗是特別培養使它弱化的結核細菌，注射到人體使體內產生抗體，預防肺結核等結核病。❼「卡拉特」也作「克剌特」：英文 *carat* 的音譯。①表示合金中純金的含量。過去譯成「開」，現在很多改用「K」代替。純金是二十四卡拉特。十八K即是「含純金二十四分之十八」。②珠玉的重量單位，也叫「克拉」。每卡拉特等於0.2公克。

▲(qiǎ)⑧ka²〔崎啞切〕❶政府收稅的機構。如「稅卡」；「關卡(通過需要檢查的地方)」。❷堵塞。如「卡住了」。❸夾在中間的動作。如「把茶几兒卡在椅子中間」。

占 ▲(zhān)⑧dzim¹〔尖〕就着徵兆來推知吉凶。如「占卜」。

▲(zhàn)⑧dzim³〔佔〕❶有，據有，強力取得。如「占據」；「占領」；「強占」；「侵占」。❷得到或處於、屬於某種地位、情形。常寫作「佔」。❸囵守衛。如「占護」(即是「守護」的意思)。❹囵口授字句。❺「口占」：作詩不起草而隨口吟出。

卣 (yǒu)⑧jeu⁵〔有〕古時的一種盛酒器。

卦 (guà)⑧gwa³〔掛〕❶古時占卜所用符號，傳說是伏羲氏所創，基本卦共有八個，是用長短的橫畫擺成的，叫八卦(見「八」字)；把基本卦兩兩重疊起來成為六十四卦。❷已定的事情又改變。如「變卦」。

【卩部】

二至十四畫

印▲ 図（áng）⑨ ŋɔŋ⁴〔昂〕
ŋɛ⁴（俗）❶我。❷通「昂貴」
的「昂」，見 292 頁。❸「卬
卬」：興旺的樣子。

▲（yǎng）⑨ jœŋ⁵〔養〕古與
「仰」字通。見21頁。

卯（mǎo）⑨ mau⁵〔牡〕❶地支
的第四位。❷卯時，上午五
點到七點。❸以往官署每日卯
時查考官吏人役是否到公，叫
「點卯」；吏役按時到場應名，
叫「應卯」。（「應卯」引伸爲到
某處虛爲敷衍的意思）。❹兩
器接榫的地方。凸起的部分叫
「榫頭」；凹進去的部分叫「卯
眼」。

【卭】同「邛」，見739頁。

卮（巵）（zhī）⑨ dzi¹〔支〕❶古
時盛酒漿的圓底杯
（引用「漏卮」比方國家稅收有
逃漏或經濟利益受損失）。❷
「卮子」即是「梔子」。見315頁
「梔」字。❸図「卮言」：支離而
沒有首尾的言辭。

印（yìn）⑨ jen³〔衣趁切〕❶圖章
之類。如「蓋印」。❷留下的
痕跡。如「手印」；「印象」。❸

留在紙上的文字、圖畫。如
「這本書印好了」。❹合。如
「心心相印」。❺印度（國名）的
簡稱。❻姓。

危（wēi）⑨ ŋɐi⁴〔巍〕ɐi⁴〔矮低平〕
（俗）❶不安全。如「危險」；
「危機」。❷傷害。如「危害」。
❸病重。如「病危」。❹星宿
名，二十八宿之一。❺図端
正。如「正襟危坐」；「危言危
行」。❻図高聳。如「危樓」。
❼姓。

卵（luǎn）⑨ lœn²〔拉準切〕❶
鳥、魚、蟲生下的還沒孵化
的蛋。❷「卵子」：俗稱男子的
睾丸。

邵図（shào）⑨ siu⁶〔紹〕高尚，
美好。如「年高德邵」。

【却】同「卻」，見70頁。

卺図（jǐn）⑨ gen²〔僅〕古時候
婚禮所用的酒杯。

卷▲（juàn）⑨ gyn²〔捲〕❶可以
捲起來的書畫。如「書卷」。
❷書籍。如「手不釋卷」。❸書
的分篇。如「卷上」；「卷一」。
❹公私機關存檔的文件。如
「案卷」。❺考試的題紙。如
「試卷」。

▲（juǎn）⑨ gyn²〔捲〕同
「捲」，見255頁。

▲（quán）⑨ kyn⁴〔拳〕彎
曲。如「卷髮」。

卸 (xiè)⑧se³〔瀉〕❶解除。如「卸甲」。❷解除職務。如「卸任」。❸拿下來。如「卸貨」。

恤 (xù)⑧sœt⁷〔戌〕❶憂愁，悲哀，憐憫；通「恤」，見217頁。❷「卹金」：政府或私營機構發給為國犧牲或職工的遺屬的撫卹金。

卽 (卽) (jí)⑧dzik⁷〔積〕❶立刻。如「立卽」。❷靠近。如「不卽不離」。❸假使。如「卽便」；「卽或」。❹就是。如「石頭記卽紅樓夢」。❺今日，當日。如「卽日」。❻就、便。如「黎明卽起」。

卻 (却) (què)⑧kœk⁸〔其啄切〕❶推辭，不接受。如「推卻」；「卻之不恭」。❷後退。如「退卻」；「卻步」。❸表示轉折、反、倒。如「他叫我來，他自己卻不來」。❹同「去」、「掉」用法相近。如「忘卻」；「除卻」。❺再。如「等明日卻往」。❻且。如「卻說」。

卿 (卿、卿) (qīng)⑧hiŋ¹〔兄〕❶舊時君對臣的稱呼。❷夫對妻的稱呼。❸舊時高級官名。如「上卿」。現在還用來翻譯外國官名。如「國務卿」。❹姓。❺「卿卿」：①囡對妻或情人親熱的稱呼。②形容夫妻和睦的樣子。如「卿卿我我」。❻「卿雲」：古人所說的祥瑞的雲氣。

【厀】同「膝」，見580頁。
【夗】見自部，585頁。

【厂部】

厂 ▲図(ān)粵ŋen⁶〔岸〕ɔn⁶〔安低去〕(俗)山旁邊有岩石可供人居住的地方。

▲「廠」的簡化，見192頁。

二至七畫

厄 (è)粵ak⁷〔握〕❶困難，艱苦。如「不忘當年之厄」。❷受威脅，受阻礙。如「孔子厄於陳蔡」；「航行海上，厄於風暴」。❸「厄運」：困苦的時運。

厔 (zhì)粵dzet⁹〔姪〕❶図河水彎曲的地方。❷「盩厔」：陝西省舊縣名。今改名「周至」。

厓 (yá)粵ŋai⁴〔崖〕ai⁴〔挨低平〕(俗)❶山邊，與「崖」通，見173頁。❷水邊，與「涯」通，見380頁。

厐 (páng)粵 pɔŋ⁴〔旁〕通「龐」，大。見193頁。

厘 ▲「釐」的簡化，見751頁。

厙 ▲同「塵」，見192頁。

厚 (hòu)粵heu⁵〔霞友切〕❶扁平物體表面跟底面間的距離。如「長寬厚」。❷扁平物體高度較大的，跟「薄」相反。如「厚紙」。❸深，重。如「交情深厚」；「未可厚非」。❹不刻薄，待人好。如「忠厚」；「不要厚此薄彼」。

厙 (shè)粵se³〔瀉〕姓。

八至二十四畫

厝 (cuò)粵tsou³〔措〕❶図安置。古書裏和「措」字通，參見257頁「措」。❷把靈柩停放，不埋或淺淺的暫埋。如「浮厝」；「暫厝」。

原 ▲(yuán)粵jyn⁴〔元〕❶廣大的平地。如「平原」；「草原」。❷本來。如「這話原是不錯的」。❸最初的，開始的。如「原人」。❹根本，和「源」字通。如「原委」；「推本考原」。❺図往上或往根源追究。如「原其初始」；「推原其致誤之由」。❻寬容，諒解。如「情有可原」。❼姓。

▲図(yuàn)粵jyn⁶〔願〕通「愿」，見225頁。

【厠】同「廁」，見190頁。
【厢】同「廂」，見190頁。

厥 図(jué)粵kyt⁸〔決〕❶氣閉昏倒。如「昏厥」。❷其。如「大放厥詞」。❸那個，這個。如「厥土甚肥」；「徒慮當前，未謀厥後」。

【厦】同「廈」，見191頁。
【雁】見隹部，793頁。

【厨】同「廚」，見192頁。
【厴】同「厴」，見191頁。
【厰】同「厰」，見191頁。
【斳】同「斳」，見192頁。
【厨】同「廚」，見192頁。
【厰】同「厰」，見192頁。

厭▲(yàn)⑧jim³〔衣佔切〕❶
不喜愛，嫌惡。如「厭惡」。
❷図滿，足，與「饜」通，見
825頁。

　▲図(yān)⑧jim¹〔淹〕「厭
厭」：①安，久。②氣勢興盛
的樣子。

厲▲(lì)⑧lei⁶〔麗〕❶把刀磨銳
利。如「秣馬厲兵」。❷嚴
肅。如「正顏厲色」。❸認眞，
嚴格地。如「厲行節約」。❹猛
烈，粗暴。如「聲色俱厲」；
「雷厲風行」。❺「厲害」：①凶
狠，凶猛。②驚嘆。❻姓。

　▲図(lài)⑧lai³〔癩〕同
「癩」，瘋癲病。史記有「漆身
爲厲」。參見461頁。

【歷】同「歷」，見348頁。
【鴈】同「雁」，見793頁。
【曆】見日部，299頁。
【歷】見止部，348頁。
【壢】見土部，123頁。
【擘】見手部，271頁。
【賷】見貝部，702頁。
【𤲶】同「𤲶」，見193頁。
【麗】同「龐」，見193頁。

厴(yǎn)⑧jim²〔掩〕❶蟹腹下
的臍。❷螺類介殼口的圓形
片狀物。

【廳】同「廳」，見193頁。
【贋】同「贋」，見702頁。
【靨】見面部，804頁。
【魘】見鬼部，845頁。
【饜】見食部，825頁。
【鷹】見鳥部，863頁。
【黶】見黑部，873頁。

【厶部】

厶 (sī) 粵 si¹〔斯〕古「私」字，見496頁。

二至三畫

厹 ▲囡 (róu) 粵 neu²〔妞〕leu²〔拉陡切〕(俗) 野獸用腳踐踏地面。

▲ (qiú) 粵 keu⁴〔求〕❶「厹矛」：古時的一種三稜矛。❷「厹由」：古國名，在今山西省盂縣東北。

去 (qù) 粵 hœy³〔呵醉切〕❶走，從這裏走到那裏。如「你還不去？」；「大家都去旅行」。❷往，到。跟「來」相反。如「馬上就去」。❸離開。如「去世」；「去國」。❹囡距離。如「去古已遠」；「相去何止千里」。❺過去的。如「去日苦多」。❻發出。如「去信」；「去電」。❼除掉。如「把這條線再去一寸」。❽放棄。如「他對這個職務去就兩難」。❾助動詞，有兩種不同用法：①表趨勢的前附助動詞。如「拿錢去養家」。②表持續的後附助動詞。如「信口說去，難免錯誤」。❿指戲劇中伶人扮演劇中人。如「這齣戲他去岳飛」。

⓫漢語四聲之一。

【台】見口部，76頁。

【弁】見「廾」部，194頁。

六至九畫

叄 (sān) 粵 sam¹〔衫〕「三」字的大寫，見第2頁。

參(叅) ▲ (cān) 粵 tsam¹〔驂〕❶加入，干預。❷進見。如「參見」；「參拜」。❸拿有關的資料來幫助研究了解。如「參看註解」；「這是供參考的資料」。❹彈劾。如「奏參」；「參他一本」。❺「參天」：高出空際的樣子。

▲ (shēn) 粵 sɐm¹〔心〕❶一種多年生草本植物，根部肥大，作藥用，很名貴，俗稱「人參」，有「高麗參」；「西洋參」等。(「參」字本作「蓡」。)❷星宿名，二十八宿之一。

▲ (cēn) 粵 tsɐm¹〔侵〕tsam¹〔驂〕(又)❶「參差(cī)」：不整齊的樣子。❷「參錯」：錯雜不齊。

▲ (sān) 粵 sam¹〔衫〕同「三」，見第2頁。

【又部】

又 (yòu) 粵 jeu⁶〔右〕❶表示重複或反覆。如「一天又一天」;「擦了又寫,寫了又擦」。❷用來連結平列着的意思。如「做得又快又好」;「又會念,又會作,又會寫」;「又想走又捨不得走」。❸表示動作或情況先後接連。如「剛吃完飯又看起書來」。❹表示加強、加重的語氣,有「並」的意思。如「又沒說你,你何必生氣」;「他又不是小孩子,怎麼不懂這個」。❺表示更進一層。如「他的病又轉成肺炎了」。❻零,表示數目的附加。如「一又二分之一」。❼通「有」。詩經有「亦又何求」。❽囝通「宥」。禮記有「王三又」。

一至四畫

【叉】見、部,第6頁。

反 ▲ (fǎn) 粵 fan²〔返〕❶跟「正」對稱。如「反面」;「你把話說反了」。❷掉轉。如「反敗為勝」;「易如反掌」。❸顛倒過來,與常情不符。如「是自己不對,反而誣賴別人」。❹違背。如「反情理的妄行」;「反時代的思想」。❺不贊成或抗拒。如「反對侵略」。❻對抗,打擊。如「反飛彈戰術」。❼背叛,破壞。如「造反」;「你們是反了嗎?這樣無法無天地亂鬧」。❽囝類推。如「舉一反三」。❾囝反省。如「自反」。❿囝同「返」。歸還。見726頁。

▲囝(fān) 粵 fan²〔返〕❶翻案。如「平反」。❷「反切」:傳統的注音方法,用兩字標注,把上一個字的聲跟下一個字的韻切合成一個音。例如「工」字的音是「姑翁」切,「反」字的音是「甫晚」切。

▲囝(bǎn) 粵 ban²〔板〕「反反」:慎重的意思。詩經有「其未醉止,威儀反反」。

及 (jí) 粵 gep⁹〔技合切〕❶達到。如「照顧不及」;「已入學年齡」。❷囝等到。如「及病轉劇,延醫已遲」。❸囝乘着。如「宜及其未定而先攻之」。❹與、跟、和。❺趕上,趕到。如「來得及」;「不及與之會面」。❻合。如「及格」。❼比得上。如「誰說我不及他」。

友 (yǒu) 粵 jeu⁵〔有〕❶朋友,能互助,彼此有交情的人。❷兄弟或朋友間的互相親愛。

74　又部　又 (1-2)　叉反及友

如「友愛」;「友好」。❸有友好關係或共同目標的。如「友軍」;「友邦」。❹囵結交。如「友其士之仁者」。

【叟】古「史」字,見77頁。

六畫

取 (qǔ)⑧tsœy²〔娶〕❶拿。如「回家取東西」。❷得到。如「敗中取勝」;「取信於人」。❸接受。如「分文不取」。❹選擇,採用。如「就地取材」;「這意見很有可取之處」。❺找,尋求。如「取笑」;「自取滅亡」。❻下判斷。如「取決」。❼通「娶」,見142頁。

叕 囵(zhuó)⑧dzyt⁸〔綴〕❶聯綴。❷短。淮南子有「愚人之意叕」。

受 (shòu)⑧seu⁶〔壽〕❶收得,接納。如「受到優待」;「受人之託」;「受之有愧」。❷被,遭到。如「受人欺負」;「受了冤枉」。❸被侵害。如「受寒」;「受暑」。❹可,中,表示「好」的意思。如「他說的話很受聽」。

叔 (shū)⑧suk⁷〔宿〕❶父親的弟弟。❷小叔子,即是丈夫的弟弟。❸稱父親的平輩朋友中較父親年輕的人。❹用「伯、仲、叔、季」作為兄弟排行的次序,叔是老三。❺囵「叔世」:政治衰敗,國勢衰落。❻囵「叔孫」:複姓。

七至十六畫

叛 (pàn)⑧bun⁶〔伴〕違反,背離。如「眾叛親離」。

叚 ▲同「假」,見32頁。

叚 ▲「段」的俗寫,見352頁。

【叙】同「敘」,見278頁。

叟 ▲囵(sǒu)⑧seu²〔手〕❶老頭兒。如「童叟無欺」。❷對長者的尊稱。像現在稱「你老」。
　　▲囵(sōu)⑧seu¹〔收〕「叟叟」:淘米聲。

【雙】同「雙」,見794頁。

【疊】同「疊」,見453頁。

【叡】同「睿」,見477頁。

叢(蕞) (cóng)⑧tsuŋ⁴〔從〕❶聚集,湊在一起的。如「叢書」;「草木叢生」。❷由許多人或物湊合起來的集合體。如「人叢」;「文叢」。❸灌木。❹姓。

【口部】

口 (kǒu) 粵 heu² 〔哈嘔切〕❶ 嘴，五官之一，飲食發聲的器官。❷ 器物的嘴。如「瓶口」；「碗口」。❸ 內外相通，出入的要道。如「關口」；「大門口」。❹ 破裂的地方。如「傷口」。❺ 量詞：①一個人叫「一口」。如「五口之家」。②東西一件，牲畜一隻，有的也叫「一口」。如「一口鍋」；「一口豬」。❻ 刀鋒。如「刀口」。

二畫

叭 (bā) 粵 ba¹ 〔巴〕❶「叭叭」：模仿拍擊的聲音。❷「喇叭」：見94頁「喇」字。

叵 区(pǒ) 粵 po²〔頗〕「不可」兩字的合音。如「居心叵測(叵測，是不可測知的意思)」。

叨 ▲(tāo) 粵 tou¹〔滔〕❶ 区貪婪。❷ 忝，自謙的話。如「叨光」；「叨擾」；「叨在知己」。

▲ (dāo) 粵 dou¹〔刀〕❶ 話多，說個沒完沒了。如「叨叨」；「叨嘮」；「叨念」。❷ 嘮叨」：話多教人厭煩。❸「叨登」也作「叨蹬」：①翻檢，把原有的次序弄亂。②宣揚事實或舊事重提。

叼 (diāo) 粵 diu¹〔刁〕用嘴銜着。如「叼着香煙」。

叮 (dīng) 粵 diŋ¹〔丁〕❶ 蚊子咬人。如「蚊子叮我」。❷ 吩咐。如「叮嚀」(再三吩咐。也作「丁寧」)。❸「叮噹」：金屬相碰撞的聲音。

台 ▲(tái) 粵 toi⁴〔抬〕❶ 尊稱對方的詞。如「台端(對人的敬稱，使用在平輩之間)」；「台甫(尊稱他人的名字的敬詞)」。❷ 同「臺」，見585頁。❸「颱」、「檯」的簡化。

▲(tāi) 粵 toi⁴〔抬〕「台州」：舊府名，在今浙江臨海縣。

▲区(yi) 粵 ji⁴〔宜〕我。

叻 (lè) 粵 lɛk⁹〔仂〕「叻埠」也作「石叻」：即是馬來半島南端的新加坡，華僑把這個地方叫「實叻」。

另 (lìng) 粵 liŋ⁶〔令〕❶ 別的，特別的。如「另外」；「另眼相看」。❷ 分開，不混合在一起。如「另行通知」；「另想辦法」。

句 ▲(jù) 粵 gœy³〔據〕❶「句子」：由兩個或兩個以上的詞組成而能表示一個完全的意思的語言或文字。❷「句號」：「。」，標點符號的一種，表示一句話說完之後的停頓。

▲(gōu)粵ŋɐu¹〔鈎〕ɐu¹〔歐〕
(俗)❶同「勾」(①屈曲。②鈎)，見62頁。❷姓。

▲(gòu)粵gɐu³〔夠〕❶同「勾當」的「勾」，見62頁。❷伸手去取。也作「搆」。如「架子太高了，勾不着」。

古(gǔ)粵gu²〔鼓〕❶離開現在時間久遠的。跟「今」相反。如「古代」。❷保留傳統習慣，不很時髦。如「古板」。❸姓。

可▲(kě)粵hɔ²〔哈果切〕❶允許，承認。如「許可」。❷合適。如「可口」;「可身」。❸能夠。如「可大可小」。❹值得，宜於。如「可愛」;「可惜」。❺將就。如「可着這張紙來畫」。❻同「卻」。如「你去，我可不去」。❼同「豈」。如「這可不糟了嗎」。❽用來加強語氣。如「這可好了」;「你可回來了」。❾表示疑問。如「你可知道」;「你可想過」。❿但是。如「他雖然笨，可很努力」。⓫図約計。如「年可十六七」。⓬「可可」:梧桐科喬木，果實橢圓形，研末可作飲料。

▲(kè)粵hɐk⁷〔克〕❶「可汗」:古時西域各國對君主的稱呼。❷「可敦」:可汗之妻，也作「賀敦」或「可賀敦」。

叩(敂)(kòu)粵kɐu³〔扣〕❶打，擊。如「叩門」;「以杖叩其脛」。❷問。如「叩問」。❸磕頭(作敬詞)。如「叩稟」。

叫(呌)(jiào)粵giu³〔加要切〕❶稱呼。如「名叫文德」。❷鳴。如「學雞叫」。❸呼號。如「叫號」。❹招喚。如「叫車」。❺被，受。如「叫人批評得體無完膚」。❻使，讓，命令。如「叫他走吧」;「叫他好好用功」。

叶▲(xié)粵hip⁸〔協〕古「協」字。見67頁。
▲「葉」的簡化，見613頁。

只▲(zhǐ)粵dzi²〔止〕❶僅僅。如「只此一家」;「只要……就可以」。❷盡。如「只管去做」。❸同「祇」，見491頁。
▲(zhī)粵dzɛk⁸〔炙〕「隻」的簡化，見792頁。

召▲(zhào)粵dziu⁶〔趙〕❶上級傳見下級。如「召見」。❷引來的意思。如「召禍」。
▲(shào)粵siu⁶〔紹〕姓。

叱(chì)粵tsik⁷〔斥〕❶大聲責罵。如「呵叱」。❷呼喝。

史(shǐ)粵si²〔屎〕❶古代掌管文書紀錄的官員。如「太史」。❷記載過去事情的書籍。如「史書」。❸姓。

司 (sī)粵si¹〔斯〕❶主管事務。如「職司」;「所司」。❷中央政府各部以下的組織單位。如「外交部禮賓司」。❸姓。

右 (yòu)粵jeu⁶〔又〕❶跟「左」相反。早晨面向太陽,向南的是右邊。❷方位,右在西邊。山西叫山右,江西叫江右。❸古時右位是上席。❹通「佑」,見24頁。

【占】見卜部,68頁。
【㕥】同「以」,見19頁。

三畫

名 (míng)粵miŋ⁴〔明〕❶稱號。如「人名」;「地名」;「物名」;「朝代名」。❷量詞,一人叫一名。如「學生五十一名」。❸聲譽。如「名望」。❹有名的。如「名勝」。❺高貴的。如「名貴」。❻形容。如「莫名其妙」。❼圖說出。論語有「蕩乎民無能名焉」。❽姓。

吊 (diào)粵diu³〔釣〕❶同「弔」,見197頁。❷「吊子」同「銚子」:見758頁。

吐 ▲(tǔ)粵tou³〔兔〕❶從嘴裏唾出來。如「吐痰」。❷言詞。如「談吐」。❸洩露。如「吐露」。❹發。如「稻子吐穗」。
▲(tù)粵tou³〔兔〕❶嘔吐。

❷財物到手又退還給人。如「他騙來的錢全都吐了出來」。

同 ▲(tóng)粵tuŋ⁴〔童〕❶共,在一起。如「同學」;「同甘共苦」。❷彼此一樣。如「同感」;「志同道合」。❸跟,和。如「我同他是一路」。❹和平。如「世界大同」。❺會合,聚集。如「會同」;「率同」。❻姓。
▲(tòng)粵tuŋ⁴〔童〕「胡同」:小巷。

吏 (lì)粵lei⁶〔利〕舊時的官員。如「貪官污吏」。

各 (gè)粵gok⁸〔角〕每。如「各種」。

合 ▲(hé)粵hɐp⁶〔盒〕❶閉,跟「開」相反。如「合上眼睡吧」。❷聚,會。如「集合」。❸全。如「合家歡」。❹適當。如「合道理」。❺比對。如「若合符節」。❻環繞。如「合圍」;「合抱」。❼配。如「合婚」。❽遇合。如「落落寡合」。❾應當。如「理合呈請備案」。❿折算。如「一公里合兩華里」。⓫性交。如「交合」。⓬古時兵交鋒。如「大戰五十回合」。⓭同「盒」,見467頁。
▲(gě)粵gɐp⁸〔鴿〕容量單位,十分之一升。

后 (hòu) 粵heu⁶〔後〕❶君主。書經有「徯我后，后來其蘇」。❷天子的妻。❸姓。❹「後」的簡化，見205頁。

吉 (ji) 粵get⁷〔桔〕❶美好，跟「凶」相反。如「吉人天相」。❷有利。如「趨吉避凶」。❸姓。❹「吉他」：英文 guitar 的音譯，是一種西洋樂器。❺「吉普車」：一種輕便堅固的小型軍車。英文是 jeep，取 general purpose 兩字的頭一個音拼成的。

吃 ▲(chī) 粵hɛk⁸〔哈隻切〕同「喫」，見95頁。
▲(chī，舊讀ji) 粵get⁷〔吉〕「口吃」：說話不流利，常帶重複的音。俗稱「結巴」。

向 (xiàng) 粵hœng³〔嚮〕❶對着，朝着。如「相向」；「向西」；「向上」。❷心志所趣。如「志向」；「民心向背」。❸偏祖。如「爸爸總向着小弟」。❹從來。如「向來」；「一向」。❺方向，目標。如「我認錯了方向」。❻囡臨近。如「向晚」；「向曉」。❼囡從前。如「向者」；「向日」。又作「嚮」。❽姓。

吁 ▲(xū) 粵hœy¹〔虛〕❶歎息。如「長吁短歎」。❷「吁吁」：喘氣的樣子。如「氣吁吁地」。
▲「籲」的簡化，見521頁。
【吒】同「咤」，見87頁。

吪 (ng) 粵ŋ⁶〔誤〕感歎詞，表示答應。

么 (yāo) 粵jiu¹〔腰〕「么喝」：①喊叫。②小販叫賣聲。③大聲斥責人。

四畫

吧 ▲(bā) 粵ba¹〔巴〕❶形容聲音的字。如「吧兒吧兒」。❷嘴開合的動作。如「吧嗒嘴兒」。
▲(ba) 粵ba⁶〔罷〕❶表示可以，允許。如「好吧！就這麼辦」。❷表示推測，估量。如「今天不會下雨吧」。❸表示命令、指使。如「快去吧」；「還是你去吧」。❹表示停頓。如「好吧！不要說了」。

否 ▲(fǒu) 粵feu²〔剖〕❶不的意思。如「是否」；「可否」。❷囡表疑問的助詞。同「嗎」、「麼」。如「汝知之否」。❸表示反對。如「否認」。❹不這樣。如「必須確立計劃，否則無法施工」。
▲(pǐ) 粵pei²〔鄙〕❶易經卦名。❷囡惡的，不好的。如「人事之臧否」（「臧」是好的）。

吠 (fèi) ⑨fei⁶〔扶毅切〕狗叫。

吩 (fēn) ⑨fen¹〔芬〕「吩咐」：高一級的告訴、指示下一級的。

吞 (tūn) ⑨ten¹〔他因切〕❶嚥下去。如「把藥吞下去」。❷由「嚥」引伸：兼並叫「並吞」；侵佔叫「侵吞」。❸忍受不作聲：如「忍氣吞聲」。

吾 (ng) ⑨ŋ⁶〔誤〕感歎詞，表應諾。

吶 (nà) ⑨〔納〕nap⁹〔納〕lap⁹〔立〕(俗)❶說話困難，言語緩慢。❷「吶喊」：高聲喊叫助威。

吝(悋) (lìn) ⑨lœn⁶〔論〕❶對自己的財物過於愛惜，鄙嗇。如「吝嗇」。❷恨。如「悔吝」。

呂 (lǚ) ⑨lœy⁵〔旅〕❶古音樂中的陰律。如「律呂」。❷姓。

告▲ (gào) ⑨gou³〔加澳切〕❶對人說。如「告訴」；「報告」。❷控告，提出訴訟。如「到法院去告他」。❸請求。如「告假」；「告退」。❹聲明。如「告辭」；「自告奮勇」。

　　▲囧(jù) ⑨guk⁷〔谷〕❶「告朔」：古代天子常在季冬把第二年曆書頒給諸侯。諸侯領受以後供在祖廟裏，每月一日帶

一「餼羊」到祖廟敬拜，按照曆法施行。❷「忠告」：盡忠心來規勸。

吼 (hǒu) ⑨heu¹〔哈歐切〕❶猛獸叫的聲音。❷「怒吼」：人因憤怒而呼喊。

含▲ (hán) ⑨hem⁴〔酣〕❶擱在嘴裏既不吞下也不吐出來。如「嘴裏含着一口水」。❷包容。如「包含」。❸蘊蓄而未吐。如「含苞」。❹懷着。如「含羞」；「含冤」。

　　▲(hàn) ⑨hem³〔勘〕古代禮俗，用珠玉塞在死人嘴裏。

吭▲囧(háng) ⑨hoŋ⁴〔航〕咽喉。如「引吭高歌」。

　　▲(kēng) ⑨haŋ¹〔坑〕出聲。如「不敢吭聲」。

吰 (hóng) ⑨weŋ⁴〔宏〕「嘡吰」：聲音宏亮。

君 (jūn) ⑨gwen¹〔軍〕❶一國之主。如「國君」；「君主」。❷戰國時代的封號。如「商君」；「孟嘗君」。❸兒子在別人面前稱自己的父親。如「家君」。❹妻稱夫。如「夫君」。❺尊稱：①廣泛的。如「諸君」。②加在姓名後面的。如「杜文昆君」。③加在姓或名的後面的。如「杜君」；「文昆君」。④已往稱呼別人的父親。如「太君」。❻囧古人對自

己的妻或妾別稱「細君」。❼国稱山神或老虎。如「山君」。❽親暱或鄙夷的稱呼。如「此君」(意思是「這個人」。)❾姓

呇 (吢) (qìn)粵tsɐm³〔譖〕❶狗吐。❷貓吐。

吸 (xī)粵kɐp⁷〔級〕❶把氣體引進鼻腔或口腔。跟「呼」相反。如「吸氣」。❷把液體引進口腔。如「吸吮」。❸攝引。如「吸引」;「吸鐵石」。❹收取,容納。如「吸收」;「吸墨紙」。

吷 (xuè)粵hyt⁸〔血〕❶国小聲。❷「吷氣」:口吹氣助人呼吸。

吵 (chǎo)粵tsau²〔炒〕❶聲音繁雜。如「車聲太吵了」。❷攪擾。如「一場好事被他吵散了」。❸爭鬧。如「吵嘴」。

呈 (chéng)粵tsiŋ⁴〔情〕❶顯露。如「呈現」;「面呈紫色」。❷奉上。如「呈獻」;「面呈」。❸下級機關或人員給上級機關或主管的公文。如「呈文」(口語說「呈子」)。❹姓。

吹 (chuī)粵tsœy¹〔崔〕❶從嘴裏向外用力噓氣。如「吹哨子」。❷氣體流動或推進。如「風吹草動」。❸說大話。如「吹牛」。❹替人家誇張。如「吹噓」。❺事情作罷或關係斷絕。如「這件事吹了」。❻「鼓吹」:①国用鼓鉦簫笳等合奏的樂,古時候在宴會時或天子出行的車駕之間演奏。②提倡,鼓動。③贊揚。

吮 (shǔn)粵syn⁵〔時軟切〕用嘴吸取。如「吮乳」。

吱 ▲(zī)粵dzi¹〔支〕形容聲音的字。如「鳥兒吱吱地叫着」。

▲(zhī)粵dzi¹〔支〕表聲的詞。「咭吱咯吱」:摩擦或壓榨的聲音。

吪 (俗)(é)粵ŋɔ⁴〔訛〕ɔ⁴〔柯低平〕❶国動。❷国化。❸謬誤,差錯;同「訛」。見676頁。

呃 (è)粵ɐk⁷,ak⁷〔握〕(又)❶氣逆上衝發出聲音。如「打呃」。❷雞聲。

呆 ▲(dāi)粵dai¹〔打唉切〕同「獃」,癡愚。見429頁。

▲(ái)粵ŋɔi⁴〔外低平〕ɔi⁴〔愛低平〕(俗)「呆板」:死板,不靈活。

吽 ▲(óu)粵ŋɐu⁴〔牛〕ɐu⁴〔歐低平〕(俗)狗爭鬥的叫聲。

▲(hōng)粵huŋ¹〔空〕❶佛教咒語中的用字。❷「阿吽」同「阿訇」:見673頁「訇」字。

呀 ▲(yā)粵a¹〔鴉〕❶表示聲音的字。如「呀呀吐哀音」;「門兒呀的一聲開了」。❷驚歎

詞。如「哎呀！失火啦！」

▲(ya)粵a³〔亞〕句末的助詞。

吟 (yín)粵jem⁴〔淫〕❶歎，叫痛。如「呻吟」。❷拉長聲音，有高有低的唸。如「吟詩」。❸詩歌名。如「梁甫吟」。❹鳴。如「蟬吟」；「猿吟」。❺図「吟味」：體會玩味。

听 ▲図(yǐn)粵ŋen⁵〔銀低上〕en⁵(俗)笑的樣子。

▲「聽」的簡化，見568頁。

吳 (wú)粵ŋ⁴〔吾〕❶江蘇省的舊稱。❷古國名：①周初，泰伯封在吳地。到了壽夢(公元前585)，自稱吳王。傳到夫差，被越王勾踐所滅(公元前475)。②三國時孫權所建，擁有江、浙、湘、鄂、閩、粵、安南一帶土地。經過三世四主，被晉朝所滅(公元222—280)。③五代時楊行密所建，擁有淮南、蘇北、江西一帶土地。傳三世四主(公元892—937)，被徐誥所篡。❸姓。

吾 (wú)粵ŋ⁴〔吳〕❶我。❷我的。❸姓。

吻 (wěn)粵men⁵〔敏〕❶嘴邊，唇邊。❷嘴相接觸表示喜愛。如「接吻」；「她吻心愛的兒子」。

【吚】同「叫」，見77頁。

【邑】見邑部，739頁。

【呷】同「呻」，見88頁。

五畫

咱 (pā)粵pak⁷〔拍高入〕形容聲響。如「咱的一聲，碗掉在地上碎了」；「用力在他臉上，咱咱打了幾個耳刮子」。

呸 (pēi)粵pei¹〔披〕爭吵時候表示憤怒或瞧不起對方的唾罵聲。如「呸！不要臉。」

咆 (páo)粵pau⁴〔庖〕❶發怒時大嚷大叫。❷「咆哮」：①野獸的怒叫。②人發怒時叫喊吵鬧。

呣 ▲(ḿ)粵m²〔唔高上〕感歎詞，表示疑問。

▲(m̀)粵m⁶〔唔低去〕感歎詞，表示答應。

命 (mìng)粵miŋ⁶〔麻另切〕❶差遣，使令。如「命令」；「使命」。❷宿命論者說人的貧富貴賤是上天的安排，人力無法改變。如「命運」；「紅顏薄命」。❸動物、植物的生活能力。如「生命」；「性命」；「救命」。❹取，擬定。如「命名」；「命題」。❺認為。如「自命不凡」。❻図有名望。如「命世」。

付(fù)⑧fu³〔富〕❶「吩咐」：見80頁「吩」字。❷「囑咐」：見106頁「囑」字。

咄(duō)⑧dœt⁷〔多恤切〕❶呵叱的聲音。❷「咄咄怪事」：想像不到的怪事情。❸「咄咄逼人」：盛氣凌人，使人害怕。

咚(dōng)⑧duŋ¹〔冬〕人跌倒或東西落在地上的聲音。

呶(náo)⑧nau⁴〔撓〕lau⁴〔離看切〕(俗)❶喧譁聲。❷說起話來沒完沒了，使人討厭的樣子。如「呶呶不休」。

呢(ní)⑧nei⁴〔尼〕lei⁴〔離〕(俗)❶毛織物的一種。如「呢絨」。❷「呢喃」：燕子的叫聲。

▲(ne)⑧nɛ¹〔哪遮切〕lɛ¹〔拉遮切〕(俗)助詞：①常用在疑問句。如「怎麼辦呢？」②表示動作在進行。如「她在睡覺呢」。③表示確定的語氣。如「早着呢」。④表示反詰。如「怎麼還不快去呢」。

咕(gū)⑧gu¹〔姑〕❶形容聲音的字。①「咕嘟」：水流的聲音。②「咕唧」：小聲說話。③「咕嚕」：象聲詞。如「肚中咕嚕直響」。④「咕咚」：東西掉落的聲音。❷「咕朵」：沒有開放的花朵。❸「咕容」：蛆爬動的樣子。

呱▲(gū)⑧gu¹〔孤〕「呱呱」：小兒哭聲。

▲(guā)⑧gwa¹〔瓜〕象聲詞：①形容聲音。如「呱呱叫」。②形容好的。如「頂呱呱」。

咖▲(kā)⑧ga³〔駕〕「咖啡」：熱帶植物，兩丈多高，橢圓形的葉子；白花，有香味；結子大小像胡椒，褐色，焙乾研末，水煮可以作飲料。

▲(gā)⑧ga³〔駕〕「咖喱」：用胡椒、薑黃等做的調味品。

呵▲(hē)⑧hɔ¹〔苛〕❶大聲責罵。如「呵斥」。❷笑聲。如「呵呵大笑」。❸吹氣去寒。如「呵凍（冬天手指凍僵或筆凍硬，呵氣使暖）」。❹疲倦或沉悶時張嘴哈氣發聲。如「呵欠（也作哈欠）」。❺表驚訝的歎詞。如「呵！來了這麼多的人」。❻図「呵護」同「訶護」：神靈護持。

▲(ō)⑧ou¹〔鏖〕表驚歎的助詞，用在句末。如「這麼多錢呵！」

咔(kā)⑧ka²〔卡〕❶「咔嘰」：一種很厚的斜紋布。❷「咔嚓」：鎗枝上膛的聲音。

和(咊)▲(hé)⑧wɔ⁴〔禾〕❶調諧。如「和協」。

❷停止爭鬥，恢復平靜。如「和平」；「議和」。❸適中。如「中和」。❹親愛，友好。如「和睦」。❺性情溫順，能跟人共處。如「和氣」。❻柔軟的。如「柔和」。❼不猛烈。如「溫和」。❽溫暖的。如「和風」。❾幾種混和的。如「和菜」。❿連詞，有「跟」、「與」的意思。⓫數學上指數目相加的總數。⓬連帶着的，整個的。如「和衣而卧」。⓭日本的別名。如「和服」。⓮「和尚」：佛教男性僧侶的通稱。⓯姓。

▲(hè)⑧wɔ⁶〔禍〕聲音或韻腳相應的。如「和詩」；「一唱一和」。

▲(huò)⑧wɔ⁶〔禍〕混合。如「和麪」。

哈 囝(hāi)⑧hɔi¹〔開〕❶嗤笑，譏笑。❷歡悅笑樂。❸感歎詞，同「咳」。❹「哈臺」：打鼾聲。

呼 (hū)⑧fu¹〔孚〕❶向外吐氣，跟「吸」相反。❷叫。如「呼喚」。❸大聲叫喚。如「呼籲」。❹招引。如「呼朋引類」。❺姓。❻「呼圖克圖」：大喇嘛的尊稱，俗稱活佛。

咎 ▲囝(jiù)⑧geu³〔究〕❶過失。如「咎由自取」。❷凶，災。如「休咎」。❸歸罪。如

「既往不咎」。

▲(gāo)⑧gou¹〔高〕「咎繇」也作「皐陶(yáo)」：傳說是東夷族的首領，曾被舜任爲掌管刑法的官。

咀 ▲(jǔ)⑧dzœy²〔沮〕「咀嚼」：①嚼碎食物，吸取所含味道。②細細體會文章裏的意思。

▲(zhǔ)⑧dzœy²〔沮〕同「嘴」，見102頁。

呿 囝(qū)⑧kœy¹〔驅〕張口的樣子。

呷 (xiā)⑧hap⁸〔哈鴨切〕❶吸而飲。如「呷一口酒」。❷「呷呷」：鴨的叫聲。

呴 ▲囝(xū)⑧hœy¹〔虛〕吹氣。漢書有「衆呴漂山」的話。

▲(hōu)⑧heu¹〔哈歐切〕喉中喘氣聲。

咋 ▲囝(zhà)⑧dza³〔炸〕短暫，忽然。

▲(zǎ)⑧dza³〔炸〕怎，怎麼。如「咋好」；「咋辦」。

▲囝(zhà)⑧dzak⁸〔責〕❶咬。如「咋舌(咬着自己的舌頭，害怕或悔恨，不敢說話)」。❷大聲。

周 (zhōu)⑧dzeu¹〔舟〕❶普徧。如「周到」。❷完密。如「周密」。❸救濟。如「周濟」。

❹圓形的外圍。如「周徑」；「圓周」。❺推翻。如「把桌子都給周了」。❻朝代名：①姬發在公元前一一二二年推翻商朝而建立的，公元前二四九年被秦所滅。②南北朝宇文覺纂西魏，史稱北周。經過三世五主，被楊堅所纂（公元557—581，共二十五年）。③唐初武后稱制，一度改國號爲周。④五代郭威纂後漢，史稱後周。經過三世三主，九年（951—959），禪位於宋。❼姓。❽通「週」，見732頁。

呪（咒） (zhòu) 粵dzeu³〔奏〕
❶用不吉祥的話罵人。如「呪罵」。❷梵書文體的一種。如「大悲呪」。❸道士驅鬼治病的口訣。如「畫符唸呪」。

呫 (chè) 粵tsip⁸〔妾〕
❶「呫呫」：形容小人的樣子。❷「呫嗶」也作「佔嗶」：指讀書而不能通其蘊奧。❸「呫嚅」、「呫囁」：都是輕聲耳語的意思。

呻 (shēn) 粵sen¹〔申〕
❶囡吟，誦。❷身心有痛苦，嘴裏發聲。如「呻吟」。

咂 (zā) 粵dzap⁸〔眨〕
❶舌尖跟上顎接觸。如「咂嘴」。❷吮，吸，品嘗。如「咂一口

酒」；「咂滋味兒」。❸奶頭。如「咂兒」。

呦 (yōu) 粵jeu¹〔丘〕
❶表驚訝的詞。如「呦！眞奇怪」。❷囡「呦呦」：鹿鳴聲。

味 (wèi) 粵mei⁶〔未〕
❶吃東西時舌頭的感覺。酸、甜、苦、辣、鹹叫「五味」。❷氣味。如「香味」。❸有趣的感受。如「趣味」。❹體會，研究。如「玩味」；「尋味」。❺量詞，藥品一種叫「一味」。

咏 (yǒng) 粵wiŋ⁶〔泳〕
❶唱歌。如「歌咏」。❷有寓意的詩詞。如「咏春」。

【知】見矢部，480頁。
【囬】同「面」，見804頁。

六畫

呲 (cī) 粵tsi¹〔雌〕斥責。如「挨呲」。

品 (pǐn) 粵ben²〔稟〕
❶中國舊時官吏的階級，從一品到九品，又各分正從。❷物件。如「物品」；「品名」。❸等級，類別。如「上品」；「下品」。❹人的性行，質素。如「品格」；「品行」。❺評量。如「品評」；「品題」。❻細辨滋味。如「品茶」；「品味」。❼因爲體驗考查才感覺到的。如「日子一長，就把他的性格品出來

了」。❽吹奏樂器。如「品
簫」。❾姓。

咪 (mī)⑧mei¹〔媽低切〕❶貓叫
或叫貓的聲音。❷形容輕小
的詞尾，如「笑咪咪」；「小咪
咪」。

哆 ▲(duō)⑧do¹〔多〕「哆
嗦」：戰慄，顛抖。

▲囡(chī)⑧tsi²〔始〕張嘴。

咷 (táo)⑧tou⁴〔桃〕「號咷」：
放聲大哭。

咧 ▲(lie)⑧lɛ¹〔哩〕「咧咧」：
小孩兒哭。

▲(liě)⑧lɛ⁴〔羅爺切〕「咧
咧」：亂說。如「你別亂咧咧
了」。

▲(liě)⑧lit⁹〔列〕向旁邊張
開。如「咧嘴」；「咧開」。

咯 ▲(kǎ)⑧kak⁸〔卡革切〕咯
血，咳嗽出血的病症。

▲(lo)⑧lɔ¹〔囉〕語助詞。如
「當然咯」；「那很好咯」。

▲(gē)⑧gok⁷〔加剝切〕「咯
噔」：①形容人穿着硬底鞋在
硬地上走或上樓的聲音。如
「他咯噔咯噔地走了」。②形容
坎坷不平的樣子。

哏 ▲(gén)⑧gen¹〔巾〕❶滑稽
的言詞。如「逗哏」；「抓
哏」。❷可笑，有趣。如「這個
孩子長得真哏」。

▲(hěn)⑧hen²〔很〕「哏

哆」：用凶惡的聲音罵人。

咳 ▲(ké)⑧ket⁷〔卡乞切〕❶
「咳嗽」：氣管的黏膜受痰或
氣體的刺激而發出的聲音。
❷「咳唾成珠」：比喻言談的
珍貴，用詞優美，出口即成佳
句。

▲(hái)⑧hoi⁴〔豪呆切〕小孩
兒笑。

▲(hāi)⑧hai¹〔揩〕❶歎
詞。如「咳！我怎麼忘了這件
事兒！」❷「咳聲歎氣」：因為
憂愁焦急而發出歎聲。❸歎
詞，表示懊悔或惋惜。如
「咳！你怎麼可以這樣做！」

咵 (kuǎ)⑧kwa²〔誇高上〕北方
說外地人語音不正叫咵。

咼 (wāi)⑧wa¹〔蛙〕嘴歪。如
「口眼咼斜(口眼不正的病
症)」。

哄 ▲(hōng)⑧hung¹〔空〕許多
人的聲音一時發出。如「哄
堂大笑」。

▲(hǒng)⑧hung³〔控〕❶騙
人。如「哄騙」；「連哄帶騙」。
❷用語言使人高興，逗引。如
「小明哭了，你哄哄他吧」。

▲(hòng)⑧hung³〔控〕同
「鬨」，吵鬧。如「一哄而散」。

哈 ▲(hā)⑧ha¹〔蝦〕❶用嘴噓
吹。如「哈了一口氣」。❷大
笑的聲音。如「哈哈大笑」。❸

姓。④「哈腰」也作「�腰」：見716頁「�」字。⑤「哈達」：紅或黃色的薄絹，蒙古人敬佛或餽贈的珍品。

▲(hǎ)粵ha¹〔蝦〕「哈巴狗」也作「哈叭狗」。小個兒，毛又長又密，俗稱「獅子狗」或「巴兒狗」。

咭 (jī)粵get⁷〔吉〕❶笑的樣子。❷狀聲字。如「咭咭喳喳」。

哇 図▲(xì)粵hei³〔氣〕大笑。
▲(dié)粵dit⁹〔秩〕䶪。

咻 ▲図(xiū)粵jeu¹〔休〕❶喧嚷，攪吵。如「衆楚人咻之」。❷「咻咻」：呼吸聲。
▲(xǔ)粵hœy²〔許〕「噢咻」：病人呻吟聲。

咸 (xián)粵ham⁴〔函〕❶全，都。如「老少咸宜」。❷易卦名。❸姓。❹「鹹」的簡化，見864頁。

咫 (zhǐ)粵dzi²〔子〕❶周朝制尺，八寸叫咫。❷図「咫尺」：極近的距離。如「近在咫尺」。

咤 図(zhà)粵dza³〔詐〕❶怒吼聲。如「叱咤」。❷吃東西時嘴裏出聲。禮記有「毋咤食」。❸慨嘆。如「撫心獨悲咤」。

咮 図(zhòu)粵dzɐu³〔呪〕鳥嘴。

哂 図(shěn)粵tsɐn²〔診〕❶微笑。如「夫子哂之」。❷譏嘲鄙視。如「哂笑」。❸「哂納」也作「哂收」：笑着收受，是請人收禮的客氣話。

咨 (zī)粵dzi¹〔支〕❶商量。如「咨詢」。❷歎氣。如「咨嗟」。❸公文書的一種。同級機關可以互用。

哉 図(zāi)粵dzɔi¹〔災〕❶表疑問的詞。如「何足道哉」。❷表感歎的助詞。如「鳴呼哀哉」。❸通「才」，起初的意思。見235頁。

咱 ▲図(zán)粵dza〔楂〕❶我。❷「咱們」：我們大家；包括說話的人和聽話的人。
▲(zá)粵dza¹〔楂〕咱家，小說人物的自稱。

咢 図(è)粵ŋɔk⁹〔岳〕ɔk⁹〔惡低入〕(俗)❶屋稜。❷通「愕」，驚懼的樣子。見223頁。❸通「鍔」，刀口。見767頁。❹通「諤」，直言爭辯。見685頁。❺「咢咢」：高的樣子。

哀 (āi)粵ɔi¹〔埃〕❶傷悲。如「哀傷」。❷指死了母親。如「哀子」。❸憐，惜。如「哀矜」。❹悼念。如「哀悼」。❺姓。❻「哀的美頓」：最後通牒，英文ultimatum的譯音。

兩國交涉接近破裂時候，送致對方要求限期答覆的最後通牒。

哎（āi）粵ai¹〔唉〕感歎詞。①表示驚愕。如「哎呀」。②表示惋惜或傷痛。如「哎喲」。

咿（吚）図（yī）粵ji¹〔衣〕狀聲字。❶「咿啞」：①小兒學說話的聲音。②船上打槳聲。❷「咿咿」：①雞叫聲。②蟲鳴聲。③豬叫聲。❸「咿呦」：①人說話的聲音。②鹿叫的聲音。

咦（yí）粵ji⁴〔移〕表示驚訝或疑問的感歎詞。如「咦！有這種事情」。

咬（齩、齩）（yǎo）粵ŋau⁵〔看低上〕au⁵〔拗低上〕（俗）❶上下齒合起來弄破或夾住東西。如「咬住」；「咬斷了」。❷罪犯攀扯好人，說好人有罪。如「被賊咬了一口，吃上官司了」。❸狗吠。如「聽，外面狗直咬」。❹吃。如「咬得菜根，百事可作」。❺認定不變。如「一口咬定」。❻說或唱出的字音。如「咬字清楚」；「咬字不正」。

咽▲（yān）粵jin¹〔烟〕「咽喉」：①口腔深處，通食管跟氣管的地方。②比喻地勢扼要的地方。三國志有「漢中，益州咽喉」。

▲（yàn）粵jin³〔燕〕同「嚥」，見105頁。

▲（yè）粵jit⁸〔噎〕聲音堵塞。如「哽咽」。

哇▲（wā）粵wa¹〔蛙〕❶「哇哇」：①小孩兒學話的聲音。②小孩兒啼哭聲。③大哭聲。④生氣叫喊的聲音。❷図淫靡的音樂聲。如「淫哇之聲」。

▲（wa）粵wa¹〔蛙〕語助詞。同「啊」。如「好，快走哇」。

咩（哶、哶）（miē）粵mɛ¹〔媽遮切〕同「羋」。羊叫的聲音，參見554頁。

七畫

唄（bài）粵bai⁶〔敗〕和尚用梵音歌詠讚佛的聲音。如「唄讚」。

哺（bǔ）粵bou⁶〔步〕❶図嘴裏嚼着食物。❷餵不會自己取食的。如「哺乳」。

哛（dōu）粵dɐu¹〔兜〕怒斥聲。舊小說、戲曲裏用的。

啲（dī）粵dik⁹〔敵〕「啲咕」：①低聲說話。②心裏不安，作事猶疑不決。

唐（táng）粵tɔŋ⁴〔堂〕❶朝代名。❷中國的別稱。如「唐

裝」;「唐人街」。❸姓。❹「唐突」：①抵觸。②冒昧的舉動。

哪 ▲(nǎ)粵na⁵〔那〕la⁵〔罅低上〕(俗)❶表示詢問的指示代名詞或形容詞。如「哪裏」；「哪個」。❷任何。如「無論是哪一門功課，都要認真學習」。

▲(něi)粵na⁵〔那〕la⁵〔罅低上〕(俗)「哪」、「一」兩字的合音。如「哪棵樹」。

▲(na)粵na¹〔那高平〕la¹〔啦〕(俗)語助詞。如「要當心哪！」

▲(né)粵na⁴〔拿〕la⁴〔離霞切〕(俗)「哪吒」：《西游記》、《封神演義》中的人物。

哢 図(lè)粵lyt⁸〔劣〕雞鳴。

哩 ▲(li)粵li¹〔拉衣切〕「哩嚕」：說話不清楚。

▲(lǐ)粵lei⁵〔理〕英制長度單位 mile 的音譯，也有譯作「英里」的。1哩長5280英尺，合1609.315公尺。

▲(li)粵lɛ¹〔呢〕語氣助詞，同「呢」。如「早着哩」。

哤 図(lòng)粵luŋ⁶〔弄〕鳥吟唱的聲。

哥 (gē)粵gɔ¹〔歌〕❶兄。如「哥哥」；「大哥」。❷對同輩年長男子的敬稱。如「老大哥」。

哿 図(gě，又讀kě)粵gɔ²〔加火切〕hɔ²〔可〕(又)可。詩經有「哿矣富人，哀此惸獨」。

哽 (gěng)粵gɐŋ²〔梗〕咽喉堵塞。如「哽咽(悲傷得哭不出聲)」。

哭 (kū)粵huk⁷〔哈屋切〕心裏悲傷而出聲流淚。

哈 図(hán)粵hɐm⁴〔含〕❶通「含」，見80頁。❷「哈哈」：張口作聲。❸「哈呀」：張開嘴的樣子。

哼 ▲(hēng)粵hɐŋ¹〔亨〕❶痛苦呻吟的聲音。如「躺在牀上哼哼」。❷低聲唱歌。如「他跟着音樂哼了幾聲」。

▲(hng)粵hŋ⁶〔哈誤切〕表示不滿意的感歎詞。如「哼！這可不行」。

唏 図(xī)粵hei¹〔希〕❶通「欷」，見343頁。❷「唏唏」：笑。

哮 (xiāo)粵hau¹〔敲〕❶猛獸發怒的聲音。如「咆哮」。❷喘息的聲音。❸「哮喘」：支氣管的病。患者氣息痰響，呼吸迫促。

哳 図(zhà)粵dzat⁸〔札〕❶「啁哳」：鳥聲繁細。❷「嘲哳」：①鳥叫聲。②柔美的說話聲。③樂器合奏的聲音。

哲(喆)(zhé)粵dzit⁸〔節〕❶智慧。如「明哲」。❷品格跟智慧都很高的人。如「聖哲」。❸尊稱的詞。如「哲嗣」。❹「哲學」：研究宇宙萬有之原理原則的學問。

哧(chī)粵tsi¹〔雌〕表示笑聲或水擠出聲的字。如「嘆哧」。

哨(shào)粵sau³〔沙拗切〕❶軍隊在駐紮的地方佈下崗位，往來巡邏警備。如「哨兵」；「放哨」。❷鳥兒歌唱。如「這金絲雀哨得多好聽」。❸「哨子」：用嘴吹就能發出尖銳聲響的小笛子。

嘈(zào)粵dzou⁶〔造〕囉嘈，吵鬧不休。

唆(suō)粵so¹〔梳〕「唆使」：煽動別人去做壞事或使人不和。

哦▲囡(é)粵ŋo⁴〔俄〕ɔ⁴〔柯低平〕(俗)吟唱。
　▲(ò)粵ɔ³〔柯高去〕歎詞，表示領會、醒悟。如「哦！我明白了」。
　▲(ó)粵ɔ⁴〔柯低平〕感歎詞，表驚訝。如「哦！你就是胡先生」。

唈囡(yì)粵jep⁷〔邑〕嗚唈，悲傷、歎氣的聲音。

唉(āi)粵ai¹〔挨〕感歎詞：❶表示傷感、惋惜。如「唉！好人不長壽」。❷表示答應的聲音。如「唉！我聽見了」。

唁(yàn)粵jin⁶〔彥〕慰問喪家。如「弔唁」。

唔(ú)粵ŋ⁴〔吳〕「咿唔」：讀書唱詩的聲音。
　▲(ḿ)粵m⁴廣東方言作「不」字解。
　▲(ńg)粵ŋ²〔嗯〕同「嗯」，見98頁。

員▲(yuán)粵jyn⁴〔元〕❶工作或學習的人。如「職員」；「學員」。❷團體裏的分子。如「會員」；「黨員」。❸人數。如「十二員大將」。❹囡通「幅隕」的「隕」。如「幅員(指疆域，周圍)」。參見182頁「幅」；790頁「隕」。❺囡通「圓」，見109頁。如「方員」；「員石(墓碣)」。
　▲囡(yún)粵wen⁴〔云〕增益。詩經有「員于爾輻」。
　▲(yùn)粵wen⁶〔運〕姓。

【唇】同「脣」，見576頁。
【哶】同「咩」，見88頁。
【哔】同「咩」，見88頁。

八畫

哱(bo)粵bo³〔播〕助詞，表商權或祈使。相當於「吧」。如「弟兄們，努力幹哱」。

啤 (pi)粵be¹〔巴些切〕英文 *beer* 的音譯。俗稱「啤酒」，是用大麥為主要原料釀成的酒；也叫「麥酒」。

▲(pēi)粵pei¹〔呸〕出唾聲；鄙斥聲。通作「呸」。

啡 ▲(fēi)粵fe¹〔花些切〕譯音字。如「咖啡」；「嗎啡」。見83頁「咖」字；97頁「嗎」字。

唪 (fěng)粵fuŋ²〔俸〕❶誦。如「唪經」。❷図大笑。

啖 (咯、噉) 図(dàn)粵dam⁶〔氮〕❶吃。如「據案大啖」。❷給人利益，誘其聽從自己。如「以利啖之」。❸姓。

陶 (táo)粵tou⁴〔桃〕「嚎啕」：見104頁「嚎」字。

唾 (tuò)粵to³〔他個切〕tœ³〔又〕❶口水。如「唾沫」。❷吐口水。如「唾罵」。❸「唾面自乾」：指人家在我臉上吐口水，我擦都不擦，等它自己乾了。意思是：①受人侮辱，極度容忍，不加反抗。②罵人臉皮厚，不知羞恥的話。

唸 (niàn)粵nim⁶〔念〕lim⁶〔激〕(俗)「念書」、「念經」的「念」字的俗寫，見212頁。

啦 ▲(lā)粵la¹〔喇〕❶形容聲音的字。如「水嘩啦啦地流着」。❷「啦啦隊」：在運動場邊為運動員吶喊助威的人。

▲(la)粵la³〔鱲〕助詞，是「了」、「啊」兩字的合音，意思同「了」，語氣卻比較重。如「任務完成啦」。

唳 図(lì)粵lœy⁶〔類〕鳥鳴。如「風聲鶴唳」。

啃 ❶(kěn)粵heŋ²〔肯〕吃硬的或不容易分離的食物，用牙齒一下一下用力咬下來。如「啃骨頭」。❷拚命鑽研。如「死啃書本」。

唿 (hū)粵fɐt⁷〔弗〕「唿哨」也作「忽哨」、「打唿哨」：用手緊捏自己的嘴唇，呼出尖銳的聲音作為信號，傳達給同伴。

唬 (hǔ)粵fu²〔虎〕威嚇別人。如「嚇唬」。

唶 ▲図(jiè)粵dzɛ³〔借〕歎氣聲。

▲(ji)粵dzik⁷〔即〕「唶唶」：鳥叫聲。

啓 (啟、启、啓) (qǐ)粵kei²〔卡矮切〕❶図開。如「啓齒（開口說話）」。❷開發。如「啓蒙（開發蒙昧）」；「啓發（開發知識）」。❸開始，動身。如「啓行」。❹図從隱藏的地方出來。如「啓蟄」。❺陳述。如「啓事」；「敬啓」。❻書信。如「謝啓」；「小啓」。❼姓。

啣 (xián) 粵 ham⁴〔咸〕。❶ 馬的勒口具。❷嘴裏含着東西。也作「銜」。❸囝「啣命」：奉命去做。

啁 ▲ (zhōu) 粵 dzɐu¹〔周〕❶「啁哳」：鳥聲繁細。❷「啁啾」：鳥叫聲。❸「啁啾」：①鳥叫聲。②樂器齊奏聲。如「弦管啁啾」。

▲ (zhāo) 粵 dzau¹〔嘲〕通「嘲」，見101頁。

啄 (zhuó) 粵 dœk⁸〔琢〕❶鳥類用嘴取食。❷囝「剝啄」：敲門聲。

唱 (chàng) 粵 tsœŋ³〔暢〕❶發出歌聲。如「唱歌」；「唱戲」。❷高聲地叫。如「唱名(高聲點名)」；「唱票(票選時由人大聲唱出選票內圈選的人名)」。❸短歌。如「小唱」。❹「提唱」：發起，鼓動。通「倡」，見31頁。❺「唱工」：伶人歌唱的技藝。

啜 (chuò) 粵 dzyt⁸〔綴〕❶吃，喝，嘗食物。如「啜茗」；「啜菽飲水」。❷「啜泣」：哭泣的樣子。

啥 (傝) (shà) 粵 sa²〔灑〕甚麼。如「你要啥」。

嗻 囝 (shà) 粵 sap⁸〔霎〕同「嗻喋」的「嗻」，見本頁。

▲ (diè) 粵 dip⁹〔碟〕「嗻血」：①喋血。②歃血。

嗻 (shà，又讀zā) 粵 sap⁸〔霎〕dzap⁸〔眨〕(又) ❶蟲子咬壞。如「這塊木板被蟲子嗻了」。❷「嗻眼」：器物上的小洞兒，像是蟲子咬過的。❸「嗻氣」：輪胎的內胎，因為有了小洞而漏氣。❹囝「嗻喋」、「嗻嗻」：鳥、魚聚食水裏的食物的聲音。❺囝「嗻血」同「歃血」：見345頁。

售 (shòu) 粵 sɐu⁶〔受〕❶賣出。如「廉售」。❷囝行，成功。如「其計不售」。

啐 (cuì) 粵 tsœy³〔翠〕❶吐痰，吐口水。如「啐了一口唾沫」。❷唾人以表示鄙斥或羞辱他。

啊 ▲ (ā) 粵 a¹〔丫〕感歎詞。表示吃驚。如「啊！失火了」。

▲ (á) 粵 a⁴〔亞低平〕感歎詞。表示意外。如「啊！他就是張老師」。

▲ (ǎ) 粵 a²〔啞〕感歎詞。表示疑惑沉吟。如「啊！難道是……」。

▲ (à) 粵 a³〔亞〕感歎詞。表示忽然明白了。如「啊！對了，是他」。

唵 (ǎn) 粵 em²〔黯〕❶感歎詞，表懷疑。如「唵！眞的」。❷佛經呪語發聲詞。

啞 ▲(yǎ)粵a²〔丫高上〕❶聲帶有毛病，不能發聲。如「啞巴」(也作啞叭、啞吧)。❷音嘶而散。如「沙啞」。❸「啞鈴」：體操器械，用木頭或鐵做的，兩端像球，中部是手握的柄。❹「啞劇」：默劇，只有動作而不出聲。

▲図(yǎ,舊讀è)粵ɐk⁷〔呃〕笑聲。如「笑言啞啞」。

▲(yā)粵a¹〔鴉〕形容聲音的字。「啞啞」：①烏鴉叫的聲音。②小兒學說話聲音。③車聲。

▲(ya)粵a¹〔鴉〕元曲用作語助詞，同「呀」。

啪 (pà)粵pak⁷〔拍〕象聲詞。

唰 (shuà)粵＋sat⁸〔刷〕象聲詞，形容迅速擦過的聲音。如「雨唰唰地下了起來了」。

唡 (liǎng)粵lœŋ²〔兩〕英美制重量單位，一唡爲一磅的十六分之一。

唷 (yō)粵jɔ¹〔喲〕❶感歎詞。❷「喔唷」：見96頁「喔」字。

唔(啎) 図(wǔ)粵ŋ⁵〔午〕違背。

唯 ▲(wéi)粵wɐi⁴〔圍〕通「惟」，見221頁。

▲図(wěi)粵wɐi²〔委〕應諾詞。如「唯唯諾諾(順從的樣子)」。

問 (wèn)粵mɐn⁶〔紊〕❶拿不知道的或不明白的請人解答。如「問路」；「提問」。❷追究，審訊。如「問案」；「審問犯人」。❸責成。如「好好兒看着他；跑了就惟你是問」。❹責備。如「責問」；「問罪」。❺管，干預。如「過問」；「不聞不問」。❻向。如「他問我借書」；「我問他要錢」。❼致候。如「問候」；「存問」。❽図音信。如「音問」。❾図餽贈。歸有光先妣事略有「外祖不二日使人問遺(wèi)」。❿「問世」：①出外任事。②出版著作、作品(意思是與讀者見面)。

啚 ▲「圖」字俗寫，見110頁。

▲図通「鄙」，見743頁。

【唫】古「吟」字，見82頁。

【唅】同「唅」，見91頁。

九畫

喵 (miāo)粵miu¹〔媽腰切〕貓叫的聲音。

單 ▲(dān)粵dan¹〔丹〕❶獨個。如「單人牀」；「單身漢」；「單槍匹馬」。❷簡，不複雜的。如「單純」；「單式簿記」。❸奇數，跟「雙數」相對。如「單日」；「單程」。❹薄

弱，孤零。如「單薄」;「形單影隻」。❺票據或寫上數目的紙片。如「賬單」;「菜單」。❻只有一層的衣服。如「單衣」。❼搭蓋在器物上面的布。如「牀單」;「被單」。❽止,只。如「單說不行」。

▲(shàn)⑨sin⁶〔善〕❶姓。❷縣名。在山東省西部。

▲(chán)⑨sim⁴〔蟬〕「單于」:古代匈奴君長的稱號。

喋 図(dié)⑨dip⁹〔碟〕❶「喋血」:流血很多的樣子。❷「喋喋」:話多的樣子。如「喋喋不休」。

啼(嗁) (tí)⑨tei⁴〔提〕❶哭。出聲音。❷鳥叫。如「雞啼」。

喃 (nán)⑨nam⁴〔男〕lam⁴〔藍〕(俗)「喃喃」:①細語不絕,如「喃喃自語」。②讀書聲。

喇 ▲(lǎ)⑨la³〔鑞〕「喇叭」:管樂器的一種,又叫「號筒」。

▲(lǎ)⑨la¹〔啦〕「喇嘛」:蒙古、西藏等地對和尚的稱呼。

▲(lā)⑨la¹〔啦〕表示聲音的字。如「嘩喇」。

喱 (lí)⑨lei¹〔拉希切〕「咖喱」:見83頁「咖」字。

喨 (liàng)⑨lœŋ⁶〔亮〕「嘹喨」:見101頁「嘹」字。

喀 ▲(kā)⑨ka¹〔卡〕表示聲音或人名地名等譯音的字。

▲図(kè)⑨kak⁸〔卡革切〕嘔吐聲。

喟 図(kuì)⑨wei²〔毀〕❶歎息。如「喟曰(歎着聲說)」。❷歎氣聲。如「喟然以歎」。

喝 ▲(hē)⑨hɔt⁸〔渴〕❶飲。如「喝水」;「喝湯」。❷「喝風」:①比喻飢渴而得不到飲食。②受風寒。如「你肚子疼,是喝風啦」。❸呼喊。「喝道」(從前達官貴人出門,前導者呵止行人避路。也作呵導)。❹表驚訝的歎詞。如「喝!這麼多」。

▲(hè)⑨hɔt⁸〔渴〕❶高聲呼喊。如「大喝一聲」;「喝采(大聲叫好)」。❷威嚇。如「恐喝」。

喉 (hóu)⑨hɐu⁴〔侯〕❶在咽頭和氣管的中間,由喉頭軟骨、喉頭筋、聲帶等組成的。通稱嗓子、咽喉、喉嚨。❷図「喉舌」:喉舌是語言的關鍵,比喻代言人。如「爲民喉舌」。

喊 (hǎn)⑨ham³〔哈探切〕❶大聲呼叫。如「喊叫」;「喊好」。❷「喊寃」:申訴寃枉。

喙 図(huì)⑨fui³〔悔〕❶鳥獸尖長形的嘴。如「鳥喙」。❷口。如「置喙(插嘴)」。

喚 (huàn) 粵 wun⁶〔換〕呼，叫。如「呼喚」；「喚他來」；「喚起民眾」。

喞 ▲(jī) 粵 dzik⁷〔即〕「喞喞」：①蟲聲。②歎息聲。③小聲。

▲(jī) 粵 dzit⁷〔支必切〕「喞筒」：抽水機。

喈 図(jiē) 粵 gai¹〔皆〕❶聲音和諧。如「鐘鼓喈喈」。❷急速的樣子。詩經有「北風其喈」。

啾 (jiū) 粵 dzeu¹〔周〕❶蟲子鳥兒細碎的鳴聲。如「啾喞」。❷「啾啾」：①人多嘈雜聲。木蘭辭有「但聞燕山胡騎聲啾啾」。②小聲。❸蟲聲。

喬 (qiáo) 粵 kiu⁴〔僑〕❶高。如「喬木（枝幹高大在二三丈以上的樹木）」。❷假裝。如「喬妝」。❸姓。

喜 (xǐ) 粵 hei²〔起〕❶高興。如「歡喜」；「喜極而泣」。❷吉祥的事。如「喜事」；「大喜」。❸愛好。如「喜歡」；「喜新厭舊」。❹指女人有身孕。如「有喜」。

喧 (xuān) 粵 hyn¹〔圈〕大聲說話，吵鬧。如「喧譁」；「喧鬧」。

喫(吃) (chī) 粵 hɛk⁸〔吃隻切〕❶食，飲。如「喫飯」；「喫茶」。❷受到。如「喫驚」；「喫苦」；「喫虧」。❸支撐。如「喫不消」。❹耗費。如「喫力」。❺食物。如「有喫有穿」。❻吸入。如「喫煙」。❼下棋、玩牌時取得對方的棋子或牌張，賭博時候贏了對方的錢。如「叫喫」；「喫了牌進去」。❽進入的。如「這隻船喫水五公尺」。❾倚靠着生活。如「一家九口就喫他一個人」。❿擔負重任。如「你在這件事上很喫重」。⓫吞沒。如「放在他那兒的錢全被他喫了」。⓬騙，竊。如「錢被扒手喫了」。⓭因爲。水滸傳有「喫他忒善了，人被欺負」。

啻 図(chì) 粵 tsi³〔次〕❶但，僅，只。如「何啻（即是「豈止」的意思）」。❷「不啻」：很像，等於，簡直就是。

喳 ▲(chā) 粵 dza¹〔渣〕表示聲音，形容小聲說話。如「喊喊喳喳」；「在耳邊喳喳了半天」。

▲(zhā) 粵 dza¹〔渣〕❶鳥亂叫的聲音。如「喜鵲喳喳地叫」。❷清季役隸答應上司的詞。

喘 (chuǎn) 粵 tsyn²〔忖〕❶呼吸急促。如「氣喘如牛」。❷氣息。如「苟延殘喘」。

善 (shàn) 粵sin⁶〔羨〕❶跟「惡」相反。如「善意」;「隱惡揚善」。❷待人和好。如「友善」;「和善」。❸好的。如「善價」;「善始善終」。❹擅長。如「善書畫」;「勇敢善戰」。❺好好的。如「善待」;「善為說辭」。❻愛,容易。如「善變」;「善忘」。❼收拾整頓。如「善後」。❽懦弱。如「善弱」;「欺善怕惡」。❾習熟。如「這人看着面善」。

喏 ▲(rě) 粵je⁵〔野〕古代表示敬意的呼喊。如「唱喏」(宋元小說中管「作揖」叫「唱喏」)。

▲(nuò) 粵nɔk⁹〔諾〕lɔk⁹〔落〕(俗)同「諾」。如「喏喏連聲」。

喪(喪) ▲(sāng) 粵sɔŋ¹〔桑〕關於死了人的事情。如「治喪」;「弔喪」;「喪服」。

▲(sàng) 粵sɔŋ³〔沙檔切〕❶失去。如「喪失」;「喪子」。❷「喪氣」:①意氣頹敗。如「灰心喪氣」。②倒楣,失意。如「又弄錯了,真喪氣」。

喑 図(yīn) 粵jɐm¹〔陰〕❶失音不能言語。如「喑不能言」。❷沉默不說話。墨子有「近臣則喑」。❸「喑噁」:怒呼聲。

喲 (yō) 粵jɔ¹〔唷〕助詞,有驚歎的意思。如「可見天下人不全是見錢眼開的喲」。

喔 ▲(wō) 粵ɐk⁷ak⁷〔握〕(又)雞啼聲。

▲(ō) 粵ɔ¹〔苛〕❶感歎詞,表了解。如「喔!原來如此」。❷「喔唷」:①驚歎。②呼痛聲。

喂 (wèi) 粵wɐi³〔畏〕❶招呼人的語詞。如「喂!老李」。❷同「餵」,見824頁。

喻(喻) (yù) 粵jy⁶〔遇〕❶告訴,開導。如「曉喻」。❷比方。如「打個比喻」。❸了解,明白。如「家喻戶曉」。❹姓。

喁 ▲図(yóng) 粵juŋ⁴〔容〕❶魚嘴向上露出水面的樣子。❷「喁喁」:形容眾人向慕的樣子,像是羣魚的嘴露出水面。

▲(yú) 粵jy⁴〔如〕互相應和的聲音。如「喁喁(低聲說話)」;「喁喁私語」。

【喎】同「咼」,見86頁。

【喦】見山部,174頁。

【喓】同「嗂」,見99頁。

十畫

嗙 (pǎng) 粵pɔŋ⁵〔蚌〕自誇,吹牛。如「胡吹亂嗙」。

嗎 ▲ (mǎ) 粵 ma¹〔媽〕「嗎啡」：由鴉片蒸發製成的無色微細柱狀結晶，味苦，有毒，是止痛、催眠的重要藥品。吸食久了會致死。

▲ (ma) 粵 ma³〔魔化切〕句中沒有疑問詞的疑問助詞。如「你來嗎」。

▲ (má) 粵 ma³〔魔化切〕甚麼。如「你想干嗎」。

嗒 図 (tà) 粵 tap⁸〔塔〕「嗒然」、「嗒喪」：失意的樣子。

▲ (dā) 粵 dap⁸〔搭〕❶表示聲音的字。❷「吧嗒嘴」：嘴不斷開合的響聲，也比喻垂涎羨慕。

啷 (lāng) 粵 lɔŋ¹〔拉康切〕表示聲音用的字。如「噹啷」；「嘩啷啷」。

嗝 (gé) 粵 gak⁸〔隔〕「打嗝」：因為噎氣或吃得太飽，喉嚨裏不由自主地大聲出氣；有時候是橫膈膜牽動，聲門突然關閉而發出響聲。

嗑 (kè) 粵 kap⁸〔呷〕❶用牙尖咬裂堅硬的東西。如「嗑瓜子」。❷「嗑牙」也作「磕牙」：參見488頁「磕」字。

嗨 (hāi) 粵 hai¹〔揩〕感歎詞：①表示惋惜。如「嗨！可惜！可惜！」②常用於歌詞中

表示感情。如「嗨！英雄自有凌雲志」。③見面時的招呼。如「嗨！你好嗎」。

嗃 (hè) 粵 kɔk⁸〔確〕図嚴厲的樣子。

嗐 (hài) 粵 hai⁶〔械〕感歎詞。如「嗐！這孩子真可憐！」

嗊 (hōng) 粵 fuŋ²〔俸〕「囉嗊曲」：詞牌名。

嗟 図 (jiē) 粵 dze¹〔遮〕❶表悲歎的歎詞。如「嗟夫」。❷表讚美的歎詞。如「嗟嗟」。❸「嗟來食」：禮記記載黔敖在路上遇到逃荒的人，可憐他飢餓，命他前來吃東西卻被拒絕。現在常用作比喻給人恩惠而沒有禮貌。

嗛 ▲ (qiān) 粵 him¹〔謙〕同「謙」，見686頁。

▲ 図 (xián) 粵 ham⁴〔咸〕❶嘴裏叼着東西。❷怨恨。

▲ (qiǎn) 粵 him⁵〔哈染切〕「頰嗛」：猿猴的頰貯放食物的部分。

▲ (qiàn) 粵 him³〔欠〕同「歉」，見345頁。

嗆 ▲ (qiāng) 粵 tsœŋ¹〔槍〕喝水太急，食管空氣上逆像咳嗽。如「慢慢喝，別嗆了。」

▲ (qiàng) 粵 tsœŋ³〔唱〕❶嗆鼻子，烟氣衝進鼻孔裏去的感覺。如「油烟嗆人」。❷吃芥末

一類的刺激物，鼻腔裏起初會有一種不舒服的感覺。如「辣味嗆得難受」。

嗅 (xiù)粵tseu³〔臭〕❶用鼻子聞氣味。❷「嗅覺」：嗅神經的作用，能辨別東西的香臭。

嗤 (chī)粵tsi¹〔雌〕❶譏笑。如「嗤之以鼻」(笑時從鼻腔出氣)。❷笑的樣子。如「嗤地一笑」。

嗔 (chēn)粵tsɐn¹〔親〕生氣，發怒。如「嬌嗔」。

嗜 囡(shì)粵si³〔試〕❶對某種事物特別喜愛。如「嗜讀書」；「嗜酒成癖」。❷囡貪欲。孟子有「不嗜殺人者能一之」。❸「嗜好」：特別的愛好。多指抽烟喝酒這些會使人上癮的事。

嗄 囡▲(shà)粵sa³〔沙高去〕聲音嘶啞。
▲(á)粵a²〔啞〕表示疑問或反問的感歎詞。如「嗄！有這種事」。

嗞 (zī)粵dzi¹〔支〕形容聲音的字。如「你別嗞嗞亂叫行不行(嗞嗞是形容既尖銳又連續不斷的聲音)」；「嗞喇一聲，把菜倒在油鍋裏」。

嗣 (sì)粵dzi⁶〔自〕❶囡繼續。如「嗣位」。❷子孫。如「後嗣」。❸囡「嗣後」：從此以後。❹姓。

嗇 (sè)粵sik⁷〔色〕❶有錢捨不得用。如「吝嗇」。❷囡通「穡」，見502頁。

嗖 (sōu)粵seu¹〔修〕狀聲字。如「忽聽嗖的一聲」。

嗓 (sǎng)粵soŋ²〔爽〕❶喉嚨。如「嗓子」。❷說話的聲音。如「啞嗓子」。

嗉 (sù)粵sou³〔素〕❶「嗉囊」：鳥類消化器的一部分，上面接食道，下面連砂囊，像一個口袋，可以暫存食物，也叫「嗉道」、「嗉子」。❷像瓶子樣的長頸酒壺。如「酒嗉子」。❸星名，即是二十八宿中的張宿。

嗦 (suō)粵sɔ¹〔梳〕❶用嘴吮吸或用舌頭舔條形的東西。如「小孩子總喜歡嗦手指頭」。❷「哆嗦」：顫抖。如「冷得直哆嗦」；「嚇得打哆嗦」。

嗩 (suǒ)粵sɔ²〔所〕「嗩吶」：原是回族所用樂器，原名蘇爾奈，木管上有銅口，九個孔，吹響時聲音很高。

嗌 ▲(yì)粵jik⁷〔益〕囡咽喉。
▲(ài)粵ai³〔隘〕❶囡噎。被食物塞住咽喉。❷「嗌嗌」：笑聲。

嗯 ▲(ńg)粵ŋ²〔唔〕歎詞，表示疑問。如「嗯！你說甚麼」。

▲(ňg)粵ŋ²〔唔〕歎詞，表示意外。如「嗯！你怎麼還沒去」。

▲(ng)粵ŋ²〔唔〕歎詞，表示答應。如「嗯！就這麼辦吧」。

嗚(wū)粵wu¹〔烏〕❶描寫聲音。如「嗚的一聲」；「嗚嗚地哭」。❷「嗚呼」：①圖表示悲傷的用詞。如「嗚呼哀哉」（嗚呼也作「烏乎」、「烏呼」、「烏虖」、「嗚虖」、「於戲」）。②感歎詞。③玩笑式地指人死了。如「一命嗚呼」。❸「嗚咽(yè)」：①哭泣聲。②流水聲。

嗢(嗢)圖(wà)粵wɐt⁷〔屈〕❶「嗢噱」：大笑不止。❷「嗢噦」：吹奏樂器時先作聲以調氣。

嗡(wēng)粵juŋ¹〔翁〕wɐŋ¹〔蛙鶯切〕(又)❶形容聲音的字。常指昆蟲飛行時候振動翅膀的聲音。❷「嗡嗡」：狀聲詞；像蟲聲、飛機聲等。

噤(shǔ)粵sy⁴〔殊〕❶形容聲音的字。❷專指用手指頂住自己的上下嘴脣，發出聲音，向人示意不要張聲。

【嘷】同「嗥」，見101頁。

十一畫

嗶(bì)粵bɛt⁷〔畢〕「嗶嘰」：一種毛織品。

嘛▲(ma)粵ma³〔魔化切〕語氣助詞，表示提醒的意思。如「你已經答應了嘛，怎麼現在又反悔了！」

▲(ma)粵ma⁴〔麻〕「喇嘛」：見94頁「喇」字。

嘜(mà)粵mɛk⁷〔媽克切〕商標。是從英語的*mark*譯音寫成的。

嘞(lei)粵la¹〔啦〕語助詞。略同「了」(表過去)。如「時候不早嘞」。

嘍▲(lóu)粵lɐu⁴〔留〕「嘍囉」：盜匪的部下。

▲(lou)粵lɐu¹〔拉歐切〕語助詞，用以幫助說話的語氣。如「就這麼辦嘍」。

嘎▲(gā)粵ga¹〔加〕❶形容聲音的字。如「嘎叭」；「嘎吱」。❷「嘎巴」：稠濃的液體或半固體凝固了。如「膠水沾在衣服上嘎巴住了」。

▲(gá)粵ga⁴〔奇牙切〕「嘎嘎」：兩頭尖中間大的形狀。

嘏▲圖(gǔ)粵gu²〔古〕❶福祉。如「錫嘏(賜福)」。❷祝壽。如「祝嘏」。

▲(jiǎ)粵ga²〔假〕大，遠。

嘓(guō)粵gwɔk⁸〔國〕gɔk⁸〔閣〕(俗)「嘓嘓」：象聲詞。①嚥下食物的聲音。②青蛙叫的聲音。③形容說話多。

嘅 図（kǎi）粵 kɔi³〔概〕歎氣聲。

嘉（jiā）粵 ga¹〔加〕❶美，善。如「嘉名」；「嘉言」。❷讚美。如「嘉獎」；「勇氣可嘉」。❸図歡樂。禮記有「交獻以嘉魂魄」。❹図福祉。漢書有「休嘉砰隱溢四方」。

喊（qī）粵 tsik⁷〔戚〕「喊喊喳喳」：形容說話的細碎聲音。

噓▲（xū）粵 hœy¹〔虛〕❶慢慢地吹氣。如「他噓了一口氣在掌心，兩個手掌使勁搓了幾下」。❷讚美別人。如「為人吹噓」。❸歎息。如「長噓短歎」。❹火或熱氣噴出來薰炙。如「把手噓疼了」。❺「噓寒問暖」：慇懃問候。

▲（shī）粵 hœ¹〔靴〕表示鄙斥、反對的聲音。如「噓！滾出去」。

嘖（zé）粵 dzak⁸〔責〕❶爭辯。如「嘖有煩言」。❷「嘖嘖」：讚美不停。如「嘖嘖稱奇」。

嘗（甞）（cháng）粵 sœŋ⁴〔常〕❶用嘴試出食物的滋味。如「嘗嘗看，鹹淡合適嗎」。❷図從「試」引伸，凡試作事或試說話也作嘗。如「先以贏兵五百嘗敵」；「請嘗言之」。❸図曾經。如「俎豆之事，則嘗聞之矣」。❹經歷。如「艱苦備嘗」。

嘈（cáo）粵 tsou⁴〔曹〕喧鬧。如「人聲嘈雜」。

嗾（sōu）粵 sɐu²〔叟〕図指使狗的聲音；引伸作教唆人做壞事。如「嗾使」。

嗽（sòu）粵 sɐu³〔秀〕❶咳嗽。❷通「漱」，盪口。見391頁。

嗷 図（áo）粵 ŋou⁴〔敖〕ou⁴〔澳低平〕（俗）「嗷嗷」：眾人愁歎的聲音，詩經有「鴻雁于飛，哀鳴嗷嗷」。「嗷嗷待哺」：比喻災民哀號，等待人去救濟。

嘔▲（ǒu）粵 ɐu²〔毆〕吐。如「嘔血」。

▲（ōu）粵 ɐu¹〔歐〕同「謳」，見687頁。

▲（òu）粵 ɐu³〔漚〕故意逗人生氣。如「算了！算了！她哭了一天啦，你別再嘔她了」。

嘟（dū）粵 dou¹〔都〕❶表示聲音。如「喇叭嘟嘟響」。❷「嘟囔」：自言自語。也作「嘟噥」；「嘟嘟囔囔」。❸「嘟嚕」：①同嘟囔。②向下垂的一串、一團。如「一嘟嚕葡萄」。③向下垂。如「脖子底下嘟嚕着肉」。

【嘆】同「歎」，見345頁。

【嘑】同「呼」，見84頁。

【鳴】見「鳥」部，855頁。

十二畫

噗(pū)⑧pok⁸〔樸〕形容聲音的字。如「噗哧(笑聲或水擠出的聲音)」。

嘿▲ (mò)⑧ mɐk⁹〔墨〕同「默」，見871頁。

▲ (hēi)⑧hei¹〔希〕歎詞。如「嘿！眞不錯」；「嘿！這孩子不想活了」。

噔(dēng)⑧dɐŋ¹〔登〕形容聲音的字。如「咯噔」。

嘮(láo)⑧lou⁴〔勞〕「嘮叨」：話很多，說個沒完。

嘹(liáo)⑧ liu⁴〔聊〕❶「嘹喨」：聲音清澈。如「歌聲嘹喨」。❷「嘹唳」：雁或鶴叫的聲音。

嗥(嗃)(háo)⑧ hou⁴〔豪〕❶野獸吼叫聲。如「狼嗥」。❷號哭。如「嗥叫」。

嘩▲ (huá)⑧ wa⁴〔華〕同「譁」，見687頁。

▲ (huā)⑧ wa¹〔蛙〕❶「嘩喇」、「嘩喇喇」：形容倒坍散墜的聲音。❷「嘩喇了」：比喻物體散脫、團體瓦解或事業失敗。

嘰(jī)⑧ gei¹〔機〕❶小聲說話。如「嘰嘰咕咕」。❷「嗶嘰」：一種毛織品。

噍▲ 図 (jiào)⑧dziu⁶〔趙〕❶咬，啃。❷「噍類」：指生存着的人。❸「無噍類」：「人都死了」的意思。漢書有「襄城無噍類」。

▲ (jiū)⑧dzɐu¹〔周〕❶「啁噍」：鳥叫聲。❷「噍噍」：歡呼聲。

噘(jué)⑧kyt⁸〔決〕❶口部翹起。如「噘嘴」。❷口部前凸的人。如「噘噘兒」。

噙(qín)⑧kɐm⁴〔禽〕含。如「噙了一口水」；「眼裏噙着熱淚」。

嘻(譆)(xī)⑧hei¹〔希〕❶図表示悲痛或驚懼的歎詞。如「嘻！悲夫！」❷「嘻嘻」：笑的樣子或聲音。如「笑嘻嘻」；「嘻嘻哈哈」。❸「嘻笑」：強笑。❹「嘻皮笑臉」：不莊重的樣子。

嘵図 (xiāo)⑧hiu¹〔梟〕「嘵嘵」：爭辯不停的樣子。

嘯(xiào)⑧siu³〔笑〕❶図古人說撮口作聲是嘯。如「嘯歌」。❷長鳴。如「虎嘯」。

噀図(xùn)⑧sœn³〔信〕把水含在嘴裏再噴出去。

嘲▲ (cháo)⑧dzau¹〔支交切〕❶用話譏諷調笑人家。如「嘲弄」；「嘲笑」；「冷嘲熱罵」。❷引逗。明人小說有「就

是嘲漢子的班頭」；元曲選有「寫個簡帖兒嘲撥他」；水滸傳有「酒席之間用些話來嘲惹他」。

▲(zhāo)㊣dzau¹〔支交切〕㊀鳥叫的聲音。如「嘲啾」；「嘲哳」。

噌 ▲㊀(cēng)㊣dzɐŋ¹〔增〕壯闊的聲音。如「聲噌吰而似鐘音」。

▲(cēng)㊣tsɐŋ¹〔叉鶯切〕申斥，叱責。如「我被他噌了一頓」。

嘬 (zuō)㊣dzyt⁸〔拙〕㊀用牙咬，一起吃。孟子有「蠅蚋姑嘬之」。

噆 ㊀(zǎn)㊣tsam²〔慘〕蚊子叮。如「蚊虻噆膚」。

嘶 (sī)㊣sɐi¹〔西〕❶馬鳴。如「人喊馬嘶」。❷形容聲音沙啞。如「聲嘶力竭」。

噎 (yē)㊣jit⁸〔咽〕食物塞住咽喉，透不過氣來。如「慢慢吃，別噎着」。

噁 ▲㊀(wù)㊣wu³〔烏高去〕「喑噁」：默懷怒氣的樣子。

▲(ě)㊣ɔk⁸〔惡〕「噁心」同「惡心」：見221頁。

噏 (xì)㊣kɐp⁷〔級〕同「吸」，見81頁。

【噉】同「啖」，見91頁。

十三畫

噴 ▲(pēn)㊣pɐn³〔披印切〕❶很猛地往外吐，像是放射一樣。❷液體或氣體急遽衝出。如「噴水」；「噴火」。❸「噎噴」也作「噴噎」：人的鼻腔黏膜受到刺激，氣從胸膛急遽噴出，發出響聲，俗稱「打噎噴」。

▲(pèn)㊣pɐn³〔披印切〕香氣撲鼻。如「噴香」；「噴鼻兒香」。

嘴 (zuǐ)㊣dzœy²〔咀〕❶動物進食的器官，即是口部。如「嘴唇」；「嘴裏嚼着東西」。❷尖形而突出的地形。如「沙嘴」；「山嘴」。❸器具的尖形的口。如「瓶嘴」；「茶壺嘴」。

噹 (dāng)㊣dɔŋ¹〔當〕形容聲音的字。如「噹噹」；「叮噹」。

噸 (dūn)㊣dœn¹〔敦〕❶英美制重量單位：①英制等於2240磅，合標準制1016.047公斤。②美制等於二千磅，合標準制907.1849公斤。❷計算船所載的容積單位，每四十立方英尺是一噸。

噥 (nóng)㊣nuŋ⁴〔農〕luŋ⁴〔龍〕(俗)❶「噥噥」：話多而聲音小。❷「唧噥」、「嘟噥」：指嘴裏發出模糊的聲音。

噶 (gá) 粵ga¹〔加〕❶表聲音的字。❷「準噶爾」：清朝初年在天山北路地方的部族名。

噲 図(kuài)粵fai³〔快〕❶嚥下去。❷喉，鳥獸嘴。❸姓。❹「噲噲」：寬敞明亮的樣子。

噷 (hm)粵hem¹表鄙斥的感歎詞。如「噷！你別作夢」。

噭 図(jiào)粵giu³〔叫〕❶哭聲。❷喊叫聲。

噤 (jìn)粵gem³〔禁〕❶閉起嘴，不作聲。如「噤口」；「噤若寒蟬(比喻不敢作聲)」。❷「寒噤」：因為受驚或受寒而身體顫抖。如「打了一個寒噤」。

噱 ▲図(jué)粵kœk⁹〔其藥切〕大笑。如「令人發噱」。
　▲(xué)粵kœk⁹〔其藥切〕「噱頭」：(上海話)指不把事情直截了當說出來，繞大圈子，耍技巧，乘機宣傳。俗稱「耍噱頭」。

器（器）(qì)粵hei³〔氣〕❶用具的統稱。如「器物」；「武器」。❷動植物的分任生活機能的部分。如口、耳、鼻、肺、心、胃、花、葉、根，簡稱「器」。如「呼吸器」。❸有才能的人。如「大器晚成」；「器使(量材使用)」。❹人的氣度、量度。如「器量」。❺「器重」：才能受尊重、看重。如「他很受人器重」。❻封建時代的名位爵號等，如「名器」。

噣 ▲図(zhòu)粵dzeu³〔晝〕❶星名。二十八宿之一，「柳宿」的別稱。❷同「咮」，見87頁。
　▲(zhuó)粵dœk⁸〔啄〕鳥啄食。

噬 (shì)粵sɐi⁶〔誓〕❶図用牙齒咬。如「噬臍」(麝被獵人打中，咬肚臍麝香已來不及。比喻後悔已遲。常作「噬臍莫及」)。❷整個吞了進去。如「吞噬」。

噪 (zào)粵tsou³〔燥〕❶吵鬧。如「鼓噪(喧譁爭鬧)」；「噪音(雜亂使人感覺不快的聲音)」。❷蟲或鳥亂叫的聲音。如「蟬噪」；「雀噪」。

噩 (è)粵ŋok⁹〔岳〕ok³〔惡低入〕(俗)❶可驚的。如「噩耗(常指親友死亡的消息)」；「噩夢(可惡的惡夢)」。❷愚昧無知的樣子。如「渾渾噩噩」。

噯 ▲(ài)粵oi³〔愛〕感歎詞，表傷感或痛惜。如「噯！怎麼會有這樣的事」。
　▲(ǎi)粵oi²〔藹〕感歎詞，表否定。如「噯！不是這樣」。
　▲(ài)粵ai¹〔唉〕同「哎」，見

88頁。

噢 ▲(ō)粵ɔ¹〔疴〕表示已經明白的歎詞。如「噢！原來如此」。

▲囡(yǔ)粵jy²〔瘀〕「噢咻」：病人呻吟聲。

噎 囡(yī)粵ji¹〔衣〕悲歎傷痛的聲音。

噦 ▲(yuě)粵jyt⁹〔月〕❶因氣逆而口裏發聲。如「打噦」。❷嘔吐。❸「乾噦」：要吐又吐不出來。

▲囡(huì)粵wɐi³〔畏〕「噦噦」：有節奏的鈴聲。
【罵】同「罵」，見552頁。

十四畫

嚏 (tì)粵tɐi³〔替〕本作「嚏」。「嚏噴」也作「噴嚏」：見102頁「噴」字。

嚀 (níng)粵niŋ⁴〔寧〕liŋ⁴〔零〕(俗)「叮嚀」：再三囑咐。

嚇 ▲(hè)粵hak⁸〔客〕❶使人害怕。如「恐嚇」。❷「嚇嚇」：笑聲。

▲(xià)粵hak⁸〔客〕❶害怕。如「嚇了一跳」。❷使人害怕。如「你別嚇他」。

嚆 (hāo)粵hou¹〔蒿〕❶呼叫。❷「嚆矢」：有聲音的箭。箭沒到，聲音先到，用來比喻事物的開始。

嚓 ▲(cā)粵tsat⁸〔擦〕象聲詞。如「汽車嚓的一聲停住了」。

▲(chā)粵tsat⁸〔擦〕❶「喀嚓」：折斷的聲音。❷「咔嚓」：鎗枝上膛的聲音。

嚎 (háo)粵hou⁴〔毫〕❶大聲哭喊。❷「嚎咷」也作「嚎啕」：大哭聲。

嚄 ▲(huò)粵ɔ²〔疴高上〕❶驚愕失聲。❷大聲笑。❸表示讚美的歎詞。如「嚄！瞧你多能幹」。

▲(huō)粵wɔk⁹〔獲〕表示疑訝的歎詞。如「嚄！哪有這種事」。

嚅 (rú)粵jy⁴〔如〕囡「囁嚅」：見105頁「囁」字。
【嚐】同「嘗」❶，見100頁。

十五至十七畫

嚜 ▲(mè)粵mɐk⁹〔墨〕通「嘿」，見101頁。

▲(me)粵ma¹〔媽〕表決定的語助詞。

▲(mà)粵mɐk⁷〔媽克切〕英文mark(商標)的音譯。

嚕 (lū)粵lou¹〔撈〕❶「嚕囌」：說話絮煩、累贅。❷「哩嚕」：見89頁「哩」字。❸「嘟嚕」：見100頁「嘟」字。
【嚚】同「嚚」，見881頁。
【嚏】「嚏」的本字。見本頁。

嚭 図(pǐ)粵pei²〔鄙〕大。

嚨 (lóng)粵luŋ⁴〔龍〕「喉嚨」：嗓子、咽喉。

嚮 (xiàng)粵hœŋ³〔向〕❶通「向」，見79頁。如「嚮往」。❷接近。如「嚮邇」；「嚮明」。

嚥 (yàn)粵jin³〔宴〕❶吞下去。❷「嚥氣」：人死氣絕。

嚳 (kù)粵guk⁷〔谷〕中國古史傳說的帝王名字，是黃帝的曾孫，號「高辛氏」，都於亳。

戱 図(xī)粵hei¹〔希〕歎詞，表示驚歎。

嚵 (chán)粵tsam⁴〔慚〕「嚵子」：獸嘴。如「狗嚵子」。

嚷 ▲(rǎng)粵jœŋ⁶〔讓〕❶喧鬧。如「吵嚷」。❷喊叫。如「你別嚷」。

▲(rāng)粵jœŋ⁶〔讓〕「嚷嚷」：喧譁，大聲叫喊。

嚴 (yán)粵jim⁴〔炎〕❶認眞，不放鬆。如「校規很嚴」。❷厲害的。如「嚴寒」。❸緊密的。如「他的嘴嚴，不會走漏消息」。❹尊，敬。如「師嚴然後道尊」。❺軍隊遇到警報，加多崗哨，盤問行人。如「戒嚴」；「解嚴（事情過去收哨）」。❻對別人稱自己的父親。如「家嚴」。❼事態緊急。如「嚴重」。❽姓。

嚶 図(yīng)粵jiŋ¹〔英〕❶鳥叫聲。❷「嚶嚶」：①鈴聲。②鳥的和鳴聲。

十八畫

囁 図(niè，舊讀rè)粵dzip⁸〔接〕❶嘴動。❷「囁嚅」：要說又不說的樣子。

嚼 ▲(jiáo，讀音jué)粵dzœk⁸〔爵〕用牙齒磨碎食物，細品滋味。如「咀嚼」。

▲(jiào)粵dziu⁶〔趙〕「倒嚼」：即是「反芻」。

囂 ▲(xiāo)粵hiu¹〔僥〕喧譁。如「喧囂（亂吵亂鬧）」。

▲(áo)粵hiu¹〔僥〕放肆；跋扈。如「氣焰囂張」。

囀 図(zhuàn)粵dzyn²〔轉〕❶鳥鳴。如「黃鶯巧囀」。❷聲音轉折。

十九至二十二畫

囊 (náng)粵nɔŋ⁴〔飄〕lɔŋ⁴〔狼〕(俗)❶口袋。如「布囊」。❷「囊括」：包羅、包括一切。❸姓。

囉 ▲(luó)粵lo⁴〔羅〕❶「囉唣」：吵鬧。❷「嘍囉」：見99頁「嘍」字。

▲(luō)粵lo¹〔拉疴切〕「囉唆」也作「囉嗦」：①話多，說得雜亂。②麻煩，辦事不爽

快。

齻 図 (chǎn) 粵 tsin² 〔淺〕「齻
然」：形容笑的樣子。

囈 図 (yì) 粵 ŋei⁶ 〔藝〕ei⁶ 〔矮低
去〕(俗) 說夢話。如「夢囈」；
「囈怔」；「囈語」。
【囈】同「齦」，見592頁。

嗉 (sū) 粵 sou¹ 〔蘇〕「嚕嗉」：見
104頁「嚕」字。
【囑】同「醫」，見881頁。

囑 (zhǔ) 粵 dzuk⁷ 〔足〕 ❶ 託
付。如「囑託」。❷「囑咐」同
「吩咐」：①託付。②告誡。

囔 (nāng) 粵 noŋ⁴ 〔囊〕loŋ⁴ 〔狼〕
(俗)「嘟囔」：見100頁「嘟」
字。

【口部】

【囗】古「圍」字，見109頁。

二畫

囚 (qiú) 粵 tseu⁴ 〔酬〕❶ 被拘禁
的人。如「囚犯」；「死囚」。
❷把人拘禁起來。如「囚禁」；
「囚起來」。❸ 俘虜。如「獻
囚」。

四 (sì) 粵 si³ 〔試〕sei³ 〔沙臂切〕
(又) ❶ 數目字，大寫作
「肆」，商碼作「✕」，阿拉伯碼
作「4」。❷ 第四。如「四年
級」。❸中國從前音樂上用的
「工尺字」中的一個。❹「四
則」：算術加減乘除的總稱。
❺「四書」：《大學》、《中庸》、
《論語》、《孟子》的合稱。❻
「四方」：東西南北，泛指天下
各處。❼「四海」：古時以中國
四境有東西南北四海環繞。亦
指天下各處。

三至四畫

囡 (nān) 粵 nam⁴ 〔南〕lam⁴ 〔藍〕
(俗) 吳語說女兒，女孩。如
「小囡」；「阿囡」。

囝 (jiǎn) 粵 dzei² 〔仔〕南方有的
地方對小孩子的通稱。

回（囘、囬）$^{(hui)}$ 粵 wui⁴
〔徊〕❶ 歸
來，返。如「回家」；「一去不
回」。❷還給對方的某種行
動。如「回敬」；「回他一槍」。
❸答覆。如「回條」；「回信」。
❹掉轉。如「回身」；「回頭」。
❺從前稱往上稟報。如「回
事」；「回話」。❻量詞。指次
數，一次、一遍叫一回。如
「我前後去過五回」。❼舊小說
所分的段落。如「且聽下回分
解」；「水滸傳共有七十回」。
❽宗教名。回教即是伊斯蘭
教。❾種族名，是構成中華民
族的一族。❿姓。⓫「回回」：
①每次。②指回族或回教徒。
⓬同「迴」字，見728頁。

囟 $^{(xìn)}$ 粵 sœn³〔信〕sœn²〔筍〕
〔又〕「囟門」：嬰兒頭頂上，
接近前額，有一處頭骨還沒有
密合，外表可以看到跳動的部
位。也叫「顖腦門」或「頂門」。

因 $^{(yīn)}$ 粵 jɐn¹〔殷〕❶ 原因，
在發生事物以前已經具備的
條件。如「事出有因」。❷因
為，由於某種緣故。如「因小
失大」；「因病請假」。❸ 沿
襲。如「陳陳相因」。❹因依
賴，藉着，就着。如「因人成
事」；「雲岡石佛多因山巖為
之」。❺因於是，因此。如「彼

生於立春日，因名春生」；「久
客於此，因以為家」。❻因
由。如「可因李兄往見校長（由
李兄介紹往見）」。❼「因數」也
叫「因子」：凡可以除盡某數的
各數，都是某數的因數。如
2,3,4,6是12的因數。❽姓。

囤 ▲ $^{(dùn)}$ 粵 dɐn⁶〔頓〕用竹
篾、荊條等編成，用來存放
糧食的小倉廩。如「米囤」。
　▲ $^{(tún)}$ 粵 tyn⁴〔團〕存儲東
西。如「囤積」；「囤貨」。

困 $^{(kùn)}$ 粵 kwɐn³〔窘〕❶ 窮
苦。如「貧困」；「困窘」。❷
艱難。如「艱困」。❸疲乏。❹
被環境或條件所限制，掙脫不
出來。如「被這個問題困住
了」。❺被包圍，斷絕出路。
如「把敵人困住」；「困獸猶
鬥」。❻和「睏」相同。勞倦。
如「困倦」。

囫 $^{(hú)}$ 粵 fɐt⁷〔忽〕「囫圇」：①
整個的，完整的。如「不要
破的，挑個囫圇的」。②合在
一起，不加分析的。如「你不
要囫圇着說」。

囪 ▲ $^{(cāng)}$ 粵 tsʊŋ¹〔充〕「烟
囪」也叫「烟筒」：爐竈所安
裝的出烟的通路，通常高伸在
屋頂上。工廠的烟囪特別高
大。
　▲ $^{(chuāng)}$ 粵 tsœŋ¹〔昌〕同

「窗」，見504頁。

呦 ▲ (yóu) 粵 jeu⁴〔由〕「呦子」：捉鳥的人把鳥拴住來招引旁的鳥，這隻拴着的鳥叫「呦子」，文言詞稱為「鳥媒」。

▲ (é) 粵 ŋɔ⁴〔訛〕ɔ⁴〔柯低平〕(俗) 同「訛」，敲詐。見676頁。

五至七畫

囹 図 (líng) 粵 liŋ⁴〔零〕「囹圄」也作「囹圉」：即是監獄。

固 (gù) 粵 gu³〔故〕❶堅牢，結實，不容易壞。如「堅固」；「鞏固」。❷堅硬，成為一定的形體。如「固體」；「凝固」。❸安定。如「穩固」。❹堅持，極力地。如「固辭」；「固執」；「固守」。❺原來，原本。如「固有道德」；「固所願也」。❻図表語氣的詞，和「惟」、「然」、「而」等轉折詞前後配合，表示先同意再否定，或更推進一步。如「所言固有理，惟目前尚難實行」。❼「固然」：①本來如此。②雖然。如「這話固然不錯，但實際上還有問題」。❽姓。

囷 図 (qūn) 粵 kwen¹〔坤〕圓形的倉。

囿 図 (yòu) 粵 jeu⁶〔右〕❶有圍牆的園地。如「園囿」；「鹿囿」。❷拘束，局限。如「囿於成見」。

圃 (pǔ) 粵 pou²〔普〕❶種植菜蔬、花卉或瓜果的園地。如「苗圃」；「花圃」。❷場所。如「學圃」；「藝圃」。❹從事種植或園藝工作的人。論語有「吾不如老圃」。

圂 ▲ 図 (hùn) 粵 wen⁶〔運〕廁所。

▲ (huàn) 粵 wan⁶〔幻〕通「豢」，見694頁。

圄 (yǔ) 粵 jy⁵〔語〕「囹圄」：見本頁「囹」字。

八畫

圇 (lún) 粵 lœn⁴〔倫〕「囫圇」：見107頁「囫」字。

國 (guó) 粵 gwɔk⁸〔郭〕gɔk⁸〔各〕(俗) ❶國家。中國古代，常稱諸侯為「國」，如齊國、楚國；士大夫稱「家」，如魯國有仲孫系、季孫系。後來「國」、「家」兩個字合成一個詞來代表「國」的意思；現代政治學上認為一個國家是具有土地、人民、主權等三種要素的組織體。❷國家的。如「國土」；「國民」。❸本國的。如「國貨」；「國語」；「國史」。❹與國家有關的。如「國有(產權屬於國家的)」；「國籍(一個人

108　口部　(4-8)　呦囹固囷囿圃圂圄圇國

屬於某一國家的籍貫)」。❺兩國或多國之間的。如「國交」;「國界」。❻指特殊出名的或全國推仰的。如「國色(容貌特美的女子)」;「國手(精於某種技能,爲全國之冠而受欽佩的人)」。❼姓。

圊 図(qīng)㊀tsiŋ¹〔青〕廁所。

圈 ▲(quān)㊀hyn¹〔喧〕❶外邊圓中間空的形狀或東西。如「項圈」;「黑眼圈」;「通電流的線圈」。❷周遭。如「帽圈」;「圍着操場走了一兩圈」。❸用東西圍住。如「用柵欄把這塊地圈起來」。❹一定地區的範圍。如「射擊圈」;「埋伏圈」。❺畫圓圈作記號。如「圈選」;「把重要的字句圈出來」。

▲(juān)㊀hyn¹〔喧〕收管,關住。如「把狗圈在木籠子裏」;「再不聽話,就得圈他幾天」。

▲(juàn)㊀gyn⁶〔倦〕養牲口的地方。如「豬圈」;「牲口圈」。

圉 図(yǔ)㊀jy⁵〔雨〕❶養馬的地方。如「馬有圉」。❷掌管養馬工作的人。如「圉人」。❸邊境。如「邊圉」;「守圉」。❹通「圄」,見108頁。❺通「敔」,見278頁。❻姓。

九至十九畫

圌 (chuí)㊀sœy⁴〔誰〕「圌山」:山名,在江蘇省鎮江縣東北,緊靠長江,是江防要地。

圍 (wéi)㊀wi⁴〔惟〕❶環繞着四周攔擋起來。如「圍牆」;「團團圍住」。❷四周。如「外圍」;「四圍都是山」。❸長度單位,五寸叫一圍。如「腰大十圍」。❹兩臂合抱的長度叫一圍。如「三圍粗的大樹」。❺同「幃」,遮蔽用的布類。如「牀圍」;「轎圍」。❻指戰事的包圍陣地。如「解圍」;「突圍」。

園 (yuán)㊀jyn⁴〔元〕❶種植花木、蔬果的地方。❷可以遊玩、參觀的地方。如「公園」;「動物園」。❸酒飯館、澡堂、戲院跟娛樂的場所也多用「園」作名稱。❹墳墓周圍地方的一種特殊稱呼,如帝王的墓地稱爲「園陵」,稱名人、烈士的墓地爲「陵園」。

圓 (yuán)㊀jyn⁴〔元〕❶從中心到周圍每一點的距離都相等的圖形。❷跟「方」相對,指凡是不露稜角的形狀。❸完備,周全。如「這事做得很圓滿,沒有缺陷」;「這話有毛病,說

得不圓」。❹指人說話做事很周到，善於應付人。如「圓通」；「圓滑」。❺補足不周全的地方，或掩飾矛盾。如「圓謊」；「自圓其說」。❻宛轉好聽的聲音。如「字正腔圓」；「喉聲圓潤」。❼貨幣的單位。也作「元」。❽図指「天」。如「戴圓履方」。

圖 (tú) ⑧ tou⁴〔徒〕❶畫。如「地圖」；「插圖」。❷図計謀，打算。如「容緩圖之」；「再作他圖」。❸希望，目的所在。如「你這是圖什麼」；「不圖名利」。❹印章。如「圖章（私人或團體的印章）」；「圖記（指方形的大印章）」。❺「圖案」：美術品、工業品跟建築物上所計劃的花樣形式與彩色。❻姓。

團 (tuán) ⑧ tyn⁴〔屯〕❶揉成圓球形。如「把碎紙團成一個紙球」。❷由散碎合成的圓形物。如「絲團」；「棉花團兒」。❸許多人組合的集體。如「旅行團」；「訪問團」。❹圓形的。如「團扇」。❺陸軍的編制單位，在師以下。三營為一團。❻結合。如「團體」；「團結」。

圜 ▲ (yuán) ⑧ jyn⁴〔元〕❶同「圓」，見109頁。❷古代指天體說，易經有「乾(qián)為天、為圜」。

▲ (huán) ⑧ wan⁴〔環〕圍繞。

圞 図 (luán) ⑧ lyn⁴〔聯〕「團圞」也作「團欒」：①形容圓的樣子。②團聚。

【土部】

土 ▲(tǔ)粵tou²〔討〕❶地面泥沙的混合物。如「土壤」。❷「土地」的意思。如「國土」;「寸土必爭」。❸指本地。如「土產」;「土生土長」。❹樸實的,不合時宜的。如「土氣」;「土頭土腦」。❺還沒有煮成烟膏的生的鴉片烟叫「煙土」,也簡稱爲「土」。❻土耳其國的簡稱。❼「水木金火土」五行之一。❽土族,中國少數民族。❾姓。

▲図(dù)粵dou⁶〔杜〕根,通「杜」。詩經有「徹彼桑土」。

三畫

圮 図(pǐ)粵pei²〔鄙〕毀壞。如「傾圮」。

圯 図(yí)粵ji⁴〔而〕橋。

地 ▲粵(dì)粵dei⁶〔杜利切〕❶即是我們所住的「地球」,是太陽系九大行星之一。❷區域,地方。如「各地」;「邊地」。❸田地,土地。如「地主」;「在鄉下種地」。❹地位。如「設身處地」;「易地則皆然」。❺地步。如「罵人不留餘地」。❻意志或智力所及的。如「心地」;「見地」。❼品質。如「質地」。❽底子。如「紅字白地」。❾図副詞尾。如「驀地」;「忽地」。❿「地道」:①地下隧道。②眞實。⓫「地支」:子、丑、寅、卯、辰、巳、午、未、申、酉、戌、亥等十二支。

▲(de)粵dei⁶〔杜利切〕副詞詞尾。如「慢慢地走」;「高高地飛」。

圭 (guī)粵gwɐi¹〔歸〕❶上尖下方的玉器,古代遇有大典時候,用兩手在胸前舉着。❷古代容量單位,升的十萬分之一。❸「圭表」:古人測日影的儀器。❹「圭臬」:指事物的標準。

圳 (zhèn)粵dzɐn³〔振〕田邊的水溝。

在 (zài)粵dzɔi⁶〔自代切〕❶居,佔。如「在上」;「在下(自稱的謙詞)」。❷存在,生存。如「父母在」;「他老人家不在了」。❸正進行的某種動作,正做一件事。如「他在吃飯呢」;「大明還在打球呢」。❹屬於。如「在教」(信奉回教等)。❺介詞,表示事情的時間、地點、情形或範圍。如「在晚上讀書」;「在學校作事」。❻有經驗而通曉其內

容。如「在行」。❼確指那種境界。如「在止於至善」。❽關心、注意；要點的所在。如「在乎」（有時可簡作「在」，如「山不在高」；「事在人為」）。❾图「在在」：各處，處處。❿图「在莒」：「毋忘在莒」的簡稱。春秋時代，鮑叔牙在宴會上向齊桓公敬酒說：「祝吾君無忘其出而在莒也。」因為桓公即位之前，齊國大亂，曾逃到莒城過了一段慘澹的日子。所以「在莒」是勉勵人莫忘自身的顛沛流離，要奮發自強，重振昔日光輝。⓫姓。

圬 图（wū）粵wu¹〔烏〕❶塗刷牆壁。❷塗牆的工具。

圩 ▲（wéi，又讀yú）粵wei⁴〔圍〕jy⁴〔余〕（又）❶護田的隄岸。低窪的田地。如「圩田」。❷指有圩田的地方。❸中間低四周高。

▲（xū）粵hœy¹〔虛〕通「墟」，集市。如「赴圩」；「圩場」。

【寺】見寸部，160頁。

四畫

坂（bǎn）粵ban²〔板〕斜坡，山坡。

坌 图（bèn）粵ben⁶〔笨〕❶聚。如「坌集（聚集）」。❷灰塵。

坏 ▲（péi）粵pui⁴〔培〕图用土封空隙。禮記有「蟄蟲坏戶」。

▲（pī）粵pui¹〔胚〕同「坯」，見113頁。

▲「壞」的簡化，見124頁。

坋 ▲图（fèn）粵fen⁵〔奮〕高起。書經有「厥土黑坋」。

▲「墳」的簡化，見122頁。

坊 ▲（fāng）粵fɔŋ¹〔方〕❶從前城市的里巷或市街名。如「開元坊」。❷古時表揚人物的華表，現在為慶典搭建的臨時建築，都叫「牌坊」。

▲（fáng）粵fɔŋ¹〔方〕工作場所。如「作坊」。

▲图通「防」，見783頁。

坍（tān）粵tan¹〔灘〕❶土崩。如「坍塌」。❷「坍臺」：①比喻恥辱，丟臉。如「不能在人前坍臺」。②不能繼續維持。

坎（kǎn）粵hem²〔砍〕❶陷落，危險。❷凹陷的地方，坑穴。❸八卦之一，卦形為「☵」，象徵「水」。❹敲打東西的聲音。詩經有「坎其擊鼓」。❺「坎肩」：沒有袖子而有紐扣的背心。❻「坎坷」：①道路不平，不好走。②潦倒不得志。

坑（阬）（kēng）粵haŋ¹〔哈罌切〕❶地面下陷的部分。❷活埋。如「焚書坑儒」。

❸陷害。如「坑人」。

圾 ▲囡(jí)⦿kɐp⁷〔吸〕危險。通「岌」，見170頁。

▲(jī)⦿sap⁸〔颯〕「垃圾」：見114頁「垃」字。

均 ▲(jūn)⦿gwen¹〔君〕❶沒有輕重多寡之分的。如「平均」；「均衡」。❷都，皆。如「兩老均安」；「各項工程均已完成」。

▲(yùn)⦿wen⁶〔運〕wen⁵〔尹〕(又)同「韻」，見810頁。

圻 ▲囡(qí)⦿kei⁴〔岐〕地界。

▲囡同「垠」，見115頁。

址(阯) (zhǐ)⦿dzi²〔止〕❶基地。如「遺址」。❷地點。如「地址」。

坐 (zuò)⦿dzo⁶〔助〕❶把臀部依附在物體上，以支持其軀體的動作。如「坐下歇歇」。❷搭乘。如「坐車」；「坐船」。❸基址所在。如「坐北朝南」。❹囡犯罪或定罪。如「連坐」；「坐以殺人之罪」。❺指槍砲子彈、引信爆炸使子彈衝出時，槍砲猛然向下向後一頂的壓力。如「後坐力」；「無後坐力砲」。❻堅守不去。如「坐鎮」；「坐催」。❼不勞動。如「坐享其成」。❽不工作。如「坐吃山空」。❾囡安然。如「使敵人坐大」。❿囡蒞臨。如「坐堂(官

吏在堂上審判，問案)」。⓫「坐月子」：女人生孩子滿月以前。⓬「坐春風」也作「如坐春風」：比喻老師善於教學，學生好像在暖和的春風裏坐着一樣。本是北宋朱光庭稱讚程顥的話。

【坿】同「坳」，見114頁。

五畫

坡 (pō)⦿pɔ¹〔鋪荷切〕bɔ¹〔波〕(又)地形傾斜的地方。如「山坡」。

坯 (pī)⦿pui¹〔胚〕沒燒過的陶器，俗稱「坯子」。

坪 (píng)⦿piŋ⁴〔平〕❶平坦的地。如「草坪」。❷日本土地面積計算單位，一坪合3.3057平方公尺。

坦 (tǎn)⦿tan²〔袒〕❶寬平。如「坦途」。❷女婿的別稱。如稱別人的女婿為「令坦」。也作「坦腹」或「東牀快婿」，本於晉王羲之坦腹臥於東牀，受選為太傅郗鑒女婿的典故。❸「坦然」：①坦白無私的樣子。②心安的樣子。❹「坦克」：用齒帶轉動的裝甲戰車。

坨 (tuó)⦿to⁴〔駝〕❶場鹽露天堆積成堆。如「坨」。❷圓形的塊狀物。如「秤坨」。

垃 (lā)粵lap⁹〔立〕「垃圾」：髒土跟廢棄的東西的合稱。

坩 (gān)粵hɐm¹〔堪〕❶土器。❷「坩堝」：陶土燒成的器具，用來鎔化玻璃或各種金屬的。

坷 (kě)粵hɔ²〔可〕「坎坷」：見112頁「坎」。

坤(堃) (kūn)粵kwɐn¹〔昆〕❶八卦之一，卦形為「☷」，象徵「地」。❷柔順。❸指女人。如「坤範」；「坤伶」。

坰(冂) (jiōng)粵gwiŋ¹〔瓜英切〕郊野。

坻 ▲図(chí)粵tsi⁴〔池〕水中高地。詩經有「宛在水中坻」。
▲(dǐ)粵dɐi²〔抵〕❶山的斜坡。❷「寶坻」：縣名，在河北省。

坼 図(chè)粵tsak⁸〔冊〕❶分開，裂開。如「天崩地坼」。❷草木的種子分裂發芽。

垂(乖、坙) (chuí)粵sœy⁴〔誰〕❶從上往下縋。如「垂釣」；「垂手」。❷上級施給下級，或稱尊長對自己的。如「垂詢」；「垂愛」。❸図快要。如「垂老」。❹留傳後世。如「永垂不朽」；「名垂青史」。❺通「陲」，見787頁。❻図「垂垂」：漸漸。

杜甫詩有「江邊一樹垂垂發」。

坳(坳) (ào)粵au¹〔凹〕au³〔拗〕(又)窪地。如「坳塘(蓄水的小池子)」。

【坵】同「丘」，見第4頁。

【幸】見干部，185頁。

【坿】通「附」，見784頁。

六畫

垡 (fá)粵fɐt⁹〔佛〕翻耕田土。

垤 図(dié)粵dit⁹〔秩〕❶地上凸起的螞蟻窩。❷小土山。

垛(垛) ▲(duǒ)粵dɔ²〔躲〕突出的牆。如「城垛口」。
▲(duò)粵dɔ²〔躲〕❶成堆的東西。如「草垛」；「灰垛」。❷堆疊。如「垛草」。

垓 (gāi)粵gɔi¹〔該〕❶古代數目。「億」叫「垓」。❷図界限。❸図「垓極」：荒遠的地方。❹図「垓下」：古地名，楚、漢兩軍曾在這裏決戰。

垢 (gòu)粵gɐu³〔救〕❶灰塵油泥這類髒物。如「垢泥」。❷恥辱。如「含垢」。❸不潔。如「蓬頭垢面」。

垝 図(guǐ)粵gwɐi²〔鬼〕毀壞。如「垝垣」。

垮 (kuǎ)粵kwa¹〔誇〕❶崩潰或潰敗。如「他被打垮了」；

「這破房子颱風一來就垮了」。❷「垮台」：比喻瓦解或潰散。❸壞。如「事情給搞垮了」。

型（型） (xíng) ⓖjiŋ⁴〔形〕❶鑄造器物用的土模。❷法式。如「典型」。❸樣式。如「小型汽車」。

坨 図 (chá) ⓖtsa⁴〔茶〕小土堆。

垚 (yáo) ⓖjiu⁴〔堯〕❶土高高凸出來的樣子。(常作人名用字)❷同「堯」，見118頁。

垠 (yín) ⓖŋɛn⁴〔銀〕ɛn⁴〔俗〕❶山邊，河岸。❷界限。如「無垠黃沙」。

垣 (yuán) ⓖwun⁴〔援〕❶牆。如「城垣」。❷城。如「省垣（省城，省會）」。❸姓。

城 (chéng) ⓖsiŋ⁴〔成〕❶舊時環繞都邑所築的大牆。如「城牆」。❷防衛用的高牆。如「萬里長城」。❸地方大，人多，成為政治、經濟、文化集中的地方。如「京城」；「城市」。❹図築城。如「城彼東方」。

【屋】同「厚」，見71頁。

七畫

埔 ▲ (bù) ⓖbou³〔布〕「大埔」：縣名，在廣東省東部，鄰近福建省。

▲ (pǔ) ⓖpou⁴〔普〕「掃桿埔」：地名，在香港島東部。

埋 ▲ (mái) ⓖmai⁴〔迷崖切〕❶死人下葬。如「埋葬」。❷藏在土裏，隱藏在不明顯的地方。如「埋藏」；「埋伏」。❸忽略別人的才能或自己的才能受人忽略。如「埋沒人才」。❹「埋頭」：①指專心伏案用功，不問外事。如「埋頭讀書」。②指集中精神默默努力工作。如「埋頭苦幹」。

▲ (mán) ⓖmai⁴〔迷崖切〕「埋怨」：責備。

埒 図 (liè) ⓖlyt⁸〔劣〕❶短牆。如「馬埒（兩邊有短牆的馬道）」。❷界限。❸同等。如「相埒」；「富埒帝王」。

埂 (gěng) ⓖgɐŋ²〔梗〕❶小坑。❷稻田的界路。如「田埂」。

埄 (hàn) ⓖhɔn⁶〔翰〕小隄。

埆 図 (què) ⓖkɔk⁸〔確〕❶山上大石很多的樣子。❷「墝埆」：不肥沃的土地。

埃 (āi) ⓖɔi¹〔哀〕塵土。如「塵埃」。

埕 (chéng) ⓖtsiŋ⁴〔呈〕❶量詞，酒一壜叫一埕。❷閩南話把庭院叫「埕」。❸「蟶埕」：閩粵一帶稱在海邊用人工飼養

蟬類的田地。

埏 ▲図(yán)粵jin⁴〔延〕❶墓道。如「埏隧」。❷廣大土地的邊際。如「八埏」。

▲(shān)粵sin¹〔仙〕❶製瓦的模子。❷用水和泥。

【袁】見衣部，656頁。

八畫

堋 ▲図(bèng)粵bɐŋ⁶〔罷鄧切〕喪葬下土。

▲図(péng)粵pɐŋ⁴〔朋〕作射靶的短牆。

埤 ▲(bēi)粵bei¹〔悲〕低窪潮濕的地方。

▲(bì)粵pɐi⁶〔葡毅切〕「埤堄」：城上矮牆，中間有洞可以往下看。

▲(pí)粵pei⁴〔皮〕❶增附。❷低牆。

埠 (bù)粵fɐu⁶〔阜〕❶停泊船隻的地方。如「港埠」。❷通商的口岸。如「商埠」。

培 ▲(péi)粵pui⁴〔陪〕❶在植物的根的附近蓋上泥土。如「培土」。❷用照顧植物的心情去教育孩子。如「培育」。

▲図(pǒu)粵pɐu²〔鋪口切〕「培塿」：小土山。

埵 図(duǒ)粵dɔ²〔朵〕❶防水的土壩。❷鎔鑄金屬的工具，即是吹火筒。

埭 (dài)粵dɐi⁶〔第〕防水的土壩。

堆 ▲(duī)粵dœy¹〔得虛切〕❶物質從細小聚積成高大的。如「土堆」；「草堆」。❷累積，聚集。如「堆積」；「堆疊」。❸量詞，堆積物一處叫一堆。如「一堆草」。

▲(zuī)粵dœy¹〔得虛切〕指小堆的東西。如「一堆兒花生」。

堂 (táng)粵tɔŋ⁴〔唐〕❶房子的正屋。如「廳堂」；「堂屋」。❷公眾聚會的地方。如「大會堂」。❸法庭。如「公堂」。❹寬敞的大房間，可以容納許多人的。如「禮堂」。❺學校上一節課叫一堂。❻尊稱對方的母親。如「令堂」。❼同祖父的親屬。如「堂兄」；「堂姊」。❽成套器物。如「一堂瓷器」。❾山的平寬處。❿「堂皇」：氣勢盛大。⓫「堂堂」：①容貌豐盛。②光明正大，事物壯盛。⓬「堂上」：①父母。②舊稱官長。

堄 (nì)粵ŋɐi⁶〔藝〕ɐi⁶〔矮低去〕(俗)「埤(bì)堄」：見本頁「埤」字。

埝 (niàn)粵nim⁶〔念〕lim⁶〔離豔切〕(俗)為防水患而築的土隄。

垎 (kǎn)粵hem²〔砍〕同「坎坷」的「坎」，見112頁。

基 (jī)粵gei¹〔機〕❶建築物的底址。如「地基」。❷根本。如「基本」；「基礎」。❸依據。如「基準」。❹化學名詞，化合物分子中所含的一部分原子是一個單位的。最簡單的基就是元素。如「鹽基」；「氫氧基」。

堅 (jiān)粵gin¹〔肩〕❶結實，牢固。如「堅固」；「堅甲利兵」。❷盡力，不鬆懈動搖。如「堅守」；「堅決」；「老而彌堅」。❸指鎧甲之類。如「披堅執銳」。❹敵兵強盛的所在。如「攻堅」。❺姓。❻「堅苦」：能耐苦。

菫 図 (jǐn)粵gen²〔僅〕❶黏土。❷同「墐」，見120頁。❸通「僅」，見34頁。

埧 (jù)粵gœy⁶〔具〕隄塘。

埴 (zhí)粵dzik⁹〔直〕❶黏土。❷摶土做成坯子。❸「埴土」：由黏土沙土混合而成的土壤，濕氣多，空氣不流通，不適於植物的生長。

執 (zhí)粵dzep⁷〔汁〕❶用手拿着。如「執筆」；「執干戈以衞社稷」。❷掌握，管理。如「執政」。❸堅持。如「執意」；「固執」。❹憑證。如「回執」；

「執照」。❺照着規定作事。如「執行」；「執法」。❻行，守。如「執體」。❼父親的好友。如「父執」。❽拘捕。如「戰敗被執」。❾姓。❿「執事」：①書信中對不很熟悉又無聯屬關係的平輩的尊稱。②負責掌管某事的人。⓫図「執着」：固守着一些事物不肯離開或脫不開。⓬「執失」：複姓。

埻 図 (zhǔn)粵dzœn²〔準〕箭靶。也作「準」。

堊 (è)粵ɔk⁸〔惡〕❶用白粉塗飾。引伸爲塗抹裝飾。❷白色的土。❸「堊粉」：白色土或石的粉末，可供製作模型用。

場 図 (yì)粵jik⁹〔亦〕❶田畔。❷邊境。

埜 (yě)粵je⁵〔冶〕❶同「野」，見751頁。❷姓。

域 (yù)粵wik⁹〔蜮〕❶疆界，地盤。如「區域」。❷図邦國。如「域中」；「域外」。

【堀】同「窟」，見505頁。
【堃】同「坤」，見114頁。
【型】同「型」，見115頁。
【埽】同「掃」，見257頁。
【埶】同「藝」，見628頁。

九畫

堡 ▲(bǎo)粵bou²〔保〕❶小城。❷爲了防禦而設的建築

物。如「堡壘」;「碉堡」。

▲(bǔ)粵bou²〔保〕集鎮，常作地名用字。如「馬家堡」。

▲(pù)粵bou²〔布〕地名用字。如「十里堡」。

報(報)(bào)粵bou³〔布〕❶酬答。如「報答」;「報效」;「以德報怨」。❷告訴，讓人知道。如「報告」;「報信」。❸「報應」:有原因必有結果。造某種因而得某種果，叫報應。❹音信，消息。如「捷報」;「情報」。❺定期出版的新聞紙的簡稱。如「日報」;「晚報」。❻「報人」:從事新聞事業的人。

堞(dié)粵dip⁹〔碟〕城上的短牆。

堵(dǔ)粵dou²〔賭〕❶阻遏，阻塞。如「堵上這個漏洞」。❷圍牆。如「觀者如堵」。❸牆一段叫一堵。如「有一堵高牆」。❹圖「安堵」:相安，安居。❺姓。

堝(guō)粵wo¹〔窩〕「坩堝」:見114頁「坩」字。

堪(kān)粵hem¹〔龕〕❶可以，能夠。如「堪受重任」。❷勝任。如「不堪負荷」。❸忍受。如「難堪」。❹圖「堪輿」:①天地的總名。②相地，看風水。如「堪輿家(相地，看風水的人)」。

堠(hōu)粵heu⁶〔後〕❶探望敵情的土堡。❷記里數的土堆。

場(場)▲(cháng)粵tsœŋ⁴〔祥〕❶平整的空地。如「操場」;「廣場」。❷處所。如「場所」;「會場」;「試場」。❸一件事情從頭到尾的經過。如「看了一場球賽」;「他大鬧了一場」。❹戲劇的一幕。如「第一場」。❺「場合」:時期或情況。

▲(chǎng)粵tsœŋ⁴〔祥〕❶❷❹國音的又讀。

堧(壖)圖(ruán)粵jyn⁴〔元〕❶水邊的地。❷城下的田。❸餘地，隙地。

堯(yáo)粵jiu⁴〔姚〕❶中國古代帝王的名字。❷高的樣子。❸姓。❹「堯天舜日」:形容太平盛世。

堰(yàn)粵jin²〔演〕防水的土隄。

堙圖(yīn)粵jen¹〔因〕也作「陻」。❶埋沒。❷堵塞。❸土山。

【塍】同「膡」，見119頁。
【堤】同「隄」，見788頁。
【堦】同「階」，見788頁。
【堿】同「鹼」，見864頁。

十畫

塌 (tā)⑧tap⁸〔塔〕❶下陷。如「坍塌」;「倒塌」。❷由坍塌引伸作事業失敗。也說「塌臺」。❸下垂。陳琳文有「垂頭塌翼」。❹「塌實」:安靜。如「這件事沒作好,我這幾天心裏很不塌實」。

塔 (tǎ)⑧tap⁸〔塌〕❶一種高而尖的建築物,本名「浮圖」、「浮屠」。多建在佛寺裏,以八角形最多,層數一般爲單數,自五層到十多層。❷像塔狀的建築物。如「燈塔」;「水塔」。

塘 (táng)⑧ton⁴〔堂〕❶隄岸。如「海塘」。❷方形的池。❸大水池,大水坑子。如「魚塘」。

填 (tián)⑧tin⁴〔田〕❶補塞。如「把這個坑填平了」。❷填寫的簡稱。如「只填姓名就行」。❸図「填然」:指鼓聲。孟子書上有「填然鼓之」。❹「填充」:①測驗方式之一。試題上故意空出來,要應考人把它寫滿。也叫填充法。②充實,把它的內部塞滿。❺「填鴨」:特別飼養鴨子的方法。用管子把食物塞入鴨的食管,不讓牠運動,使牠發育快,長得肥。也比喻注入式的教法。

塗 (tú)⑧tou⁴〔途〕❶刪改文字,把不要的抹了去。如「塗改」。❷把色彩、油漆抹在圖畫、器物上,把藥抹在傷口上。如「塗抹」。❸図泥土。❹図通「途」,道路。❺図「塗炭」:在塗泥炭火之中,形容處境困苦。❻「塗鴉」:比喻書法的拙劣。❼図「塗地」:像泥土散在地上。如「一敗塗地」;「肝腦塗地」。

塏 図(kǎi)⑧hoi²〔海〕❶高燥的地。❷「塏塏」:枯燥的樣子。

塊 (kuài)⑧fai³〔快〕❶結聚成團或成固體的東西。如「土塊」;「冰塊」。❷固體物體的件數。如「一塊餅乾」;「一塊肉」。❸平面的一片。如「一塊地」;「臉上有一塊癬」。❹図古人說不平的怨氣會凝聚在心胸,成爲一團。如「塊壘」。❺図「塊然」:獨處的樣子。

塚 (zhǒng)⑧tsuŋ²〔寵〕墳墓。如「古塚」。

塍(塖) 図(chéng)⑧siŋ⁴〔成〕稻田的界路。

塒 図(shi)⑧si⁴〔時〕古人鑿牆給雞住的洞。詩經有「雞棲於塒」。

塞 ▲(sāi,讀音sè)⑧sɐk⁷〔沙克切〕❶隔絕不通。如「阻塞」。❷充滿。如「充塞」。❸完成。如「敷衍塞責」。❹填滿

空隙。如「肚子塞滿了」。❺堵住瓶口的東西，用軟木或塑膠製成。如「瓶塞」。

▲(sài)⑩tsɔi³〔菜〕❶邊疆通達鄰國的地方，重要的地方。如「邊塞」；「要塞」。❷凶隔蔽。如「四塞(指周圍四方藩衛的小國，也指國境四周都有要塞)」。❸「塞翁失馬」：本是淮南子人間篇所講的一個寓言，比喻禍福時常互轉，一時不能論定；現在的禍，說不定就會變成將來的福。

塑 (sù)⑩sou³〔訴〕❶用泥做成土人物的模樣。如「塑像」。❷「塑膠」：(plastic)泛指高分子有機化合物製造而成的固體原料，用途很廣。

塋 図(yíng)⑩jiŋ⁴〔營〕墓，葬地。

塢(鴉)▲(wù)⑩wu²〔滸〕❶小城堡。後漢書說董卓建了一個「郿塢」，作藏身之所。❷四周高而中央低的山地。

▲(wù)⑩ou³〔澳〕修理船隻的長方形平底的大池子。如「船塢」。

塕 図(wěng)⑩juŋ²〔湧〕❶塵土。❷「塕然」：風起的樣子。宋玉賦有「庶人之風，塕然起於窮巷之間」。

【塤】同「壎」，見123頁。
【堊】同「岡」，見171頁。
【塙】同「確」，見488頁。

十一畫

墁 (màn)⑩man⁶〔慢〕❶用磚鋪地。如「墁地」。❷地上鋪磚。如「墁磚」。❸同「鏝」，見769頁。

墓 (mù)⑩mou⁶〔暮〕❶埋葬死人的地方。如「墓地」；「公墓」。❷「墓誌」：放在墓中刻有死者傳記的石刻。

墊 (diàn)⑩din⁶〔電〕❶東西襯在下面加高或加厚。如「墊高」；「墊平」。❷襯托用的東西。❸暫時代付款項。如「墊付」；「墊款」。❹凶陷下。如「墊沒」。❺凶溺。❻「墊子」：①墊在坐臥下面的東西。如「椅墊子」。②墊在螺旋釘的底部使它牢固。如「螺絲墊子」。

塿 図(lǒu)⑩leu⁵〔柳〕小土山。如「培塿」。

墍 図(xì，又讀jì)⑩hei³〔氣〕kei³〔冀〕(又)❶塗屋頂。書經有「惟其塗墍茨」。❷取。詩經有「頃筐墍之」。❸息。詩經有「伊余墍來」。

墐 図(jìn)⑩gen⁶〔近〕❶用泥塗抹。詩經有「塞向墐戶」。❷掩埋。詩經有「行有死人，

尚或墐之」。❸溝上道路。國語齊語有「陸阜陵墐」。

墈 囚(kàn)粵hem³〔勘〕高險的土岸。

境 囚(jìng)粵gin²〔景〕❶疆界。如「國境」。❷遭遇的情況。如「順境」;「逆境」。❸地方。如「佳境」。❹程度,地步。如「學有進境」;「忘我境界」。

塹 囚(qiàn)粵tsim³〔雌厭切〕❶坑。❷繞城的護城河。如「高壘深塹」。❸壕溝。如「長江天塹」。

塵 囚(chén)粵tsɛn⁴〔陳〕❶飄散的細土。如「塵埃」。❷道家用「塵」代表現實的世界。如「塵凡」;「塵世」。❸小數名,即是百億分之一。❹通「陳」,是「呈上」的意思。如「留塵某某先生」。❺踪跡。如「步其後塵」。

塾 囚(shú)粵suk⁹〔熟〕❶大門側面的廳堂。❷舊時請老師來家教子弟讀書的場所。如「家塾」。

墅 囚(shù)粵sœy⁶〔睡〕❶田間的房舍。❷住宅以外,在清靜的地方所建的供短期休息遊玩的房舍。如「別墅」。

塽 囚(shuǎng)粵sɔŋ²〔爽〕高朗的地方。

墉 囚(yōng,舊讀yóng)粵juŋ⁴〔容〕城牆,高牆。

【塲】同「場」,見118頁。

【塼】同「磚」,見488頁。

十二畫

墀 囚(chí)粵tsi⁴〔池〕階上的平地。如「丹墀」。

墨 (mò)粵mɛk⁹〔脈〕❶黑色的,如「墨晶」。❷塊狀的黑色顏料,寫毛筆字用的,是「文房四寶」之一。❸寫字用品。如「白墨」;「紅墨水」。❹用黑墨畫的。如「墨竹」。❺貪贓的。如「墨吏」。❻固執成規不知變通。如「墨守」。❼古代五刑之一,在罪人前額刺字染成黑色。❽指墨家。戰國時代學說之一,墨翟(墨子)所創。❾文章的代稱。如「胸無點墨」。❿姓。

墦 囚(fán)粵fan⁴〔凡〕墳墓。孟子書上有「東郭墦間」。

墮 ▲(duò)粵dɔ⁶〔惰〕❶掉,落下。如「墮入雲霧中」。❷使它下來。如「墮胎」(用人工的方法使胎兒未到期而流產,俗稱「打胎」)。❸「墮落」:①人的品格下降,變成下流。②衰落,零落。

▲囚(huī)粵fɐi¹〔揮〕同「隳」,見791頁。

墩▲(dūn)粵dœn¹〔敦〕土堆。

墩▲(dūn)粵dɐn²〔蠹〕❶指大而厚的石頭、木頭。如「坐在一個石墩上」。❷「墩子」：廚房用具，用一截木頭作切菜切肉的墊板。

墝(qiāo)粵hau¹〔敲〕不肥沃的土地。同「磽」，見489頁。

墟(xū)粵hœy¹〔虛〕❶大丘。❷囵村子。如「墟落（村落）」。❸已經廢棄的城村。如「殷墟」。❹農村定期的臨時市集。南方叫「趁墟」；北方叫「趕集」。❺囵毀滅。如「墟宗廟之國」。

墜(zhuì)粵dzœy⁶〔序〕❶落下來。如「下墜」。❷向下沉。如「肚子發墜」。❸「墜子」：①耳環。②拴在器物上的小配件。如「扇墜子」。③地方戲曲之一，俗稱「河南墜子」。表演的人說唱故事，另一個人手拉二弦，腳踏小鼓相應和。

墡(shàn)粵sin⁶〔善〕白堊土；攙油塗飾門牆。俗稱「白墡」。

增(zēng)粵dzɐŋ¹〔僧〕加多。如「增產」；「人口日增」。

【壄】同「野」，見751頁。

十三畫

壁(bì)粵bik⁷〔璧〕❶牆。如「四壁」；「壁報」。❷囵軍隊駐守的營壘。如「壁壘森嚴」。❸囵山崖。如「絕壁」。❹「壁上觀」：坐觀成敗，不加干涉。

墳(fén)粵fɐn⁴〔焚〕❶埋了死人之後，在上面堆起的土堆。❷囵凸出，高起。如「墳起」。❸古名書。如「墳典（指難得的古書，又泛指書籍）」；南史有「居貧屋漏，恐濕墳典」（「三墳」、「五典」都是古書名，據說三墳是伏羲、神農、黃帝的書，五典是少昊、顓頊、高辛、唐、虞的書）。

壇(tán)粵tan⁴〔檀〕❶舊時盟會、祭祀、講學所用的土石臺。如「天壇」；「道壇」；「講壇」。❷報刊發表言論的篇幅。如「論壇」。❸用土堆起的高臺子。如「花壇」。❹代表一種工作或流別，有的可以通「界」。如「文壇」；「足球壇」（如果後面加上「人士」，可以說成「文化界」人士；「足球界」人士）。

壈(kǎn)粵hem²〔砍〕「壈坷」同「坎坷」：見112頁。

墾(kěn)粵hɐn²〔很〕耕種時候翻起泥土。因此也作耕種的意思。如「墾地」；「開墾」。

墼 (jī)㊤gik⁷〔擊〕❶「土墼」：還沒入窰煆燒的磚坯。❷「炭墼」：用炭渣兒做成的塊狀燃料。

墺 (yù，又讀ào)㊤ou³〔澳〕水涯。

雍 (壅) (yōng)㊤juŋ¹〔翁〕juŋ²〔湧〕(又) ❶蔽塞，堵住。如「壅塞不通」。❷把土或肥料培在植物的根部。如「壅土」；「壅肥」。
【墻】同「牆」，見419頁。

十四畫

燾 (dǎo)㊤dou²〔島〕❶囚土堡。❷幾何學稱各種截柱體。截圓柱體叫「圓燾」；截多邊柱體叫「角燾」。

壕 (háo)㊤hou⁴〔豪〕❶靠近在城牆的護城河。❷「壕溝」：在戰場上所挖掘的深溝，給軍隊用來交通跟躲避槍彈。

壑 (hè)㊤kɔk⁸〔確〕聚水的坑谷或山坳的溝地。如「溝壑」；「千山萬壑」。

壎 (xūn)㊤hyn¹〔圈〕古代吹奏的樂器，用土做成坯子燒成的。

壓 (yā)㊤at⁸〔押〕❶從上面往下加力。如「壓平」；「壓榨」。❷把事情擱住。如「積壓」；「把公文都壓在手底」。

❸憑着威權禁阻或驅策別人。如「鎮壓」；「壓迫」。❹平抑。如「置酒壓驚」；「壓不住怒火中燒」；「喝口水壓壓咳嗽」。❺靠近。如「大軍壓境」；「太陽壓住山邊兒」。❻寫毛筆字執筆的方法，用食指上節緊靠着筆管的右邊。

十五至二十一畫

壘 ▲(lěi)㊤lœy⁵〔呂〕❶軍營的牆。如「深溝高壘」。❷砌牆或堆壘塊狀物。如「壘一段牆」。❸姓。❹「壘球」：類似棒球的一種球類運動。❺囚「壘塊」：心中鬱積不平之氣。世說新語有「阮籍胸中壘塊，故須以酒澆之」。

　▲(lǜ)㊤lœt⁹〔律〕鬱壘。「神荼(shū)、鬱壘」：傳說中兩位「門神」的名字。

壙 (kuàng)㊤kwɔŋ³〔礦〕kɔŋ³〔抗〕(俗) ❶墓穴。如「生壙(生前修下的墓穴)」。❷原野。

壜 (tán)㊤tam⁴〔談〕「壜子」：口小肚大用來盛酒的瓦器。

壚 (lú)㊤lou⁴〔勞〕❶黑色的土。❷同「鑪」，見550頁。❸同「爐」，見414頁。

壟 (壠) (lǒng)㊤luŋ⁵〔攏〕❶墳墓。❷田中高

地。如「麥壟」。❸從田中壁立的高地的意思；引伸爲隔絕別人，獨佔利益。如「壟斷」。

壞(huài)⑧wai⁶〔華艾切〕❶破損。如「把門撞壞了」。❷惡劣，不好。如「這個人壞透了」。❸陰險，狡猾。如「壞心眼」。❹腐朽。如「菜要不吃完，到明天就壞了」。❺加以損毀。如「敗壞」。❻吃了不潔的東西使胃腸生病。如「吃壞了肚子」。❼到了極端。如「氣壞了」；「累壞了」。

壝囝(wěi)⑧wɐi⁴〔圍〕周圍有低垣圍繞的壇。周禮有「掌設王之社壝」。

壤(rǎng)⑧jœŋ⁶〔讓〕❶大地。如「天壤之別」；「相去不啻霄壤」。❷鬆軟不成塊狀的泥土。❸囝由土地引伸作「國土」；「國境」。如「兩國接壤」。❹姓。❺「壤土」：黑褐色沒有粗礫的土壤，由黏土、細沙、雲母跟氫氧化鐵等合成，是種植用最好的土質。❻「壤壤」同「攘攘」：見273頁。

壩(bà)⑧ba³〔霸〕擋水的隄堰。如「水壩」；「大壩」。

【競】同「翹」，見559頁。

【士部】

士(shì)⑧si⁶〔事〕❶古時的一種官職；對有官職的人也常統稱爲「士」。見「士大夫」。❷指有學識或研究學問的人。如「學士」；「碩士」。❸古時稱男人，和「女」相對。❹囝軍人。如「士卒」；「士飽馬騰」。❺軍職的階級，在尉級以下。❻對人的好稱呼。如「鬥士」；「戰士」；「烈士」；「女士」；「各界人士」。❼很多職業或工作加上「士」字，表示職位或工作名稱。如「醫士」；「護士」；「助產士」。❽姓。❾「士大夫」：古指官僚階層。❿「士民」：古代四民之一，即士民、商民、農民、工民。

壬(rén)⑧jɐm⁴〔吟〕❶天干的第九位。❷排列次序用的字，表示第九。❸囝奸佞。如「壬人」。❹囝與「任(rén)」通，當「負擔」講。

【壯】見爿部，419頁。

【壳】同「殼」，見353頁。

壺(hú)⑧wu⁴〔胡〕❶盛液體的用具。如「水壺」；「茶壺」。❷古代一種「投壺」遊戲，用一個長頸的瓶子；把箭投進壺口裏算是得勝。❸姓。

壹 (yi) 粵 jet⁷〔一〕「一」字的大寫，見第1頁。

【喜】見口部，95頁。

【壻】同「婿」，見143頁。

壼 (kǔn) 粵 kwen²〔捆〕❶ 図皇宮裏的道路。❷ 指皇宮裏的事務。如「壼政」。❸ 通「閫」：① 指婦女住的房子。如「閨壼」。② 指婦女的品德。如「壼範」。

壽(壽) (shòu) 粵 seu⁶〔受〕❶ 大歲數。如「福壽」。❷ 年歲（常指老年人的歲數）。如「你老高壽？」❸ 生日。如「祝壽」；「壽辰」。❹ 図古時候用金帛贈人叫「壽」；對人進酒祝福也叫「壽」。如「奉巨觥為壽」。❺ 稱喪葬用的東西，多加上「壽」字。如「壽衣」；「壽材（棺材）」。❻ 姓。

【嚞】見口部，105頁。

【夊部】

【処】「處」的古字。見632頁。

夏 ▲(xià) 粵 ha⁶〔下〕❶ 四季之一。在北溫帶，夏季（陽曆六、七、八三個月）最熱。❷ 古時候稱中國為「夏」。❸ 中國古時的朝代名。夏朝是禹接受虞舜的禪讓而建立的，傳十七主，四百四十年（公元前 2205—1786 年）。❹ 國名：① 禹始封之地，在今河南省禹縣。② 晉時匈奴赫連勃勃據統萬城自立，國號夏，又稱大夏，為十六國之一。③ 宋初趙元昊據興慶自立，國號夏，史稱西夏。❺ 図大的。如「夏屋」。❻ 姓。❼「夏侯」：複姓。

▲(jiǎ) 粵 ga²〔假〕「夏楚」同「檟楚」：古時學校裏對學生施行體罰的器具。

夐 図 (xiòng) 粵 hiŋ³〔慶〕❶ 遠。如「夐古」。❷「夐夐」：長的樣子。

【愛】見心部，223頁。

【憂】見心部，226頁。

夔 (kuí) 粵 kwei⁴〔葵〕❶ 古代傳說的一種形狀像龍的一隻腳的怪獸。❷ 人名。舜的典樂官。❸ 地名。夔州是四川奉節

縣的舊名；夔峽是長江三峽之
一。❹姓。❺囡「夔夔」：恭敬
謹慎而恐懼的樣子。
【變】見言部，689頁。

【夕部】

夕 (xī) ⑧dzik⁹〔直〕❶傍晚，
　天快黑的時候。如「夕陽」。
❷晚上，夜晚。如「一夕長
談」；「經過了一夕的工夫，情
況就變了」。❸「前夕」：指在
某一天或某種情況以前很接近
的時日(不一定指夜晚)。如
「畢業前夕」；「青年節前夕」。

二至十一畫

外 (wài)⑧ŋoi⁶〔礙〕ɔi⁶〔愛低去〕
(俗)❶跟「內」相反。如「外
面」；「門外」。❷對「本」來說
的，指別方面的，不是自己方
面的。如「外國」；「外埠」。❸
指「外國」。如「古今中外」；
「對外貿易」。❹稱母親、姊妹
或女兒方面的親戚。如「外
甥」；「外孫」；「外祖母」。❺疏
遠，疏遠的。如「不是外人」；
「不必見外」。❻其餘的，不在
內的。如「除了用功讀書之
外，身體也要鍛鍊」。❼不在
正格、正規的，非正式的。如
「外號」；「儒林外史」。❽京劇
裏一種腳色的名稱，多是扮演
老年男子。❾「外子」：妻對人
自稱其夫。

多(duō)粵dɔ¹〔得痾切〕❶數量大，跟「少」相反。如「多讀多寫」；「他讀的書很多」。❷比原定的數目大。如「日子比預計多出三天」。❸數目在「二」以上的不固定數詞。如「多邊形」；「多年生草本」。❹有餘，有零頭。如「一個多月」；「十多萬人」。❺表示程度高。如「快得多」；「強壯多了」。❻図不少的，多數。如「發言者多係飽學之士」。❼図只。如「多見其不知量也」。❽図稱讚，佩服。如「時論多之」。❾姓。❿「多麼」的簡語。表示驚異、讚歎。如「這件發明多巧妙」。⓫「多少」的簡語，是問話的口氣。如「你家離這兒有多遠」。

夙図(sù)粵suk⁷〔宿〕❶早。如「夙夜匪懈」；「夙興夜寐」。❷「夙儒」：是學問很好的學者。❸通「宿」，見156頁。

【夗】見舛部，589頁。

夜(yè)粵jɛ⁶〔移謝切〕❶晚上。從天黑到天亮不見陽光的這段時間。❷「夜叉」：①梵語yaksa的譯音，一種想像中的醜陋的鬼怪。也作「藥叉」。②比喻容貌醜惡的人。❸「夜郎自大」：不自量，妄自尊大(夜郎是漢朝時候南方的一個小國，夜郎國王問漢朝使者：「漢和夜郎哪一國大？」)。

夠(够)(gòu)粵geu³〔救〕❶表示達到一定的數目。如「夠數」；「剛夠三十人」。❷表示達到適當程度。如「菜夠不夠鹹」；「這戲演得不夠好」。❸表示達到所能擔受的相當程度。如「冷得夠受」；「這些事真夠你辦的」。❹厭煩，膩了。如「這話我聽夠了」。

【餤】見食部，821頁。

夥(huǒ)粵fɔ²〔火〕❶図眾多。如「為數甚夥」；「受益者頗夥」。❷許多人組成的一羣。如「一夥人」；「成羣搭夥地」。❸聯合起來。如「夥同購買」；「合夥經營」。❹「夥計(商店員工)」的簡稱。如「店夥」。❺「小夥子」：年輕力壯的男子。❻図「夥頤」：驚訝而誇讚的詞，像現在漢語中的「嗄！」史記陳涉世家有「夥頤！涉之為王沈沈者！」

夢(mèng)粵muŋ⁶〔麻用切〕❶睡眠中的幻象，多因身體內外所受的刺激而起。❷比喻不切實際不能實現的。如「夢想」。❸姓。

夤図(yin)粵jɐn⁴〔人〕❶「夤夜」：即是深夜。❷図「夤

緣」：本指藤蘿攀附上升，比喻攀附權貴，巴結鑽營以求官位。❸遠。同「遐」，見351頁。

【大部】

大 ▲(dà)⑧dai⁶〔特壞切〕❶跟「小」相反。形容面積、體積、容積。如「大海」；「一大片土地」；「一座大山」。❷偉大的，值得稱讚的。如「大禹」。❸尊敬別人的稱呼。如「大名」；「大作」。❹多。如「歲數大」。❺指較長或排行第一的。如「大哥」；「大伯父」。❻長成。如「孩子大了」。❼再。如「大前天」；「大後天」。❽多半，包羅。如「大略」；「大概」。❾徹底的。如「大修」。❿⬚永遠，去而不復回的。如「大去」。⓫驕矜自滿。如「自大」。⓬很。如「大熱天」；「大遠的路」。⓭姓。

▲(dài)⑧dai⁶〔特壞切〕「大夫」：①古官名。②醫生。

▲(tài)⑧tai³〔泰〕⬚通「太」，見129頁。

一畫

夫 ▲(fū)⑧fu¹〔呼〕❶男子的通稱。如「一夫受田百畝」。❷成年服役的男人。如「夫役」；「民夫」。❸女子的配偶。成婚以後，男的是夫，女的是婦。

▲夫(fú)粵fu⁴〔符〕❶發語詞。孟子書有「夫國君好仁，天下無敵」。❷指示形容詞，等於「這」、「那」。論語有「夫人不言，言必有中」。❸代名詞，他。左傳有「我皆有禮，夫猶鄙我」。❹語末助詞，表感歎。論語有「逝者如斯夫，不舍晝夜」。❺語末助詞，表疑問，同「乎」。史記有「吾歌，可夫」。

太(tài)粵tai³〔泰〕❶極，過於。如「太好」；「太多」；「太古時代」。❷稱呼長輩的長輩或尊貴的人的長輩。如「太夫人」；「太老伯」。❸「太太」：①對已嫁婦人的尊稱。②丈夫稱妻子。③僕人稱主婦。❹「太空」：本義是廣大無垠的空間；狹義的限於太空乘具的活動空間，以及人類能夠觀察的空間範圍。

天(tiān)粵tin¹〔他烟切〕❶空中。如「飛機在天上飛」。❷自然的，不是人力所能作成的。如「人定勝天」；「天造地設」。❸與生俱來的。如「天性」。❹宗教上說神住的地方或屬於神的。如「天堂」。❺習慣上把一晝夜叫一天。有時一個白晝也叫一天。❻氣候，季節。如「冬天」；「夏天」。❼図絕對不能少的。如「民以食為天」。❽図中國倫理道德，女人以丈夫為「天」。❾「天人」：①図天理人欲。如「精研天人之學」。②図出眾的人。熊鉌稱讚蘇軾說「東坡真天人」。③指女人貌美如仙女。如「驚為天人」。❿「天下」：①世界。②中國古時候常自稱全國為「天下」。⓫「天子」：中國以前對皇帝的稱呼。⓬「天干」：中國古代用來代表先後次序的十個符號(甲、乙、丙、丁、戊、己、庚、辛、壬、癸)，跟十二地支合起來，作為年、月、日、時的代號。⓭「天天」：每日，每天。⓮「天然」：①自然。②指人類及人類製作物以外的自然物與自然力。⓯「天才」：特殊的智慧和才能。

夭▲図(yāo)粵jiu¹〔腰〕❶美麗茂盛的樣子。書經有「厥草惟夭」。❷「夭夭」：①顏色和悅的樣子。論語有「夭夭如也」。②美麗可愛的樣子。詩經有「桃之夭夭」。❸「夭矯」：①伸屈靈活的樣子。②屈曲的樣子。白居易詩有「船頭能夭矯」。

▲(yāo)粵jiu²〔妖〕短命死了。如「夭折」；「夭亡」。

二畫

夯 (hāng) 粵 haŋ¹ 〔坑〕木或石製的砸地器具，用整段樹身或加石塊做的；有的在兩側釘嵌短木，以便舉放。如「打夯」；「砸夯」。

▲ (bèn) 粵 ben⁶ 〔笨〕通「笨」，粗笨。如「夯漢」。見509頁。

失 (shī) 粵 set⁷ 〔室〕❶錯過，放過。如「時不可失」；「失之交臂」；「坐失良機」。❷丟了，沒有了。如「喪失」；「失物招領」；「雙目失明」。❸找不着。如「失迷路徑」；「失羣之雁」。❹沒有掌握住。如「傳球失誤」；「失足落水」；「一時失神做錯了」；「失言(說了不該說的話)」；「失慎(不小心)」。❺錯誤，差錯。如「過失」；「言多必失」；「智者千慮，必有一失」。❻違背，不合。如「失信」；「失禮」；「失職(違背職責)」。❼改變，和常態不同。如「失常」；「驚惶失色」；「痛哭失聲」；「失態(態度不合適，不正常)」；「失事(發生變故或災禍)」。

央 (yāng) 粵 jœŋ¹ 〔秧〕❶中心，中間。如「中央」。❷圖盡，完了。如「夜未央」。❸請

求。如「央求」；「央告」；「到處央人幫忙」。

【矢】見矢部，480頁。

三畫

夸 (kuā) 粵 kwa¹ 〔誇〕❶誇大，吹牛。如「夸誕(誇大不可相信)」。❷奢侈。荀子書上有「貴前不爲夸」。

夷 (yí) 粵 ji⁴ 〔而〕❶中國古時候對東方民族的稱呼。如「東夷」。❷泛稱異族。如「夷狄」。❸圖平：①平安。如「履險如夷」。②削平。如「夷爲平地」。③毀滅。如「誅夷」。④燒光。如「燒夷彈」。⑤相等，平等。如「等夷(彼此平等)」。❹圖喜悅。如「夷悅」；「我心則夷」。❺圖大。詩經有「降福孔夷」。❻圖「夷由」也作「夷猶」：遲疑不決的樣子。❼陳設；安放。禮記有「奉屍夷于堂」。❽姓。

四畫

夾 ▲ (jiā) 粵 gap⁸ 〔甲〕❶兩面鉗制。如「用筷子夾菜」。❷兩面挾持。如「夾攻」。❸在兩者之間。如「夾縫」；「夾道」。❹夾住東西的器物。如「髮夾」；「講義夾」。❺攙雜。如「夾雜」；「夾七夾八」。❻「夾

竹桃」：庭園裏常見的觀賞植物，有毒。莖高三四公尺，葉狹長，花淡紅。**❼**「夾生」：半生不熟。常常指煮的菜飯。

▲ (jiá)**粵**gap⁸〔裌〕雙層的。如「夾板」；「夾衣」。又作「裌」、「袷」。

五畫

奉(fèng)**粵**fuŋ⁶〔鳳〕**❶**敬詞（對平輩上輩都可以用）。如「奉告」；「奉陪」；「奉勸」。**❷**表示接受或送給時的恭敬的心情。如「接奉」；「奉送」。**❸**擁戴，推重，信仰。如「崇奉」；「信奉」。**❹**遵守。如「奉公守法」。**❺**侍養。如「奉養」。**❻**生活享受。如「自奉」。**❼**幫助。左傳有「天奉我也」。**❽**進獻。如「奉獻」。

奈(nài)**粵**nɔi⁶〔耐〕bɔi⁶〔耒〕(俗)**❶**對付，對待。如「其奈我何」。**❷**「奈何」：如之何、怎麼辦才好的意思。如「無可奈何」；「事已至此，奈何」。**❸**「無奈」：「無可奈何」的簡語，即是無可如何的意思。**❹**「怎奈」也作「怎奈何」：簡作「奈」，表示意外轉折的連詞。如「奈因一時疏忽，致乃鑄成大錯」；「怎奈計劃不周，以致發生困難」。**❺**通「耐」，

「奈煩」同「耐煩」：見562頁。

奇(qí)**粵**kei⁴〔旗〕**❶**特別，不平常的。如「奇特」；「奇聞」。**❷**出人意料的，想像不到的。如「奇襲」；「出奇制勝」。**❸**詫異。如「不足為奇」。

▲(jī)**粵**gei¹〔基〕**❶**數目不成雙的，跟「偶數」相對。像一、三、五、七、九……等均屬「奇數」。**❷**图零數。如「五丈有奇」。**❸**图指命運、機緣不好，事情不順利。如「數奇」。

奄▲图(yǎn)**粵**jim²〔掩〕**❶**覆罩，引伸作擁有的意思。如「奄有四方」。**❷**忽然。如「奄忽」。

▲(yān)**粵**jim¹〔淹〕**❶**通「淹」，見380頁。**❷**通「閹」，見780頁。**❸**「奄奄」：形容快要斷氣的樣子。如「奄奄一息」。

六畫

奔(犇)**▲**(bēn)**粵**bɐn¹〔賓〕**❶**跑。如「奔跑」。**❷**逃亡。如「出奔」。**❸**图女子沒經過婚禮而成婚。如「私奔」。**❹**「奔走」：①為達成某種任務的活動。如「到處奔走」。②奉令行事。**❺**「奔

命」：為完成某種任務而奔走，不得休息。

▲(bèn)粵ben¹〔賓〕❶直往。如「投奔」；「各奔前程」。❷「奔命」：形容急走。

耷(dā)粵dap⁸〔答〕❶大耳朵。❷「耷拉」也作「答剌」、「搭拉」：下垂的樣子。

奎(kuí)粵fui¹〔灰〕❶兩條大腿之間的胯。❷星宿名，即是古人所說的「文曲星」。❸姓。

奐(奂)(huàn)粵wun⁶〔喚〕❶文采鮮明的樣子。❷盛的樣子。❸姓。❹「奐奐」：光輝的樣子。

契▲(qì)粵kei³〔卡翳切〕❶合同，合約。如「契約」；「契據」。❷意氣相投合。如「投契」。

▲図(qiè)粵kit⁸〔揭〕❶通「鍥」，見766頁。❷通「怯」，見215頁。

▲(xiè)粵sit⁸〔屑〕古人名，舜的臣子。

奏(zòu)粵dzɐu³〔咒〕❶作樂，即是吹彈樂器。如「奏樂」；「鋼琴獨奏」。❷顯現；取得。如「奏效」；「奏功」。❸從前臣子對君主的陳詞。如「奏章」。❹「奏本」：原是私事用的入奏內閣的文本(公事用「題本」)，後「奏本」與「題本」通用。

奕(yì)粵jik⁹〔亦〕❶図大的，美的。❷重；累。如「奕世(累代，一代接一代)」。❸「奕奕」：①精神煥發的樣子。如「神采奕奕」。②憂慮的樣子。詩經有「憂心奕奕」。

奓▲(zhà)粵sɛ¹〔些〕張開。如「這件衣服下面太奓了」。

▲(zhā)粵dza¹〔渣〕「奓山」：地名，在湖北省。

七至九畫

套(tào)粵tou³〔吐〕❶同類的東西幾件合成一組的。如「一套茶具」。❷思想可以結成一體的。如「一套理論」。❸動作連成一氣。如「打一套拳」。❹罩在外面的。如「套鞋」；「筆套」。❺用東西罩上去。如「套上筆帽子」。❻繩圈。如「繩套」。❼用言語設計問出眞情。如「他心裏的話都讓我套出來了」。❽重疊的。如「套版」。❾籠絡人之計謀。如「圈套」。❿模仿別人的文字言語。如「這幾句是由古文裏套下來的」。⓫陳舊的格調。如「客套」；「俗套」。

奚図(xī)粵hɐi⁴〔兮〕❶僕役。如「奚奴」。❷疑問詞：①疑問代名詞，「何事」或「何處」的意思。②疑問形容詞，同

「何」。韓非子有「奚時得用」。③疑問副詞。意思是「為甚麼」、「怎麼」。論語有「子奚不為政」。③「奚落」：譏笑。④姓。

奘 ▲図(zàng)⑧dzɔŋ⁶〔臟〕大。

▲(zhuǎng)⑧dzɔŋ⁵〔自朗切〕徑圍粗大。

【爽】見爻部，418頁。

奠 (diàn)⑧din⁶〔電〕❶定。如「奠高山大川」。❷祭獻。如「奠酒」；「祭奠」。❸安置。如「奠基」。

奢 (shē)⑧tse¹〔車〕❶浪費。如「奢侈」。❷過多，過分。如「奢望」。❸図說大話。如「奢言」。❹姓。

㚜 図(ào)⑧ŋou⁶〔傲〕ou⁶〔澳低去〕(俗)❶動作矯健、敏捷的樣子。❷通「傲」，見34頁。

十至十三畫

奧 ▲(ào)⑧ou³〔澳〕❶室內西南角，是「祕密的地方」。❷引指精深祕密，不易懂。如「奧祕」；「奧妙」；「奧義」。❸図「奧援」：內援；通常又指大力援引說的。

▲(yù)⑧juk⁷〔郁〕❶煖。通「燠」。詩經有「日月方奧」。❷河岸曲折的地方。詩經有「瞻彼淇奧」。通「澳」，見396頁；通「隩」，見790頁。

奪 (duó)⑧dyt⁹〔打月切〕❶强取。如「搶奪」。❷爭取。如「奪錦標」。❸削除。如「剝奪」。❹決定可否。如「定奪」；「裁奪」。❺衝過。如「奪門而入」；「眼淚奪眶而出」。❻文字有錯誤或脫漏。如「訛奪」。

奬 (jiǎng)⑧dzœŋ²〔掌〕❶図勸勉。如「以奬亂人」。❷稱讚。如「奬勉」；「誇奬」。❸賞。如「奬賞」；「奬金」；「褒奬」。❹彩票。如「奬券」。❺図幫助。如「共奬王室」。

【奩】同「奩」，見65頁。

【樊】見木部，334頁。

奭 図(shì)⑧sik⁷〔式〕❶紅色。❷繁盛。❸發怒的樣子。❹姓。

奮 (fèn)⑧fɐn⁵〔憤〕❶鳥振動翅膀。如「奮翼高飛」。❷猛然用力。如「奮袂」。❸發揚。如「奮發」。❹振作。如「人心振奮」。

【女部】

女 ▲(nǚ)粵 nœy⁵〔拿緒切〕lœy⁵〔呂〕(俗) ❶人類依性別，分「男」、「女」。❷女兒。如「兒女」；「長女」。❸婦女，沒出嫁的叫「女」，已嫁的叫「婦」。❹星宿名，二十八宿之一。❺指「較小的」，如「女牆（城上的短牆）」；「女桑（小桑樹）」。

▲囡(nǜ)粵 nœy⁶〔拿睡切〕lœy⁶〔淚〕(俗)把女兒嫁給人。

▲囡(rǔ)粵 jy⁵〔雨〕同「汝」，見363頁。

二至三畫

奶(嬭) (nǎi)粵 nai⁵〔乃〕lai⁵〔離買切〕(俗) ❶乳汁。如「牛奶」。❷分泌乳汁的器官。如「乳房」。❸餵奶，哺乳。如「把孩子奶大了」；「她正在奶孩子」。❹「奶奶(nāinai粵變讀nai⁴nai²)」：①祖母。②婦人的尊稱。❺「奶牙」：兒童原生的、沒有經過脫換的牙齒。

奴 (nú)粵 nou⁴〔駑〕lou⁴〔勞〕(俗) ❶舊時賣身供人使喚的人。如「奴僕」；「奴隸」。❷舊時女子對自己的謙稱。如「奴家」。❸「奴才」：①古時的奴僕也稱奴才。②對自己的卑稱。

妃 ▲(fēi)粵 fei¹〔非〕❶古時候稱天子的配偶。❷皇帝的妾的一種稱號，地位比「后」低。❸古時候太子或王子的妻。❹中國人對女神的尊稱。如「天妃」；「湘妃」。❺「妃色」：淡紅色。

▲(pèi)粵 pui³〔配〕「妃耦」同「配偶」：見744頁。

她 (tā)粵 ta¹〔他〕第三人稱代名詞，指女性的。

好 ▲(hǎo)粵 hou²〔哈保切〕❶美，善。跟「壞」相反。如「好事」；「好房子」。❷有美感的。如「好看的」；「好聽的音樂」。❸善良的。如「好人」；「好心好意」。❹親密、友愛。如「和好」；「他們倆相好」。❺辦妥，事情完成。如「稿子寫好了」。❻指病癒。如「他的病完全好了」。❼容易。如「這事好辦」。❽有「方便」；「相宜」的意思。如「有話不好出口」；「他又沒邀我，我好去嗎」。❾以便。如「快準備材料，好早日開工」。❿可以。如「正好試試」；「只好這麼辦」。⓫很。如「好久」；「好多的東西」。⓬表示程度的深的口氣。如「好

冷」;「好一條硬漢子」。❸形容動作的詞,表示加強,加重的意思。如「教我好挖苦他」;「我好勸了他一番」。❹表示稱讚跟允許的詞。如「好,就這麼辦吧」;「好,我馬上就去」。❺表示結束或制止的詞。如「好,不要吵啦」。❻表示和預料相反的詞。如「他吃了這藥,好,反倒壞了」。❼「好不」:加在形容詞前面,表示「很」的意思。如「人山人海,好不熱鬧」。❽「好好的」:①鄭重其事的意思,如「你好好的寫吧」。②好端端的。如「好好的一個工作,你為甚麼不做」。❾「好容易」:①用作反意,表示「不容易、很難」的意思;後面常用「才」字接連。如「他整天不在家,我好容易才找到他」。②表示很容易。如「這題目好容易,誰都會答」。

▲ (hào) 粵 hou³〔耗〕❶喜歡,愛。如「好辯」;「好吃懶做」。❷喜愛的事情。如「嗜好」;「各有所好」。

奸 (jiān) 粵 gan¹〔艱〕❶虛偽,險詐。如「奸笑」;「老奸巨猾」。❷自私,取巧,油滑。如「這個人才奸哪,不肯出力做事」。❸在內部搗亂,和敵人勾結通謀的壞人。如「奸賊」;「漢奸」。❹图「奸宄」:寇盜。藏在內部的叫奸;起自外頭的叫宄。❺「奸細」:①奸詐的小人。②通敵的間諜。❻通「姦」,見139頁。

妁 (shuò) 粵 dzœk⁸〔雀〕「媒妁」:即是媒人,婚姻介紹人。

如 (rú) 粵 jy⁴〔余〕❶像,同。如「愛人如己」;「整舊如新」。❷及,比得上。如「遠親不如近鄰」。❸依照。如「如願以償」;「如約而來」。❹如果,若是。如「如其不然」;「如不能來,請先通知」。❺舉例時用的詞。如「比如」;「例如」。❻图往,到。赤壁賦有「縱一葦之所如」。❼图奈。愚公移山有「如太行王屋何」。❽图或。論語有「方六七十,如五六十」。❾图表示狀況或情態的詞尾。如「突如其來」;「恂恂如也」。❿「如一」:①固定不變。如「始終如一」;「長年如一」。②一致而沒有差異。如「心口如一」;「表裏如一」。⓫「如今」:而今,現在。⓬「如泥」:①據說泥是一種蟲子,失水時就像醉了一樣,所以用「爛醉如泥」來形容大醉的樣子。②形容像泥土一

樣容易削切。如「削鐵如泥」。③比喻價錢低廉。杜甫詩有「物價賤如泥」。⓭「如來」：釋迦牟尼佛的稱號。⓮「如果」：假若，倘使。⓯「如故」：①好像是故交(老朋友)一樣。如「一見如故」。②仍舊，跟從前一樣。如「依然如故」。⓰「如是」：如此，這樣。⓱[文]「如許」：①許多。如「耗費如許的財力物力」。②如此。如「水清如許」。⓲「如意」：①稱心，滿意。②一種供玩賞，表示祥瑞的器物，用骨角竹木金玉雕製，一端作成靈芝或雲朵的形狀，是從前富貴人家喜歡收藏的。

妄(wàng)[粵]mɔŋ⁵〔網〕❶荒謬無知。如「狂妄」。❷非分地，出了常軌的。如「膽大妄爲」。❸[文]「妄人」：狂妄無知的人，言行荒唐的人。❹「妄想」：①根本不能實現的非分的念頭。②佛家指不正當的邪念。

四畫

妙(miào)[粵]miu⁶〔廟〕❶極好。如「這個法子妙極了」。❷精巧。如「妙訣」；「妙計」。❸玄奇，神祕。如「莫名其妙」。❹「妙手回春」：頌揚好醫生的話，指其醫術高明，能治好重病。❺「妙手空空」：①空着手。②缺乏資財而善於挪移應付。③比喻小偷。❻姓。

妣(bǐ)[粵]bei²〔彼〕❶稱已死的母親。如「先妣」。❷「考妣」：已去逝的父母。參見561頁「考」。

妨▲(fáng)[粵]fɔŋ⁴〔房〕❶阻礙。如「妨礙」。❷害。如「妨害」。

▲(fāng)[粵]fɔŋ⁴〔房〕❶迷信的人指某人或某物對人不利。如「妨主」；「妨家」。❷「何妨」：用反問語氣表示「不妨」。如「你何妨去看看」。

妒(妬)(dù)[粵]dou³〔到〕見別人勝過自己而猜忌懷恨。如「嫉妒」；「妒賢忌能」。

妥(tuǒ)[粵]tɔ⁵〔橢〕❶穩當，安全，周到。如「妥爲照料」；「妥爲安排」。❷適當。如「這句話不妥」。❸停當，完備。如「事已辦妥」；「事情說妥了」。❹「妥協」：①意見融洽。②敵對勢力互相讓步消除爭端的行爲。③妥帖。如「禮堂佈置得極爲妥協」。

妞(niū)[粵]nɐu²〔鈕〕lɐu²〔拉嘔切〕(俗)女孩。

妓 (jì)粵gei⁶〔忌〕❶古時的女樂(唱歌舞蹈的女子)。❷賣淫的女子。如「娼妓」;「妓女」。

妗 (jìn)粵kɐm⁵〔其凜切〕❶舅母。❷「妗子」:①有些地方的人對舅母的稱呼。②妻的嫂子是「大妗子」;妻的弟婦是「小妗子」。

妝 (zhuāng)粵dzɔŋ¹〔莊〕❶指婦女的修飾容貌、打扮。❷「妝奩」:①女子梳妝用的鏡匣之類的物品。②即是「嫁妝」。❸「妝點」:修飾。如「妝點門面」。

妊(姙) (rèn)粵jɐm⁶〔任〕❶懷孕。❷「妊娠」:婦女懷孕的過程。參見141頁「娠」。

妖 (yāo)粵jiu¹〔腰〕jiu²〔妖〕(又)❶指奇怪反常而能夠害人的東西。如「妖怪」;「妖孽」。❷美麗而態度不莊重,打扮不大正派。如「妖冶」;「妖豔」;「妖模怪樣」。❸荒謬而能迷惑人的。如「妖言」。

妤 (yú)粵jy⁴〔如〕「婕妤」也作「倢伃」:見30頁「倢」字;142頁「婕」字。

妘 (yún)粵wɐn⁴〔云〕姓。

五畫

妹 (mèi)粵mui⁶〔昧〕❶同胞女子,後出生的。如「妹妹」;「妹子」。❷女子對同輩朋友的自稱或謙稱。

姆 (mǔ)粵mou⁵〔母〕保姆:①古時對女教師的稱呼。②撫育小孩的婦人。③家庭中的女工。

妳 ▲(nǐ)粵nei⁵〔你〕lei⁵〔里〕(俗)用於女性的第二人稱代名詞(實際上第二人稱代名詞並不需要有明顯的性別區分,現多寫作「你」)。
　▲「奶」的俗寫,見134頁。

妮 (nī)粵nei⁴〔尼〕lei⁴〔離〕(俗)古時稱婢女;現在是對小女孩兒的親暱的稱呼(跟「妞」差不多)。

姑 (gū)粵gu¹〔孤〕❶父親的姊妹。❷丈夫的母親。如「翁姑」。❸丈夫的姊妹,如「大姑」;「小姑」。❹未嫁的女子的通稱。❺特指出家女子。如「尼姑」;「道姑」。❻圖暫且。如「姑且」;「姑置勿論」;「姑往一觀」。❼「姑子」:華北口語背地裏稱尼姑。❽圖「姑息」:①對人過於寬容,放縱。如「姑息養奸」。②苟且偷安,得過且過的意思。

女部 (4-5) 妓妗妝妊妖妤妘妹姆妳妮姑 137

姐 (jiě)粵dzɛ²〔者〕❶通「姊」。如「姐妹」。❷婦女的通稱。如「小姐」；「大姐」。

姊(姉) (zǐ)粵dzi²〔紙〕❶同胞女子先出生的。如「姊姊」；「大姊」。❷女子對同輩的尊稱。如「吾姊」；「學姊」。

妻 ▲(qī)粵tsɐi¹〔棲〕男子正式的配偶。如「妻子」。

▲図(qì)粵tsɐi³〔砌〕把女兒嫁人。如「以女妻之」。

妾 (qiè)粵tsip⁸〔雌接切〕❶從前男子可以納妾爲「側室」，俗稱「姨太太」；「小太太」；「小老婆」。❷從前女子自稱的謙詞。

姓 (xìng)粵siŋ³〔性〕❶表明個人所屬的家族跟家族系統的符號。古時女子稱「姓」，男子爲「氏」。❷「姓氏」：「姓」與「氏」的合稱。❸「姓名」：泛稱人的姓和名。如「我姓陳」。❹「百姓」：通稱一般國民，也常說「老百姓」。❺姓。

姁 図(xǔ)粵hœy²〔許〕「姁姁」：①和樂的樣子。②形容說話像老婦人一樣，說得溫和，但是煩絮的樣子。

妯 (zhóu，讀音zhú)粵dzuk⁹〔俗〕「妯娌」：兄弟的妻(嫂子跟弟媳婦)相互稱「妯娌」。如「他家兄弟友愛，妯娌和睦」。

始 (shǐ)粵tsi²〔矢〕❶初，最早。指事情的開頭。如「開始」；「有始有終」。❷図才。如「促之始來」；「屢經改進始告完成」。❸語助詞。如「未始」；「方始」。❹姓。

姍 図(shān)粵san¹〔山〕❶「姍姍」：①形容女人走路的樣子。②行走遲緩。如「姍姍來遲」。❷「姍笑」同「訕笑」：見675頁「訕」字。

姒 (sì)粵tsi⁵〔似〕❶図丈夫的嫂子。❷図雙胞胎的姊妹。先出生的叫姒；後出生的叫娣。❸図兄弟的妻互稱「姒娣」，也稱「娣姒」，即是妯娌。❹姓。

委 ▲(wěi)粵wɐi²〔毀〕❶把事情交給人辦。如「委託」；「委以重任」。❷図推託。如「委罪於人」。❸事情的始末。開始叫原；終了叫委。如「把原委說出來」。❹図疲勞，困乏。如「委靡」；「委頓」。❺図拋棄。如「委而去之」；「委之於地」。❻図確實。如「委實」；「委係因重病請假」。❼図曲折。如「委婉」；「委巷」。❽図細小。如「委瑣」。❾堆積。如「委積」。❿「委員」的簡稱。如

「常委(常務委員)」。⓫姓。

▲囡(wēi)粵wēi¹〔威〕「委蛇(yí)」：①從容自得的樣子。②對人隨和。跟人敷衍應酬。如「虛與委蛇」。③同「逶迤」：見732頁「逶」字。

【妒】同「妒」，見136頁。

六畫

姆 ▲(mǔ)粵mou⁵〔母〕❶對老年婦女的稱呼。❷同「姆」，見137頁。

▲ (lǎo)粵lou⁵〔老〕「姥姥」：①外祖母。②老太婆。③舊時稱收生婆。

姱 囡(kuā)粵kwa¹〔誇〕美好。如「姱容修態」。

姣 囡(jiāo，舊讀jiǎo)粵gau²〔狡〕面貌好看。

姦 (jiān)粵gan¹〔艱〕❶不正當的性交。如「強姦」；「姦污」。❷奸詐。❸惡人。❹「姦宄」同「奸宄」：見135頁「奸」字。

姜 (jiāng)粵gœŋ¹〔疆〕姓。

姪 (zhí)粵dzɐt⁹〔窒〕❶稱呼兄弟的子女。如「姪兒」；「姪子」；「姪女」；「姪女兒」。妻的兄弟的子女叫內姪。姪女的丈夫叫「姪女婿」；簡稱「姪婿」。兄弟的孫子叫「姪孫」。❷對父

執輩的自稱。❸通「侄」，見25頁。

姹 囡(chà)粵tsa³〔岔〕❶美麗。如「姹紫嫣紅(形容各種色彩美麗的花)」。❷「姹女」：①少女。②道家所煉的丹汞。

姝 囡(shū)粵sy¹〔舒〕dzy¹〔株〕(又)❶美女。如「彼姝」。❷指女子容貌美。如「容色姝麗」。

姿 (zī)粵dzi¹〔支〕❶囡容貌，形象。如「雄姿」；「松柏之姿」。❷態度，身體動作的形態。如「舞姿」；「搖曳生姿」。❸囡「天資」也作「天姿」：見699頁「資」字。

姨 (yí)粵ji⁴〔疑〕❶稱母親的姊姊或妹妹。已出嫁的叫「姨母」或「姨媽」。姨母的丈夫叫「姨父」，也稱「姨丈」或「姨夫」。❷妻子的姊妹。如「大姨」；「小姨」。❸屬於姨母方面的表親。姨母的兒子、女兒跟自己是「姨表兄弟」或「姨表姊妹」。❹「姨娘」：晚輩對庶母的稱呼。❺「姨太太」：即是「妾」。

妍(姸)囡(yán)粵jin⁴〔研〕美麗，好看。跟「孅」相反。如「爭妍鬥艷」。

姚 (yáo)粵jiu⁴〔搖〕❶囡通「窕」，見504頁。❷通

「遙」。荀子書有「其功姚遠矣」。❸姓。

姻(婣) (yīn)⑧ jɐn¹〔因〕❶婚姻。如「聯姻」。❷由婚姻關係而成的親屬。如「姻親」。❸「姻緣」：男女成婚的緣分。

娃 (wá)⑧ wa¹〔蛙〕❶小孩。如「娃娃」；「娃子」。❷美女。如「嬌娃」。

威 (wēi)⑧ wɐi¹〔蛙西切〕❶尊嚴。如「威儀」；「威信」。❷使人害怕，能壓服人的力量。如「發威」；「示威」。❸使用壓力。如「威逼」；「威脅」。❹聲勢。如「助威」。❺囡震。如「聲威天下」。❻「威風」：①氣勢盛大。②尊嚴的樣子。

【耍】見而部，562頁。
【要】見兩部，665頁。
【姙】同「妊」，見137頁。

七至八畫

娉 囡 (pīng)⑧ pɪŋ¹〔乒〕「娉婷」：形容女性姿態的優美。

娘(孃) (niáng)⑧ nœŋ⁴〔拿羊切〕lœŋ⁴〔梁〕(俗)❶母親。如「爹娘」。❷少女或少年婦女。如「漁娘」；「小娘子」；「新娘子」。❸對女子的一種稱呼。如「姑娘」；「大娘」。❹「娘家」：出嫁的女子稱母家為「娘家」。❺「娘娘」：①稱皇后或貴妃。②信神的人稱女神。③江浙一帶有些地方稱祖母為「娘娘」。❻「娘兒們」：①已嫁的女子。②母親跟子女等的合稱。③尊長的女性跟晚輩的女性的合稱。❼「娘兒倆」：母女兩人合用時的稱呼。

娩 ▲ (miǎn)⑧ min⁵〔免〕「分娩」：婦人生小孩。
　　▲囡 (wǎn)⑧ man⁵〔晚〕姁媚，柔順。如「娩澤(容色美好)」。

娣 (dì)⑧ dɐi⁶〔弟〕tɐi⁵〔悌〕(又)❶囡妹妹。❷囡丈夫的弟弟的妻。❸囡雙胞胎的姊妹。先出生的叫姒；後出生的叫娣。❹「姒娣」：見138頁「姒」字。

娜 ▲囡 (nuó)⑧ nɔ⁴〔挪〕lɔ⁴〔羅〕(俗)女子常作名字的用字。
　　▲囡 (nuó)⑧ nɔ⁵〔拿我切〕lɔ⁵〔離我切〕(俗)❶「娜娜」：瘦長柔弱的樣子(形容女子或垂柳的姿態)。❷「嫋娜」：見14頁「嫋」字。❸「婀娜」：見14頁「婀」字。
　　▲ (nà)⑧ na⁴〔拿〕la⁴〔離麻切〕(俗)對外國女子名字的譯音字。如「安娜」。

娌 ⁽ˡⁱ⁾ 粵 lei⁵〔里〕「妯娌」：見138頁「妯」字。

姬 ⁽ʲⁱ⁾ 粵 gei¹〔機〕❶古時候婦女的好稱呼；有用「姬」作名字的。❷稱以歌舞爲職業的女子。如「歌姬」；「鼓姬」。❸指「妾」。如「姬妾」。❹姓。

娟 ⁽ʲᵘᵃⁿ⁾ 粵 gyn¹〔捐〕❶「娟秀」：秀媚。❷「娟娟」：姿態美好。

婞 図⁽ˣⁱⁿᵍ⁾ 粵 jin⁴〔形〕女子身材細長好看的樣子。

娠 ⁽ˢʰᵉⁿ⁾ 粵 sɐn¹〔申〕「妊娠」：懷孕。參見137頁「妊」。

娑 図⁽ˢᵘᵒ⁾ 粵 sɔ¹〔疏〕❶「娑娑」：鬆散的樣子。❷「婆娑」：見本頁「婆」字。

娥 ⁽ᵉ⁾ 粵 ŋɔ⁴〔俄〕ɔ⁴〔柯低平〕（俗）❶美好。古詩有「娥娥紅粉妝」。❷人名用字。如「曹娥」；「嫦娥」。❸姓。

娓 図⁽ʷᵉⁱ⁾ 粵 mei⁵〔美〕❶順。❷「娓娓」：①勤勉，不疲倦的樣子，常用來形容談話時的態度。②言辭委婉。如「他談得娓娓動聽」。

娭 ⁽ᵃⁱ⁾ 粵 ɔi¹〔哀〕「娭毑」：①稱祖母。②對年老婦人的尊稱。

娛 図⁽ʸᵘ⁾ 粵 jy⁴〔魚〕❶快樂。如「歡娛」；「極盡視聽之娛」。❷使心裏快樂。如「自娛」；「以琴棋相娛」。❸樂趣，快樂有趣的事。如「射獵之娛」。

婢 図⁽ᵇⁱ⁾ 粵 pei⁵〔被〕❶舊時稱年輕的女傭(多是買來的女孩子，做家庭雜事，也叫「丫頭」)。如「富貴人家使奴喚婢」。❷古時婦人自稱的謙詞。

婊 図⁽ᵇⁱᵃᵒ⁾ 粵 biu²〔表〕「婊子」：即是妓女、娼妓。

婆 ⁽ᵖᵒ⁾ 粵 pɔ⁴〔爬俄切〕❶老年的婦女。如「王婆」；「老太婆」。❷以往對某些職業婦女的稱呼。如「媒婆」；「收生婆」。❸婦人稱夫家。如「婆家」。❹祖母。如「婆婆」；「外婆(媽媽的媽媽)」。❺「婆婆」：①女人稱丈夫的母親。②祖母，爸爸的媽媽。③尊稱年老的婦女。❻「婆娑」：①舞蹈。②行走盤旋的樣子。③衰落，凋散的意思。❼「婆婆媽媽」：泛指嘮叨不清，沒有丈夫氣概，行動不積極等情形。

姘(妍) ⁽ᵖⁱⁿ⁾ 粵 piŋ¹〔乒〕男女並非夫妻而結合同居。如「姘頭」；「姘居」。

婦 ⁽ᶠᵘ⁾ 粵 fu⁵〔扶低上〕❶婦人，是已經結婚的女子。如「少婦」；「產婦」。❷妻。如「夫婦」。❸有關女性的。如「婦

道」;「婦科」。❹兒子的妻。如「媳婦」。❺「婦道人家」:婦人。

婁 ▲(lóu)粵leu⁴〔留〕❶姓。❷星宿名,二十八宿之一。❸「邾婁」:春秋時代國名。
▲図(lǚ)粵lœy⁵〔呂〕古「屢」字,見168頁。

婪 図(lán)粵lam⁴〔籃〕貪心。如「貪婪」。

婚 (hūn)粵fen¹〔分〕❶男女結為夫婦。如「結婚」。❷「婚姻」:男娶女嫁的事。

婕 (jié)粵dzit⁸〔折〕「婕妤」也作「倢伃」:漢代宮中女官名。參見30頁「倢」字。

娶 (qǔ)粵tsœy²〔取〕男女成婚,在女方說是「出嫁」,在男方說是「娶妻」。如「娶親」。

婞 図(xìng)粵heŋ⁶〔幸〕剛直,倔強。如「婞直」。

娼 (chāng)粵tsœŋ¹〔昌〕賣淫的女子。如「娼妓」;「私娼」。

婥 図(chuò)粵tsœk⁸〔卓〕「婥約」同「綽約」:形容女子體態柔弱可愛的樣子。如「婥約多姿」。

婀 (ē)粵ɔ²〔痾高上〕「婀娜(nuó)」:柔順美麗的樣子。如「舞姿婀娜」;「楊柳婀娜」。

婭 図(yà)粵a³〔亞〕姊妹的丈夫互稱為「婭」,即是「連襟」。

娬(嫵) (wǔ)粵mou⁵〔武〕「娬媚」也作「嫵媚」:姿態可愛,美麗動人。

婉 (wǎn)粵jyn²〔宛〕❶說話、行事態度柔和,不直率。如「說話委婉」;「請你替我婉辭」。❷美好。如「姿容婉麗」。❸順從。左傳有「婦聽而婉」。❹「婉轉」:①同「宛轉」,委曲隨和的樣子。②措詞溫和適宜。❺「婉婉」:卷曲、柔美的樣子。古詩有「婉婉長離,凌江而翔」(長離:靈鳥)。

【媫】同「姻」,見140頁。

九畫

媒 (méi)粵mui⁴〔煤〕❶介紹婚姻的人。如「媒人」;「做媒」。❷給兩者之間做結合或由它而引起一種現象的事物。如「媒介」。❸「媒精」:昏昧不明的樣子。❹「溶媒」:即是「溶劑」,能使其他物質溶解的液體,如水、酒精等等。❺「媒染劑」:化學名詞。便利色素結合,生出不溶性有色物,沉澱在纖維裏,完成染色作用的媒介物。

媚 (mèi) 粵mei⁶〔未〕❶奉承、巴結，用甜言蜜語討好。如「諂媚」。❷溫柔可愛。如「嫵媚」。❸景色美好。如「春光明媚」。

媮 図(tōu) 粵teu¹〔偷〕❶苟且的行動、作風。如「媮惰」。❷巧詐，狡猾。左傳有「齊君之語媮」。

媧(媧) (wà) 粵wo¹〔窩〕「女媧」：傳說中的女帝王，她曾經煉五色石補天。

婿(壻) (xù) 粵sei³〔世〕❶女婿，女兒的丈夫。❷夫婿，指丈夫。

媢 (mào) 粵mou⁶〔戊〕嫉妒。

婷 (tíng) 粵tiŋ⁴〔亭〕❶「婷婷」：形容女人體態美麗的樣子。❷「娉婷」：見140頁「娉」字。

媟 図(xiè) 粵sit⁸〔屑〕狎侮，不莊重的態度。如「媟慢」；「媟污」。

婺 (wù) 粵mou⁶〔務〕❶美貌。❷星宿名，「婺女星」也稱為「女宿」，二十八宿之一。

媛 ▲図(yuàn) 粵jyn⁶〔願〕❶美女。❷婦女的美稱。如「淑媛」；「名媛」。
　　▲図(yuán) 粵jyn⁴〔元〕「嬋媛」：見145頁「嬋」字。

嫂 (sǎo) 粵sou²〔數〕❶對哥哥或丈夫的哥哥的妻的稱呼。如「嫂子」；「嫂嫂」。❷稱朋友的妻。如「大嫂」；「嫂夫人」。
【媼】同「媼」，見144頁。

十畫

媲(嫓) (pì) 粵pei³〔譬〕匹配，匹敵，比得上，相並。如「媲偶」；「媲美」。

媽 (mā) 粵ma¹〔嬤〕❶母親。如「爹媽」。❷對親屬長輩婦女的稱呼。如「姑媽」；「姨媽」。❸對年長婦人的稱呼。如「李大媽」。❹對年紀大的和已婚的女僕的稱呼。如「奶媽（家裏嬰兒的乳母）」；「王媽」。又作「嬤」。❺「媽媽」：①母親。②對年長婦人的稱呼。

嫋(嬝) 図(niǎo) 粵niu⁵〔鳥〕liu⁵〔了〕(俗)❶「嫋娜(nuó)」：形容女子體態柔細跟行路搖動的美麗姿態。❷「嫋嫋」：①細弱而動搖的樣子。如「垂柳嫋嫋」。②柔弱纖細的樣子。如「嫋嫋素女」。③風動的樣子。如「嫋嫋秋風」。④形容音調悠揚。如「餘音嫋嫋」。

娘 (láng)㗎loŋ⁴〔郎〕「娘嬛」：神話中指天帝藏書的地方。

媾 ⊠(gòu)㗎geu³〔夠〕keu³〔扣〕(又) ❶結婚。如「婚媾」。❷議和。如「媾和」；「發使爲媾(派代表去議和)」。❸「交媾」：①陰陽和合的意思。②指性交。

嫉 (ji)㗎dzet⁹〔姪〕❶妒忌。如「嫉忌」；「嫉賢」；「心嫉其能」。❷憎恨，痛恨。如「嫉惡如仇」。

嫁 (jià)㗎ga³〔架〕❶女子結婚，從娘家遷到婆家去。如「出嫁」。❷⊠推給別人。如「嫁禍(把自己應負的罪責，用陰謀轉移到別人身上去)」。

媳 (xi)㗎sik⁷〔息〕❶兒子的妻子。如「婆媳和睦」。❷「媳婦」：①兒子的妻。②指已婚的年輕女人。如「大姑娘，小媳婦」。

嫌 (xián)㗎jim⁴〔鹽〕❶厭惡。如「討人嫌」；「嫌他多嘴」。❷不滿意。如「要是嫌這湯太淡，就加點鹽」。❸可疑。如「避嫌」；「涉嫌」。❹⊠怨。如「嫌恨」；「挾嫌誣告」。

媸 (chi)㗎tsi¹〔癡〕相貌醜，跟「妍」相反。如「求妍更媸」。

媼(媪) ⊠(ǎo)㗎ou²〔襖〕❶年老婦人。如「老媼」。❷婦人的通稱。

媵 ⊠(yìng)㗎jiŋ⁶〔認〕❶古時對妾的別稱。如「媵侍(近侍的女子)」。❷古時指隨嫁的人。如「媵婢」。❸遞送東西。儀禮上有「媵觚于賓(送酒給賓客)」。❹古時寄信時附寄東西。如「媵以某物」。

【媿】同「愧」，見224頁。

十一畫

嫖(嫖) (piáo)㗎piu⁴〔瓢〕玩弄妓女。如「嫖妓」；「吃喝嫖賭」。

嫫 (mó)㗎mou⁴〔模〕「嫫母」：傳說是黃帝的妃，醜而賢。

嫚 (màn)㗎man⁶〔慢〕❶侮辱。如「嫚罵(是對人輕慢辱罵)」。❷通「慢」，見225頁。

嫡 (dí)㗎dik⁷〔的〕❶從前稱正妻爲「嫡室」。❷正宗的，不是旁支的。如「嫡系」；「嫡派」。❸「嫡子」：①正妻所生的長子。②正妻所生的兒子，跟「庶子」(妾所生的兒子)相對稱。❹「嫡親」：至親，同一血統最親近的。如「嫡親兄弟」；「嫡親叔伯」。

嫩 (nèn)㗎nyn⁶〔拿願切〕lyn⁶〔亂〕(俗)❶初生時的嬌媚脆弱狀態。如「嫩芽」；「嫩葉」。❷柔軟，經不起磨弄的。如

「杏仁上面包着一層嫩皮兒」。❸指食物鬆脆或柔軟，容易嚼，好吃的。如「牛肉炒得很嫩」；「這個果子真嫩」。❹不老練，幼稚，閱歷少。如「臉皮兒嫩，不敢跟人爭」；「他是剛來工作的嫩手」。❺顏色淺的。如「嫩綠」；「嫩藍」。❻「嫩嫩」：形容極嫩的樣子。如「肉燉得嫩嫩的」。

嫪 囡(lào)粵lou⁶〔路〕❶眷戀，愛惜。韓愈詩有「感物增戀嫪」。❷姓。

嫠 囡(lí)粵lei⁴〔離〕孀，寡婦。如「嫠婦」。

嫜 囡(zhāng)粵dzœŋ¹〔章〕古時候女人稱丈夫的父親，也作「章」。

嫦 (cháng)粵sœŋ⁴〔常〕「嫦娥」：中國古代神話裏的一個仙女，據說原是人間的女子，吃了一種靈藥而飛升到月亮裏，成了仙女。

嫕 囡(yì)粵ɐi³〔翳〕婉順而閑靜。如「婉嫕」。

嫣 囡(yān)粵jin¹〔烟〕❶「嫣紅」：嬌豔的紅色。❷「嫣然」：形容很美的笑容。

嫗 囡(yù)粵jy³〔于高去〕老婦人。

【嫛】同「暚」，見298頁。

十二畫

嫣(嬀) (guī)粵gwɐi¹〔圭〕❶水名，一在山西省，一在河北省。❷姓。

嬌 (jiāo)粵giu¹〔驕〕❶溫柔嫵媚，逗人喜愛的姿態。如「嬌小」；「嬌滴滴」。❷愛護，寵愛。如「嬌生慣養」；「這個孩子生得嬌」。❸「嬌氣」：不健強或不堅固，容易壞。如「這花兒生得嬌氣，很難培養」。

嬉 (xī)粵hei¹〔希〕❶遊戲。如「業精於勤，荒於嬉」。❷「嬉笑怒罵」：①人的喜怒哀樂的自然狀態。②指人喜怒笑罵，隨意不拘，近乎任性放蕩的樣子。

嫻(嫺) (xián)粵han⁴〔閒〕❶安靜，大方，文雅。如「談吐嫻雅」。❷熟練。如「嫻於繪畫」。

嬋(嬋) 囡(chán)粵sim⁴〔蟬〕❶「嬋娟」：形容姿態美好。❷「嬋媛」：牽引的樣子。楚辭有「心嬋媛而傷懷兮」。❸「嬋連」：親族。楚辭有「惟楚懷之嬋連」。

嬈 ▲囡(ráo)粵jiu⁴〔堯〕「嬌嬈」：姿態妍麗姟媚的樣子。

▲図(rǎo)jiu²〔妖〕❶擾亂。❷「嬈惱」：煩惱。

▲図(niǎo)粵niu⁵〔鳥〕liu⁵〔了〕(俗)「嬈嬈」：柔弱的樣子。

【嫵】同「斌」，見142頁。

十三畫

嬖 図(bì)粵pei³〔譬〕指伺候人而得寵愛的，有下流卑鄙的意思。如「嬖妾」；「嬖臣」。

嬙 図(qiáng)粵tsœŋ⁴〔祥〕古時帝王姬妾的一種，地位在妃之下。

嬛 ▲図(qióng)粵kiŋ⁴〔鯨〕同「煢」；「悍」。孤單的樣子。詩經有「嬛嬛在疚」。

▲図(yuān)粵hyn¹〔喧〕輕飄美麗的樣子。如「便嬛綽約」。

▲(huán)粵wan⁴〔還〕❶図「嬽嬛」：見144頁「嬽」字。❷同「丫鬟」的「鬟」。參見841頁。

嬗 図(shàn)粵sin⁶〔善〕更替，變遷。如「由此可見其遞嬗之迹」。

嬡 (ài)粵ɔi³〔愛〕「令嬡」也作「令愛」：稱別人的女兒。

嬴 (yíng)粵jiŋ⁴〔仍〕❶滿，餘。❷通「贏」，見703頁。❸姓。

十四至十九畫

嬪 図(pín)粵pen⁴〔頻〕❶古時稱皇帝的妾，比妃、嬙的地位低。左傳有「宿，有妃嬙嬪御焉」。❷嫁人為妻。書經有「嬪于虞」。❸多的樣子。漢書有「嬪然成行」。

嬤 (mā)粵ma¹〔媽〕❶同「媽」，見143頁。❷「嬤嬤」：①對乳母的尊稱。②同「媽媽」，見143頁。

嬲 ▲図(niǎo)粵niu⁵〔鳥〕liu⁵〔了〕(俗)戲弄，相擾。如「嬲之不置」。

▲(nōu)粵neu¹〔匿歐切〕leu¹〔拉歐切〕廣東方言，怒的意思。

嬰 (yīng)粵jiŋ〔英〕❶剛生下不久的小孩。如「嬰兒」；「男嬰」；「女嬰」。❷図觸。賈誼文有「嬰之以芒刃」。❸図繞。後漢書有「嬰城者相望」。❹図纏住。如「事務嬰身」。

【嬭】同「奶」，見134頁。

嬸 (shěn)粵sɐm²〔審〕❶叔母。如「嬸娘」；「嬸母」。❷對丈夫的弟婦的稱呼。❸「嬸婆」：丈夫的叔母。❹對與自己父母同輩而年紀較輕的婦女的稱呼。

【子部】

【嬾】同「懶」，見229頁。

【孃】同「娘」，見140頁。

【孅】通「纖」，見548頁。

孀 図(shuāng)⑧sœŋ¹〔商〕寡婦，死了丈夫的婦人。如「孀居」；「居孀」。

孿 図(luán)⑧lyn²〔戀〕❶美好的樣子。如「婉孿」。❷以往有供人玩弄的美男子。如「孿童」。

子▲(zǐ)⑧dzi²〔止〕❶十二地支的第一位。❷子時，夜裏十一時到一時，也叫「子夜」。❸古時指子女，現在專指兒子。如「四子二女」。❹當孩子講。如「百子圖」。❺植物果實跟動物的卵。如「瓜子」；「魚子」。❻細碎的石頭。如「石子」。❼對人的稱呼：①一般的。如「男子」；「女子」。②図帶有職業性質的。如「舟子」；「學子」。③指輩分小、年紀輕的。如「子弟」。④夫婦互稱。如「內子」；「外子」。⑤古時稱有學問道德或地位的人；也是對男子的美稱。如「孔子」；「孟子」。⑥図古時學生稱呼老師。如「子不語怪力亂神」。⑦図老師稱呼學生。如「二三子以我爲隱乎」。⑧図代名詞，同汝、爾、你。如「子亦有異聞乎」。❽特指孔子。如「子曰詩云」。❾五等爵的第四等。❿「母」的對稱。如「子金」；「分子」。⓫図「子虛」同「烏有」：虛無不實的意思。⓬「子部」也作「丙部」：是四部書分類的第三部，包括諸子跟著作成一家的，如老子、莊子等記

載個人學說的書。也就是中國古時講解學術思想的書。⓭「子午線」：也叫「子午圈」，指南（午）北（子）方向而言，是天文學和地文學上的假設的線。天球子午線，是通過某地天頂和南北極的大圓；地球子午線，是通過地面某點和南北極的經線。⓮「子孫」：後裔。⓯「子彈」：槍彈砲彈。⓰量詞：①細長的東西一束叫「一子兒」。如「一子兒掛麪」。②加在個別量詞後面。如「打兩下子」。

▲(zi)粵dzi²〔止〕❶名詞的語尾。如「椅子」；「筷子」。❷加在動作或表情況的詞後頭，成了事物名詞。如「騙子」；「販子」；「聾子」；「亂子」。

孑 (jié)粵kit⁸〔揭〕❶図單獨。如「孑然一身」。❷図剩餘。如「孑遺」。❸「孑孓」：蚊子的幼蟲。❹「孑孑」：特出的樣子。

孓 (jué)粵kyt⁸〔決〕❶短。❷「孑孓」：見「孑」字。

一至三畫

孔 (kǒng)粵hung²〔恐〕❶穴，窟窿。❷図通。如「交通孔道」。❸図甚。如「孔急」。❹孔子的簡稱。如「孔孟」；「孔廟」。❺姓。

孕 (yùn)粵jɐn⁶〔刃〕懷胎。

孖 ▲図(zī)粵dzi¹〔滋〕❶雙生子。❷通「滋」，見387頁。
　▲(mā)粵ma¹〔媽〕廣東方言。謂相連成對。如「孖仔」。

字 (zì)粵dzi⁶〔自〕❶文字，用來表達意思的符號。如「字句」；「漢字」。❷指字音。如「咬字清楚」。❸人本名以外取的別號，一般是為闡發本名的意義。如「岳飛，字鵬舉（大鵬舉翼，就要飛了）」。❹契約，單據。如「字據」。❺從前女子待嫁。如「待字閨中」。❻図撫育。柳宗元的「種樹郭橐駝傳」有「字而幼孩」。❼「字號」：所編排的特用字跟所列的號碼。如「公文字號」。②指商店的招牌；或指聲譽、名望。如「那個字號不小」。❽「字面」：文句所用的字眼。❾「字眼」：①指文章裏頭重要的字或詞。如「這篇文章字眼很深」。②小錯。如「挑字眼」。

存 (cún)粵tsyn⁴〔全〕❶在世，沒死。如「存在」；「生存」。❷現有的，留下的。如「結存」；「存餘」。❸寄託。如「存車」；「把東西存在這裏」。❹

儲蓄。如「存款」。❺停滯。如「存食」;「存水」。❻含有。如「你存甚麼心」;「此中有深意存焉」。

四至六畫

孛 (bèi，又讀bó)粵bui⁶〔焙〕but⁹〔勃〕(又)❶彗星(俗稱「掃帚星」)。❷變色的樣子。

孚 ▲図(fú)粵fu¹〔呼〕❶使人信服。如「不孚眾望」。❷信用。如「倍孚中外」。

▲ 図 (fū) 粵 fu¹〔呼〕同「孵」，見150頁。

孝 (xiào)粵hau³〔哈拗切〕❶盡心侍奉父母。如「孝思」。❷居喪。如「正在孝中」。❸居喪所穿的素服。如「穿着一身孝」。❹保育。❺姓。

孜 (zī)粵dzi¹〔支〕「孜孜」:①勤勉不怠的意思。如「孜孜不倦」。②同「吱吱」，見81頁。

孟 (mèng)粵maŋ⁶〔孟硬切〕❶兄弟姊妹排行最長的。如「孟兄」。❷次序開始的。如「孟春(春季的第一個月，陰曆正月)」。❸「孟浪」:①不精細。②太鹵莽。❹勤勉，努力。如「孟晉」。❺大。如「莫敢高言孟行」。❻姓。

孥 図(nú)粵nou⁴〔奴〕lou⁴〔勞〕(俗)妻、子的統稱。如「罪及妻孥」。

孤 (gū)粵gu¹〔姑〕❶幼年沒了父親的。如「孤兒」;「孤子」。❷古時王侯的自稱。❸違背。如「孤負」。❹單獨。如「孤立」。❺性情怪僻。如「孤僻」。❻學識淺薄。如「孤陋寡聞」。

季 (jì)粵gwɐi³〔貴〕❶古人用「伯仲叔季」作兄弟排行，最小的叫「季」。❷末了的。如「季春」;「季世(末世，末代，末年，末造)」。❸一年的四分之一，十二個月分「春夏秋冬」四季。❹時期。老下雨的時候叫「雨季」;生意好的時候叫「旺季」。❺姓。

孩 (hái)粵hai⁴〔鞋〕❶幼童。❷「孩子」:對未成年的人的通稱。

七至十九畫

孫 ▲(sūn)粵syn¹〔宣〕❶兒子的兒子。❷和孫子同輩的親屬。如「姪孫」;「外孫」。❸後代。如「子孫」;「玄孫」。❹姓。

▲図(xùn)粵sœn³〔信〕同「遜」，謙讓。見735頁。

孬 (nāo) 粵nau¹〔匿敲切〕lau¹〔拉敲切〕(俗)❶不好，壞。如「吃的孬」。❷怯懦，沒有勇氣。如「這人太孬」。

孰 图(shú)粵suk⁹〔淑〕图❶誰。如「孰是孰非」。❷何。如「孰若(不如)」；「是可忍，孰不可忍也」。

【孱】見尸部，168頁。

孵 (fū)粵fu¹〔呼〕❶鳥類伏在所生的蛋上使蛋受熱而成為小鳥。如「母雞孵小雞」。❷蟲魚由卵而初生。如「孵化」。

孳 ▲图(zī)粵dzi¹〔支〕❶滋生繁殖。如「孳乳(由一個逐漸演變出許多個的意思)」；「孳萌」。❷「孳孳」：勤勉不懈的意思。

　　▲图(zì)粵dzi³〔志〕「孳尾」：鳥獸交尾。

學 (xué)粵hɔk⁹〔鶴〕❶效法。如「猴子學人戴帽子」。❷求學問的地方。如「學校」。❸有條理，有系統，有組織的知識。如「科學」；「數學」。❹研求，揣摩。如「學習」。❺「學問」：所學得的知識。❻姓。

孺 图(rú)粵jy⁴〔如〕❶幼兒。如「婦孺」。❷親慕的意思。如「孺慕」。❸「孺人」：①古時男人對妻的通稱。②古時大夫的妻子稱「孺人」。❹「孺子」：

兒童的通稱。

孽 (孽) (niè)粵jit⁹〔熱〕jip⁹〔頁〕(又)❶妾所生的兒子。如「孽子」。❷妖怪，害人的東西。如「妖孽」。❸惡因。如「造孽」。❹「孽障」也作「業障」：①佛教說過去的罪惡就是現在的障礙。②罵人說他是我的禍患。

孿 (luán)粵lyn⁴〔聯〕雙胞胎。如「孿生」；「孿子」。

【宀部】

一至四畫

宁 図(zhù) 粵tsy⁵〔柱〕❶ 古代宮殿的門、屏之間。❷ 同「貯」，見698頁。

宁 ▲「宁」的本字，現作「宁」。▲「寧」的簡化，見157頁。

它 (tā) 粵ta¹〔他〕❶ 專指事物的代詞。❷ 図不同的，不良的。禮記上有「或敢有它志」。❸「其它」同「其他」：別的，此外的。

宄 (guǐ) 粵gwɐi²〔軌〕內亂。盜賊從外起的叫盜；從內起的叫宄。

宂(冗) 図(rǒng) 粵juŋ²〔湧〕❶ 多餘閒散的。如「宂員」。❷ 煩忙。如「煩宂」。❸ 卑劣的。如「闒宂」。❹「宂長」：文章長而不切實際。【穴】見穴部，503頁。

宅 (zhái) 粵dzak⁹〔擇〕❶ 存，居。如「宅心」；「宅憂」。❷ 居所。如「宅第」；「住宅」。❸ 図墳墓。

守 ▲(shǒu) 粵sɐu²〔首〕❶ 看管，保護。如「看守」；「守護」。❷ 遵行。如「守時」；「守法」。❸ 保衞。如「守土」。❹ 堅持。如「守信」；「守節」。❺ 保住。如「守財奴」。❻ 等候。如「守候」。❼ 節操，品行。如「操守」；「有為有守」。❽ 古時郡的長官。如「郡守」；「太守」。

▲ (shòu) 粵sɐu³〔瘦〕通「狩」，見426頁。

安 (ān) 粵ɔn¹〔鞍〕❶ 平靜，穩定，跟「危」相反。如「平安」；「安定」。❷ 慰藉，使他安定。如「安慰」；「保境安民」。❸ 裝置。如「在大門上安個門鈴」；「給鐵鍋安個把兒」。❹ 存。如「無處安身」；「你到底安的甚麼心」。❺ 健康。如「安康」。❻ 図何。禮記有「泰山其頹，則吾將安仰」。❼ 図哪裏。如「而今安在哉」。❽ 電流強度單位「安培」的簡稱。❾ 姓。❿「安全」：平安沒有危險。⓫「安然」：平安無事。如「安然無恙」。⓬「安詳」：行動從容不迫。⓭「安琪兒」(angel)：①基督教稱傳達神意的天使。②比喻美人。

宇 (yǔ) 粵jy⁵〔羽〕❶ 房子。如「屋宇」。❷ 屋簷。如「宇下(簷下)」。❸ 上下四方的空間。如「宇內(指天下)」。❹ 人的儀容。如「眉宇(眉目之間)」；「氣宇(人的氣概)」。❺

姓。❻「宇文」：複姓。❼「宇宙」：四方上下叫宇；往古來今叫宙。即是時空的總合，通常專指空間。

【字】見子部，148頁。

牢 (láo) 粵lou⁴〔勞〕❶養牲畜的圈。如「豕牢」；「羊牢」；「亡羊補牢，未為遲也(意思是說：羊逃跑了再修補羊圈，還不算太晚。)」❷供祭祀用的牲畜。如「太牢」；「少牢」。❸堅固，妥實。如「牢固」。❹監獄。如「牢獄」。❺姓。❻「牢籠」：①包括。②籠絡管制。③鳥籠。❼憂勞。如「牢愁」。

宏 (hóng) 粵weŋ⁴〔弘〕❶廣大，廣博。如「宏才大略」。❷姓。

宋 (sòng) 粵suŋ³〔送〕❶朝代名：①趙匡胤所建，被元朝滅亡，起自公元960年到1279年，前後320年，分北宋南宋兩段。②南朝之一。劉裕篡晉所建(公元420—479)。❷古國名，是周朝分封商朝後代的，地在現在河南省商丘縣以東到江蘇省銅山縣一帶。❸姓。

完 (wán) 粵jyn⁴〔元〕❶齊全。如「完善」。❷盡，沒有了。如「貨賣完了」。❸做成了。如「完工」；「完成」。❹交納賦稅。如「完稅」。❺含有失敗的

意思。如「這樣一來，他就完了」。❻圖保全。如「子胥智而不能完吳」。❼圖堅固安好。如「城郭不完」。❽姓。❾「完全」、「完完全全」：①一點也不差。②純粹，全然的意思。如「這事完全是他鬧壞的」。

【災】同「災」，見401頁。

五畫

宓 ▲圖(mì) 粵met⁹〔勿〕安靜。
▲(fú)粵fuk⁹〔服〕姓。

宕 圖(dàng) 粵doŋ⁶〔蕩〕❶行為放蕩，沒有拘束。如「跌宕」(也作「跌蕩」)。❷懸擱，把事情拖長，把故事的發展拖住不說。如「延宕」；「懸宕」；「宕帳」。❸石礦。從前把採石工叫「宕戶」。

定 (dìng) 粵diŋ⁶〔第認切〕❶安靖。如「局勢已定」。❷使它安定。如「定心丸」；「安邦定國」。❸寧靜。如「入定」。❹不能變更的。如「定律」；「確定」。❺預約。如「定貨」。❻訂立。如「定出辦法」。❼決計。如「決定」。

官 (guān) 粵gun¹〔觀〕❶公務員。如「官吏」。❷屬於公家所有而由官方管理的。如「官地」。❸姓。❹「官能」：動物

器官的本能。❺「官司」：①官吏的職務分掌。②訴訟的事。如「打官司(即是興起訴訟)」。❻「官話」：①官場中不切實際的談話。②從前指北方等地一般的語言。❼「官人」：①做官的人。②舊時妻子對丈夫的稱呼。

宙 (zhòu) 粵 dzɐu⁶〔袖〕「宇宙」：見151頁「宇」字。

宗 (zōng) 粵 dzuŋ¹〔中〕❶祖先。如「列祖列宗」。❷同族。如「宗兄」。❸派別。如「宗派」。❹尊崇。如「宗仰」。❺事物的數量。如「大宗貨物」。❻姓。❼「宗宗件件」：各種，各類。

宜 (yi) 粵 ji⁴〔疑〕❶適合。如「適宜」。❷相安。如「宜室宜家(家庭和順的意思)」。❸應當。如「不宜如此」。❹姓。

宛 ▲ (wǎn) 粵 jyn²〔苑〕❶彷彿。如「音容宛在」；「蠟像宛似真人」。❷曲折。如「宛曲」；「宛宛長河」。❸姓。❹「宛然」：極其相似，像真的一樣。❺「宛轉」：①委曲隨和。②用和藹態度解釋，避免發生爭執。③形容鳥類鳴聲好聽。

▲ (yuān) 粵 jyn¹〔冤〕「大宛」：漢朝時候的國名。

六畫

客 (kè) 粵 hak⁸〔嚇〕❶跟「主人」相對。如「請客」；「家裏來了個客人」。❷經營商業的人對顧主的稱呼。如「顧客」；「戲院客滿」；「車、船的乘客」。❸指往來各地運貨販賣的商人。如「客商」；「珠寶客」；「絲綢客」。❹寄住在外地的。如「客居」；「作客他鄉」。❺指在外奔走的人。如「說(shuì)客」；「政客」；「俠客」。❻「客家」的簡稱。客家是福建、江西、廣東交界地區，廣東湖南交界地區，以及廣西四川的若干縣，台灣的屏東、高雄、苗栗、新竹各縣的一部分居民，原是西晉末年遷入的，各地土著稱他們叫「客家」(台灣的客家是從廣東東部遷入的)。❼姓。❽「客觀」：對主觀而言；觀察事物不堅執成見，由多方面觀察推測而得到了解。❾「客串」：非職業的臨時性工作。❿「客卿」：古時指在本國做官的外國人。

宬 (chéng) 粵 siŋ⁴〔成〕皇帝的藏書室。如「皇史宬(明清兩代保藏皇帝室史料的處所，在北京)」。

宦 図(huàn)⑨wan⁶〔幻〕❶官員;作官的。如「仕宦」;「宦海」。❷從前稱太監為「宦官」。❸姓。

宣 (xuān)⑨syn¹〔孫〕❶說明,表示。如「宣告」;「宣誓」。❷散佈,發揚。如「宣傳」;「宣揚」。❸從前皇帝傳召臣下叫「宣」。❹盡。如「宣勞(盡力)」;「不宣(舊式信札尾詞,是意思沒說完)」。❺東西鬆軟。如「宣土」;「這饅頭真宣」。❻虛胖。如「臉宣起來了」。❼姓。

室 (shì)⑨set⁷〔失〕❶房間。如「寢室」;「教室」。❷星名,二十八宿之一。❸図妻,夫以妻為室。禮記有「三十曰壯有室」。❹図壙穴。詩經有「百歲之後,歸於其室」。❺図刀劍的鞘。史記有「劍長,操其室」。❻姓。

宥 図(yòu)⑨jeu⁶〔右〕❶寬恕,原諒。如「原宥」。❷幫助。❸姓。

七畫

宮 (gōng)⑨gung¹〔公〕❶高大的房屋,舊時專指帝王的住所。如「故宮」。❷民間指神廟。如「天后宮」。❸五音(宮、商、角、徵、羽)之一。❹古代五刑之一,即是把男人的生殖器毀掉或把女人的卵巢割掉。❺姓。❻「宮闕」:宮殿,指帝王所住的地方。❼「宮女」:在王宮中供人使喚的女子。

害 ▲(hài)⑨hoi⁶〔亥〕❶損害,毀壞。如「害蟲」;「受害」。❷殘殺。如「謀財害命」。❸禍患。如「周處除三害」;「酒對肝臟有害」。❹妨礙。如「妨害」。❺疾病的染患。如「害病」。❻心理上的變化。如「害怕」;「害羞」。❼生理上的變化。如「害喜(女人在懷孕初期)」。❽図妬忌。如「心害其能」。

　▲図(hé)⑨hot⁸〔渴〕同「曷」,何不。見301頁。

家 ▲(jiā)⑨ga¹〔加〕❶眷屬共同生活的處所。如「家庭」;「回家」。❷居住。如「家於九龍」。❸屬於家庭的。如「家常」;「家務」;「家當」。❹謙稱自己的尊長。如「家父」;「家兄」。❺自稱或稱別人。如「自家」;「人家」。❻家裏飼養的動物。如「家禽」;「家畜」。❼尊稱學有專長或有專門技術的人。如「專家」;「教育家」。❽店鋪的量詞。如「只此一家,別無分號」。❾副詞詞尾。如

「成年家在外頭」;「整天家蹦蹦跳跳」。⓾姓。⓫「家小」:指妻子兒女。⓬「家家」:每一家。如「家家戶戶」。

▲ 図 (gū) 粵 gu¹〔姑〕同「姑」,女子的尊稱。如「大家」;「曹大家(漢朝曹世叔之妻班昭)」。

窘 図 (qún) 粵 kwen⁴〔羣〕羣居。

宵 図 (xiāo) 粵 siu¹〔消〕❶夜裏。如「春宵」。❷小。如「宵宵」。❸「宵小」:盜匪。❹「宵禁」:戒嚴期,夜間禁止通行。

宸 図 (chén) 粵 sen⁴〔神〕❶深奧的房屋。❷帝王居住的地方。❸舊時與帝王有關的事物,常加個「宸」字。如「宸翰」;「宸遊」。

容 (róng) 粵 juŋ⁴〔溶〕❶包涵,存留。如「容包」;「容身之地」。❷接受。如「容納」。❸許可。如「容許」。❹寬恕,忍耐。如「寬容」;「容忍」。❺儀表面貌。如「容貌」;「容止(儀容舉止)」。❻由儀容引伸爲表面形態。如「市容」;「陣容」。❼或許,大概。如「容或有之」。❽等待。如「再容他拖兩天」。❾図薦介。如「先容」。⓾図悅。如「順令以取容」。⓫

姓。⓬「容易」:不難。⓭「容膝」:形容地方的小。如「容膝之地」。

宧 (yi) 粵 ji⁴〔宜〕古代稱屋子裏的東北角。

宰 (zǎi) 粵 dzɔi²〔載〕❶主持,主管。如「宰制」;「主宰」。❷古時官名。如「宰相」;「冢宰」。❸屠殺,分割。如「宰殺」;「宰割」。❹姓。

宴 (yàn) 粵 jin³〔燕〕❶用酒食招待客人。如「宴會」;「宴客」。❷図安樂。如「宴樂」。❸図安逸。如「宴安」。❹「宴宴」:歡樂的樣子。如「言笑宴宴」。

【案】見木部,320頁。
【宼】同「寇」,見本頁。
【寃】同「冤」,見46頁。

八畫

密 (mì) 粵 met⁹〔勿〕❶稠,不稀疏。如「人煙稠密」。❷隱祕,不讓別人知道。如「祕密」;「保密」。❸挨得很近。如「親密」;「密邇」。❹仔細,周到。如「周密」;「思慮綿密」。❺姓。❻「密密麻麻」:都佈滿了,沒有空隙。

寇 (寇) (kòu) 粵 keu³〔扣〕❶盜匪。如「匪寇」;「流寇」。❷指敵人。如「敵

寇」。❸指敵人侵入國境。如「入寇」。❹姓。❺「寇讎」：仇敵。

寂 (jì) 粵dzik⁹〔直〕❶安靜沒有聲音。如「萬籟俱寂」。❷冷落。如「孤寂」。❸「寂寞」：形容冷靜無聊。

寄 (jì) 粵gei³〔記〕❶付託。如「寄託」。❷傳達。如「寄信」；「寄情」。❸暫時居留。如「寄寓」。❹依附。如「寄生」；「寄人籬下」。

寀 図(cǎi) 粵tsoi²〔彩〕官地。

宿 ▲(sù) 粵suk⁷〔粟〕❶住夜。❷住宿的地方。如「宿舍」。❸舊的；常指老練的、博學的。如「宿儒」；「耆宿」。❹平素久已有的。如「宿志」；「宿怨」。❺古人相信是前一輩子就定下的。如「宿緣」。❻姓。❼「宿根」：①植物的根在泥土裏，第二年再出新芽的。如芍藥、菊花等都是有宿根的。②佛教指稱宿世的根性。現在一般也把修行有根基的說是有宿根。

▲(xiù) 粵seu³〔秀〕列星。如「列宿」；「二十八宿」。

▲(xiŭ) 粵suk⁷〔粟〕夜，一個晚上叫「一宿」。

寅 (Yín) 粵jen⁴〔仁〕❶地支的第三位。❷寅時，上午三點到五點。❸図敬。如「寅畏」。❹「同寅(同事)」的簡稱。如「寅誼」。

【寃】同「冤」，見46頁。

九至十畫

寐 図(mèi) 粵mei⁶〔味〕睡。如「假寐」；「夙興夜寐」。

富 (fù) 粵fu³〔副〕❶多財產。如「富戶」。❷財產。如「財富」。❸豐裕。如「富饒」。❹姓。❺「富麗」：很華美。

甯 (甯) ▲(nìng) 粵niŋ⁶〔佞〕 liŋ〔令〕(俗)姓。

▲(níng) 粵niŋ⁴〔寧〕liŋ⁴〔零〕(俗)通「寧」，見157頁。

寒 (hán) 粵hon⁴〔韓〕❶冬季。如「寒暑易節」。❷冷。如「天寒地凍」。❸窮困。如「寒苦」；「寒素」。❹害怕。如「膽寒」。❺図違背。如「寒盟」。❻姓。❼「寒暄」：朋友相見，談論氣候冷熱變化的應酬話。❽「寒傖」：①醜陋，不光彩的意思。如「看你這樣子有多寒傖」。②羞辱。❾「寒蟬」：①秋蟬。②図蟬到天寒不鳴，因而形容人遇事不敢直說。如「噤若寒蟬」。❿「寒士」：古時窮苦的讀書人。

【寖】同「寢」，見本頁。

寔 (shí)⑧set⁹〔實〕❶安置。❷通「實」，見本頁。

寓(寓) (yù)⑧jy⁶〔遇〕❶住所。如「寓所」；「公寓」。❷囝寄居。如「寄寓」。❸寄託。如「寓意」。❹囝「寓目」：注目而視。❺「寓言」：①文學作品的一種體裁。常是以諷刺性的故事隱射別事的話。②用淺近假託的事物表抽象觀念或道德教訓的文章。

【塞】見土部，119頁。

【窓】同「格」，見216頁。

十一至十二畫

寞 (mò)⑧mɔk⁹〔莫〕❶「寂寞」：見156頁「寂」字。❷「寞天寂地」：形容寂寞之至。

寧(寧、宁) (níng)⑧niŋ⁴〔擰〕liŋ⁴〔零〕(俗)❶安定。如「社會安寧」。❷情願。如「寧為玉碎，不為瓦全」。❸囝省(xǐng)視父母。如「歸寧」。❹豈，難道。如「天下寧有此事」。❺健康。如「康寧」。❻「寧馨兒」：「這樣好的孩子」，是小兒的美稱。

寥 (liáo)⑧liu⁴〔聊〕❶空虛，廣闊。如「寥廓」。❷寂靜。如「寂寥」。❸稀少。如

「寥若晨星(好像天亮時候的星星一樣的稀少)」。❹「寥寥」：①稀少的樣子。②空虛的樣子。

寡 (guǎ)⑧gwa²〔瓜高上〕❶少。如「寡不敵眾」。❷女人死了丈夫。如「寡婦」；「守寡」。❸「寡人」：寡德之人，國君自稱的謙詞。

【寖】同「浸」，見376頁。

寢(寑) (qǐn)⑧tsɐm²〔雌飲切〕❶睡眠。如「廢寢忘食」；「寢具」。❷臥室。如「入寢」；「就寢」。❸囝停止。如「事寢」。❹囝相貌醜陋。如「貌寢」。❺帝王的墓。如「陵寢」。

寘 囝(zhì)⑧dzi³〔至〕放置。

察 (chá)⑧tsat⁸〔刷〕❶詳細看清楚。如「審察」。❷考核。如「察核」。❸苛求。呂氏春秋有「處大官者不欲小察」。❹「察察」：分析明辨的意思。

【搴】見手部，262頁。
【寨】見木部，332頁。
【蜜】見虫部，640頁。
【賓】見貝部，700頁。
【賓】同「賓」，見700頁。

實 (shí)⑧set⁹〔時迄切〕❶草木的種子或果子。如「果實」。❷充滿。如「充實」。❸由充滿

引伸作富裕茂盛的意思。如「殷實」。❹填充，裝進去。如「實彈射擊」。❺真誠，不作假。如「實情」；「實價」。❻確切的事跡。如「事實」。❼真的去做。如「實行」；「實踐」。❽真確的。如「委實」。❾「實在」：①哲學上說不增不減，經常不變的實體。②的確。如「你的畫實在好」。③實際，真正的。如「他說他上過大學，實在只是初中畢業」。④堅牢。如「這扇子做得很實在」。⑤誠實。如「他這個商人很實在，不亂要價錢」。❿「實地」：①實際。②比喻真實的行為。如「腳踏實地」。⓫「實際」：真實的情形。⓬「實數」：①加、減、乘、除四法的被加數、被減數、被乘數、被除數等。②數學裏凡是整數、小數、分數、正數、負數等都叫「實數」。③實在的數目。⓭「實實在在」：實在的樣子。

寤 囡(wù)粵ŋ⁶〔悟〕❶睡醒。如「寤寐求之」。❷通「悟」，見219頁。

寮 (liáo)粵 liu⁴〔聊〕❶小屋子。如「工寮」；「茶寮」。❷囡小窗子。❸和尚住的屋子。❹「寮國」：中南半島的一個國

家，也叫「老撾」。❺囡通「僚」。同在一處作官。如「同寮」(也作「同僚」，見35頁「僚」)。

寬 (kuān)粵fun¹〔歡〕❶闊，跟「窄」相反。如「地方寬敞」。❷條帶狀物相對二長邊間的距離。如「寬四尺六寸」。❸舒緩，不緊迫。如「寬綽」。❹寬諒，不記人過錯。如「寬大」。❺解下，脫下。如「寬衣」。❻展限。如「寬限」。❼「寬綽」：①從容自然，不緊迫。②不狹窄。如「地方寬綽」。③指富裕。如「手頭很寬綽」。

寫 ▲囡(xiě)粵sɛ²〔捨〕❶拿筆作書畫。如「寫字」；「寫生」。❷鑄像。如「以良金寫范蠡之狀」。❸訂立租賃或雇傭契約，俗稱「寫字」。❹描述，紀錄。如「寫情」；「寫實」。❺囡放置。白居易詩有「傾籃寫地上」。❻囡舒洩，傾盡。如「以寫我憂」。❼「寫意」：①國畫的一派，不求形似，只寫大意。②意逍遙舒適，不受拘束。❽「寫照」：①畫像。②泛指一切事象的描寫。

▲ 囡(xiè)粵 sɛ³〔瀉〕同「卸」，見70頁。

審 (shěn)粵 sɐm²〔潘〕❶詳細，慎密。如「審慎」。❷仔

細考究分析。如「審查」;「審度(duó)」。❸訊問案件。如「審案」。❹姓。❺図知道。如「不審」。也作「讅」,見689頁。

十三至十七畫

寰(huán)⑨wan⁴〔環〕❶廣大的境域。❷「寰宇」也作「寰球」:全世界。❸「寰海」:大地,包括水陸的總稱,意思是「普天之下」。

寯図(jùn)⑨dzœn³〔俊〕❶才能出眾。❷聚。

【憲】見心部,228頁。
【褰】見衣部,662頁。
【謇】見言部,686頁。
【蹇】見足部,712頁。
【賽】見貝部,702頁。

寵(chǒng)⑨tsuŋ²〔冢〕❶愛,恩。如「寵愛」。❷図尊榮。如「寵辱偕忘」。❸偏愛,溺愛。如「小孩兒可千萬不能太寵」。❹指妾(姨太太)。如「納寵」。

寶(宝)(bǎo)⑨bou²〔保〕❶貴重。如「寶貴」。❷珍貴,價值高的東西。如「寶刀」;「寶石」。❸視同珍貴。如「心肝寶貝兒」。❹舊時錢幣。如「通寶」;「元寶」。❺尊稱。如「寶號」;「寶利」。❻

「寶氣」:①「珠光寶氣」,形容全身上下飾物很多。②罵人的話,笑人癡傻,行為乖張,處事方法特別。也簡作「寶」。如「你看他這個寶」。❼「寶藏(zàng)」:①礦產。②收藏的寶物。❽「寶寶」:對小孩的稱呼。

【騫】見馬部,833頁。
【鶱】見鳥部,860頁。

【寸部】

寸 (cùn) 粵tsyn³〔串〕❶長度單位，十分爲一寸，十寸爲一尺。❷形容簡短。如「手無寸鐵(寸鐵指任何很短小的武器)」；「寸陰」。❸形容小、少。如「寸步」；「寸土」。❹時間恰巧。如「他來得眞寸」。❺中醫診脈，把距離人手一寸遠的手腕經脈部位。如「寸口」(也簡稱「寸」)。❻「寸草春暉」：孟郊的詩「誰言寸草心，報得三春暉」。拿春暉比父母，寸草比子女。比喻父母的恩惠深厚，子女怎麼樣也報答不了的意思。

三至七畫

寺 (sí) 粵dzi⁶〔自〕❶舊時官署名。如「大理寺」；「太常寺」。❷和尚住的地方。如「寺院」(也常作佛寺的通稱)。❸囡「寺人」：古時的宦官。

封 (fēng) 粵fuŋ¹〔峯〕❶舊時帝王以土地、爵位給有功的人或王族。如「封建」；「封侯」。❷密閉。如「封門」。❸疆域。如「封疆」。❹無形的限制。如「故步自封」。❺加土使它增高。如「封墓」。❻囡大。如

「封豕長蛇」。❼量詞，書信、電報一件叫一封。❽姓。❾「封火」：掩蓋爐火，使它不能熾旺也不息滅。❿「封河」：北方的口岸到了冬天冰凍，船舶停止進口。⓫「封面」：書本、雜誌等的封皮表面。

【耐】見而部，562頁。

射 ▲(shè) 粵sɛ⁶〔麝〕❶凡是用彈力作用或機械作用使能達到遠處的。如「射擊」；「注射」；「噴射」。❷放箭中目標。如「射人先射馬」。❸用語言或文字暗示。如「影射」。❹放出光、熱等。如「反射」；「光芒四射」。❺囡追逐財利。如「射利」。

▲(yì) 粵jik⁹〔亦〕「無射」：古音律名。

▲(yè) 粵jɛ⁶〔夜〕❶「射干」：①草名，根可做藥。②獸名。❷「僕射」：唐宋時代稱宰相。

【辱】見辰部，725頁。

【尅】同「剋」，見54頁。

八至九畫

將 ▲(jiāng) 粵dzœŋ¹〔張〕❶快要。如「不知老之將至」。❷把。如「將冰箱打開」。❸才，剛才。如「昨天將到家」。❹恰巧，剛剛。如「將好讓他撞

上」。❺囝率領。淮南子有「其馬將胡駿馬而歸」。❻下象棋時要吃對方的「將(jiàng)」、「帥」，必須先叫「將」。❼調養。如「將息」。❽拿、取。如「將酒菜來」。❾做。如「慎重將事」。❿攙扶。如「出郭相扶將」。⓫進步。如「日就月將」。⓬動詞後面的虛字。如「打將下去」。

▲(jiàng)圖dzœŋ³〔障〕❶高級軍官。如「將帥」；「將領」。❷高級軍階。如「上將」；「少將」。❸統領。如「韓信將兵，多多益善」。

▲囝(qiāng)圖tsœŋ¹〔槍〕請。如「將伯助予」；「將子無怒(請你別生氣)」。

專 (zhuān)圖dzyn¹〔磚〕❶集中心力在一件事上。如「專一」；「專心」。❷獨得。如「專利」；「專美」。❸單獨的。如「專送」；「專用」；「專車」。❹獨斷獨行。如「專權」；「專制」。❺姓。❻「專賣」：由政府獨佔的事業，不許私人經營。這種權利叫「專賣權」。❼「專欄」：雜誌或報紙特闢一欄，對某一件事作深入的報導或評論。

尉 ▲(wèi)圖wei³〔畏〕❶古官名。管地方治安跟監獄。❷軍階名。在校官之下。分上尉、中尉、少尉、準尉四級。❸姓。❹通「慰」，見227頁。

▲(yù)圖wet⁷〔屈〕「尉遲」：複姓。

尋 ▲(xún)圖tsɐm⁴〔沉〕❶找。如「尋覓」。❷研究，探討。如「耐人尋味」。❸考慮。如「尋思」。❹中國古代長度單位，八尺為一尋。❺普通，平常。如「尋常」。❻囝漸漸到了。如「侵尋」。❼囝接着，繼續着。如「存問相尋(尉問或探訪的人不斷地來到)」。

▲(xin)圖tsɐm⁴〔沉〕向人乞求。如「尋錢的」。

尊 (zūn)圖dzyn¹〔津〕(又)❶貴，重。如「尊貴」。❷稱人的敬詞。如「尊處」；「尊大人」；「尊夫人」。❸敬稱別人的父親。如「令尊」。❹舊日對地方官的敬稱。如「邑尊」；「府尊」。❺量詞，佛像一座或大砲一門都叫一尊。❻同「樽」字，見338頁。

十一至十三畫

對 (duì)圖dœy³〔兌〕❶囝答話。如「無言可對」。❷向。如「對牛彈琴(比喻對愚人談深理)」。❸覆核。如「校對」。❹正確，相合。如「你說得對」。

⑤成雙的。如「一對」；「對筆」。**⑥**互相。如「對調」；「對打」。**⑦**待。如「對人和藹」。**⑧**配偶。如「擇對不嫁」。**⑨**一半。如「對折」；「對開」。**⑩**跟、和。如「可以對他講明白」。**⑪**「對聯」的簡稱，也說「對子」。**⑫**「對於」：表關係的介詞。如「我對於哲學是門外漢」。**⑬**「對象」：①思考或行動(如研究、批評、攻擊、幫助等等)所及的事物或人。②特指戀愛的對方。

【奪】見大部，133頁。

導 (dǎo)粵dou⁶〔杜〕**❶**指引。如「引導」。**❷**啓發。如「開導」。**❸**傳。如「導電」。**❹**「導言」：書籍或論文開頭的序言。**❺**「導演」：排演戲劇或電影的指導人。**❻**「導彈」：裝有彈頭、動力裝置，由控制系統控制的高速飛行武器，種類很多。

【小部】

小 (xiǎo)粵siu²〔筱〕**❶**跟「大」相反。如「小狗」；「小孩」。**❷**面積不大。如「地方小」。**❸**所佔的空間不大。如「小山」；「小屋」。**❹**容積少。如「瓶子小，裝不了」。**❺**時間短。如「小睡」；「小住」。**❻**年紀輕的。如「她還小，才十七歲呢」。**❼**年輕力壯的。如「小夥子」。**❽**排行在後面。如「小叔叔」；「小姑姑」。**❾**能量少。如「噸位小」；「馬達太小」。**❿**規模不大，成員少的。如「小組」；「小手工業」。**⓫**心地器量狹窄。如「心眼小」；「量小非君子」。**⓬**輕視。如「小看」。**⓭**稍微。如「牛刀小試」；「不無小補」。**⓮**細微。如「小事」；「小戶人家」。**⓯**自謙的話。如「小弟姓林」。**⓰**妾。如「嫁給人做小」。**⓱**小學的簡稱。如「高小」。**⓲**道德上有問題的人。如「小人」；「宵小」。**⓳**方式比較隨便的。如「小吃」。**⓴**零碎的，額外的。如「小帳」；「小費」。㉑「小人」：①從前指平民。②沒有道德的人。③奴僕自稱。㉒「小子」：①小兒。②舊時對父兄尊長的

自稱。③舊稱年輕的男僕。④對男子輕慢或戲謔的一種稱呼。❷❸「小小」：①很小。②年紀輕。③些許，些微，數量少。

一至四畫

少▲(shǎo)粵siu²〔小〕❶跟「多」相反。如「多作事少說話」。❷缺乏。如「缺衣少食」；「這件事少不了你」。❸兩數相比的差。如「甲班的學生比乙班少十個人」。❹不足。如「你數數看少不少」。❺不是經常見到的。如「人間少有」；「少見多怪」。❻遺失。如「家裏進了小偷，可是還不知道少了甚麼」。❼欠，負債。如「不該他的，不少他的」。❽表禁制或警戒的語氣。如「少廢話」；「小心，那種地方你可少去」。❾囫短時間。如「少頃」。❿囫輕視，不滿。史記有「素習知蘇秦皆少之」。

▲(shào)粵siu³〔笑〕❶年紀輕。如「少年」；「少女」。❷稱富貴人家的兒子或僕人稱主人的兒子。如「少爺」；「闊少」。❸稱軍職的第三階。如「少將」；「少校」；「少尉」。

尖(jiān)粵dzim¹〔沾〕❶頭小而銳利的部分。如「筆尖」；「刀尖」。❷頂上突出的部分。如「尖端」；「山尖」。❸銳利。如「尖銳」；「鉛筆削尖了」。❹前端，高峯。如「尖兵(指軍隊出發時，走在最前面，負責搜索警戒的小隊)」；「尖峯(指統計學上稱數字統計的高峯)」。❺感覺敏銳。如「耳朵尖」；「眼睛尖」。❻形容人會鑽營。如「他的頭眞尖」。❼形容美的佳美。如「頂尖兒的人物」。❽「打尖」：①旅途中休息進食。②不守秩序，企圖早點達到目的。❾「尖團字」：語言學上說聲母帶齒音的叫尖字；不帶齒音的叫團字。

【劣】見力部，58頁。

肖(xiào)粵tsiu³〔俏〕❶類似。如「唯妙唯肖」。❷「肖像」：①相片。②圖畫或雕刻而成的人像。

五至十畫

尚(shàng)粵sœŋ⁶〔上〕❶尊崇，重視。如「崇尚」。❷囫還。如「革命尚未成功」。❸囫更。如「尚何言哉」。❹囫主其事。從前皇宮裏有「尚衣監」；「尚寶監」。❺囫從前稱娶皇帝的女兒爲「尚主」。❻囫矜誇。禮記有「不自尚其功」。❼姓。❽「尚且」：①副詞，依然、還

的意思。如「軀殼毀滅了，精神尚且存在」。②表進一層的連詞，跟「況」相應。如「說話句句留心，尚且不免有錯，何況信口開河」。

【省】見目部，472頁。
【雀】見隹部，792頁。
【堂】見土部，116頁。
【常】見巾部，182頁。
【棠】見木部，325頁。
【掌】見手部，256頁。
【當】見田部，452頁。
【嘗】見口部，100頁。

尟(xiǎn)粵 sin² 〔癬〕同「鮮」，見848頁。

【尠】同「鮮」，見848頁。
【黨】見黑部，872頁。

【尢部】

【尢】「尪」的本字，見165頁。

一至十四畫

尤(yóu)粵 jɐu⁴〔由〕❶特異的，突出的。如「無恥之尤」。❷格外，更；通常用「尤其」。如「這樣辦尤其有成效」；「此地盛產水果，今年尤為豐收」。❸因罪惡，過失。如「愆尤」；「效尤(學着做壞事)」。❹怨恨，怪罪。如「怨天尤人」。❺姓。❻因「尤物」：①本指特異的人物。莊子有「夫子，物之尤也」。②指漂亮的女人，所以後世用「尤物」來稱美女。左傳有「天有尤物，足以移人」。

尥(liào)粵 liu⁶〔料〕「尥蹶子」：①騾馬驢用後蹄踢人、踢東西。②比喻人不馴順。

尨図▲(máng)粵 mɔŋ⁴〔忙〕❶多毛的狗。❷雜色。❸「尨然」：形容毛多的樣子。
　▲(méng)粵 muŋ⁴〔蒙〕雜亂。

尬(gà)粵 gai³〔介〕「尷尬」：見165頁「尷」字。

尪(尩) 図 (wāng) 粵 wɔŋ¹
〔汪〕❶身體瘦弱。
❷跛腳。

就 (jiù) 粵 dzɐu⁶〔袖〕❶表示肯
定的詞，文言用「即」。如
「這樣做就好了」。❷表示推
論，是「即使」、「即或」、「縱
然」的意思。如「你就不說，我
也知道」。❸即刻。表示不經
過太多的時間。如「我去去就
來」。❹僅只，單單的。如「大
家全都贊成，就是他反對」。
❺成功，確定。如「功成名
就」。❻從，擔任。如「就職」；
「就業」。❼前去。如「就學於
上海」；「就讀於某校」。❽接
近，湊近。如「身子往前一
就」。❾隨同着吃下去。如「就
飯吃」。

尷(尲) (gān) 粵 gam¹〔監〕
gam³〔鑒〕(又)「尷
尬」：①左右爲難的樣子。②
事情多生枝節很難處理的樣
子。

【尸部】

尸 (shī) 粵 si¹〔詩〕❶同「屍」。
死人的身體。如「尸首」(同
「屍首」)。❷図在位而不作
事。如「尸位素餐(佔着職位享
受俸祿不作事)」。❸図主持，
負責。詩經有「誰其尸之」。❹
図陳屍示衆。《國語》有「殺三
郤而尸諸朝」。❺姓。

一至四畫

尺 ▲ (chǐ) 粵 tsɛk⁸〔赤〕❶計算
長度的單位，十尺爲一丈；
十寸爲一尺。❷量長度的器
具。如「直尺」；「皮尺」。❸形
容微小，些少。如「尺地」。❹
像尺的東西，用途卻不像尺。
如「鎮尺」；「鐵尺」。❺中醫診
脈時第三指所按處。如「尺
脈」。❻「尺寸」：①衣服的長
短。如「這一件衣服裁得尺寸
不合」。②節度。如「他很守規
矩，凡事都有個尺寸」。③図
比喻少許。漢書上有「一日數
戰，無尺寸之功」。④図比喻
法度。

▲ (chě) 粵 tsɛ²〔扯〕「工
尺」：見176頁「工」字。

尹 (yǐn) 粵 wɐn⁵〔允〕❶舊時官
名。如「令尹」；「府尹」。❷

図治理。左傳有「以尹天下」。❸姓。

尼 ▲(ní)粵nei⁴〔彌〕lei⁴〔離〕(俗)❶信佛削髮出家修行的女人。如「尼姑」;「姑子」。❷尼姑所住的寺院。如「尼庵」。❸「僧尼」:和尚跟尼姑的合稱。

▲図(nǐ)粵nik⁷〔匿〕lik⁷〔礫〕(俗)阻止。如「當路尼眾」。

尻 (kāo)粵hau¹〔敲〕脊椎骨的下端,也作臀部。如「尻骨」。

屁 (pì)粵pei³〔譬〕❶從肛門泄出來的臭氣。❷「放屁」:常用來罵人,指斥文字或語音荒謬。❸「屁股」:臀部。

尿 ▲(niào)粵niu⁶〔拿耀切〕liu⁶〔料〕(俗)❶從尿道排出體外的廢水,也稱「小便」。❷排泄小便。

▲(suī)粵søy¹〔雖〕小便(只作名詞用)。如「溺尿」。

局 (jú)粵guk⁹〔加玉切〕❶政府機構分工辦事的單位。如「郵局」;「教育局」。❷商店的稱呼。如「書局」。❸部分。如「局部」。❹棋盤,也指一盤棋。如「棋局」;「一局棋」。❺事勢,情況,結構,組織等等。如「時局」;「結局」;「佈局」。❻人的器量。如「局量」;「局度」。❼聚會。如「飯局」;「牌局」。❽作圈套詐騙。如「騙局」;「美人局」。❾「局促」:同「踢促」,見710頁;同「侷促」,見27頁。

尾 (wěi)粵mei⁵〔美〕❶鳥獸蟲魚脊後梢突出的部分。俗稱「尾巴」。❷在最後面的。如「排尾」;「尾聲(套曲的最後一段。常用來比喻事勢將近完畢)」。❸図追隨。如「尾隨」。❹殘餘的。如「尾數」。❺量詞,計算魚的單位。如「魚一尾」。❻鳥獸交配。如「交尾」。❼星宿名,二十八宿之一。❽「尾大不掉」:比喻下強上弱;常指所管轄的下屬勢力太大,調動不靈。❾姓。
【君】見口部,80頁。

五至七畫

屄 (bī)粵bei¹〔悲〕女性生殖器的俗稱。

屜 (屜) (tì)粵tɐi³〔替〕❶襯在馬鞍下面的東西。❷器物上的隔層。如「抽屜」;「屜子」。❸籠屜(分層的格架)的簡稱。

屆 (届) (jiè)粵gai³〔介〕❶到。如「屆時」;「屆滿(期滿)」。❷次。如「第一

「屆」。

居 ▲(jū)⑧gœy¹〔加虛切〕❶住。如「居住」。❷住處。如「遷居」。❸囝坐下。如「居，吾語汝」。❹在，處於。如「居官」；「居間」。❺積蓄，存積。如「居積」；「奇貨可居」。❻當，任。如「自居」。❼存着。如「居心」。❽竟然。如「居然」(表示出乎意料的副詞)。❾飯館有用「居」做名字的。如「德林居」。❿姓。⓫「居士」：①隱居的人。②在家持齋唸佛的人。⓬「居中」：在兩方的中間。如「居中調停」。⓭「居喪」：因喪守制。

　▲囝(jī)⑧gœy¹〔加虛切〕表示疑問的語末助詞。如「何居」(等於白話的「為甚麼」)。

屈 (qū)⑧wɐt⁷〔鬱〕❶彎曲。如「屈指」。❷沒有理由。如「理屈」。❸低頭服輸。如「屈服」。❹改變志節。如「屈節」。❺冤枉。如「冤屈」。❻降低身分。如「屈就」。❼委曲心意。如「受屈」。❽虧。如「屈心」。❾姓。

屌 (diǎo)⑧diu²〔打妖切〕男子生殖器的俗稱。

屍 (shī)⑧si¹〔詩〕死人的軀體。如「死屍」；「屍首(屍體)」。也作「尸」。

屎 (shǐ)⑧si²〔史〕❶從肛門排出的糞便。如「拉屎」。❷嘲笑低能的人所作的。如「屎棋(嘲笑人下棋太笨)」。

屋 (wū)⑧uk⁷❶房舍。如「住屋」。❷房間。如「裏屋」。
【㞞】見口部，87頁。

屐 (jī)⑧kek⁹〔劇〕❶木底的鞋。如「木屐」。❷鞋的通稱。如「草屐」。

屓 (xì)⑧ei³〔翳〕同「屭」，見169頁。

屑 (xiè)⑧sit⁸〔薛〕❶碎末。如「炭屑」；「木屑」。❷細碎的。如「瑣屑」。❸「不屑」：輕視，以為不值得去做。如「不屑和他爭論」。❹「屑意」：介意。如「毫不屑意」。❺「屑屑」：忙碌不安定的樣子。

展 (zhǎn)⑧dzin²〔剪〕❶張開，舒放。如「展翅」；「愁眉不展」。❷事情的繼續變化。如「發展」。❸放寬，延擱。如「展期」。❹省視。如「展墓」。❺陳列。如「展覽」。❻囝施行，陳述。如「一籌莫展」。❼姓。

八至九畫

屏(屏) ▲(píng)⑧piŋ⁴〔平〕❶遮，擋。如「屏風(放在客廳或臥室，用來遮風

阻擋視線的用具)」。❷掛在墙上的字畫條幅。如「屏條(書畫條幅，每四幅或八幅一組的)」。❸從遮擋引伸爲保護的意思。如「屏障」。

▲(bǐng)粵bing²〔丙〕❶斥退，排除。如「屏棄」。❷囡退隱。如「屏居」。❸「屏氣」也作「屏息」：敬畏，不敢作聲。

▲(bīng)粵bing¹〔兵〕囡「屏營」：惶恐的樣子。

【屍】同「屍」，見166頁。

扉 囡(fèi)粵fei²〔匪〕麻做的粗屨。左傳有「共其資糧屝屨」。

屙 (ē)粵o¹〔柯〕上廁所。如「屙屎」；「屙尿」。

屠 (tú)粵tou⁴〔徒〕❶殺。如「屠殺」。❷宰殺牲畜。如「屠宰」。❸姓。❹「屠戶」也作「屠夫」：以屠宰牲畜爲職業的人。又簡作「屠」。水滸傳有「鄭屠」。❺「屠蘇」：①酒名，相傳在元旦喝了可以避邪。②草名。

屏 ▲囡(chán)粵san⁴〔潺〕小，懦弱。如「孱弱」；「孱夫(懦弱的人)」。

▲(càn)粵tsan³〔燦〕「孱頭」：譏笑懦弱怕事的人。

【犀】見牛部，424頁。

屢 (lǚ)粵loey⁵〔呂〕時常，一次又一次的。如「屢次」；「屢見不鮮」。

屣 囡(xǐ)粵sai²〔徙〕❶鞋，拖鞋。如「敝屣(破鞋)」；「倒屣相迎(表示急着歡迎的意思)」。❷「屣履」：拖着鞋子走路。

履 (lǚ)粵lei⁵〔里〕❶鞋。如「草履」。❷實行。如「履行」；「履約」；「踐履諾言」。❸指人的行動、作爲。如「操履」；「履歷(生平所經歷跟所任的職務)」。❹走，腳踩過去。如「如履薄冰」；「履險如夷」。❺囡往腳上穿鞋。❻囡祿。詩經有「福履綏之」。❼囡領土。左傳有「賜我先君履」。❽姓。

屧 囡(xiè)粵sit⁸〔屑〕木屐。

層 (céng)粵tseng⁴〔曾〕❶重，疊。如「四層樓」；「好厚的一層霜」。❷重疊的，一級一級的。如「層巒疊嶂」；「層出不窮」。❸「層次」：事物的次序。

屨 囡(jù)粵goey³〔句〕❶古人穿的一種粗鞋。❷踐履。史記有「身屨典軍」。❸通「屢」，一次又一次。禮記有「臨事而

履斷」。

蹻 図(juē)⑧gœk⁸〔腳〕麻鞋，草鞋。

孱(chàn)⑧tsan³〔燦〕❶攙混。如「孱入(就是攙和進去)」。❷「孱雜」：雜亂，錯亂。

屬▲(shǔ)⑧suk⁹〔蜀〕❶同系統有連帶關係的：①有血緣關係的。如「家屬」；「親屬」。②有管轄關係的。如「部屬」；「下屬」。③有種別關係的。如「金屬」；「麋鹿之屬」。④有統領關係的。如「屬地」；「屬於」。❷係，是。如「查明屬實」。❸用十二生肖記出生年的。如「我屬龍。今年十八歲」。

　▲図(zhǔ)⑧dzuk⁷〔捉〕❶同「囑」。如「屬令」。❷專注。如「屬目(注目)」。❸図連綴，接續。如「前後相屬」。❹図寫作。如「屬文」。

屭(xì)⑧ɐi³〔翳〕❶図壯大的樣子。❷「贔屭」：傳說是龍一類的動物，能負載很重的東西；即是石碑下面像龜樣的基石。參見702頁「贔」。❸図「屭屭」：用力的樣子。張衡賦有「巨靈屭屭，高掌遠蹠」。

【屮部】

屯▲(tún)⑧tyn⁴〔團〕❶聚集，存儲。如「屯糧」；「屯積」。❷軍隊駐守。如「屯兵」；「屯墾」。❸村莊。如「屯子」；「皇姑屯」。❹図堆疊。如「大雪屯門」。

　▲図(zhūn)⑧dzœn¹〔津〕❶難。如「屯難(時運艱難的意思)」。❷「屯邅」：行不進的樣子。

　▲(chún)⑧sœn⁴〔純〕「屯留」：山西省縣名。

【屮】同「之」，見第8頁。

【出】見凵部，50頁。

【芻】見艸部，596頁。

【山部】

山 (shān)粵san¹〔珊〕❶地球陸地隆起的部分。❷墳墓。「山陵」;「山園」。❸房屋兩側的牆。如「山牆」。❹竈簇。竈上簇叫竈上山。❺形容聲音很大、很響。如「山嚷怪叫」;「把門拍得山響」。❻姓。❼「山人」:①隱居的人。②星命術士之類的人。③開玩笑時自稱的詞。如「山人自有妙計」。❽「山君」:①山神。②老虎。❾「山妻」:謙稱自己的妻子。❿図「山積」:堆積得很多。⓫「山道年」:驅除蛔蟲的特效藥。

三至四畫

屹 図(yì)粵ŋet⁹〔迄〕at⁹(俗)高聳的樣子。「屹立」指直立不動的樣子。

岌 図(jí)粵kɐp⁷〔級〕❶山高的樣子。❷「岌岌」:①高峻的樣子。②危險的樣子。

岐 (qí)粵kei⁴〔其〕❶高峻。❷山名。一處在陝西,一處在山西。成語裏「鳳鳴岐山」,是指陝西的岐山。❸姓。❹「岐黃」:岐伯跟黃帝,相傳是醫家的鼻祖。❺図「岐嶷」:聰明

特異的樣子。❻通「歧」,見347頁。

岔 (chà)粵tsa³〔詫〕❶分歧的地方。如「岔路」;「岔口」。❷意外的事故或是錯亂。如「岔子」;「岔兒」;「小心,出了岔子就不好辦了」。❸故意脫出主題,插進題外的話。如「看他說得越來越不對,我趕快拿話把岔開」。❹在別人說話時候插嘴。如「打岔」。❺視線錯亂。如「岔眼」;「只覺得眼前一岔,彷彿有什麼東西扔了過來似的」。❻矛盾,前後不相符。如「你這話就岔了」。❼聲音變了。如「他哭得嗓子都岔了」。

岑 (cén)粵sɐm⁴〔忱〕❶図山小而高。❷煩悶。如「岑岑」。❸姓。❹「岑崟」:山勢高峻的樣子。❺「岑寂」:寂靜。

五畫

岷 (mín)粵mɐn⁴〔民〕❶「岷江」:長江上游的支流。❷「岷山」:長江、黃河的分水嶺;岷江的發源地,位於四川省中部。

岱 (dài)粵dɔi⁶〔代〕「岱嶽」:五嶽中的東嶽,泰山的別稱。

岣 (gǒu)粵geu²〔苟〕「岣嶁」：
①山名，在湖南省，是南嶽
衡山的主峯。②碑名，在衡
山。相傳是中國最早的石刻。

岡 (gāng)粵gong¹〔江〕山脊。
如「山岡」。

岢 (kě)粵ho²〔可〕「岢嵐」：縣
名，在山西省。

岵 囡(hù)粵wu⁶〔戶〕有草木的
山。詩經有「陟彼岵兮」。

岬 (jiǎ)粵gap⁸〔甲〕❶兩山的
中間。❷陡入海裏的山。

岫 囡(xiù)粵dzeu⁶〔就〕❶山
峯。如「牕中列遠岫」。❷山
洞。

岸 (àn)粵ŋon⁶〔犴〕on⁶〔安低
去〕(俗)❶水邊的地。如「海
岸」；「河岸」。❷莊嚴的樣
子。如「道貌岸然」。❸形容身
體壯的樣子。如「偉岸」。❹
囡古時指把帽巾往後推，露出
額部。晉書有「岸幘笑詠，無
異常日」；唐書有「帝怒，岸巾
出側門」。

岩 (yán)粵ŋam⁴〔癌〕em⁴(俗)
❶山石。❷「岩石」：礦物集
合體構成的地球外殼，大致有
火成岩、水成岩、變質岩三
種。❸「岩鹽」同「石鹽」：指鹽
井、鹽池產的鹽。❹同「巖」，
見175頁。

岳 (yuè)粵ŋok⁹〔鄂〕ɔk⁹〔惡低
去〕(俗)❶同「嶽」，見175
頁。❷對妻子的父母的稱呼。
如「岳父」；「岳母」。❸姓。

六畫

峇 (bā)粵ba¹〔巴〕❶地名用
字。如「峇厘(Bali)是印尼
的小島，以風景優美與鄉土風
俗著名」；「峇厘巴板(Balikpa-
pan)是婆羅乃島南部港口城
市名」。❷「峇峇」：南洋華僑
稱華僑跟土著女子所生的兒
子。

峒 (tóng)粵tuŋ⁴〔同〕「崆峒」：
見173頁「崆」字。

峓 (岍)(qiān)粵hin¹〔軒〕山
名，在陝西省。

峋 囡(xún)粵sœn¹〔荀〕「嶙
峋」：見174頁「嶙」字。

峙 囡(zhì)粵si⁶〔侍〕❶直立不
動的樣子。如「對峙」。❷積
累。書經有「峙乃糧糧」。

【炭】見火部，402頁。
【幽】見幺部，186頁。
【嵩】見而部，562頁。

七畫

峯 (峰)(fēng)粵fuŋ¹〔風〕❶
高而突起的山。如
「峯巒」。❷山高而銳的部分。
如「山峯」。❸類似山峯高起的

部分。如「駝峯」。❹形容高。如「登峯造極」。

島(岛) (dǎo)粵dou²〔睹〕❶海中露出水面的陸地。❷「島嶼」：指大大小小的海島。

峻 (jùn)粵dzœn³〔俊〕❶形容山高。如「崇山峻嶺」。❷圖比喻嚴厲苛刻。如「嚴刑峻法」。❸圖性急。如「峻急」。❹圖大。如「峻德」。❺「峻峭」：①又高又陡。②形容性情苛嚴。

峭(陗) (qiào)粵tsiu³〔俏〕❶山勢又高又陡。如「峭壁」；「峭立」。❷嚴厲。如「性峭直」；「執法峭刻」。❸「峭拔」：形容筆力雄健。❹圖「峭寒」：薄寒，常指春暖之後又突然而來的寒冷。

峽 (xiá)粵hap⁹〔狹〕❶兩山夾着水道的地方。如「長江三峽」。❷「海峽」：夾在陸地中間而溝通兩海的水道。❸「地峽」：夾在兩海中間，連絡兩大陸地的狹地。如「巴拿馬地峽」。

峴 (xiàn)粵jin⁶〔現〕❶小而險的山嶺。❷山名。

峨(峩) (é)粵ŋɔ⁴〔俄〕ɔ⁴〔柯低平〕(俗)❶高。如「巍峨」。❷「峨峨」：高峻的樣子。❸「峨眉」：山名，在四川省。❹「嵯峨」：見174頁「嵯」字。

峪 (yù)粵juk⁹〔浴〕山谷。

【豈】見豆部，692頁。

八畫

崩 (bēng)粵beŋ¹〔巴鶯切〕❶倒塌。如「山崩地裂」。❷毀壞。如「崩潰」。❸從前稱皇帝死了。如「駕崩」。❹炸傷。如「放鞭砲把手崩了」。

崚 圖 (líng)粵liŋ⁴〔菱〕「崚嶒」：①山高峻的樣子。②形容人性情剛直。如「風骨崚嶒」。

崙(崘) (lún)粵lœn⁴〔輪〕「崑崙」：見173頁「崑」字。

崗 ▲(gāng)粵gɔŋ¹〔江〕同「岡」，見171頁。
▲(gǎng)粵gɔŋ¹〔江〕❶同「岡」，見171頁。❷「崗位」：①軍警值勤的處所，簡稱「崗」。如「崗警（站在崗位上執行任務的警察）」；「崗哨」；「站崗」。②職責，本分。如「各守崗位」。

崞 (guō)粵gwɔk⁸〔國〕gɔk⁸〔各〕(俗)山名，縣名，都在山西省。

崑(崐)(kūn)⑧kwen¹〔坤〕
❶「崑崙」也作「昆侖」：山名，中國最大的山脈，由帕米爾高原的葱嶺起原，分三支向東伸延。❷「崑曲」：也叫「崑腔」，中國戲劇的一種，盛行於江蘇一帶。

空(kōng)⑧hung¹〔空〕「崆峒」：❶山名，在甘肅、河南、四川、江西等地，有六座山都叫崆峒。❷羣島名，在山東省烟台市的東面。

(hán)⑧ham⁴〔咸〕河南省「函谷關」的「函」字也寫作「崎」。

崛 図(jué)⑧gwet⁹〔掘〕特起。

崎(qí)⑧kei¹〔畸〕❶彎曲的岸。❷「崎嶇」：①山路不平。②比喻事情困難。如「前途崎嶇」。

崢(峥)図(zhēng)⑧dzeng¹〔爭〕「崢嶸」：①山高峻的樣子。如「崖壁崢嶸」。②超過常人的樣子。如「頭角崢嶸」。

崇(chóng)⑧sung⁴〔時容切〕❶高。如「崇高」；「崇山峻嶺」。❷尊敬。如「尊崇」；「崇拜」。❸重視。如「崇尚」。❹姓。❺図「崇朝(zhāo)」：即是「終朝」，從早晨到中午。

崍(lái)⑧loi⁴〔來〕「邛崍」：見739頁「邛」字。

崔(cuī)⑧tsœy¹〔吹〕❶高大的樣子。如「崔崔」；「崔巍」。❷姓。

崧(sōng)⑧sung¹〔鬆〕❶形容高聳。❷同「嵩」，指嵩山。見174頁。

崖(yá)⑧ngai⁴〔捱〕ai⁴〔挨低平〕(俗)❶山邊，高地的邊沿。如「懸崖」。❷図崖岸，形容人的性情高傲的樣子。❸「崖鹽」：一種生在土崖間的塊狀鹽。

崤(xiáo)⑧ngau⁴〔肴〕au⁴〔拗低平〕(俗)山名，在河南省。

崦(yān)⑧jim¹〔淹〕「崦嵫」：山名，在甘肅省天水縣的西面，舊說是日落的地方。

崟 図(yín)⑧jem⁴〔淫〕「嶔崟」：見174頁「嶔」字。

九畫

嵋(méi)⑧mei⁴〔眉〕「峨眉山」也寫成「峨嵋山」。

嵐 図(lán)⑧lam⁴〔藍〕山裏的水蒸氣上升，結成雲霧的樣子，隨風飄動。如「山光嵐影」。

嵂 図(lü)⑧lœt⁹〔律〕高大的樣子。

稽(jī)粵kɐi¹〔溪〕hei⁴〔兮〕(又)
❶山名，在河南省。❷姓。

嵌(qiàn)粵hɐm⁶〔憾〕把東西
填進空隙裏去。如「嵌寶石
戒指」。

崽(zǎi)粵dzɐi²〔仔〕❶「崽
子」：①小孩兒。②指小動
物。③兔崽子，罵人的話。❷
「西崽」：過去稱供役於外僑的
中國人。

崿(è)粵ŋɔk⁹〔鄂〕ɔk〔惡低
入〕(俗)山崖。

崴(wēi)粵wɐi¹〔威〕「崴
嵬」：形容高的樣子。

嵎(yú)粵jy⁴〔余〕❶山彎曲
的地方。❷通「隅」，見789
頁。

嵒(yán)粵ŋam⁴〔癌〕am⁴(俗)
同「巖」，見175頁。

十至十一畫

嵊(shèng)粵siŋ⁶〔剩〕縣名，
山名，都在浙江省。

嵫(zī)粵dzi¹〔支〕❶「嵫
釐」：險峻的樣子。❷「崦
嵫」：見173頁「崦」字。

嵯(cuó)粵tsɔ¹〔初〕「嵯
峨」：山高的樣子。

嵩(sōng)粵suŋ¹〔鬆〕❶高
聳。❷嵩山，在河南省，是
五嶽中的中嶽。❸姓。
【崴】同「歲」，見348頁。

【崋】見車部，720頁。

嵬 図(wéi)粵ŋɐi⁴〔危〕ai⁴〔矮低
平〕(俗)高而不平。

嶁 図(lǒu)粵lɐu⁵〔柳〕❶山
巔。❷「岣嶁」：見171頁
「岣」字。

嶇(qū)粵kœy¹〔拘〕「崎嶇」：
見173頁「崎」字。

嶄(嶃)▲(zhǎn)粵dzam
〔斬〕❶高峻的樣
子。如「嶄然」。❷「嶄新」：極
新。
▲(chán)粵tsam⁴〔慚〕同
「巉」，見175頁。

嶂 図(zhàng)粵dzœŋ³〔漲〕像
屏障的山峯。

十二至十三畫

嶝 図(dèng)粵dɐŋ³〔櫈〕登山
的小路。

嶗(láo)粵lou⁴〔勞〕山名，在
山東省，原作「勞山」。

嶙 図(lín)粵lœn⁴〔倫〕「嶙
峋」：山石重疊不平或山崖
重深的樣子。如「山石嶙峋」。

嶠(jiào)粵giu⁶〔撬〕尖而高的
山。

嶔(qīn)粵jɐm¹〔音〕「嶔
崟」：①山高的樣子。②品
格高的樣子。如「他是個嶔崟
磊落的人」。

嶒（céng）tsɐŋ⁴〔層〕❶「嶒嶸」：形容高峻。❷「崚嶒」：見172頁「崚」字。

嶢（yáo）jiu⁴〔堯〕山高的樣子。

嶮（xiǎn）him²〔險〕❶形容高峻的樣子。❷「嶮巇」也作「險巇」：艱險，顛危，形容山路不好走。也引伸作人生道路的崎嶇。

嶲（嶲）（xī）sœy⁵〔緒〕「越嶲」：縣名，在四川省。今改稱「越西」。

嶴（ào）ou³〔澳〕地名用字，浙江等省沿海島嶼多用它作名字，如浙江省有「嶴縣」。

嶧（yì）jik⁹〔譯〕山名，縣名，都在山東省。

十四至二十畫

嶺（lǐng）liŋ⁵〔領〕❶山頂可通道路的叫嶺。❷山脈的幹系。如「南嶺」。❸「嶺南」：五嶺之南，常指廣東。

嶸（róng）wiŋ⁴〔榮〕「崢嶸」，見173頁「崢」字。

嶷 ▲（yí）ji⁴〔疑〕「九嶷」：山名，在湖南省。
▲（nì）jik⁹〔亦〕❶「嶷嶷」：高的樣子。❷「岐嶷」，見170頁「岐」字。

嶼 ▲（yǔ，舊讀 xù）dzœy⁶〔敍〕小島。
▲（yǔ）jy⁴〔如〕「大嶼山」：地名，是香港最大的離島。

嶽（yuè）ŋɔk⁹〔鄂〕ɔk⁹〔惡低入〕(俗)❶高大的山。❷「五嶽」也作「五岳」：即是中嶽嵩山、東嶽泰山、西嶽華山、南嶽衡山和北嶽恆山。
【舊】同「舊」，見本頁。

巋（kuī）kwei¹〔規〕❶小山羅列的樣子。❷高大堅固的樣子。如「巋然獨存」。

巇（xī）hei¹〔希〕❶「嶮巇」：見本頁「嶮」字。❷罅隙。

巉（chán）tsam⁴〔慚〕山勢險峻，像是鏤刻過的樣子。

巍（wēi）ŋei¹〔危〕ei⁴〔矮低平〕(俗)高大的樣子。如「巍峨」；「巍巍」。

巔（diān）din¹〔顛〕山頂。如「巔峯(最高的山頂)」。

巒（luán）lyn⁴〔聯〕❶迂迴連綿的山峯。❷小而尖的山。

巖（yán）ŋam⁴〔癌〕am⁴(俗)❶高峻的山。❷石洞。

巘（yǎn）jin²〔演〕❶山峯。❷「巘巘」：高而險的樣子。

【巛部】

川 (chuān) 粵 tsyn¹〔穿〕❶河流。如「河川」;「高山大川」。❷水流不息。如「川流不息」。❸平地。如「平川」。❹四川省的簡稱。如「川劇」;「川鹽(四川省所出產的井鹽)」。❺烹飪法的一種,把食物放在滾開的水裏,一煮就撈起來。如「川芎」。❻旅費。如「川資」。

三至八畫

州 (zhōu) 粵 dzeu¹〔舟〕❶從前的行政區域。如「揚州」;「幽州」(古時的「州」地方大,元朝到清朝的「州」和「縣」同等)。❷姓。
【巡】見辵部,726頁。
【災】見火部,401頁。
【邕】見邑部,739頁。

巢 (cháo) 粵 tsau⁴〔池肴切〕❶樹上的鳥窩。如「鵲巢」。❷「巢穴」:①土匪藏身的地方。②鳥獸的窩。也作「巢窟」。❸姓。

【工部】

工 (gōng) 粵 guŋ¹〔公〕❶從事勞動生產的人。如「工人」。❷工作。如「加工」;「完工」。❸工作一天。如「一工」。❹精緻的。如「工筆」;「工整(精細齊整)」。❺「工尺」:中國古時音樂用來表示聲音高低的符號,總稱有「合、四、一、上、尺、工、凡」七聲,相當於簡譜的「do, re, mi, fa, so la, si」,記作「1、2、3、4、5、6、7」。❻図擅長,善於。如「工書畫」。❼「工夫」:①工程與夫役。②指時間、閒暇或致力的程度。❽「工友」:機關學校裏做雜事的工人。❾「工本」:製造品所費的工事和成本。如「工本費」;「不惜工本」。

二至七畫

巨 (jù) 粵 gœy⁶〔具〕❶大。如「巨頭(重要的領袖人物)」。❷姓。❸図「巨擘」:①大拇指。②成就傑出的人。

巧 (qiǎo) 粵 hau²〔考〕❶美好,精細。如「巧妙」;「巧奪天工」。❷技術。如「技巧」。❸恰好。如「巧合」;「偏巧」。❹

聰明，靈敏。如「巧婦」；「靈巧」。❺好聽而靠不住的話。如「巧言令色」。

左 (zuǒ)粵dzɔ²〔阻〕❶方位。跟「右」相對，在左手這一邊的。如「向左轉」。❷面向南時，東邊叫左。如「山左（山東）」；「江左（江東）」。❸不是正派的。如「旁門左道」。❹錯誤。如「你越說越左了」。❺偏執，怪僻。如「左性子」。❻附近。如「左近」。❼政治思想屬於急進派系的人。如「左派」；「左傾」。❽左手作業不方便，所以不方便叫「左」。❾證據。如「左證」（也作「佐證」）。❿囡古時候官位在右邊的高，所以降職叫「左遷」。⓫姓。⓬「左右」：①左方跟右方。如「左右翼」。②上下、光景。如「八歲左右」。③影響。如「被他的意見所左右」。④表示決定的副詞，「反正」、「終究」的意思。如「今天左右沒事兒，出去走走」。⑤囡身邊跟隨的人。如「屏退左右」。⑥囡書信裏的稱謂敬詞，不直接稱呼對方，以示尊敬。如「某某先生左右」。⓭「左券」：契約；契約分爲左右，各執其一。持左券是有把握的意思。

【功】見力部，58頁。

【邛】見卩部，69頁。
【邛】見邑部，739頁。
【攻】見攴部，276頁。

巫 (wū)粵mou⁴〔無〕❶替迷信神鬼的人求神祈福，或是爲神鬼代言的人。如「巫婆（女巫）」。❷姓。

差 ▲(chā)粵tsa¹〔叉〕❶比較而生的區別。如「差別」。❷錯誤。如「差錯」。❸還，略。如「差可（還可以）」；「差強人意（大致還好，勉強教人滿意）」。❹兩數相減的餘數。如「5減3，差數是2」。❺「差池」：①意外。如「你要小心，如果有了差池，就不好辦了」。②錯誤。如「這事要小心，不能有半點差池」。

▲(chà)粵tsa¹〔叉〕❶不相同，不相合。如「差得遠」。❷不好，不行。如「成績太差」；「這個人差勁」。

▲(chāi)粵tsai¹〔釵〕❶派遣。如「差遣」。❷受派遣作事的人。如「專差」。❸奉命辦事。如「出差」。❹「差事」：職業，常指在公家機關的。

▲(cī)粵tsi¹〔雌〕❶等級。如「差等」。❷「參差」：不整齊。❸囡「差池」：不整齊。

▲(cuō)粵tsɔ¹〔初〕同「磋」，見488頁。

【己部】

己 (jǐ) 粵gei² 〔幾〕 ❶ 對人稱自身。如「自己」；「己身」。❷ 天干的第六位；有時拿它標明等第。

巳 (sì) 粵dzi⁶ 〔自〕 ❶ 十二地支的第六位。❷ 巳時，午前九點到十一點。❸ 姓。

已 (yǐ) 粵ji⁵ 〔以〕 ❶ 表過去的詞。如「已經」；「已然」。❷ 囵停止。如「雞鳴不已」。❸ 囵過分。如「不為已甚」。❹ 古時候「已」、「以」二字通用。如「已後」。❺ 囵語助詞，同「矣」，表示語氣完畢。如「往事不可記已」。❻「已而」：然後。

一至九畫

巴 (bā) 粵ba¹ 〔爸〕 ❶ 古國名。在現在四川的東部。❷ 盼望。如「巴不得(十分盼望)」。❸ 因為乾燥而黏合。如「鍋巴」。❹ 濕而黏的泥土。如「泥巴」。❺ 附着，貼近。如「前不巴村，後不着店」。❻ 攀附，同「扒」。如「巴山虎」。❼ 下頦。如「下巴」。❽ 詞尾。如「尾巴」；「鹽巴」。❾ 姓。❿「巴巴」：①黏結的樣子。如「乾巴巴」。②迫切盼望的樣子。如「眼巴巴」。③形容拍擊的聲音。⓫「巴掌」：①手掌。如「拍巴掌」。②用手掌打人。如「狠狠地給他一巴掌」。⓬「巴結」：①力圖上進或報效。②奉承別人。

卮 (zhī) 粵dzi¹ 〔支〕 同「卮」，見69頁。

【忌】見心部，211頁。

巷 (xiàng) 粵hoŋ⁶ 〔項〕 ❶ 以前市鎮上的道路直的叫街，彎的叫巷。現在是大的寬的叫街(更大更寬的叫路)，小的窄的叫巷。如「大街小巷」。❷「巷議」：社會一般人的議論。也作「街談巷議」。

巽 囵 (xùn) 粵sœn³ 〔信〕 ❶ 卑順。❷ 八卦之一，卦形為「☴」，象徵「風」。❸ 通「遜」，見735頁。

【巾部】

巾 (jīn)（粵）gen¹〔斤〕❶古人包裹頭髮的布。如「頭巾」；「巾幘」。❷盥洗用的棉織品。如「毛巾」；「浴巾」。❸「巾幗」：婦人的首飾，後來用來代表婦女。如「巾幗英雄」。

一至四畫

帀 (zā)（粵）dzap⁸〔帀〕❶周，遍，一周叫一帀。如「帀月（滿一個月）」。❷同「匝」，見64頁。

布 (bù)（粵）bou³〔報〕❶錢幣。❷紡織品。如「布帛」；「布疋」。❸排列，安放。如「布置」；「布局」。❹自然景象，卻像是有人安排。如「濃雲密布」；「天上布滿了白雲」。❺宣告，陳述。如「公布」；「宣布」。❻姓。❼通「佈」，見22頁。

市 (shì)（粵）si⁵〔時低上〕❶做買賣。如「日中為市」。❷做買賣的地方。如「市場」；「街市」。❸商業發達，人口集中的地方。如「城市」；「都市」。❹行政區域的劃分。如「上海市」。❺（文）買。如「沽酒市脯」。❻（文）招引來。如「市怨」。❼中國的度量衡市制單位。如「市斤」；「市尺」。❽（文）「市井」：市街，常指一般社會。如「市井小民」。❾（文）「市惠」也作「市恩」：買好。私人施惠別人來討好。❿「市儈」：比喻那些唯利是圖的商人。

帆 (fān)（粵）fan⁴〔凡〕❶掛在桅杆上，借風力使船前進的布篷。❷「帆布」：用棉麻織的厚粗布，可以做船帆、帳棚、行李袋、鞋、書包等。

希 (xī)（粵）hei¹〔嬉〕❶少。如「希有」；「人生七十古來希」。❷盼望。如「希望」；「希冀」。❸（文）聲音漸歇。論語有「鼓瑟希」。❹（文）「希世」：①世界上少見。②阿（ē）附世俗，莊子書有「希世而行」。

【帋】同「紙」，見529頁。

五畫

帛 (bó)（粵）bak⁹〔白〕❶絲織物的總稱。❷姓。❸「帛書」：古人用帛寫成的書。❹「帛畫」：繪織在帛上的圖畫。

帕 (pà)（粵）pak⁸〔拍〕❶頭巾。❷方形的小巾。如「手帕」。❸「帕米爾」：高原名，在中國新疆西邊，中亞細亞東南，平均海拔4000米，有「世界屋脊」之稱。

帔 (pèi)粵pei¹〔披〕婦女披在肩背上的衣飾。如「鳳冠霞帔」。

帑 ▲(tǎng)粵toŋ²〔倘〕❶政府機關藏儲銀錢的倉庫。如「帑藏」。❷公款。如「公帑」;「國帑」。

▲(nú)粵nou⁴〔奴〕lou⁴〔勞〕(俗)同「孥」,見149頁。

帖 ▲(tiē)粵tip⁸〔貼〕❶順服。如「服帖」。❷安定,平穩。如「妥帖」。

▲(tiě)粵tip⁸〔貼〕請客的書面通知。如「帖子」;「喜帖」。

▲(tiè)粵tip⁸〔貼〕❶供臨寫摹仿的字本子、畫本子。如「字帖」;「畫帖」;「碑帖」。❷唐、宋、元時指試題。如「帖括(是科舉時代為應付考試所編之經文歌訣)」。❸囻在帛上寫字。

帘 (lián)粵lim⁴〔廉〕❶酒店在門口掛的招攬生意的旗子。如「酒帘」。❷遮住門窗不使人從外面向裏看的幕。如「窗帘」;「布帘子」。又作「簾」。

帙 (zhi)粵dit⁹〔秩〕書套。

帚(箒) (zhǒu)粵dzau²〔爪〕❶掃除的用具。如「掃帚」。❷「掃帚星」:彗星的俗稱。

六畫

帝 (dì)粵dɐi³〔諦〕❶中國舊時稱國家的元首為「皇」、「帝」或「皇帝」。❷中國上古時候稱天神。如「天帝」。❸「帝鄉」:帝王居住的地方。❹「帝制」:有皇帝的政制。❺「帝國」:①有皇帝稱號的國家。如「大英帝國」。②用本國的勢力侵略別的國家或種族。如「帝國主義」。

帥 ▲(shuài,舊讀shuò)粵sœt⁷〔率〕❶統率。如「帥師北伐」。❷姓。❸同「率」,帶領。見432頁。

▲(shuài)粵sœy³〔歲〕軍隊的最高指揮官。如「統帥」;「大元帥」。

七畫

席 (xi)粵dzik⁹〔直〕❶供坐卧用的編織物。如「草席」;「竹席」。又作「蓆」。❷座位。如「席位」;「出席」。❸酒筵。如「坐席」;「擺酒宴客」。❹指職位。如「主席」;「祕書一席請他擔任」。❺一段話。如「一席話」。❻囻憑藉。漢書蒯通傳有「乘利席勝,威震天下」。❼姓。❽囻「席地」:坐在地上。❾「席卷」:像捲席子一樣

收括得沒有一點剩餘的意思。
❿「席不暇暖」：比喻事忙不能久坐。

師 (shī) ⑧ si¹〔詩〕❶ 教授知識、道德的人。如「教師」；「老師」。❷ 擅長一種專門技藝的人。如「醫師」；「樂師」；「工程師」。❸ 榜樣。如「前事不忘，後事之師」。❹ 效法。如「師法」。❺ 軍隊。如「出師」；「誓師」。❻ 軍隊的一種編制。軍以下旅以上的大單位叫師。❼ 對僧人的尊稱。如「法師」；「禪師」。❽ 姓。❾「師父」也作「師傅」：①師的通稱。②泥水匠、木匠，這些有專技的人。③和尚或尼姑也可被通稱爲「師父」。❿「師生」：教師跟學生的合稱。學生稱老師的妻子爲「師母」或「師娘」；稱女老師的丈夫叫「師丈」。⓫「師兄」：①稱同一師門比自己先受業的人。②稱老師的兒子年紀比自己大的。⓬「師弟」：①老師跟學生。②稱同一師門比自己年紀小或後受業的人。⓭「師表」：指可以讓人效法做人表率的人。⓮「師長」：①教師。②統率一師人的軍官。⓯「師徒」：①師生。②図士卒。⓰「師資」：指做教師的資格。亦指教師。⓱「師範」：①可以作教師的模範。②培養師資的教育叫師範教育；培訓師資的學校叫師範學校⓲図「師心自用」：認爲自己什麼事都行，剛愎任性，從不採納別人的意見。

帨 図 (shuì) ⑧ sœy³〔稅〕佩巾，也指手帕。

八畫

帡(帲) 図(píng)⑧piŋ⁴〔平〕❶ 覆蓋，遮蔽。❷ 帳幕。❸「帡幪」：覆庇的意思。在旁邊的叫「帡」；在上面的叫「幪」。

帶 (dài) ⑧ dai³〔戴〕❶ 繫衣服或紮束西的條狀物。如「綳帶」；「皮帶」；「鞋帶」。❷ 佩掛。如「腰上帶一把刀」；「胸前帶個勳章」。❸ 隨身攜帶。如「自帶乾糧」；「我帶了幾塊錢」。❹ 領、率領。如「帶路（在前頭領路）」；「你帶他來見我」。❺ 順便捎着。如「給我帶個好兒」；「託他帶些東西」。❻ 連着，附着。如「帶葉兒的橘子」。❼ 含有。如「面帶笑容」。❽ 再加上，隨着搭配上。如「連說帶笑」。❾ 地帶。如「熱帶」；「沿海一帶」。

帳 (zhàng)⑧dzœŋ³〔漲〕❶ 用稀的料子(紗羅或尼龍)做成

掛在牀上的「幕」。如「蚊帳」。
❷行軍在外，臨時搭建作爲住宿的營幕。如「虎帳(指軍營)」；「帳棚」。❸銀錢收支的數目，也專指所欠的錢財。如「帳目(登入帳簿上的錢款收支項目)」；「帳簿(記載銀錢貨物出入的簿冊)」；「欠帳」；「還帳」。

常 (cháng) 粵sœng⁴〔裳〕❶普通的，一般的。如「常態」；「常識」；「常理」。❷古長度單位，十六尺叫常。❸長久的，老不變的。如「常久」。❹一次又一次的。如「時常」；「常不上課」。❺定期而比較頻繁的(聚會或工作)。如「常會」。❻姓。❼「常川」：繼續不斷；從「川流不息」的意思轉來的。❽「常綠樹」：冬天仍保持綠色的樹木。

帷 (wéi) 粵wai⁴〔圍〕❶分隔內外的幕；圍起來作遮擋用的布。如「車帷」；「帷幕」。❷「帷堂」：有喪事時掛起帷幕的大廳。弔喪的人在帷幕之外行禮。❸図「帷幄」：軍中帳幕。漢書上有「運籌帷幄之中，決勝千里之外」。❹図「帷薄」：指障隔內外的幔簾。古時說大臣淫亂是「帷薄不修」。

九畫

帽 (mào) 粵mou⁶〔冒〕❶戴在頭上用來遮陽擋雨，保護頭部的東西。如「草帽」；「呢帽」。❷器物的頂罩。如「筆帽」。❸「帽子」：①帽。②給人加上不恰當、挖苦或罪嫌的詞。如「高帽子」；「綠帽子」。

幅 (fú) 粵fuk⁷〔福〕❶織物或紙張的寬度。如「雙幅的料子」。❷邊緣。❸量詞，書畫圖表一張叫「一幅」。❹「幅員(疆土面積)」：廣狹叫做「幅」，周圍叫做「員」。合指疆域。❺「幅度」：振動或變動的大小範圍或程度。如「物價波動的幅度不大」。

幀 図(zhèng) 粵dziŋ³〔正〕❶畫幅。如「裝幀(書畫的裝裱、裝璜設計)」。❷量詞，畫一幅叫一幀。

幄 図(wò) 粵ak⁷〔握〕「帷幄」：見本頁「帷」字。

幃 図(wéi) 粵wai⁴〔圍〕❶帳幕。❷香囊。
【帋】同「繰」，見546頁。

十至十二畫

幌 (huǎng) 粵foŋ²〔訪〕❶図帷幔。❷「幌子」：①酒帘。②商店門外表明所賣貨物的招牌

或標識物。❸用來矇騙人家的話或行為。如「他拿這話做幌子，你可要當心他動壞心眼」。

慢 (màn) 粵 man⁶〔慢〕帳幕。如「布幔」。

幕 (mù) 粵 mɔk⁹〔莫〕❶遮住上面的帳子。如「帳幕」；「天幕」。❷舞台前掛着的布幅。戲劇開演把幕拉開，演完再合上。引伸指事情的開始跟結束。如「開幕」；「閉幕」。❸從前官署或軍中所延聘管文書的人員。如「幕友」。❹「幕僚」：①幫機關主管處理文書等日常事務的官員。②在軍中幫助主官分析敵情，策定作戰計劃的參謀人員。❺「內幕」：常指外間不知道的秘密。

幗 (guó) 粵 gwɔk⁸〔國〕gɔk⁸〔各〕(俗)女人的首飾。

幛 (zhàng) 粵 dzœŋ³〔障〕在布帛上題字作慶弔用的禮物。如「壽幛」；「喜幛」。

幘 (zé) 粵 dzik⁷〔即〕裹頭髮用的巾。

幣 (bì) 粵 bɐi⁶〔弊〕❶用來買東西的錢。如「銀幣」；「紙幣」。❷「幣制」：由國家所規定的貨幣制度。❸「幣帛」：古人餽贈用的禮物。幣指金錢，帛指綢緞布疋。

幞 (fú) 粵 fuk⁹〔服〕頭巾。

幡 (fān) 粵 fan¹〔番〕❶長形下垂的旗子。又作「旛」。❷「幡兒」：出殯時孝子手裏拿的狹而長像旗子樣的東西。❸「幡然」：翻然，改變的樣子。❹⦿通「翻」，見559頁。

幢 ▲ (chuáng) 粵 tsɔŋ⁴〔牀〕❶旗子一類的東西。如「幢幡(佛前所立的旌旗)」。❷「幢幢」：搖曳的樣子。元稹詩有「殘燈無焰影幢幢」。

▲ (zhuàng) 粵 tɔŋ⁴〔唐〕量詞。樓房一棟叫「一幢」。

幟 (zhi) 粵 tsi³〔翅〕❶直幅長條用作標識的旗。如「旗幟」。❷派別。如「獨樹一幟」。

十三至十七畫

幨 ⦿ (chān) 粵 tsim¹〔簽〕車帷。

幫 (bāng) 粵 bɔŋ¹〔邦〕❶佐助。如「告幫」；「幫忙」；「幫手(助手)」。❷陪同，附和。如「幫腔(附和人家歌唱或附和別人作事或發言)」；「幫閑(在有錢人家裏作食客，陪人吃喝玩樂)」。❸夥，羣。如「大幫人馬」。❹從前水陸碼頭的一種祕密結社。如「青幫」；「洪幫(也作紅幫)」。❺從旁邊豎

起的部分。如「船幫」;「鞋幫」。❻「幫子」:①鞋的兩側面。如「鞋幫子」。②菜的外部。如「菜幫子」。❼「幫辦」:①幫同辦理。②官名,督察的俗稱。

幪 ▲図 (méng) 粵 muŋ⁴〔蒙〕「幪幪」:見181頁「帲」字。

▲図 (měng) 粵 muŋ²〔媽湧切〕「幪幪」:茂盛的樣子。

幬 ▲図 (dào) 粵 dou⁶〔道〕覆蓋。左傳有「如天之無不幬也」。

▲ (chóu) 粵 tsɐu⁴〔酬〕❶車帷。❷同「裯」,牀帳。見660頁。

【幪】「幀」的本字,見182頁。

【干部】

干 ▲ (gān) 粵 gɔn¹〔肝〕❶盾牌,作戰時用來防身的兵器。❷冒犯,觸犯。如「干犯刑章」。❸關係。如「這跟我不相干」。❹對於數目的約計,有「幾許」的意思。如「若干」。❺甲、乙、丙、丁、戊、己、庚、辛、壬、癸十個字為「天干」,常簡稱「干」。❻「乾」字作名詞時候的俗寫。如「干貝」;「豆腐干」。❼図求。如「干求」。❽図水邊。如「江干」。❾姓。❿「干戈」:干、戈都是武器,作為戰具的通稱,引伸指戰亂。如「干戈四起」。⓫図「干城」:①捍衞。②說能禦敵而盡保衞之責者。⓬「干休」:罷手,解決了事。如「善罷干休」。

▲「幹」的簡化,見185頁。

二畫

平 (píng) 粵 piŋ⁴〔瓶〕❶沒有高低,也不傾斜。如「平坦」;「像水面一樣平」。❷沒有多的跟少的。如「平分」;「公平合理」。❸高低相等,不相上下。如「平列」;「平輩」。❹經常的,沒有特別的。如「平

時」;「平淡」;「平凡」;「平平」。❺安寧沒有動亂。如「太平」;「和平」。❻征服了,把動亂消除。如「跨海平魔」;「平定匪亂」。❼漢語語調四聲之一。如「平上去入」;「陰平」;「陽平」。❽穩定。如「平抑物價」。❾姓。❿「平明」:天剛亮的時候。⓫「平仄」:字的四聲中,上、去、入三聲叫仄聲,跟平聲合稱爲平仄。

三畫

年 (nián)⑧nin⁴〔拿然切〕lin⁴〔連〕(俗)❶地球繞太陽一周的時間爲「一年」。❷歲數。如「年輕力壯」。❸光陰。如「年光」;「年華」。❹指時期說。如「遠年」;「近年」;「年代(時代)」。❺指農作物收成。如「豐年」;「年成(農事收穫的狀況)」;「歉年」。❻指新年說的。如「拜年」;「年糕」。❼姓。❽「年下」:過新年的時候。❾「年年」:每年。❿「年底(下)」:年末。⓫「年頭」:①時代情況。②年初。③指農事收成。⓬「年鑑」:彙錄一年中的大事和各種統計的書。如「世界年鑑」;「教育年鑑」。
【罕】見网部,550頁。

五至十畫

幷(并) ▲(bìng)⑧biŋ³〔併〕❶「合」的意思。如「幷吞」;「幷合」。❷通「並」,見第4頁。
▲(bīng)⑧biŋ¹〔冰〕古州名。

幸 (xìng)⑧heŋ⁶〔杏〕❶福分,受到的好處。如「幸福」;「榮幸」。❷高興。如「欣幸」;「慶幸」。❸希望。如「幸勿推辭」。❹意外地得到了或躲開了。如「萬幸」;「徼幸」。❺多虧。如「幸好你來,否則這件事就難辦了」。❻指皇帝駕臨。皇帝到一個地方叫臨幸,喜歡一個人叫寵幸。❼姓。

幹 (gàn)⑧gon³〔榦〕❶軀體。如「軀幹」;「樹幹」。❷主要的部分。如「主幹」;「骨幹」。❸主要的線路。如「幹道」;「幹線」。❹主要的人員。如「幹部」;「基幹人員」。❺辦事,做。如「公幹」;「貴幹」;「你幹的甚麼事」。❻辦事的能力。如「才幹」;「能幹」。❼事情或東西弄壞了。如「幹了,出毛病了」。❽「幹事」:①辦理事務。②辦事人員的職務名稱。

【幺部】

幺 (yāo) 粵 jiu¹〔邀〕❶ 數目「一」的另一種說法。常作電訊傳遞的用語。❷ 骨牌和骰子上的一點。如「幺二三」。❸ 西南各地稱排行最小的。如「幺兒」；「幺妹」。❹ 形狀微小。如「幺魔小醜」。❺ 姓。

一至十二畫

幻 (huàn) 粵 wan⁶〔患〕❶ 似乎是真的，仔細看是假的。如「幻術」；「幻境 (虛幻的境界)」。❷ 空虛不實在。如「幻想」。❸ 變化。如「幻化」。❹「幻燈」：用凸透鏡把玻璃片上的字畫擴大，放映在白幕上。只能作個別映現，不能有連續動作。❺「幻燈片」：用照相方法把景物或教材的內容拍攝好，底片剪斷，加上硬紙框，可以放在幻燈機上放映。

幼 (yòu) 粵 jeu³〔衣救切〕❶ 年紀小。如「幼童」；「幼年」。❷ 初生不久的。如「幼芽」；「幼蟲」。❸ 由年紀小引伸作知識淺薄。如「幼稚」。❹ 図待人慈愛。如「幼吾幼以及人之幼 (第一個幼字作動詞，慈愛待人的意思)」。❺「幼稚園」也作

「幼兒園」：學前教育的處所。用教育方法培養幼兒團體生活的習慣。是德國教育家福祿貝爾在1833年所創始的。❻「幼兒教育」：即「學前教育」，舊稱「幼稚教育」。幼兒入小學前在幼兒園所受的教育。

【茲】 見艸部，603頁。

幽 (yōu) 粵 jeu¹〔休〕❶ 形容地方僻靜陰暗。如「幽暗」；「幽靜」。❷ 図深遠。如「幽思 (深沉的情思)」；「幽谷」。❸ 雅致，不俗氣。如「幽雅」；「幽美」。❹ 図隱祕。如「幽居」。❺ 迷信的人所說的陰間或鬼魂。如「幽冥」；「幽靈」。❻ 單獨監禁。如「幽禁」。❼「幽州」：中國古九州之一，指河北省北部跟山海關外一帶。❽「幽默」：是含蓄有趣而具深意的諷刺。

幾 ▲(jǐ) 粵 gei²〔紀〕❶ 問數目多少的形容詞。如「來了幾個人」；「現在幾點鐘」。❷ 不定數的詞 (意思是「不多」；「少」)。如「相差無幾」；「這幾本書給你了」。❸「幾何」：① 多少。如「人生幾何」；「所值幾何」。② 幾何學的簡稱。幾何學是研究物的點、線、面、體的性質、關係和計算方法的學科。

▲(jī)粵gei¹〔基〕❶將近，只差一點。如「幾希」；「幾乎」。❷图預兆。如「幾微」；「幾兆」。❸图危險。如「幾殆」。

【樂】見木部，335頁。

【畿】見田部，453頁。

【广部】

广 ▲图(yǎn)粵jim⁵〔染〕靠着山邊蓋的房屋。

　　▲(ān)粵em¹〔菴〕同「庵」（多用於人名）。

　　▲「廣」的簡化，見192頁。

二至五畫

庀 图(pǐ)粵pei²〔痞〕準備，治理。如「鳩工庀材」。

庇 (bì)粵bei³〔秘〕❶遮蔽。如「庇蔭(愛護)」。❷掩護。如「庇護」。

庋 图(guǐ)粵gei²〔紀〕gwɐi²〔軌〕(又)❶收藏。如「庋藏(收藏。現在大都指圖書館或博物館的典藏)」。❷收藏東西的器具。

序 (xù)粵dzœy⁶〔聚〕❶從前說廳堂的東西兩牆。❷古代鄉學(地方學校)叫庠，也叫序。如「庠序」。❸次第。如「次序」；「秩序」。❹图排列出等次。如「序升」。❺文體的一種。通「敍」，陳述作者的意趣，排印在書前面的文字；通稱「序文」，也作「序言」。❻「序曲」：歌劇開幕前所奏的管絃樂，用以準備開幕或暗示劇情的；也叫「前奏曲」。❼「序

幕」：①古典派戲劇公演前介紹全劇大意的報導劇。②事變將要發生時的預兆。❽「序數」：記事物次第的數。如第一、第二。❾「序齒」：按年齡長幼定先後次序。

【床】同「牀」，見419頁。

庖 ᠍(páo)粵pau⁴〔刨〕❶廚房。孟子書有「君子遠庖廚」。❷「庖丁」：人名，擅長解牛的廚師。

府 (fǔ)粵fu²〔苦〕❶古時儲藏財物、文書的處所。如「府庫」。❷官署。如「縣政府」；「省政府」；「中央政府」。❸從前稱官宦人家的住宅。如「王府」；「相府」。❹「府上」：尊稱別人的家宅或家屬。❺「學府」：①比喻學問淵博。②學問薈萃的地方。❻「樂府」：①古代掌管音樂的官署。②泛指詩歌和樂曲的一種體裁。

底 ▲(dǐ)粵dɐi²〔抵〕❶器物的下層或向下的一面。如「鞋底」。❷草稿。如「發出的公文要留底」。❸靠近結束的時間。如「月底」；「年底」。❹事情的內情。如「底細」；「底蘊」。❺把握，已定的主見。如「心裏有個底兒」。❻图終止。如「底止」。❼图疑問詞，同「甚麼」。如「干卿底事」。❽图達到。如「終底於成」。❾图平定。如「底定」。❿「底下」：下面。如「樹底下坐了好多人」。⓫「底子」：①基礎，根基。如「他家的底子厚」。②草稿。③鞋底。④沉澱物。如「茶底子」。⓬「底片」：照像所用的映入影像的底板。照像館用的乾片，是玻璃質的。普通攝影機用的乾片，是用賽璐珞做的。

▲(de)粵dɐi²〔抵〕同「的」，用在名詞或代名詞後面，表「所有」。如「我底書」。

店 (diàn)粵dim³〔玷〕❶賣東西的鋪子。如「書店」；「百貨店」。❷從前稱旅館。如「客店」。❸村落。如「前不巴村，後不着店」。

庚 (gēng)粵gɐŋ¹〔羹〕❶天干的第七位。❷年齡。如「貴庚(問人家多少歲)」。❸姓。❹「庚帖」：舊式訂婚記載男女雙方年月生辰的帖子。

六至八畫

度 ▲(dù)粵dou⁶〔道〕❶計量長短的標準。❷图計量。如「度然後知長短」。❸心意。如「置之度外」。❹數學上計算圓弧跟角的單位。如「圓周分三百六十度」。❺事物所到達的

境界。如「極度恐慌」;「高度智慧」。❻物理學上按照計算標準分出來的單位。如「溫度」;「濕度」。❼法式。如「制度」;「法度」。❽人的外貌。如「風度」;「態度」。❾人的器量。如「度量」;「大度容人」。❿捱過。如「度日」;「虛度此生」。⓫次數。如「二度梅開」;「再度來臨」。⓬救濟。如「濟世度人」;「普度眾生」。⓭推測,估計。如「以小人之心,度君子之腹」。⓮姓。⓯「度量衡」:度是量長短的標準;量是計體積的標準;衡是算輕重的標準。⓰同「渡」,見381頁。

▲(duó)粵dɔk⁹〔踱〕考慮,心裏盤算。如「忖度」。

麻 図(xiū) 粵 jɐu¹〔休〕❶庇蔭。❷美善。

庠 (xiáng)粵tsœŋ⁴〔詳〕❶古時鄉學名;從前稱府學、縣學為「郡庠」、「邑庠」。❷図「庠序」:庠跟序都是古代學校的名稱(周代叫庠,商代叫序);孟子書上有「謹庠序之教」。❸「庠生」:府縣學的生員。

庭 ▲(tíng)粵tiŋ⁴〔停〕❶大廳台階前面的空地。如「前庭」;「中庭」;「後庭」。❷院子。如「庭院」。❸大廳。如「大庭廣眾」。❹法院訊問案件的場所。如「法庭」;「開庭」。❺図「庭訓」:父親的教訓。從論語季氏篇「鯉趨而過庭」來的。❻図「庭除」:大廳前面的台階下面。

▲図(tìng)粵tiŋ⁶〔提認切〕「逕庭」:不同。莊子書上有「大有逕庭,不近人情」。

庫 (kù)粵fu³〔富〕❶貯存物品的地方。如「倉庫」。❷姓。

座 (zuò)粵dzɔ⁶〔助〕❶座位。如「滿座」;「座次」。❷器物底部的墊架,。如「鐘座兒」;「花瓶座子」。❸量詞,物一件叫一座。如「一座山」;「兩座鐘」。❹星座的簡稱。如「水瓶座」;「雙魚座」。❺「座右銘」:把格言之類的警句列在座位旁邊,好隨時警惕自己。

【席】見巾部,180頁。

【唐】見口部,88頁。

庹 (tuǒ)粵tɔk⁸〔托〕成年人兩臂左右伸開的長短。一般說「一庹五尺,兩庹一丈」。

康 (kāng) 粵 hoŋ¹〔腔〕❶平安。如「安康」;「康寧」。❷無病。如「康健」。❸図五面通達的大路(四面通達叫衢;五面通達叫康;六面通達叫莊)。如「康莊大道」。❹図空虛。如「康爵(空的酒爵)」。❺

姓。❻「康樂活動」：有益身心健康的休閒活動(簡稱「康樂」)。如「康樂設施」。

庶(庻) (shù) 粵 sy³〔恕〕❶多，種種。如「富庶」；「庶物」。❷旁支的，跟「嫡」相對。如「庶子(妾所生的子女)」。❸古稱平民。如「庶人」；「庶民」；「黎庶」。❹囵相近，差不多。❺「庶幾(jī)」：①相近，差不多。孟子梁惠王篇有「則齊其庶幾乎」。②表示希望的意思。孟子梁惠王篇有「吾王庶幾無疾病與(yú)」。❻「庶務」：①各種事務。②辦理雜務的人員。

庵(菴) (ān) 粵 em¹〔馣〕❶圓形的小草屋。❷古代文人的書齋亦多稱為「庵」。❸供佛的小房舍。❹尼姑住的寺。❺「庵埠」：地名，在廣東省。

庸 (yōng) 粵 juŋ⁴〔容〕❶普通的，平常的。如「平庸」。❷平凡，拙劣的。如「庸碌」；「庸人自擾」。❸囵功勞。如「勳庸」。❹囵任用。如「登庸」。❺囵用。「無庸」(即是「不必」；「不用」)。❻囵豈，怎麼。史記有「此天所置，庸可殺乎」。❼姓。

【麻】見麻部，868頁。

九至十二畫

廂(厢) (xiāng) 粵 sœŋ¹〔商〕❶大宅正屋兩旁的房間。如「東廂」；「西廂」。❷靠近城區的地方。如「城廂」。❸一邊，旁邊。如「那廂」；「這廂」(舊小說裏常用的詞)。❹「包廂」：戲院裏特別隔開的好位子。

廁(厠) (cè) 粵 tsi³〔次〕❶大小便的地方。如「廁所」。❷囵置，加入。如「廁身文壇」。❸「茅廁」：廁所。

庾 (yǔ) 粵 jy⁴〔如〕❶囵無頂蓋的糧倉。❷古量名。❸姓。❹「大庾嶺」：山名，在江西、廣東兩省交界的地方。

【庽】同「寓」，見157頁。
【庿】同「廟」，見191頁。

廊 (láng) 粵 loŋ⁴〔郎〕❶上面有頂、兩旁沒牆的建築物，通常都是形狀狹長，可以遮陽擋雨，做為通路用的。如「長廊」；「迴廊」。❷屋前簷下的部分。如「廊簷」；「走廊」。

廉(亷、廉) (lián) 粵 lim⁴〔簾〕❶不貪汙。如「清廉」。❷價錢便宜。如「物美價廉」。❸清代公務員在正俸以外，另發給養廉銀，

合稱廉俸。❹图查考。如「廉得其情」。❺图邊側，大廳的兩邊。如「堂廉」。❻「廉恥」：①廉跟恥，廉是清清白白的辨別，恥是切切實實的覺悟。②恥，無恥叫沒廉恥。❼图「廉隅」：品行方正而有節操。

廈(厦)▲图(shà)粵ha⁶〔夏〕❶高大的屋子。如「廣廈」；「高樓大廈」。❷房子後面突出的部分，像屋廊似的。如「前廊後廈」。

▲(xià)粵ha⁶〔夏〕「廈門」：福建省的市名，是重要商港。

廌(zhì)图dzi⁶〔自〕dzai⁶〔寨〕(又)同「獬豸」的「豸」，見695頁。

廋(廀)图(sōu)粵seu¹〔收〕❶隱匿。論語有「人焉廋哉」。❷通「搜」。如「廋索」，參見260頁。

廔图(lóu)粵leu⁴〔留〕❶屋裏窗牖通明的樣子。❷通「樓」，見334頁。

廖(liào)粵liu⁶〔料〕姓。

廓(kuò)粵gwɔk⁸〔國〕kɔk⁸〔確〕(俗)❶寬大。如「寥廓」。❷空。如「廓清（就是肅清，掃除一空。如說廓清積弊、廓清殘匪）」。❸開，擴張。如「開廓」。❹寂寞，孤獨。楚辭有「悲憂窮戚兮獨處廓」。❺事物的外形。如「輪廓」。❻「廓落」：①寬大的樣子。②空寂的樣子。

廄(廐)(jiù)粵geu³〔究〕馬舍。

廑(廒)▲图(jǐn)粵gen²〔僅〕❶小屋。❷通「僅」，見34頁。

▲图(qín)粵ken⁴〔勤〕「勤」。漢書有「其廑至矣」。見61頁。

廎图(qǐng)粵kiŋ³〔頃〕小廳堂。

廒(廒)图(áo)粵ŋou⁴〔熬〕ou⁴〔澳低平〕(俗)倉廒，藏米穀的地方。

廕(yìn)粵jem³〔蔭〕❶庇護。如「廕庇」。❷涼。如「這個房間很廕」。❸图因先世勳勞而子孫錄敍爲官者。如「祖澤餘廕」。

【腐】見肉部，577頁。

廟(庙)(miào)粵miu⁶〔妙〕❶供祠祖宗或神明的處所。如「宗廟」；「土地廟」。❷王宮的殿前，所以朝廷叫「廟堂」。❸屬於天子的舉動。如「廟略」。❹「廟祝」：主管廟內香火事務的人。❺「廟號」：舊時皇帝死後，神主送入太廟，追尊爲某祖某宗，叫

做廟號。如清朝光緒皇帝的廟號稱「德宗」。

廢 (fèi)⟨粵⟩fɐi³〔肺〕❶停止，捨棄。如「廢止」；「廢棄」。❷東西毀壞無用的。如「廢料」；「廢物利用」。❸肢體部分毀損或失其作用的。如「殘廢」。❹「廢話」：①沒意義的空話，多餘或沒用的話。②申斥別人說話不對。❺「廢寢忘餐」：專心於某種事，到了不睡覺、忘了吃飯的程度。

廣 (guǎng)⟨粵⟩gwoŋ²〔瓜枉切〕goŋ²〔港〕(俗)❶寬敞闊大。如「廣場」；「廣闊」。❷擴充。如「以廣見聞」。❸多。如「大庭廣眾」。❹寬度。如「這塊地長十公尺，廣七公尺」。❺伸展。如「推廣」；「廣為宣傳」。❻廣東省的簡稱。廣東人的暱稱叫「老廣」。廣東廣西兩省合稱叫「兩廣」。❼「廣告」：說明事物，通告大眾的文字，像傳單、招貼、報紙或雜誌的告白就是。利用廣播、電視也可以做廣告。❽図「廣袤」：地的面積，東西叫廣，南北叫袤。❾「廣義」：①就本來的意義加以推廣。②意義的範圍，大的叫廣義，小的叫狹義。

廛 図(chán)⟨粵⟩tsin⁴〔前〕❶古時指一戶人家的住屋。❷市上的商店。如「市廛」。

廠(厰) (chǎng)⟨粵⟩tsoŋ²〔敞〕❶製造或修理器物的工作場所。如「工廠」；「紡織廠」。❷商店而據有廣大空地存放貨物的。如「木廠」；「花廠」。❸許多人臨時聚集的地方。如「粥廠」；「暖廠」。

廚(厨、厨) (chú)⟨粵⟩tsœy⁴〔除〕tsy⁴〔躇〕(又)❶燒菜煮飯的場所。如「廚房」。❷專管做飯燒菜的人。如「廚子」；「廚夫」；「廚師」；「名廚(菜作得好的廚子)」。❸通「櫥」。如「一廚書」。見341頁。

廝(厮) (sī)⟨粵⟩si¹〔司〕❶図舊時指受人役使的人。如「廝役」；「小廝」。❷對人輕侮的稱呼。如「這廝」；「那廝」。❸互相。如「廝殺」；「耳鬢廝磨」。

廙 図(yì)⟨粵⟩ji⁶〔義〕❶恭敬。❷幄。

廡 (wǔ)⟨粵⟩mou⁵〔武〕大廳下面周圍的屋子。

【廣】見貝部，700頁。
【慶】見心部，226頁。

十三至二十二畫

廩(廩) 図(lǐn)⟨粵⟩lɐm⁵〔凜〕❶米倉。如「倉廩

實」。❷供給。如「廩食」。

廨（廨）(xiè)粵gai³〔戒〕hai⁶〔械〕(又)官署的通稱。如「公廨」。

【盧】見虫部，645頁。
【臁】見肉部，582頁。
【應】見心部，229頁。
【魔】見非部，803頁。

龐（龐）(páng)粵poŋ⁴〔旁〕❶厚大。如「龐大」。❷雜亂的樣子。如「龐雜」。❸臉。如「面龐」。❹姓。❺「龐然」：大的樣子。如「龐然大物」。

盧（盧）(lú)粵lou⁴〔勞〕❶屋舍。如「三顧茅盧」。❷圖「盧墓」：在墓旁蓋房子住，陪伴死者，表示哀思。❸「盧山眞面目」：「不識盧山眞面目，只緣身在此山中」(蘇軾的詩)。這是比喻事情不容易看到眞相。也作「盧山眞相」。

雝（雝）(yōng)粵juŋ¹〔翁〕❶和。❷通「壅」，見123頁。

【鷹】見鳥部，863頁。

廳（廳）(tīng)粵tiŋ¹〔他英切〕teŋ¹〔語〕❶聚會或招待客人用的大房間。如「大廳」；「客廳」；「會議廳」。❷指營業處所。如「餐廳」；「理髮廳」。❸行政辦事單位。如「辦公廳」；「教育廳」。

【廴部】

三至五畫

【巡】同「巡」，見726頁。

廷(tíng)粵tiŋ⁴〔停〕❶「朝廷」：是君主時代國家最高行政機關，也是君主辦事跟發布政令的處所。❷「廷杖」：在朝廷上當衆用杖打大臣；明朝時候公卿受這種刑罰的極多。

延(yán)粵jin⁴〔賢〕❶伸長，拉長。如「金和銀的延性很大」。❷時間向後推。如「延宕(拖延時間)」；「延期舉行」；「遇風雨則順延」。❸請，接納。如「延醫」；「延聘」；「延攬(招收人才)」。❹姓。❺「延髓」：後腦的一部分，在大腦之下，小腦之前，是腦髓和脊髓的連絡部分。❻圖「延頸企踵」：伸長脖子，擡高腳後跟，意思是說盼望得很。也作「延企」、「延佇」。

【廸】同「迪」，見727頁。
【廹】同「迫」，見727頁。

六畫

建(jiàn)粵gin³〔見〕❶設立，成立。如「建國」；「建校」。❷築造。如「建橋」。❸提出，

广部(13-22)廨盧廇應廃龐盧雝鷹廳　廴部(3-6)巡廷延廸廹建　193

提倡。如「建議」。❹指陰曆每月的天數。大建是三十天；小建是二十九天。❺図「建瓴」：「瓴」是屋瓦，或盛水瓶；「建」的意思是翻着、倒着。合起來的意思是把屋瓦（或水瓶）翻着使水容易流出去（常用在「高屋建瓴」這個成語裏，出自漢書「譬猶居高屋之上建瓴水也」）。比喻居高臨下，形勢好。

【廼】同「乃」，見7頁。

【廻】同「迴」，見728頁。

【廾部】

二至四畫

弁 ▲(biàn)粵bin⁶〔便〕❶舊時的一種低級軍職。如「馬弁（軍官的隨從）」。❷古代的一種帽子。如「爵弁」；「加弁」。❸姓。❹「弁書」：書籍正文前面的序文。

▲(pán)粵pun⁴〔盆〕「小弁」：詩經小雅的篇名。

【异】同「異」，見452頁。

弄 (nòng，舊讀lòng)粵lung⁶〔利用切〕❶做。如「弄飯」；「這件事我弄不好」。❷用手拿着或摸着玩耍。如「小孩兒弄沙土」。❸照料，處理。如「把身上弄乾淨」。❹耍，行使。如「弄鬼」；「弄手段」；「弄花樣」。❺使，落得。如「弄得他心慌意亂」；「打不成狐狸弄一身臊」。❻搬運。如「把這堆垃圾弄走」。❼取得，常指用不正當的方法取得。如「他很會弄錢」。❽追究，探察。如「把情況弄清楚」；「把事情弄明白」。❾使事務發生影響或變化。如「把衣服弄破了」；「這消息弄得人心不安」。❿図遊戲或玩耍。如「弱不好弄（小時

候不愛玩耍)」。⑪欺侮。如「不能受他玩弄」。⑫演奏樂器。如「弄簫」。⑬樂曲名。如「梅花三弄」。⑭図「弄臣」：跟帝王很親近，可以向帝王講私話，但不大正派，為別人不欽佩的臣子。⑮図「弄瓦」：生女兒。詩經小雅斯干篇有「乃生女子，載弄之瓦」(「瓦」古指紡塼，即今紡錘，拿紡塼給女孩子作玩具)。⑯図「弄璋」：生兒子。詩經小雅斯干篇有「乃生男子，載弄之璋」(「璋」是一種像方板子一樣的玉器，拿它給男孩子作玩具)。⑰図「弄潮兒」：泛指駕船或游泳戲水的人。

▲(lòng)粵luŋ⁶〔利用切〕小巷(胡同)，弄堂。也作「衖」。

六至十二畫

弇 図(yǎn)粵jim²〔掩〕履蓋，遮蔽。爾雅有「弇日為蔽雲」。

弈 図(yì)粵jik⁹〔亦〕❶圍棋。❷下棋。如「弈棋」。

舁 図(yú)粵jy⁴〔余〕抬。如「舁傷救死」；「舁轎登山」。

弊 (bì)粵bɐi⁶〔敝〕❶害處。如「有利無弊」。❷作假或非法的事。如「作弊」；「舞弊」。❸低劣。如「土弊則草木不長」。

❹「弊病」：①在事情上作假亂真。②事情上的毛病。❺「弊竇」：弊害的所在。

【弋部】

弋 (yì)粵jik⁹〔亦〕❶古時候用帶着繩子的箭射鳥。如「弋鳧與雁」。❷捕捉，取得。❸姓。

一至九畫

弌 (yī)粵jet⁷〔一〕「一」的古體字。見第1頁「一」字；125頁「壹」字。

弍 (èr)粵ji⁶〔異〕「二」的古體字（現在用作「貳」字的簡寫）。見13頁「二」；699頁「貳」。

弎 (sān)粵sam¹〔三〕「三」的古體字（現寫作「叁」）。見第2頁「三」；73頁「叁」。

式 (shì)粵sik⁷〔色〕❶規格，標準。如「程式」；「格式」；「公式」。❷樣子。如「式樣」；「中國式建築」；「新式家具」。❸典禮。如「閱兵式」；「畢業式」。❹把數字或符號排列起來，表示事物關係跟科學上一般規律的。如「算式」；「方程式」；「分子式」；「數學公式」；「化學分子構造式」。❺図「式微」：泛指國勢、家境、事業或某類社會運動的衰微；是從詩經「式微式微，胡不歸」的話而來，「式」字原是發語詞，沒

有實際意義。

【忒】見心部，211頁。

【貳】見貝部，699頁。

十畫

弑 図(shì)粵si³〔試〕地位低的人殺死地位高的人。如「弑君」；「弑父」。

【鳶】見鳥部，855頁。

【弓部】

弓 (gōng) 粵 gung¹〔公〕❶ 射箭或彈射用的器具。如「彫弓」;「彈弓」。❷ 從前丈量地畝用的計算單位,五尺是一弓。❸ 彎曲的。如「弓腰」;「弓着身子」。❹ 姓。

一至五畫

弔 (diào) 粵 diu³〔釣〕❶ 慰問喪家或遭遇不幸事情的人。❷ 祭奠死者。如「開弔」;「弔祭」;「弔客(弔喪的人)」。❸ 懸掛。如「杆子上弔着一個燈籠」。❹ 提取。如「弔卷」。❺ 量詞。銅錢一千個叫一弔。❻ 圖「弔民伐罪」:慰問不幸的百姓,起兵征討有罪的人,以撫慰民眾。

引 (yǐn) 粵 jen⁵〔而敏切〕❶ 拉,牽。如「引弓」;「引身」;「由這件案子引出另一件案子」。❷ 帶領。如「引港」。❸ 招來,使某種事情發生。如「拋磚引玉」;「一句話引得大家笑起來」。❹ 伸。如「引領而望(伸着脖子遠望,盼望)」。❺ 拿來作憑信或根據。如「引證」;「引述」;「引經據典」;「引了幾句原文」。❻ 圖作引導用的事物。如「引子」;「此藥以薑湯作引」。❼ 圖推譽,標榜。如「互為引重」。❽ 樞車的索。❾ 離開。如「引退」;「引避」。❿ 縫紉法的一種,用長線直行粗縫。如「把被面用針線引上」。⓫ 長度單位。古代十丈為一引。⓬ 衡名。明代、清代把食鹽用「引」計算,每引五十包,每包一百斤。⓭ 文體名,和「序」一樣。如「引子」;「引言」。⓮ 古代詩歌的一種名稱。如「箜篌引」。⓯「引力」也叫「攝力」;「吸力」:物體互相吸引的力量。⓰「引信」:砲彈裏用來引燃炸藥的那一部分配件。⓱「引渡」:罪犯(非政治犯)逃亡外國,外國政府根據該國政府的要求及國際公法,把罪犯解送回國受審。⓲「引道」:①帶路。②橋梁兩端連接河岸的道路。⓳「引號」:標點符號的一種,有兩式:在直行文字裏用「和」;在橫行文字裏用"和"",用來表示引用文字的起止或顯示特別提出的詞語(詳見附錄二)。⓴「引擎」:英文 engine 的音譯。意譯是發動機、原動機。

弗 (fú) 粵 fet⁷〔忽〕❶ 圖不。如「弗肯」;「弗用」。

弘 (hóng) 粵 wen⁴〔宏〕❶廣大。如「弘願(遠大的志願)」。❷囡擴大，發揚。論語有「人能弘道」。❸姓。❹「弘量」：①度量大。②酒量大。

弛 (chí，舊讀 shī) 粵 tsi⁴〔池〕❶囡放鬆弓弦(弓在不用的時候，要把弦放鬆，以保持彈力)。❷鬆，不緊。如「繩索鬆弛」；「弛張自如(鬆緊自如)」。❸囡放鬆，解除。如「弛禁(解除禁令)」。❹放棄不管。如「廢弛」。❺毀壞。《國語》有「文公欲弛孟子之宅」。

弟 ▲(dì) 粵 dei⁶〔第〕❶弟弟。同胞男子，後出生的叫弟。❷對同輩朋友的自稱。❸親族之間輩份相同而年紀較小的。如「表弟」；「堂弟」。❹「弟子」：①受業的學生，對「師」而言。②年幼的人。論語有「弟子入則孝，出則弟」。❺「兄弟」：①哥哥和弟弟的合稱。②軍隊裏士兵之間的親熱稱呼。如「我們眞是一對好兄弟」。❻「弟婦」：弟弟的妻子。
　　▲囡(tì) 粵 tei⁵〔娣〕同「悌」字，見218頁。

弢 (tāo) 粵 tou¹〔滔〕❶裝弓的套。❷裝東西的口袋。❸通「韜」，見809頁。

弩 (nǔ) 粵 nou⁵〔腦〕lou⁵〔老〕(俗)一種安裝機關利用機械的力量來射箭的弓。

弧 (hú) 粵 wu⁴〔狐〕❶木製的弓。❷圓周的任何一段。如「弧線」。❸彎的，有弧度的。如「弧形」。

弦 (xián) 粵 jin⁴〔賢〕❶張在弓上的線。❷樂器上可以彈奏發出樂音的線。俗稱「弦兒」。❸形容月亮半圓。如「弦月」(陰曆每月初八日前後叫「上弦」；陰曆每月二十二、二十三日叫「下弦」)。❹幾何學上把直角三角形的斜邊及聯結圓周上兩點的直線都稱爲「弦」。❺中醫把脈象很急的稱爲「弦」。❻囡彈奏琴瑟(弦樂器)。如「春誦夏弦」；「弦歌不絕」。❼古人把琴瑟比喻夫婦，所以稱喪妻叫「斷弦」，再娶叫「續弦」。❽姓。❾「弦柱」：絲弦樂器上綰住弦絲的小木柱或小鐵柱。❿「弦索」：弦樂器的通稱。⓫囡「弦誦」：樂聲跟讀書聲。

六至十畫

弭 (mǐ) 粵 mei⁵〔米〕mei⁵〔美〕(文)❶弓的末端。❷囡停止，平息，消除。如「弭患」；「弭謗(遏止誹謗)」。❸姓。

弰 (shāo) 粵 sau¹〔梢〕弓的兩端。

弱 (ruò) 粵 jœk⁹〔藥〕❶跟「強」相反，不堅強或不健全。如「弱小」；「體弱多病」；「不甘示弱」；❷年幼的。如「弱歲」。❸不足，稍微少一點。如「百分之五弱」。❹指人的死亡。如「又弱一個（又喪失了一人）」。❺「弱冠(guàn)」：古時指男子滿二十歲，後來用來泛指少年時期。

強（強、彊）▲(qiáng) 粵 kœŋ⁴〔其羊切〕❶跟「弱」相反，有力量。如「強健」；「強壯」。❷勝過，比較好。如「你比我強」；「光景一天比一天強」。❸還多一點，有餘。如「百分之二十強」。❹好。「如這貨色不強」；「他的手藝不強」。❺努力地，竭力地。如「強襲」；「自強」；「強諫(竭力靜諫)」。❻粗暴。如「強橫」；「強悍」。❼姓。❽「強梁」：①強橫。②能吃鬼的神。③強盜之流的強暴橫行者。❾图「強項」：比喻剛直不肯低頭屈服。❿「強調」：①着重，加強注意。②特別對於某種事或某一些意思鄭重宣揚，使人注意或信服。⓫「強弩之末」：比喻到最後氣衰力竭，已經沒威勢了。

▲(qiǎng) 粵 kœŋ⁵〔其養切〕❶勉強。如「強求」；「強顏為笑」。❷「強制」：①用法律的力量，束縛人的行為。如「強制執行」。②用力量來約束。如「醫生強制病人靜臥」。❸「強人所難」：勉強人家做他所不能或不願意做的事情。❹「強詞奪理」：用不合理的話來強辯。

▲(jiàng) 粵 gœŋ⁶〔技讓切〕❶不和順。如「木強」；「倔強」。❷固執自己的意見，不聽人勸。如「這個人的性子好強」；「他的脾氣太強」。

張 ▲(zhāng) 粵 dzœŋ¹〔章〕❶開，展開。如「張嘴」；「把手一張」。❷商店開幕營業或每日第一筆交易。如「開張」。❸望，看。如「東張西望」；「向門縫裏張一張」。❹擴大，放大了。如「虛張聲勢」；「張大其詞」；「明目張膽」。❺計數的單位。如「一張口」；「一張嘴」；「一張紙」。❻紙以張計，所以紙也叫「紙張」。❼图安裝弓弦。如「張弓」。❽图設。如「張樂設飲」。❾图捕取鳥獸。如「有鳥飛來，舉羅張之」。❿星名，二十八宿之一。⓫姓。⓬图「張本」：預留

地步。⓭「張致」：故意做態的意思。⓮「張皇」：①慌張。如「張皇失措」。②図張大，擴大；書經上有「張皇六師」(意思是張大軍威)。⓯「張羅」：①招待。如「張羅大家吃點心」。②籌劃。如「這一大筆款子，到哪裏張羅？」③殷勤。如「大家都想偷懶，只有他張羅着做東西，把事辦完了」。④張網捕鳥。

▲(zhàng)粵dzœŋ³〔漲〕❶図陳設。如「供張」。❷通「脹」字，見577頁。

【艴】見色部，593頁。

弼 (bì)粵bet⁹〔拔〕❶使弓端正的器具。❷図輔助。如「輔弼」。

【粥】見米部，522頁。

彀 (gòu)粵geu³〔究〕❶図拉滿弓，準備把箭射出去叫彀。馬兵持弓弩者叫「彀騎」。❷図從前科舉考試中式叫「入彀」；又受牢籠或中了圈套也叫「入彀」。❸同「夠」，數用，足數。見127頁。

十一至十九畫

彄 (kōu)粵keu¹〔溝〕❶図環子類的東西。❷弓弩兩端裝弦的部分。如「弓不受彄」。

彆 (biè)粵bit⁹〔別〕「彆扭(也作「別扭」)」：①不順，不正常，不合適。如「他的脾氣彆扭」；「這種做法太彆扭」。②意見不合，矛盾，抵觸。如「他們倆又鬧彆扭了」。

彈 ▲(dàn)粵dan⁶〔但〕❶彈弓或槍、砲發射用的鐵丸。如「槍彈」；「砲彈」；「子彈」。❷小圓球。如「是誰團成的這些小泥彈」。❸「彈丸」：①彈弓所用的鐵丸。②比喻地方狹小。如「彈丸之地」。

▲(tán)粵tan⁴〔檀〕❶用手指頭撥弄。如「彈琴」；「彈弦子」。❷把彎曲着的食指或中指等，用指甲蓋兒猛然放開，使東西掉下或向遠方。如「彈球」；「把香烟灰彈掉」。❸把壓縮或緊縮的東西忽然放開所出現的力量。如「彈力」；「彈棉花」。❹図揭發官吏的罪過，「彈劾」的簡詞。如「彈章(彈劾的奏章)」。❺「彈指」：図形容極短的時間(彈一下手指的時間)。❻「彈詞」：一種民間藝術，把故事編成韻文，有說白，有曲詞，用琵琶或三弦配奏，邊彈邊唱。

▲(tán)粵dan⁶〔但〕「彈性」：❶物體因受外力暫變形狀，外力一去即恢復原狀的性

質。❷事物的伸縮性。
【彊】同「強」，見199頁。

彌(mí)粵lei⁴〔離〕❶囡滿。如「彌年(經年)」；「彌月(也說成滿月，指嬰兒初生滿一月)」。❷囷更加。如「老而彌勇」；「此後來者彌衆」。❸姓。❹「彌補」：補足。❺「彌封」：把試卷上的編號或應考人姓名部分密封起來，不使閱卷的人知道是誰的試卷。❻「彌留」：病重將死。❼「彌漫」：徧佈，佈滿。❽「彌縫」：①補合。②設法遮掩闕失免被發覺。❾「彌天大罪」：極大的罪過。
【彌】見田部，453頁。

彎(wān)粵wan¹〔灣〕❶用力把直的弄曲。如「把鐵絲彎一下」。❷開弓，拉弓。如「彎弓」。❸曲折而不直。如「這條路是彎的」。❹「彎子」：曲折的地方。❺「彎彎」：彎曲的樣子。❻「彎彎曲曲」：①曲而不直。②比喻不率直，不爽快。如「他說話行事總是彎彎曲曲的深沉難測」。❼同「灣」，當「停泊」講。如「彎了船」。參見400頁。
【鸞】見鳥部，843頁。

【彐(彑)部】

五至八畫

彔囡(lù)粵luk⁹〔陸〕❶刻木。❷「彔彔」同「碌碌」：意思是事情忙，也作「碌六」、「碌陸」。

彖(tuàn)粵tœn³〔他信切〕❶「彖辭」：易經中統論卦義的文字。❷「彖傳(zhuàn)」：解釋彖辭的文字。

彗(huì，舊讀suì)粵sœy⁶〔遂〕wei⁶〔惠〕(又)❶囡掃帚。❷「彗星」：一種行星，後面拖着長長的，像掃帚樣子的光芒，俗稱「掃帚星」，又稱「妖星」、「孛星」。彗星在太空中是作拋物線、橢圓或雙曲線的軌道運行的。

九至十五畫

【尋】見寸部，161頁。

彘囡(zhì)粵dzi⁶〔自〕豬。

彙(彚)(huì)粵wui⁶〔匯〕❶聚集在一起。如「彙集」。❷「彙報」：①把許多的事聚集在一起，報告出來。②許多事情彙集起來做成的報告。❸「彙萃」：聚集。

彝(彝)^(yí)粵ji⁴〔夷〕❶盛酒的器具，像罐子樣的。❷古時候宗廟常用的器具的總稱。如「鐘」、「鼎」、「罇」、「罍」等。❸図不變的，常道，法度。如「彝訓」；「彝倫(倫常)」。

【彡部】

四至七畫

彤^(tóng)粵tuŋ⁴〔同〕❶紅色。如「彤弓(漆成紅色的弓箭)」；「彤矢」。❷「彤雲」：濃雲(「彤」是形容濃密的樣子)。❸姓。

形(形)^(xíng)粵jiŋ⁴〔仍〕❶形象，樣子，式樣。如「三角形」；「形似長蛇」。❷容色。如「形容枯槁」。❸地勢。如「形盛之地」。❹比較。如「相形之下」「相形見絀」。❺図表現，顯露出來。如「形之於外」；「喜形於色」。

彥^(yàn)粵jin⁶〔現〕才德兼備的人。如「一時英彥」；「旁求俊彥」。

彧^{図(yù)}粵juk⁷〔郁〕❶形容有文采。❷「彧彧」同「郁郁」：見741頁。

八至二十六畫

彬^(bīn)粵ben¹〔奔〕❶文質俱備。如「文質彬彬」；「他對人彬彬有禮」。❷姓。

彫^(diāo)粵diu¹〔刁〕❶同「雕刻」的「雕」，見794頁。❷同

「凋」，衰落。見48頁。❸飾畫。

彩 (cǎi)⑧tsɔi² 〔采〕❶有多種顏色。如「彩色」。❷光榮。如「臉上有光彩」。❸図文章。宋書有「俱以詞彩齊名」。❹「光彩奪目」：鮮明的樣子。❺憑運氣得來的財物。如「摸彩」；「彩票(獎券)」。❻軍人在作戰時受傷。如「掛彩」。❼「彩排」：戲劇的排演已近熟練，在演出以前再按實際的演出情況作服裝、道具俱全的總排練。

【彪】見虍部，632頁。

彭 (péng)⑧paŋ⁴〔棚〕❶姓。❷縣名，在四川省。

【須】見頁部，811頁。

彰 (zhāng)⑧dzœŋ¹〔張〕❶明顯，顯著。如「功績昭彰」；「彰明較著」。❷表揚。如「彰善懲惡」；「以彰其功」。❸「彰彰」：顯露無遺。如「是非功過，彰彰在人耳目」。

影 (yǐng)⑧jiŋ²〔映〕❶光線被遮擋而造成陰暗的形象。如「人影」；「樹影」。❷遮擋光線。如「請你讓一讓，不要影着我，我看不清楚」。❸隱藏。如「樹林子裏影着一個人」；「把棍子影在身體背後」。❹人或物的形象。如「攝影」；「畫影圖形」。❺模糊的形象或印象。如「望影而逃」；「後影好像是他」。❻臨摹或照相。如「影印」；「影宋本楚辭」。❼「電影」的簡稱。如「影星(電影明星)」；「影迷(電影迷)」。❽「影射」：模仿人家的樣子，以假亂真來欺騙人。❾「影響」：如影之隨形，響之隨聲，是說一方發生一種動作而引起他方發生變化或行動的作用。

彲 図(chī)⑧tsi¹〔癡〕同「螭」，見645頁。

【鬱】見鬯部，843頁。

【彳部】

彳 (chì) 粵tsik⁷〔斥〕「彳亍」：小步慢走，邊走邊停的樣子。如「獨自在河邊彳亍」。（左步為彳，右步為亍，兩字合起來就成了「行」字。）

三至五畫

【行】見「行」部，651頁。

彷 ▲(páng) 粵poŋ⁴〔旁〕「彷徨」、「彷徉」：都是「徘徊（游移不定，盤轉不前）」的意思。

▲(fǎng) 粵foŋ²〔見〕「彷彿」同「仿佛」：大概相似的意思。

彸 (zhōng) 粵 dzuŋ¹〔忠〕「征彸」：見本頁「征」字。

役 (yì) 粵jik⁹〔亦〕❶事件，戰爭。如「戰役」；「中日甲午之役」。❷勞力的事。如「勞役」；「苦役」。❸為國家所出的勞力，所盡的義務。如「服役」；「兵役」。❹使喚，差遣。如「役使」；「奴役」。❺供差遣的人。如「僕役」；「差役」。

彼 (bǐ) 粵bei²〔比〕❶跟「此」相反，即是「那個」。如「彼時」；「彼處」。❷他。如「知己知彼」；「彼已離此處」。❸「彼

此」：①「彼」、「此」是相對的稱呼，指人的雙方相互間。如「彼此無冤無仇」。②指雙方情形相似，常說成疊語。如「彼此彼此，我和你情況差不多」。

彿 (fú) 粵fet⁷〔忽〕「彷彿」：見本頁「彷」字。

征 (zhēng) 粵dziŋ¹〔晶〕❶出遠門。如「征夫」；「長征」。❷討伐。如「南征北戰」。❸由國家收用。如「征兵」；「征稅」；「征用財物」。與「徵」字通，見209頁。❹姓。❺「征彸」同「怔忪」：見215頁「怔」字。

徂 (cú) 粵tsou⁴〔曹〕❶往，到。如「自西徂東」。❷逝，過去。如「歲月其徂」。❸「徂暑」：指陰曆六月盛夏、盛暑開始的時候。❹「徂謝」：①死亡。②衰退。❺通「殂」，見350頁。

往 (wǎng) 粵woŋ⁵〔華網切〕❶去。如「徒步前往」；「一來一往」。❷指過去的，從前的。如「往日」；「往昔」。❸向。如「往前走」；「向往」。❹「往來」同「來往」：①去就來。②此來彼往的友誼、交際。❺「往後」：①自此以後。②向後。❻「往常」：平素，平時。❼「往往」：每每，常常。

六至七畫

待▲ (dài) 粵 dɔi⁶〔代〕❶ 等候。如「待查」；「急不能待」。❷ 接應，照顧。如「對待」；「虐待」；「他待人很厚道」；「這菜是準備待客的」。❸ 正要，將，打算。如「待問他時，他已去了」。❹「待遇」：①對待人的情形。②工作的報酬，指薪金等而言。如「他在這家公司工作，待遇很高」。

▲ (dāi) 粵 dɔi⁶〔代〕❶ 留在一個地方。如「待了半天才走」；「在國外待了五年」。❷ 稍停候，遲延。如「這事不急，待一會兒再說」。

很 (hěn) 粵 hɐn²〔狠〕❶ 極，甚。如「很好」；「好得很」。❷「很毒」同「狠毒」：兇惡殘忍。參見426頁「狠」字。

律 (lǜ) 粵 lœt⁹〔栗〕❶ 法條，規則。如「法律」；「定律」。❷ 因約束。如「律己甚嚴」。❸ 音樂的節拍、高低等法則。如「旋律」；「五音六律」。❹ 詩的一體，講求平仄對偶，有五言律詩、七言律詩兩種。❺「律呂」：古時審音的標準器，截竹為筒，分陰陽各六種，陽是律，陰是呂，合稱十二律。❻

「律師」：研習法律，經政府許可，在法院為訴訟當事人辯護的人。

後 (hòu) 粵 hɐu⁶〔候〕❶ 方位。跟「前」相反。如「背後」；「向後轉」。❷ 跟「先」相反。如「後來」；「以後」。❸ 指下代子孫。如「後代」；「不愧為哲人之後」。❹ 姓。❺「後人」：①泛稱後世的人。②身後的子孫。③因居人之後。如「捐輸不敢後人」。❻「後天」：①和「先天」相對，指人出生以後對於身體的保養。②指人生由習染而來的性質。③明天的明天。❼「後事」：①死後的事，如裝殮、棺槨、殯葬等。②泛指以後的事，如章回小說裏習用的結語「欲知後事如何，且聽下回分解」。❽「後盾」：後方的援助。

徊 (huái) 粵 wui⁴〔回〕「徘徊」：見206頁「徘」字。

徇 (狥) (xùn) 粵 sœn¹〔荀〕❶ 經營，如「徇私」；「徇情」。❷ 因周徧。墨子書有「思慮徇通」的話。❸ 因使。莊子書有「夫徇耳目內通而外於心知」的話。❹ 因巡行。史記有「以徇三軍」。❺ 因軍中宣布號令。❻ 因攻打。史記有「徇下縣」。❼ 因順從。左傳有「國

彳部 (6) 待很律後徊徇 205

人弗徇」。❽圖急速地。素問書上把眼睛急速害病而看不見叫「徇蒙」。❾同「殉」。如「徇節」;「徇難」。見350頁。

徉 (yáng) 粵 jœŋ⁴〔陽〕❶「彷徉」:徘徊。❷圖「徜徉」:從容自在或安閒徘徊的樣子。【衍】見行部,651頁。

徒 (tú) 粵 tou⁴〔途〕❶人(常指壞人)。如「暴徒」;「匪徒」;「不法之徒」。❷信仰同一宗教的人。如「佛教徒」;「基督徒」。❸「徒弟」的簡稱。如「嚴師出高徒」。❹空,白白地。如「徒勞往返」。❺不憑藉甚麼。如「徒手擒賊」;「徒步旅行」。❻但,只。如「非徒無益,而又有害」。❼刑罰的一種。如「徒刑(犯罪後經法院判決而罰令服法定的勞役,分為有期徒刑和無期徒刑兩種)」。❽步行。如「舍車而徒」。❾「徒然」:空費力而沒有成效。

徑 (jìng) 粵 giŋ³〔敬〕❶小路;較狹窄的道路。如「羊腸小徑」。❷量圓體的大小,通過圓心連結圓周上兩點的直線。如「直徑」;「半徑」;「大砲口徑」。❸直捷去做。如「言畢徑去」;「徑行辦理」。❹比方達到目的的方法或過程。如「捷徑」;「門徑」。❺圖與「竟」字

通用。史記有「不過一斗,徑醉矣」。❻圖「徑庭」:徑指窄路,庭指廣庭,比方相差很遠。如「兩般情況大有徑庭」。❼「徑賽」:各種長短距離的比速賽跑。

徐 (xú) 粵 tsœy⁴〔除〕❶圖遲緩。如「清風徐來」。❷古國名,故城在現在安徽省泗縣北。❸姓。❹「徐徐」:①安穩的樣子。②遲緩的樣子。

八畫

徘 (pái) 粵 pui⁴〔培〕「徘徊」:①來回行走不往前進的樣子。②流連往復的意思。

得 ▲ (dé) 粵 dɐk⁷〔德〕❶取到,收到。如「得勝」;「得獎」。❷遇到。如「得便」;「得閒」;「得空兒大家聚一聚」。❸貪。如「戒之在得」。❹高興,滿意。如「面有得色」「他揚揚自得」。❺合適,很好。如「得體」;「得用」。❻指計算數目得的結果。如「二加二得四」;「三乘三得九」。❼可以。如「不得隨地丟紙屑果皮」。❽能,可能。如「求生不能,求死不得」。❾完成了。如「這件事情明天就得了」。❿表示阻止的詞。如「得了,別鬧了」。⓫表示許可或滿意的

詞。如「得，夠了」。⓬「得失」：①是非。②成敗。⓭「得心應手」：比喻作事如意。⓮「得隴望蜀」：比喻不知足。

▲(děi)粵dɐk⁷〔德〕應該，必須。如「我們得趕緊把這件事辦完」；「他病了，我得去看看」。

▲(de)粵dɐk⁷〔德〕❶用在動詞的後面，連上一個形容這個動作的詞。如「做得很好」。❷用在動詞後面，再連上表示動作效果或程度的詞。如「把敵人打得望風而逃」。❸用在動詞後面，表示可能。如「走得動」；「我認得出他寫的字」。

來 ▲(lái)粵lɔi⁴〔來〕❶「招徠」：商人設法招攬顧客。❷古「來」字，見24頁。
▲図(lài)粵lɔi⁶〔誄〕慰勞，對投奔而來的人加以照料、安慰。

徙 (xǐ)粵sai²〔璽〕遷移，挪動。如「遷徙」；「曲突徙薪」。

徜 図(cháng)粵sœŋ⁴〔常〕「徜徉」也作「倘佯」：從容自在或安閒徘徊的樣子。

從 ▲(cóng)粵tsuŋ⁴〔蟲〕❶由，自。如「從東到西」；「從古到今」。❷隨。如「力不

從心」；「從風而靡(隨風而倒)」。❸聽信。如「言聽計從」；「擇善而從」。❹依，順。如「服從」；「命令」。❺屈服。如「至死不從」。❻辦理。如「從政」；「從公」。❼參加。如「從軍」；「從商」。❽採取某種原則。如「從速解決」；「從嚴懲罰」；「從長計議(暫時不作決定)」。❾因就，隨即。如「經此討論，從而深入研究」。❿「從新」：重新。⓫「從權」：變通辦理。⓬「從善如流」：形容能夠聽從善言，像河水一直順流下去的樣子，樂於接受人家的勸告。⓭跟隨的人。如「侍從」；「僕從」；「從者」。⓮指同謀的，附和的。如「犯」；「主從」；「不分首從」。⓯有血統關係，比至親稍次的。如「從子(姪兒)」；「從父(伯父、叔父的通稱)」；「從兄弟(同祖父的兄弟，堂兄弟)」。⓰舊時官吏品級有正從之分，「從」次於「正」，意思是「副」的。

▲(cōng)粵suŋ¹〔鬆〕「從容」：①鎮靜，不慌不忙。如「從容不迫」。②寬鬆，不緊迫。如「時間很從容」；「近來手頭從容多了(指錢財充裕)」。③図舉動。禮記有「從

容有常」。④図同「慫通」。史記有「日夜從容王謀反事」。

▲図(zòng，舊讀zōng)粵dzuŋ¹〔忠〕同「縱橫」的「縱」，見544頁。

御▲(yù)粵jy⁶〔預〕❶図趕車，駕御車馬。❷駕車的人。❸図統治，管理，支配。如「御下(管理下屬)」。❹從前把關於帝王的事物、行動。如「御筆(皇帝寫的字)」；「御駕親征」。❺姓。❻「禦」字的古體，見494頁。

▲図(yà)粵ŋa⁶〔訝〕a⁶〔亞低去〕(俗)。如「百兩御之」。

九至十畫

徧(biàn)粵pin³〔片〕❶滿、全。如「徧體鱗傷」。❷表示沒有一處或一部分遺漏。如「找徧了」；「走徧天下」。❸通「遍」，見732頁。

復(fù)粵fuk⁹〔服〕❶再，又。如「去而復返」；「死灰復燃」；「故態復萌」。❷回答。如「此信未復」。❸恢復，使已經變化了或壞了的再成為原樣。如「收復失地」；「傷口已平復」。❹回來。如「往復三十里」。❺姓。❻図「復次」：是表示下面還有論述時所用的連繫詞。❼図「復辟」：失位的帝

王復位。❽通「複」，重疊。660頁。

徨(huáng)粵woŋ⁴〔皇〕❶「徨徨」：心中拿不定主意，知何所適從。如「徨徨不安「民心徨徨」。❷「彷徨」：204頁「彷」字。

循(xún)粵tsœn⁴〔巡〕❶照。如「遵循命令」；「循漸進」。❷図撫摩。漢書有數數自循其刀環」。❸図「分」：安守本分。❹図「吏」：善良守法的官吏。❺例」：依照舊例。❻「循循有次序的。如「循循善誘「循環」：指事物運動的周而始。如「血液在人體內循環停」。❽図同「巡」字。漢書「遣使者循行郡國」。參見72頁。

徬(páng)粵poŋ⁴〔旁〕「徬徨也作「彷徨」：見204頁「彷字。

徯図(xī)粵hei⁴〔兮〕❶等待❷「徯徑」同「蹊徑」：狹小路徑。見712頁。

徭図(yáo)粵jiu⁴〔遙〕「徭役」：舊時國家規定人民勞役的義務。

微(wēi)粵mei⁴〔眉〕❶細小如「細微」；「微不足道」。❷衰，落。如「世衰道微」。❸不

強，不大的。如「微笑」；「微火」。❹指地位低的，卑賤的人。如「人微言輕」。❺不明言其非。如「微辭」。❻圖隱祕的。如「微服」；「微行」。❼深。如「體貼入微」。❽圖伺探，偵察。如「微知其處」。❾圖沒有，如非。論語有「微管仲，吾其披髮左衽矣」。❿圖不是，非。詩經有「微我無酒」。⓫「微妙」：用意幽深而不尋常。⓬「微波」（*microwave*）：電磁波的波長介於三十公分到一公分的波長者，稱為微波。⓭「微時」：指一個人還沒有顯達的時候。⓮「微生物」：又作「微生蟲（即是細菌）」。⓯「微積分」：數學裏「微分學」和「積分學」的合稱。⓰圖「微言大義」：包含在精微語言裏的深刻的道理。

十二至十四畫

德(悳) (dé) 粵 dɐk⁷〔得〕❶恩惠。如「報德」；「感念大德」。❷指為人之道。如「美德」。❸心意。如「同心同德」；「離心離德」。❹圖感念別人的恩惠。左傳有「然則德我乎」。❺姓。❻國名「德意志」的簡稱。❼「德行」：①道德跟品行。②模樣，態度，裝

扮，使人看了有不好的感覺。如「看他那種邋裏邋遢的德行」。❽「德育」：養成道德的教育。❾「德望」：德行聲望。❿「德澤」：仁德與恩澤。⓫「德配」：①尊稱別人的太太。②指其德可跟某某相配。如「德配天地」。

徵 ▲(zhēng) 粵 dziŋ¹〔晶〕❶召集。如「徵兵」；「徵集」。❷收稅。如「徵稅」；「這項稅從本月一日開徵」。❸圖證明。如「足徵其偽」。❹現象。如「特徵」；「象徵」；「徵兆」。❺「徵引」：①薦拔。②引證。❻「徵文」：①公開徵求文章。②圖從已有的書籍文章裏追求印證。宋書有「正應推類求意，不可動必徵文」。❼「徵收」：①因公用的需要而由政府出價收買私有土地。②同「征收」，指收取捐稅。❽「徵兵」：①依法律規定，人民到適當年齡就有服兵役的義務，這制度稱為徵兵。②圖徵召屬地的兵。史記有「楚項王擊齊，徵兵九江」。

▲(zhǐ) 粵 dzi²〔止〕五音（宮、商、角、徵、羽）之一。

徹 (chè) 粵 tsit⁸〔設〕❶通，透。如「貫徹」；「徹夜（一整夜）」；「寒風徹骨」。❷周代的

田賦，征取農產品總產量的十分之一。❸図剝取。詩經有「徹彼桑土(桑土是桑根)」。

徼 ▲図(jiǎo)⑧giu³〔叫〕❶邊界。如「邊徼」；「徼外(域外)」。❷巡察。如「徼巡」。

▲図(jiāo)⑧giu¹〔嬌〕❶伺察。論語有「惡徼以爲知者」。❷「徼幸」：希望非分。

▲(jiāo)⑧giu²〔繳〕「徼幸」也作「僥倖」：碰巧得到意外的利益或幸而沒有受害。

▲(yāo)⑧jiu¹〔邀〕❶祈求。如「徼福」。❷「徼功」同「邀功」：意思是搶別人的功勞作爲自己的功勞。

徽 (huī)⑧fei¹〔揮〕❶標識，記號。如「國徽」；「帽徽」。❷古琴上繫弦的繩，共有十三徽。❸旌旗的一種。漢書上有「殊徽幟」。❹図美好。如「徽音」；「徽猷」。❺「徽墨」：安徽省舊徽州府所出產的名墨。❻「徽纆」：捆綁俘虜或罪犯用的繩子。❼「徽徽」：華美的樣子。

【徵】見黑部，873頁。

【心部】

心 (xīn)⑧sem¹〔深〕❶心臟，是人和鳥獸等全身血液循環的總機關。❷從前認爲心主管思慮，因此相沿把心作爲腦的代稱。如「勞心」；「用心去想」。❸情緒，情感。如「心煩」；「心平氣和」。❹泛指智力、品行。如「有益身心」。❺意念。如「良心」；「存心」；「不知他安的是甚麼心」。❻志向，謀劃。如「有心人」；「一心一意」。❼真誠的表現。如「心願」；「心服」。❽指平面的中央，物體的內部。如「空心」；「中心點」。❾星名，二十八宿之一。❿「心力」：運用思想的能力。⓫「心田」：①心。②存心。如「心田好」。⓬「心目」：①思憶跟觀察。如「心目中只有他一人」。②図印象。曹丕文有「追想往昔，猶在心目」。⓭「心地」：①天資。②心術或存心。如「心地良善」。③頭腦。如「心地糊塗」。⓮「心血」：心思，心力，精神。⓯「心材」：樹幹的中心木質。⓰「心肝」：①誠懇，義氣。也作「肝膽」。杜甫詩有「豁達露心肝」。②稱呼極

親愛的人。③血性，志氣。說人不想振奮、不知羞恥是「無心肝」。⓱「心得」：學習技能，研究學問時候，心裏領悟而有所得。⓲「心理」：①思想、意識等內心的活動能力。②思想見解。如「這是一般人的心理」。③心理學的簡稱。⓳「心術」：①運用思慮的方法。②存心。如「心術不正」。⓴「心虛」：①不自滿。②理屈氣餒。㉑「心照」：心知其意不必言明。㉒「心腹」：①內部重要的地方。如「心腹之患」。②比喻親近可靠的人。如「他是我的心腹」。③衷情，隱祕的心思。如「一吐心腹」。㉓「心腸」：①存心，心地。如「這個人心腸不壞」。②心情，興致。如「到了這種地步，他哪有心腸陪你看電影」。㉔「心眼」：①心地，本心。如「心眼不好」。②聰明機智。如「他太沒心眼」。③防人的意念。如「我不跟你留心眼」。④作事拘謹對小節的注意。如「心眼太多」。⑤度量。如「心眼小」。⑥心意。如「衝着他的心眼說話」。

一至二畫

必 (bì) [粵] bit^{7}〔別高入〕❶一定，肯定。如「必定」。❷「必然」：①必定如此。②指事物發展的變化依照一定不變的規律。❸「必須」：①一定要。如「必須喚起民衆」。②應該。❹「必需」：①必定需要。②不可少的。❺「必必剝剝」：形容火的爆裂聲。

忉 [文](dāo)[粵]dou^{1}〔刀〕悲戚，憂勞。如「勞心忉忉」。

三畫

忙 (máng)[粵]mɔŋ^{4}〔亡〕❶事多而沒有閒工夫。如「忙碌(也說忙忙碌碌)」;「工作很忙」。❷急迫。如「慌忙」。❸「忙不過來」：事多不暇兼顧。

忒 (tè)[粵]tik^{7}〔剔〕❶過分的。如「欺人忒甚」。❷[文]變更，誤差。如「四時不忒」。

忑 (tè)[粵]tik^{7}〔剔〕「忐忑」：見本頁「忐」字。

忕 ▲[文](tài)[粵]tai^{3}〔太〕奢靡。晉書有「侈忕無度」。

▲[文](shì)[粵]sɐi^{6}〔誓〕❶習於，慣於。史記有「忕邪臣」。❷察。管子有「小廉而苛忕」。

忐 (tǎn)[粵]tan^{2}〔坦〕「忐忑」：心虛，心意不定。

忌 (jì)[粵]gei^{6}〔技〕❶嫉妒。如「妒忌」。❷顧慮。如「忌

憚」。❸禁戒。如「禁忌」。❹「忌口」：也叫「忌嘴」，有病時禁吃葷腥食物。❺「忌日」：祖先逝世紀念日。❻「忌諱」：有所顧慮而避開不說。

忍 (rěn) 粵 jen²〔隱〕❶容讓，耐住。如「忍痛」；「忍住怒氣」。❷殘酷，狠心。如「殘忍」；「忍心」。❸閉上眼睛打盹兒。如「太累了，我要坐着忍一會兒」。❹図堪，受。張衡賦有「百姓弗能忍」。❺図「忍俊」：含笑。如「忍俊不禁（忍不住要笑）」。

志 (zhì) 粵dzi³〔至〕❶心意的趨向，想有所作為的決定。如「志向」；「志願」；「立志做大事」；「有志者事竟成」。❷心意。如「得志」；「男兒志在四方」。❸通「誌」，記載。如「三國志」。見680頁。❹図通「幟」，見183頁。

忖 (cǔn) 粵tsyn²〔喘〕仔細思量。如「忖度」；「忖量」。

忘 (wàng) 粵moŋ⁴〔亡〕❶不記得，想不起來了。如「我忘了這件事」。❷不注意，忽略了。如「忘懷」。❸「得意忘形」：因為太得意而舉止失常。
【叱】同「咨」，見81頁。

四畫

忭 図(biàn) 粵bin⁶〔辨〕喜悅。如「歡忭」。

忞 図(mín) 粵men⁴〔民〕自己勉力強行。

忿 (fèn) 粵 fen⁵〔憤〕❶憤，恨。如「忿怒」；「忿恨」。❷図「忿鷙」：凶狠。❸甘願，服氣。如「不忿」。❹「忿忿」：心裏很氣憤。

忝 図(tiǎn) 粵 tim²〔他掩切〕辱，常用作謙詞。如「忝為知己」。

忳 図(tún) 粵tyn⁴〔團〕❶悶，憂。❷「忳忳」：憂愁煩悶的樣子。

念 (niàn) 粵nim⁶〔拿驗切〕lim⁶〔離驗切〕(俗)❶惦記，想。如「懷念」；「念舊」。❷讀書出聲音。如「念書」。又作「唸」。❸「廿(二十)的大寫」。❹「念珠」：念佛所持的珠串❺「念頭」：心中的思想。❻「念念」：不斷地想着。如「念念不忘」。

忸 ▲図(niǔ) 粵neu²〔扭〕leu²〔拉嘔切〕(俗)慚愧。
　▲図(niǔ, 舊讀nü) 粵nuk⁹〔拿玉切〕leu²〔拉嘔切〕(俗)❶同「狃」，見425頁。❷「忸怩」：慚愧的樣子。

快 (kuài) 粵 fai³〔塊〕❶稱心，歡喜。如「快活」；「大快人心」。❷舒服。如「快感」；「身體不快」。❸指爽直。如「心直口快」；「快人快語」。❹迅速。跟「慢」相反。如「快跑」；「快點兒來」。❺鋒利。如「這把刀很快」；「快刀斬亂蔴」。❻將近。如「快到家了」。❼「捕快」：從前管抓犯人的衙役（相當於現在的警察）。❽图「快婿」：很滿意的女婿。如「乘龍快婿」。❾「快餐」：餐館裏賣的便餐。

忽 (hū) 粵 fet⁷〔拂〕❶突然，想不到的。如「忽冷忽熱的天氣」。❷不注意。如「疏忽」；「輕忽」。❸輕視。如「忽視」。❹古代極小的長度單位。十忽為一絲；十絲為一毫；十毫為一釐；十釐為一分。❺图「忽忽」：①失意的樣子。如「忽忽若有所亡」。②不經意。說苑有「忽忽之謀，不可為也」。③同「匆匆」。楚辭有「年忽忽而日度」。④迷糊不清。如「悠悠忽忽」。❻「忽哨」也作「嗗哨」：口哨，撮脣發出的尖銳聲。

忮 图 (zhì) 粵 dzi³〔置〕❶害，嫉妒。如「忮心（忌嫉之心）」。❷「忮求」：忌刻而貪得。

忠 (zhōng) 粵 dzuŋ¹〔中〕❶竭盡心力做事。如「盡忠」；「忠心」。❷正直。如「忠言」。❸赤誠無私。如「忠臣」；「忠良」。

忪 ▲图 (zhōng) 粵 dzuŋ¹〔中〕「怔忪」：見215頁「怔」字。
　　▲ (sōng) 粵 suŋ¹〔鬆〕「惺忪」：見223頁「惺」字。

忱 (chén) 粵 sɐm⁴〔岑〕❶真實的情意。如「熱忱」。❷图信。詩經有「天難忱斯」。

忡 (憅) 图 (chōng) 粵 tsuŋ¹〔充〕❶憂慮不安。❷「忡忡」：內心憂慮的樣子。詩經有「憂心忡忡」。

忤 (wǔ) 粵 ŋ⁵〔午〕❶不順從。如「忤逆」。❷图錯。如「陰陽散忤」。

忨 图 (wán) 粵 jyn⁴〔元〕❶貪，愛。❷「忨愒歲月」：只圖逸樂，而蹉跎歲月。

忻 (xīn) 粵 jɐn¹〔因〕同「欣」，見343頁。

【忼】古「慷」字，見226頁。
【忩】同「匆」，見62頁。

五畫。

怭 图 (bì) 粵 bɐt⁹〔拔〕輕薄無禮。詩經有「威儀怭怭」。

怲 图 (bǐng) 粵 biŋ²〔丙〕很憂愁的樣子。詩經有「憂心怲

�」。

怖 (bù)粵bou³〔布〕❶懼怕。如「恐怖」。❷図恐嚇。後漢書有「依托鬼神，詐怖愚民」。

怕 (pà)粵pa³〔鋪亞切〕❶畏懼。如「害怕」；「不怕死」。❷想是，或者，猜測的意思。如「怕他不會來了」。❸姓。

怦 (pēng)粵piŋ¹〔乒〕心急，心動。如「怦然心動」；「心裏怦怦跳」。

怫 ▲図(fú)粵fɐt⁹〔乏〕憂鬱，心情不舒暢。楚辭有「心怫鬱而內傷」。

▲図(fèi)粵fɐi³〔肺〕勃然發怒，臉上變色的樣子。莊子有「怫然作色」。

▲図(bèi)粵bui⁶〔焙〕通「悖」。史記有「五家之言怫異」。見218頁。

怛 図(dá)粵dat⁸〔笪〕❶悲悼。如「惻怛」。❷驚愕。❸「怛怛」：憂傷不安。詩經有「勞心怛怛」。

怠 (dài)粵dɔi⁶〔代〕tɔi⁵〔殆〕（又）❶懶惰，不振作。如「怠惰」；「怠慢」。❷「怠工」：指人在工作時間內不工作，或故意降低生產效率。

怗 ▲図(tiē)粵tip⁸〔貼〕通「帖」。服，定。如「怗服」；「安怗」。參見180頁。

▲(zhān)粵dzim¹〔沾〕「怗懘」：敝敗不堪。

怹 (tān)粵ta¹〔他〕「他」的尊稱。

怓 (náo)粵nau⁴〔撓〕lau⁴〔離肴切〕（俗）❶亂說。❷「怓怓」：隨意亂說話。

怩 (ní)粵nei⁴〔尼〕lei⁴〔離〕（俗）「忸怩」：見212頁「忸」字。

怒 (nù)粵nou⁶〔拿號切〕lou⁶〔路〕（俗）❶生氣。如「惱怒」。❷聲勢盛大。如「怒潮」。❸「怒目」：睜大眼睛表示發怒。❹「怒號(hóu)」：形容聲音很大。如「狂風怒號」。

怜 ▲(líng)粵liŋ⁴〔零〕「怜俐」同「伶俐」：見23頁「伶」字。

▲「憐」的簡化，見227頁。

怪(恠) (guài)粵gwai³〔瓜太切〕❶奇異。如「怪人怪事」。❷妖魔。如「鬼怪」。❸驚異。如「大驚小怪」。❹責備，埋怨。如「怪罪」。❺很。如「怪悶得慌」。

怙 図(hù)粵wu⁶〔戶〕❶憑藉，依靠。如「無所依怙」。❷「怙恃」：①藉，依靠。②比喻父母。詩經有「無父何怙，無母何恃」。❸「怙惡不悛」：做了壞事而不肯悔改。

急 (jí)粵gɐp⁷〔加邑切〕❶迅速。如「急速」；「急轉直

下」。❷緊要，必須快辦的。如「急事」；「急要」。❸危險，情形很嚴重。如「救急不救貧」；「危急存亡之秋」。❹焦躁。如「着急」；「等了半天，快把人急死了」。❺熱心。如「急公好義」。❻「急流」：湍急的水流。如「急流勇退（人在得意的時候見機引退）」。

怯 (qiè) 粵 hip⁸〔脅〕❶膽子小，害怕。如「膽怯」。❷不大方、不合時，是譏笑人的詞。如「怯愣」；「怯頭怯腦」。❸「怯弱」：①膽小怕事。②人的身體瘦弱。

性 (xing)粵siŋ³〔姓〕❶人或事物所自然具有的本質，像人類有知、情、意的稟賦，事物的功能質地等等。如「性質」；「彈性」；「性本善」。❷物體的機能。如「延展性」。❸生物雌雄的生理上的特質。如「性別」；「男性」；「女性」；「異性」。❹效力，功能。如「毒性」；「藥性」。❺範圍，方式，作用。如「全國性」；「綜合性」。❻人生活的態度。如「冒險性」；「依賴性」。❼脾氣。如「性格」；「任性」。❽情慾。如「性慾」。❾「性子」：①稟性。如「這個人性子很急」。②脾氣，怒氣。❿「性命」：生命。

怔 ▲ (zhēng) 粵 dziŋ¹〔征〕❶「囈怔」：熟睡時因下意識作用而起的言語或動作。❷図「怔忪 (zhōng)」：驚懼的樣子。❸「怔忡」：中醫說的一種虛弱病，有心跳、憂鬱、疲瘦等病狀。

▲ (lèng) 粵 liŋ⁶〔令〕同「愣」，發呆的樣子。參見222頁。

怊 図 (chāo) 粵 tsiu¹〔超〕悲傷，心中不順適。

怵 (chù) 粵 dzœt⁷〔卒〕❶害怕，膽怯。如「發怵」。❷図誘迫。如「怵迫」。❸図「怵惕」：戒懼。

怎 (zěn) 粵 dzɐm²〔枕〕疑問詞，如何。如「怎的」；「怎奈」；「怎樣」。

怍 図(zuò)粵dzɔk⁹〔鑿〕慚愧。如「愧怍」。

思 ▲(sī)粵si¹〔司〕❶想，動腦筋。如「思索」；「思考」；「思前想後」。❷惦念。如「思親」；「低頭思故鄉」。❸情緒。如「情思」；「文思」。❹図傷悲。如「思秋」。

▲ 図 (sāi) 粵 sɔi¹〔腮〕「于思」：鬍鬚多的樣子。

怡 (yí)粵ji⁴〔宜〕❶和樂，愉快。如「心曠神怡」。❷姓。

命。

❸「怡然」：和樂自得。

快(yàng) 働 jœŋ² 〔依掌切〕
jœŋ³〔依醬切〕(又) **❶** 不快樂
的樣子。**❷**「快快」：不平，不
滿足。如「快快不樂」。

怨(yuàn) 働 jyn³〔衣寸切〕**❶** 仇
恨。如「結怨」。**❷** 心裏不滿
意，指責。如「埋怨」；「怨
言」。**❸**「怨天尤人」：怨恨命
運，怪天怪地恨別人。
【怨】同「勼」，見62頁。

六畫

恫▲(dòng) 働 duŋ⁶〔動〕「恫
喝」：恐嚇。
▲図(tōng) 働 tuŋ¹〔通〕病
痛。如「恫瘝」。

恬(tián) 働 tim⁴〔甜〕**❶** 安靜。
如「恬靜」。**❷**図安然。如
「恬不知恥」；「恬不為怪」。**❸**
「恬澹」也作「恬淡」、「恬惔」：
不慕榮利。

恧図(nǜ) 働 nuk⁹〔拿玉切〕luk⁹
〔陸〕(俗) 慚愧。

恑図(guǐ) 働 gwɐi²〔鬼〕變異。

恭(gōng) 働 guŋ¹〔工〕**❶** 表示
出謙遜有禮的敬意。如「恭
敬」；「謙恭有禮」。**❷** 姓。

恪(愙)図(kè) 働 kɔk⁸〔確〕
誠敬，謹慎。如「恪
守紀律」。

恇図(kuāng) 働 hɔŋ¹〔康〕**❶** 畏
怯。如「恇駭」。**❷**「恇恇」：
恐懼的樣子。

恐(kǒng) 働 huŋ²〔孔〕**❶** 害
怕。如「恐懼」；「恐怖」。**❷**
恫嚇。如「恐嚇」。**❸** 疑慮詞，
有「或者」、「似乎」、「大概」的
意思。如「恐怕」。**❹**「恐龍」：
(*dinosaur*) 是中生代的陸地爬
蟲，頸跟尾部很長，後肢長於
前肢，體型很大。

恨(hèn) 働 hɐn⁶〔夏刃切〕**❶**
怨，仇視。如「可恨」；「恨
入骨髓」。**❷** 懊悔。如「悔
恨」。**❸** 不如意。如「恨事」。

恆(恒)(héng) 働 hɐŋ⁴〔衡〕
❶ 長 久。如「恆
久」。**❷** 常，不變的。如「永
恆」；「恆心」。**❸** 姓。**❹**「恆
星」：在一個星羣之中心，位
置不變的星球。如太陽便是恆
星。**❺**「恆產」：指不動產(土
地、房屋)。

恢(huī) 働 fui¹〔灰〕**❶** 図大，
廣。如「恢弘」；「恢恢」。**❷**
「恢復」：①失去以後又得到。
②還原，使變成原來的樣子。

恚図(huì) 働 wɐi⁶〔胃〕怨恨。
如「恚憤」。

恍(huǎng) 働 fɔŋ²〔訪〕**❶** 忽
然。如「恍然大悟」。**❷** 好像
是，彷彿。如「恍如隔世」。**❸**

「恍惚」：①神志不清的樣子。如「精神恍惚」。②彷彿，像是。如「他恍惚說過這句話」。

愒 図(jiá)粵hat⁸〔壓〕忽視，不留心的樣子。如「愒置不顧」。

恰 (qià)粵hep⁷〔洽〕❶正，剛剛地。如「恰巧」；「恰到好處」。❷適當，正合適。如「恰當」；「恰如其分」。❸「恰恰」：①剛好。如「恰恰相反」。②図鳥叫聲。

恓 図(xī)粵sei¹〔西〕tsei¹〔妻〕(又)❶「恓恓」：忙碌不安的樣子。❷「恓惶」：驚慌煩惱的樣子。

息 (xī)粵sik⁷〔昔〕❶呼吸。如「氣息」；「一息尚存」。❷停歇。如「休息」；「息燈」。❸利錢。如「年息」；「月息」。❹音信。如「消息」；「信息」。❺兒子。如「子息」。❻姓。❼「息息」：表示相互間有密切的關係。如「息息相關」。

恔 図(xiào)粵hau⁶〔效〕快意。孟子有「於人心獨無恔乎」。

恤(卹) (xù)粵sœt⁷〔戌〕❶憂傷，悲哀。❷憐憫，同情別人。如「憐恤」；「體恤」。❸救濟。如「撫恤」；「恤貧」。❹図顧慮。如「不恤人言(不考慮別人的意思)」。

❺姓。❻「恤恤」：憂慮的樣子。

恂 図(xún)粵sœn¹〔旬〕❶信實。如「恂恂」。❷恂懼，害怕。

恥(耻) (chī)粵tsi²〔齒〕❶羞愧。如「羞恥」；「知恥」。❷侮辱。如「恥笑」。❸可羞的事。如「奇恥大辱」；「引以為恥」。

恃 (shì)粵tsi⁵〔似〕❶依賴，仗着。如「恃勢凌人」；「有恃無恐」。❷母親的代稱。❸図「失恃」：死了母親。

恕 (shù)粵sy³〔戌〕❶推己及人。❷寬恕。如「饒恕」；「恕罪」。❸請人原諒的謙詞。如「恕不招待」；「恕難從命」。

恁 (nèn)粵jem⁶〔任〕❶這樣。如「何須恁怕怯」。❷那。如「恁時」。❸甚麼。如「恁事如此煩惱」。❹怎麼。如「恁地道他不是人」。

恣 ▲図(zì)粵dzi³〔至〕tsi³〔次〕(又)放縱。如「恣意」；「恣情作樂」。
▲図(cī)粵dzi¹〔姿〕「恣睢」：①自得的樣子。②暴戾的樣子。史記有「暴戾恣睢」。

恩 (ēn)粵jen¹〔因〕❶給別人的好處。如「恩惠」。❷愛。如「恩愛」。❸姓。

恙 図（yàng）粵 jœŋ⁶〔讓〕❶病。如「貴恙」；「無恙」。❷憂。史記有「何恙不已」。
【恀】同「怪」，見214頁。
【恪】同「咯」，見80頁。

七畫

悖 ▲図（bèi）粵 bui⁶〔焙〕❶違背情理。如「悖逆」；「悖謬」。❷衝突，矛盾。如「並行不悖」。
▲図（bó）粵 but⁹〔撥〕盛，通「勃」。左傳有「其興也悖焉」。參見59頁。

悌 ▲図（tì）粵 dɐi⁶〔弟〕敬愛兄長或兄弟友愛。
▲（ti）粵 tɐi⁵〔娣〕「愷悌」：和樂平易的意思。

您 （nín）粵 nei⁵〔你〕lei⁵〔李〕（俗）「你」的敬稱。

悧 （lì）粵 lei⁶〔利〕「怜悧」同「伶俐」：見23頁「伶」字。

悢 図（liàng）粵 lœŋ⁶〔亮〕❶惆悵。❷「悢悢」：①悲恨。②眷眷嚮往。

悃 図（kǔn）粵 kwen²〔菌〕誠實的心意。如「悃誠」；「謝悃」。

悝 ▲（kuī）粵 fui¹〔灰〕❶図詼諧。❷人名。春秋時候衞國有孔悝；戰國時候魏國有李悝。

▲（lǐ）粵 lei⁵〔里〕❶憂。❷悲。

悍 （hàn）粵 hɔn⁶〔汗〕hɔn⁵〔旱〕（又）❶勇猛。如「短小精悍」。❷凶暴，蠻不講理。如「悍婦」；「悍然不顧」。

悔 （huǐ）粵 fui³〔晦〕❶追恨。如「後悔」。❷改過。如「悔過」。❸說話不算數。如「反悔」。

患 （huàn）粵 wan⁶〔幻〕❶図憂慮。如「不患寡而患不均」。❷禍害，災難。如「水患」；「禍患」。❸得病。如「病患」；「患者」。❹姓。❺「患得患失」：對得失看得重而惴惴不安。

悁 ▲図（juàn）粵 gyn³〔眷〕躁急。如「悁急」。
▲（juān）粵 gyn¹〔捐〕❶憂愁。❷忿怒。

悄 ▲図（qiāo）粵 tsiu²〔雌曉切〕tsiu³〔俏〕（又）❶靜寂。如「靜悄悄」；「悄然」。❷小聲說話。如「悄默聲兒的」。❸図憂愁。詩經有「憂心悄悄」。
▲（qiāo）粵 tsiu²〔雌曉切〕用在「靜悄悄」、「悄悄話」等詞。

悛 図（quān）粵 syn¹〔酸〕❶改過。如「怙惡不悛」。❷次序。如「內外以悛」。

悉 (xī)粵sik⁷〔昔〕❶知道。如「知悉」。❷詳盡。如「熟悉」。❸全，都。如「悉數」。❹用盡。如「悉心」。❺姓。

悚 図(sǒng)粵suŋ²〔聳〕害怕的樣子。如「悚慄」；「毛骨悚然」。

悒 図(yì)粵jɐp⁷〔邑〕愁悶，不安。如「憂悒」；「鬱悒」；「悒悒不樂」。

悠 (yōu)粵jɐu⁴〔由〕❶長久，長遠。如「悠久」；「悠揚」；「悠遠」。❷懸空搖盪。如「他在打秋千，悠過來悠過去」。❸穩住，控制住。如「用力別太猛，悠着點勁兒」。❹「悠悠」：①安靜閒的樣子。如「白雲悠悠」。②図憂鬱不高興的樣子。詩經有「悠悠我思」。③眾多。後漢書有「悠悠者皆是」。④不規則的搖盪。如「晃晃悠悠」。⑤形容日子過得快。如「悠悠忽忽」。

悟 (wù)粵ŋ⁶〔誤〕❶明白，領會，了解，覺醒。如「覺悟」；「醒悟」；「恍然大悟」；「執迷不悟」。❷「悟性」：人很聰明，看到這就知道那，能「舉一反三」；「觸類旁通」。這種能力叫「悟性」。如「這孩子悟性高，一說他就懂」。

悅 (yuè)粵jyt⁹〔越〕❶快樂。如「喜悅」。❷生愉快之感。如「悅耳」；「悅目」。❸高興。如「近悅遠來」；「心悅誠服」。❹和善。如「和顏悅色」。❺喜歡。如「女為悅己者容」。

【悥】同「通」，見225頁。

【悮】同「誤」，見681頁。

【悤】同「匆」，見62頁。

八畫

悲 (bēi)粵bei¹〔碑〕❶傷心，哀痛。如「悲傷」；「悲喜交集」。❷憐憫。如「慈悲」；「悲天憫人」。❸「悲觀」：①「樂觀」的相反詞。對世事都不感興趣。②失望。如「我對這件事很悲觀」。

悶 ▲(mèn)粵mun⁶〔麻玩切〕❶心情不舒暢。如「煩悶」；「憋悶」。❷嚴密的器具。如「悶表(兩面有蓋的表)」；「悶葫蘆罐兒」。❸「悶悶」：鬱結不高興。如「悶悶不樂」。

▲(mēn)粵mun⁶〔麻玩切〕❶因為氣壓低或是空氣不流通，使人發生一種憋氣的感覺。如「悶熱」；「天氣好悶哪」；「屋裏這麼悶，快把窗戶打開吧」。❷密密封閉起來。如「沏好了茶，悶一悶再喝」。❸聲音不響亮的銀幣。如「悶板」。❹不

聲不響的。如「悶聲悶氣」。

悱 図(fěi)粵fei²〔匪〕❶有話想說可是說不出來。論語有「不憤不啟，不悱不發」。❷悲傷。如「悱惻(內心悲哀)」。

悼 (dào)粵dou⁶〔道〕❶悲傷(追念死者)。如「哀悼」；「追悼」。❷憐惜。

惦 (diàn)粵dim³〔店〕思念。如「惦記」；「惦念」。

惇 図(dūn)粵dœn¹〔敦〕❶淳厚。如「世惇俗厚」。❷重視。如「惇信明義」。❸「惇惇」：誠實篤厚的樣子。

惔 図(tán)粵tam⁴〔談〕❶用火灼爛。詩經有「憂心如惔」。❷「惔惔」：不慕榮利。

惝 図(tǎng)粵tɔŋ²〔倘〕tsɔŋ²〔廠〕(又)❶悵恨。❷「惝然」：失意不快樂的樣子。

惕(悐) (tì)粵tik⁷〔剔〕❶恐懼；憂懼。如「惕息」；「惕惕」。❷謹慎，提防。如「警惕」。

惉 (tiǎn)粵tin²〔他典切〕慚愧。

悾 図(kōng)粵huŋ¹〔空〕誠懇謹慎。

惚 (hū)粵fɐt⁷〔弗〕「恍惚」：見216頁「恍」字。

惄 図(nì)粵nik⁹〔拿亦切〕lik⁹〔力〕(俗)憂思。詩經有「惄焉如擣」。

惑 (huò)粵wak⁹〔或〕❶迷亂。如「妖言惑眾」；「受了蠱惑」。❷疑慮不能決定。如「疑惑」；「四十而不惑」。

惠 (huì)粵wɐi⁶〔衞〕❶恩，仁愛，給別人好處。如「恩惠」。❷賜，感謝的敬辭。如「惠臨」；「惠顧」。❸舒和。如「惠風和暢」。❹姓。❺通「慧」，見226頁。

惛(惽) 図(hūn)粵fɐn¹〔婚〕❶腦筋不清楚，糊塗。如「心惛意亂」。❷「惛懜」：視力不好。

悸 (jì)粵gwɐi³〔季〕因害怕而心跳。如「驚悸」；「心悸」。

惎 図(jì)粵gei⁶〔技〕❶憎惡。如「惎之尤甚」。❷毒害。左傳有「惎間王室」。

悽 (qī)粵tsɐi¹〔妻〕悲傷。如「悽愴」；「悽慘」。又作「凄」、「淒」。

情 (qíng)粵tsiŋ⁴〔呈〕❶人受了外來刺激而發生的心理作用。如「情緒」；「感情」。❷兩性交好。如「愛情」；「談情說愛」。❸意念。如「情懷」；「熱情」；「情投意合」。❹友誼，好意。如「人情」；「交情」。❺私意。如「情、理、法兼顧」；「不徇情」。❻狀況，內容。如

「情形」；「情節」；「病情」；「行(háng)情」。❼ 図 誠實。如「情僞(誠與僞)」。

倦 図 (quán) ⑧ kyn⁴〔拳〕「倦倦」同「拳拳」：誠懇深切的意思。

惜 (xī) ⑧ sik⁷〔昔〕❶ 覺得寶貴，珍愛。如「愛惜」；「惜陰(愛惜光陰)」。❷ 捨不得。如「吝惜」；「惜別」。❸ 悲痛。如「痛惜」。

悻 図 (xìng) ⑧ heŋ⁶〔杏〕「悻悻」：怨恨發怒的樣子。

惆 (chóu) ⑧ tseu⁴〔囚〕「惆悵」：失意，傷感，悲愁。

悵 (chàng) ⑧ tsœŋ³〔唱〕失意。如「來訪未遇，悵甚」。

惙 図 (chuò) ⑧ dzyt⁸〔拙〕❶ 憂傷。如「惙怛」。❷ 疲乏。如「貌力癯惙」。

悴 (cuì) ⑧ sœy⁵〔緒〕「憔悴」：見227頁「憔」字。

悰 図 (cóng) ⑧ tsuŋ⁴〔松〕快樂。

惡 ▲(è) ⑧ ok⁸〔堊〕❶ 壞的，粗劣的。如「惡衣、惡食」；「惡人必有惡報」。❷ 凶狠。如「惡毒」；「惡狗守門」。❸ 醜陋的。如「相貌不惡」。❹ 犯罪的事。如「作惡多端」；「惡貫滿盈」。❺ 図 病。左傳有「其惡易覿」。

▲(ě) ⑧ ok⁸〔堊〕「惡心」同「噁心」：作嘔要吐，也用來表示厭煩得難以忍耐。

▲(wù) ⑧ wu³〔烏高去〕❶ 討厭。如「可惡」；「厭惡」；「深惡痛絕」。❷「羞惡」：羞恥。

▲図(wū) ⑧ wu¹〔烏〕❶ 怎麼，同「烏」。如「惡可如此」。❷ 歎詞，表驚訝。如「惡！是何言也」。

惟 (wéi) ⑧ wɐi⁴〔圍〕❶ 想，考慮。如「思惟」。❷ 單單，只。如「惟一」；「惟恐又失去」。❸ 但是，不過。如「病已治好，惟身體仍很虛弱」。❹ 図 因爲。如「亦惟女故」。❺ 図 文言發語詞、語助詞。如「惟二月既望」。❻「惟妙惟肖」：指模仿的精妙。

惋 (wǎn) ⑧ jyn²〔苑〕對別人不幸的遭遇表示同情，替人歎氣。如「歎惋」；「惋惜」。

惘 図(wǎng) ⑧ moŋ⁵〔罔〕❶ 失意的樣子。如「悵惘」。❷ 失志的樣子。如「惘然」。

【惪】同「德」，見209頁。

九畫

愎 (bì) ⑧ bik⁷〔碧〕意氣自用，不肯接受別人的意見。如「剛愎自用」。

愊 (bì) 粵bik⁷〔碧〕❶「愊幅」：形容至誠的。❷「愊憶」：形容鬱結不暢快的樣子。

愐 (miǎn) 粵min⁵〔免〕❶勉。❷思。❸「愐愧」同「腼腆」：見578頁。

愍 囡(mǐn) 粵men⁵〔吻〕❶憂愁。❷「愍傷」：憐恤的意思。❸通「瞀」，見297頁。

惰 (duò) 粵do⁶〔墮〕❶懈怠，不肯盡力工作。如「怠惰」；「懶惰」。❷「惰性」：是物體沒有受到外力時，「動者恆動，靜者恆靜」的性質。

惱 (nǎo) 粵nou⁵〔腦〕lou⁵〔老〕(俗)❶氣恨，發怒。如「惱怒」；「惱羞成怒」。❷精神的煩悶、苦悶。如「煩惱」；「苦惱」。

愣 (lèng) 粵liŋ⁶〔令〕❶發呆。如「他一問，我不能回答，就愣住了」。❷鹵莽的樣子。如「愣頭愣腦」。❸率意而行，不加顧慮。如「愣說」；「愣幹」。

感 ▲(gǎn) 粵gem²〔錦〕❶受到外來刺激引起的情緒反應。如「好感」；「感慨」；「百感交集」。❷打動人的心。如「感化」；「感動」；「感人甚深」。❸受到，覺着。如「感受」；「感想」；「感到一陣溫暖」。❹對別人給的好處表示謝意。如「感謝」；「感激」；「感恩圖報」。❺用在名詞後面，指有某種自覺自認。如「幽默感」；「責任感」；「優越感」。❻「感冒」：一種病，也叫「傷風」；流行感冒是由過濾性病毒引起的。

▲囡(hàn) 粵hem⁶〔憾〕通「撼」，見269頁。

惶 (huáng)粵woŋ⁴〔王〕恐懼，不安。如「惶恐」；「惶惑」；「人心惶惶」。

愒 ▲囡(qì) 粵 hei³〔器〕同「憩」，見228頁。

▲囡(kài) 粵kɔi³〔概〕❶貪。❷荒廢。左傳有「玩歲而愒日」。

愀 囡(qiǎo)粵tsiu²〔悄〕❶臉色變。❷「愀然」：①臉色變的樣子。②憂懼的樣子。

愜(慊) (qiè) 粵hip⁸〔協〕❶滿足，暢快。如「愜意」。❷滿意、合理。如「愜當」。

愆 囡(qiān) 粵hin¹〔軒〕❶過失。如「愆尤」。❷差錯，誤失。如「愆期」。❸惡疾。左傳有「王愆于厥身」。

惸 囡(qióng)粵kiŋ⁴〔瓊〕❶「惸惸」：形容憂愁的情緒。如「憂心惸惸」。❷孤獨，沒兄沒

弟。如「惸獨」。又作「嫈」。

想 (xiǎng) ⑧ sœŋ² 〔賞〕❶思索，用心思。如「想了好久想不出道理來」。❷助動詞，欲、要、打算的意思。如「小弟想去逛動物園」。❸希望。如「不作此想」。❹謀求。如「想個事作」。❺憶，掛念。如「懷想」。❻認為。如「您想這樣對不對」。❼「想象」：人通過思維想出從未感知的事物或形象的心理過程。

惺 (xīng) ⑧ siŋ¹ 〔星〕❶悟。❷靜。❸⑤「惺惺」：①聰明。如「惺惺相惜（憐惜同樣聰明有為的人的意思）」。②虛情假意。如「假惺惺」。❹「惺忪(sōng)」：①動搖不定的樣子。②清楚的樣子(現用作「還沒有睡醒的樣子」)。如「睡眼惺忪」。

惴 ⑤(zhuì) ⑧ dzœy³〔醉〕tsyn²〔喘〕(又) ❶憂懼。如「惴慄」。❷「惴惴」：擔心的樣子。如「惴惴不安」。❸「惴耎」：蠕動的樣子。

愁 (chóu) ⑧ seu⁴〔仇〕❶憂慮。如「不愁吃不愁穿」。❷慘淡的樣子。如「愁雲慘霧」。

惹 (rě) ⑧ jɛ⁵〔野〕招，引，挑逗。如「招惹」；「惹是生非」；「惹了個亂子」。

愞 ⑤(nuò) ⑧ nɔ⁶〔糯〕lɔ⁶〔離賀切〕(俗)「畏愞」：怕事，軟弱的樣子。

惻 (cè) ⑧ tsɛk⁷〔測〕❶誠懇。❷悲痛。如「悽惻」；「惻然」。❸「惻隱」：看到人家遭遇不幸，心裏難過、同情的情緒。孟子書有「皆有忧惕惻隱之心」。

愕 (è) ⑧ ŋɔk⁹〔岳〕ɔk⁹〔惡低入〕(俗) ❶驚懼的樣子。如「驚愕」；「愕然」。❷通「諤」，見685頁。

愛 (ài) ⑧ ɔi³〔媛〕❶親近思慕。如「妹妹愛媽媽」；「國民都愛國家」。❷喜歡。如「弟弟愛吃糖」。❸親慕的情緒或親慕的人。如「親愛」；「愛慕」；「愛人」。❹珍視。如「自愛」；「愛名譽」。❺容易。如「鐵愛生鏽」；「吃生冷的東西愛拉肚子」。❻兩性相傾慕。如「愛情」；「張小姐愛上李先生」。❼⑤仁，惠。孟子書有「古之遺愛」。❽⑤吝惜。孟子書有「百姓皆以王為愛也」。❾姓。

意 (yì) ⑧ ji³〔懿〕❶心裏所想的。如「意思」；「心意」。❷主張，見解。如「意見」。❸料想。如「意外」；「意料」。❹人或事物流露的情態。如「春意」；「秋意」；「醉意」。❺意大

利國的簡稱。❻「意氣」：①意志和勇氣。如「意氣俱起」。②氣概。史記有「意氣揚揚」。③志趣，性格。如「意氣相投」。④任性。如「意氣用事」。

愔 図(yīn)粵jem¹〔陰〕安和的樣子。

愚 (yú)粵jy⁴〔如〕❶傻，笨，不聰明。如「愚笨」；「大智若愚」。❷欺騙。如「愚弄」；「受愚」。❸使人愚蠢。如「愚民政策」。❹自稱的謙詞。如「愚兄」；「愚見」。❺「愚忠」：封建社會大臣不問是非，死心塌地效忠皇帝。❻「愚公移山」：列子書上的寓言故事。引作比喻有決心有毅力克服最大困難的精神。

愉 (yú)粵jy⁴〔如〕快樂，高興。如「愉快」。

愈 (yù)粵jy⁶〔預〕❶更加。如「愈來愈好」。❷図病好了。如「病愈」。❸図勝過。如「此愈於彼」。❹「愈愈」：憂懼的樣子。詩經有「憂心愈愈」。

惲 (yùn)粵wen⁶〔運〕姓。

【愖】同「惝」，見220頁。
【愠】同「慍」，見225頁。
【惷】同「蠢」，見649頁。
【慨】同「慨」，見226頁。

十畫

態 (tài)粵tai³〔泰〕❶模樣。如「形態」。❷「態度」：①言語行動的神情。如「態度從容」。②主張。如「態度強硬」。❸「態勢」：軍用語詞。形態，形勢。如「敵軍兵力態勢圖」。

慆 図(tāo)粵tou¹〔滔〕❶喜悅。❷偷惰，怠慢。書經有「無即慆淫」。❸疑。❹藏。左傳有「以樂慆憂」。❺「慆慆」：形容時間久。詩經有「慆慆不歸」。

慄 (lì)粵lœt⁹〔栗〕❶因為寒冷或恐懼而肢體抖動。如「戰慄」；「不寒而慄」。❷通「栗」，見317頁。

愷 図(kǎi)粵hoi²〔海〕❶和，樂。❷「愷悌」：形容和樂，為人和善，容易親近。❸通「凱」，見49頁。

愾 ▲(kài)粵koi³〔概〕怒，恨。如「敵愾同仇」。
▲(xì)粵hei³〔氣〕歎息。

愧(媿) (kuì)粵kwɐi⁵〔揆〕羞慚。如「羞愧」；「慚愧」。

慌 (huāng)粵foŋ¹〔方〕❶害怕，着急。如「恐慌」；「慌作一團」。❷急忙，混亂，作事不穩。如「心慌意亂」；「慌

裏慌張」。❸難受。如「悶得慌」。

慊 ▲(qiè)粵hip[8]〔怯〕滿足。如「意不自慊」。

▲(qiàn)粵him[3]〔欠〕不滿，恨。

▲通「嫌」，可疑。如「避慊」。見144頁「嫌」。

慉 文(xù)粵tsuk[7]〔促〕養。詩經有「不我能慉」。

愴 文(chuàng)粵tsɔŋ[3]〔創〕悲傷。如「愴悢」;「悽愴」。

慎(昚) (shèn)粵sen[6]〔時刃切〕❶小心，仔細。如「謹慎」;「敏於事而慎於言」。❷千萬，吩咐告誡的話。如「服用此藥，慎勿過量」。❸恐怖，淒厲。如「半夜裏，窗外一聲長嗥，眞慎得慌」。❹文「慎終」：喪事要盡禮。如「慎終追遠」。❺文「慎獨」：閒居獨處的時候也謹慎守道。

愫 文(sù)粵sou[3]〔素〕❶眞情。如「情愫」。❷心裏的話。如「一傾積愫」。

愬 文(sù)粵sou[3]〔素〕❶害怕的樣子。公羊傳有「愬而再拜」。❷同「訴」，見677頁。

慈 (cí)粵tsi[4]〔詞〕❶深篤的愛。如「慈愛」。❷長輩疼愛晚輩。如「慈祥」;「慈幼」。❸子女稱母親。如「家慈」。❹姓。

慇 (yīn)粵jen[1]〔因〕「慇懃」也作「殷勤」：待人接物親切周到的意思。

愿 文(yuàn)粵jyn[6]〔縣〕❶忠厚誠實。如「謹愿」。❷跟別人同流合污，想博得「謹愿」的名聲的人。如「鄉愿」。❸「願」的簡化，見817頁。

慍(愠) 文(yùn)粵wen[3]〔醞〕含怒。如「慍怒」;「面有慍色」。

慂(恿) (yǒng)粵juŋ[2]〔湧〕「慫慂」：見226頁「慫」字。

【愨】同「慤」，見226頁。

十一畫

慢 (màn)粵man[6]〔萬〕❶遲，緩。跟「快」相反。如「跑得慢」;「慢車道」。❷不勤快。如「怠慢」。❸驕傲。如「傲慢」。❹禮貌不周到。如「慢待」;「簡慢」。

慕 (mù)粵mou[6]〔募〕❶思，戀念。如「思慕」。❷羨愛。如「愛慕」。❸姓。

慝 文(tè)粵tik[7]〔剔〕邪惡，心裏藏着惡意。如「邪慝」。

慱 文(tuán)粵tyn[4]〔團〕「慱慱」：憂勞的樣子。詩經有「勞心慱慱兮」。

慟（tòng）働dung⁶〔洞〕極度悲傷。如「哀慟」；「慟哭」。

慮（lù）働løy⁶〔類〕❶深想，謀算。如「考慮」；「思慮」。❷憂疑。如「憂慮」。❸姓。

慣（guàn）働gwan³〔瓜晏切〕❶習以爲常的，積久成性的。如「慣例」；「習慣」；「吃慣了米，不想吃麪」。❷縱容的意思。如「嬌生慣養」；「把他慣壞了」。

慨（慨）（kǎi）働kɔi³〔概〕❶感歎。如「感慨」。❷憤激。如「憤慨」。❸不吝惜。如「慷慨」；「慨允」。❹「慨然」：憤激的樣子。後漢書有「慨然有澄清天下之志」。❺「慨慨」：感嘆的樣子。楚辭有「情慨慨而長懷兮」。

慷（kāng）働hɔng²〔哈港切〕「慷慨」：①意氣激昂。②度量大，不吝嗇。如「這個人很慷慨，一定會幫你的忙」。

慼（qī）働tsik⁷〔戚〕❶憂愁。❷慚愧。

慳（qiān）働han¹〔哈山切〕❶吝嗇。❷欠缺。

慧（huì）働wɐi⁶〔惠〕❶聰敏，有才智。如「智慧」；「敏慧」；「秀外慧中」。❷「慧眼」：①佛家語，意思是說能看出一切事物的眞相。②眼光特別敏銳。如「慧眼識英雄」。

慶（qìng）働hing³〔罄〕❶賀喜。如「慶祝」；「慶賀」。❷祝賀的事。如「國慶」；「七十大慶」。❸福澤。如「積善之家必有餘慶」。❹獎賞。禮記有「行慶施惠」。❺姓。

慤（慤）（què）働kɔk⁸〔確〕誠謹。

慴（zhé）働sip⁸〔攝〕dzip⁸〔摺〕（又）畏懼。如「慴伏」。

惷（chōng）働tsun¹〔充〕❶癡愚。❷「惷愚」：癡獃無知。

慥（zào）働tsou³〔燥〕dzou⁶〔做〕（又）❶急忙。❷「慥慥」：厚道的樣子。

慚（慙）（cán）働tsam⁴〔蠶〕羞愧。如「慚愧」。

慘（cǎn）働tsam²〔雌減切〕❶傷痛。如「慘痛」。❷毒辣。如「慘酷」；「慘殺」。❸「慘澹」也作「慘淡」：暗淡無光。❹「慘澹經營」：苦心計劃，竭盡心力去作。

慫（sǒng）働sung²〔聳〕❶驚懼。❷「慫恿」也作「慫慂」、「慫恿」：從旁鼓舞別人作某種事情。

憂（yōu）働jeu¹〔幽〕❶愁。如「憂愁」。❷患。如「憂患」。❸可以愁的事。如「人無遠慮，必有近憂」。❹❹居喪。

慪(òu)粵eu³〔歐高去〕同「嘔」，故意惹人生氣。如「慪人生氣」。

慰(wèi)粵wɐi³〔餵〕❶心安。如「欣慰」。❷安撫。如「慰問」；「慰勞」。

慾(yù)粵juk⁹〔欲〕內心喜歡而急着想滿足的願望。如「慾望」；「求知慾」。

慵(yōng)粵juŋ⁴〔容〕懶。如「慵懶」。

【愳】同「懼」，見228頁。
【惛】同「儌」，見230頁。

十二畫

憊(bèi)粵bai⁶〔敗〕疲倦。如「疲憊」。

憋(biē)粵bit⁸〔鼈〕在心裏悶住，勉強忍受。如「憋着氣」。

憑(凴)(píng)粵pɐŋ⁴〔朋〕❶身子靠着。如「憑欄遠眺」。❷依託。如「憑藉」；「就憑這一雙手過日子」。❸證據。如「憑證」；「憑單」。❹隨，任。如「任憑你怎麼說，不理就是不理」。❺姓。❻粵「憑弔」：由遺留下來的景物，追念從前發生的事蹟，心中有所感嘆。

憫(mǐn)粵mɐn⁵〔敏〕❶憂愁，煩悶。孟子書上有「阨窮而不憫」。❷哀憐。如「憐憫」；「悲天憫人」。

憚(dàn)粵dan⁶〔但〕❶畏難。❷害怕。如「不憚煩」；「肆無忌憚」。

憝(duì)粵dœy⁶〔隊〕❶怨恨。漢書有「凡民罔不憝」。❷大壞蛋，奸惡的人。書經有「元惡大憝」。

憐(lián)粵lin⁴〔連〕❶對別人的不幸表示同情。如「可憐」；「同病相憐」。❷愛，惜。如「憐愛」；「憐香惜玉」。

憒(kuì)粵kui²〔潰〕心智昏亂不明。如「昏憒」；「憒亂」。

憨(hān)粵hɐm¹〔堪〕❶癡傻。如「憨子」；「憨笑」。❷天真純潔。如「嬌憨」。❸從純真轉為誠實忠厚的意思。如「憨厚」。❹粗。如「用憨一點的繩子捆上」。

憍(jiāo)粵giu¹〔嬌〕通「驕」，見834頁。

憬(jǐng)粵giŋ²〔景〕覺悟。如「憬悟」。

憔(qiáo)粵tsiu⁴〔樵〕「憔悴」：①粵受困苦。孟子書有「民之憔悴於虐政」。②臉上顯出生病的狀態。如「顏色憔悴」。

憩(憇)(qì)粵hei³〔器〕休息。如「憩息」;「休憩」。

憙囡(xǐ)粵hei²〔喜〕❶喜悅。❷歎息聲。

憲(xiàn)粵hin³〔獻〕❶法令。如「憲令」。❷憲法的略稱。如「立憲」;「行憲」。❸「憲法」:①法度。②規定國家性質、基本政策、政府組織、人民權利義務等的根本大法。

憧(chōng)粵tsuŋ¹〔沖〕❶心意不定或往來不絕的樣子。如「憧憧往來」。❷「憧憬」:嚮往羨慕的意思。如「憧憬未來美好的前程」。

憎(zēng)粵dzɐŋ¹〔增〕厭惡,恨。如「憎惡」;「面目可憎」。

憯囡(cǎn)粵tsam²〔慘〕傷痛,通「慘」,見226頁。

慭囡(yìn)粵jɐn⁶〔刃〕❶肯,願。左傳有「昊天不弔,不慭遺一老」。❷傷,缺。左傳有「兩軍之士皆未慭也」。

十三畫

懋(mào)粵mɐu⁶〔茂〕❶盛大的意思。如「懋勳」。❷勉。詩經上有「惟時懋哉」。❸「懋遷」:販運買賣,交易。通「貿」,見698頁。

憤(fèn)粵fɐn⁵〔奮〕❶因心中不滿意而激動。如「氣憤不平」;「惹起公憤」。❷怨恨。如「憤恨」;「洩憤」。❸心裏鬱悶。如「憤懣」。

懂(dǒng)粵duŋ²〔董〕❶明白,了解。如「懂事」;「懂得」。❷「懵懂」:見229頁「懵」字。

憹▲囡(náo)粵nau⁴〔撓〕lau⁴〔離肴切〕(俗)「懊憹」:心中煩鬱。
▲(nóng)粵nuŋ⁴〔農〕luŋ⁴〔龍〕(俗)心亂。

懍囡(lǐn)粵lɐm⁵〔廩〕❶敬,畏。❷危險的樣子。

懇(kěn)粵hɐn²〔很〕❶真誠親切。如「懇摯」;「懇切」。❷請求。如「懇求」;「懇請」。

憾(hàn)粵hɐm⁶〔撼〕❶不愉快的事。如「憾事」。❷心裏不快。如「缺憾」;「遺憾」。

懃(qín)粵kɐn⁴〔勤〕通「勤」。厚意待人。如「慇懃」。見61頁。

懈(xiè)粵hai⁶〔械〕❶怠惰。如「懈怠」;「努力不懈」。❷液體由稠變稀叫「懈」。如「這稀飯太懈了」。

憸囡(xiān)粵tsim¹〔纖〕❶「憸人」:不厚道的人。❷「憸佞」:好口才的壞人。

懊 (ào) 粵ou³〔澳〕❶ 貪愛。❷ 悔恨。如「懊悔」;「懊恨」。❸ 煩惱。如「懊惱」。

懌 図(yì) 粵jik⁹〔譯〕快樂。

憶 (yì) 粵jik⁷〔益〕❶ 思念,回憶。如「憶故鄉」。❷ 記得。如「記憶」。

應(應)▲(yīng) 粵jiŋ¹〔英〕❶ 該當。如「應有盡有」;「應該如此」。❷ 想來是。如「應是母慈重,使爾悲不任」。❸ 姓。
▲(yìng) 粵jiŋ³〔衣慶切〕❶ 對答。如「應對」。❷ 對付。如「應戰」;「應接不暇」。❸ 允許。如「應許」。❹ 適合。如「應用」;「應時」。❺ 接受。如「應試」;「應徵」。❻ 感動。如「感應」;「響應」。

十四畫

懣 (mèn) 粵mun⁶〔悶〕煩悶。如「憤懣」。

懟 図(duì) 粵dœy⁶〔隊〕怨恨。如「怨懟」。

懦 (nuò) 粵no⁶〔糯〕lɔ⁶〔離賀切〕(俗) 軟弱無能。如「懦弱」;「懦夫」。

懤 図(chóu) 粵tsɐu⁴〔稠〕「懤懤」:形容憂愁的樣子。

十五至二十四畫

懲 (chéng) 粵tsiŋ⁴〔呈〕❶ 警戒。如「懲戒」。❷ 責罰。如「懲一儆百」;「嚴懲貪污」。❸ 図「懲前毖後」:以前吃了虧,以後就得謹慎了。

懵(懞、懜)図▲(méng) 粵muŋ⁴〔蒙〕「懵然」:無知,不明事理的樣子。
▲(měng) 粵muŋ²〔媽擁切〕「懵懂」:心裏不明瞭,糊塗。如「聰明一世,懵懂一時」。

懶 (lǎn) 粵lan⁵〔離晚切〕❶ 不努力。如「懶惰」。❷ 不想,不願意。如「懶得動」;「懶得跟他說話」。

懷 (huái) 粵wai⁴〔淮〕❶ 抱。如「懷抱」。❷ 藏。如「身懷武器」。❸ 思念。如「懷念」。❹ 存心。如「不懷好意」。❺ 胸腹之間。如「抱在懷裏」。❻ 心中。如「耿耿於懷」。❼ 図歸附。如「黎民懷之」。❽ 図安撫。如「懷柔」;「以懷遠人」。❾ 姓。

懸 (xuán) 粵jyn⁴〔元〕❶ 繫在空中。如「懸燈結綵」。❷ 事情沒有着落。如「懸案」;「這件事你既不管,他也不理,只好讓它懸着」。❸ 危險。如「差點

兒掉下去，眞懸」。❹「懸河」：形容人的口才好，能滔滔不絕的說話。如「口若懸河」。❺「懸殊」：相差很遠。如「貧富懸殊」。❻囡「懸壺」：行醫。是後漢書費長房傳裏的故事，說汝南市中，有老翁懸壺賣藥，市罷而跳入壺中。

懺(chàn)粵tsam³〔杉〕❶自己知道悔過。如「懺悔」。❷和尚尼姑禮佛誦經。如「拜懺」。

懼(jù)粵gœy⁶〔具〕害怕。如「恐懼」。

懾(慴、讋)囡(shè)粵dzip⁸〔接〕sip⁸〔攝〕(又)❶威脅。淮南子有「聲懾海內」。❷受威勢所逼迫而害怕。如「懾服」。

懿囡(yì)粵ji³〔意〕❶美、善、溫柔。如「嘉言懿行」；「懿德(指婦女的美德)」。❷「懿旨」：皇太后或皇后的詔令。

【懽】同「歡」字，見346頁。
【憁】同「忡」，見213頁。

戁囡(nǎn)粵nan⁵〔奴晚切〕lan⁵〔懶〕(俗)敬畏。

戀(liàn)粵lyn²〔拉婉切〕❶掛念，不忍分離。如「戀慕」；「留戀」。❷「戀愛」：男女互相喜悅。❸囡「戀棧」：比喻人貪戀職位，好像下劣的馬貪吃料豆兒捨不得離開馬棧。❹「戀」：顧念。如「戀戀不捨」。

戇(戆)(gàng)粵ŋoŋ⁶〔昂低去〕ɔŋ⁶(俗)囡愚笨而剛直。荀子書上有「悍戇好鬥」。

【戈部】

戈 (gē)〔粵〕gwɔ¹〔瓜柯切〕wɔ¹〔窩〕(俗) ❶古兵器。像戟,橫刃。❷姓。❸「戈壁」:滿州語稱沙漠為戈壁。❹「戈船」:戰船。

一至七畫

戊 (wù)〔粵〕mou⁶〔務〕❶天干的第五位。❷常作第五的代稱。如「戊夜(五更)」。

【弒】同「鈗」,見757頁。

戌 〔國〕(xū)〔粵〕sœt⁷〔恤〕❶地支的第十一位。❷戌時,指午後七時至九時。❸方位名,指西北方。

成 (chéng)〔粵〕siŋ⁴〔乘〕❶事情完畢。❷夠數。如「成雙」。❸古代稱地方十里。如「有田一成」。❹可以。如「你這樣不成」。❺稱人能幹。如「你真成」。❻成為。如「你成為名人了」。❼量詞,十分之一叫成。如「有八成希望」。❽足夠。如「成了,成了,別再買了」。❾事物到了有效的階段。如「成年」;「條件成熟」。❿姓。

戍 〔國〕(shù)〔粵〕sy³〔庶〕❶以兵守邊界。如「戍守」。❷守衞的兵。

戎 〔國〕(róng)〔粵〕juŋ⁴〔容〕❶跟軍事、戰爭有關的事物。如「戎馬」;「戎機」。❷古時中國西方各族的總名。❸姓。

戒 (jiè)〔粵〕gai³〔介〕❶警告。如「勸戒」。❷防備。如「戒備」;「戒心」。❸革除某種嗜好。如「戒煙」。❹齋戒(在祭祀前沐浴更衣,不飲酒,不吃葷,以示虔敬)。❺訓示。❻宗教信徒所守的法規。如「戒律」。❼「戒嚴」:戰爭或非常事變時施行的一種緊急防備。

我 〔國〕(wǒ)〔粵〕ŋɔ⁵〔鵝低上〕ɔ⁵〔柯低上〕(俗) ❶稱自己,自己的。如「我國」;「我國的」。❷私意。如「大公無我」。❸「我行我素」:自行其是,不管別人怎樣,只做自己想做的事。

或 (huò)〔粵〕wak⁹〔劃〕❶表示不定的連詞。如「或此或彼」。❷指示形容詞。某人,有人。如「或告之曰」。❸表示不定的副詞。如「或許(說不定)」。❹代名詞,誰。詩經有「今此下民,或敢侮予」。

戔 〔國〕(jiān)〔粵〕dzin¹〔煎〕❶細微的。❷「戔戔」:形容細微或少的樣子。如「為數戔戔」。

【牂】見爿部,419頁。

【哉】見口部,87頁。

【㦷】見口部，87頁。
【㦷】見女部，140頁。
【栽】見木部，320頁。

戛(戞) 図(jiá)粵gat⁸〔加壓切〕at⁸〔壓〕(又) ❶擊。❷長矛。❸「戛戛」：①獨立的樣子。如「戛然獨造」。②難。如「戛戛乎其難哉」。

戚 ▲(qī)粵tsik⁷〔斥〕❶憂愁，悲哀。如「悲戚」；「休戚相關」。又作「慼」。❷親屬。如「親戚」。❸古時兵器名，斧的一種。❹姓。❺図「戚然」：憂鬱的樣子。❻「戚戚」：①相親的樣子。詩經有「戚戚兄弟」。②憂懼的樣子。論語有「君子坦蕩蕩，小人長戚戚」。

▲ 図(cù)粵tsuk⁷〔束〕同「促」，見28頁。

八至十四畫

戟 (jǐ)粵gik⁷〔擊〕❶古兵器名，長柄的一端附有枝狀的利刃。❷図「戟手」也作「戟指」：伸手指人而罵。
【裁】見衣部，657頁。
【䘈】見虫部，638頁。
【幾】見幺部，186頁。
【蔵】見肉部，575頁。

戥 (děng)粵deŋ⁶〔鄧〕deŋ²〔等〕(又)「戥子」：小型的秤，用來稱金銀、珠寶等貴重物品或重量很小的東西。

戤 図(gài)粵kɔi³〔概〕❶商人冒牌取利。如「影戤」。❷用東西去押錢。

戡 図(kān)粵hem¹〔堪〕❶平定。如「戡亂」。❷殺。

戣 図(kuí)粵kwei⁴〔葵〕戟一類的兵器。

戢 図(jí)粵tsɐp⁷〔輯〕❶收藏。詩經有「載戢干戈」。❷止息。❸禁止。❹姓。
【載】見車部，719頁。

截 (jié)粵dzit⁹〔捷〕❶割斷。如「截斷」。❷段。如「斷成好幾截兒」。❸阻攔。如「攔截」。❹図「截然」：分明的樣子。如「截然不同」。

戩(戩) 図(jiǎn)粵dzin²〔剪〕❶盡。「戩穀」就是盡善。❷福。

戧 ▲(qiàng)粵tsœŋ³〔唱〕❶支持。如「牆歪了，快戧根木頭。」❷在器物上飾金。如「戧金」。

▲(qiāng)粵tsœŋ¹〔昌〕❶不順。❷決裂。

戮 図(lù)粵luk⁹〔錄〕❶殺。如「殺戮」。❷侮辱。❸図「戮力」：共同努力。❹「戮屍」：為懲罰死者生前的行為，將其屍從棺中取出斬戮的一種刑罰。

戜 ▲図 (yǐn) 粵 jɐn⁵〔引〕長槍。

▲ (yǎn) 粵 jin²〔演〕「檮戜」：古人名，八愷(高陽氏八才子)之一。

【臧】見臣部，584頁。

【戲】同「戲」，見本頁。

戰(战) (zhàn) 粵 dzin³〔顫〕❶ 打仗。如「戰爭」。❷比較優劣的競賽。如「球戰」。❸顫動。❹害怕。如「心驚膽戰」。❺姓。❻図「戰戰兢兢」：恐懼戒慎的樣子。

戲(戲) ▲(xì) 粵 hei³〔氣〕❶玩耍。如「遊戲」。❷開玩笑。如「戲言」。❸化裝扮演故事。如「演戲」。❹姓。

▲図 (hū) 粵 fu¹〔呼〕「於(wū)戲」同「嗚呼」：見99頁「嗚」。

▲図 (huī) 粵 fɐi¹〔揮〕通「麾」，旗子。參見869頁。

戴 (dài) 粵 dai³〔帶〕❶把東西放在頭頂上。如「戴帽子」。❷插上或架上。如「戴花」；「戴眼鏡」。❸尊敬。如「擁戴」；「愛戴」。❹姓。

戳 (chuō) 粵 tsœk⁸〔綽〕❶用銳器刺東西。如「把一袋麪粉戳在地上」；「戳觔斗」。❸「戳子」的簡詞，指圖章之類。如「木戳」；「郵戳」。

【戶部】

戶 (hù) 粵 wu⁶〔互〕❶單扇的叫戶，雙扇的叫門。後泛指建築留有供人出入的地方。如「門戶」。❷總稱一家。如「住戶」；「戶口」。❸姓。❹「戶籍」：政府登記各戶人口資料的簿冊。

四至八畫

房 (fáng) 粵 fɔŋ⁴〔防〕❶人寢息居處的建築物。如「房屋」。❷居室中的一間。如「臥房」。❸家族的分支。如「長房」；「二房」。❹大部分中隔爲許多小部分的。如「蜂房」。❺星名，二十八宿之一。❻姓。

戾 図(lì)粵lœy⁶〔淚〕❶橫暴。如「暴戾」。❷罪。如「罪戾」。❸違背。❹到。詩經有「鳶飛戾天」。

戽 (hù) 粵fu³〔富〕❶引水灌田用的農具。如「戽斗」。❷把水引進來。如「戽水」。

所 (suǒ) 粵sɔ²〔鎖〕❶地方。如「處所」。❷房屋的量詞。如「一所房子」。❸機關團體的名稱。如「醫務所」；「舞蹈研究所」。❹和「爲」字或「被」字前後結合，表示被動。如「他的

作品爲一般青年人所喜愛」。❺表示事物的代名詞。如「所愛」;「所居」。❻囹約計的詞。通「許」。如「歷有年所」;「父去里所復還」。❼囹表示假設、假若。論語有「予所否者,天厭之,天厭之」。❽姓。❾「所以」:①因此,常與「因爲」相應。②囹何以,爲何,爲甚麼。③囹緣故。

【肩】見肉部,572頁。

扁 ▲(biǎn)⑨bin²〔匾〕❶寬而薄的形狀。如「扁圓形」。❷「扁額」同「匾額」:見65頁「匾」字。

▲(piān)⑨pin¹〔偏〕❶囹小船。如「扁舟」。❷姓。

扃 ▲囹(jiōng)⑨gwiŋ¹〔瓜英切〕❶從外面關閉門戶用的橫木,即是安在門外面的門閂。❷門扇上的環鈕。❸把門關上。如「扃門」。❹門戶的通稱。如「柴扃」。

▲(jiǒng)⑨gwiŋ²〔迥〕「扃扃」:明察的樣子。左傳有「我心扃扃」。

扇 ▲(shàn)⑨sin³〔線〕❶搖動生風的器具。如「扇子」;「摺扇」;「團扇」;「電扇」。❷指板片狀的器物。如「門扇」;「隔扇」。❸計算門、窗的單位。如「兩扇門」;「四扇窗

戶」。

▲(shān)⑨sin³〔線〕❶搖動扇子生風。如「扇風」;「扇一扇就涼快了」。❷從旁把事情挑撥鼓動起來。如「扇動」;「扇惑(挑撥引誘)」。

扅 囹(yí)⑨ji⁴〔移〕「扊扅」:見本頁「扊」字。

扈 (hù)⑨wu⁶〔戶〕❶囹隨從。如「扈從」。❷強橫。如「跋扈」。❸姓。❹「扈扈」:①寬闊的樣子。②鮮明的樣子。司馬相如書上有「煌煌扈扈,照曜巨野」。

扉 (fēi)⑨fei¹〔非〕❶囹門扇。如「柴扉」。❷「扉頁」:書本封面後的第一頁。

扊 囹(yǎn)⑨jim⁵〔染〕「扊扅」:門閂。陸游詩有「自掩柴門上扊扅」。

【雇】見隹部,792頁。

【手部】

手 (shǒu) 粵seu²〔首〕❶人體的上肢的總稱。如「左右手」。❷人兩臂的末端，腕以下，包括掌、指的部分，是拿東西，作事用的。如「手指」；「手掌」。❸跟手有關係的。如「手杖」；「手工」。❹從手的動作想起的。如「入手」；「下手」。❺技能高的人。如「能手」；「國手」。❻做某種職務或有特殊技能的人。如「鼓手」；「箭手」。❼指做事的人。如「助手」；「人手不夠」。❽親自做的。如「手書」；「手喻」。❾表示動作的開始或結果。如「着手」；「得手」。❿囡手拿着。如「人手一冊」。

才 (cái) 粵tsɔi⁴〔財〕❶能力。如「才幹」；「多才多藝」。❷指人的品質。如「天才」；「奴才」。❸表示時間緊接。如「剛才」；「昨天才來」。又作「纔」。❹僅僅，只有。如「他才五歲」。又作「纔」。❺用於必要的條件和所產生的結果之間。如「這樣說才對」；「能吃苦才能出人頭地」。❻姓。

一至二畫

扎 ▲(zhā) 粵dzat⁸〔紮〕❶刺。如「扎耳朵眼兒」。❷鑽入，投進去。如「扎猛子」；「扎到媽媽懷裏」。❸廣闊的。如「扎腦門兒」。❹張開的樣子。如「扎煞」；「扎手舞腳」。❺縫紉法的一種。如「扎花（刺繡）」。❻「扎手」：①比喻事情的難辦或人的難應付。②形容使手冷得有刺痛的感覺。如「冰塊冷得扎手」。

▲(zhá) 粵dzat⁸〔紮〕❶「掙扎」：見256頁「掙」字。❷同「紮」，見529頁。

▲(zā) 粵dzat⁸〔紮〕停住，人在行進中站住。如「他跑着跑着，聽到我喊，就扎住腳了」。

扑 ▲(pū) 粵pok⁸〔樸〕❶戒尺。❷打，拍。

▲「撲」的簡化，見266頁。

扒 ▲(pá) 粵pa⁴〔爬〕❶由下攀援而上。如「扒牆」。❷撓，抓。如「扒癢」。❸「扒手」：伸手偷人衣袋裏財物的小偷。

▲(pá) 粵pa²〔爬高上〕西餐的菜看，把肉塊搥扁了再入鍋，用油煎炸。如「牛扒」；「豬扒」。

▲(bā) 粵pa⁴〔爬〕❶使手攀或攀的東西。如「你扒住，不然就掉下去了」；「這裏沒有扒

頭兒，上不去」。❷剝，強脫別人的衣服。

打 ▲(dǎ)⑧da²〔低啞切〕❶敲，擊，捶。如「打鼓」；「打球」；「動手打人」。❷吵架，鬥毆，戰爭。如「打架」；「毆打」；「打仗」。❸從，由。如「打哪兒來的」；「打今天起要努力用功」。❹購買。如「打油」；「打船票」。❺捕捉，打死。如「打魚」；「武松打虎」。❻汲取。如「打水」。❼金屬製造。如「打鐵」；「打戒指」。❽編織。如「打毛衣」。❾繫，結。如「打領帶」。❿猜測。如「打燈謎」。⓫建造。如「打井」。⓬舉着，拿着。如「打傘」；「打着旗子」。⓭振奮。如「打起精神」。⓮計算。如「打算」。⓯起稿，拓印樣張。如「打草稿」；「打大樣」。⓰發，撥。如「打電報」；「打電話」。⓱立下，定下。如「打定主意」；「打好基礎」。⓲捆紮。如「打包裹」。⓳摔破。如「把一筐磁器通通給打了」。⓴掀，揭。如「打開帘子」；「打開書本」。㉑賭博。如「打麻將」；「打撲克」。㉒表示一種動作的發生。如「打閃」；「打滾」；「打嚏噴」。

▲(dá)⑧da¹〔低鴉切〕譯音字。十二個叫一打(*dozen*)。

扔 (rēng)⑧wiŋ¹〔娃英切〕❶拋出去。如「扔球」；「往上一扔」。❷丟掉，拋棄。如「把這些廢物扔到垃圾箱去」。

三畫

托 (tuō)⑧tok⁸〔託〕❶用手掌承物。如「托着茶盤」。❷襯，墊。如「烘雲托月」；「下面托一層毛毯」。❸墊在下面的器具。如「茶托」；「槍托子」。❹「推托」的簡稱。如「托詞」；「托故」。❺通「託」，見674頁。

扛 ▲(gāng)⑧goŋ¹〔剛〕❶用兩手舉。如「力能扛鼎」。❷兩人抬一件東西。

▲(káng)⑧goŋ¹〔剛〕❶把東西放在肩上。如「扛槍」；「扛鋤」。❷引伸作負責的意思。如「上司的事我一定要替他扛」。❸用言語頂撞人。明人小說有「為他心醒齦，我也勸他，他就扛得我失了色」。

扣 (kòu)⑧keu³〔叩〕❶把人拘留起來，或把財物留下不發。如「把犯人扣起來」；「要帳還錢，不必扣東西」。❷減。如「十五扣七元，還剩三元」。❸錢數按成減算。如「打九扣」；「七折八扣」。❹把東

西倒放着，口朝下或面朝下。如「把盆子罐子都扣着」。❺蓋上，罩上。如「拿碗把菜扣上」；「上面扣着紗罩」。❻結子，可以鈎結的東西。如「麻繩扣兒」；「繫個活扣兒」。❼把有鈎、有圈形的東西套上、搭上，使它連結住。如「扣上門」；「把領子扣好」。❽貼緊，密合。如「這篇文章的每一段都扣得很緊」。❾舊時的摺子兩頁一摺，叫「一扣」。❿⃞敲，擊。如「扣門」；「扣舷而歌」。⓫⃞和「叩」字通，當「問」字解。如「扣問」；「以疑難相扣」。參見77頁。

扞(捍) ▲⃞(hàn)⑧hon⁶〔汗〕❶抵禦。如「扞拒」。❷保衛。如「扞衛」。❸「扞格」：抵觸，不相適合。如「扞格不入」。

▲(gǎn)⑧gon²〔趕〕同「擀」，見269頁。

扦(qiān)⑧tsin¹〔千〕❶插。把植物的根、莖或枝的一部分切下，插在土內，長成新枝。如「扦枝」；「扦插」。❷一種長而尖的器具。如「鐵扦」。

叉(chā)⑧tsa¹〔叉〕❶用叉子扎取。如「扠魚」。❷「扠腰」：把雙手撐在腰間。

四畫

把 ▲(bǎ)⑧ba²〔靶〕❶握持。如「把舵」；「把臂」。❷守衛。「把住城門」。❸將。如「你把東西整理一下」。❹抱着小孩大便或小便。如「把屎」；「把尿」。❺有柄的器具。如「一把斧子」；「一把茶壺」。❻抓東西滿了一手的。如「抓一把米」。❼長條的東西捆成一小捆。如「買一把葱」。❽指技能說的。如「他是寫魏字的一把能手」。❾表示大約的數量。如「百把里路」；「約有千把人」。❿「車把」的簡稱。⓫「把晤」：會面。⓬「把握」：①掌握，控制，有效的處理。如「把握時機」。②事情成功的可靠性。如「他對這件事很有把握」。⓭「把戲」：①賣藝者所表演的戲法或武術。②比喻手段或計策。⓮「把兄弟」：結拜兄弟。

▲(bà)⑧ba²〔靶〕柄，器具上用手拿的部分。如「茶壺把兒」；「刀把子(兒)」。

扳 ▲(bān)⑧pan¹〔攀〕拉、扯。如「把機器開關的閘桿扳下來」。

▲⃞(pān)⑧pan¹〔攀〕同「攀」，見272頁。

扮 (bàn)粵ban⁶〔辦〕❶裝飾，化裝。如「女扮男裝」；「改扮成商人模樣」。❷擔任戲中的一個脚色。如「扮演」。

抔 図(póu)粵peu⁴〔掊〕❶用手捧東西。如「抔水而飲」。❷「一抔土」：①只一捧的土，是說其數量極少。②墳墓。

批 (pī)粵pei¹〔披西切〕❶図用手打。如「批其頰」。❷評判，分析是非好壞。如「批分數」；「書上有很多眉批」。❸上級對下級請示的公文的指示。如「那一件公文還沒有批下來」。❹全體要先後分成幾部分，每一部分叫一批。如「貨品分四批收到」；「頭兩批旅客都走了」。❺分開。如「把財產批成兩部分」。❻大宗買賣。如「只做批發，不零售」。

扶 (fú)粵fu⁴〔符〕❶用手放在東西上支持着身體。如「扶牆摸壁」；「扶着欄杆」。❷用手來支持住。如「攙扶老年人過馬路」；「把梯子扶住，別讓它倒下來」。❸使倒下的立起來。如「弟弟跌倒了，趕快把他扶起來」。❹幫助。如「濟弱扶傾」。❺駢生的植物。如「扶竹」。❻姓。❼「扶疏」：形容樹木枝葉繁茂，或枝幹高下疏密有致。❽「扶搖」：①図指從

下向上起的暴風。②事業發展迅速或地位升得很快。如「扶搖直上」。

抖 (dǒu)粵deu²〔斗〕❶顫動，打哆嗦。如「發抖」；「渾身亂抖」。❷甩開，甩動。如「抖抖袖子」；「抖開手巾」。❸振作。如「抖起精神」；「精神抖擻」。❹俗話指一個人發迹得志。如「他這幾年可抖啦，有錢有勢，不是從前的樣子了」。

投 (tóu)粵teu⁴〔頭〕❶扔，擲。如「把手榴彈向敵人投過去」；「往山澗裏投一塊石頭」。❷放進去。如「把票投進票櫃」。❸跳進去。如「投河而死」。❹遞送。如「投書」；「寄來的稿件不少」。❺自己找上去或參加進去。如「飛蛾投火」；「投身軍旅」。❻歸依，向往。如「棄暗投明」。❼合得來，契合。如「意氣相投」；「情投意合」。❽抖。如「投袂而起」；「舉手投足」。❾「投機」：①乘有利的時機謀取個人名利。如「投機取巧」。②意見相合。如「談得十分投機」。

扭 (niǔ)粵neu²〔紐〕leu²〔拉吼切〕(俗)❶掉轉。如「扭過臉來」；「扭轉身子」。❷擰。如「扭斷」。❸因爲猛然用力，使

筋骨受傷。如「扭了腰」；「別扭了胳膊」。❹搖擺着身體走路。如「快點走吧，別扭啦」。❺「扭捏」：舉動不自然，故意扭動的樣子。

抗 (kàng)⑧koŋ³〔亢〕❶對敵人或外力的抵拒。如「對抗」；「抗敵」。❷拒絕，不接受。如「抗命」；「抗拒」。❸不相上下。如「抗衡(互相對抗，勢均力敵)」；「分庭抗禮(以平等的禮節相見)」。❹姓。❺囜「抗直」、「抗節」：剛直不屈。❻囜「抗志」：高尚而不屈辱。❼「抗戰」：①一個民族、國家，為了自己的生存，對於外來的侵略，用武力抵抗的戰爭。②專指1937年7月7日至1945年8月14日，中國人民反抗日本侵略的抗日戰爭。❽「抗體」：人在接種疫苗以後，身體可以產生一種抗滅病菌的素質。❾「抗生素」：現代醫藥上有高度抑制細菌和微生物生長功能的，殺菌消炎的藥品，如鏈黴素、金黴素等等，統稱為抗生素。

技 (jì)⑧gei⁶〔妓〕❶專門的本領。如「一技之長」；「絕技」。❷「技巧」：①方法跟技術。②巧妙的方法或技術。❸「技能」：專門而且熟練的手藝。❹「技術」：①專門的技能。②專指應用技術而言，像紡織技術、電工技術、農業技術等等。❺「技藝」：各種才藝和技術。❻「技癢」：很想做一做、試一試，把自己本來有的本領顯露出來。

抉 (jué)⑧kyt⁸〔決〕❶挑揀。如「抉摘」。❷囜挖，剔。如「珠墮槽中，抉而出之」。❸「抉擇」：挑選，選擇。

抵 囜(zhǐ)⑧dzi²〔紙〕❶拍打。如「抵掌(鼓掌)」。❷生病。

折 ▲(zhé)⑧dzit⁸〔節〕❶弄斷。如「不可攀折花木」。❷彎，曲。如「曲折」；「折腰打躬」。❸折疊。如「一疊兩折」；「把紙折起來」。又作「摺」。❹價錢只按幾成減算。如「打八折」；「不折不扣」。❺相抵，對換。如「用東西折錢」。❻損失，喪失。如「夭折」；「損兵折將」。❼受阻撓，受打擊。如「挫折」；「百折不撓」。❽囜佩服。如「心折」。❾囜判斷。如「片言折獄」。❿姓。⓫「折中」：①兩邊兼顧，不過分也不太損減的方法。②雙方各作讓步，以求達成協議。⓬「折回」：半途轉回。

▲(zhē)⑧dzit⁸〔節〕❶翻轉。如「折跟頭」；「找東西把

抽屜折了個過兒」。❷倒出。如「一失手，把一碗湯都折了」；「茶很熱，用個碗來回折一折就涼了」。❸「折騰」：①搗亂。②循環反覆。③揮霍浪費。如「他把上萬的家當都折騰完了」。

▲(shé)粵dzit⁸〔節〕❶斷。如「棍子折了」。❷賠錢，虧損。如「他做買賣把本錢折光了」。

找 (zhǎo)粵dzau²〔爪〕❶尋覓。如「找人」；「找東西」。❷補不足，或把多餘的還來。如「找錢」；「找零」。❸惹出，自己往上碰。如「找麻煩」；「找苦吃」。

抓 (zhuā)粵dzau²〔找〕dza¹〔渣〕(又)❶撓，搔。如「身上發癢，抓一抓」。❷伸手(或爪子)取東西。如「抓一把米餵雞」；「老鷹抓小雞」。❸捉捕。如「抓賭」；「抓小偷」。❹搶着做或是工作無重點，無步驟地碰着什麼就做什麼。如「東抓一把，西抓一把」。❺吸引。如「他很會表演，緊抓住觀眾」。❻把握。如「抓緊時間」；「抓住要點」。❼巴住。如「蟲子用爪兒在牆上抓得很結實」。❽「抓瞎」：倉皇失措的意思。❾「抓子兒」：從前兒童遊戲的一種，是手裏抓着果核或石子，輕輕地一顆顆向上扔，再接住；在扔和接的當中，還做花樣，把手裏的果核或石子放出來幾顆或另外抓取幾顆，以不失手的取勝。

扯 (chě)粵tse²〔且〕❶撕。如「把紙扯得粉碎」。❷拉。如「拉拉扯扯」；「扯着嗓子喊」。❸展開。如「扯旗」；「扯篷」。❹沒有中心話題的隨便閒談。如「扯淡」；「東拉西扯」。❺「扯後腿」：對別人的行動加以阻撓、破壞，使他的努力沒有成效，不能前進。

抄 (chāo)粵tsau¹〔鈔〕❶囚掠奪。如「匈奴數抄郡界」。❷謄寫。如「抄寫」。❸由近路走。如「抄近路」。❹繞道攻擊。如「包抄」。❺沒收財產。如「抄家」。❻拿、取。如「抄起一根棍子」。❼把菜蔬放在滾水裏燙個半熟。如「把四季豆放進開水鍋裏抄一下」。

承 (chéng)粵siŋ⁴〔成〕❶受。常用作客氣的謙辭。如「承蒙贈書，謝謝」。❷囚接着，托着。如「以盆承雨」。❸繼續。如「承前頁」；「承先啟後」。❹擔當，負責。如「承運送」。❺「承認」的簡詞。表示認許，同意。如「招承

「自承其罪」。❻姓。

抒 (shū)粵sy¹〔舒〕❶傾吐，表達。如「一抒君意」；「題詩抒懷」。❷解除。如「抒難」。❸發洩。如「抒憤」。

扼(搹) (è)粵ek⁷〔呃〕ak⁷〔握〕（又）❶抓緊，握緊。如「力能扼虎」；「扼緊咽喉」。❷⟨借⟩把守。如「一夫扼關，萬夫莫敵」。❸「扼要」：①抓住要點。如「他這些話說得簡單扼要」。②⟨借⟩守住重要的地點。❹⟨借⟩「扼腕」：用手握腕，表示某種情緒的姿態。有四種不同的用法：①表示無可奈何地同情歎息。如「對他的失敗，朋友們都扼腕太息」。②表示憤怒。如「日夜扼腕，憤懣不已」。③表示振奮。如「扼腕抵掌，暢談終宵」。④表示失意的樣子。如「偏袒扼腕，踽踽獨行」。

抑 (yì)粵jik⁷〔億〕❶壓下去，遏止。如「壓抑」；「抑強扶弱」。❷強制。如「強而弗抑」。❸⟨借⟩還是，或是。如「果如此乎？抑傳聞之非真耶」。❹⟨借⟩但是，只是，不過。如「才非過人也，抑努力不懈而已」。❺⟨借⟩那麼，則。如「若非鞏固國防力量，抑國家安全之不保，尚何建設之可言」。❻

⟨借⟩發語詞，左傳有「抑齊人不盟若之何」。❼⟨借⟩歎詞。詩經有「抑！此皇父」。❽「抑鬱」：憂悶。❾按，捺。如「捧心抑腹」。❿謙下。史記有「俛詘以自抑」。⓫俯。國策有「抑首而不朝」。⓬「抑抑」：①慎重的樣子。詩經有「其未醉止，威儀抑抑」。②憂鬱。如「抑抑不樂」。

抆 ⟨借⟩(wěn)粵men⁵〔刎〕擦，抹。如「抆淚」。

【抛】同「拋」，見242頁。
【扵】同「於」，見286頁。
【拗】同「拗」，見244頁。

五畫

拔 (bá)粵bet⁹〔跋〕❶揪掉，用力揪。如「拔草」；「拔去眼中釘」。❷抽出來。如「拔刀」；「不能自拔」。❸選出好的來。如「選拔」；「拔尤」。❹特出的。如「出類拔萃」；「他是這一輩的拔尖兒人物」。❺用涼水或冰使食物變冷。如「把蘿蔔用涼水拔一拔，更好吃」。❻作戰攻下一個地方。如「連拔五城」。❼「拔白」：天剛亮。❽「拔腳」：①指邁步，也作「拔步」。②比喻擺脫。

拜 (bài)粵bai³〔湃〕❶低頭拱手行禮或兩手扶地跪下磕

頭。如「參拜」；「下拜」。❷行禮，表示慶祝或尊敬。如「拜年」；「拜神」。❸授官，任官。如「拜相」；「拜將」。❹訪問人，看望人的恭敬說法。如「拜訪」；「回拜」。❺傾倒。如「崇拜」；「拜服」；「拜倒」。❻敬辭。如「拜託」；「拜讀」。❼週，星期的別稱。如「禮拜」。❽「拜堂」：舊時婚禮的一種儀式。❾「拜拜」：①婦女或小孩以手行敬禮。②打醮或謝神。③譯音詞。再見的意思。

抱 (bào)粵pou⁵〔皮老切〕❶把肐膊向胸前彎過來摟住。如「抱着小孩子」；「抱了一捆書」。❷合攏兩臂所能拿起的東西數量。如「一大抱柴」。❸合適地緊緊攏住。如「衣裳抱身」；「鞋抱腳兒」。❹心裏存着或身上存在着。如「抱歉」；「抱怨」；「抱病」；「抱不平」。❺指胸懷。如「懷抱」。❻姓。❼「抱佛腳」：比喻平時不準備，臨時着急的意思。

拌▲(bàn)粵bun⁶〔叛〕❶攪和，攙和。如「把水泥跟沙子拌勻」；「涼菜裏添些作料，用筷子拌一拌」。❷「拌嘴」：爭吵，吵嘴。
　　▲(pàn)粵pun³〔判〕捨棄。如「拚命」(本作「拌命」)。

拍 (pāi)粵pak⁸〔帕〕❶用巴掌打或用平面體的器具來打擊。如「拍蒼蠅」；「他把身上的土拍了一拍」。❷拍打的用具。如「球拍」；「蒼蠅拍」。❸樂曲的節奏。如「拍子(二拍子、三拍子、二分之一拍子等)」。❹「拍板」：中國古時的一種擊樂器，利用木板相碰發音。❺「拍攝」：拍照。❻「拍賣」：貨物當衆估價或喊價發賣。

拋(抛) (pāo)粵pau¹〔披敲切〕❶扔，投。如「拋球」；「虛拋光陰」。❷捨棄。如「拋棄」；「拋頭顱，灑熱血」。❸廉價傾銷。如「拋售」。❹「拋錨」：①把錨扔入水底，用來停船。②火車、汽車等在半路上機器發生障礙。❺「拋磚引玉」：拿自己壞的東西，引出人家好的東西來。常作自謙的用語。❻「拋頭露面」：舊時說婦女不守在閨房而外出見生人。

抨 (pēng)粵ping¹〔乒〕ping⁴〔平〕(又)❶用言語或文字攻擊人或事。如「抨擊」。❷弓弦彈響。韓愈詩有「箭出方驚抨」。

拚▲(pàn)粵pun³〔判〕捨棄，犧牲。如「拚命(不顧性命)」。

▲ (fèn) 粵 fen³〔訓〕❶ 掃除。❷「拚箕」：即是畚箕，盛垃圾的。

披 (pī) 粵pei¹〔丕〕❶散開，打開。如「披頭散髮」；「披卷(打開書看)」。❷衣服搭在身上而不穿整齊。如「披衣起坐」。❸沒有袖子的衣着品。如「披肩」；「披風(一種沒有袖子的婦女短外衣)」。❹揭開。如「披露」。❺図「披靡」：①草木隨風散倒的樣子。②軍隊潰散。如「望風披靡」。

抹 ▲(mǒ)粵mut⁸〔秣〕❶擦，塗掉。如「抹眼淚」；「把這個字抹了」。❷去掉。如「只算整數，把零頭抹了」。❸塗上。如「抹藥」；「油手別往衣服上抹」。❹摸弄。如「抹骨牌」。❺是「放」或「拉」的意思。如「抹下臉來」。❻「抹殺」又作「抹摋」、「抹煞」：掃滅、勾消、完全不顧的意思。如「抹殺事實」；「一筆抹殺」。❼「抹脖子」：用刀割斷自己的喉管自殺。

▲(mò)粵mut⁸〔秣〕❶塗上，再軋平。如「用泥抹牆」；「抹上一層白灰」。❷轉。水滸傳有「前軍卻好抹過林子」。

抿 (mǐn)粵men⁵〔吻〕❶輕輕地合上嘴。如「抿着嘴笑」。❷嘴脣輕輕沾一下杯、碗，稍微喝一點。如「抿一抿」。❸用小刷子蘸水或油刷頭髮，使頭髮不亂(這種小刷子就叫抿子)。❹「抿泣」：拭淚。

拇 (mǔ)粵mou⁵〔母〕❶手腳的大指叫「大拇指」，小指頭叫「小拇指」。❷「拇戰」：飲酒時，兩個人伸手指猜合計數，猜中的為勝，猜不中的罰酒。又叫「划拳」；「猜拳」。

拂 ▲(fú)粵fet⁷〔佛〕❶撢，輕掃。如「拂去桌子上的塵土」。❷図輕輕擦過。如「暖風拂面」。❸図抖動，甩動。如「拂袖(表示不高興或憤怒)」；「拂衣」。❹図違背。如「不忍拂其意」。❺図「拂塵(蠅刷子)」的簡稱。如「棕拂」。❻図「拂拂」：風輕吹的樣子。❼図「拂曉」：天快亮的時候。

▲ 図 (bì) 粵 bet⁹〔拔〕同「弼」，輔助。如「法家拂士」。

拊 図(fǔ)粵fu²〔府〕❶器物的柄。❷拍打。如「拊掌」。❸通「撫」，見266頁。

抵 ▲(dǐ)粵dei²〔底〕❶彼此相當。如「收支相抵」。❷抗拒。如「抵抗」。❸頂着。如「用棍子把門抵住」。❹図到達，到了。如「平安抵家」。❺「抵押」的簡詞。如「用房產作

抵」。❻「抵制」：採取行動、方法或態度，對抗、阻止、消除某種勢力或不良情況。如「抵制外貨」；「抵制強權侵略」。❼「抵押」：以財產抵借金錢，或作為償債的保證。❽「抵觸」又作「牴觸」：①抵拒觸犯。②矛盾衝突。

▲図(zhǐ)粵dzi²〔紙〕「抵掌」也作「扺掌」：見239頁。

拖（拕）(tuō)粵tɔ¹〔他呵切〕❶牽引，拉拽。如「把箱子拖到牆角去」。❷垂在後面，在後頭拉着。如「長裙拖在身後」；「拖着兩條大辮子」。❸延誤，向後推日子。如「這件事拖了一年」；「工作拖拖拉拉，不趕緊辦」。❹図「拖沓」：①做事拖延不爽快。②言詞累贅煩雜而不把握要旨。❺「拖泥帶水」：說話或作事不爽快，不簡潔。

拓▲(tuò)粵tɔk⁸〔托〕❶推廣，開展，擴張。如「開拓業務」。❷開墾。如「拓荒」。❸「拓拔」：複姓。

▲(tà)粵tap⁸〔塔〕「拓本」同「搨本」：見261頁。

▲図(zhí)粵dzɛk⁸〔隻〕同「摭」，見265頁。

拏(ná)粵na⁴〔拿〕la⁴〔離牙切〕(俗)❶牽引。❷同「拿」，見

247頁。

拗（抝）▲(niù)粵au³〔坳〕不順從，固執。如「他的脾氣真拗」；「我拗不過他，就依着他辦了」。

▲(ǎo)粵au²〔坳高上〕折，扭斷。如「拗花」。

▲(ào)粵au³〔坳〕❶「拗口」：發音不順口，容易錯誤。❷「拗口令」：也叫「繞口令」、「急口令」，是用語言聲韻的重複交錯組成的歌句，一唸快就容易唸錯。例如「大花碗底下蓋着個大花活蝦蟆」。

拈(niān)粵nim¹〔黏〕lim¹〔拉淹切〕(俗)❶用手指取東西。如「信手拈來」。❷同「捻」，用手指頭搓。見254頁。

拉▲(lā)粵lai¹〔礫挨切〕❶扯，挽。如「拉車」。❷連合，聯絡。如「東拉西扯」；「拉關係」；「拉生意」。❸拉開，變長。如「拉長聲」；「拉下臉來」。❹糞便的排洩。如「拉屎」；「拉肚子」。❺図破壞。如「摧枯拉朽」。

▲(lá)粵lap⁹〔蠟〕❶同「剌」，是割的意思。如「手上拉了一個口子」；「用刀子把梨拉開」。❷「拉遢」同「邋遢」：見738頁「邋」字。

拎（撜） (līng)粵ling¹〔拉英切〕手提東西。如「拎着一隻皮箱」。

拐 (guǎi)粵gwai²〔瓜徙切〕❶用欺詐手段把東西或人騙去。如「拐帶」;「拐款潛逃」。❷轉方向。如「往右一拐就到了」。❸瘸腿。如「走路一拐一拐的」。❹用旁面的力量一碰。如「用肷膊肘拐了他一下」;「不留神把茶杯拐到地下了」。❺和「枴」字通用。(「拐杖」、「拐棍」也可寫成「枴杖」、「枴棍」)。見314頁。

拘 (jū)粵kœy¹〔俱〕❶逮捕,抓人。如「拘捕」;「拘留」。❷限定,限制。如「不拘多少」。❸顧忌。如「無拘無束」。❹不變通,死板。如「迂拘」;「這個人太拘了」。

拒 (jù)粵kœy⁵〔距〕❶抵抗。如「抗拒」;「拒敵」。❷不接受。如「拒不受賄」;「來者不拒」。❸「拒絕」:不答應,不允許。❹「拒諫飾非」:拒絕勸諫,掩飾過錯。

招 (zhāo)粵dziu¹〔蕉〕❶用手勢叫人來。如「招手」。❷引來。如「招禍」;「招怨」。❸惹,逗。如「別招妹妹哭」;「別招你媽生氣」。❹傳染。如「這病招人,千萬要注意預防」。❺承認自己的罪。如「招供」;「不打自招」。❻明顯的標識。如「市招」;「招牌」。❼「招數」的簡詞。武術的一個動作叫一個招數;簡稱一招。❽蒙古地區的寺廟叫「召」,也叫「招」。❾姓。❿「招呼」:①熟人相遇的交談。如「大家見面,彼此招呼」。②接待,照料。如「招呼客人」。③呼喚。如「我老遠就招呼,可是他沒聽見」。④吩咐,告訴。如「你要招呼他這樣做」。⑤留神,小心。如「這麼冷天還游泳,招呼你會受涼」。⑥指互相打鬥。如「他們倆就招呼上了」。⓫「招架」:抵擋。如「招架不住了」。⓬「招展」:飄蕩的樣子。如「迎風招展」。⓭「招搖」:①做事虛張聲勢。如「招搖撞騙」。②鋪張顯耀。如「那個暴發戶處處擺闊,事事招搖」。③图搖動的樣子。如「徘徊招搖」。

拄 (zhǔ)粵dzy²〔主〕❶支撐。如「拄枴棍兒」。❷图譏刺。漢書朱雲傳有「連拄五鹿君」。

拙 (zhuō)粵dzyt⁸〔出〕❶笨。跟「巧」相反。如「拙笨」;「弄巧反拙」。❷自謙的詞。如「拙見」;「拙作」。

拆(chāi)粵tsak⁸〔册〕❶把連着或黏住、縫住的分開，把成組的弄散。如「拆被褥」；「拆機器」；「拆開這封信」。❷破壞，毀壞。如「拆房子」；「不必拆人家的和氣」。

抽(chōu)粵tseu¹〔秋〕❶拔出，拉出。如「抽絲」；「抽籤」。❷脫開。如「及早抽身」。❸從全部裏取出一部分。如「抽肥補瘦」；「從一捆書裏抽出一本來」。❹植物發芽、生長。如「新筍初抽」；「麥子抽芽兒了」。❺吸。如「抽烟」；「抽水機」。❻減，縮。如「這種布一洗就抽」；「蝸牛抽進殼裏去了」。❼打。如「拿鞭子抽了一頓」。❽攙，扶。如「小弟摔倒了，快把他抽起來」。❾收稅。如「把百抽一」；「抽地價稅」。❿「抽瘋」：①也作「抽風」。中醫稱急驚、慢驚、羊角等風症的發作，症狀多是口眼歪斜或手足痙攣。②罵人舉動過分沒有節制。⓫「抽象」：①跟「具體」相對。抽取不同形象的共同之點，綜合而成的一種觀念。②指籠統概括，如「這太抽象了」。

抻(chēn)粵tsɐn²〔診〕用輾壓的方法使物體增加長度。同「捵」，見256頁。

押(yā)粵at⁸〔壓〕❶向人借錢，把東西留給債權人作保證。如「以提貨單作押」。❷拘留。如「押起來」；「在押」。❸跟隨看管。如「押車」；「押運貨物」。❹壓制、擱置不動。也作「壓」。如「拿大話押一押」；「公文押在他手裏」。❺簽名。如「簽押」；「畫押」。❻「押韻」同「壓韻」：詩、賦、歌、曲每句末字相協的聲韻。

抴図(yè)粵jit⁹〔熱〕同「拽」，牽引。見248頁。

抬(撞)(tái)粵tɔi⁴〔台〕❶向上舉。如「抬高」；「抬起頭來」。❷兩個人或許多人共舉一物。如「抬轎」；「把大鐵櫃抬進來」。❸「抬槓」：爭辯。❹「抬舉」：獎勵，提拔。

【担】同「擔」，見269頁。

【拁】同「箱」，見514頁。

六畫

挑▲(tiāo)粵tiu¹〔祧〕❶在扁擔兩頭拴上東西，用肩膀擔着走。如「挑水」。❷兩頭拴上東西的扁擔。如「挑子」；「挑兒」；「茱挑子」；「一挑兒土」。❸選擇。如「挑好的」；「把裏的沙子挑出來」。❹「挑

剔」：苛求責備，存心找尋細節上的不足。

▲ (tiāo) ⑧ tiu¹〔祧〕❶舉起，引動。如「挑幌子」；「挑眉立目」。❷用器具撥。如「挑火」。❸刺。如「一槍把撲來的敵人挑了」。❹搬弄，煽動。如「挑是非」。❺楷書一種由下斜着向上寫的筆法。提手旁的末筆就是一挑。

▲ 図 (tāo) ⑧ tou¹〔滔〕「挑達」：態度輕浮，不端莊。

拿(ná)⑧na⁴〔尼牙切〕la⁴〔離牙切〕(俗)❶取。如「錢用完了再來拿」；「把書從架子上拿下來」。❷在手裏握着，抓着。如「拿筷子」；「拿不動」。❸掌握，主持。如「拿主意」；「拿事的」。❹用。如「拿話鼓勵他」。❺把。如「拿事當事」；「怎麼能拿騙子當朋友看待」。❻捕捉。如「拿臭蟲」；「狗拿耗子」。❼妨害，侵害。如「黃瓜叫害蟲拿得都不長了」；「叫糖尿病把他拿苦了」。❽捉住把柄來要挾。如「借着這事情拿他一把」。❾「拿手」：有把握。如「拿手好戲」。

挌 図 (gé) ⑧ gak⁸〔格〕鬥，擊。三國志有「手挌猛獸」。

括 ▲ (kuò) ⑧ kut⁸〔豁〕❶包含。如「囊括(包羅、全部的意思)」。❷結，纏束。如「總括起來」。❸「括號」：標點符號的一種，表示文中的注釋部分；數學上也常作計算符號。有() 〔〕 ‖ 各式。❹「括弧」：①括號。②標點符號夾注號的一式。

▲ (guā) ⑧ gwat⁸〔刮〕「搜括」也作「搜刮」：見260頁。

拱(gǒng)⑧gung²〔鞏〕❶兩手抱拳放在胸前的一種致敬動作。如「拱手」。❷兩手圍起來的大小粗細。如「拱璧」；「拱木」。❸弧形建築。如「拱橋」；「拱門」。❹圍着，環繞着。如「拱衞」；「衆星拱月」。❺慢慢推動或頂起。如「瘡拱膿了」；「新出的芽兒把土都拱起來了」。

拷(kǎo)⑧hau²〔考〕❶打，特別指用板子、藤棍之類的刑具來打。如「拷問」；「拷打」。❷「拷貝」(英文 copy 的音譯)：①電影底片複製的正片。②文件抄本、謄本或複印本。③複寫或複印。④指複寫紙或複印紙。如「拷貝紙」。

拮 図 (jié) ⑧ git⁸〔潔〕❶手和口同時動作的樣子。❷「拮据」：①手部動作不靈活。②事情爲難，手足忙亂。③境況窘迫。

挈 図(qiè)粵kit⁸〔揭〕❶舉，提起。如「提綱挈領」。❷帶着。如「挈眷」；「扶老挈幼」。

拳 (quán)粵kyn⁴〔權〕❶屈着指頭握緊的手。如「兩手握拳」；「拳頭」。❷「拳術」的簡稱。如「賽拳」；「打一套拳」。❸彎曲。如「鬚拳耳戢(形容猛獸失威的樣子)」。❹図「拳拳」：懇摯忠誠的樣子。如「拳拳服膺」。

挃 図(zhì)粵dzet⁹〔疾〕「挃挃」：收割稻穀的聲音。詩經有「穫之挃挃」。

指 (zhǐ)粵dzi²〔止〕❶手指頭。如「食指」；「大拇指」。❷用手指頭指點。如「往東一指」。❸對着，向着。如「時針正指十二點」。❹指示，指出。如「把道理指給他」。❺希望，仰仗。如「就指着他能出個好主意」。❻直立起來。如「令人髮指」。❼說深度或寬度有時用「指」來比方。如「三指寬」；「下了五指雨」。❽図人口的數目。如「食指浩繁」。❾「指南」：比喻指示定向。❿「指摘」：指出錯誤的所在。⓫「指數」：①代數式中為指示某數自乘若干次，在該數的右上角記上一個小數字。所記的這個小數字叫做指數。②經濟學上用指數表示物價或工資的變動。⓬「指掌」：比喻對事物了解得非常透徹。如「瞭如指掌」。

挓 (zhā)粵dzat⁸〔紥〕「挓挲」也作「扎煞」：張開的樣子。

拯 (zhěng)粵tsiŋ²〔逞〕援救。如「拯救」。

拽 ▲(zhuài)粵jɐi⁶〔曳〕拉。如「生拉硬拽」；「把門拽上」。

▲(zhuāi)粵jɐi⁶〔曳〕❶使勁扔出。如「把球拽出去」。❷肐膊有毛病或受了傷，不能伸動的。如「拽肐膊」。

▲図(yè)粵jit⁹〔熱〕牽引，拖。

持 (chí)粵tsi⁴〔池〕❶手拿。如「持筆」；「持槍」。❷保守，堅守不變。如「堅持」；「持盈保泰」。❸對抗。如「相持不下」。❹掌握，管理。如「主持」；「操持」。❺維護，扶助。如「扶持」；「支持」。

拾 ▲(shí)粵sɐp⁹〔十〕❶揀取。❷撿到別人遺失的東西。如「拾金不昧」。❸收、斂、整理。如「收拾」。❹「十」字的大寫，見66頁。

▲図(shè)粵sip⁸〔涉〕「拾級」：由台階一步一步走上去。

拭 (shì) 粵 sik⁷〔式〕❶把東西擦乾淨的動作。如「拭淚」。❷「拭目」：擦眼睛，比喻期待。如「拭目以待」；「拭目而觀」。

拴 (shuān) 粵 san¹〔山〕❶用繩子繫上。如「把馬拴住」。❷「拴對」：挑撥離間，使雙方結仇。

拶 ▲ (zǎn) 粵 dzat⁸〔扎〕❶用幾根小木棒夾犯人手指頭的刑具。如「拶子」。❷「拶指」：舊時用拶子來夾手指頭的酷刑。
▲ 図 (zā) 粵 dzat⁸〔扎〕「排拶」：逼迫。

按 (àn) 粵 ɔn³〔案〕❶依照。如「按規定去辦」。❷往下壓。如「按電鈴」。❸図扶着，握着。如「按劍」；「按轡」。❹止住，壓住，停擱下來。如「按兵不動」；「這件事暫且按下不辦」。❺図考驗。如「按之當今之務」。❻作者或編者作註解或論斷時候，用「按」字來引起下文；「按」字底下的字句稱爲「按語」。❼「按部就班」：比喻做事有層次。❽「按圖索驥」：按照畫好的圖樣去找好馬，比喻拘泥不知變通。

挖 (wā) 粵 wat⁸〔華壓切〕❶用手伸進洞裏去掏。❷掘。如「挖坑」。❸用刀刻。❹「挖

苦」：用諷刺的話來譏笑人。
【拼】同「拼」，見252頁。
【挂】同「掛」，見254頁。
【挣】同「掙」，見256頁。

七畫

捌 (bā) 粵 bat⁸〔八〕❶破裂，分開。❷「八」的大寫，見42頁。

捕 (bǔ) 粵 bou⁶〔步〕❶捉拿，擒住。如「警察捕小偷」。❷「捕風捉影」：指所說的話不確實，毫無根據。

挺 (tǐng) 粵 tiŋ⁵〔提皿切〕❶直。如「挺立」；「筆挺地站在那裏」。❷突出。如「挺進部隊」。❸撐直。如「挺着胸膛」；「挺住腰板」。❹勉強堅持，努力支撐。如「他病了也不吃藥，只是硬挺着」。❺很。如「挺好」；「挺高興」。❻有些東西的量詞。如「一挺機關槍」。❼「挺拔」：獨特直立出色的樣子。

捅 (tǒng) 粵 tuŋ²〔桶〕❶戳穿。如「捅個窟窿」；「把紙捅破了」。❷比喻破壞、刺殺。如「這件事情辦不成，都是叫他給捅了」。❸「捅樓子」：惹禍。

捏 (捏) (niē) 粵 nip⁹〔聶〕lip⁹〔獵〕(俗) ❶用手指頭

捏緊。如「捏着鼻子」；「捏住筆桿」。❷用手指頭搓揉、搏起來。如「捏泥人」。❸勉強湊合，虛假不實地。如「捏造事實」。

挪(nuó)⑩nɔ⁴〔娜〕lɔ⁴〔羅〕(俗)❶移動。如「把這桌子挪一挪」。❷移用或移借款項。如「挪用」；「挪借」。

挼(ruó)⑩nɔ⁴〔挪〕lɔ⁴〔羅〕(俗)兩手摩挲，揉。如「挼搓(在手裏揉搓、擺弄)」；「好好的一朵花兒，這孩子給挼搓壞了」。

捋▲(lǚ)⑩lyt⁸〔劣〕用手指順着摸下去。如「捋鬍子」；「把紙捋平」。

▲(luō)⑩lyt⁸〔劣〕❶把東西握住，順手滑過。如「捋奶(擠取乳汁)」；「捋起袖子」；「捋樹葉兒」。❷「捋虎鬚」：比方觸犯惡人，冒險。

捆(綑)(kǔn)⑩kwɐn²〔菌〕❶用繩子綁起來。如「捆行李」；「把這些書捆起來」。❷東西一束叫「一捆」。如「一捆柴」；「一捆子舊報紙」。

捍(hàn)⑩hɔn⁶〔汗〕❶同「扞」。保衞、抵禦。見237頁。❷通「悍」，凶暴。見218頁。

捄囡(jiù)⑩gɐu³〔咎〕同「救」，見278頁。

挶囡(jú)⑩guk⁹〔局〕運沙土的器具。

捔(jué)⑩gɔk⁸〔角〕「捔角」也作「捔捔」：把兵力分在兩面來牽制敵人。

捐(juān)⑩gyn¹〔娟〕❶稅法的一種名稱。如「房捐」。❷用財物幫助。如「募捐」；「捐錢救災」。❸捨掉、拋去。如「捐棄」；「爲國捐軀」。❹囡「捐館」：人死亡。

捃囡(jùn)⑩kwɐn²〔菌〕❶拾取。又作「攈」、「攟」。❷「捃摭」：採集。

挾▲(xié)⑩hip⁸〔協〕❶囡夾在腋下。如「持弓挾矢」；「挾了幾本書」。❷倚仗勢力或拿住把柄來脅迫人。如「要挾」；「挾天子以令諸侯」。❸囡仗恃着。孟子書有「不挾長，不挾貴」。❹囡私藏。如「挾書律(秦禁止私人藏書的法律)」。

▲(jiā)⑩gap⁹〔夾〕❶囡通「浹」，周匝。見376頁。❷通「夾」，拿。見130頁。

振▲(zhèn)⑩dzɐn³〔震〕❶奮發。如「士氣大振」；「振作精神」。❷囡搖動，抖擻。如「振衣(把衣服抖一抖)」；「振

筆直書」。❸通「震」。如「振動」;「振撼」。❹通「賑」,見700頁。❺図「振振」:鳥成羣飛的樣子。詩經有「振振鷺」。

▲図(zhēn)粵dzen¹〔真〕「振振」:①仁厚。詩經有「振振公子」。②盛大的樣子。左傳有「均服振振」。

捉 (zhuō)粵dzuk⁷〔足〕❶拿,握住。❷逮住。如「捕捉」;「捉賊」。❸「捉刀」:代別人寫作。❹「捉摸」:①料想得到或把握得住的。如「他這個人真是不可捉摸」。②是揣度、尋思、想一想的意思。如「這件事要仔細捉摸一下」;「這番話的用意值得捉摸捉摸」。❺「捉襟見肘」:衣裳舊了,一拉就破,露出胳膊肘子來;比喻窮窘困難的處境,各方面照顧不周,顧此失彼的樣子。

捎 (shāo)粵sau¹〔梢〕❶附帶,隨帶。如「這件事請你捎着替我辦一辦」。❷寄送也說「捎」。如「捎一封信」;「從家裏捎來一個包裹」。❸用東西的末梢輕輕打中。如「讓鞭子捎了一下」。

捘 図(zùn)粵dzœn³〔俊〕捎,按,推擠。

挫 (cuò)粵tsɔ³〔錯〕❶進行不順利。如「挫折」。❷屈辱。

如「挫辱」。❸壓抑。如「挫了銳氣」;「抑揚頓挫」。

挱 ▲(suō)粵sɔ¹〔梭〕「摩(mó)挱」:見264頁「摩」字。
▲(shā)粵sat⁸〔殺〕「挓挱」:見248頁「挓」字。
▲(sa)粵sa¹〔沙〕「摩(mā)挱」:見264頁「摩」字。

挲 (suō)粵sɔ¹〔梭〕「摩挲」也作「摩挱」:見264頁「摩」字。

挨 ▲図(āi)粵ai¹〔唉〕❶靠近,接觸。如「兩個人挨着坐」;「門上的油漆還沒乾,挨不得」。❷依照次序。如「挨戶通知」;「挨個兒問」。❸擊,推,擁擠。如「挨挨搶搶」。❹図強進。❺摩擦。
▲通「捱」,見257頁。

挹 図(yì)粵jɐp⁷〔邑〕❶舀,酌。如「挹酒漿」。❷退讓。如「謙挹」。❸推重。如「獎挹」。❹「挹注」:把液體從一個盛器中舀出,注入另一個盛器。是取有餘以補不足的意思。是從詩經「挹彼注兹」演成的詞。

捂 ▲図(wù)粵ŋ⁶〔誤〕❶逆。❷抵觸。
▲(wǔ)粵ŋ⁵〔午〕同「搗」,見263頁。

挽 (wǎn)粵wan⁵〔輓〕❶図拉。如「牽挽」;「挽手同

行」。❷图「挽救」;「挽回」的簡語。如「敗象難挽」。❸同「縮」。如「挽袖子」;「挽扣兒」。參見539頁「縮」字。❹同「輓」,見720頁。

【換】同「換」,見258頁。

八畫

掰 (bāi)圖bai¹〔巴挨切〕用兩隻手分開東西的動作。如「把包子掰開看看是什麼餡兒」。

捭 图(bǎi)圖bai²〔擺〕❶開。❷兩手敲打。❸「捭闔」:開叫捭,閉叫闔。比喻游說之術。如「縱橫捭闔」。

排 ▲(pái)圖pai⁴〔牌〕❶陸軍編制的一級。九人或十一人為一班,三班或四班為一排。❷一連串,一行列。如「一排桌子」;「你坐在後排」。❸依照次序陳列。如「排列」。❹图推開。如「排闥直入」。❺解除。如「排解」。❻用力推、擠。如「排斥」;「排擠」。❼戲劇、歌舞、技藝等正式上演之前的預先練習。如「排練」;「排戲」。❽「排場」:①指身分或局面。②指外表鋪張的形式。

▲(pǎi)圖pai⁴〔牌〕「排子車」:一種以人力拉的貨車。

掊 ▲图(póu)圖peu⁴〔爬牛切〕❶同「抔」,見238頁。❷聚斂。如「掊克(貪狠苛稅斂取民財)」。

▲图(pǒu)圖peu²〔披嘔切〕❶擊。❷同「剖」,見55頁。

捧 (pěng)圖pun²〔披湧切〕❶張開兩個手掌來拿。如「捧着碗」。❷兩手合在一起來拿,或指兩隻手合在一起所拿的數量。如「給他捧了一大捧糖果」。❸從旁讚美或當面奉承,有意藉此抬高一個人的地位。如「要正當批評,不應該亂捧亂罵」。❹「捧場」:臨場助威,對人有意讚揚奉承。❺「捧腹」:說大笑的時候搞着肚子。如「捧腹大笑」。

拼(拼) (pīn)圖pin¹〔乒〕pin³〔聘〕(又)❶湊在一塊。如「七拼八湊」;「用七巧板拼成一個花式」。❷不顧一切地奮鬥,豁出去。如「跟敵人拼了」。❸「拼命」:①同「拚命」,不顧性命去做。②努力,盡力。如「遇到月考,他總拼命開夜車」。❹「拼音」:①連綴音素成複合音。②從標音文字讀出音來。

捫 (mén)圖mun⁴〔門〕❶用手摸。如「捫心自問」。❷图按住,摸着拿起來。如「捫蝨而

談」。❸図「捫搎」：摸索。聊齋誌異有「反復捫搎」。

捯(dáo)⑧dou³〔到〕❶扯線，理線。如「捯線(放風箏的收線)」。❷追求，尋出線索。如「這件案子捯出頭緒來了」。❸「捯飭」：修飾打扮。❹「捯氣」：呼吸費力；常指臨死前的緊促呼吸。

掉(diào)⑧diu⁶〔調〕❶落。如「掉雨點」；「帽子掉在地下了」。❷遺失。如「我的錢包掉了」。❸轉。如「掉換」；「掉過臉來」。❹附在動詞後面表示動作完成。如「忘掉」；「剪掉這些枝杈」。❺図搖動。如「掉尾」；「掉臂而去」。❻「掉包」：暗中換取他人財物。❼「掉書袋」：譏笑人喜歡引經據典，咬文嚼字的毛病。

掂(diān)⑧dim¹〔多淹切〕❶把東西托在手掌上試試輕重。如「掂掂這包東西有多重」。❷「掂對」：忖度，斟酌。

掇(duō)⑧dzyt⁸〔啜〕❶拾取。❷図抄掠。史記有「秦得燒掇焚杅君之國」。❸雙手捧取。如「掇起飯碗」。

掏(搯)(tāo)⑧tou⁴〔逃〕❶手伸進去拿東西。如「掏腰包(拿出錢來)」。❷挖。如「掏窟窿」。

探▲(tàn)⑧tam³〔他喊切〕❶打聽。如「偵探」；「探消息」。❷找，尋求。如「探源」；「鑽探」。❸看望。如「探病」；「探親」。❹測，試。如「探探他的口氣」；「用竿子探一探溝裏的水多麼深」。❺捅，通。如「探探烟袋」。❻伸出。如「不要向窗外探頭」；「彎着腰探着身子」。

▲図(tān)⑧tam¹〔貪〕試一試。如「探湯(原指用手試探滾湯，後比喻心存戒懼的意思)」。

掭(tiàn)⑧tim³〔他厭切〕❶毛筆在硯台上蹭蹭，使筆上的墨量勻稱，筆尖順溜好寫。如「掭筆」。❷撥動。如「掭燈草」。

推(tuī)⑧tœy¹〔梯雖切〕❶用力使東西向前移動。如「推開」；「推車」。❷用力使事情展開。如「推行」；「推進」。❸選擇，薦舉。如「公推」；「推代表」。❹由當時狀況預測將來，或由一種事實來判斷其餘。如「推論」；「類推」。❺謙讓。如「三推兩讓」。❻自己不負責任，把過失或任務放在別人身上。如「這件事你推我，我推你，誰也不管」。❼找藉口來躲避。如「推病不到」；

「推故不去」。❽拖延。如「往後推幾天」。❾審問。如「三推六問」。❿理髮用推子剪頭髮。如「推一個平頭」。

捺 (nà) 粵 nat⁹〔拿滑切〕lat⁹〔辣〕(俗)❶手用力按下。如「捺印(蓋指模爲據)」。❷書法用筆向右下方斜拖的筆畫。如「人」字是「一撇一捺」。❸壓下，忍耐。如「捺着性子」；「捺着氣兒」。

捻 ▲ (niǎn) 粵 nim²〔匿掩切〕lim²〔拉掩切〕(俗)❶「撚」的借用字：①用手指頭搓。②用手捻成的東西。如「紙捻(兒)」；「藥捻(子)」。❷「捻匪」：清朝咸豐同治年間結黨擾掠北方各省的盜匪。
▲ (niē) 粵 nip⁹〔聶〕lip⁹〔獵〕(俗)通「捏」，見249頁。

捩 (liè) 粵 lit⁹〔列〕❶扭轉。如「轉捩點」。❷拆，撕。

掄 ▲ (lūn) 粵 lœn⁴〔倫〕❶手與臂旋動。如「掄拳」；「掄刀」。❷任意浪費金錢。
▲ 图 (lún) 粵 lœn⁴〔倫〕選擇。如「掄才」。

掠 图 (lüè) 粵 lœk⁹〔略〕❶奪取。如「劫掠」；「掠人之美」。❷斜着抄過去。如「一隻鳥由頭上掠過去」。❸图輕輕接觸。如「涼風掠面」。❹图用刑具

打。如「拷掠」。❺書法把一長撇叫「掠」。

掆 (gāng) 粵 gɔŋ¹〔江〕同「扛」，舉起。見236頁。

掛(挂) (guà) 粵 gwa³〔卦〕❶懸起來。如「把衣裳掛在衣架上」。❷懸着的。如「掛圖」；「掛鐘」。❸鈎住脫不開。如「釘子把衣裳掛住了」。❹沾上。如「臉上掛了一層灰土」。❺放在心上，總是想着。如「心上掛着這件事」。❻帶上，連帶。如「掛上一個虛名」。❼登記。如「掛號」；「支票掛失」。

掯 (kèn) 粵 kɐŋ³〔卡凳切〕❶壓迫，留難。如「掯住」；「掯壓」。❷「勒掯」：①强迫，勒索。②强制，約束。

控 (kòng) 粵 huŋ³〔哈甕切〕❶操縱，掌握。如「控制」；「控馬(勒住馬不讓前進)」。❷告訴，告狀，告發。如「控告」。❸拉，引。如「控弦(開弓拉弦)」。❹投。莊子書上有「時則不至，而控於地而已矣」。

掎 图 (jǐ) 粵 gei²〔紀〕❶牽引一邊。❷分兩面牽制敵人。如「掎角」。❸捕獸從後捉一隻腳。❹弓矢機弩的引發。

手 (pá) ⑧pa⁴〔扒〕「鋞手」同「扒手」：見235頁「扒」字。

接 (jiē) ⑧dzip⁸〔楫〕❶ 收，受。如「接到來信」；「接聽電話」。❷托住，承受。如「球扔過來他沒接住」。❸相迎，引導照料着走。如「到車站接人」；「接病人出院」。❹ 靠近，挨上，碰到一塊兒。如「交頭接耳」；「短兵相接」。❺連續。如「把這兩條線接起來」；「電影上下集接着演」。❻輪替，一個完了又一個跟上去。如「你接誰的班」；「誰來接替你的工作」。❼連結。如「接線」。❽交際。如「待人接物」。❾姓。

捷(捷) (jié) ⑧dzit⁹〔截〕❶迅速。如「迅捷」；「捷足先登」。❷靈巧，伶俐。如「敏捷」。❸戰勝。如「大捷」；「連戰皆捷」。❹姓。❺「捷徑」：①近路。②簡便速成的方法。❻囡「捷給」：反應敏捷，善於應對。❼「捷捷」：動作敏捷的樣子。詩經有「徵夫捷捷」。

据▲ (jū) ⑧gœy¹〔居〕「拮据」：見247頁「拮」字。
▲「據」的簡化，見270頁。

掬 囡(jū) ⑧guk⁷〔菊〕❶捧起來。如「掬水而飲」。❷活動

情態，好像可以用手抓得着。如「笑容可掬」。❸一捧。如「鮮花盈掬」。

掘 (jué) ⑧gwet⁹〔倔〕挖。如「掘井」；「發掘」。

捲 (juǎn) ⑧gyn²〔卷〕❶ 收、聚，把東西彎轉成圓筒狀。如「捲簾子」；「把掛圖捲起來」。❷彎轉收聚成圓筒狀的東西。如「膠捲」；「烟捲」。❸一種大的力量把東西撮起或裹住。如「北風捲地」；「捲入漩渦」。❹彎曲的東西。如「頭髮打捲」。❺俗指惡毒的辱罵。如「捲罵」；「你不應該隨便捲人」。❻「捲土重來」：傾其所有，以圖恢復。

掐 (qiā) ⑧hap⁸〔呷〕❶用手指頭或指甲夾住或按住。如「緊掐脖子」；「誰在蘋果上掐了幾個指甲印子」。❷採摘，用指甲摘取。如「掐花」。❸用手指抓着。如「手裏掐着一把青菜」。❹形容數量很少。如「他又不曾虧欠你一掐半掐」。❺「掐算」：①用拇指點着別的手指算數目。②猜度，預料。

捡 (qín) ⑧kɐm⁴〔禽〕❶用手捉東西。❷ 同「擒」，見270頁。

搧 (qián) ⑧kin⁴〔虔〕❶用肩膀扛東西。如「搧行李」。❷

「掮客」：代客買賣，從中抽取佣金的人。

掀(xiān)粵hin¹〔軒〕❶揭。如「掀簾子」；「把這一頁掀過去」。❷高起而離開原來的位置。如「馬驚了亂跑亂跳，把騎馬的掀了下來」。❸翻騰，鼓盪。如「掀起大風波」。

掌(zhǎng)粵dzœŋ²〔槳〕❶手心。如「鼓掌」。❷動物的腳。如「鴨掌」；「熊掌」。❸指鞋底說的。如「鞋底破了，去補一補前後掌」。❹用手把着。如「掌着舵」。❺管理，主持。如「掌大權」；「掌竈的」。❻用手掌打。如「掌嘴」；「掌頰」。❼姓。❽「掌故」：已往的典章制度以及傳說故事。❾「掌上明珠」：稱人家的女兒，簡稱「掌珠」。

掙(挣)▲(zhēng)粵dzeŋ¹〔僧〕❶用力。❷「掙扎」：用力支持。❸「掙挫」：掙扎。

▲(zhèng)粵dzaŋ⁶〔左硬切〕❶用力擺脫。如「掙脫了枷鎖」。❷「掙命」：臨死的掙扎。❸「掙錢」：出力謀利。

掣(chè)粵dzɐi³〔制〕tsit⁸〔設〕(又)❶拖拉。如「掣曳」。❷拔出。如「掣劍在手」。❸打閃。如「掣電」；「風馳電掣」。

❹「掣肘(拉住肱臂肘兒)」：①比喻阻撓別人做事。②比喻做事受人牽制。

捵(chēn)粵tsɐn²〔診〕❶拉長。❷拉、扯。如「把他捵出來」；「把衣服捵平」。❸「捵麫」：用手捵長的麫條。

捶(chui)粵tsœy⁴〔鎚〕打、敲。如「捶鼓」；「頓足捶胸」。也作「搥」，見263頁。

捨(shě)粵sɛ²〔寫〕❶拋棄。如「捨棄」；「捨身」。❷放下，放着，不管或不用。如「捨己之田，耘人之田」。❸布施。如「施捨」；「捨藥」。❹發，發謝。詩經有「捨矢如破」。

授(shòu)粵sɐu⁶〔受〕❶給，交付。如「授權」；「授旗」。❷教給人，讓人學習。如「講授」；「傳授」。❸委任官職。如「授官」。

掞図(shàn)粵sim³〔沙厭切〕❶伸展，發舒。❷「掞張」：鋪張詞華。❸「掞藻」：發舒詞藻，施展文才。

捽図(zuó)粵dzœt⁷〔卒〕tsyt⁸〔撮〕❶手裏拿着。❷抵觸。❸拔。

採(cǎi)粵tsɔi²〔彩〕❶摘取下來。如「採茶」；「採桑」。❷選擇，選取。如「採納」；「稿件不好的不採」。❸搜求，

找。如「採掘」;「開採」。❹
扯,揪,牽引。如「不要採小
狗的尾巴」。❺通「睬」,過
問、理會。見476頁。

措 (cuò)⑧tsou³〔醋〕❶安放,
安置。如「手足無措」;「驚
慌失措」。❷囚放棄,不管。
中庸有「學之弗能,弗措也(如
果沒學好,決不把它放下)」。
❸事先計劃辦理。如「籌措款
項」。❹「措大」:稱一般不被
賞識的知識分子,含有輕慢的
意思。❺「措手」:動手安排。

掃(埽) ▲(sǎo)⑧sou³〔素〕
❶用笤帚等器具除
去塵土。如「掃地」。❷除去,
消滅。如「掃除文盲」。❸盡的
意思。如「掃數」。❹抹。如
「淡掃蛾眉」。❺迅速橫掠而
過。如「掃了一眼」。❻「掃
描」:電子束或光束朝固定方
向,有順序,週期性的移動過
程。❼囚「掃榻」:清掃牀上的
灰塵,表示歡迎朋友來臨。❽
「掃墓」:祭掃墳墓。❾「掃興
(xìng)」:打消興致。

▲(sào)⑧sou³〔素〕❶「掃
帚」:掃地的器具,用竹枝做
的大笤帚。❷「掃帚星」:彗星
的俗稱。

捱 (ái)⑧ŋai⁴〔崖〕ai⁴〔唉低平〕
(俗)❶遭受,忍受。如「捱

餓」;「捱打」。❷等待,延
拖。如「捱一時是一時」;「錢
不夠用,凡是花錢的事能捱的
且捱一日」。

掖 ▲(yè)⑧jik⁹〔液〕❶囚用手
扶別人的肐臂,有扶持的意
思。❷在旁邊的。如「掖垣」;
「掖門」;「宮掖(宮殿,指旁殿
說)」。❸通「腋」,見578頁。

▲(yē)⑧jik⁹〔液〕❶塞在縫
裏。如「腰裏掖着槍」;「把錢
掖在懷裏」。❷倒捲。如「把衣
裳襟掖起來」。

掗 (yà)⑧a³〔亞〕❶強給人東
西。❷搖。水滸傳有「掗着
金蘸斧,立馬在陣前」。❸「掗
把」:把持。

掩 (yǎn)⑧jim²〔魘〕❶遮住,
擋住。如「遮掩」;「掩飾」;
「掩耳盜鈴」。❷關上,合上。
如「掩門」;「掩卷」。❸囚突然
來攻擊。如「掩襲」;「大軍掩
至」。

【捥】同「腕」,見578頁。
【搖】同「碰」,見485頁。

九畫

描 (miáo)⑧miu⁴〔苗〕❶照樣
子摹畫。如「描摹」。❷細細
地畫。如「描繪」。❸反覆塗
抹。如「越描越黑」;「寫字不
要描」。❹「描金」:塗金銀粉

在器物上作裝飾。❺「描寫」：作者表達事物的創作手法之一。指作者依照事物、環境的特點所作的刻畫。如「心理描寫」；「動作描寫」。

提 ▲ (tí) 粵 tei⁴〔題〕❶手拿着東西的上部，讓東西向下垂着。如「提着一桶水」。❷把時間往前挪。如「這個會議提前舉行」。❸取出。如「提款」。❹拿出，舉出。如「提議」；「提名」。❺說，說起。如「別提了」；「舊話重提」。❻振作。如「提起精神」。❼「提拔」：挑選或提升人才。

▲ (dī) 粵 tei⁴〔題〕❶「提溜」：手裏提着。❷「提防」：小心防備。

▲ (shí) 粵 si⁴〔時〕❶「朱(shú)提」：古縣名，故城在今四川省宜賓縣西南。❷「提提」：①安靜舒適的樣子。詩經有「好人提提」。②鳥羣飛的樣子。詩經有「歸飛提提」。

搦 (nuò) 粵 nik⁷〔匿〕lik⁷〔礫〕(俗) 拿着，持。水滸傳有「手搦雙斧」。同「搦」，見261頁。

搕 (ké) 粵 kak⁸〔卡百切〕❶用手握東西。❷卡住、夾住，不能進退或上下。如「抽屜搕住了，拉不開了」。❸「搕人」：

故意難人。

揩 (kāi) 粵 hai¹〔蝦挨切〕❶擦抹。如「揩桌子」。❷「揩油」：①舞弊取利。②佔便宜。

揆 (kuí) 粵 kwɐi⁴〔葵〕❶揣測，審度。如「揆情度理」。❷掌管，管理。左傳有「以揆百事」。❸道理。❹古時把宰相稱做「揆」。❺近代借用稱內閣總理或相當內閣總理的官職。

揮 (huī) 粵 fɐi¹〔輝〕❶搖動。如「大筆一揮」；「揮扇」。❷掄開，舞動。如「揮刀」；「把大旗一揮」。❸發號令，做指示。如「指揮大軍」；「揮軍前進」。❹做出手勢，讓人離開。如「招之即來，揮之即去」。❺散，落。如「揮發」；「揮淚」。❻图「揮霍」：浪費金錢。❼「揮灑」：揮筆灑墨，意思是隨意寫字作畫。

換(换) (huàn) 粵 wun⁶〔喚〕❶對調，互易。如「交換」；「互換」。❷改變，更改。如「換車」；「換衣服」。

揭 ▲ (jiē) 粵 kit⁸〔竭〕❶图高舉。如「高揭義旗」；「揭竿而起」。❷公開表露出來。如「揭曉」；「不要揭人的短處」。❸掀起。如「揭鍋蓋」；「在房

上揭了一片瓦」。❹姓。

▲囝(qì)粵hei³〔氣〕提衣襟涉淺水。詩經有「淺則揭」。

揪(jiū)粵dzɐu¹〔周〕用手拉扯。如「揪住不放」;「揪着繩子往上爬」。

揀(jiǎn)粵gan²〔柬〕❶選擇。如「揀選」。❷同「撿」,見270頁。

揳(xiē)粵sit⁸〔屑〕捶打進去。如「把釘子揳進去」;「在地上揳了一根木樁子」。

揎(xuān)粵syn¹〔宣〕❶挽起袖子露出胳膊來。如「揎拳擄袖」。❷徒手打人。

揸(摣)(zhā)粵dza¹〔渣〕用手指撮東西。

揕囝(zhèn)粵dzɐm³〔浸〕擊、刺。史記有「右手揕其胸」。

插(挿)(chā)粵tsap⁸〔鍤〕❶刺入,放進去。如「插入」;「插花」。❷栽種。如「插稻秧」。❸加進去的。如「插圖」;「插班生」。❹「插翅」:安裝上翅膀。如「插翅難飛(比喻無法逃脫或不能脫身)」。❺「插嘴」:①不等人家說完,從中間插進去說話。②干預別人的事,自己加進去說話。❻「插科打諢」:京劇表演時候,劇中人說的使人發笑的話。

揣▲(chuǎi)粵tsyn²〔喘〕❶猜測,估量。如「不揣冒昧」;「揣測」。❷探試。❸「揣摩」:①細細研究文章或著作的字句內容,推求其中的含意。②探求。③測度。

▲(chuāi)粵tsai¹〔猜〕同「搋」,見262頁。

揉(róu)粵jɐu⁴〔柔〕❶擦,按摩。如「揉眼睛」。❷撫摩跌打受傷的地方。如「扭了筋,揉揉就好了」。❸用手和弄壓擠。如「揉麵」。❹把直的弄成曲的,曲的弄成直的。如「矯揉」。❺「揉雜」:紛紜雜亂。

揍(zòu)粵dzɐu³〔奏〕❶打。如「揍他一頓」。❷東西打破了,摔破了。如「不留神把茶杯揍了」。

揞(ǎn)粵ɐm²〔黯〕❶壓住,按。如「手上破了一小塊,用點藥把傷口揞上」。❷亂放。如「把蘇秦和蘇武說到一起去了,你真胡揞」;「張三的帽子揞在李四頭上」。

揖(yī)粵jɐp⁷〔邑〕❶「作揖」:拱手行敬禮。如「一揖到地」;「長揖不拜」。❷「揖讓」:①以禮相讓。②主人和客人相見的敬禮。

揠囝(yà)粵at⁸〔壓〕❶拔。❷「揠苗助長」:嫌苗長得慢,

把它拔一拔，幫助它長，結果反而把苗弄枯死了。比喻急於事功，而方法不得當，反倒弄糟了(這個成語故事出在孟子書公孫丑篇)。

挪 ⊠(yé) ⦿ je⁴〔爺〕「揶揄」：耍笑，戲弄。

揜 ⊠(yǎn) ⦿ jim²〔掩〕❶奪。❷通「掩」，見257頁。

揚(敭) (yáng) ⦿ jœŋ⁴〔羊〕❶舉起，抬高。如「揚手」；「揚帆」。❷起來，在空中飄動。如「飄揚」；「塵土飛揚」。又作「颺」。❸稱讚，稱說。如「表揚」；「頌揚」。❹宣傳出去，顯示出來。如「宣揚」；「張揚」。❺播散。如「拿簸箕簸米揚糠」；「這個孩子抓起一把土來亂揚」。❻⊠高。禮記有「將上堂，聲必揚」。❼⊠眼眉上邊和下邊。❽「揚揚」：得意的樣子。❾⊠「揚搉」：是「約略」的意思。漢書敍傳裏有「揚搉古今(約略述說古今的事情)」。❿揚言：誇大其辭，當眾故意說出。

握 (wò) ⦿ ak⁷〔扼〕❶用手攥住。如「握筆」。❷抓緊。如「握拳」。❸量詞，滿一把叫「一握」。❹⊠握手的簡詞。如「握別」。

揄 ▲⊠(yú) ⦿ jy⁴〔如〕❶牽引，提起。❷「揄揚」：特別提到某人而加以稱讚。❸「揶揄」：見本頁「揶」字。
▲⊠(yóu) ⦿ jeu⁴〔由〕清理舂米的臼，把米從米臼裏拿出來。詩經有「或舂或揄」。

援 (yuán) ⦿ wun⁴〔垣〕❶幫助，救助。如「援助」；「外援」。❷拉，牽引，用來作為依據。如「援照」；「援例辦理」。❸⊠拿起來。如「援筆直書」。

掾 (yuàn) ⦿ jyn⁶〔願〕古時稱幫長官辦事的人。如「掾吏」；「掾屬」。

搜 (sōu) ⦿ seu¹〔收〕seu²〔首〕(又) ❶仔細查找。如「搜索」。❷「搜括」也作「搜刮」：①指用種種的方法或假借名目聚斂財物。②⊠搜索。梁書有「夜分求衣，未遑搜括」。❸「搜羅」：多方面搜求羅致。

【捏】同「捏」，見249頁。
【捷】同「捷」，見255頁。
【搵】同「搖」，見263頁。
【撝】同「撝」，見267頁。

十畫

搏 (bó) ⦿ bɔk⁸〔博〕❶對打，相撲。如「搏鬥」；「肉搏」。❷⊠捕捉。如「搏虎」。

搬 (bān)粵bun¹〔般〕❶挪動遷移。如「搬動」;「搬家」。❷用兩手拿起重的東西。如「搬石頭」;「搬椅子」。❸推。如「搬不倒兒(一種玩具,即是不倒翁)」。

搭 (dā)粵dap⁸〔答〕❶架起。如「搭棚」;「搭橋」。❷抬。如「搭桌子」。❸湊到一起。如「搭夥」;「搭配」。❹放上去,兩頭垂下來。如「搭衣裳」;「把圍巾搭在肩上」。❺蓋,被,遮。如「身上搭着一條毛毯」。❻加上,湊上。如「白搭」;「把這些錢搭上還不夠」。❼乘坐。如「搭車」;「搭船」。❽「搭話」:交談。❾「搭訕着」:有點不好意思的態度。

搗(擣) (dǎo)粵dou²〔島〕❶舂,打。如「搗米」;「搗碎」。❷進攻。如「直搗敵人的巢穴」。❸「搗亂」:①用不好的手段或無理的行動來擾亂秩序,進行破壞。②別人正在做正經事的時候,故意跟人家胡鬧。❹「搗鬼」:無中生有,搬弄是非。

搨 (tà)粵tap⁸〔塔〕❶用紙墨摹印碑帖。❷「搨本」:摹印的碑帖。

搪 (táng)粵toŋ⁴〔糖〕❶抵擋,招架。如「水來土搪」。❷架起,支撐起。如「搪上一塊板子就塌不下來了」。❸敷衍,支吾。如「搪賬」;「先搪過這一陣再說」。❹塗抹使表面平整。如「搪爐子」。❺「搪瓷」:也叫「洋瓷」,是用金屬作胎,塗上釉子,看起來好像瓷器一樣的工藝品。

搦 図(nuò)粵nik⁷〔匿〕lik⁷〔礫〕(俗)❶握,拿。如「搦管(拿筆)」。❷挑,惹。如「搦戰」。

搿 (gé)粵gap⁸〔甲〕兩手合抱。如「攔腰搿住」。

搞 (gǎo)粵gau²〔絞〕❶做,幹。如「把這件事情搞好」。❷弄,攪擾。如「不能胡搞亂搞」。

搆 (gòu)粵geu³〔夠〕keu³〔扣〕(又)❶牽連。❷伸手拿東西。❸「搆不着」:地位高遠而手達不到。如「糖罐擱在架子上,小弟搆不着」。❹図通「構」。如「搆思」。見331頁。

搕 (kē)粵hep⁹〔合〕敲打。

搰 図(hú)粵wet⁹〔華迄切〕❶發掘。如「狐埋狐搰」。❷濁,亂。呂氏春秋有「水之性清,土者搰之」。❸「搰搰」:致力的樣子。❹「搰揉」:撫摩。

搲 ▲(huá)粵wak⁹〔或〕「搲拳」也作「划拳」：猜拳。
▲図(xiá)粵het⁹〔瞎〕搔。

搛 (jiān)粵gim¹〔兼〕夾取。如「用筷子搛菜」。

搢(縉) 図(jìn)粵dzœn³〔晉〕❶插。「搢笏（古時官員把笏插在腰帶上）」。❷振。如「搢鐸」（也作「振鐸」）。❸「搢紳」：①古時稱呼做官的人。也作「縉紳」。②舊時的職官人名錄。

搴 図(qiān)粵hin¹〔牽〕❶拔取。如「斬將搴旗」。❷姓。

搇(撳) (qìn)粵gɐm⁶〔技任切〕用手按住。

搶 ▲(qiǎng)粵tsœŋ²〔雌想切〕❶奪取，爭。如「這些東西大家均分，不要亂搶」。❷趕快做。如「水災之後要做好搶修工作」。❸爭取。如「搶先」。❹皮膚受擦傷。如「搶破了一塊皮」。❺把刀剪的刃刮薄使它鋒利。如「刀口鈍了，搶一搶吧」。❻「搶白」：責備。
▲(qiāng)粵tsœŋ¹〔槍〕❶迎着，逆着。如「搶着風往前走」；「帆船遇到了搶風，耽誤了行程」。❷図碰。如「以頭搶地」。

搉 図(què)粵kɔk⁸〔確〕❶敲擊。❷商量。如「商搉」。❸引述。如「揚搉古今（約略陳述古今的意思）」。

搘 図(zhī)粵dzi¹〔支〕支撐。如「搘柱」；「以木搘牆」。

搾(榨) (zhà)粵dza³〔詐〕❶用力壓擠物體而取其汁液。如「搾油」。❷「搾菜」：一種脆硬的醃菜，用苤藍醃製，四川產製的最出名。

搌 (zhǎn)粵dzin²〔展〕❶擦抹，或輕輕按壓。如「用吸墨紙把紙上的墨點搌一搌」。❷「搌布」：擦東西的布，即是抹布，揩布。

搽 (chá)粵tsa⁴〔茶〕敷，塗抹。如「頭髮搽油」；「臉上搽粉」。

搊 (chōu)粵tsɐu¹〔抽〕❶用手指撥弄弦樂器的絃。如「搊箏」。❷束緊。如「搊帶」。❸攙扶。如「搊扶」。❹拘執。如「他性情太搊」。

搐 ▲(chù)粵tsuk⁷〔速〕筋肉牽動。如「渾身抽搐作痛」。
▲ (chōu)粵tsɐu¹〔秋〕同「抽」（「抽風」、「抽瘋」也寫作「搐風」）。見246頁。

搋 (chuāi)粵tsai¹〔猜〕❶把東西藏在懷裏。如「把錢搋起來」。❷用力揉。如「搋麵」。

❸「攏手兒」：把兩手交叉藏在袖子裏。

搥 (chui)⤵tsœy⁴〔除〕打，敲。通「捶」，見256頁。

搧 (shān)⤵sin³〔扇〕❶用手摑臉。❷同「扇」：①搖動扇子生風。②「扇動」；「扇惑」也作「搧動」；「搧惑」。見234頁。

搜 (suō)⤵sak⁸〔索〕sɔk⁸〔朔〕(又)❶同「索」，尋找，搜求。見530頁。❷「摸搜」同「摸索」：見264頁「摸」字。

搠 図(shuò)⤵sɔk⁸〔朔〕❶刺人。如「將敵人一槍搠死馬下」。❷打。如「搠碎」。

搓 (cuō)⤵tsɔ¹〔初〕❶兩手相摩。❷用手揉擦。

搔 (sāo)⤵sou¹〔騷〕❶用指尖撓。如「搔背」；「搔着癢處」。❷「搔首」也作「搔頭」：用手搔髮。形容想事情的樣子。❸通「騷」，見833頁。

搡 図(sǎng)⤵sɔŋ²〔爽〕推，擠。

搿 図(sūn)⤵syn¹〔孫〕「搿搿」：參見252頁「搿」。

損 (sǔn)⤵syn²〔選〕❶減少。如「減損」。❷傷害。如「損害」。❸物質、利益或人物的喪失。如「避免意外損失」。❹尖刻傷人。如「他的話真損」。❺狠，殘酷。如「這一招真損」。❻弱。如「衰損」。❼中醫稱身體久病不能復元。

搤 図(è)⤵ɐk⁷〔扼〕ak⁷〔握〕(又)同「扼」，見241頁。

摁 (èn)⤵ɔn³〔按〕❶用手按。如「摁電鈴」。❷比喻扣留或壓伏。如「這件事多虧你給摁住了」。

搖 (yáo)⤵jiu⁴〔遙〕❶擺動。如「搖鈴」；「動搖」。❷図通「遙」，見735頁。

搗 (wǔ)⤵wu²〔滸〕❶遮蓋。如「搗着耳朵」。❷密封。如「放在甕子裏搗幾天」。❸図囚禁。

搵(揾)図(wèn)⤵wɐn²〔穩〕❶用手指按。❷同「抆」字。擦，抹。見241頁。

【携】同「攜」，見273頁。
【掐】同「掏」，見253頁。
【搆】同「構」，見331頁。
【搒】同「榜」，見331頁。

十一畫

摽 ▲図(biāo)⤵biu¹〔標〕揮去。
　　▲図(biào)⤵piu³〔漂〕❶落下。❷緊緊地鈎連在一起。如「兩人摽着胳膊走」。❸互相親近、依附在一起。如「他們總在一塊兒摽着」。❹勒緊。如

「桌子腿活動了，用繩子摽住吧」。❺「摽梅」；「摽有梅」：比喻女子到了應當出嫁的年齡。

摒(摒) 図（bìng）粵biŋ³〔併〕❶排除，除去。如「摒絕妄念」。❷「摒擋」：收拾，料理。如「摒擋行裝」。

摸 ▲（mō）粵mɔ²〔媽可切〕❶用手接觸或撫摩。如「絨布摸着很軟」；「不要用濕手摸電門」。❷「摸索」也作「摸搎」：①暗地裏尋找。②比喻親自體驗研究。

▲（mó）粵mou⁴〔無〕❶同「摹」，見本頁。❷「摸稜」同「模稜」。見333頁「模」字。

摩 ▲（mó）粵mɔ¹〔魔〕❶接觸以後，來回的動。如「摩擦」；「按摩」。❷接近。如「摩天嶺」；「摩天大廈」。❸切磋。如「觀摩」。❹「摩托」：英文 motor 的音譯，即是發動機，也稱「馬達」。❺「摩挲（suō）」也作「摩挲」：用手撫摩。❻「摩登」：英文 modern 的音譯，原意是「現代的」，現在指新式的、迎合時尚的意思。

▲（mā）粵ma¹〔媽〕「摩挲（sa）」：用手掌把衣物弄平貼。

摹 （mó）粵mou⁴〔無〕❶通「模」。仿傚，模倣，照着樣子做。如「臨摹」；「把這個字摹下來」。❷「摹本」：摹仿翻刻的板本。

摶 図（tuán）粵tyn⁴〔團〕❶用手把東西搏成一團。❷憑藉，莊子書有「搏扶搖而上者九萬里」。

摟 ▲（lǒu）粵leu⁵〔柳〕抱住。如「摟抱」。

▲（lōu）粵leu¹〔拉歐切〕❶把東西摟過來，湊到一塊兒。如「拿耙子摟草」。❷用手指往懷裏的方向撥動。如「一摟機槍」。❸貪取，搜括。如「摟錢」。❹用手攏着提起來。如「摟着衣裳，邁開大步」。❺「摟頭」：迎頭。如「摟頭就是一棍，把他打倒」。

▲図（lóu）粵leu⁴〔留〕牽在手裏。孟子有「踰東家牆而摟其處子」。

撂 （liào）粵lœk⁹〔略〕❶放，放下。如「把簾子撂下來」；「把行李撂在地上」。❷扔，撇開。如「把沒用的東西撂出去」。

摑 図（guāi，又讀 guó）粵gwak⁸〔瓜百切〕用手掌打。如「摑臉」。

摜 (guàn) 粵 gwan³ 〔慣〕❶扔下，拋擲。如「摜在一邊」；「用力往地下一摜」。❷「摜交」也作「摜跤」：一種角力遊戲，即是摔跤。

摳 (kōu) 粵 keu¹ 〔溝〕❶用手指挖。如「摳鼻子」；「摳了個窟窿」。❷雕刻。如「在鏡框邊上摳出花兒來」。❸向一個狹窄的方面追究。如「不要死摳字面兒」。❹吝嗇。如「摳門兒」；「他這個人真摳，該花的錢都不肯花」。❺囻用手提起來。如「摳衣（把衣裳提起來，是古時爲表示恭敬的一種動作）」。

摭 (zhí) 粵 dzek⁸ 〔隻〕拾取，收集。如「摭拾」；「摭取」。

摯 (zhì) 粵 dzi³ 〔置〕❶誠懇。如「態度真摯」；「情意懇摯」。❷姓。❸囻通「鷙」，見861頁。❹囻通「贄」，見702頁。

摺 (zhé) 粵 dzip⁸ 〔接〕❶疊起來。如「摺紙」。❷疊起的。如「摺扇」；「摺尺」。❸用一張紙疊成幾頁的紙本子。如「手摺」；「奏摺」。❹曲折。❺囻打斷。史記有「折脅摺齒」。

摘 (zhāi) 粵 dzak⁹ 〔宅〕❶用手取下來。如「摘一朵花」。❷選取。如「摘要」；「摘錄」。❸借錢。如「東摘西借」。❹囻舉

發。如「摘奸發伏」。

摛 (chī) 粵 tsi¹ 〔雌〕❶散佈。如「英名遠摛」。❷發表和佈置安排。如「摛藻」；「摛詞」（都是指作文章修飾詞藻，發表思想）。

摏 (chōng) 粵 dzuŋ¹ 〔宗〕撞擊，同「舂」，見586頁。

摋 (sà) 粵 sat⁸ 〔殺〕側手擊打。

摻 ▲(shān) 粵 sam¹ 〔衫〕「摻摻」：形容手的纖細。詩經有「摻摻女手」。
▲(shǎn) 粵 sam² 〔沙膽切〕拿着，拉着。
▲(chān) 粵 tsam¹ 〔參〕混入，同「攙」，見273頁。

摴 (shū) 粵 sy¹ 〔書〕❶放開。❷「摴蒱」同「樗蒲」：見335頁「樗」字。

摔 (shuāi) 粵 sœt⁷ 〔蟀〕❶用力往下扔。如「把書狠狠地往桌上摔」。❷用力抽動，表示激怒。如「摔門而去」。❸擺脫開。如「把這件事摔下不管」。❹東西掉下去，碰壞、碰碎了。如「茶杯摔了」。❺跌。如「摔倒」。❻「摔跤」：二人角力的遊戲，以摔倒對方爲勝。

摠 (摠) (zǒng) 粵 dzuŋ² 〔腫〕❶囻兼持。❷同「總」，見544頁。

摧 図(cuī) 粵tsœy¹〔崔〕❶破壞。如「無堅不摧」;「摧鋒陷陣」。❷折斷。如「摧折」;「摧枯拉朽」。❸「摧殘」:①摧毀。②用暴力來侮辱傷害。

研 (yán) 粵jin⁴〔賢〕同「研」,細碾。見484頁。
【攄】同「揸」,見259頁。
【捵】同「操」,見270頁。

十二畫

撥 (bō) 粵but⁹〔勃〕❶挑動。如「撥鐘」;「撥燈」。❷分出來一部分。如「撥幾個人參加另一項工作」。❸批。如「一撥」;「一撥子」;「貨物分撥運送」。❹図除去。如「撥亂反正(除去禍亂,復歸正道)」。❺図喪具名,即是「綍(引棺的大繩子)」。

播 (bō) 粵bo³〔巴個切〕❶散佈,傳佈。如「傳播」;「廣播」。❷下種。如「播種」。❸図遷移,逃亡。如「播遷」。❹「播弄」:①挑撥是非。②玩弄。❺「播音」:①用無線電波將語言歌唱傳送出去。也作「播送」、「播放」。如「播送歌曲」。②在無線電臺對着麥克風向聽眾說話或講演報告。

撇 ▲(piē) 粵pit⁸〔瞥〕❶捨棄不管。如「撇開」;「撇棄」。❷遺留下。如「死後撇下一兒一女」。❸由液體表面舀起來。如「撇油」。❹「撇清」:假裝置身事外,巧言遮飾錯誤,而故意表示自己清白。❺「撇脫」:①畫法用筆灑落不凝滯。②作事敏捷。

▲(piě) 粵pit⁸〔瞥〕❶平着往遠處扔出去,投出去。❷書法向左斜下的一筆叫「撇」。❸「撇嘴」:①表示輕視的意思。②小孩要哭時嘴的動作。

撲 (pū) 粵pok⁸〔樸〕❶猛衝過去。如「燈蛾撲火」。❷打,拍。如「撲蝴蝶」;「撲掉衣服上的灰」。❸茸茸的搽粉用具。如「粉撲兒」。❹「撲克」:英文poker的音譯,一種五十二張紙牌的遊戲。❺「撲滿」:一種兒童用的存錢器,投入後不易取出,滿了就打碎,所以叫「撲滿」。❻図「撲朔迷離」:不辨雌雄;也泛指不易分辨真象。

撫 (fǔ) 粵fu²〔斧〕❶愛護,照料。如「撫養」;「撫之成人」。❷摩挲。如「撫摩」;「以手撫之」。❸図安慰。如「撫慰」;「好言相撫」。❹図「撫掌」:拍手。❺「撫恤」:對為國立功的死亡者的家屬給予安慰和救濟。

撢 ▲(dǎn)粵dan⁶〔但〕❶拂去塵土。如「撢鞋」;「撢桌子」。❷拂去塵土的器具。如「布撢子」;「雞毛撢子」。

▲囻(tàn)粵tam³〔探〕通「探」,見253頁。

揮 ▲(dǎn)粵dan⁶〔但〕同「撢」,見本頁。

▲(shàn)粵sin⁶〔擅〕種族名,住在中國雲南和泰國,越南等處。

撐 (dèn)粵den⁶〔燉〕用力拉繩、線一類的東西。如「別使大勁,小心把線撐斷了」。

撓 (náo)粵nau⁴〔錨〕lau⁴〔離看切〕(俗)❶用手輕輕抓。如「撓癢」。❷屈服。如「不屈不撓」。❸打擾,使事情進行不順利。如「阻撓」;「撓擾」。❹「撓頭」:①煩難的事,不容易解決。如「這件事真撓頭」。②頭髮散亂。如「你看他像撓頭獅子似的」。

撚 ▲(niǎn)粵nin²〔匿演切〕lin²〔拉演切〕(俗)❶用手指搓。如「撚絨線」。❷撥弄。❸「撚指間」:比喻時間迅速。

▲(niǎn)粵nen²〔匿隱切〕len²〔拉隱切〕(俗)「撚化」:粵方言,戲弄的意思。

撈 ▲(lāo)粵lau⁴〔離看切〕把水裏的東西取出。如「漁撈業」;「大海撈針」。

▲(lāo)粵lou¹〔拉高切〕❶比方不正常的獲得,取得。如「一個錢也沒撈着」。❷「撈本」:賭輸了想再贏回來;也泛指想收回成本,取得報償。

撩 ▲(liáo)粵liu⁴〔聊〕❶取東西。如「撩取」。❷挑弄。如「撩撥」;「春色撩人」。❸紛亂。如「撩亂」。

▲(liāo)粵liu¹〔拉腰切〕❶提起。如「撩衣服」。❷用手把水潑揚灑開。如「賣菜的往菜上撩水」。❸略微看看。如「撩了一眼」。

擄 囻(lǔ)粵lou⁵〔魯〕❶搶奪。如「擄掠」。❷俘獲。三國演義有「非臣則駕被擄矣」。

撝(撝) 囻(huī)粵fei¹〔輝〕❶裂。後漢書有「撝介鮮」。❷謙虛。如「撝謙」。❸通「揮」。如「撝戈反日」。見258頁。

撟 ▲囻(jiào)粵giu⁶〔撬〕舉起。如「撟舌(舉舌不能出聲)」;「撟捷(身體輕靈,行動敏捷)」。

▲囻(jiǎo)粵giu²〔繳〕通「矯」,見481頁。

撖 (hàn)粵ham⁵〔咸〕姓。

撅(juē)⑧kyt[8]〔厥〕❶翹起。如「撅尾巴」。❷掘。如「撅地」。❸折斷。

撚(juē)⑧dzyt[9]〔絕〕❶折斷。❷施行按摩、活動肢體等手續，使昏倒的人醒過來。如「他昏過去了，趕快撚一撚」。❸使人難堪。如「當面撚人」。

撬▲(qiào)⑧giu[6]〔技耀切〕用東西挑開。如「撬門」；「撬開箱蓋」。
▲(qiào)⑧hiu[3]〔竅〕舉起。

撊図(xiàn)⑧han[5]〔霞懶切〕勁怒的樣子。

撏(xián)⑧tsɛm[4]〔尋〕❶揪，拉拽。如「撏綿扯絮(形容下大雪的情況)」。❷拉住，抓住。如「撏扯」。❸拔毛。如「把雞毛撏淨了再下鍋煮」。

撰(zhuàn)⑧dzan[6]〔賺〕寫作文章。如「撰述」；「撰著」。

撞(zhuàng)⑧dzɔŋ[6]〔狀〕❶敲，打。如「撞鐘」。❷相碰。如「撞車」。❸衝突。如「衝撞」。

撦(chě)⑧tse[2]〔且〕同「扯」，元明小說戲曲裏多用這個字。見240頁。

撤(chè)⑧tsit[8]〔澈〕❶免去，除去。如「撤職」；「撤銷」。❷召回，向後轉移。如「撤回」；「撤退」。❸減輕。如「放點醋撤一撤鹹」。

撐(撐)(chēng)⑧tsaŋ[1]〔雌坑切〕❶用竿使船進行。如「撐船」。❷勉強支持。如「撐門面」。❸張開，繃緊。如「撐傘」；「撐線」。❹充滿。如「用棉花把枕頭撐起來」。❺吃得過飽，裝得太滿。如「口袋撐破了」；「晚飯吃多了，撐得很難過」。

撙(zǔn)⑧dzyn[2]〔轉〕❶節省費用。如「撙節開支」。❷図遵守法度。禮記有「君子恭敬撙節」。❸「撙節」：抑制，節省。

撮▲(cuō)⑧tsyt[8]〔猝〕❶聚攏。如「撮聚」；「撮合」。❷聚集起來用器具盛取。如「撮了一簸箕土」。❸図提取出少數的東西。如「撮其要點」。❹容量單位。一升的萬分之一。
▲(zuǒ)⑧tsyt[8]〔猝〕量詞。多指毛髮等。如「一撮白髮」。

撕▲(sī)⑧si[1]〔斯〕❶扯破，扯裂。如「撕碎」；「撕裂」。❷買布的俗稱。如「到店裏撕些布做冬衣」。❸「撕擄」：①辦理，解決糾葛。也作「撕羅」。②糾纏嬉戲。
▲図(xī)⑧sɐi[1]〔西〕「提撕」：①提挈。②振作。③提醒，使之警悟。

跑。如「一擁而上」；「人像潮水一般擁來」。❺图遮住，阻塞，堵住。如「大雪擁途」。

【攜】同「攜」，見273頁。

【舉】同「舉」，見587頁。

十四畫

擯 图(bìn)粵ben³〔殯〕❶排斥，拋棄。如「擯除」；「擯棄」。❷通「儐」。「擯相」同「儐相」。見37頁。

擬 (nǐ)粵ji⁵〔議〕❶事前的設計，起草。如「擬稿」；「擬計劃」。❷模仿。如「模擬」。❸打算，想要。如「擬往澳門」。

擰 ▲(níng)粵nin⁶〔佞〕lin⁶〔另〕(俗)❶絞。❷用手抓住扭絞。如「擰毛巾」；「把麻線擰成繩子」。❸「擰眉立目」：發怒的樣子。

▲(nǐng)粵nin⁶〔佞〕lin⁶〔另〕(俗)❶錯誤。如「你把這件事情鬧擰了」。❷扭轉。如「把螺絲擰緊」。

▲(nìng)粵nin⁶〔佞〕lin⁶〔另〕(俗)倔强。如「擰性」；「他的脾氣太擰」。

擱 (gē)粵gok⁸〔閣〕❶放下，放置。如「桌子上擱了一堆書」。❷容納。如「屋裏擱不下這些東西」。❸摻兌，加入。如「湯裏擱鹽」。❹停止不做。如「這件事暫時擱着再說」。❺「擱淺」：①船陷在沙灘或暗礁不能行動。②比喻事務受阻停頓。

擠 (jǐ)粵dzɐi¹〔劑〕❶許多人或東西推軋在一起。如「擁擠」；「擠得難受」。❷排斥。如「受人排擠」。❸壓榨。如「擠牛奶」。❹「擠眉弄眼」：①以眉眼作態。②鬼鬼祟祟的樣子。

擤 (xǐng)粵seŋ³〔沙更切〕捏住鼻子排出鼻涕。如「擤鼻涕」。

擢 图(zhuó)粵dzok⁹〔昨〕❶提拔。如「拔擢」。❷聳起。左思賦有「擢木千尋」。❸「擢用」：越級升用。❹「擢髮難數」：形容罪惡多得數不清。

擩 图(rù)粵jy⁵〔乳〕揉和。

擦 (cā)粵tsat⁸〔察〕❶摩拭。如「擦臉」；「擦皮鞋」。❷擦抹的器具。如「黑板擦」。❸刮，刨。如「把蘿蔔擦成絲」。❹貼近。如「鳥兒擦着屋簷飛過去了」。❺「擦黑」：天快黑的時候。

擪(擫) 图(yè)粵jip⁸〔衣接切〕用手指按。如「擪笛」。

【擣】同「搗」，見261頁。

【攙】同「抬」，見246頁。

十五畫

擺 (bǎi) 粵bai² [捭] ❶放置。如「架子上擺滿了東西」。❷搖動。如「擺來擺去」。❸搖動的物體。如「鐘擺」。❹撥開。如「擺脫」。❺故意顯露出來。如「擺闊」；「擺威風」。❻「擺設」：①指桌椅家具等。②指各種陳設品。❼「擺佈」：①佈置，安排。三國演義有「連夜擺佈軍士」。②捉弄，任意處置。如「受人擺佈」。

攀 (pān) 粵pan¹ [扳] ❶從下爬上去。如「攀登」；「攀山越嶺」。❷牽扯。如「你不要攀扯別人」。❸挽留。如「攀留」。❹企求發生關係；常用作自謙的話。如「高攀」；「攀親」。❺「攀供」：犯人誣供牽扯別人。

攆 (niǎn) 粵lin⁵ [離免切] ❶驅逐。如「攆出去」。❷追趕。如「攆不上他」。

擴 (kuò) 粵 kwɔk⁸ [廓] kɔŋ³ [抗] (俗) 往外伸張，開展，放大，推廣。如「擴張」。

擷 囯(xié) 粵kit⁸ [竭] ❶摘取。如「探擷」；「擷取」。❷通「襭」，見664頁。

擲 (zhì) 粵 dzak⁹ [擇] ❶投、拋、扔出去。如「擲鐵餅」。❷請人把東西交給自己的客氣話。如「擲下」；「擲還」。❸囯跳躍。如「吼擲而前」。

擿 ▲(zhì) 粵dzak⁹ [擇] ❶古代婦女的一種首飾。後漢書有「耳瑱垂珠，簪以玳瑁爲擿」。❷投擲。莊子有「擿玉毀珠」。
　▲囯(dí) 粵tik⁷ [惕] 揭發。如「發奸擿伏(把遮掩的情節揭發出來)」。

攄 囯(shū) 粵sy¹ [舒] ❶抒發，表示出來。如「攄懷」；「攄誠」；「各攄己見」。❷騰躍。後漢書有「八乘攄而超驤」。

擾 (rǎo) 粵jiu² [妖] ❶打擾，破壞秩序。如「擾亂」；「騷擾」。❷亂。如「紛擾」。❸受人招待飲食的客氣話。如「叨擾」。❹囯馴養。左傳有「乃擾畜龍」。❺囯安。周禮有「撫五典，擾兆民」。

擻 ▲(sǒu) 粵 sɐu² [手] 「抖擻」：振作精神。
　▲(sòu) 粵sɐu² [手] 用通條或火筷子插到火爐裏，把灰搖掉。如「擻火」。

【攜】同「攜」，見273頁。

十六畫

攏 (lǒng) 粵luŋ⁵ [隴] ❶湊合在一起。如「收攏」；「大家走攏來看熱鬧」。❷靠近，接

近。如「拉攏」;「船攏了岸」。❸梳,整理。如「攏頭髮」。❹琵琶指法之一。白居易詩有「輕攏慢撚抹復挑」。❺「攏子」:梳子、篦子梳頭用具。❻「攏總」:總計。

擽 囷(jùn) 粵 kwɐn² 〔菌〕同「捃」,拾取。見250頁。

十七畫

攔 (lán) 粵 lan⁴ 〔蘭〕❶阻止。如「攔阻」;「攔住」。❷當,對準。紅樓夢有「背地裏有人把我攔頭一棍」。❸「攔腰」:在中央橫截。❹「攔路虎」:①攔路搶劫的盜匪。②比喻文章中不認識的字。

攙 (chān) 粵 tsam¹ 〔參〕❶挽,扶。如「攙扶」;「攙着老人走路」。❷混合。如「攙雜」;「泥裏攙石灰」。

攘 ▲ (ráng) 粵 jœŋ⁴ 〔羊〕❶侵奪。如「攘奪」。❷揚散。如「攘場(用簸箕將場上軋脫之穀粒簸揚)」。❸囷排斥。如「攘夷」。❹囷退卻。❺囷除去。詩經上有「攘之剔之」。❻囷含。楚辭有「忍尤而攘垢」。❼囷竊取,偷盜。論語有「其父攘羊而子證之」。❽囷「攘臂」:捋袖伸膊,形容興奮。如「攘臂大呼」。

▲ (rǎng) 粵 jœŋ⁵ 〔養〕❶擾亂。如「紛紜攘攘」。❷「攘攘」:紛亂的樣子。

攖 囷(yīng) 粵 jiŋ¹ 〔英〕❶觸,挨近。孟子有「虎負隅,莫之敢攖」。❷擾亂。莊子有「不以人物利害相攖」。

十八畫

攜 (携、拐、擕、携)
(xié) 粵 kwɐi⁴ 〔葵〕❶提。如「攜物」。❷牽,拉。如「攜手」。❸離。如「攜貳(離心,有二心)」。

攝 ▲ (shè) 粵 sip⁸ 〔涉〕❶吸收。如「攝取養分」。❷囷保養。如「攝生」。❸囷代理。如「攝政」。❹囷佐助。詩經有「朋友攸攝」。❺囷迫近。論語有「攝乎大國之間」。❻追,捕。如「勾攝」。❼「攝影」:照相。

▲ 囷(niè) 粵 nip⁹ 〔聶〕 lip⁹ 〔獵〕(俗)安。漢書上有「天下攝然,人安其生」。

攛 (cuān) 粵 tsyn² 〔喘〕❶匆匆忙忙地做。如「臨時現攛」。❷扔,拋。如「武行者把那兩個死屍首都攛在火裏了」。❸「攛掇」:慫恿,從旁發動人做某一件事。如「他本不想買,

讓別人一攛掇,也就買了」。

十九畫

攤 (tān) 粵 tan¹〔灘〕❶展開。如「把書攤開」。❷分擔財物或分配職務。如「攤錢」;「大家均攤任務」。❸流質靜止在一處或稀軟的東西凝聚一處。如「一攤泥」;「一攤水」。❹把稀軟的東西炒或烙成片狀食品。如「攤雞蛋」;「攤煎餅」。❺路旁零售貨物的地方。如「攤販」;「地攤」;「攤子」。❻「攤牌」:①玩牌時把底牌掀開給大家看。②坦白表示。③採取最後的步驟。

攣 (luán) 粵 lyn⁴〔聯〕❶囡互相牽連。❷拳曲不能伸直。如「痙攣」。

攢 ▲ (zǎn) 粵 dzan²〔盞〕積,儲蓄。如「攢錢」。

　▲ (cuán) 粵 tsyn⁴〔全〕聚,湊在一起。如「攢在一處」;「羣山攢簇」。

擱 (jùn) 粵 kwɐn²〔菌〕囡同「攈」,見250頁。

二十至二十二畫

攩 (dǎng) 粵 dɔŋ²〔黨〕❶攔阻;同「擋」,見269頁。❷囡擊,錘打。

攪 ▲ (jiǎo) 粵 gau²〔狡〕❶擾亂。如「攪亂」;「打攪」。❷翻拌。如「把各種飼料放在一起攪勻」。

　▲ (gǎo) 粵 gau²〔狡〕做,幹,弄。如「胡攪」;「亂攪」;「瞎攪」。也作「搞」。

攫 囡 (jué) 粵 fɔk⁸〔霍〕用爪撲取。如「攫搏」;「攫為己有」。

攥 (zuàn) 粵 dzan⁶〔賺〕握。如「攥拳頭」;「一把攥住不放」。

攬(擥) (lǎn) 粵 lam⁵〔覽〕❶接納。如「延攬人才」。❷招徠營業。如「兜攬」;「攬生意」。❸把持,包辦。如「包攬」;「攬權」。

攮 (nǎng) 粵 nɔŋ⁵〔拿網切〕lɔŋ⁵〔朗〕(俗)❶推。如「推推攮攮」。❷用刀刺。儒林外史有「槍頭子攮到賊肚裏」。❸「攮子」:一種像匕首的武器。

【支部】

支 (zhī)⑧dzi¹〔之〕❶由主體分出的。如「支流」;「支線」。❷撐持。如「用棍子支篷子」。❸受得住。如「樂不可支」;「體力不支」。❹付錢。如「收支相抵」。❺取錢。如「借支一千元」。❻應付搪塞。如「把他支走了」。❼量詞,指部分的。如「一支軍隊」。❽計算棉紗的單位,一磅重八百四十碼長的棉紗叫一「支」紗;支數愈多,紗質愈細。❾指子、丑、寅、卯、辰、巳、午、未、申、酉、戌、亥十二地支。❿图通「枝」:詩經有「芃蘭之支」。⓫图通「肢」,易經有「美在其中而暢於四支」。⓬姓。⓭「支吾」:①同「枝梧」,抵抗的意思。②言語牽強或應付搪塞的意思。⓮「支應」:①指管理銀錢出入。②同「支吾」②,用含混搪塞的言詞來應付。③留守看管。⓯「支離」:①分散。②殘缺。③雜亂而無條理。⓰「支票」:存戶對銀行發出的一種付款通知書。
【歧】見止部,347頁。
【翅】見羽部,557頁。

敧 图 (qī)⑧kei¹〔崎〕歪,傾斜。如「敧器」;「日影半敧」。

【攴部】

攴 囡(pū)粵pok⁸〔撲〕輕輕地打。

攵 ▲囡同「攴」。
▲「文」的俗字。見281頁。

二至五畫

收（収）(shōu)粵seu¹〔修〕❶把東西藏好。如「收藏」。❷農作物成熟之後採割拿回家來。如「收穫」。❸拿進來。如「收稅」；「收款」。❹接受。如「收禮」；「收信」。❺錢財的進項。如「收支相抵」。❻買。如「收購」。❼結束。如「收工」；「收場」。❽拘捕。如「收押」。❾合攏。如「瘡傷已經收口兒了」。❿領。如「收養（領養別人的子女為自己的子女）」。⓫撤銷，召回。如「收回成命」。
【攷】同「考」，見561頁。

改 (gǎi)粵goi²〔加藹切〕❶變更。如「改組」；「改變計劃」。❷糾正。如「改正錯誤」。❸姓。

攻 (gōng)粵gung¹〔工〕❶軍隊作戰向前打擊敵人。如「攻城」；「圍攻」。❷指責別人的過失或錯誤。如「羣起而攻之」。❸勤奮學習。如「攻讀不輟」。❹專精研究。如「專攻醫學」。❺除，治。如「以毒攻毒」；周禮有「凡療瘍以五毒攻之」。❻姓。❼囡「攻訐」：舉發別人的過錯而加以攻擊。❽「攻堅」：①攻擊敵軍的精銳部隊。②攻打敵軍防守嚴密的據點。❾囡「攻錯」：參考他人的優點，來改進自己的缺點。詩經上有「他山之石，可以為錯；……他山之石，可以攻玉」。

攸 囡(yōu)粵jeu⁴〔尤〕❶快走的樣子。如「攸然而逝」。❷跟「所」字用法相同，表示聯繫作用。如「罪有攸歸」；「性命攸關」。❸語助詞，表示「於是」的意思。詩經有「予攸好德」。
【孜】見子部，149頁。。

放 ▲(fàng)粵fong³〔況〕❶解除束縛。如「解放」；「把俘虜放了」。❷不加拘束。如「放大膽子」；「放手去做」。❸擴大。如「放大」；「放寬」。❹花開。如「百花怒放」。❺發出。如「放了一槍」；「水仙花放出陣陣清香」。❻安置，擱。如「把書放在書架上」；「把機器安放好了」。❼把牛羊等趕出去吃草。如「放牛」。❽攙兌。如「在酒裏放了水」；「菜裏醫

油放多了」。❾捨棄，拋開。如「放棄」；「放着活兒不做」。❿控制自己的行動、分寸。如「腳步放輕些」；「遇事放小些」。⓫從前稱任官。如「外放」。⓬囵把人驅逐到遠方去。如「放逐」；「流放」。⓭把錢借給人收取利息。如「放債」；「放款」。⓮恣從。如「豪放」。

▲囵（fǎng）粵 fɔŋ²〔仿〕❶依。論語上有「放於利而行」。❷至。孟子書上有「放乎四海」。❸倣法，通「仿」。見20頁。

【牧】見牛部，422頁。

政（zhèng）粵 dziŋ³〔正〕❶國家的公事。如「政治」；「政務」。❷衆人的事情。如「家政」；「校政」。❸行政主持者。如「學政」；「鹽政」。❹改正。如「指政」；「斧政」。

战（diān）粵 dim¹〔低淹切〕「战殺」：①用手掂量斤兩。如「你战殺战殺這塊銅有多重」。②心中揣摩輕重，也即是斟酌、估量的意思。如「這件事由你战殺着辦吧」。

故（gù）粵 gu³〔固〕❶事情（多指意外的事）。如「事故」；「變故」。❷原因。如「緣故」；「不知何故」。❸所以。如「因

有信心，故能戰勝困難」。❹有意地。如「明知故犯」。❺死。如「病故」；「已故」。❻以前的。如「故居」；「故交」。❼「故障」：①由意外的原因形成的障礙。②指機器發生毛病。❽「故步自封」：守着老樣子，不圖進取。

【敂】同「叩」，見77頁。

【畋】見田部，450頁。

六至八畫

敉（mǐ）粵 mei⁵〔美〕安定，安撫。如「敉亂」；「敉平」。

效（効）（xiào）粵 hau⁶〔校〕❶摹仿。如「仿效」；「效法」。❷出力，盡力。如「效勞」；「效力」。❸功用。如「成效」；「效能」。❹「效尤」：跟着學壞樣子。❺「效果」：①有功效、有用的結果。②戲劇用語，指造出的聲響或光色等，如風聲，嬰兒哭啼、蟲鳴、鳥叫、車馬聲、雷聲、槍砲聲等等。❻「效顰」：比喻勉強仿效，學得不像，反而出醜（這個語詞是從莊子書裏醜婦人學西施捧心蹙眉的故事來的）。

【致】見至部，585頁。

敗（bài）粵 bai⁶〔稗〕❶輸，負，失利。如「打敗仗」。❷毀壞，腐爛。如「敗壞」；「腐

敗」;「敗肉」。❸衰落。如「敗興」;「家散人亡」。❹凋謝。如「枯枝敗葉」。❺「敗北」:戰敗而逃。❻「敗筆」:①用壞了的筆。②書畫或文字的不足之處。❼「敗露」:壞事或陰謀被人發覺。

敏 (mǐn)⑨men⁵〔閩〕❶聰明,迅速,靈活。如「聰敏」;「敏捷」;「不敏(自謙的詞)」。❷奮勉,努力工作。如「勤敏」;「好古敏以求之」。

教 ▲(jiào)⑨gaau³〔較〕❶訓誨,指導。如「教訓」;「因材施教」。❷使,讓,叫。如「誰教你去」;「教他進來」。❸被。如「教蚊子咬了」。❹宗教。如「佛教」;「信教」。❺指使,唆使。如「教唆」。

▲(jiāo)⑨gaau³〔較〕傳授(單用動詞)。如「教書」;「師傅教徒弟」。

▲囯(jiāo)⑨gaau¹〔交〕使,令。如唐詩有「不教胡馬渡陰山」。

救 (jiù)⑨gau³〔咎〕❶援助,使脫離災難或危險。如「挽救」;「營救」。❷阻止。如「救火」。❸「救藥」:治療。引伸指缺點或惡劣情況的改善挽救。如「不可救藥」。

敘(敍、叙) (xù)⑨dzœy⁶〔序〕❶說話。如「面敘」;「敘舊」。❷囯發抒。如「暢敘所感」。❸囯獎勵功勞。如「敘功」。❹書卷前面說明全書要點或撰寫經過的文字。如「敘言」(也作「序言」)。

敕 囯(chì)⑨tsik⁷〔斥〕❶帝王的詔命。❷道士用在符咒上的命令。❸通「飭」,見821頁。

敖 ▲(áo)⑨ŋou⁴〔熬〕ou⁴〔澳低平〕(俗)❶囯出遊。詩經有「以敖以游」。❷囯焦灼。荀子有「天下敖然,若燒若焦」。❸姓。

▲囯通「傲」,見34頁。

敔 (yǔ)⑨jy⁵〔雨〕古時一種敲打樂器,樣子像趴着的老虎,是用來停止音樂進行的。

敝 (bì)⑨bɐi⁶〔幣〕❶破舊的。如「敝衣」。❷謙詞。如「敝校」;「敝處」。❸疲倦。如「敝於奔命」(同「疲於奔命」)。❹囯「敝屣」:破鞋;比喻廢物。❺「敝帚千金」也作「敝帚自珍」:比喻自己的東西看得很重。

【赦】見赤部,703頁。
【敓】「奪」的本字,見133頁。
【啟】同「啟」,見91頁。

惙(duō)粵dzyt⁸〔掇〕「惙惙」：見277頁「惙」字。

敦▲(dūn)粵dœn¹〔多荀切〕❶誠心誠意。如「敦請」。❷忠厚老實。如「敦厚」。❸姓。

▲囡(dùn)粵dœn⁶〔頓〕混沌。

▲(duī)粵dœy¹〔堆〕❶迫。詩經上有「王事敦我」。❷孤獨的樣子。詩經有「敦彼獨宿」。

▲(duì)粵dœy³〔對〕古時盛黍稷的器具。

敢(gǎn)粵gem²〔感〕❶有膽量，不怕。如「勇敢」；「敢作敢當」。❷對人說話時表示冒昧的詞。如「敢問」；「敢請」。❸囡「豈敢」的簡稱。如「敢不如命」。❹或者。如「你敢認錯了」。❺「敢情」：①原來。如「敢情他是個騙子」。②自然、當然的意思。如「敢情他會，他已經學了三年」。③可，眞。如「那敢情好」。

敞(chǎng)粵tsɔŋ²〔廠〕❶地方寬綽，沒有遮擋。如「寬敞」。❷打開，張開。如「敞着大門」；「敞開口兒」。❸放肆，沒有限制；隨意亂說話不加審愼。如「嘴敞」；「敞笑(大笑)」。❹「敞亮」：寬敞豁亮。如「這屋子很敞亮」。❺「敞開」：恣意，儘量。如「菜多得很，你敞開吃吧。」

散▲(sàn)粵san³〔傘〕❶跟「聚」相反。如「分散」。❷分佈，撒出。如「散傳單」；「天女散花」。❸消除，排遣。如「散悶」；「散心」。❹「散步」：隨意走走。

▲(sǎn)粵san²〔詩板切〕❶鬆開的，不聚合的。如「鬆散」。❷分裂，解體，成羣成組的分開成零零星星的。如「隊伍走散了」；「這把椅子散了」。❸閒逸的。如「閒散」。❹藥末。如「消暑散」；「丸散膏丹」。❺「散文」：原指一種不用韻，不用對偶句的文章(是對有韻的詩歌和特重對偶的駢文說的)。現泛指一種文學體裁。❻「散沙」：比喻不團結。

九至十六畫

敬(jìng)粵giŋ³〔逕〕❶尊重而佩服。如「尊敬」；「敬愛」；「敬佩」。❷以禮致意。如「敬奉」；「回敬」。❸「敬仰」：敬重仰慕。❹「敬而遠之」：不喜親近，卻又不敢得罪。❺「敬謝」：①恭敬地道謝。②表示不敢接受的客氣話。③「敬謝不敏」：不接受擔任某項工作的邀請的客氣話。

【敭】同「揚」，見260頁。

敲 (qiāo)粵 hau¹〔哮〕❶扣，打。如「敲門」；「敲鑼」。❷斟酌。如「推敲」。❸「敲詐」：假借事端恐嚇，勒索他人財物。❹「敲竹槓」：借事欺人，訛詐財物。❺「敲悶磚」：用磚頭敲門，門開了便把它扔掉。比喻借一種工具來竊取名利，等名利到手，就把它丟棄了。❻「敲邊鼓」：從旁替別人吹噓，促使事情成功。

敷 (勇)(fū)粵 fu¹〔呼〕❶佈置。如「敷設」。❷塗，抹。如「敷藥」；「敷粉」。❸足夠。如「收入不敷支出」。❹图陳述。如「敷陳其事」。❺「敷衍」：作事不認真，馬虎應付。如「敷衍了事」。

敵 (dí)粵 dik⁹〔滴〕❶仇人。如「仇敵」。❷抵抗。如「同仇敵愾」。❸相當。如「匹敵」；「勢均力敵」。❹「敵手」：能力相當的對手。❺「敵愾」：抵禦大家所恨怒之人。如「同仇敵愾」。

敹 (liáo)粵 liu⁴〔聊〕一種粗針縫綴的縫紉法，通常用來縫衣服的貼邊等等。

敺 ▲古「驅」字，見833頁。
▲同「毆」字，見353頁。

數 ▲(shù)粵 sou³〔訴〕❶計算事物的多少叫數。如一二三四……等。❷幾，幾個。如「數十種」；「三數人」。❸图策略。如「權謀術數」。❹指命運、定命而言。如「氣數」；「劫數」。❺古時指計數方法，是六藝之一。

▲(shǔ)粵 sou²〔嫂〕❶點算。如「數錢」。❷責備。如「數說」；「數落」。❸比較起來是最突出的。如「全班數他最好」；「數他最能幹了」。❹列舉。如「面數其罪」。

▲图(shuò)粵 sok⁸〔朔〕屢次。如「數見不鮮」。

▲图(cù)粵 tsuk⁷〔促〕細密。孟子書有「數罟不入洿池」。

▲(sù)粵 sou³〔訴〕「數珠」：唸佛的時候手裏拿着的珠串。

整 (zhěng)粵 dziŋ²〔支影切〕❶完全的，沒有殘缺的。如「整個」。❷全部的。如「整套家具」。❸有秩序，不亂。如「整齊」；「整然有序」。❹治理，把散亂的收拾好，把壞的弄好。如「整理」；「整修」。

斁 ▲图(dù)粵 dou³〔到〕敗壞。詩經有「耗斁下下」。
▲图(yì)粵 jik⁹〔亦〕❶厭惡。詩經上有「服之無斁」。❷

盛。詩經有「庸鼓有斁」。

斂（敛）▲ (liǎn) ⑧ lim⁵ 〔殮〕
❶ 聚，收。如「斂
財」。❷ 收縮，不放縱。如「收
斂」；「斂迹」。❸ 凝聚，不發
散。如「墨太稠就要斂筆」。❹
囡「斂衽」：整一整衣袖，以表
示恭敬。❺「斂手」：①拱手表
示恭敬。白居易詩有「主人退
後立，斂手反爲賓」。②縮手
表示不敢有所作爲。
【釐】見里部，751頁。

斅囡 (xiào) ⑧ hau⁶ 〔效〕❶ 教
導。❷ 覺悟。

【文部】

文▲ (wén) ⑧ men⁴ 〔聞〕❶ 記
錄語言的符號。如「文字」；
「國文」；「外文」。❷ 貫串字
句，成爲有意思的篇章。如
「文章」；「古文」；「文集」；「白
話文」；「議論文」。❸ 文言的
簡稱。如「文白雜揉」。❹ 跟
「武」相反。如「文人」；「文武
官員」。❺ 從前指禮節、儀
式。如「虛文」；「繁文縟節」。
❻ 花紋。如「文身」。❼ 柔和
的，緩慢的。如「文火」。❽ 量
詞。錢一枚叫一文。❾ 外表，
儀態。如「文質彬彬」。❿ 形
象。如「天文」；「地文」。⓫
姓。
　▲囡 (wén，舊讀 wèn) ⑧
men⁶ 〔問〕❶ 掩飾過錯。如「文
過飾非」。❷ 修飾。如「文
飾」。

三至十七畫

【吝】見口部，80頁。
【忞】見心部，212頁。
【紊】見糸部，530頁。

斑（斒）(bān) ⑧ ban¹ 〔班〕❶
雜色。如「斑點」。
❷ 臉上的褐色細點。如「雀
斑」。❸ 豹皮上的花紋。晉書

有「管中窺豹，時見一斑」。❹「斑斑」：斑點多的樣子，也是文采明顯的樣子。❺図「斑斕」：文采美麗的樣子。

斌 (bīn)（粵）ben¹〔賓〕文質俱備的樣子。蔡邕詩有「斌斌碩人，貽我以文」。通「彬」，見202頁。

斐 (fěi)（粵）fei²〔匪〕❶有文采的樣子。如「斐然成章」。❷姓。

斕 (lán)（粵）lan⁴〔蘭〕「斑斕」：見281頁「斑」字。

【斗部】

斗 ▲(dǒu)（粵）deu²〔陡〕❶口大底小的方形量器。如「米斗」。❷容量單位，十升為一斗。❸古時的酒器。如「酌以大斗」。❹形容大。如「斗膽」。❺形容小。如「斗室」。❻指紋的一類，凡是旋轉成圓形的叫斗。❼像斗的東西。如「漏斗」。❽星宿名。如「北斗」。❾通「陡」。如「斗絕」(也作「陡絕」)。見785頁。

▲「鬥」的簡化，見842頁。

四至十畫

【戽】見戶部，233頁。

料 (liào)（粵）liu⁶〔廖〕❶可供加工製造的物資。如「原料」。❷分別物質成分的厚薄、輕重。如「單料」；「雙料」。❸牛馬等所吃的芻豆。如「草料」；「料豆兒」。❹猜測，估量。如「料想」；「料事如神」。❺指不成材的人。如「這塊料」。❻図「料峭」：風吹在身上，覺得有點兒冷。❼「料理」：①整治，處理。②照料。

斛 (hú)（粵）huk⁹〔何玉切〕❶量器名。❷容量單位。五斗為一斛。❸姓。❹「斛律」：複

姓。❺「斜斯」：複姓。

斜 ▲(xié)粵tsɛ⁴〔邪〕地位、方
向、姿勢不正。如「傾斜」；
「斜眼」。
　　▲(yé)粵jɛ⁴〔爺〕「斜谷」：
地名，在陝西省鄠縣西南。

斝 (jiǎ)粵ga²〔假〕古時的玉酒
杯。

斟 (zhēn)粵dzɐm¹〔針〕❶注酒
在酒杯裏。如「斟酒」。❷
「斟酌」：考慮可否而決定去
取。

斠 (jiào)粵gau³〔教〕❶古代量
穀物時平斗斛的用具。❷度
量。❸校正。如「斠補」；「斠
訂」。

斡 ▲(wò)粵wat⁸〔挖〕❶轉，
旋，運。❷「斡旋」：①挽回
已經弄壞的事情。②居中調停
轉圜，打開僵局。
　　▲図(guǎn)粵gun²〔管〕主
管。漢書上有「欲擅斡山海之
貨」。

【斤部】

斤 (jīn)粵gɐn¹〔巾〕❶古時砍
木頭所用的斧。孟子書有
「斧斤以時入山林」。❷重量
單位。市制一斤為十兩（舊制十
六兩），合公制二分之一公
斤。❸「斤斤」：①図明察的樣
子。詩經有「斤斤其明」。②對
細微的事很認真。如「斤斤計
較」。

一至五畫

斥 (chì)粵tsik⁷〔戚〕❶責罵。
如「申斥」；「指斥」。❷拒
絕，排除。如「排斥」；「同性
相斥」。❸反對，辯駁。如「駁
斥」。❹偵伺。如「斥候」。❺
形容多而普遍。如「充斥」。❻
図直接指出的。如「直斥其
名」。❼図開拓。史記有「塞之
斥也」。

斧 (fǔ)粵fu²〔府〕❶砍木頭的
工具。如「樵夫用斧子砍
樹」。❷兵器。如「斧鉞」。❸
図動詞，用斧子砍。曹操的苦
寒行有「斧冰持作糜」。❹図
「資斧」：旅費的通稱。❺図
「斧政」也作「斧正」：請人修改
文字的謙詞。
【所】見戶部，233頁。

【欣】見欠部，343頁。

斪 図 (qú) 粵 kœy⁴〔渠〕「斪斸」：鋤類工具。

斫 図 (zhuó) 粵 dzœk⁸〔雀〕用刀、斧砍。如「斫木」；「斫爲兩截」。

七至八畫

斬 (zhǎn) 粵 dzam²〔嶄〕❶殺，用刀砍斷。如「斬首」；「斬草除根」。❷古時極刑「斬首」的簡稱。如「問斬」。❸図斷絕，完了。孟子書有「君子之澤，五世而斬」。❹「斬衰 (cuī)」：父母的喪服，是喪服中最重的，用最粗的麻布，不縫邊。❺「斬釘截鐵」：比喩說話做事有決斷。

斮 図(zhuó)粵dzœk⁸〔雀〕斬，砍，削。

斯 図 (sī) 粵 si¹〔思〕❶這，這個，這裏，這樣。如「斯時」；「斯人」；「生於斯」；「逝者如斯」。❷則，那麼。論語有「我欲仁，斯仁至矣」。❸図劈。詩經有「墓門有棘，斧以斯之」。❹図語氣助詞，等於「呀」。如「爾何人斯」。❺姓。❻「斯文」：①指禮樂制度教化。又指知識分子。如「斯文掃地(形容文章廢棄。或文人的人格墮落)」。②說人的舉止

行動，文雅有禮貌。
【釿】見金部，754頁。

九至二十一畫

新 (xīn) 粵 sɐn¹〔辛〕❶跟「舊」相反。如「新辦法」；「新樣子」。❷剛開始的。如「新學年」。❸才做不久的。如「新寫的字」；「新買的房子」。❹革除舊的。如「改過自新」；「面目一新」。❺對結婚時候的人或物的稱呼。如「新郎」；「新娘」；「新房」。❻王莽篡漢的國號(公元8—22年)。❼姓。
【頎】見頁部，812頁。
【靳】見革部，805頁。

斲 (斵) 図 (zhuó) 粵 dœk⁸〔琢〕❶砍，砍斷。❷「斲喪」：①傷耗精神。②全部砍伐，不留餘種。❸「斲輪」：比喩老手，經驗豐富。

斶 (chù)粵tsuk⁷〔束〕「顏斶」：戰國時齊國的人名。

斷 (duàn) 粵 dyn⁶〔段〕❶截開。如「剪不斷」；「一刀兩斷」。❷從中間分裂(也可作抽象的分斷的意思)。如「中斷」；「斷了線了」；「藕斷絲連」。❸兩面隔絕。如「斷了音信」；「斷絕邦交」。❹決，一定。如「斷無此理」；「斷不可行」。❺戒絕，戒除。如「斷酒」；「斷

癮」。❻裁定，決定。如「診斷」；「法官斷案」；「優柔寡斷」。❼「斷乎」：絕對的。如「此事斷乎不行」。❽「斷送」：毀棄的意思，喪失所有而無可挽回。如「把如錦前程，一旦斷送」。❾「斷絃（絃也作弦）」：古人用琴瑟比喻夫妻，故稱妻死為「斷絃」。❿「斷然」：①同「斷乎」。如「這事斷然做不得」。②決斷。如「採取斷然措施」。⓫「斷腸」：悲傷到了極點。⓬「斷魂」：悲傷得很。⓭「斷斷」：堅決的意思。如「斷斷不可」。⓮「斷代史」：以朝代為限的史書。班固所著的《漢書》便屬於斷代史。

斸 図 (zhǔ) ⊛ dzuk⁷〔竹〕〔斦斸〕：鋤頰工具。

【方部】

方 (fāng) ⊛ foŋ¹〔荒〕❶四邊相等，四角成直角的平面或六面全等的立體。如「方桌」；「正方形」；「正方體」。❷正方的面積。如「方尺」；「方里」。❸図地積的大小。如「今王之地，方千里」。❹地位的一邊或一面。如「對方」；「北方」；「四面八方」。❺指某一個地方。如「方言」；「方志」。❻行為正直。如「品行方正」。❼法子。如「方法」；「方案」；「方略」；「指導有方」。❽正在。如「方今」；「方興未艾」。❾才。如「大雨至夜方停」；「有病方知健康好」；「書到用時方恨少」。❿塊、個。如「匾額一方」。⓫計算面積和體積的一種單位。工程上指一立方公尺的土石。⓬中醫治病的藥單。如「方劑」；「藥方」；「方子」。⓭數學上指一個數自乘的積。如「平方（自乘兩次）」；「立方（自乘三次）」。⓮目標。如「方向」。⓯図比較，批評。論語有「子貢方人」。⓰姓。⓱「方士」：舊時稱研究神仙、祈禳等法術的人。⓲「方丈」：①長寬各一丈的面積。②僧寺的住

持。⓳「方寸」：①長寬各一寸的面積。②心。如「方寸已亂」。⓴「方外」：世外，指僧尼、道士之類的人。㉑「方便」：①有益於人的事。如「請您行個方便，幫幫忙吧」。②便利。㉒「方家」：尊稱有名的學術或藝術家。㉓「方趾圓顱」：頭圓足方，指人類。

四至五畫

於(扵) ▲(yú) [粵]jy¹〔于〕❶在。如「生於某年」；「巨舟行於大海之中」。❷與，和，跟。如「於你何干」；「於我無益」。❸對於。如「敏於事而慎於言」。❹到。如「鶯遷於喬木」。❺從，由。如「取之於民」；「拯民於水火之中」。❻在形容詞後面，表示比較而有超過的意思。如「苛政猛於虎」。❼在動詞後面，表示被動。如「淪於敵手」；「貽笑於方家」。❽姓。❾「於是」：表順序承接的連詞。如「他聽了這話，於是匆匆而去」。也說「於是乎」，比「於是」的語氣稍緩。

▲[文](wū) [粵]wu¹〔烏〕❶「於戲(hū)」同「嗚呼」：文言感嘆詞。參見99頁。❷「於邑」：煩苦憂傷。曹丕與朝歌令吳質書有「東望於邑」。

【放】見攴部，276頁。

施 ▲(shī) [粵]si¹〔詩〕❶實行，辦理。如「施工」；「施行」。❷發揮能力，使出來。如「施展」；「無計可施」。❸加上。如「施肥」。❹給人好處而不收取代價。如「樂善好施」；「施人慎勿念」。❺姓。❻「施主」：和尚稱呼布施財物的人。❼[文]「施施」：①喜悅自得的樣子。孟子書有「施施從外來」。②難進的意思。詩經有「將其來施施」。❽[文]「施勞」：誇大自己的功勞。

▲[文](yì) [粵]ji⁶〔義〕❶延，到。如「施於子孫」。❷彎曲地走。孟子書有「施從良人之所之」。

斿 [文](yóu) [粵]jɐu⁴〔由〕❶古代旗子在縿(旗的正幅)旁綴橫幅而飛揚的飾物。❷同「游」，見384頁。

【斾】同「旆」，見本頁。

六至八畫

旆(斾) (pèi) [粵]pui³〔沛〕❶綴在旗子上的垂旒。❷旗幟的通稱。

旁 ▲(páng) [粵]pɔŋ⁴〔龐〕❶邊上，附近。如「臥榻之旁，豈容他人鼾睡」。❷另外的。

如「旁人」；「旁的事情」。❸側，不直接。如「旁枝」；「旁敲側擊」。❹図「旁礴」也作「旁薄」、「旁魄」、「磅礴」：①混同的樣子。②廣被充塞的意思。③廣大無邊際的樣子。

▲（bàng）⊜boŋ⁶〔磅〕❶依，近；同「傍」。如「依山旁水」。❷図「旁午」：縱橫交互，比喻事物煩雜。如「軍書旁午」。

旄 ▲（máo）⊜mou⁴〔毛〕古時指在旗杆上端裝飾有犛牛尾的旗子。

▲図（mào）⊜mou⁶〔冒〕通「耄」，見561頁。

旅 （lǚ）⊜lœy⁵〔呂〕❶古時軍制，五百人爲一旅。❷現行軍制，旅在師以下，團以上，普通是兩三個團爲一旅。❸軍隊的通稱。如「軍旅」；「勁旅」。❹在外面作客。如「旅行」；「旅客」；「旅次（旅客暫住的地方）」。❺図「旅進旅退」：隨着衆人同進退，自己沒有主見。

旂 （qí）⊜kei⁴〔祈〕❶旗的一種，旗上有鈴作裝飾。❷通「旗」，旗子。見288頁。

旃 （zhān）⊜dzin¹〔煎〕❶古時曲柄的旗子。❷図語助詞，是「之焉」兩字的合音。如「勉

旃」；「愼旃」。❸「旃檀」：檀香。❹通「氈」，見357頁。

旎 （nǐ）⊜nei⁵〔你〕lei⁵〔里〕（俗）「旖旎」：見288頁「旖」字。

旌（旍） （jīng）⊜dziŋ¹〔晶〕siŋ¹〔星〕（又）❶古時有羽毛裝飾的旗子。❷図表彰人家的好處。如「以旌其功」。❸尊稱別人的行蹤。如「文旌」；「行旌」。❹「旌表」：從前記明事跡，用來表揚有功德的人的匾額或牌坊。❺「旌旗」：旗的通稱。

旋 ▲（xuán）⊜syn⁴〔船〕❶繞着圓軌轉動。如「旋轉」；「迴旋」。❷指旋轉的現象或形狀。如「螺旋」；「打旋」。❸図隨後，不久。如「旋即離返」；「旋發旋愈」。❹図回去。如「凱旋」。❺図小便。左傳有「夷射姑旋焉」。❻「旋律」：把一羣高低、長短、强弱不同的樂音，按照節奏上一定的關係，連續奏出的。❼図「旋踵」：旋轉腳跟轉身。形容時間過去的迅速。❽「旋璣」同「璇璣」：見440頁。

▲（xuàn）⊜syn⁴〔船〕「旋風」：因爲空氣壓力忽然降低，四面空氣突然向中間湧進，而起螺旋形的風。

族 (zú) 粵dzuk⁹〔俗〕❶有血統關係的人羣。如「家族」;「宗族」;「貴族」。❷人類因為生活習慣、語言文字相同而自然匯集的大羣體。如「民族」;「族類」。❸生物的種類。如「水族」。❹圖叢集在一起的。如「木族生為灌」。❺圖古時的殘酷刑罰,就是牽連着殺犯罪者的父母和妻子。如「滅族」;「族誅」。

【粵】同「鏃」,見280頁。

旐 圖(zhào)粵siu⁶〔兆〕旌旗的一種,上面畫有龜蛇。詩經有「旐旟央央」。

九至十六畫

旒 (liú)粵leu⁴〔流〕❶古時旗子上下垂的綵帶。❷用細線串起小圓玉,一串串垂在晃的前後。如「晃旒(古時禮冠當中最尊貴的,天子所戴)」。

旓 圖(shāo)粵sau¹〔梢〕旌旗的旓。

旗 (qí)粵kei⁴〔其〕❶旗子,用布帛或紙做成,作為某種標誌或號令用的。如「國旗」;「軍旗」;「令旗」。❷滿清時代軍籍的編制,分正黃,鑲黃,正白,鑲白,正紅,鑲紅,正藍,鑲藍八旗。❸泛指滿族的人或物。如「在旗的叫旗人」。

❹內蒙古跟青海的行政區域,相當於縣。❺「旗艦」:艦隊司令官所乘的座艦。❻「旗袍」:原先是指滿州婦女穿的長袍,現在是中國女子所穿長袍的通稱。❼「旗鼓相當」:比喻雙方勢均力敵,不分高低。

旖 (yǐ)粵ji²〔綺〕「旖旎」:原指旌旗隨風飄揚的樣子。後引申為柔美的樣子。如「旖旎風光」。

旛 (fān)粵fan¹〔番〕❶旌旗的總名。❷旗的一種,旗幅狹長而下垂。

旝 (kuài)粵kui²〔睛〕旌旗的一種。

旜 (zhān) 粵 dzin¹〔氈〕同「旃」,見287頁。

旟 圖(yú)粵jy⁴〔如〕❶行軍所用的旗。❷揚。詩經有「髮則有旟」。

【无(旡)部】

无 (wú) 粵mou⁴〔毛〕古「無」字，見406頁。

旡 図(ji) 粵gei³〔既〕飲食氣逆不得息。

既 (旣) (ji) 粵gei³〔寄〕❶已經。如「既成事實」；「法律不溯既往」。❷図盡，完了，過去了。如「月食既」。❸既然，表示已經決定，後面常有「就」或「則」連着用。如「既來之，則安之」；「既然說了，就做吧」。❹連結兩種情形的詞，跟「且」、「又」連用。如「既高且大」；「既不肯吃，又不肯睡」。❺図「既而」：不久，未幾。如「既而悔之」。❻図「既望」：指陰曆每月的第十六日。❼「既往不咎」：對以往做錯的事情不再追究。

【暨】見日部，299頁。
【蠶】見虫部，649頁。

【日部】

日 (ri) 粵jet⁹〔逸〕❶太陽，恆星之一。地球跟太陽系所有的行星都是環繞着它旋轉，是地球上光和熱的主要來源。❷白天，跟「夜」相對。如「日間」。❸一晝夜，地球自轉一周，叫「一日」。現在的一日叫「今日」、「今天」；剛過去的一日叫「昨日」、「昨天」；就要到的一日叫「明日」、「明天」。❹特定的一日。如「忌日」；「生日」；「國慶日」。❺日日，每天。如「日記」；「日新月異」；「日積月累」。❻時候。如「往日」；「他日」；「來日無多」。❼季節。如「冬日」；「秋日」。❽図日光，日影。梁父吟有「窗外日遲遲」。❾日本的簡稱。如「日人」；「日文」；「日貨」。❿「日子」：①光陰。如「日子過得真快」。②指時間。如「日子還長」。③特指的一天。④定準的某日。⑤固定的期間。⑥生活。如「他們過着快樂的日子」。⓫「日蝕」也作「日食」：月球運行到太陽跟地球中間，三者成直線，從地球上看去太陽有部分或全部被月球球體遮住的現象。有日全蝕、

日偏蝕、日環蝕三種。

一至二畫

旦 ▲(dàn)粵dan³〔誕〕❶太陽出來的時候，引伸作天亮、早晨的意思。如「平旦」；「旦夕」。❷日。如「一旦」；「元旦」。❸图「旦旦」：①日日。②誠懇。詩經有「信誓旦旦」。❹「旦夕」：朝夕。漢書有「旦夕奉問起居」。

▲(dàn)粵dan²〔蛋〕京劇裏扮演女人的腳色。如「老旦」；「花旦」；「刀馬旦」。

旯 (lá)粵lɔ¹〔囉〕「旮旯」：見本頁「旮」字。

旮 (gā)粵gɔ¹〔哥〕「旮旯」：①角落，不顯眼的畸角。②偏僻的地方。如「山旮旯」；「背旮旯」。

旭 (xù)粵juk⁷〔沃〕❶日出光明的樣子。如「朝旭」。❷剛升起的朝陽。如「旭日東升」。❸「旭旭」：①太陽初升的樣子。②得志驕傲的樣子。如「旭旭踽踽」。③聲響猛烈。如「泂泂旭旭，天動地发」。

旬 (xún)粵tsœn⁴〔巡〕❶十天叫一旬，一個月分上、中、下三旬。如「旬刊」。❷計算年歲，十年叫一旬。如「八旬大慶」。❸图滿滿。一年叫「旬

年」，滿一歲叫「旬歲」。

旨 (zhǐ)粵dzi²〔止〕❶意思，心意，意義。如「旨趣」；「宗旨」；「要旨」。❷图美味。如「甘旨」；「旨酒佳肴」。❸君主專制時代帝王的命令。如「聖旨」。

早 (zǎo)粵dzou²〔祖〕❶太陽剛出來的時候。如「早晨」；「大清早」。❷時間靠前的。如「早睡早起」；「早期的作品」。❸以前，從前。如「早就這樣」；「早知如此」。❹不晚。如「還早，太陽沒下山呢」。❺早晨見面時候互相招呼的話。如「早哇」；「您早」。❻「早上」：早晨。❼「早春」：初春。

三至五畫

旰 (gàn)粵hɔn⁶〔汗〕❶图晚，日落的時候。左傳有「日旰不召」。❷「旰食」：原指因心憂事繁而過了時才吃飯。後用來比喻勤勞做事。

旱 (hàn)粵hɔn⁵〔寒低上〕❶久不下雨。如「旱災」；「大旱之望雲霓」。❷陸地，陸路(是對濕地、水路說的)。如「旱田」；「旱路」。❸「旱煙」：裝在無水煙袋裏吸食的煙草末；對水煙說的。

旻 図(mín) 粵men⁴〔民〕❶ 秋天。如「旻天」。❷天空。李白詩有「眾星羅秋旻」。

明(眀) (ming) 粵miŋ⁴〔名〕❶光亮。如「明亮」;「天色未明」。❷通曉。如「明白」;「深明大義」。❸清楚,清晰。如「耳聰目明」;「黑白分明」。❹聰慧,悟性高。如「聰明」。❺視覺。如「失明(瞎了眼睛)」。❻顯示的。如「明槍暗箭」;「明棄暗取」。❼顯然的。如「明是你的錯,還不肯承認」。❽公開的。如「明碼」;「有話明說」。❾次,第二(只用在時間方面)。如「明年」;「明天」。❿朝代名,朱元璋所建,被清朝所滅(公元1368—1644)。⓫神。如「神明」。⓬乾淨的,整潔的。如「窗明几淨」。⓭姓。⓮「明明」:肯定的。如「明明是他幹的」。⓯「明日黃花」:過時的事物。⓰「明火執仗」:舊小說裏形容強盜在夜裏點着火把,公開搶劫的行為。⓱「明目張膽」:毫無顧忌的樣子。⓲「明白」:①明白,清晰。②清楚,顯然。⓳「明察秋毫」:比喻眼光敏銳,觀察入微。

昉 図(fǎng) 粵foŋ²〔紡〕❶天剛亮。❷開始。

昆 (kūn) 粵kwen¹〔坤〕❶兄弟。如「昆仲」(昆是兄)。❷図子孫後代。如「昆裔」。❸眾多的,各種各類的。如「昆蟲(蟲類的總稱)」。❹「昆侖」:崑崙(山名)的另一種寫法。

昊 (hào) 粵hou⁶〔浩〕❶図「昊天」:①天的泛稱。②指父母養育的大恩。詩經有「昊天罔極」。③指夏天。詩經有「夏為昊天」。❷姓。

昏(昬) (hūn) 粵fen¹〔芬〕❶天黑的時候,也指晚間。如「黃昏」;「晨昏定省(xǐng)」。❷光線暗,不亮。如「昏黑」;「昏暗」。❸暈。如「頭昏」;「氣得發昏」。❹神志不清。如「昏瞶」;「昏頭昏腦」。❺失去知覺。如「昏厥」;「昏迷不醒」。❻「昏昏」:迷糊不明的樣子。❼通「婚」,見142頁。

炅 ▲図(jiǒng) 粵gwiŋ²〔炯〕❶光明。❷熱。
▲(guì) 粵gwɐi³〔貴〕姓。

昔 図(xī) 粵sik⁷〔色〕❶從前,古時候。如「往昔」;「昔者」。❷夜。如「宿昔」。

昕 図(xīn) 粵jɐn¹〔因〕太陽快升起時,引伸作「早上」的意思。

昌 (chāng) 粵 tsœŋ¹〔槍〕❶興盛。如「昌盛」;「得人者昌」。❷光亮燦爛。如「昌明」。❸図正當的，好的。如「昌言」。

昇 (shēng) 粵 siŋ¹〔星〕❶太陽上升。如「旭日初昇」。❷通「升」，上進。❸「昇汞」:殺菌藥品，是白色結晶粉末，在水裏容易溶化，很毒，也叫「猛汞」。❹「昇華」:化合物(像硫黃、甘汞等)由固體直接變成氣體，又直接凝爲固體，而不先呈液體的狀態。

昃 図 (zè) 粵 dzɐk⁷〔仄〕過了正午，太陽偏西的現象。如「日中則昃」。

昂 (áng) 粵 ŋɔŋ⁴〔卬〕ɔŋ⁴〔俗〕❶上仰，高舉。如「昂首挺胸」。❷情緒高，不卑下。如「激昂」;「軒昂」。❸上升。如「物價高昂」。❹「昂然」:高傲不卑屈的樣子。❺図「昂藏」:氣宇軒昂。如「七尺昂藏之軀」。

易 ▲ (yì) 粵 jik⁹〔亦〕❶交換。如「以貨易貨」;「易地而處」。❷由交換演成商業行爲。如「交易」;「貿易」。❸改變。如「移風易俗」;「改弦易轍」。❹易經的簡稱。❺姓。
▲ (yì) 粵 ji⁶〔義〕❶跟「難」相反。如「容易」;「行易知難」;「輕而易舉」。❷安穩。如「居易」。❸和平，和氣。如「平易近人」。❹図治理。如「易其田疇」。❺図「易易」:極容易。

旺 (wàng) 粵 wɔŋ⁶〔華巷切〕❶興盛。如「興旺」;「士氣旺盛」。❷熾盛。如「這火燒得正旺」。

昀 図 (yún) 粵 wɐn⁴〔雲〕❶日出。❷日光。
【杲】見木部，311頁。
【㫯】古「春」字，見293頁。

昪 図 (biàn) 粵 bin⁶〔便〕❶喜樂的樣子。❷日光明盛的樣子。

昺 図 (bǐng) 粵 biŋ²〔丙〕同「炳」，見402頁。

昧 (mèi) 粵 mui⁶〔妹〕❶糊塗不明理。如「愚昧」;「昏昧」。❷隱藏起來。如「拾金不昧」;「昧了良心」。❸犯。如「冒昧」。❹図天要亮不亮的時候。如「昧爽」;「昧旦」。❺図黑暗，不明。如「暗昧」;「曖昧」。

星 (xīng) 粵 siŋ¹〔升〕❶宇宙間發光的球體，有恆星、行星、衛星、彗星等。❷微細的小東西。如「零星」;「火星兒(火花)」。❸衡器上記數的識點。❹在藝術界從事表演工作

有名的人物。如「歌星」;「電影明星」。❺图形容立刻出發,連夜趕路的樣子。如「星發」;「星馳」;「星夜奔馳」。❻星宿名。二十八宿之一,也是「七星」之一。❼姓。❽「星斗」:天上的星星。❾「星火」:①比喻急迫。如「急如星火」。②微小的火。如「星火燎原(指微小的火點可以使整個原野燒起來)」。❿「星河」也作「星漢」:天河,銀河。⓫「星星」:①點點。謝靈運詩有「星星白髮垂」。②「星星點點」的簡稱,形容少數或零碎的樣子。③天上的星。⓬「星羅棋布」:比喻佈列的繁密。

句 (shǔ)粵hœy²〔許〕❶日出溫暖的意思。❷「昫伏」:鳥孵卵。比喻撫育、扶持、照料後輩或下屬。三國誌有「少蒙翼卵昫伏之恩」。

召 (zhāo)粵tsiu¹〔超〕❶光亮,顯明。如「信譽昭著」;「昭然若揭」。❷图洗刷冤枉。如「昭雪」。❸姓。

旦 图(chǎng)粵tsɔŋ²〔廠〕❶白天的時間長。❷通「暢」,見298頁。

春 (曺) (chūn)粵tsœn¹〔雌敦切〕❶四季的第一季(陰曆是正月、二月、三月;陽曆是三月、四月、五月)。❷指一年。因一年只有一個春季,所以用春代表年。如「今春」;「明春」;「三十春」。❸青年時代。如「青春」。❹詩人稱酒為春。如「玉壺買春」。❺男女間的情慾。如「春情」;「少女懷春」。❻生機。如「妙手回春」。❼「春分」:二十四節氣之一,在陽曆三月二十一日前後。❽「春秋」:①年月。②年齡。③中國周朝時候魯國的史書,孔子所著,是經書之一。公羊、穀梁、左氏三家作了傳——解釋的文字,統稱「春秋三傳」。④私家的史學著述。如「晏子春秋」;「呂氏春秋」。⑤孔子作「春秋」的時間,從魯隱公元年(公元前722年)起到魯哀公十四年(公元前481年),共十二代二百四十二年,史書稱這段時間為「春秋時代」。❾「春風」:①和煦的風,比喻恩惠。如「口角春風」。②春風吹拂,發育萬物,所以用來比喻教育。如「春風化雨」。❿图「春暉」:比喻父母的恩惠。⓫「春夢」:比喻一切渺茫的陳迹。⓬图「春蚓秋蛇」:比喻人的書法惡劣。⓭「春華秋實」:比喻文采和實質。

是 (shì)[粵]si⁶〔示〕❶表示肯定的詞，跟「非」相反。如「這是學校」；「我是中國人」。❷對的，合理的。如「是非分明」；「實事求是」。❸答應的詞。如「是，我就去」；「是，是，我去去就來」。❹合適，得當。如「來得正是時候」。❺凡是，任何。如「是中國人一定愛中國」。❻「唯……是……」，指示一種目的或對象的詞。如「唯利是圖」。❼事。如「國是」。❽[文]指示代名詞，等於「這」；「此」。如「是可忍，孰不可忍」。❾這，此。如「是日」。❿[文]「是以」；「是故」：連詞，是「所以」；「因此」的意思。

昰 (shì)[粵]si⁶〔示〕「是」的古字，見本頁。

昝 (zǎn)[粵]dzan²〔盞〕姓。

昨 (zuó)[粵]dzɔk⁸〔作〕❶剛過去的一天。如「昨天他來，今天就走了」。❷凡是以往的都可以作「昨」。如「覺今是而昨非」。

映(暎) (yìng)[粵]jiŋ²〔影〕❶日光，如「餘映」。❷光線的照射。如「放映」；「光彩溢目，照映左右」。❸光線照在反光體上反射起來。如「倒映」；「反映」。

昱 [文](yù)[粵]juk⁷〔郁〕❶日光。❷光明的樣子。❸照耀。如「日以昱乎晝，月以昱乎夜」。

【昵】同「暱」，見298頁。

六畫

晃 ▲(huǎng)[粵]fɔŋ²〔紡〕❶明亮。如「明晃晃的」。❷强光使人視線不明。如「晃眼」「燈太亮，晃得人眼睛都睜不開了」。❸形影閃動。如「門外有個人，一晃就不見了」。

▲(huàng)[粵]fɔŋ²〔紡〕❶搖擺。如「搖頭晃腦」。❷一閃就過去，形容時間過得快。如「一晃就一年了」。❸「晃晃悠悠」：搖蕩不定的樣子。

晉(晋) (jìn)[粵]dzœn³〔進〕❶進。如「晉見」。❷升。如「晉級」。❸朝代名，司馬炎代魏，國號晉（公元265—420）。❹山西省的別稱。❺姓。❻[文]「晉謁」：進見尊長。

晁(鼂) ▲[文](zhāo)[粵]dziu〔招〕❶「晁采」也作「鼂采」：玉名。❷古「朝」字見305頁。

▲(cháo)[粵]tsiu⁴〔潮〕姓。

時(旹) (shí)[粵]si⁴〔匙〕❶春夏秋冬四季叫

時。如「四時八節」。❷時代。如「現時」;「古時」;「此一時也,彼一時也」。❸「時間」的簡語。如「計時」;「歷時三十分鐘」。❹從前一天分十二個時辰,用干支作名字。如「子時」;「辰時」。❺鐘點,地球自轉一周的二十四分之一。如「上午九時」。❻現代的。如「時興」;「時髦」。❼常常。如「時常」;「時有錯誤」。❽有時候。如「時發時停」。❾機會。如「及時」;「時機」;「不失其時」。❿合時宜的。孟子書有「孔子,聖之時者也」。⓫伺,等候。論語有「時其亡也,而往拜之」。⓬姓。⓭「時務」:世事。如「識時務者為俊傑」。⓮「時勢」:時代的趨勢。如「英雄創時勢」;「時勢造英雄」。

晟 図(shèng)粵 siŋ⁴〔成〕明亮、熾盛。

晌 (shǎng)粵 hœŋ²〔享〕❶正午。如「晌午」。❷估計時間的話。如「一晌」。❸「半晌」:①片刻。②泛指較長的時間。如「前半晌(午前)」;「後半晌(午後較晚的時候)」;「晚半晌(指天剛黑的時候)」。

晏 図(yàn)粵 an³〔雁高去〕❶遲,晚。如「晏起(起牀晚

了)」。❷安逸。如「晏居」;「晏樂」。❸清朗。如「天清日晏」。❹姓。❺「晏駕」:從前稱帝王死亡。

七畫

晡 (bū)粵 bou¹〔褒〕申時,太陽過午的時候。

晧 図(hào)粵 hou⁶〔號〕❶太陽剛出來的樣子。❷同「皓」,見465頁。

晦 (huì)粵 fui³〔悔〕❶陰曆每月最後一天。❷図昏暗的晚上。如「風雨如晦」。❸倒楣,不吉利。如「晦氣」。❹図隱居。如「晦迹」。❺「晦澀」:語意不明顯。

晞 図(xī)粵 hei¹〔希〕❶天亮時的日光。❷對着太陽晾曬。❸乾燥。

晛 図(xiàn)粵 jin⁶〔彥〕太陽出現。詩經有「雨雪浮浮,見晛曰消」。

晣 図(zhé)粵 dzit⁸〔捷〕「晣晣」:明亮。詩經有「庭燎晣晣」。

晝 (zhòu)粵 dzeu³〔咒〕白天。如「白晝」。

晨 (chén)粵 sen⁴〔辰〕❶清早,太陽剛出的時候。如「早晨」。❷指上半天。如「凌晨一時」;「晨九時」。❸図雞報

曉。如「雞司晨」。

哲 図(zhé)粵dzit[8][捷] ❶智。❷「哲哲」：明亮。詩經有「明星哲哲」。

晤 図(wù)粵ŋ[6][悟] ❶相見。如「把晤」；「晤談」。❷明。宋史有「眞宗英晤之主」。

晚 (wǎn)粵man[5][微挽切] ❶日落以後。如「晚上」；「吃晚飯」。❷泛指夜間。如「昨晚下了一場大雨」。❸末期。如「歲晚」；「晚年」。❹遲。如「晚成」。❺後來的。如「晚娘」；「晚輩」。❻図近來。如「晚近」。❼在長輩面前的自稱謙辭。如「晚生」。

八畫

普 (pǔ)粵pou[2][譜] ❶廣大周徧。如「普天同慶」。❷尋常的，不特別的。如「普通」。❸姓。❹「普及」：徧及到一般的。如「普及教育」。❺「普度」也作「普渡」：①廣行剃度僧尼。②佛家說廣施法力，救濟眾生。如「普度眾生」。

晾 (liàng)粵lɔŋ[6][涼] ❶放在太陽下面曬或在通風地方，使它乾燥。如「晾衣服」。❷曬。

晷 図(guǐ)粵gwei[2][鬼] ❶太陽的影子。❷測日影以定時刻的儀器。如「日晷」；晉書有

「立晷測影」。❸「晷刻」：時間。

晶 (jīng)粵dziŋ[1][貞] ❶光輝。如「晶瑩」。❷水晶的簡稱。❸「晶晶」：光明的樣子。❹「晶體」：①指「結晶體」。②矽跟鍺做的代替眞空管的電子材料，通稱「電晶體」。

景 ▲(jǐng)粵giŋ[2][警] ❶形色悅目可以欣賞的。如「風景」；「景物」。❷日光。如「春和景明」。❸情況。如「光景」；「景況」。❹尊敬仰慕。如「景仰」。❺電影、話劇的佈景的簡稱。如「這一堂內景」；「出去拍外景」。❻図大。如「景福」。❼姓。❽図「景行」：偉大的德行。❾「景泰藍」：中國美術工藝品，用銅製成器具，嵌上各式花紋，塗上各色的琺瑯質。明朝景泰年間製作的最精。❿「景陽岡」：地名，在山東省。水滸傳中武松打虎的地方。

▲(yǐng)粵jiŋ[2][映]「影」的本字，見203頁。

晴 (qíng)粵tsiŋ[4][情] ❶雨住了。如「放晴」。❷沒有陰雨的天氣，跟「陰」相反。如「晴天」。

晰 (xī)粵sik[7][析] ❶明白。如「明晰」。❷清楚。如「清

晰」。

智 (zhì)⑧dzi³〔志〕也作「知」。❶聰明，跟「愚」相反。如「明智」；「不智之舉」。❷才識，謀略。如「鬥智」；「足智多謀」。❸姓。❹「智齒」：最後生出的臼齒；在二十三歲到三十歲前後才能生出。❺「智力」也作「智慧」：①聰明。②計謀、主意多。③對事物具極高的認識、判辨能力。❻「智囊」：智慧很高，常常替人出主意的人。❼「智囊團」：在政治家身邊參與機要的顧問團。

晬 (zuì)⑧dzœy³〔醉〕❶嬰兒出生一周歲。❷「晬盤」：中國民間的一種舊風俗。嬰兒滿周歲時，用盤盛弓箭、珍寶、玩器、紙筆、針線等物放在嬰兒面前，觀察他先取些甚麼，以驗貪廉智愚，卜其一生志趣。

奄 ⊠▲(ǎn)⑧em³〔暗〕❶陰雨的樣子。❷同「暗」，見本頁。

▲ (yǎn) ⑧ jim²〔掩〕「晻晻」：形容太陽無光的樣子。楚辭有「日晻晻而下頹」。

【晢】同「晳」，見465頁。

九畫

暋 ⊠(mǐn)⑧men⁵〔敏〕❶强。書經有「暋不畏死」。❷勉力。書經有「不暋作勞」。

暖（煖、暅、煊）(nuǎn)⑧nyn⁵〔拿遠切〕lyn⁵〔離遠切〕(俗)❶溫。如「溫暖」；「暖和」。❷使它溫熱。如「暖酒」。❸「暖壽」：在壽誕的前一天置酒祝賀，叫暖壽。

暌 ⊠(kuí)⑧kwei⁴〔葵〕別離。如「暌違(離隔不能見面)」。

暍 ⊠(hē)⑧hɔt⁸〔渴〕熱，中暑。漢書有「夏，大旱，民多暍死。」

暉 (huī)⑧fei¹〔揮〕日光。如「餘暉」。

暇 (xiá)⑧ha⁶〔夏〕❶空閒。如「閒暇無事」。❷浪費時間。書經有「不敢自暇自逸」。

暄 ⊠(xuān)⑧hyn¹〔喧〕溫，日煖。如「負暄(曬太陽)」。

暑 (shǔ)⑧sy²〔鼠〕❶天氣熱。如「溽暑」。❷盛夏。如「暑天」。❸節氣名。如「小暑」；「大暑」；「處暑」。

暗 (àn)⑧em³〔庵高去〕❶沒有亮光，昏黑，跟「明」相反。如「暗中摸索」；「天昏地暗」。❷隱密不明顯的。如「暗室」；「暗中」。❸「暗示」：①暗中指示，使人服從，催眠家利用暗

示方法達到目的。②泛指用含蓄的方法給人以啓示。❹図「暗昧」也作「闇昧」、「晻昧」：①眞僞不明。②事情陰祕不正。③愚昧不明理。

暘 図(yáng) 粵 jœŋ⁴〔楊〕❶日出。❷天晴。

暈 ▲(yūn) 粵 wen⁴〔雲〕❶昏倒。如「暈倒」；「暈過去」。❷頭腦迷亂。如「暈頭轉向」；「暈頭暈腦」。❸笑人頭腦不清，行動沒有目的。

　　▲(yùn) 粵 wen⁶〔運〕日月周圍的光圈。如「日暈」；「月暈而風」。

　　▲(yùn) 粵 wen⁴〔雲〕頭腦昏亂的感覺。如「暈車」；「暈船」；「眼暈」。

【暎】同「映」，見294頁。

十畫

暝 ▲図(míng) 粵 miŋ⁴〔明〕光線昏暗。

　　▲(mìng) 粵 miŋ⁶〔命〕夜裏。

㬎 (xiǎn) 粵 hin²〔遣〕古「顯」字，見817頁。

暢 (chàng) 粵 tsœŋ³〔唱〕❶沒有阻礙，不停滯。如「暢銷」；「貨暢其流」。❷痛快，盡興。如「暢飲」；「暢談」；「賓主歡暢」。❸繁盛。如「枝葉暢盛」。

【曁】同「暨」，見299頁。

十一畫

暴 ▲(bào) 粵 bou⁶〔步〕❶凶惡，凶狠的。如「殘暴」；「暴徒」；「暴虐」。❷忽然的，意外的。如「暴斃」；「暴富」。❸急躁，猛然。如「暴風雨」；「暴脾氣」；「暴跳如雷」。❹不自愛。如「自暴自棄」。❺姓。❻図「暴虎馮(píng)河」：空手打虎；不乘船渡河。比喻有勇無謀。❼「暴殄天物」：糟蹋或拋棄有用的東西。

　　▲(pù) 粵 buk⁹〔僕〕❶顯現出來。如「暴露」。❷同「曝」，曬。如「一暴十寒」。見300頁。

暮 (mù) 粵 mou⁶〔募〕❶太陽下山的時候。如「日暮黃昏」。❷比喻晚、末期，時間快完了。如「暮年」；「歲暮」。❸比喻敗困沒辦法。如「日暮途窮」。❹形容精神委靡，不振作。如「暮氣」。❺「暮鼓晨鐘」：本是佛寺用來報時的鐘鼓，後用以比喻警醒人的言論。

暱(嬺、昵) (nì) 粵 nik⁷〔匿〕lik⁷〔礫〕(俗)親，近。如「親暱」。

嘆 図(hàn) 粵hon³〔漢〕乾，曝，熱氣。詩經有「嘆其乾矣」。

暫(蹔) (zàn) 粵dzam⁶〔站〕❶図時間短。如「為時甚暫」。❷短時間的，不久的。如「暫時」；「暫代」。❸「暫且」：姑且，表示臨時變通將就。如「暫且先這麼辦」；「這話暫且不提」。

【嘩】同「嘸」，見465頁。

十二畫

曇 (tán) 粵tam⁴〔談〕❶多雲而日光暗淡的天氣。如「曇天」。❷「曇花」：也叫「曇華」，屬於仙人掌的同類植物，產於印度，樹幹高一丈多。生在中國的幹如木槿。春天開花如蓮，十二瓣，極美麗，花很香，但一開即斂。❸「曇花一現」：比喻事態的極不常見，偶發而迅速消失。

暾 (tūn) 粵ten¹〔吞〕❶図早晨剛出來的太陽。如「朝暾」。❷液體溫而不燙。如「溫暾」。

曈 図(tóng) 粵tuŋ⁴〔童〕「曈曨」：太陽剛出還不十分明亮的樣子。

曆 (lì) 粵lik⁹〔力〕❶推定日、月、星辰的運行來定歲時節候的方法。如「曆法」；「陽曆」；「陰曆(也叫夏曆、農曆)」。❷排定月、日，作為查考或行事依據的單冊或表冊印刷品。如「日曆」；「月曆」。❸図年代或壽命。漢書有「周過其曆」。

暨(暋) (jì) 粵kei³〔冀〕❶図與，及，和，跟。用作連詞。❷姓。❸「暨暨」：果敢堅決的樣子。禮記有「戎容暨暨」。

曉 (xiǎo) 粵hiu²〔起妖切〕❶早晨天剛亮。如「破曉」；「拂曉」。❷知道。如「曉得」；「通曉」；「家喻戶曉」。❸図把道理告訴人。如「曉諭(明白地告訴)」；「曉以大義」。❹發表，公佈。如「揭曉」。

暹 (xiān) 粵tsim¹〔簽〕tsim³〔暫〕(又)❶図日光升起。❷「暹羅」：即現在的泰國，在亞洲中南半島，簡稱「暹」。

曀 図(yì) 粵ɐi³〔翳〕天色陰晦。詩經有「終風且曀」。

曄(曗) 図(yè) 粵jip⁹〔葉〕光明的樣子。

十三至十九畫

曏 図(xiàng) 粵hœŋ³〔向〕從前，往昔。如「曏者」。

曬 ▲図(shài) 粵sai³〔曬〕同「曬」，見300頁。

▲囨(shà)⑧sat⁸〔殺〕極，很。同「煞」。柳永詞有「爲別相思囨」。見408頁。

曖 (ài)⑧oi³〔愛〕❶囨「曖曖」：昏暗不明。如「暮雲曖曖」。❷「曖昧」：①隱約不明。②指隱私的不可告人的事。③模糊，不清晰。

曚 (méng)⑧muŋ⁴〔蒙〕「曚曨」：形容天快亮或太陽光發暗的樣子。

曛 囨(xūn)⑧fen¹〔分〕❶太陽下山以後的餘光。❷黃昏時候。

曙 (shǔ)⑧tsy⁵〔柱〕❶天剛亮的那段時間。如「曙色」。❷「曙光」：①天剛亮時候的光芒。②比喻光明、希望。

曜 (yào)⑧jiu⁶〔耀〕❶囨日光。❷囨光明的樣子。❸一星期的七天叫「七曜」，日曜日、月曜日、火曜日、水曜日、木曜日、金曜日、土曜日，即是星期日跟星期一至星期六。

曝 (pù)⑧buk⁹〔瀑〕❶在陽光底下曬。❷囨「曝獻」也作「獻曝」：從列子書裏野人獻曝的寓言而來，表示貢獻意見或贈送微物而心意誠懇。

曠 (kuàng)⑧kwoŋ³〔礦〕koŋ³〔抗〕(俗)❶空闊。如「曠野」；「心曠神怡」。❷缺失，荒廢。如「曠課」；「曠職」。❸囨是指「盡」、「絕」的意思。如「曠代（絕代，在一個時代僅有的）」；「曠古（空前的）」。❹姓。

曨 (lóng)⑧luŋ⁴〔龍〕「曚曨」：見本頁「曚」字。

曦 (xī)⑧hei¹〔希〕早晨太陽的光色。如「晨曦」。

曩 囨(nǎng)⑧noŋ⁵〔拿網切〕loŋ⁵〔朗〕(俗)從前，往昔。如「曩昔」。

曬 (shài)⑧sai³〔詩介切〕❶露在太陽的光和熱的照射。如「曬乾了」；「風吹日曬」。❷使照相底片浸過藥水，放在有光的地方讓它顯影。如「曬相」。

【曰部】

曰 図(yuē)粵jyt⁹〔月〕jœk⁹〔若〕(又)❶說。如「孔子曰」。❷叫做。如「同伴曰火伴」。❸發語詞。詩經上有「曰為改歲」。

二至六畫

曲 ▲(qū)粵kuk⁷〔卡屋切〕❶彎的，跟「直」相反。如「曲線」;「彎曲」。❷不正當。如「曲解」。❸理虧。如「是非曲直」。❹拐彎的地方。如「山曲」;「河曲」。❺姓。

▲(qǔ)粵kuk⁷〔卡屋切〕❶歌，歌的調子。如「歌曲」;「曲調」。❷中國文學古典韻文的一種。如「戲曲」;「散曲」。

曳 (yè)粵jɐi⁶〔移毅切〕牽引。拖着。如「引曳」;「棄甲曳兵」。

更 ▲(gēng)粵gɐŋ¹〔庚〕❶改換。如「更改」;「更正」。❷舊時夜間計時單位，把一夜分成五更。如「二更（粵口語讀如『耕』）天」;「半夜三更」。❸図閱歷。如「少不更事」。❹図「更始」:①革新。②換新年。❺「更新」:革新。

▲(gèng)粵gɐŋ³〔加凳切〕❶再。如「自力更生」;「更上一層樓」。❷愈發，尤其。如「更好看」;「更加用功」。❸又，另外。❹還，尚且。

曷 図(hé)粵hot⁸〔喝〕❶甚麼。如「曷故」。❷為甚麼。如「曷為不言」。❸何不。詩經有「中心好之，曷飲食之」。❹豈，難道。後漢書有「禮云禮云，曷其然哉？」

【冒】見冂部，44頁。

書 (shū)粵sy¹〔舒〕❶有文字或圖畫的裝訂成本的冊子。如「書籍」。❷信札。如「家書」;「書信」。❸寫。如「書法」;「書寫」。❹字體。如「楷書」;「草書」。❺文件。如「證書」;「申請書」。❻書經（尚書）的簡稱。❼「書家」:書法家，有名的寫好字的人。❽「書院」:講學的地方。❾「書卷氣」:讀書人的溫雅風度。

七至八畫

曼 (màn)粵man⁶〔慢〕❶柔美。如「輕歌曼舞」。❷延伸，伸長。如「曼延（連綿不斷）」。❸長。列子書上有「曼聲長歌」。❹「曼曼」:距離遠或時間長。離騷有「路曼曼其修遠兮」。

曹 (cáo) ⑧tsou⁴〔槽〕❶囡等，儕，輩。「爾曹」、「汝曹」是「你們」；「兒曹」是「兒子輩」。❷訴訟時候原告被告叫「兩曹」，現在叫「兩造」。❸囡羣，班。如「冠其曹」。❹古時分科辦事的官署，也用來稱呼掌管某事的職官。如「部曹」；「閒曹」。❺古國名，在現在山東菏澤。❻姓。

【晃】見门部，45頁。

替 (tì) ⑧tɐi³〔剃〕❶囡衰敗。如「興替」；「隆替」。❷代換。如「他病了，由我替他做這件事吧」。❸「替身」：①替代的人。②也說「替死鬼」，指代替他人受災禍的人。

曾 ▲ (zēng) ⑧dzɐŋ¹〔增〕❶重，進一層的意思。如「曾孫(孫子的兒子)」；「曾祖父(祖父的父親)」。❷囡乃，竟自。論語上有「曾是以為孝乎」。❸姓。❹囡通「增」，見122頁。

▲ (céng) ⑧tsɐŋ⁴〔層〕嘗；從前經歷過。如「曾經」；「似曾相識」。

最 (zuì) ⑧dzœy³〔醉〕極，第一的。如「最好」；「最後一課」。

【量】見里部，751頁。

九至十五畫

會 ▲ (huì) ⑧wui⁶〔滙〕❶集合在一起。如「聚會」；「會師」。❷見面。如「會面」；「相會」。❸多人的集合：①有共同目的而組成的團體。如「農會」；「班會」；「學生會」。②為做某一工作而進行的。如「會議」；「研討會」。❹指大城市。如「省會」；「都會」。❺領悟，了解。如「會意」；「會心」。❻時機。如「機會」；「適逢其會」。❼應酬時付帳。如「會鈔」。❽「會兒」：①是「一會兒」的簡語，指片刻，較短的時間。如「看了會兒書」；「等會兒再來」。②指一段時間。如「不大會兒」；「過了一小會兒」。③時候。如「這會兒不熱了」；「你多會兒走」。❾「會子」是「一會子」的簡語，指一陣子，一段時間。如「還要等會子哪」。

▲ (huì) ⑧wui⁵〔華每切〕❶知道怎麼作。如「我會跳繩」；「狗會看家」。❷有可能。如「他會來嗎」；「會不會是他來了」。

▲ (kuài) ⑧kui²〔潰〕wui⁶〔滙〕(俗)❶「會計」：①管理財務帳目和收支的工作。②指稱

管理財務帳目和收支的人員。
如「會計師」。❷姓。

▲ (guì) 粵 kui² 〔潰〕「會
稽」：①地名，現在的浙江省
紹興縣。②山名，在浙江省紹
興縣東南。

揭 囝(jiē) 粵 kit⁸ 〔揭〕❶離去。
楚辭有「車既駕兮揭而歸」。
❷勇武的樣子。詩經有「庶士
有揭」。

【疊】同「疊」，見453頁。

【月部】

月 (yuè) 粵 jyt⁹ 〔粵〕❶月球，
是地球的衛星，繞地球運
行，本身不發光，只靠反射日
光。❷計算時間的單位，每年
十二個月(陰曆閏年十三個
月)。❸指定期每個月的。如
「月刊」；「月報」。❹代替季節
說。如「夏月」。❺形容像月亮
的東西。如「月餅」；「月琴」。
❻「月子」：女人生孩子的一個
月之內。如「坐月子」。❼「月
台」：火車站裏軌道旁邊供乘
客上下車的平台地方。❽「月
氏 (zhī)」也作「月氏」、「月
支」：漢代西域國名，在現在
的甘肅青海之間。

二至五畫

有 ▲ (yǒu) 粵 jɐu⁵ 〔友〕❶跟
「無」相反。如「有錢」；「還
有很多呢」；「有恆為成功之
本」。❷表事物的所屬。如「人
有兩隻手」。❸表示多的意
思。如「開業有年」；「我們有
日子沒見面了」。❹豐足。如
「富有」。❺某。如「有一天」；
「有人說」。❻囝親愛、友愛。
詩經上有「亦莫我有」。❼助
詞：①在動詞前面，多用在客

氣的話裏。如「有勞大駕」；「有請張先生」。②用在名詞前面，作音節的襯字。如「有虞」；「有明一代」。③姓。④「有了」：①是說找到了，發現了或想起來了。如「有了，我想起來了」。②說女人「有了身孕」的簡語。⑩「有心」：①故意。②存心深刻細密。⑪図「有司」：官吏。⑫図「有生」：生來。⑬「有的是」：比喻很多。如「這類參考資料，他手裏有的是」。⑭「有的放矢」：對準靶子射箭。比喻說話做事有明確的目標。

▲図(yòu)粵jɐu⁶〔又〕表示數目的附加，通「又」。如「十有六年」。見74頁。

朋 (péng)粵pɐŋ⁴〔憑〕① 彼此友好或熟識的人。如「朋友」。②結黨。如「朋黨」；「朋比」。③図相比。如「碩大無朋」。④同，齊。如「朋心合力」。⑤「朋分」：大家共同分配，各得一部分。

服 (fú)粵fuk⁹〔伏〕①衣裳。如「衣服」；「大禮服」。②図穿着。如「夏服單衣」。③吃。如「服藥」；「服毒自殺」。④聽從。如「服從」；「不服指揮」。⑤擔任，作事。如「服役」；「服務」。⑥習慣，適應。如

「水土不服」。⑦欽佩，順從。如「佩服」；「服帖」。⑧量詞，中藥一劑叫一服。⑨喪衣。如「五服」。⑩駕御。如「服牛乘馬」。⑪図思念。詩經有「寤寐思服」。⑫姓。

朏 図(fěi)粵fei²〔匪〕①月未盛(剛出來)之明。②「朏魄」：月亮上的黑影。③「朏明」：天將明的時候。

六至七畫

朓 図(tiāo)粵tiu³〔跳〕指陰曆每月末日，月出現西方。

朒 図(nǜ)粵nuk⁹〔拿玉切〕luk⁹〔陸〕(俗)①指陰曆初一，月出現東方。②不足，虧損。如「盈朒(盈虧)」。

朕 (zhèn)粵dzɐm⁶〔池任切〕①我。秦始皇起定為皇帝專用的自稱。②「朕兆」：事情發生以前，可以預先看出的現象。

朔 (shuò)粵sɔk⁸〔索〕①指陰曆每月初一。如「朔日」。②図開始。禮記有「皆從其朔」。③図北方。如「朔方」；「朔風」。④図「朔氣」：寒氣。⑤「朔望」：朔日跟望日(初一跟十五)。

朗 (lǎng)粵lɔŋ⁵〔離網切〕①明亮。如「明朗」；「豁然開朗」。②聲音響亮。如「朗

讀」。❸姓。

望 (wàng)[粵]mɔŋ^{6}〔罔項切〕❶向遠處、高處看。如「登高瞭望」；「一望無際」。❷拜訪或探問。如「拜望」；「探望」。❸希圖，盼着。如「希望」；「盼望」。❹名譽。如「名望」；「衆望所歸」。❺指陰曆每月十五。如「望日」。❻向，通「往」。如「望前走」；「望後退」。❼將近。如「四十七八歲的人是『望五之年』了」。❽[文]怨恨，責備。如「怨望」；「不意君之望臣深也」。❾姓。❿「望洋」：原是形容仰視的樣子。現在常用「望洋興歎」來比喻眼界空闊，心中茫然驚奇，不知如何是好。⓫「望族」：有聲望的世家大族。⓬[文]「望門投止」：比喻人在窘迫中，只要見到人家就去投靠。⓭[文]「望風捕影」也作「捕風捉影」：比喻知道得不詳確，只是無把握無定向地尋求。⓮「望眼欲穿」：盼望得很深切。⓯「望塵莫及」也作「望塵不及」：仰望不及，比喻跟不上、追趕不上。⓰「望聞問切」：中醫診病的四種方法。望是眼看；聞是耳聽；問是詢問病人，了解病狀；切是按脈。

八至十六畫

朞 (jī)[粵]gei^{1}〔基〕一周年。同「期」。

期 ▲(qī)[粵]kei^{4}〔其〕❶約定的時間。如「定期」；「逾期作廢」。❷希望。如「期望」；「期待」。❸限。詩經有「萬壽無期」。❹[文]「期頤」：一百歲，一百年。❺[文]「期期」：①口吃，說話不流利的樣子。如「期期艾艾」。②極，很。如「期期以爲不可」。

▲(jī)[粵]gei^{1}〔基〕❶「期年」：一周年。❷「期服」：喪服。

朝 ▲(zhāo)[粵]dziu^{1}〔招〕❶早晨。如「朝會」。❷日子。如「今朝」；「一朝」。❸「朝夕」：①時時。如「朝夕相處」。②早晚。形容時間短促。❹「朝氣」：早晨的氣象，比喻清新奮進的精神。❺「朝三暮四」：①主張不定，反覆無常。②用詐術欺人。❻「朝不保夕」：比喻非常危急。❼「朝秦暮楚」：比喻反覆無常。❽[文]「朝乾(qián)夕惕」：指人整天勤奮戒懼，不肯怠惰。❾「朝發夕至」：形容交通極便利。

▲(cháo)[粵]tsiu^{4}〔潮〕❶向。如「坐北朝南」。❷舊時臣

下進見君王。如「朝見」。❸舊
時君主施政的場所。如「朝
廷」。❹君主世代的名稱。如
「漢朝」；「唐朝」。❺「朝野」：
指政府跟民間。

【勝】見力部，60頁。

【滕】見水部，385頁。

朣 図(tóng)粵tuŋ⁴〔童〕月初出
時朣朧不明的樣子。

【贚】見貝部，702頁。

【謄】見言部，686頁。

朦 (méng)粵 muŋ⁴〔蒙〕「朦
朧」：①月光模糊的樣子。
②不清楚。

朧 (lóng)粵luŋ⁴〔龍〕「朦朧」：
見「朦」字。

【騰】見馬部，832頁。

【木部】

木 (mù)粵muk⁹〔目〕❶木本植
物的通稱。如「喬木」；「灌
木」。❷植物的代稱。如「花
木」；「草木」。❸木質的或用
木頭製造的。如「木棍」；「木
馬」。❹「金木水火土」五行之
一。❺八音之一。❻失了知覺
或感覺。如「手指麻木」；「兩
腿發木」。❼指棺材說。如「行
將就木」。❽呆笨。如「木頭木
腦」。❾姓。❿「木耳」：菌
類，長在朽木上，可以吃。⓫
「木星」：太陽系九大行星之
一。⓬「木偶」：①木俑，木頭
雕的人像。②比喻不靈活或不
會做事情的人。⓭「木樨」：桂
花，巖桂。⓮「木雞」：①図
「木雞養到」：比喻人的學養純
粹。②「呆若木雞」：形容人呆
滯不靈活；或受驚恐，嚇得沒
了主意的樣子。⓯「木魚」：和
尚唸經敲擊的木質法器。⓰
「木乃伊」：古代埃及人用防腐
藥品保存不壞的屍體。是英文
*mummy*的音譯。⓱「木已成
舟」：比喻事情已成定局，不
能改變。

一畫

本 (běn)粵bun²〔把碗切〕❶草木的根。如「草本」;「木本」。❷事情的主要基礎。如「基本」;「學問爲濟世之本」。❸量詞,草木一棵,書簿一冊,都叫一本。❹對外人稱自己的這方面。如「本國」;「本身」。❺母金。如「本息償清」;「將本圖利」。❻原來的。如「本意」;「本心」。❼目前的。如「本年」;「本月」。❽根據,憑着。如「各本良心」;「本着公平原則」。❾「本色」:①本來面目。②古代以青黃赤白黑五色爲正色,也稱爲本色。❿「本位」:基本單位。⓫「本事」;「本領」:泛指一種特殊的技能。

末 (mò)粵mut⁹〔沒〕❶最後。如「末了」;「末後」;「末路」。❷物的尖梢。如「末梢」;「物有本末」。❸不重要的,非根本的。如「捨本逐末」。❹小的,輕的。如「末技」;「微末」。❺自謙的話。如「末學」;「末座」。❻碎屑,粉狀的。如「藥末」;「茶葉末」。❼戲劇裏的一種腳色。❽図作「無」解。如「吾末如之何」。❾「末日」:①指最後的一日。②泛指滅亡的日子。

札 (zhá)粵dzat⁸〔扎〕❶古時寫字的小木簡。❷書信。如「書札」。❸「札記」也作「劄記」:讀書時候把大要或心得一條條記錄下來。

朮 (zhú)粵sœt⁹〔述〕多年生草本植物,莖高兩三尺,秋天開花,有紫、碧、紅等色。白色的根,可以作藥,通稱白朮。皮色蒼黑的叫「蒼朮」。

术 ▲同「朮」,見本頁。

术 ▲「術」的簡化,見652頁。

未 (wèi)粵mei⁶〔味〕❶地支的第八位。❷十二時辰之一。未時,下午一點到三點。❸跟「已經」的意思相反,有「不」、「沒有」、「不曾」的意思。如「未能及格」;「假期未滿」。❹用在句末表疑問。如「寒梅著花未」。❺姓。❻図「未幾」:①不久,沒多時。②趕不上。❼「未亡人」:寡婦的自稱。❽「未雨綢繆」:事先準備預防。

二畫

朴 ▲ (pò)粵pok⁸〔樸〕❶厚朴。一種落葉喬木,樹皮跟花都可以作藥。❷「朴硝」:藥名,出在有鹽鹵質的地方,像食鹽,用水煎煉成結晶體,呈淡黃色,可以作消化劑,也可使牛馬皮革柔軟。

▲(pō)⑧pok⁸〔樸〕朴刀，一種窄長有短把的刀。

▲(piáo)⑧piu⁴〔嫖〕姓。

▲「樸」的簡化，見336頁。

朵(朶) (duǒ)⑧do²〔躲〕dœ²(又)❶植物的花或苞。如「花朵」；「花兒骨朵」(苞)。❷量詞，指花或成團的。如「三朵花」；「一朵白雲」。❸図動。如「朵頤(兩腮動起來，要想吃東西的樣子)」；「大快朵頤(吃得痛快)」。

朾 (tīng)⑧tiŋ¹〔湯丁切〕春秋時候的宋國地名。

机 ▲図(jī)⑧gei¹〔几〕❶木名，即「橙木」。❷通「几」，見49頁。

▲「機」的簡化，見337頁。

朹 (qiú)⑧kɐu⁴〔求〕「朹子」：木名。即是山楂。

朽 (xiǔ)⑧neu²〔扭〕lɐu²〔拉口切〕(俗)❶腐爛，壞了。如「腐朽」。❷衰老。如「老朽」。❸図「朽木糞土」：比喻不堪造就的人。論語有「朽木不可雕也；糞土之牆不可圬也」。

朱 (zhū)⑧dzy¹〔豬〕❶正紅色。如「朱紅」。❷姓。❸「朱門」：古代王侯貴族的住宅大門漆成紅色，以示尊異，引作比喻豪富的人家。杜甫文有「朱門酒肉臭，路有凍死骨」。❹「朱顏」：①紅顏，指美人。②青春。李後主詞有「雕闌玉砌應猶在，只是朱顏改。」

三畫

杓 ▲(biāo)⑧biu¹〔標〕「斗杓」：北斗七星柄部的那三顆星。

▲(sháo)⑧dzœk⁸〔雀〕同「勺」，舀汁液的器具。見62頁。

杕 図(dì)⑧dɐi⁶〔弟〕❶獨生孤立的樹。❷孤高的樣子。❸「杕杜」：比喻獨居無兄弟。

杜 (dù)⑧dou⁶〔渡〕❶落葉喬木，果實叫「棠梨」或「杜梨」，味澀，可吃。❷堵塞。如「杜絕流弊」；「杜口不言」。❸姓。❹図「杜撰」：憑空捏造的；不確實的。❺「杜鵑」：①鳥名，一名「子規」，又叫「杜宇」，口大尾長，鳴聲淒厲。②常綠灌木，春天開紅紫色或白色的花。

李 (lǐ)⑧lei⁵〔里〕❶亞喬木，長卵形的葉子，開白花，果實圓圓的，可以吃。❷姓。❸「李下」也作「瓜田李下」：比喻嫌疑地方。古樂府有「瓜田不納履，李下不正冠」。❹「李代

桃僵」：比喻以此代彼。

杆 (gān)⑧gɔn¹〔干〕❶直長的木棒。如「旗杆」；「電線杆」。❷「欄杆」：見341頁「欄」字。

杠 ▲图(gāng)⑧gɔŋ¹〔江〕❶小橋。❷旌旗的竿。❸牀前的橫木。

▲ (gàng)⑨gɔŋ³〔鋼〕同「槓」，見331頁。

杞 (qǐ)⑧gei²〔己〕❶「杞柳」：落葉灌木，細條可以編籮箱。❷周代國名，在現在河南杞縣。❸姓。❹「杞人憂天」：列子書上的故事，說杞國有人憂慮天要崩塌下來，自己無處安身，以致飯也吃不下，覺也睡不好。後來用作比喻無益的多餘憂慮，簡稱「杞憂」。

杏 (xìng)⑧heŋ⁶〔幸〕❶薔薇科落葉喬木，花果像梅，果實可吃，核裏有仁，可以吃也可作藥。❷「杏壇」：相傳為孔子講學的地方。❸「杏花村」：地名，在安徽省。杜牧詩有「借問酒家何處有？牧童遙指杏花村」。

杖 (zhàng)⑧dzœŋ⁶〔丈〕❶扶着走路的棍子。如「枴杖」；「手杖」。❷泛稱木棒一類的東西。如「明火執杖」；「擀麪杖兒」。❸图拄着枴棍。如「六十

杖於鄉」。❹古時五刑之一。如「杖(用棒子或竹板打犯人)三百」。❺「杖期(jī)」：喪禮名，杖是喪禮時在手上拿的棒；期是一年之喪。期服中拿杖的叫「杖期」，不拿杖的叫「不杖期」。舊制夫為妻、嫡子眾子為庶母，都服杖期；父母健在者，為妻服不杖期。

杈 ▲(chā)⑧tsa¹〔叉〕❶農人取禾束的器具。❷图「杈枒」也作「杈椏」：形容向外分伸張的樣子。如「老樹杈枒」。

▲ (chà)⑧tsɛ³〔詫〕分岔的樹枝。如「杈子」。

杉 (shān)⑨sam¹〔三〕tsam³〔饞〕(又)常綠針葉喬木，樹幹高且直，木材可以建築房屋，製造器具。

束 (shù)⑨tsuk⁷〔速〕❶捆，紮。如「束縛」；「束裝」。❷東西成捆的。如「一束鮮花」。❸限制，管理。如「拘束」；「束身自愛」。❹事的收梢。如「結束」。❺姓。❻图「束手」：比喻無法可想。如「束手無策」。❼「束脩」：古時把十條乾肉紮成一束，作為最起碼的拜見老師的禮物。因此也稱老師的酬金為束脩。❽图「束髮」：指成童的年齡，十五歲以上。❾图「束之高閣」：比喻

棄置不用。

材 (cái) 粵 tsɔi⁴〔才〕❶ 木料。如「木材」;「建材」;「上材」。❷ 物料的通稱。如「器材」;「材料」。❸ 通「才」,資質,能力。如「材幹」(也作「才幹」);「因材施教」。❹ 資料。如「題材」;「素材」;「教材」。❺ 棺材的簡稱。如「壽材」。

村 (邨) (cūn) 粵 tsyn¹〔穿〕❶ 鄉人聚居的地方。如「鄉村」;「農村」。❷ 粗野、鄙陋、不文雅。如「村氣」;「說話太村」。❸ 責罵。如「村了他幾句」。

杇 (wū) 粵 wu¹〔烏〕同「圬」,見112頁。

杙 図 (yì) 粵 jik⁹〔亦〕❶ 小木樁。左傳有「以杙抉其傷而死」。❷ 繫。王安石詩有「楊柳中間杙小舟」。

杌 (wù) 粵 ŋet⁹〔兀〕et⁹(俗) ❶ 方形沒靠背的椅子。如「杌凳」;「杌子」。❷ 図「杌陧」:不安。

杅 (yú) 粵 jy⁴〔如〕❶ 古時飲水、盛水的器具。❷ 古時沐浴的器具。❸ 図「杅杅」:自足的樣子。荀子有「是杅杅亦富人已」。

四畫

杯 (桮、盃) (bēi) 粵 bui
〔巴煨切〕❶ 盛飲料的器皿。如「酒杯」;「茶杯」。❷ 競賽優勝的獎品。如「銀杯」。❸「杯珓」:在神前占吉凶的卜具。❹「杯葛」:英文 boycott 的音譯。意為「抵制」。指拒絕買賣或拒絕雇佣等不合作的行為。❺「杯中物」:酒。陶潛詩有「天運苟如此,且進杯中物」。❻「杯弓蛇影」:晉書描述有人錯把杯中弓影當成真蛇,喝後因恐懼而得病的故事。現在常用來形容因為虛幻的事而驚疑。❼「杯水車薪」:用一杯水救一車着了火的柴。比喻無濟於事。

板 (bǎn) 粵 ban²〔版〕❶ 成片的木料。如「杉板」;「松板」。❷ 片狀的物體。如「黑板」;「墊板」。❸ 書籍或照片的底片。如「原板」;「翻板」。❹ 不活潑。如「呆板」;「古板」。❺ 中樂的節拍。如「板眼(二拍子)」。❻ 図「板蕩」:板、蕩都是詩經大雅篇名,譏刺周厲王治國沒有綱紀。後來用作「亂世」的代稱。❼「板鴨」:一種加鹽風乾的鹹鴨食品。

杷 (pá) 粵 pa⁴〔爬〕❶ 農家用具。如「屈竹作杷」。❷ 古代的軍中用具。如「方胸鐵杷」。

❸「枇杷」：見本頁「枇」字。

枇 (pi)粵pei⁴〔皮〕「枇杷」：樹名，長圓形的葉子，白花；橢圓的果子很好吃。

枚 (méi)粵mui⁴〔梅〕❶量詞。一個叫一枚。如「銅元一枚」。❷图一種像筷子樣的東西；古時夜行軍讓軍士在嘴裏橫銜着，以免言語喧嚣，稱為「銜枚」。❸图樹幹。詩經有「施于條枚」。❹姓。❺「枚舉」：一個一個地舉出來。如「不勝枚舉」。

杪 图(miǎo)粵miu⁵〔秒〕❶樹梢。❷末尾。如「歲杪(年底)」。

枌 (fén)粵fen⁴〔焚〕「枌榆」：榆樹的一種，也叫「白榆」。

枋 ▲(fāng)粵foŋ¹〔方〕❶檀木的別名。❷連接兩柱的橫木。
▲图(bìng)粵beŋ³〔柄〕「枋國」：即是「柄國」，掌握國家軍政大權。

枓 ▲(dǒu)粵deu²〔斗〕❶柱上的方木。❷「枓栱」也作「斗栱」：宮殿式建築物梁棟下的一種構造，枓是指墊在栱下的方木。參見318頁「栱」。
▲(zhǔ)粵dzy²〔主〕古時一種盛水的器具。

東 (dōng)粵duŋ¹〔冬〕❶方向。早晨太陽出來的那一邊。❷古代的主位在東，賓位在西，所以主人稱東。如「房東」；「東道主」。❸图向東邊。如「大江東去」。❹姓。❺「東郭」：複姓。❻「東西」：①東方跟西方。②物品。❼「東林」：女婿的別稱。❽「東山再起」：比喻人退隱以後再出來做官。❾「東施效顰」：莊子書上的故事，美女西施因心口痛，皺着眉頭，按着胸口走路；醜女東施見後，也學着西施的樣子走路。結果醜人學美，顯得更醜。比喻胡亂模仿他人，結果弄巧反拙。

林 (lín)粵lem⁴〔臨〕❶叢生的樹木。如「森林」；「樹林子」。❷人物叢集。如「藝林」；「士林」。❸形容眾多。如「工廠林立」。❹姓。❺图「林下」：山野；從前稱罷官為「退歸林下」。❻图「林泉」：①林木泉石。②比喻退隱的地方。❼「林林總總」：形容眾多。

杲 图(gǎo)粵gou²〔稿〕明亮。如「杲日」。

果 (guǒ)粵gwɔ²〔裹〕gɔ²〔加可切〕(俗)❶植物結的實。如「水果」；「乾果」。❷事情的結局或成效。如「成果」；「後

果」。❸決斷。如「果敢」;「果斷」。❹眞正的,實在的。如「果然這樣」。❺假如,若是。如「如果」。❻图能夠。如「不果來」。❼图勝利。如「殺敵致果」。❽图吃飽。如「果腹」。❾終於。呂氏春秋有「果伏劍而死」。❿「果然」:事實跟料想相脗合。如「果然不是這樣」。

杭 (háng)粵hɔŋ⁴〔航〕❶杭州市,浙江省省會。❷杭縣,在浙江省。❸姓。❹图通「航」,詩經有「一葦杭之」。見590頁。

柲 图(hù)粵wu⁶〔戶〕「楉柲」:見321頁「楉」字。

杰 (jié)粵git⁹〔傑〕通「傑」,見33頁。

析 (xī)粵sik⁷〔色〕❶解釋。如「析義」;「析疑」。❷分散。如「析產」;「析居」。❸图破開。如「析薪」。

枝 ▲(zhī)粵dzi¹〔支〕❶樹幹上旁生的小杈子。如「樹枝」;「枝葉茂盛」。❷比喻旁出的事物。如「枝節橫生」;「枝枝節節」。❸量詞。如「一枝筆」;「一枝香煙」。❹图通「肢」,見572頁。

▲(qí)粵kei⁴〔其〕「枝指」:多生出來的手指,成爲「六指」。

枕 ▲(zhěn)粵dzɐm²〔怎〕❶躺下時墊着頭的寢具。如「枕頭」。❷「枕木」:鐵軌下所墊的橫木。

▲(zhèn)粵dzɐm³〔浸〕❶頭部放在東西上。如「曲肱而枕之」;「枕着胳膊睡着了」。❷靠近。如「北枕大江」。❸图「枕藉」:縱橫相枕而臥。如「死亡枕藉」。❹图「枕戈待旦」:枕着武器等天亮,形容立志殺敵,不敢怠忽。

杼 图(zhù)粵tsy⁵〔柱〕舊時織布機上帶着緯線,穿過經線用的器具。如「不聞機杼聲」(近代的杼,是帶着經線的梭。參見324頁「梭」)。

杻 ▲(chǒu)粵tsɐu²〔丑〕刑具,多指鐐銬。

▲(niǔ)粵nɐu²〔扭〕lɐu²〔拉口切〕(俗)樹名,葉子像杏而尖,皮赤色,材可以做弓背。

杵 (chǔ)粵tsy⁵〔柱〕❶舊時舂米的器具。如「舂杵」。❷洗衣時搗衣的木槌。❸古兵器。如「降魔杵」。❹刺。如「拿手指頭杵他一下」。

杶 (chūn)粵tsɐn¹〔春〕樹名,像橋,可製琴。

枘 图(ruì)粵jœy⁶〔銳〕❶用木削成的榫頭。❷图「枘

鑿」：是「方枘圓鑿」的簡語。方榫頭，圓卯，比喻不相容合。

松 (sōng) ⓟtsuŋ⁴ 〔蟲〕 ❶常綠喬木，樹幹挺直，皮粗厚，針狀葉，結毬果；木質堅硬，可以做建築材料跟用具。種類很多。❷姓。❸「松香」：松與柏類的樹分泌的脂肪，黏而容易燃燒，用途很廣。也叫松脂、松膠。❹「鬆」的簡化，見840頁。

枒 (yā) ⓟa¹ 〔鴉〕「枒杈」也作「杈枒」：樹枝縱橫雜出的分叉。

杳 図(yǎo) ⓟmiu⁵ 〔秒〕 ❶深廣。如「深杳」。❷寂靜。❸図「杳然」：寂靜的樣子。❹「杳杳」：深暗幽遠。❺図「杳如黃鶴」：比喻一去就無蹤。

枉 (wǎng) ⓟwɔŋ² 〔蛙仿切〕 ❶彎曲；不正直。如「矯枉過正」。❷冤屈。如「枉死」；「冤枉」。❸徒然，白費。如「枉然」；「枉費心機」。❹図歪曲。如「枉法」。❺図屈就。如「枉駕(稱人來訪的客氣話，意思是屈駕下臨)」；「枉顧」。

【來】見人部，24頁。
【采】見采部，750頁。
【枬】同「楠」，見328頁。
【枅】同「栟」，見319頁。

五畫

柏(栢) (bǎi) ⓟpak⁸ 〔拍〕 ❶針葉樹名，有扁柏、龍柏、側柏等。❷姓。❸「柏油」：①煤黑油，是製造煤氣的副產品，也叫焦油。②瀝青。

柄 (bǐng，又讀 bing) ⓟbiŋ³ 〔拼〕bɐŋ³〔巴靚切〕(又) ❶把兒，器具上手握的部分。如「刀柄」；「傘柄」。❷言語或行為被別人用作談笑的材料。如「話柄」；「笑柄」。❸權力。如「權柄」。❹図執，掌握。如「柄政」；「柄國」。❺「柄用」：受皇帝信任而掌握大權。

枰 (píng) ⓟpiŋ⁴ 〔平〕 ❶棋盤。❷圍棋一局叫「一枰」。

某 (mǒu) ⓟmɐu⁵ 〔畝〕 ❶不指名的人或事物的代稱。如「某人」；「某處」；「某些」。❷自稱代名詞。如「我王某豈是這種人」。❸指失傳的人名、時間、地點。如「某年」；「某甲」；「某地」。

柢 (dǐ) ⓟdɐi² 〔底〕 樹根。如「深根固柢(比喻牢固，不可動搖)」(也作「根深蒂固」)。

柁 ▲同「舵」，見590頁。
▲(tuó) ⓟto⁴ 〔陀〕「房柁」：房屋前後兩柱間的大橫梁。

枹 (fū) 粵 fu¹〔膚〕鼓槌。

柝(榝) 囡 (tuò) 粵 tɔk⁸〔託〕巡夜人所敲的木梆子。

柰 (nài) 粵 nɔi⁶〔耐〕lɔi⁶〔来〕(俗) ❶果名，跟蘋果同類異種。❷通「奈」，見131頁。

柳(桺、栁) (liǔ) 粵 leu⁵〔離友切〕❶落葉喬木，枝細長，葉狹尖，花是穗狀的，種子成熟後隨風飄散。❷像柳枝或柳葉的。如「柳腰」；「柳眉」。❸姓。❹星名。二十八宿之一。❺「柳暗花明」：出自陸游詩句「山重水複疑無路，柳暗花明又一村」。比喻令人鼓舞的前景。

枸 ▲ (gǒu) 粵 geu²〔久〕「枸杞」：落葉小灌木，高三尺多，有短刺，長橢圓形葉子，花淡紫色；結紅色的子，可作藥。

▲ (gōu) 粵 geu²〔久〕「枸橘」：落葉灌木，高一丈多，掌狀複葉，開白花；結的果子圓而黃，瓤兒像柚子。

▲ (jǔ) 粵 gœy²〔舉〕「枸櫞」：俗稱「香櫞」，常綠喬木，葉子像橘葉而大；果子圓形，色黃，皮厚，有香氣，味酸。

柑 (gān) 粵 gɐm¹〔甘〕常綠灌木，高一丈多，葉長圓形，花白色；結圓形朱黃色的果子，瓤裏水汁多，味甜美芬芳，叫「柑子」或「蜜柑」。

枴 (guǎi) 粵 gwai²〔拐〕❶「枴杖」：木棍，走路時拄着它，幫着支持體重。❷踝部俗稱。如「枴子」。

柯 (kē) 粵 ɔ¹〔屙〕❶落葉喬木，高三四丈，葉多，長橢圓形，單性花，結的是堅果。❷囡草木的枝莖。❸囡斧子的柄。❹姓。❺囡「執柯」、「伐柯」：給人做媒的意思。

枯 (kū) 粵 fu¹〔呼〕❶草木焦黃沒有生氣。如「枯萎」；「枯樹」。❷乾了。如「枯井」；「枯竭」。❸沒有精神，沒有趣味。如「枯燥」；「枯坐」。❹貧乏。如「枯窘」；「偏索枯腸」。❺中醫說半身不遂的病。如「偏枯」。

枷 (jiā) 粵 ga¹〔加〕❶舊時套在犯人頸上的刑具。❷「枷鎖」：枷跟鎖都是古代的兩種刑具。枷，套在脖子上；鎖是鏈，拴在犯人的腳踝上。引伸作束縛的意思。❸囡通「架」，見本頁。

架 (jià) 粵 ga³〔嫁〕❶用做支承的東西。如「書架」；「衣

架」。❷在東西的內部支着作骨幹的。如「骨架」。❸支搭。如「架橋鋪路」；「把帳棚架起來」。❹攙扶。如「架着他走」。❺形象，姿勢。如「架式」。❻承受，擔當，抵擋。如「招架不住」。❼打鬧，吵嘴。如「打架」；「吵架」；「勸架」。❽把人劫走。如「綁架」。❾房屋兩柱的距離。如「間架」。❿量詞，包含有整套機件的。如「一架飛機」；「一架機槍」。⓫多餘的加到上面去。如「疊牀架屋」。⓬囵撮弄。如「架訟」。⓭囵憑空杜撰。如「架詞誣控」。⓮「架子」：①做支承的東西。②東西內部的骨架。③比喻人高傲的神態。如「擺架子」。⓯「架構」：① 建造。如「虛空架構」。②輪廓規模的構想設計。如「架構完整」。

柩 (jiù)⑧geu³〔救〕裝着屍體的棺材。如「靈柩」。

柬 (jiǎn)⑧gan²〔簡〕❶ 通「揀」，選擇。❷通「簡」，指信件、名片、帖子等。如「柬帖」；「書柬」。❸柬埔寨(亞洲國家名)的簡稱。

柜 ▲(jǔ)⑧gœy²〔舉〕「柜柳」同「杞柳」：見 309 頁「杞」字。

▲「櫃」的簡化，見340頁。

柒 (qī)⑧tset⁷〔漆〕「七」的大寫字，見第1頁。

枲 (xǐ)⑧sɐi²〔洗〕不結子的大麻，纖維可以作麻布的原料。

柙 (xiá)⑧hap⁹〔峽〕❶古時關猛獸的木籠。如「虎兕出於柙」。❷裝匣。列子書上有「柙而藏之」。

枵 囵(xiāo)⑧hiu¹〔梟〕空虛。如「枵腹從公(餓着肚子替公家辦事)」。

栀(梔) (zhī)⑧dzi¹〔支〕「梔子」也作「栀子」：常綠灌木，高一丈多，葉橢圓形，夏天開白花，結黃色果實，可以入藥，也可做染料。

枳 (zhǐ)⑧dzi²〔只〕常綠灌木，枝上多刺，葉長圓形，開白花，秋天果子成熟了，可以作藥。

柵 ▲(zhà)⑧tsak⁸〔拆〕san¹〔山〕(又)用鐵、竹、木條編成的籬笆牆。如「柵門」；「柵欄」。

▲(shān)⑧san¹〔山〕「柵極」：電子管靠陰極的一個電極。

柘 (zhè)⑧dze³〔借〕❶落葉灌木，樹幹很直，葉尖厚，可以養蠶，果實像桑葚而圓，皮

可以作黃色染料。❷「柘黃」：①用柘木染的顏色。②柘木上所生的木耳。

柱 (zhù)粵tsy⁵〔儲〕❶屋裏承受屋頂壓力的直立粗木。如「柱子」。❷取柱子的意思，引作「擔負重任」。如「擎天一柱」。❸支持重量的木樁。如「支柱」。❹貝類的韌帶。如「江瑤柱」。❺像柱子的東西。如「膠柱鼓瑟（譏刺人不能變通）」。❻「柱石」：比喻負國家社會重任的人。漢書有「將軍爲國柱石」。

查 ▲(chá)粵tsa⁴〔茶〕❶考查，檢點。如「查戶口」；「查字典」。❷同通「槎」，木筏。見332頁。

▲(zhā)粵dza¹〔渣〕❶姓。❷同「楂」。如「山查」。見329頁。

柴 (chái)粵tsai⁴〔豺〕❶燒火用的草木。如「柴火」。❷形容乾瘦。如「骨瘦如柴」；「這隻雞太柴了」。❸形容堅硬。如「柴魚（用鰹魚乾製，堅硬如木）」；「柴心蘿蔔」；「雞太柴了」。❹姓。

柿 (shì)粵tsi²〔始〕落葉喬木，幹高二三丈，葉卵形，黃花；果實圓，熟時味甜好吃，品種多。

柿 (shì)粵tsi²〔始〕「柿」字的俗寫，見本頁。

柔 (róu)粵jeu⁴〔由〕❶跟「剛」相反，是軟和，不堅硬。如「柔軟體操」；「柔枝嫩葉」。❷軟弱，不剛強。❸溫和，不強烈。如「聲音很柔和」；「柔風細雨」；「柔聲以諫」。❹因安順。如「柔柔」。❺「柔茹剛吐」：比喻欺弱避強。詩經有「柔則茹之，剛則吐之」。

染 (rǎn)粵jim⁵〔冉〕❶用顏料着色。如「染布」；「印染」。❷書畫着色落墨。❸沾着，感受到。如「染病」；「傳染」。❹男女通姦。如「兩人有染」。❺不乾淨。如「染污」。❻因「染指」：不是自己應有而妄想據有。

柞 ▲(zuò)粵dzɔk⁹〔昨〕常綠灌木，葉子小，光滑堅韌，有針刺。

▲(zhà)粵dza³〔炸〕「柞水」：縣名，在陝西省。

柚 ▲(yòu)粵jeu⁶〔又〕jeu²〔衣嘔切〕(又)常綠喬木，長圓形的葉子，初夏開小白花，果實叫柚子。其中有一種叫文旦，汁水多，味甜。

▲(zhóu)粵dzuk⁹〔俗〕同「軸」，見719頁。

【相】見目部，472頁。

【柟】同「楠」，見328頁。
【枱】「檯」的俗寫，見340頁。

六畫

桃 (táo)粵tou⁴〔逃〕❶落葉喬木，春初開花，有白的、紅的，果實圓形，頂端有尖，味甜可口。❷指形狀像桃的。如「櫻桃」。❸姓。❹「桃色」：①粉紅色。②指男女間情愛的事。❺「桃李」：①泛指學生。②囹比喻美色。如「色豔桃李」。❻「桃符」：①舊時門旁所設的兩個桃木板上的畫像「神荼」、「鬱壘」，用以鎮邪。②春聯的別稱。❼「桃源」：晉朝陶潛作桃花源記，後人稱避亂的地方。如「世外桃源」。

桐 (tóng)粵tung⁴〔同〕❶喬木名，葉又圓又大，開白色或紫色的花，木材可以做琴跟箱簧，不生蠹蟲。❷「桐油」：油桐子所榨的油，塗飾房屋器具，可以防水防腐。

栲 (lǎo)粵lou⁵〔老〕「栲栳」：見318頁「栲」字。

栗 (lì)粵lœt⁹〔律〕❶落葉喬木，四五丈高，果實叫栗子，有糖分，炒了吃，很香。木材堅密，可造器具。❷囹堅固。禮記有「縝密以栗」。❸姓。❹「栗碌」也作「栗六」；「栗陸」：

事情忙。❺「栗栗」：①積聚衆多。詩經有「積之栗栗」。②恐懼的樣子。書經有「栗栗危懼」。❻囹通「慄」，見224頁。

格 (gé)粵gak⁸〔隔〕❶標準，式樣。如「規格」；「合格」。❷方形的空框或條紋。如「四方格子」；「有格稿紙」。❸常例。如「格外」；「破格錄用」。❹品德，風度。如「人格」；「性格」；「品格」。❺架子的一層或藥水瓶上的刻痕。❻打鬥。如「格鬥」；「格殺」。❼囹深研。如「格物致知」。❽囹改正。論語有「有恥且格」。❾囹來。詩經有「神之格思」。❿囹阻礙。如「格於成例」。⓫古代的一種刑法。將人放在銅板上，下面燒火，最終人爛墮火而死。⓬姓。⓭「格言」：可作日常生活行為標準的話。⓮「格律」：①詩文的平仄、音韻、字數、句數等形式。②準則。⓯「格格不入」：性質不同而產生無法協調的阻礙。

根 (gēn)粵gen¹〔斤〕❶植物莖部的最下截，管吸收養分的。❷東西的底部。如「牙根」；「牆根」。❸事情的本源或基礎。如「禍根」；「病根」。❹依據。如「根據」；「無根之談」。❺徹底的。如「根治」；

「根除」。❻量詞，計算細長的東西。如「一根繩子」；「一根棍子」。❼佛經說能生的意思。如「六根」。❽數學名詞：①指方程式內所求未知數的值。②任何次自乘冪的底數。如「平方根」；「立方根」。❾化學上指一個化合物分子所含一部分原子，當作一個單位的叫根（*radicals*），也稱作「基」。❿「根深蒂固」：比喻穩固。

栝 (guā) 粵kut⁸ 〔括〕樹名，即是檜。

桂 (guì) 粵gwei³ 〔貴〕❶木名，分肉桂、巖桂兩種。肉桂作藥用，巖桂即是木樨(桂花)。❷廣西省的簡稱。❸姓。❹「桂皮」：肉桂的樹皮，乾製後呈黃褐色，有香氣。可以做藥品，也可作調味用。❺「桂圓」：一種水果，即是龍眼；也指結這種水果的樹。

桄 ▲ (guāng) 粵gwɔŋ¹ 〔光〕gɔŋ¹ 〔江〕(俗)「桄榔」也作「桄桹」：常綠喬木，羽狀複葉，開綠色小花，幹內有赤黃色粉，可以作餅。

▲ (guàng) 粵gwɔŋ³ 〔瓜放切〕gɔŋ³ 〔鋼〕(俗)❶量詞，指線一圈或一束。如「給我拿一桄子毛線來」。❷舊時稱織布機跟梯子的橫木。如「車桄」。

拱 (gǒng) 粵guŋ² 〔鞏〕❶宮殿式建築上的弧形承重結構，用在柱子頂端。墊拱的方木塊叫枓，合稱「枓拱」。❷較大的小木樁。

栲 (kǎo) 粵hau² 〔考〕❶樹名，葉像櫟樹，木材可做車軸。❷「栲栳」：細竹或柳條編的盛物器。也叫「笆斗」，見509頁。

框 ▲ (kuàng) 粵kwaŋ¹ 〔誇坑切〕❶門窗邊緣用來固定門窗的木檔。如「門框」；「窗框」。❷器物周圍的邊緣，可以嵌住東西的。如「鏡框」；「眼鏡框子」。

▲ (kuāng) 粵kwaŋ¹ 〔誇坑切〕「框框」：①周圍的圈兒。②比喻原有的範圍，固有的格式。如「條條框框」。

核 ▲ (hé) 粵het⁹ 〔瞎〕❶植物果實裏有堅硬外殼，包着果仁的部分。如「桃核」。❷中心部分。如「核心」。❸結硬塊。如「肺結核」。❹詳細稽察。如「核對」；「審核」。又作「覈」。❺「核子」：英文 *nuclear* 的意譯，是每一個原子的荷正電的核心部分，又稱原子核。❻「核桃」：落葉喬木，有兩三丈高，奇數羽狀複葉，開黃綠花，果子像青桃，果仁可以

吃。也叫「胡桃」。❼「核能」（*nuclear energy*）：一個原子核分裂，或兩個原子核融合的時候，所釋放出的很大能量。如「核潛艇（用核能作爲動力的潛艇）」。❽「核武器」：泛指利用原子反應所放出的核能起殺傷破壞作用一類的武器。如「核導彈」。

▲(hú)⑧wet⁹〔華屹切〕專指果核。如「李子核」。

桁 ▲(héng)⑧heŋ⁴〔恆〕❶在屋頂下面托住椽子的橫木，也叫「檩」。❷「桁桷」：屋頂下面的橫木跟方椽。

▲(hàng)⑧hoŋ⁶〔巷〕古人用的衣架。

桓 (huán)⑧wun⁴〔援〕❶樹名。❷柱子。❸姓。❹「桓桓」：威武的樣子。

枅(枅) (jī)⑧gei¹〔雞〕斗拱，柱子上的橫木。

桔 ▲(jié)⑧get⁷〔吉〕❶「桔槹」：利用槓桿原理，從井裏取水的設備。❷「桔梗」：草名，夏秋開青紫色或白色的花，莖梗可以做藥。

▲「橘」的俗寫，見337頁。

桀 図(jié)⑧git⁹〔傑〕❶兇暴。如「桀黠（兇悍狡猾）」。❷通「傑」，見33頁。

柏 (jiù)⑧keu⁵〔臼〕「烏桕」：落葉喬木，子可榨油做肥皂、蠟燭。

栫 図(jian)⑧dzin³〔箭〕圍。左傳有「栫之以棘」。

柙 (xiá)⑧hap⁹〔峽〕舊時的劍匣。

校 ▲(xiào)⑧hau⁶〔效〕❶教學的地方。如「學校」。❷姓。

▲(xiào)⑧gau³〔教〕軍官等級，在「將」之下，「尉」之上。分上校、中校、少校三級。

▲(jiào)⑧gau³〔教〕❶比較。如「校量」。❷考訂書籍。❸計較。❹「校對」：①根據原稿校正排印或繕寫的錯誤。②負責校對的人。❺「校閱」：①審核書稿。②定期的閱兵。

桻 (jiàng)⑧goŋ³〔鋼〕「桻雙」：用篾席做的船帆。

栩 (xǔ)⑧hœy²〔許〕❶櫟樹的別名。❷「栩栩」：生動可喜的樣子。如「栩栩如生」。

枸 (xún)⑧tsœn⁴〔巡〕「枸虡」也作「簨虡」：掛鐵磬的架子。直立的叫虡；橫牽的叫枸。

桎 (zhì)⑧dzet⁹〔姪〕❶腳鐐。❷「桎梏」：桎是腳鐐，梏是手銬，古時用來束縛罪人的刑具。現引伸作束縛的意思。

株 (zhū)⑧dzy¹〔朱〕❶露出地面的樹根。❷計算樹的量詞，一棵也說一株。❸図「株守」：困守，不知道變通。❹図「株連」：一個人的罪牽連好多人，像是樹木根株相連。

桌(棹) (zhuō)⑧tsœk⁸〔綽〕❶「桌子」：一種可以放東西，吃飯、讀書、寫字的傢具，古時叫「几」、「案」。如「飯桌」；「書桌」；「辦公桌」。❷專指酒席、飯菜的量詞。如「一桌酒席」。

栓 (shuān)⑧san¹〔山〕❶瓶塞。如「木栓子」。❷機械或器具上的開關部分。如「活栓」；「消火栓（預備救火用的輸水大管口）」。❸通「閂」，見777頁。

栽 (zāi)⑧dzoi¹〔災〕❶種植草木。如「栽樹」；「栽花」。❷可以移種的植物幼苗（也叫「秧子」）。如「桃栽」；「樹栽子」。❸無中生有地加上罪名。如「栽贓」。❹裝上，插上。如「栽牙刷」。❺摔倒。❻「栽跟頭」：①跌倒。②出醜，丟臉。❼「栽培」：種植和培養植物。引伸為培養或提拔人才。

桑 (sāng)⑧soŋ¹〔喪〕❶落葉喬木，葉可以養蠶，木材可以製造器具，皮可以造紙。❷姓。❸図「桑梓」：詩經有「維桑與梓，必恭敬止」。桑和梓原是指父母在家宅附近所種植的樹木，所以後人一見，很容易引起對父母的懷念和恭敬。現在用桑梓代表鄉里、家鄉。柳宗元詩有「鄉禽何事亦來此，令我生心憶桑梓」。❹図「桑榆」：①桑樹跟榆樹。②日落垂西的時候，陽光照上了桑榆的樹梢。比喻日落的餘暉，也指西邊。③引伸作比喻晚年。如「桑榆晚景」。❺「桑葚」：也作「桑椹」：桑樹所結的果實，有白、黑兩種，味甜可吃。

案 (àn)⑧on³〔按〕❶長方形的桌子。如「書案」；「伏案疾書」。❷機關的文件。如「檔案」；「案卷」。❸書面提出會議討論的事件。如「議案」；「提案」。❹牽涉到法律問題的事。如「犯案」；「辦案」。❺古時候進食時放食具的短足木盤。如「舉案齊眉（古時妻子不敢正面仰視丈夫，等舉案進食時才望一眼。後引伸作形容夫婦有禮）」。❻図根據。如「案之事實」。❼榜。古時榜佈考中的秀才名單。❽「案牘」：政府機關的文書工作。

拶 (zǎn)⑧dzat⁸〔扎〕同「拶」，見249頁。

桉 （ān）粵on¹〔安〕「桉樹」：樹名。一種長得很快的常綠喬木。

▲同「案」，見320頁。

桅 （wéi）粵wei⁴〔圍〕❶船上掛帆的長杆。如「船桅」；「桅竿」。❷「桅燈」：按國際海上航行規則，裝在船上前後桅竿的一種白色航行信號燈。

栴 （zhān）粵dzin¹〔煎〕同「旃」，見287頁。

【栢】同「柏」，見313頁。

【梁】同「梁」，見322頁。

【栟】同「栟」，見324頁。

【栖】同「棲」，見326頁。

【栞】同「刊」，見52頁。

七畫

邦 （bāng）粵bɔŋ¹〔邦〕「梆子」：①古時候木製或竹製的打更用的響器。②用兩塊長方形木頭做的樂器。③打着梆子唱的戲劇曲調，也叫「梆子腔」。

桯 図（bì）粵bei⁶〔陛〕「桯桚（俗稱拒馬杈子）」：古代官署府第門口用木頭做成的遮攔行人的障礙物。

梅 （楳、槑）（méi）粵mui⁴〔媒〕❶落葉喬木，春天開白色或淡紅色的花，有很濃的香味。葉子在花開以後才生，結的果子可以吃。❷姓。❸「梅雨」也作「霉雨」：春末黃梅要熟的時候，中國很多省分持續下雨，因此叫「梅雨」。這段時間叫「梅天」。❹「梅毒」：性病的一種。

梵 （fàn）粵fan⁶〔飯〕❶譯音用的字。古印度文的原意是潔淨、清靜。❷用「梵」字稱說關於佛教的事物。如唸經作「梵唱」；佛寺作「梵剎」。❸「梵文」：印度古文字，也叫「梵書」，書體由左向右寫。❹「梵啞鈴」：樂器名，即是「小提琴」。❺「梵蒂岡」：羅馬教廷所在地。

桴 図（fú）粵fu¹〔呼〕❶木筏或竹筏。論語有「乘桴浮於海」。❷房屋的次棟，俗稱「二梁」。❸「桴鼓」：①戰鼓或警鼓。史記有「提桴鼓，立軍門」。②鼓槌。通「枹」，見314頁。

梯 （tī）粵tɐi¹〔銻〕❶登高的用具或設備。如「梯子」；「樓梯」；「雲梯」；「電梯」。❷像梯子的。如「梯形（數學上稱只有一組對邊平行的四邊形）」；「梯田（在山坡上修築成像樓梯一層層般的田地）」。❸「梯己」：①別人不知道的私有財

物。如「老太太手邊有幾個梯己錢」。②貼身親近。如「跟我說了些梯己話」。④「階梯」：見788頁「階」。

條 (tiáo) 粵 tiu⁴〔調〕❶細長的樹枝。如「柳條兒」；「枝條茂密」。❷狹而細長的東西。如「紙條」；「麪條」。❸細細長長的形狀。如「條紋」。❹秩序，層次。如「條理」；「有條不紊」。❺量詞。指細長的東西。如「一條蛇」；「兩條辮子」。❻文字分項列舉。如「條對」；「條文」；「頭條新聞(引作重要新聞)」。❼「條例」：分條訂立的規則。❽「條約」：國與國相互之間關於權利義務等訂立的條文。❾「條件」：①要求得到的利益。②雙方規定應遵守的事項。③事物產生或存在的因素。

梃 図(tǐng) 粵 tiŋ⁵〔挺〕❶棍子，棒子。孟子書有「殺人以梃與刃，有以異乎」。❷植物的梗子。如「木梃」；「竹梃」。❸図量詞。指竿、杆形狀的東西。魏書有「甘蔗百梃」。

桶 (tǒng) 粵 tùŋ²〔統〕圓柱形裝東西的器具。如「水桶」；「油桶」。

桹 (láng) 粵 lɔŋ⁴〔郎〕「榔」的本字，見331頁。

梁 (梁) (liáng) 粵 lœŋ⁴〔良〕❶橋。如「橋梁」；「津梁」；「石梁」。❷架在柱子上面用來承受屋頂的大橫木。如「棟梁」；「上梁不正下梁歪」。❸物體隆起的部分。如「鼻梁兒」。❹器物上面似梁的部分。如「茶壺梁」；「腳踏車的大梁」。❺設水堰來捕魚的地方。如「魚梁」。❻國名，戰國時代魏國首都在大梁(今河南開封)，所以也叫梁國。❼朝代名：①南北朝時蕭衍所建(公元502—577)。②五代的第一個朝代，朱全忠所建立(公元907—923)。❽姓。❾「梁山」：①地名。在今山東省。②水滸傳中宋江帶領眾英雄聚義的地方。❿「梁上君子」：竊賊的雅稱。

梠 図(lǚ) 粵 lœy⁵〔旅〕楣，屋檐。

桿 (gǎn) 粵 gɔn¹〔干〕❶木棍。如「桿子」；「桿棒」。❷形狀細長，像棍子的東西。如「筆桿」；「秤桿」。❸量詞，指細長的東西。如「一桿槍」；「一桿秤」。❹「桿菌」：桿狀的細菌。❺「桿錐」：進退螺絲釘的工具。

梗 (gěng)⑧geŋ² 〔耿〕❶植物的枝子或莖。如「芹菜梗」;「荷葉梗」。❷挺直。如「梗着脖子站着」。❸阻塞。如「從中作梗」;「來源梗塞」。❹正直。如「為人梗直」。❺大略。如「梗概(大概)」。❻強硬。如「強梗」。❼圖病。如「至今為梗」。

梏 (gù)⑧guk⁷ 〔谷〕❶手銬,古時的一種刑具。❷圖拘禁。左傳有「執而梏之」。❸「梏亡」:因受束縛而致死亡。❹「桎梏」:見319頁「桎」。

梱 圖(kǔn)⑧kwen² 〔綑〕門檻,門兩邊直豎的長木。禮記有「外言不入於梱,內言不出於梱」。

桷 (jué)⑧gɔk⁸ 〔角〕方形的椽子。

梫 (qīn)⑧tsɐm¹ 〔侵〕木桂的別名。

械 (xiè)⑧hai⁶ 〔邂〕❶兵器。如「軍械」;「繳械」。❷器具的總稱。如「器械」;「機械」。❸圖用手銬拘禁犯人。如「械繫」。❹「械鬥」:雙方聚眾動刀槍打架。

梟 (xiāo)⑧hiu¹ 〔囂〕❶一種凶猛的鳥。常在夜間出動,捕食小動物。即是「鴞」。❷比喻雄健。如「一代梟雄」。❸從事非法活動的人。如「鹽梟(販運私鹽的人)」;「毒梟(販運毒品的人)」。❹圖古代的一種酷刑。如「梟首示眾(斬首懸於木上)」。

棁 (zhuō)⑧dzyt⁸ 〔綴〕梁上的短柱。

梴 圖(chān)⑧tsin¹ 〔千〕樹木長的樣子。詩經有「松桷有梴」。

梣 (chén)⑧tsɐm⁴ 〔沉〕野生的落葉喬木,中醫用這樹皮作藥,叫「秦皮」。

梢 (shāo)⑧sau¹ 〔筲〕❶樹的尖端。如「樹梢」。❷細長形器物的末端。如「鞭梢」;「辮梢」。❸泛指末尾。如「眉梢」;「船梢」;「下梢(事情的收尾)」。❹「梢梢」:①風吹動樹木的聲音。②勁挺的樣子。杜甫詩有「梢梢勁翮」。③垂長的樣子。李賀詩有「竹馬梢梢搖綠尾」。

梳 (shū)⑧sɔ¹ 〔疏〕❶把頭髮理順。如「梳頭」。❷梳頭的器具。如「梳子」。

梓 (zǐ)⑧dzi² 〔子〕❶落葉亞喬木,木材可以作建築材料或器具。❷圖製作木器的工匠。如「梓人」;「梓匠」。❸圖把文字刻在木板上準備印出書版。如「付梓」。❹圖「桑梓」:見

320頁「桑」字。

梭 (suō)⑧so¹〔梭〕❶舊織布機上拉着橫線穿過直線的橄欖形器件。❷用梭子一來一往的動作，形容來往的快。如「日月如梭」；「穿梭而過」。❸形容兩頭尖的東西。如「梭魚」；「梭子蟹」。❹囡「梭巡」：不斷往來巡察。

桫 (suō)⑧so¹〔梭〕「桫欏」：落葉喬木，木材堅實，可作建築材料。

梧 ▲(wú)⑧ŋ⁴〔吳〕❶「梧桐」：落葉喬木，樹幹挺直，種子可以吃，木材可以作器具，樹皮可以榨油。❷「梧鼠」：即是鼯鼠。參見877頁「鼯」字。

▲(wù)⑧ŋ⁶〔誤〕「魁梧」：見844頁「魁」字。

【椛】同「椇」，見315頁。
【棼】見女部，142頁。
【郴】見邑部，742頁。
【梨】同「棃」，見325頁。
【桮】同「杯」，見310頁。
【桺】同「柳」，見314頁。

八畫

棒 (bàng)⑧paŋ⁵〔蒲冷切〕❶粗木棍。如「球棒」。❷形容「強」、「好」。如「他的作文真棒」；「他的字寫得好棒」。❸

用棍子打。如「當頭一棒」。❹「棒子」：①粗而短的棍子。②北方稱「玉蜀黍」為「棒子」。❺「棒球」：(baseball)一種團體的室外的球類運動。❻「棒喝」：驚醒迷誤。如「當頭棒喝」。

棓 ▲囡(bàng)⑧paŋ⁵〔棒〕大棒子。

▲(pǒu)⑧peu²〔鋪嘔切〕古時用來墊腳的「蹋板」。公羊傳成二年有「踊於棓而闚客」。

栟(栟) ▲(bīng)⑧biŋ¹〔冰〕「栟櫚」：即「棕櫚」。

▲(bēn)⑧ben¹〔奔〕「栟茶」：地名，在江蘇省。

棚 (péng)⑧paŋ³〔彭〕用竹木等物搭建的高架子，作為遮陽擋雨用的。如「竹棚」；「涼棚」。

椪 (pèng)⑧puŋ³〔碰〕「椪柑」：一種外皮鬆脹的大橘子。

棉 (mián)⑧min⁴〔眠〕❶植物名，有草棉、木棉兩種。草棉高兩三尺，果實成熟以後綻出棉花，可以紡紗，種子可以榨油。木棉長在熱帶，高七八丈，棉花可以填塞枕頭，不適紡紗。❷通「綿」，見538頁。

棼 図(fén)粵fen⁴〔焚〕❶ 短梁。❷ 紛亂。如「治絲益棼」。

棣 (dì)粵dɐi⁶〔弟〕❶ 樹名，有「常棣」；「唐棣」等。❷ 通「弟」。舊時多用於書信。

椗 (dìng)粵diŋ³〔訂〕❶ 同「碇」，見486頁。❷ 同「錠」，見763頁。

棟 (dòng)粵duŋ⁶〔動〕❶ 屋中正梁。如「棟梁」。❷ 量詞，稱述房子用的。如「路邊有兩棟平房」。

棠 (táng)粵tɔŋ⁴〔唐〕❶ 落葉亞喬木，有赤、白兩種。❷「棠棣」：①落葉喬木，果實像櫻桃，可以吃。②図比喻兄弟。

棃(梨) (lí)粵lei⁴〔離〕❶ 落葉喬木，高三丈多，開五瓣白花，果實叫棃，味甜可吃。木材可以做木刻、印刷的用途。❷「棃園」：唐玄宗時教練歌技舞藝的地方。❸「棃渦」：指女子微笑時面頰上的酒渦。

椁(槨) (guǒ)粵gwɔk⁸〔郭〕gɔk⁸〔各〕(俗)棺材外面的套棺。論語有「鯉也死，有棺而無椁」。

棺 (guān)粵gun¹〔官〕收殮屍體的器具。如「棺木」；「棺材」。

棍 (gùn)粵gwɐn³〔瓜印切〕❶ 木棒。如「棍子」；「鐵棍」；「童軍棍」。❷ 說壞人，無賴。如「惡棍」；「賭棍」。❸ 對單身人的謔稱。如「光棍兒」。

棵 (kē)粵pɔ¹〔陂〕量詞，植物一株叫一棵。如「一棵樹」。

棘 (ji)粵gik⁷〔激〕❶ 有刺的灌木，果實很小，味道酸。❷ 指有刺的東西。如「棘皮動物（海產動物之一，皮的表面生有許多硬刺，像海膽、海參等）」。❸ 從多刺比喻艱難。如「滿途荊棘」。❹ 急。如「棘人（居父母喪的人自稱）」。❺ 姓。❻「棘手」：比喻事情難辦。

椒 (jiāo)粵dziu¹〔焦〕❶ 植物名。木本的有胡椒、花椒等；草本的有辣椒、青椒等。❷ 姓。❸「椒房」：漢代后妃所住的宮殿。杜甫詩有「就中雲幕椒房親」。

椈 (jū)粵guk⁸〔谷〕樹名，材質堅緻，有脂而香，古人用它作臼。

椇 (jǔ)粵gœy²〔舉〕落葉喬木，也叫「枳椇」，果實味道甘美，木材可作器物。

椐 (jū)粵gœy¹〔居〕❶ 樹名，也叫「靈壽木」，可以作手

杖。❷「梱梱」：波濤相繼的樣子。❸通「欄」，見342頁。

棲（栖） (qī)粵tsɐi¹〔妻〕❶停留，住。如「棲止」；「棲身之所」。❷囡「棲遲」：游息。詩經有「衡門之下，可以棲遲」。❸「兩棲動物」：能停留生活在水中及陸上的動物。

▲ (xī) 粵 tsɐi¹〔妻〕囡「棲遑」：匆迫的樣子。

棋（棊、碁） (qí)粵 kei⁴〔其〕❶一種娛樂鬥智力的東西。如「圍棋」；「象棋」；「跳棋」。❷用來表關於棋藝的事物。如「棋子」；「棋盤」；「棋局」；「棋賽」。❸「棋佈」常作「星羅棋佈」：形容繁密有如棋子的散佈。❹「棋逢敵手」：比喻彼此能力相當，難分高下。

棨 (qǐ)粵kɐi²〔啟〕❶古時一種用木刻成的過關通行憑證。❷古時官吏所用的儀仗之一，用木頭刻的，像戟。

棄 (qì) 粵 hei³〔氣〕❶捨去丟掉。如「拋棄」；「棄暗投明」。❷廢置。如「廢棄」。❸忘。如「捐棄」。❹「棄世」：①摒絕世務。莊子書有「棄世則無累」。②死的婉稱。❺囡「棄養」：子女奉養父母，惜父母死了。

植 (zhí)粵dzik⁹〔直〕❶栽種。如「植樹」；「種植」。❷穀物、草木總稱。如「植物」。❸樹立。如「扶植」；「植黨營私」。❹囡倚。論語有「植其杖而芸」。

棧 (zhàn) 粵 dzan⁶〔綻〕dzan²〔盞〕(語) ❶堆存貨物的倉庫。如「堆棧」；「貨棧」。❷古時客商留宿的地方。如「客棧」；「高陞棧」。❸養牲畜的木柵欄。如「馬棧」；「戀棧(比喻貪戀祿位。是從三國志注「駑馬戀棧豆」的話引伸來的)」。❹姓。❺「棧房」：替客戶存放貨物並留客戶住宿的商店。❻「棧單」：貨棧收受客戶寄存貨物的憑據。❼「棧道」：在巖壁險要難通的地方，用木料傍山搭建的道路。也叫「棧閣」。❽「棧橋」：用鐵架或木架搭成長橋，從岸上伸入海灣的臨時碼頭。

棹 ▲ (zhuō) 粵 tsœk⁸〔桌〕同「桌」，見320頁。

▲ (zhào) 粵 dzau⁶〔櫂〕同「櫂」，見340頁。

椎 ▲ (chuí) 粵 tsœy⁴〔除〕❶敲打東西的用具。如「鐵椎」。❷作成椎狀的東西。如「椎髻」。❸囡打、敲。史記信陵君列傳有「椎殺晉鄙」。❹囡樸

實笨拙。史記有「俗謂愚為鈍椎」。

▲(zhuī)粵dzœy¹〔追〕「椎骨」：脊椎動物背部中央的骨柱。人的椎骨分頸椎、胸椎、腰椎、薦椎、尾椎五部分，共三十三塊短骨。

根(chéng)粵tsaŋ⁴〔池盲切〕❶門兩旁木。❷囷根觸，是觸動，感動的意思。

棗(zǎo)粵dzou²〔早〕❶落葉亞喬木，圓葉子，開小黃花，橢圓的果子，可以吃，種類很多。❷棗的果實。如「棗兒」；「棗子」。❸姓。

棕(椶)(zōng)粵dzuŋ¹〔宗〕❶常綠喬木，俗稱「棕櫚」。幹圓而高，不分枝。葉子的基部有籜，褐色，俗稱棕毛，強韌耐水濕，可以做繩子、刷子、雨具等。❷顏色。如「棕色(深赭色)」。

森(sēn)粵sɐm¹〔心〕❶樹多的樣子。如「森林」。❷幽暗的樣子。如「陰森」。❸「森嚴」：整齊嚴肅的樣子。❹「森森」：①樹木茂盛的樣子。如「松柏森森」。②形容很冷或很幽暗。如「冷森森」；「陰森森」。❺「森羅萬象」：森然羅列眼前的宇宙各種現象。

椅▲(yī)粵ji¹〔衣〕落葉喬木，跟桐、梓差不多，結紅色的球形果，木材可以作細木器。

▲(yǐ)粵ji²〔倚〕有靠背的坐具。如「椅子」。

椏(yā)粵a¹〔鴉〕樹杈。

棪(yǎn)粵jim⁵〔染〕木名，果實像奈，紅了就可以吃。

棫(yù)粵wik⁹〔域〕叢生小樹，莖葉細刺很多，黃花黑實，又名「白蓤」。

【棊】同「棋」，見438頁。
【棱】同「稜」，見499頁。
【椗】同「筵」，見514頁。
【椀】同「碗」，見486頁。
【渠】見水部，383頁。
【焚】見火部，405頁。
【集】見隹部，792頁。

九畫

楩(pián)粵pin⁴〔駢〕古時長在南方的一種大樹，也叫「黃楩」。

楣(méi)粵mei⁴〔眉〕❶門上橫梁。如「門楣(也可以作家世、門第講)」；「橫楣子」。❷運氣不順。如「倒楣」。

楙(mào)粵mɐu⁶〔茂〕❶古「茂」字，見598頁。❷果木名，古時稱木瓜。

楓 (fēng) 粵fuŋ¹〔風〕落葉喬木，掌狀的葉子，秋天變紅，春間開黃褐色的花，結球狀果。

椴 (duàn) 粵dyn⁶〔段〕樹木名，木材常用作家具。

楠（枏、柟）(nán) 粵nam⁴〔南〕 lam⁴〔藍〕(俗)常綠喬木，橢圓形葉子，淡綠色花，紫黑色果子；木材堅密芳香，可做棟梁或器具。

楞 ▲ (léng) 粵liŋ⁴〔菱〕同「稜」，見499頁。
　▲ (lèng) 粵liŋ⁶〔令〕同「愣」，見222頁。

楝 (liàn) 粵lin⁶〔練〕樹名，高一丈多，複葉，春末開淡紫色花；果實橢圓形像小鈴，熟了變黃，俗稱「金鈴子」。

楛 ▲(hù) 粵wu⁶〔戶〕樹名，像荊但是紅色的。古人用它作箭桿。
　▲図(kǔ) 粵fu²〔苦〕器物做得粗糙。

楷 ▲(kǎi) 粵kai²〔卡徒切〕gai¹〔佳〕(又)❶法式，榜樣。如「楷模」。❷書法體式之一。❸「楷書」：漢章帝建初年間王次仲從隸書演化出來的，又名「正書」、「眞書」。
　▲(jiē) 粵gai¹〔佳〕樹名，也叫「黃連木」，落葉喬木，樹幹很直，木材可以作器具。曲阜孔林有這種樹，所以也叫「孔木」。

楎 図(hún) 粵wen⁴〔魂〕掛衣服的器具。禮記注疏有「直曰楎，橫曰椸」。

極 (jí) 粵gik⁹〔技亦切〕❶最，甚。如「極佳」；「妙極了」。❷事物到了最高的境地。如「極品」；「登峯造極」。❸用盡。如「極力工作」；「極盡人事」。❹地球的南北兩端。如「南極」；「北極」。❺電流的正負兩端。如「陽極」；「陰極」。❻窮絕。如「昊天罔極」。❼君位。如「登極」。❽「極端」：①實體兩端極盡的地方。②激烈的作爲。如「極端分子」。③非常的。如「極端危險」。❾「極點」：事物的最高度。❿「極目」：一眼望去，盡目力所能見到的。杜甫詩有「方舟不用楫，極目總無波」。

楫（檝）図(jí) 粵dzip⁸〔接〕❶行船划水用的槳。如「祖逖擊楫渡江」。❷划船。如「汆徒楫之」。

楬 ▲図(jié) 粵kit⁸〔揭〕❶表識事物的小木樁。❷図「楬櫫」：原是作標記用的小木樁。引伸作表識事物的標誌。

現在一般作「揭櫫」。❸「櫝著」：即「揭櫫」。

▲(qià)粵het⁷〔乞〕古樂器，又名敔。

械(jiān)粵gam¹〔監〕❶木箱。❷信封。信一封作「一械」。通「緘」，見540頁。

楸(qiū)粵tsɐu¹〔秋〕❶落葉喬木，葉像桐樹，夏天開黃綠色花，結實成莢。❷「楸枰」：用楸木製成的棋盤。

楔(xiē)粵sit⁸〔屑〕❶門兩邊的木柱。❷在榫頭縫裏塞入上粗下尖的木橛，敲緊，使榫頭牢固。❸用鐵槌敲擊（釘釘子之類的）。❹櫻桃又名。❺「楔子」：①同上粗下尖的小木橛。②舊式小說、戲曲的開場白。

楦(楥)(xuàn)粵hyn³〔勸〕❶做鞋的木質模型。如「楦子」；「楦頭」。❷用楦頭撐大。如「這鞋緊了，要拿去楦一楦」。❸用紙、乾草、穀皮填塞箱裏的空隙。如「這個裝着古磁器的箱子要小心楦好」。

楨圖(zhēn，舊讀zhēng)粵dziŋ¹〔貞〕❶堅固的木材。❷木柱。書經有「以立楨基」。❸圖「楨幹」：①築牆時立在兩端的木樁。②比喻賢才。

椹▲(zhēn)粵dzɐm¹〔針〕切斬用的砧板。如「木椹」；「鐵椹」。

▲(shèn)粵sɐm⁶〔甚〕同「葚」，見613頁。

楂▲(chá)粵tsa⁴〔查〕同「樝」，見332頁。

▲同「櫨」，見334頁。

楮(chǔ)粵tsy⁵〔柱〕❶喬木，葉子像桑，樹皮可以造紙。❷圖紙的代稱。如「楮墨（紙跟墨）。❸「楮錢」：祭祀時焚化的紙錢。也稱「冥錢」。

楚(chǔ)粵tsɔ²〔礎〕❶樹名，現稱「牡荊」。落葉灌木，葉上有齒，梗上有毛，鮮葉可以作藥。古時拿它的枝條作小杖打人。如「夏楚」；「箠楚」。❷古國名，戰國時是七雄之一，國土主要在湖南湖北一帶。❸湖南湖北的代稱，或單指湖北。❹形容痛苦。如「苦楚」。❺清晰。如「一清二楚」。❻「楚楚」：①鮮明的樣子。如「衣冠楚楚」。②形容女子的嬌弱。如「楚楚可憐」。

椽(chuán)粵tsyn⁴〔傳〕「椽子」：房屋上架住屋瓦的木條。

椿(chūn)粵tsœn¹〔春〕❶落葉喬木，有香味，複葉，嫩的可以吃，俗稱香椿，椿芽。❷

因象徵長壽，用來稱父親。❸
「椿萱」：比喻父母。如「堂上
椿萱雪滿頭」。❹「臭椿」：
「樗」的別稱。見335頁。

楯 (shǔn)粵tœn⁵〔盾〕❶欄杆
的橫木。❷通「盾」，見471
頁。

栜 図(yi)粵ji⁴〔移〕衣架。禮記
有「男女不同栜架」。

椰 (ye)粵je⁴〔爺〕❶樹名。❷
「椰子」：常綠喬木，生在熱
帶，有高到十丈的。羽狀的大
葉子。花單性，雌雄同株，果
實圓大，外有木殼，果肉稀
軟，中空有清水，味甘美，清
涼下火。❸「椰菜」：蔬類，葉
層層包捲成球形，所以又叫
「捲心菜」或「花椰菜」。

業 (ye)粵jip⁹〔葉〕❶古時書冊
的大版，也即是篇卷。曲禮
有「請業則起」(現在學生在學
叫「修業」就是從這裏來的)。
❷社會各種職事。如「農業」；
「工業」；「商業」。❸職務，所
作的工作。如「職業」；「就
業」。❹學習過程。如「始業」；
「肄業」。❺財產。如「祖業」；
「家業」。❻從事一種工作。如
「業農」；「業商」。❼已經。如
「業已辦妥」。❽図形容小心謹
慎。如「兢兢業業」。❾姓。❿
「業障」也作「孽障」：①佛家

語，指過去的罪惡就是現在的
障礙。②罵人的話。

楊 (yáng)粵jœŋ⁴〔羊〕❶喬木
名，跟「柳」相像，不過樹枝
是向上挺的，常見的有「白
楊」、「葉楊」等多種。❷周代
小國，在現在山西省洪洞縣東
南。❸姓。❹「楊梅」：①常綠
喬木，生在暖地，高兩丈多，
橢圓葉子；小圓粒的果實，紅
紫色，甘酸可吃。樹皮可作染
料。②楊梅瘡(梅毒瘡)的簡
稱。

楹 (ying)粵jiŋ⁴〔盈〕❶堂前的
直柱。❷図量詞，房屋一間
叫一楹。❸「楹聯」：懸掛或貼
在楹上的對子、聯語。

榆 (yú)粵jy⁴〔俞〕落葉喬木，
橢圓形的葉子，淡紫色的花
兒。果子扁圓，聯結成串，叫
「榆莢」，也叫「榆錢」。木材可
作建築材料。

楀 (yǔ)粵jy⁵〔雨〕❶樹名。❷
姓。

【椶】同「棕」，見327頁。
【楥】同「楦」，見329頁。
【楳】同「梅」，見321頁。
【楖】同「概」，見334頁。
【禁】見示部，493頁。

十畫

榜 ▲(bǎng) 粵boŋ² 〔綁〕❶貼在牆上的公告。如「榜示」。❷發表考試及格錄取的名單。如「會考放榜」。❸模範。如「榜樣」。❹「榜眼」：舊科舉制度中得到殿試的第二名。

▲図(bèng) 粵poŋ³ 〔諍〕❶行船。如「榜人(船夫)」。❷鞭打。如「榜掠」。

槃(pán) 粵pun⁴ 〔盆〕❶木頭做的托盤。❷図形容大的樣子。「續晉陽秋」書上有「大方槃槃謝道安」。

榧(fěi) 粵fei² 〔匪〕❶常綠喬木，形態像杉，木材可作建築材料。❷「榧子」：①榧樹的果子，橄欖形，炒熟很香可以吃。②用中指跟大拇指相摩擦出聲，對人時有戲弄的意思。如「打榧子」。

榻(tà) 粵tap⁸ 〔塔〕❶狹而長的牀。如「掃榻待客」。❷「下榻」：泛指住宿。

榔(láng) 粵loŋ⁴ 〔郎〕❶漁人驅魚的長棍子。❷「檳榔」：見340頁「檳」字。❸「桄榔」：見318頁「桄」字。❹「榔頭」：鐵錘。

榴(liú) 粵leu⁴ 〔留〕❶「石榴」：落葉灌木，夏天開紅花，結球形果子。根跟皮可以作驅蟲藥，果子可以吃。❷図「榴火」：紅色的榴花，盛開時像一團火。舊詩詞常來形容仲夏。

槁(gǎo) 粵gou² 〔稿〕❶草木枯乾。如「枯槁」。❷「槁木死灰」：比喻無生趣或寂寞無情致。

槀(gǎo) 粵gou² 〔稿〕❶同「槁」，見本頁。❷通「藁」，見500頁。

構(搆)(gòu) 粵 geu³ 〔夠〕keu³ 〔扣〕(又)❶建築，建設。如「構築」；「王業肇構」。❷寫作。如「佳構」；「構造文辭」。❸組織。如「結構」；「機構」。❹結成。如「雙方構怨」。❺連結運用。如「構思」。❻陰謀，陷害。如「構亂」；「構陷」。❼図成功。如「事已構矣」。

榦 ▲(gàn) 粵goŋ³ 〔幹〕❶樹身子。如「枝榦」。❷「楨榦」：見329頁「楨」字。

▲図(hán) 粵 hon⁴ 〔寒〕井欄。

槓(gàng) 粵goŋ³ 〔降〕❶抬重物的粗棍子。如「轎槓」。❷一種體育器械，有單槓，雙槓。❸批改文章，在錯誤有問題的字句旁邊畫粗線。❹把刀在皮上或石上摩擦使它快些。如「槓刀」。❺專橫自以為是，

木部 (10) 榜槃榧榻榔榴槁槀構榦槓　331

喜歡跟人爭吵的動作。如「抬
槓(吵嘴)」;「今天他又跟我槓
上了」。❻「槓桿」:力學上的
助力器械。器械上加重物的地
方是重點,用力的地方是力
點,支在別的東西上的地方是
支點。若是支點距重點近,距
力點遠,用力較省。剪刀、
秤、起重機等等,都是應用槓
桿原理的器械。

榾 (gǔ)粵gwet⁷〔骨〕「榾柮」:
燒火用的斷木。

榼 (kē)粵hep⁹〔合〕古時的酒
器。左傳有「執榼承飲」。

槐 (huái)粵wai⁴〔懷〕落葉喬
木,有兩三丈高,初夏開黃
白花;果實長形,子兒可作
藥;木材可作家具跟建築材
料;花蕾可以作染料。

榎 (jiǎ)粵ga²〔假〕❶樹名,即
是「楸」。❷同「檟」,見339
頁。

樧 図(jié)粵git⁹〔傑〕雞棲的木
椿。

槍 (qiāng)粵tsœŋ¹〔昌〕❶兵
器:①發射子彈殺人的武
器,有步槍、手槍、機關槍
等。又作「鎗」。②古時用鋼鐵
做成尖頭,裝在杆子上的兵
器。❷長筒形的東西。如「煙
槍(抽鴉片的煙管)」。❸「槍
手」:①持槍的兵士。②舊時

冒名代人考試者。

榷 (què)粵kɔk⁸〔確〕❶古人指
獨木橋。❷專賣,專利。如
「榷利」。❸「商榷」:斟酌、商
討。

榭 (xiè)粵dze⁶〔謝〕❶臺上的
房屋。如「水榭」;「歌臺舞
榭」。❷古代的講武堂。❸沒
有房間的廟堂。

寨 (zhài)粵dzai⁶〔砦〕❶防備匪
寇侵襲的木柵欄。如「營
寨」;「安營紮寨」。❷山寇的
聚落處。如「山寨」。❸村莊的
地名。如「張家寨」。

榛 (zhēn)粵dzœn¹〔津〕❶落葉
喬木,高兩三丈,闊葉,春
天開花如長穗,果實呈苞形。
❷「榛子」:榛的果實,味如胡
桃。❸図「榛榛」:草木叢生的
樣子。

槎 図(chá)粵tsa⁴〔查〕❶木
簰,木筏。如「乘槎」。❷
斫。公羊傳有「山木不槎」。

槌 (chuí)粵tsœy⁴〔徐〕❶敲打
東西的用具。如「棒槌」;
「鐵槌」。❷擊,通「搥」,見
263頁。

槊 (shuò)粵sɔk⁸〔朔〕古兵器,
長矛。

榕 (róng)粵juŋ⁴〔容〕❶榕樹,
熱帶常綠喬木,高三四丈,
枝有很多氣根,下垂入地,葉

橢圓形，花紅色；果圓而小，像無花果；產在閩廣、台灣等地。❷福州市的別稱。

榮(róng)粵win⁴〔嶸〕❶草木茂盛。如「欣欣向榮」。❷草花。爾雅釋草有「木謂之華，草謂之榮」。❸有好名譽，受人稱讚，跟「辱」相反。如「榮耀」；「光榮」；「仁則榮，不仁則辱」。❹稱揚別人的。如「榮行」；「榮膺冠軍」。❺姓。❻「榮譽」：①光榮的名譽。②名譽上的。如「榮譽市民」。

榱(cuī)粵tsœy¹〔崔〕屋頂上的椽子。

榫(sǔn)粵sœn²〔筍〕❶「榫子」、「榫頭」：做木器時候，為了使兩件材料接合而特製的凸凹部分。❷「榫眼」：機械上稱任何物體的凹形洞，預備承受榫頭的。

【槕】同「桌」，見320頁。
【楳】同「梅」，見321頁。
【槹】同「皋」，見336頁。
【榘】同「矩」，見480頁。
【榨】同「搾」，見262頁。
【槀】同「槁」，見336頁。

十一畫

標(biāo)粵biu¹〔彪〕❶表露，寫明。如「標價」；「標題」。❷表面的，非根本的。如「治標」。❸表記、符號。如「商標」；「音標」；「標點」。❹目的物。如「標的」；「奪標」。❺指人的面貌好看，風度不錯。如「標致」；「風標」。❻範式。如「標準」。❼清代軍隊編制，陸軍三營叫一標。❽圈末端。淮南子有「本標相應」。❾「標本」：採取動植礦物，保存其原狀，以觀覽或供研究的。❿「標高」：從海平面算起，到地表面的垂直距離。⓫「標榜」：表揚稱讚。⓬「標語」：為宣傳而張貼的簡單語句。⓭「標新立異」：原指特創新意，立論與人不同。後引伸作提出新奇的主張，以顯示與別人不同。

模▲(mó)粵mou⁴〔無〕❶可以作規範、法式的。如「楷模」；「模範」。❷供人仿效的。如「以身模之」。也作「摹」。❸「模稜」：含糊不肯定。如「模稜兩可」。❹「模特兒」：英文 *model* 的音譯，是供藝術家作圖或攝影，或穿着新樣衣裳或使用新商品供人欣賞的人。❺「模模糊糊」：①不分明。②不求甚解。

▲(mú)粵mou⁴〔無〕❶「模子」：製物的型器。❷「模樣」：形狀，樣子，容貌。

樊 (fán) 粵 fan⁴〔凡〕❶籬笆。如「樊籬」。❷鳥籠。如「樊籠」。❸紛雜的樣子。如「樊然殽亂」。❹姓。❺「樊噲」：劉邦的衞士。項羽的謀士范增擬在鴻門宴上殺劉邦，他直入營門，斥責項羽，劉邦始得走脫。

樓 (lóu) 粵 leu⁴〔留〕❶兩層以上的房子。如「三層樓」；「高樓大廈」。❷雙層的。如「樓船」。❸一種高起的建築。如「城樓」；「鐘樓」；「砲樓子」。❹姓。❺「樓子」：①比喻層疊狀的東西。②糾紛，禍殃。如「出樓子」。

樑 (liáng) 粵 loeng⁴〔良〕支撐屋頂的橫木。如「橋樑」、「棟樑」。又作「梁」。

概（槩、㮣）(gài) 粵 koi³〔溉〕❶大略。如「概況」；「概要」。❷一律。如「貨品出門概不退換」。❸態度，舉止。如「氣概」；「大有席捲天下之概」。❹景象。如「勝概」。❺繫念，放在心上。後漢書有「千金之富，不得其願，不概於懷」。❻平斗斛的小木板。❼「概念」：①心理學上說由同類的多數事物所成的普徧觀念。②綜合而成的觀念。

槲 (hú) 粵 huk⁹〔酷〕落葉喬木，高兩三丈，葉有倒卵形的大葉子。雌雄同株，果實呈圓形，木材可以燒木炭。

槥 (huì) 粵 soey⁶〔睡〕古時一種較粗較小的棺材。

樛 (jiū) 粵 geu¹〔鳩〕❶樹枝向下彎曲。❷纏繞盤結。漢書有「天雨而草葉相樛結」。

槿 (jǐn) 粵 gen²〔謹〕樹名，即是「木槿」。落葉灌木，花紫、白、紅各色，可供欣賞。

槳 (jiǎng) 粵 dzoeng²〔蔣〕安置船旁划水行船的用具，比縱搭的櫓短小。

熲 (jiǒng) 粵 gwing²〔炯〕小箱子。

槧 (qiàn) 粵 tsim³〔塹〕❶古書的板本。如「宋槧(宋代的板本)」。❷簡札，書信。

樝 (zhā) 粵 dza¹〔渣〕「樝子」：又名「木桃」。落葉灌木，樹高一兩尺，枝上有刺，春天開白花或黃花，果子圓形，色黃味酸。

樟 (zhāng) 粵 dzoeng¹〔章〕❶常綠喬木，高五六丈，卵形的葉子，開淡黃色小花，果實大小像豌豆；木材紋理緻密，有香氣，可防蟲蛀，又可製樟腦。❷「樟腦」：用樟木蒸餾而成的白色粉末，醫藥上用為防

腐劑，又可供工業上的應用。用樟腦製成的小球是「樟腦丸」，可以殺蟲避臭。用樟木蒸餾而得的油是「樟腦油」，作防臭劑或强心劑。

樁 (zhuāng)[粵]dzɔŋ¹〔莊〕❶一頭打進地下的木頭、石條。如「樁子」；「橋樁」；「打樁」。❷量詞，事情一件叫一樁。如「這一樁事」。

樞 (shū)[粵]sy¹〔舒〕❶門上的轉軸部分。如「戶樞不蠹(時常轉動的門軸不會生蛀蟲，常用作勉勵人勤勉的話)」。❷重要的關鍵。如「樞紐」。❸中心部分。如「中樞(指中央政府)」。❹「樞機」：①戶樞，弩機，比喻主要的事物。②天主教教廷紅衣主教，又名「樞機主教」。

樗 (chū)[粵]sy¹〔舒〕❶落葉喬木，粗皮，葉有臭氣。又叫「臭椿」。❷[因]「樗材」：樗的樹皮粗鬆，沒用處；比喻沒有才能，常作自謙用詞。❸「樗蒲」：古時的一種賭博，大略像擲骰子。

槽 (cáo)[粵]tsou⁴〔曹〕❶放飼料餵牲畜的器具。如「馬槽」。❷盛東西的器具。如「水槽」。❸兩邊高起中間凹下，形狀像槽的東西。如「河槽」；「在門框上挖個槽兒」。❹「槽牙」：臼齒。

槭 (qī)[粵]tsik⁷〔戚〕落葉喬木，高有幾丈，四五月開暗紅色小花，木材可作器具。

樅 ▲(cōng)[粵]tsuŋ¹〔聰〕常綠喬木，葉子細長扁平，結的毬果呈橢圓形，木材輕軟，可以作建築材料，製造器具、紙張。

▲(zōng)[粵]dzuŋ¹〔宗〕樅陽，縣名，在安徽省。

槱 (yǒu)[粵]jɐu⁵〔友〕古時祭祀，燒積柴的一種儀式。如「槱燎」。

樣 (yàng)[粵]jœŋ⁶〔讓〕❶形式，形狀。如「圖樣」；「模樣」。❷圖型，標準。如「樣本」；「樣張」。❸種類。如「這樣的」；「各式各樣的」。❹「樣子」：①形狀。②樣張。❺「樣樣」：每一樣。

樂 ▲(yuè)[粵]ŋɔk⁹〔岳〕ɔk⁹〔惡低入〕(俗)❶有規律而和諧動人的聲音。如「音樂」；「奏樂」。❷姓。❸「樂府」：①古代專管音樂的官署，始於秦、漢。②泛指一種古體詩。

▲(lè)[粵]lɔk⁹〔落〕❶歡喜，快活。如「歡樂」；「樂趣」。❷喜愛。如「樂於助人」；「樂此不疲」。❸笑。如「把他逗樂了」。❹可以快樂的。如「樂

子」;「樂兒」。

▲(lào)粵lɔk⁸〔烙〕縣名。河北有「樂亭」;山東有「樂陵」。

▲囡(yào)粵ŋau⁶〔看低去〕au⁴〔拗低平〕(俗)愛好。如「敬業樂業」;「知者樂水」。

榑(mǎng)粵mɔŋ¹〔媽康切〕「榑果」:即是芒果。參見594頁「芒」。

【梛】同「樗」,見325頁。
【槼】同「欒」,見341頁。
【樀】同「櫅」,見341頁。
【桿】同「㮈」,見本頁。
【𧀊】同「農」,見725頁。
【椝】同「規」,見667頁。

十二畫

樸(pǔ)粵pɔk⁸〔撲〕❶質實不加裝飾。如「儉樸」;「樸素」。❷敦厚。如「樸實」;「純樸」。❸落葉喬木,高有幾丈,葉子橢圓而粗糙,結黑色的圓果子,味甜可吃。❹「樸學」:①指漢學。②專從實際而不浮華的樸實之學,不以名利為目的的學問。

橐(橐)(tuó)粵tɔk⁸〔托〕❶囡口袋。如「囊橐充盈」。❷「橐駝」:①駱駝。②囡比喻駝背的人。❸囡「橐橐」:指穿着鞋走路時所發出的聲音。

楕(tuǒ)粵tɔ⁵〔妥〕「楕圓」:狹長的圓形。

橈▲(ráo)粵nau⁴〔撓〕lau⁴〔離肴切〕(俗)❶彎曲的木頭。❷囡船槳,也指船。如「停橈」;「歸橈」。❸囡「枉屈」也作「枉橈」:比喻違法曲斷。❹「橈骨」:上肢骨的一部分。

▲(náo)粵jiu⁴〔堯〕❶撓亂。易書有「橈萬物者莫疾乎風」。❷船,船槳。同上條❸。

槔(槔、橰)(gāo)粵gou¹〔高〕「桔槔」:見319頁「桔」字。

橄(gǎn)粵gɛm³〔禁〕gam³〔鑒〕(又)「橄欖」:常綠喬木,羽狀的葉子;果實尖長,青色,又名青果或諫果,可以生吃,也可以蜜漬鹽藏。種子可以榨油,樹脂可以作藥。

橫▲(héng)粵waŋ⁴〔胡盲切〕❶平線。跟「縱」、「豎」、「直」相對。如「縱橫交錯」。❷地理上指從東到西,從西到東。如「橫渡太平洋」。❸從中間穿過。如「橫過馬路」。❹把直立的東西放平。如「橫刀」;「橫槊賦詩」。❺漢字的平畫。如「一橫一豎就是十字」。❻外的。如「飛來橫禍」。❼不順

理的。如「橫衝直撞」。❽姓。❾「橫豎」：①橫跟豎。②反正。❿「橫行」：①不循正道而行。②遍行。杜甫詩有「驍騰有如此，萬里可橫行」。⓫「橫目」：①指人類。莊子書上有「橫目之民」。②凶惡的樣子。如「惡人橫目」。⓬「橫眉」：①怒視。②表示憎恨、輕蔑。⓭「橫空」：①當空。陸游詩有「十萬貔貅出羽林，橫空殺氣結層陰」。②橫過空中。如「百鳥橫空」。

▲(hèng)粵waŋ⁶〔胡硬切〕❶倚靠勢力不講理。如「蠻橫」；「強橫」；「橫行霸道」。❷不正常的；凶的。如「橫死」；「橫事」。

樺 (huà)粵wa⁶〔話〕落葉喬木名，開穗狀的小黃花；皮厚而輕軟，可以捲作蠟燭；木材緻密，可以造器具。

機 (ji)粵gei¹〔基〕❶由多種零件聯合組成的工作器具。如「機器」。❷時宜、際會。如「機會」；「投機」。❸智巧。如「機警」；「機變」。❹活動的能力。如「機能」。❺祕密而重要的。如「機密」；「機要」。❻可能發生的迹象，先兆。如「生機」；「危機」；「轉機」。❼機器、飛機的簡稱。如「打字機」；「轟炸機」。

橘 (jú)粵gwet⁷〔骨〕常綠灌木，高一丈左右，莖有刺，葉長卵形，開白色五瓣的花；結扁圓形的果子叫「橘子」，紅色或黃色，味甜可吃。

橛(橛) (jué)粵kyt⁸〔決〕❶短木頭，小木椿。如「木頭橛子」。❷像橛的東西。如「屎橛兒」。❸樹木的殘根。如「樹橛」；「殘橛」。

橋 (qiáo)粵kiu⁴〔喬〕❶架在河上接通兩岸的建築物。如「鐵橋」；「石橋」；「青衣大橋」。❷「橋梓」：兩種樹名。橋樹高大而仰，梓樹矮小而下俯。儒家以父權不可侵犯，似橋；兒子應卑尊屈從，似梓。後用「橋梓」比喻父子。❸姓。

樵 (qiáo)粵tsiu⁴〔潮〕❶薪、柴。❷砍柴。❸「樵夫」：砍柴的人。

樨 (xī)粵sei¹〔西〕「木樨」原作「木犀」：植物名，即是「巖桂」。

橡 (xiàng)粵dzœŋ⁶〔象〕❶常綠喬木，樹幹有乳狀漿汁，可以作樹膠(俗稱「橡膠」)，用途很廣。❷「橡皮」：①橡樹的乳狀膠汁乾了，成黃色軟塊。富有彈性，可以製車輪、皮球

等。在橡皮裏加上多量硫黃，成硬橡皮，用途很廣。❷專爲擦去鉛筆痕跡的文具。❸「橡皮膏」：塗有樹膠的布（俗稱「膠布」），容易黏着。外科醫生用來包紮患處。

橙 (chéng)⦿tsaŋ²〔雌省切〕❶常綠灌木，葉長圓形，開白花；果實圓形黃色，味道或酸或甜，叫「橙子」。❷橙色，黃中帶着微紅。❸「橙皮」：橙子的皮，可以作健胃藥，也可用來調味或去臭。中醫上常寫作「陳皮」。

樹 (shù)⦿sy⁶〔豎〕❶木本植物的總稱。如「樹林」；「種樹」。❷種植。如「十年樹木」。❸建立。如「樹立新風氣」。❹培植。如「百年樹人」。❺計算樹木的量詞。如「一樹梅花」。❻「樹碑立傳」：原指立起石碑，把某人的生平刻在上面加以頌揚。現引伸作樹立個人權威，抬高個人聲望。

橧 囡(zēng)⦿dzɐŋ¹〔增〕「橧巢」：用柴草堆成像鳥巢一樣的住所。

樽(罇) (zūn)⦿dzœn¹〔津〕酒杯。如「移樽就教」。

橇 (qiāo)⦿hiu¹〔囂〕❶古代在泥地上行走所乘的工具。史記有「泥行乘橇」。❷在冰雪上滑行的工具。如「雪橇」。

樾 囡(yuè)⦿jyt⁹〔越〕兩棵樹交會所成的樹陰。

【橺】同「欄」，見341頁。

【欉】同「叢」，見75頁。

【橵】同「楫」，見328頁。

十三畫

檗 (bò)⦿bak⁸〔百〕pak⁸〔拍〕(又)木名，即是黃檗，俗稱黃柏。

檔 (dàng)⦿dɔŋ³〔當〕❶架子上的橫木。如「橫檔」。❷機關裏保存的成套的案卷。如「檔案」。❸件，樁。指事情的單位數。如「出了一檔子事兒」。

檀 (tán)⦿tan⁴〔壇〕❶常綠喬木，生在熱帶，有黃檀白檀兩種，木材有香氣，可以作香料或造器具。又有沒有香氣的檀木，造器具用。❷囡淺絳色。如「檀口（形容女人塗口紅）」。❸姓。❹「檀板」：用檀木製成的歌唱時所用的拍板。歐陽修詩有「舞踏落暉留醉客，歌遲檀板換新聲」。❺「檀香」：①有香味的檀樹。②檀樹的木材。③用檀香木做的香

料。❻「檀越」：佛教名詞，即「施主」。

檑 (léi)⊜loey⁴〔雷〕古城防工具，把圓柱形的木頭，從城上往下滾來攻擊敵人。俗稱滾木，也稱「檑木」。

檁 (lǐn)⊜lem⁵〔凜〕屋上橫木用來支承椽子。

檜 ▲(guì)⊜kui²〔潰〕❶常綠喬木，樹幹像松，葉子像柏，木材質地緻密，不怕水，不會彎翹，適宜作家具或建築材料。❷古代棺材蓋上的一種裝飾。左傳有「棺有翰檜」。
▲(huì)⊜kui²〔潰〕「秦檜」：人名，南宋奸臣。

檟 (jiǎ)⊜ga²〔假〕❶山楸的別名。❷茶樹的古名。❸「檟楚」也作「夏楚」：①用「檟」及「楚」兩種有刺小灌木製成的刑具，用作笞打。②鞭打。如「嚴加檟楚」。

檢 (jiǎn)⊜gim²〔瞼〕❶書皮上的題簽。如「署檢」。❷約束。如「檢束」；「行為不檢」。❸查驗。如「檢查」；「檢閱」。❹揭發。如「檢舉」。❺「檢字」：①從字典、詞典中翻查文字。②排字工人從字架上檢出需用的鉛字。❻姓。❼「檢點」：①查點。如「檢點行李」。②約束。如「言語行為有失檢點」。❽「檢察官」：偵查刑事被告證據並且提起公訴的司法官。

檎 (qín)⊜kem⁴〔禽〕「林檎」：一丈多高的落葉喬木，葉橢圓，開白花。結圓的果子，夏末成熟，味酸甜好吃，俗稱為「花紅」或「沙果」。

檣 (艢) (qiáng)⊜tsœŋ⁴〔祥〕船上的桅杆。陸游詩有「大舸破浪馳風檣」。

檠 (橪) (qíng)⊜kiŋ⁴〔擎〕❶調正弓弩的器具。❷燈架。蘇軾詩有「夢斷酒醒山雨絕，笑看饑鼠上燈檠」。❸一種像邊豆的有腿兒的盤子。

檄 (xí)⊜het⁹〔瞎〕❶古時為了徵召、調兵、聲討用的文書。如「檄文」。❷「羽檄」：插上雞毛表示緊急的文書。

檉 (chēng)⊜tsiŋ¹〔青〕「檉柳」：落葉亞喬木，枝細長，葉密生，夏秋開小紅花成穗狀，有「觀音柳」、「西河柳」、「西湖柳」、「人柳」、「三春柳」、「赤楊柳」等名稱。

檇 (zuì)⊜dzœy³〔最〕「檇李」：①果名，皮色鮮紅，肉多漿質，味道甘美，浙江桐鄉所產的最好。②古地名，在今浙江省嘉興縣一帶。

檃 (yǐn) 粵 jen² 〔隱〕「檃栝」也作「檃栝」、「檃括」、「檃括」：①矯正木材斜曲的器具。②撰寫文章的素材。③根據某一文體原有的詞句、內容而改寫成的另一種體裁。蘇軾的「哨遍」便是用檃括的手法改自「歸去來辭」。

【檥】同「艤」，見591頁。
【檐】同「簷」，見519頁。
【檞】同「橰」，見341頁。

十四畫

檳▲ (bīn) 粵 ben¹ 〔賓〕「檳子」：一種水果，比蘋果小些，帶紫色，甜而有酸味。
　　▲ (bīng) 粵 ben¹ 〔賓〕「檳榔」：常綠喬木，高三丈多，產在熱帶；果實，堅硬味澀，能幫助消化。

檬▲ (méng) 粵 muŋ⁴ 〔蒙〕木名，像槐，葉子黃色。
　　▲ (méng) 粵 muŋ¹ 〔媽空切〕「檸檬」：見本頁下「檸」字。

檯 (枱) (tái) 粵 toi⁴ 〔臺〕桌子。如「寫字檯」；「檯球(即是撞球)」。

檮 囝 (táo) 粵 tou⁴ 〔逃〕❶「檮杌」：①古代傳說的凶獸，常用來比喻惡人。②古時楚國的史書。❷「檮昧」：愚昧無知。

檸 (níng) 粵 niŋ⁴ 〔寧〕liŋ⁴ 〔零〕(俗)「檸檬」：常綠灌木，生在熱帶，葉跟花都像橘；果實橢圓，色黃，味酸。可以作飲料，也可作藥；皮可榨油作清涼劑或芳香劑。

櫃 (guì) 粵 gwei⁶ 〔跪〕❶大的收藏東西的家具。如「衣櫃」；「書櫃」；「櫃子」；「櫃櫥」。❷「櫃臺」：商店用來分隔內外，便利交易的裝置。

檻▲ (jiàn) 粵 lam⁶ 〔艦〕❶古時押送罪犯的籠車。如「檻車」。❷關猛獸的柵欄。如「獸檻」。
　　▲ (kǎn) 粵 ham⁵ 〔何覽切〕門下面的橫木。如「門檻」。

檾 (qǐng) 粵 kiŋ² 〔頃〕草名，又名「白麻」，一年生草本，莖直，花黃色，莖皮的纖維可以做粗繩索。

櫂 囝 (zhào) 粵 dzau⁶ 〔自鬧切〕❶搖船的槳。如「鼓櫂(搖槳)」。❷船。如「買櫂(雇船)」。

【櫄】同「椿」，見342頁。
【櫈】同「凳」，見49頁。

十五至二十一畫

櫝 囝 (dú) 粵 duk⁹ 〔讀〕❶櫃子。如「買櫝還珠」；「龜玉毀於櫝中」。❷棺材。漢書有

「令郡國給槥櫝葬埋」。❸器物的匣，套，函。❹緘藏。

櫑 (léi) 粵 lœy⁴〔雷〕同「罍」，見549頁。

櫟 (lì) 粵 lik⁷〔礫〕落葉亞喬木，高兩三丈，葉狹長，花黃褐色，木材不能作建築材料，果實圓而端尖，有殼斗，俗稱「橡實」。

櫓 ▲(樐、艣、艪)(lǔ) 粵 lou⁵〔老〕撥水使船前進的器具，比槳大。

櫓 ▲(樐、艪)(lǔ) 粵 lou⁵〔老〕❶古兵器，大盾、大戟一類的東西。❷古時守城的瞭望台。如「樓櫓」。

櫚 (lú) 粵 lœy⁴〔雷〕❶常綠喬木，木材紅紫色，像紫檀，很硬，是作牀几的好木材。

櫜 (gāo) 粵 gou¹〔高〕❶古時收藏兵器、鎧甲的口袋。❷囻收起兵器來。

櫛 (zhì) 粵 dzit⁷〔節〕❶梳子篦子的總名。如「巾櫛」。❷囻理髮。如「櫛髮」。❸囻「櫛比」：比喻房屋排列密集。❹囻「櫛風沐雨」：由風來梳頭，雨水來洗澡。形容在外奔波辛勞的意思。

櫍 (zhì) 粵 dzet⁷〔質〕同「鑕」，見774頁。

櫥 (櫉) (chú) 粵 tsy⁴〔廚〕藏器物的器具。如「櫥櫃」；「書櫥」。

櫞 (yuán) 粵 jyn⁴〔緣〕「枸櫞」：見314頁「枸」字。

櫱 (蘖) (niè) 粵 jip⁹〔葉〕樹木被砍伐的部分生的新芽。如「萌櫱」。

櫪 囻(lì) 粵 lik⁷〔礫〕❶馬棚，馬槽。曹操詩有「老驥伏櫪，志在千里」。❷樹名，同「櫟」，見本頁。

櫨 (lú) 粵 lou⁴〔勞〕❶樹名，即是「黃櫨」，漆科樹落葉喬木，果實扁圓可以製蠟。❷柱上的方木，即是「斗拱」，也叫「欂櫨」。

櫳 (lóng) 粵 luŋ⁴〔龍〕❶窗戶。如「簾櫳」。❷囻屋舍的泛稱。如「屋櫳」。❸獸檻。

櫧 (櫧) (zhū) 粵 dzy¹〔朱〕❶小木樁。❷囻「楬櫧」：見328頁「楬」字。

櫧 (zhū) 粵 dzy¹〔朱〕常綠喬木，木材堅實，可作車船或棟梁。

櫬 囻(chèn) 粵 tsen³〔趁〕棺材。如「靈櫬」。

欄 (lán) 粵 lan⁴〔蘭〕❶家畜的圈。如「豬欄」；「牛欄」。❷阻隔、遮擋的東西。如「花欄」；「木欄」。❸報紙版面上

用線條或空白分隔的各部分。如「特欄」;「專欄」。❹「欄杆」也作「闌干」:用竹、木、金屬、石頭製成的遮擋物。

櫺 (ling)⑧liŋ⁴〔零〕❶欄杆或窗框上用木條、金屬條等物製成的小格子。如「窗櫺」;「欄櫺」。❷「櫺梐」:有欄杆的梐。

欅 (jǔ)⑧gœy²〔舉〕榆科的落葉喬木,高好幾丈,葉長卵形,花淡黃色,木質堅細,可以作家具。

櫻 (ying)⑧jiŋ¹〔英〕❶落葉喬木,高一丈多。春天開淡紅花,色彩豔麗。❷「櫻桃」的簡稱。櫻桃是灌木名,葉橢圓而闊,有鋸齒,春夏開花,淡紅白色。果實也叫「櫻桃」,像小紅球,甜美好吃。❸「櫻脣」:比喻美人的嘴,嬌小而紅,像櫻桃。

欂 (bó)⑧bɔk⁹〔薄〕「欂櫨」:柱上的方木,即是「斗拱」。

櫽 (yǐn)⑧jen²〔隱〕「櫽栝」同「檃栝」,見340頁「檃」字。

權 (quán)⑧kyn⁴〔拳〕❶古時稱秤錘。❷図度量輕重。如「權而後知輕重」。❸支配事物或指揮人員的力量。如「權力」;「主權」;「權柄」。❹應有的權力跟應享的利益。如「權

利」;「行使四權」。❺變通。如「權宜之計」。❻図暫且。如「權且」。❼機謀。如「權術」;「弄權」。❽姓。❾「權貴」:指地位高而有權勢的人。❿「權威」:①權力和威勢。②在學術上具聲望與地位的人。

欐 (lì)⑧lei⁶〔荔〕梁棟的別名。

欏 (luó)⑧lɔ⁴〔羅〕「桫欏」:見324頁「桫」字。

欒 (luán)⑧lyn⁴〔聯〕❶落葉喬木,也叫「欒華」,小圓葉子,黃花,結的果像豌豆,圓黑堅硬,可以作數珠。❷柱上的曲木,兩端以承斗拱。❸姓。❹「欒欒」:瘦瘠的樣子。詩經有「棘人欒欒兮」。

欖 (lǎn)⑧lam⁵〔覽〕lam²〔拉減切〕(語)「橄欖」:見336頁「橄」字。

【欝】同「鬱」,見843頁。

【鬱】見鬯部,843頁。

欞 (ling)⑧liŋ⁴〔零〕同「櫺」,見本頁。

【欠部】

欠 (qiàn)粵him³〔蝦厭切〕❶不夠。如「欠缺」;「欠好」。❷用作否定副詞,比「不」字語氣稍為委婉。如「欠佳」;「欠通」。❸借人財物沒還。如「欠帳」;「舊欠未清」。❹肢體稍向上提。如「欠身兒」。❺累了時候張嘴呼氣。如「欠伸」;「打呵欠」。❻言行方面的缺失。如「嘴欠(喜歡說話譏笑別人)」;「手欠(喜歡損毀東西)」。

二至七畫

次 (cì)粵tsi³〔翅〕❶等第,順序。如「等次」;「層次」。❷回數。如「次數」;「一天來回四次」。❸第二。如「次子」;「次日」。❹品質不精。如「次貨」;「次品」。❺旅行途中暫住的處所。如「旅次」;「客次」。❻囡止,到及、入。如「恨之次骨」。

欣 (xīn)粵jen¹〔因〕❶歡喜,快樂。如「欣喜」;「欣然忘憂」。❷姓。❸「欣欣」:①歡喜的樣子。②自得的樣子。③草木茂盛的樣子。也比喻事情蓬勃發展。❹「欣賞」:瀏覽藝術作品或技藝表演等等而能引起舒暢滿足的感受的。❺「欣羨」:羨慕。

欬 囡 (ké,又讀kài)粵kɛt⁷〔咳〕同「咳」,見86頁。

欷 囡 (xī)粵hei¹〔希〕❶「欷吁」:嗟歎聲。❷「欷歔」:哭泣以後的抽噎聲。

欵 ▲ (è,又讀èi)粵ei⁶感歎詞,表示應允。如「欵!那可以」。

▲(ǎi)粵ai²〔挨高上〕❶表示否定或不贊成。如「欵!你這可說得不對了」。❷囡「欵乃」:搖櫓聲。柳宗元詩有「欵乃一聲山水綠」。

欲 (yù)粵juk⁹〔玉〕❶想,要,打算。如「欲罷不能」;「工欲善其事,必先利其器」。❷快要。如「搖搖欲墜」;「山雨欲來風滿樓」。❸同「慾」。如「欲望」;「求知欲」。參見227頁。

八至十一畫

欿 (kǎn)粵hem²〔砍〕❶囡不自滿自傲的意思。如「自視欿然」。❷囡憂愁的樣子。楚辭有「欿愁悴而委情兮」。❸同「坎」,坑穴。見112頁。

款 (欵) (kuǎn)粵fun²〔花碗切〕❶經費,錢財。

如「存款」；「款項」。❷招待。如「款待」；「款客」。❸條目。如「條款」；「第二條第四款」。❹樣式。如「款式」。❺慢慢地。如「款步」；「點水蜻蜓款款飛」。❻圆誠懇。如「悃款」；「款留」。❼圆叩，敲，打。如「款關請見」。❽圆誓詞。如「納款(古時投降的人進納誓詞)」。❾「款識」：①鐘鼎彝器上面所刻的字，凹的叫款，凸的叫識。②書畫上的標題姓名等。如「落款」；「上下款」。❿「款款」：①徐緩的樣子。②誠實。司馬遷文有「誠欲效其款款之愚」。③和樂的樣子。如「獨樂款款」。

欻 ▲圆(hū)粵fet⁷〔拂〕忽然，快速。如「欻忽(形容迅速)」。

▲(chuā)粵tsa¹〔叉〕狀聲字。如「欻的一聲」；「欻拉一聲，把菜放在滾油鍋裏」。

▲圆(xù)粵tsuk⁷〔促〕❶吹動升起。❷「欻欻」：動的樣子。

欺 圆(qī)粵hei¹〔希〕❶詐騙。如「欺騙」；「自欺欺人」。❷自己昧着心。如「欺心」。❸凌辱。如「欺負」；「欺軟怕硬」。❹「欺世盜名」：用欺騙的手段，竊其名譽。

欽 (qīn)粵jem¹〔音〕❶恭敬，敬重。如「欽佩」；「英勇可欽」。❷以往對於君主的敬語，指說皇帝的行動。如「欽命」；「欽賜」；「欽差大臣」；「欽定四庫全書」。❸縣名，在廣東省。❹姓。❺「欽欽」：①憂思的樣子。詩經有「憂心欽欽」。②鐘聲。詩經有「鼓鐘欽欽」。❻「欽天監」：明清兩代皇家掌管天文曆法的官署。

欹 ▲(yī)粵ji¹〔衣〕圆歎美的詞，同「猗」。如「欹歟」；「欹嗟」。見428頁。

▲(qī)粵kei¹〔崎〕側向一邊。如「欹傾」。

歇 (xiē)粵hit⁸〔蝎〕❶休息。如「歇歇腳」；「歇會兒」。❷睡覺，住宿。如「歇宿」。❸停止。如「歇業」。❹「歇後語」：用歇後法構成的語句。把最要緊的意思藏起來不說，讓人依前面的話去推測。如「孝弟忠信禮義廉——無恥」；「竹籃子打水——一場空」。❺「歇斯底里」：hysteria的音譯，一種精神失常的病態，患者憂鬱暴躁。

歆 (xīn)粵jem¹〔音〕❶羨慕。如「歆羨」。❷圆古時指神靈享用祭品。詩經有「其香始升，上帝居歆。」❸圆悅服。

如「民歔而德之」。

歃 図 (shà) 粵 sap⁸〔霎〕❶ 小飲。❷図「歃血」：古時盟誓時候，把血塗在口邊，表示信守。

歈 (yú) 粵 jy⁴〔如〕歌。如「吳歈蔡謳」。

歌(詞) (gē) 粵 go¹〔哥〕❶ 出聲唱。如「歌唱」；「高歌一曲」。❷ 可以唱的韻文。如「兒歌」；「詩歌」。❸ 編出詩歌來讚頌。如「歌功頌德」。❹「歌劇」：由器樂、聲樂、舞蹈、背景拼合成的一種樂劇，十六世紀末出現在意大利，原名叫 opera。❺「歌謠」：可以唱的韻語。有樂曲伴奏的叫歌；沒樂曲伴奏的叫謠。

歉 ▲図 (qiàn) 粵 him³〔欠〕❶作物收成不好。如「歉收」；「年成有豐歉」。❷吃不飽。如「腹歉衣裳單」。

▲図 (qiàn) 粵 hip⁸〔怯〕❶向人說對不起的意思。如「道歉」；「歉意」。❷心覺不安。如「抱歉」；「歉仄」。

歎(嘆) (tàn) 粵 tan³〔炭〕❶ 心裏苦悶時發出的呼聲。如「歎息」；「長歎一聲」。❷讚美。如「歎賞」；「歎為觀止」。❸「歎詞」：文法上稱表示喜怒哀懼感情的詞，像「嗚呼」、「啊呀」等，也叫感歎詞。

歐 ▲図 (ōu) 粵 eu¹〔鷗〕❶歐羅巴洲的簡稱。如「西歐」；「歐化」。❷ 姓。❸「歐陽」：複姓。❹「歐姆」：英文 ohm 的音譯。電流阻力單位，斷面積一平方公釐，長106.3公分的水銀柱，在攝氏零度時通電後所呈的阻力，叫一歐姆。常簡作「歐」。❺図同「謳」，歌唱。如「百姓歐歌」。參見687頁。

▲図 (ǒu) 粵 eu²〔毆〕❶同「嘔」，吐。見100頁。❷通「毆」，捶擊。見353頁。

十二至十八畫

歙 ▲図 (xī) 粵 kɐp⁷〔吸〕❶吸氣，吸進。❷通「翕」，和合。見558頁。❸同「噏」，見281頁。

▲(shè) 粵 sip⁸〔攝〕縣名，在安徽省。

歔 図 (xū) 粵 hœy¹〔虛〕❶由鼻孔出氣。❷「歔欷」：悲泣氣咽而抽息。

歟 図 (yú) 粵 jy⁴〔如〕❶語末助詞，表疑問、反詰。如「然歟否歟(是呢不是呢)」。❷語間助詞。如「猗歟盛哉(美呀盛啊)」。

歠 図 (chuō) 粵 dzyt⁸〔綴〕❶
飲，喝。❷指羹湯。國策上
有「進取熱歠」。

歡（懽、驩、讙）(huān) 粵
fun¹〔寬〕
❶喜樂。如「歡樂」；「歡天喜
地」。❷図相愛的人。如「所
歡」；「新歡」。❸活潑，興
奮，旺盛。如「歡欣鼓舞」；
「歡蹦亂跳」。❹「歡迎」：①高
興那個人來而迎接他。②誠心
希望，樂於接受。如「歡迎參
觀」；「歡迎投稿」。

【止部】

止 (zhǐ)粵dzi²〔子〕❶停住。如
「停止」；「適可而止」。❷使
停住。如「止痛」；「止咳」。❸
攔阻。如「禁止」；「制止」。❹
沉靜。如「心如止水」。❺只，
僅有。如「不止這樣」；「止此
一家，別無分號」。❻図來
到。如「嘉賓蒞止」。❼図留。
如「止子路宿」。❽図居住。如
「邦畿千里，維民所止」。❾図
心之所安。如「止於至善」。❿
図語末助詞，表決定。如「高
山仰止，景行行止」。

一至二畫

正 ▲(zhèng)粵dziŋ³〔政〕❶跟
「反」相對。如「正面」；「正
比例」。❷跟「副」相對。如「正
本」；「正刊」。❸跟「偏」相
對。如「正廳」；「正房」。❹跟
「負」相對。如「正電」；「正
數」。❺數學名詞。跟「餘」相
對。如「正弦」；「正切」。❻跟
「邪」相對。如「正道」；「正
氣」。❼方直的，不偏不倚
的。如「正中」；「方正」。❽沒
有私心的。如「公正」；「正人
君子」。❾合於常理的。如「正
經」；「正路」。❿恰好。如「正

好」;「正中下懷」。⓫表示動作在進行。如「正在吃飯」;「正在開會」。⓬改訂錯誤。如「正名」;「正音」;「糾正」。⓭精純不雜的。如「純正」;「味兒不正」。⓮囝整理。如「正其衣冠」。⓯囝治罪。如「明正典刑」。⓰姓。⓱「正宗」:嫡派,正統的。⓲囝「正派」:指人的品行方正。⓳囝「正書」:楷書。⓴「正經」:①規矩,指品行、態度。如「正經人」;「正經話」。②道地的意思,指性質。如「正經貨」。㉑「正義」:①公理。②注釋經史義理正確的。如「五經正義」;「史記正義」。㉒「正名」:辨正名稱、名份。論語有「名不正,則言不順」。㉓「正身」:確是本人,並非冒名頂替者。如「嚴明正身」。㉔「正本清源」:從源頭上清理。引作比喻從根本上解決問題。

▲ (zhēng) 粵dziŋ¹〔征〕❶「正月」:陰曆一年的第一個月。如「新正」。❷「正旦」:正月初一。

▲ (zhēng) 粵dziŋ²〔整〕整(用在錢款數額後面)。如「伍仟圓正」。

比 (cǐ) 粵tsi²〔始〕❶這個。跟「彼」相對。如「此人」;「此時此地」。❷這樣。如「因此」;「如此這般」。❸這裏。「到此一遊」。❹囝乃,就。如「有土此有財」。❺「此外」:除此以外。❻「此後」:自今以後。

三至四畫

步 (bù) 粵bou⁶〔部〕❶走路。如「徒步」;「安步當車」。❷走路時兩腳前後的距離。如「邁步向前」。❸用腳步量。如「步一步這有多長」。❹古代的長度單位,五尺爲一步。❺表示程度。如「進步」;「退一步說」。❻追隨。如「步其後塵」。❼囝氣運。如「國步維艱」。❽姓。❾「步步」:①一步一步地。②逐步。❿「步伐」:指軍隊操練或學校體操所走的步子。如「步伐整齊」。⓫「地步」:境地。如「落至這一地步」。⓬「步驟」:作事的程序。

歧 (qí) 粵kei⁴〔奇〕❶旁出的道路。如「歧路」。❷錯雜,不一致。如「紛歧」;「歧異」;「歧視」。❸「歧途」:①岔路。②比喻錯誤的方向,危險的道路。如「誤入歧途」。❹囝「歧路亡羊」:比喻根本相同而末節相異,追求道理容易誤了方向,入於歧途。

武 (wǔ) 粵mou⁵〔舞〕❶軍事方面的。如「武將」；「武裝部隊」。❷跟「文」相對，技擊方面的。如「武士」；「武術」。❸半步。古代以六尺為「步」；半步為「武」。❹古時候冠上的結帶。禮記有「縞冠玄武」。❺因繼。詩經上有「下武惟周」。❻因足迹。詩經有「繩其祖武」。❼勇猛。如「威武」。❽姓。❾「武斷」：只憑主觀臆測作出的判斷。

【肯】見肉部，572頁。

五至十四畫

歪 ▲(wāi) 粵wai¹〔烏拉切〕❶不正。如「歪斜」；「歪戴帽子」。❷不正當的。如「歪風」；「歪纏」。❸粗劣的。如「歪詩」。❹身子暫時斜靠休息一下。如「在牀上歪一會兒」。
▲(wǎi) 粵wai²〔烏解切〕扭傷。如「歪了踝子骨」。

【歸】「歸」的古體，見本頁。

歲（歲、歲）(suì) 粵sœy³〔碎〕❶年。如「去歲」；「歲歲平安」。❷年齡。如「年歲」。❸因穀物的收成。如「國人望君如望歲焉」。❹星名，即是木星。❺「歲月」：泛指時間。如「歲月不居，時節如流」。

【雌】見隹部，793頁。
【齒】見齒部，880頁。
【整】見攴部，280頁。

歷（歷） (lì) 粵lik⁹〔力〕❶經過。如「經歷」；「歷盡艱苦」。❷已經過去的。如「歷年」；「歷代」。❸因一個個地，周遍地。如「歷覽各地風光」。❹因選擇。史記有「歷吉日以齋戒」。❺「歷史」：①國家大事的記載。②事情的變遷跟沿革的記載。③記載過去事迹的書籍。❻因「歷歷」：分明清楚的樣子。如「歷歷在目」。❼通「曆」，見299頁。

歸（歸、逫）▲(guī) 粵gwei¹〔龜〕❶回來，回去。如「出外未歸」；「歸心似箭」。❷還給。如「歸還」；「完璧歸趙」。❸依附。如「萬衆歸心」；「衆望所歸」。❹屬於。如「這事不歸我管」；「這份歸我，那份歸你」。❺湊，聚，合併。如「歸併」；「總歸」。❻算，論，計。如「歸咎」；「歸功」。❼珠算一位的除法。如「九歸」。❽因指女子出嫁。如「于歸之喜」。❾姓。❿「歸化」：甲國人民入乙國國籍。⓫「歸納」：由特殊事實推出普通原理的思惟方法。⓬「歸省(xǐng)」：回家探望父

母。

▲図（kuì）粵gwɐi⁶〔跪〕通「餽」，贈送。論語有「齊人歸女樂」。

▲図（kuì）粵kwɐi⁵〔愧〕同「愧」。戰國策有「狀有歸色」。見224頁。

【歹部】

歹 ▲（dǎi）粵dai²〔低徙切〕❶跟「好」相反，壞的，惡的。如「歹徒」；「歹意」；「為非作歹」。❷「好歹」：①好和壞。如「不知好歹」。②無論如何。如「好歹你得去一趟」。

▲同「歺」，見本頁。

一至五畫

歺 図（è）粵at⁸〔壓〕殘骨。

死 （sǐ）粵si²〔史〕sei²〔詩喜切〕（又）❶喪失生命，跟「活」、「生」相反。如「死亡」；「視死如歸」。❷判定被處死刑的。如「死囚」；「死罪」。❸失去作用或效力。如「死信」；「死字」。❹沒有知覺像是死了的。如「睡得真死」；「腦筋太死」。❺拼命。如「死守」；「死戰」。❻不能生發的。如「死錢」。❼靜寂不流動的。如「死水」。❽非常，極甚。如「高興死了」；「氣死人了」。❾堅持。「死等」；「死不認帳」。❿呆板不靈。如「死板」。⓫不通達。如「死巷子」。⓬不可改變的。如「死規矩」；「死法子」。⓭固定了不能動的東西。如

「板兒釘死了」。⓮ 強記。如「死記」。⓯ 熄滅了的。如「死灰復燃」。⓰ 咒罵的話。如「該死」；「這死狗又來了」。⓱ 固執不能變通。如「死賣力氣」；「死要面子」。⓲ 囡為某事而死。如「死難」；「死義」。⓳「死角」：①在射程範圍內，因為地形限制，火力到不了的地方。②平常注意不到之處。⓴「死心塌地」：斷了念頭不作別的打算。㉑「死有餘辜」：形容罪惡極大，即使處死他也抵償不了他的罪過。

【歺】見歹部，127頁。

歿 (歾) 囡(mò) 粵mut⁹〔末〕死。如「存歿均感」。

殀 (yāo) 粵jiu²〔妖〕同「夭」，短命。見129頁。

殆 囡(dái) 粵toi⁵〔怠〕❶危險。如「病殆」；「學而不思則殆」。❷大概，或，也許，恐怕是。孟子書有「殆不可復」。❸將近。如「死亡殆盡」。❹不過，僅。漢書有「此殆空言」。

殄 囡(tiǎn) 粵tin⁵〔提免切〕❶盡；滅絕。如「殄滅敵人」。❷糟蹋，浪費。如「暴殄天物」。

殂 囡(cú) 粵tsou⁴〔曹〕死亡。諸葛亮出師表有「光帝創業

未半，而中道崩殂」。

殃 (yāng) 粵jœŋ¹〔央〕❶災禍。如「遭殃」。❷使人受害。如「禍國殃民」。❸「殃及池魚」：比喻無端受累。原句是東魏杜弼檄梁文的「城門失火，殃及池魚」。

六至九畫

殉 囡(xùn) 粵sœn¹〔詢〕❶古時逼迫活人陪葬。如「殉葬」。❷為了某事而犧牲生命。如「殉國（為國捐軀）」；「殉義」。

殊 囡(shū) 粵sy⁴〔受〕❶不同。如「殊途同歸」；「言人人殊」。❷非常，極甚。如「殊念」；「殊甚」。❸拚死。如「殊死戰」。❹特別的。如「特殊」；「殊禮」。❺囡「殊途同歸」：方法不同，而結果一樣。

殍 囡(piǎo) 粵piu⁵〔縹〕餓死的人。如「野有餓殍」。也作「莩」。

殖 (zhi) 粵dzik⁹〔直〕❶孳生。如「繁殖」；「生殖」。❷種植。如「墾殖」。❸生財興利。如「殖財」；「殖貨」。❹「殖殖」：方正而平坦的庭宇。詩經有「殖殖其庭」。

▲ (shi) 粵 dzik⁹〔直〕「骨殖」：屍骨。

殘 (cán)⑧tsan⁴〔池閑切〕❶毀壞，傷害。如「殘害」；「殘賊」；「摧殘」。❷暴虐。如「殘忍」；「殘暴」；「殘酷」。❸不完整的。如「殘破」；「殘缺」。❹快要完的，剩餘的。如「殘年」；「殘羹剩飯」。❺「殘廢」：肢體有一部分損毀或失去作用。❻「殘生」：指人一生剩下的殘餘歲月。杜甫詩有「江村獨歸處，寂寞養殘生」。

殥 (yín)⑧jen⁴〔人〕荒遠之地。淮南子有「九州之外，乃有八殥」。

殛 囝(jí)⑧gik⁷〔激〕❶誅殺。如「殛鯀于羽山」。❷雷電打死人或打壞東西。如「雷殛」。
【殀】同「殀」，見821頁。

十至十七畫

殞 囝(yǔn)⑧wen⁵〔允〕❶死亡。如「殞滅」；「殞沒」。❷通「隕」，落下來。如「槁葉夕殞」。見790頁。

殣 囝(jìn)⑧gen²〔謹〕gen⁶〔近〕(又)❶餓死。❷埋葬。通「墐」，見120頁。

殤 囝(shāng)⑧sœŋ¹〔商〕❶未成年便死了。❷指死難者。如「國殤(為國事而死者)」。

殫 囝(dān)⑧dan¹〔丹〕❶盡量地用。如「殫力」；「殫天下

之財」。❷「殫見洽聞」：見聞廣博。❸「殫思極慮」：用盡心思。

殪 囝(yì)⑧ji³〔意〕❶死。如「擊人盡殪」。❷殺死。如「殪敵無算」。

殮 (liàn)⑧lim⁵〔臉〕把死人放進棺材裏。如「裝殮」；「大殮」。

殭 (jiāng)⑧gœŋ¹〔姜〕❶動物死了以後屍體變硬而不腐朽的。如「殭屍」；「殭蠶」。❷「殭巴」：泛指乾而收縮。如花兒枯萎可說是「花兒都殭巴了」。❸通「僵」，見36頁。

斃 (bì)⑧bei⁶〔幣〕❶死。如「倒斃」；「槍斃」。❷殺死。如「我斃了他」。

殯 (bìn)⑧ben³〔鬢〕❶把裝着死人的棺材抬到厝棺的地方或是下葬的墓地。如「出殯」。❷囝埋沒。孔稚圭文有「道帙長殯」。❸「殯殮」：裝殮跟出殯。

殲 (jiān)⑧tsim¹〔籤〕殺盡。如「殲滅」。

─────────────────

【殳部】

殳 (shū)粵sy⁴〔殊〕❶古老撞擊用的兵器，長一丈二尺，用竹子做成，有棱而沒有刃。❷姓。

五至六畫

段 (duàn)粵dyn⁶〔斷〕❶事物、時間的一節或一部分。如「分成三段」；「講了一段話」；「還要一段時間」。❷作事的方法、層次。如「手段」。❸姓。❹「段干」：複姓。❺「段落」：①一段文章或言語的結束處。如「第一個段落」。②暫時停頓，大都指事情。如「這件事現在可以告一段落」。

殷 ▲(yīn)粵jen¹〔因〕❶富足。如「殷商」；「殷實」。❷図盛大，深，厚。如「殷憂」；「情意甚殷」。❸周到，盡心意。如「殷勤」。❹朝代名，商朝盤庚遷都於殷(今河南省偃師縣西)以後，改商為殷(公元前1388—1122)。❺姓。❻図「殷殷」：①盛大的樣子。②殷勤的樣子。③憂慮的樣子。詩經有「憂心殷殷」。❼図「殷鑑」：借前事來做鑑戒。

▲(yān)粵jin¹〔煙〕❶赤黑色。杜甫詩有「曾閃朱旗北斗殷」。❷「殷紅」：深紅。

▲図(yǐn)粵jen²〔隱〕狀聲詞。詩經有「殷其雷」。

七至八畫

殺 ▲図(shā)粵sat⁸〔煞〕❶使人或動物喪失生命。如「殺雞」；「殺人」。❷軍隊在進攻時候到達某一個地方。如「李愬殺進蔡州城」。❸皮膚受到藥物的刺激，有微微刺痛的感覺。如「抹了這種藥殺得好痛啊」。❹消，減。如「殺價」；「殺暑氣」。❺死，「極度」的意思。如「笑殺人哪」；「恨殺人哪」。❻綁緊的意思。如「把腰帶用力殺緊」。❼收束。如「殺尾」；「殺帳」。❽「殺青」：①古人烤炙竹簡，使水分像汗珠般冒出來，然後才容易書寫而且可免蟲蛀，叫作「殺青」。②指著作完成。參見362頁「汗青」。❾「殺風景」：俗而傷雅，使人敗興。❿「殺身成仁」：為正義而犧牲生命。

▲図(shài)粵sai³〔曬〕❶衰敗，減消。如「隆殺(盛衰)」。❷降級。中庸有「親親之殺」。❸聲音急促。如「嘍殺」。

殹 図(yī)粵ji¹〔衣〕❶呻吟聲。❷用在句首的語助詞，通

「繄」，見544頁。❸用在句中的語助詞。同「兮」。

殻(殼)▲(qiào)⑧hɔk⁸〔蝦惡切〕物體的硬皮。如「地殼」；「軀殼」；「金蟬脫殼」。

▲(ké)⑧hɔk⁸〔蝦惡切〕堅硬的外皮。如「核桃殼兒」；「雞蛋殼兒」。

殽 図(xiáo)⑧ŋau⁴〔肴〕au⁴〔拗低平〕(俗)❶同「淆」。錯雜。見380頁。❷通「肴」。葷饌。見572頁。

九至七十畫

殿 (diàn)⑧din⁶〔電〕❶高大的房屋。如「宮殿」。❷供奉神佛的大屋子。如「大雄寶殿」。❸軍隊行進時擔任後方警衞的部分。後引伸在考試、比賽時名列最後的或入選中的最末一名。如「殿後」；「殿軍」。

殻 図(huò)⑧fɔ³〔貨〕嘔吐的樣子。左傳有「君將殻之」。

毀 (huǐ)⑧wɐi²〔卉〕❶破壞，傷害。如「毀壞公物」；「身體髮膚，受之父母，不敢毀傷」。❷誹謗。如「毀謗」；「毀譽參半」。❸図悲哀。如「哀毀逾恆」。

毄 図(jì)⑧gik⁷〔擊〕❶擊中。周禮有「盧人毄兵用強」。❷

拂。考工記有「弓人和弓毄摩（意思是說用弓必先調之、拂之、摩之）」。

毃 (jué)⑧gɔk⁸〔角〕同「珏」，見434頁。

【毃】見弓部，200頁。

毆 ▲(ōu)⑧ɐu²〔嘔〕擊、打。如「鬥毆」；「毆打」。

▲古「驅」字，見833頁。

毅 (yì)⑧ŋɐi⁶〔藝〕ɐi⁶〔矮低去〕(俗)❶意志堅強而有果斷力。如「剛毅」。❷「毅然」：形容態度堅決。

【穀】見禾部，501頁。

【縠】見糸部，541頁。

【轂】見車部，722頁。

【觳】見角部，672頁。

【鷇】見鳥部，860頁。

【毋部】

毋 図(wú)粵mou⁴〔無〕❶不可以。如「毋忘在莒」;「臨財毋苟得」。❷無。如「不自由,毋寧死」。❸表示疑惑不決。如「毋乃不可乎」。❹姓。

毋 (guàn)粵gun³〔灌〕❶姓。❷通「貫」,見697頁。

一至三畫

母 (mǔ)粵mou⁵〔武〕❶媽媽,娘,生我的人(男的稱「父」;女的稱「母」)。如「母親」。❷對女性長輩的尊稱。如「伯母」;「姑母」。❸事物所從出的。如「母校」;「母金」;「失敗為成功之母」。❹雌性的禽獸。如「母貓」;「母雞」。❺泛指可以產生出新物體的本體。如「工作母機」。❻兩個部分合組的一套東西,供另一部分嵌入的。如「子母扣兒」;「螺絲母兒」。❼姓。

每 (měi)粵mui⁵〔痲倍切〕❶常常,往往。如「世事每每不如人意」。❷各。如「每人一件」;「每天三餐」。❸凡是。如「每逢佳節倍思親」。❹元明小說家用作「們」字。如「你每」;「他每」。❺図雖然。詩經有「每有良朋,況也永歎」。❻「每下愈況」也作「每況愈下」:愈來愈壞的意思。

毑 (jiě)粵dzɛ²〔姐〕❶母親。❷「娭毑」:見141頁「娭」字。

四至九畫

毒 (dú)粵duk⁹〔獨〕❶有毒的。如「毒品」;「毒蛇」;「有毒的書刊」。❷害死。如「這藥是毒老鼠的」。❸狠的。如「毒計」;「手段毒辣」。❹図恨。後漢書有「令人憤毒」。

毓 図(yù)粵juk⁷〔郁〕生育,孕育。如「鍾靈毓秀」;「以能草本」。

【比部】

比 ▲(bǐ)粵bei²〔彼〕❶較量。
如「比較」;「無與倫比」。❷
摹擬,作譬喻。如「比喻」;
「打個比方」。❸數學稱同類的
兩個數相除。如「a:b」;「3:
5」。❹「比丘」:和尚。尼姑也
稱「比丘尼」。❺「比例」:前兩
數相除等於後兩數相除。如
6:3=8:4。❻「比重」:物理
學指物質的密度跟攝氏四度的
純水的密度的比。❼「比畫」:
①用手勢摹擬動作。②動武。
如「兩個人說着說着,就比畫
起來了」。

▲冈(bǐ,舊讀bì)粵bei³
〔臂〕❶靠近,接連的。如「櫛
次鱗比」;「天涯若比鄰」。❷
依附。如「朋比為奸」。❸親
近。周禮有「大國比小國」。❹
最近,近來。如「比來」;「比
年」。❺考試。如「大比之
年」。❻「比比」:每每,常
常。如「比比皆是」。❼「比
肩」:肩膀挨着肩膀。

▲(pí)粵pei⁴〔皮〕「皋比」:
即是虎皮。

毖 冈(bì)粵bei³〔秘〕❶謹慎。
如「懲前毖後」。❷辛勞。❸
泉水流動的樣子。詩經有「毖
彼泉水」。

毗(毘) 冈(pí)粵pei⁴〔皮〕❶
輔助。詩經有「天子
是毗」。❷連接。如「毗連」。

【皆】見白部,464頁。
【琵】見玉部,437頁。

毚 冈(chán)粵tsam⁴〔慚〕❶
「毚兔」:狡猾的兔子。❷
「毚欲」:貪心,欲望多。

【毛部】

毛 (máo) 粵mou⁴〔無〕❶動物表皮上所生的細柔的絲狀變形物。如「羊毛」;「毛髮」。❷像毛的東西:①指穀物或地上的草木。如「不毛之地(不長植物的地方)」。②因發霉而生的白色細絲。如「年糕發毛了」。❸粗糙的。如「毛貨」;「毛坯子」。❹動作輕浮不穩重。如「毛手毛腳」。❺差錯,缺點。如「毛病」。❻粗略估計。如「毛利」;「毛重」。❼形容小。如「毛賊」;「毛孩子」;「毛毛雨」。❽驚慌失措。如「嚇毛了」;「心裏發毛」。❾一塊錢的十分之一。如「兩塊七毛五」。❿図瑣碎。如「毛舉細故」。⓫姓。⓬「毛骨悚然」:驚懼的樣子。

【毡】同「氈」,見357頁。

六至八畫

翆 図(mù) 粵muk⁹〔木〕「翆翆」:①形容風吹的樣子。②蒙昧不明的樣子。後漢書有「極竭翆翆之思」。

毨 図(xiǎn) 粵sin²〔癬〕齊整,整理。書經有「鳥獸毛毨」。

【耗】見耒部,564頁。

【毬】同「絨」,見534頁。

毫 (háo) 粵hou⁴〔豪〕❶細長尖銳的毛。❷指毛筆。如「狼毫」;「揮毫」。❸一點,些少。如「毫無道理」;「毫不相干」。❹重量單位,「釐」的十分之一。❺長度單位,十毫為一釐。❻貨幣單位。一角也叫一毫。❼秤或戥子桿上的提繩,分頭毫、二毫、三毫等。❽図「毫末」:毫毛的末端,形容極纖細。❾「毫釐」:形容極其細微的數。如「毫釐不爽」。

毬 (qiú) 粵keu⁴〔求〕圓形成團的東西。通「球」,見437頁。

毧 (rǒng) 粵juŋ²〔湧〕同「氄」,見357頁。

毰 図 (péi) 粵 pui⁴〔倍〕「毰毸」:形容奮張的樣子,披散的樣子。

毯 (tǎn) 粵tam²〔他減切〕作臥具或鋪地用的毛織物。如「毯子」;「地毯」。

毳 図(cuì) 粵tsœy³〔脆〕❶鳥獸的細毛。❷通「脆」,見575頁。

九至二十二畫

氂 図 (mào) 粵 mou⁶〔冒〕「氂氃」:煩悶。

毽 (jiàn) 粵 jin² 〔演〕毽子，用皮或布裹着銅錢，錢孔上插羽毛，用腳踢，使上下起落不停。是一種帶有運動意味的遊戲。

毹 (毺) 図 (shū) 粵 jy⁴ 〔如〕「氍毹」：見本頁「氍」字。

毸 図 (sāi) 粵 sɔi¹ 〔腮〕「毰毸」：見356頁「毰」字。

氂 (máo，舊讀 lí) 粵 lei⁴ 〔梨〕mou⁴ 〔毛〕(又) ❶馬尾。❷図硬而彎曲的毛。❸長毛。❹同「犛」，見424頁。

毵 図 (sān) 粵 sam¹ 〔三〕❶毛長的樣子。如「毵毵下垂」。❷細長的樣子。如「綠岸毵毵楊柳垂」。

氌 (pǔ) 粵 pou² 〔普〕「氆氌」：西藏出產的一種毛織品。

氅 (chǎng) 粵 tsɔŋ² 〔廠〕❶用鳥羽編成的裘。如「鶴氅」。❷大衣。

氄 (rǒng) 粵 juŋ² 〔湧〕❶鳥獸貼近皮膚的細毛。❷纖細柔軟。如「頭髮發氄」。

氈 (毡、氊) (zhān) 粵 dzin¹ 〔煎〕壓成片的粗毛。可以做墊子、褥子，也可做氈帽、氈鞋，工業上的用處也很多。

氉 図 (sào) 粵 tsou³ 〔醋〕「氉氃」：見356頁「氃」字。

氌 図 (lán) 粵 lam⁴ 〔藍〕「氌氃」：毛羽散垂的樣子。

氌 (lu) 粵 lou⁵ 〔老〕「氆氌」：見本頁「氆」字。

氍 図 (qú) 粵 kœy⁴ 〔渠〕「氍氀」：毛織地毯之類。

氎 図 (dié) 粵 dip⁹ 〔碟〕細毛布。

【氏部】

氏 ▲(shi)粵si⁶〔示〕❶姓的支系。中國古代是母系社會，所以稱「姓」。有了父系社會制度，爲了辨別子孫的支派，才稱「氏」。參見138頁「姓」字。❷古時國名、朝代名都加個「氏」字。如「無懷氏」；「葛天氏」。❸舊時稱已婚婦人常在其母姓後面加上「氏」。如「張王氏」；「陳林氏」。❹古時世襲的專官。如「太史氏」；「職方氏」。❺稱學說或思想的創始人。如「馬氏文通」，「攝氏寒暑表」。❻「氏族」：①人類社會最原始的血緣集團。②姓氏宗族的分系；分開來說叫做氏，合起來說叫做族。

▲(zhī)粵dzi¹〔之〕❶「月氏」：古時候西域國名。❷「閼氏」：漢時匈奴單于的妻。

一至四畫

民 (mín)粵men⁴〔文〕❶組成國家的人。如「人民」；「民爲邦本」。❷出於民間的。如「民歌」；「民謠」。❸有關一般民衆的。如「民政」；「民防」。❹「民胞物與」：視民與物如一體，是博愛的意思。

氐 ▲囮(dǐ)粵dɐi²〔底〕❶根本。❷「大氐」同「大抵」：大概，大都。

▲(dī)粵dɐi¹〔低〕❶種族名，漢時西南夷之一。❷星宿名，二十八宿之一。❸囮同「低」。漢書有「氏賤減平」。見22頁。

【帋】同「紙」，見529頁。

【昏】見日部，291頁。

【氓】見一部，15頁。

【气部】

【气】同「氣」，見本頁。

一至三畫

氕 (piē) 粵pit⁸〔撇〕元素氫的同位素之一，是普通氫元素，化學符號 H_2，它的核子是一個質子。

氘 (dāo) 粵dou¹〔刀〕氫的同位素之一，即是「重氫」，符號 H_2 或 D。它的氧化物叫「重水」，是造原子能的材料。

氖 (nǎi) 粵nai⁵〔乃〕lai⁵〔離買切〕(俗) 化學元素，符號 Ne，無色無臭的氣體。放在真空管裏，通過電流，會顯出橙色。可以製造霓虹燈。

氙 (xiān) 粵sin¹〔仙〕化學元素，符號 Xe，無色無臭的氣體。把它放在真空管裏，電流通過，會顯出淡藍色。可以造霓虹燈。舊譯作「氙」。

氚 (chuān) 粵tsyn¹〔川〕元素氫的同位素之一，即是「放射性氫」，化學符號 H_2，但它的核子含有兩個中子和一個質子。

四至六畫

氛 (fēn) 粵fen¹〔分〕❶氣。❷凶氣。❸「氛圍」：周圍的情況。

氝 (nǎi) 粵noi⁶〔耐〕loi⁶〔耒〕(俗)「氖」的舊譯名，見本頁。

氡 (dōng) 粵duŋ¹〔冬〕一種有放射性的化學元素，符號 Rn，由鐳蛻變而成，礦泉、溫泉裏常有它的存在，有醫療價值。舊譯作「氦」。

氟 (fú) 粵fet⁷〔拂〕化學元素，符號 F，淡黃綠色有奇臭的氣體，容易跟別的物質化合。

氠 (shēn) 粵sen¹〔申〕「氙」的舊譯名，見本頁。

氦 (hài) 粵hoi⁶〔亥〕化學元素，符號 He，無色無臭很輕的氣體，不跟別的元素化合，可以代替氫氣灌到氣球裏。

氣 (qì) 粵hei³〔器〕❶物體三態（固體、液體、氣體）之一，有體積而不固定、能自由散佈的物體。如「空氣」；「水蒸氣」。❷動物呼吸。如「氣息」；「屏氣」。❸自然界晴陰、寒暖的現象。如「氣候」；「秋高氣爽」。❹人所表現的精神狀態。如「氣色」；「勇氣」。❺事物的狀態。如「氣象萬千」；「氣勢浩大」。❻發怒。如「生

氣」;「動氣」。❼欺壓：如「受氣」。❽一陣叫一氣。如「胡鬧一氣」。❾一派也叫一氣。如「他們幾個人一氣」。❿中醫所說的病象或病名。如「腳氣」；「濕氣」。⓫囵不是實質的性、象，宋儒講的「心、性、理、氣」，清朝古文家講的「神、理、氣、味」的氣。⓬命運。如「氣數」；「氣運」。⓭「氣化」：液體受熱或壓力，化成氣體的作用。⓮「氣短」：①失望。②氣力不足，呼吸短促。③沮喪。如「英雄氣短」。⓯「氣象」：①一切大氣變化的現象，像颱風、下雨、寒冷、暑熱。②氣概。⓰「氣壓」：大氣的壓力，每平方公分約受1033.296公分的壓力，爲一氣壓。⓱「氣沖牛斗」：盛怒的樣子。牛、斗都是星名。

氨 (ān) 粵 on¹〔安〕無機化合物，分子式是 NH_3，無色，有烈臭，可以製硝酸、炸藥跟肥料等。

氤 (yīn) 粵 jen¹〔因〕：「氤氳」：形容烟雲彌漫的樣子。

氧 (yǎng) 粵 jœŋ⁵〔養〕❶一種重要的化學元素，符號O，無色無臭的氣體，能幫助燃燒。是動植物的生存所必需

的。❷「氧化」：物質與氧化合而變成其他物質；鐵生鏽就是氧化的結果。

七至十畫

氪 (kè) 粵 hek⁷〔克〕化學元素，符號 Kr，無色無臭的氣體，不跟其他元素化合，通過電流，會顯黃綠色。

氫 (qīng) 粵 hiŋ¹〔兄〕❶化學元素，符號 H，是最輕的氣體。無色，無臭，無毒。氫跟氧可以化合成水。❷「氫彈」：英文 hydrogen bomb (簡寫作 h—bomb) 的意譯。是利用氫原子熔合產生強烈爆炸力而製成的大炸彈。威力比原子彈大得多。❸「氫氧焰」：氫氧混合所燃起的火焰，火力很強，能融化白金。

氮 (dàn) 粵 dam⁶〔淡〕化學元素，符號 N，無色無臭的氣體，佔空氣成分五分之四。

氭 (dōng) 粵 duŋ¹〔東〕「氡」的舊譯名，見359頁。

氯 (lǜ) 粵 luk⁹〔綠〕❶化學元素，符號 Cl，有惡臭的黃綠色氣體，也叫「綠氣」。有強烈的毒性，能傷害人的氣管。可以跟其他元素化合而成氯化物，作漂白粉跟殺菌劑。❷「氯水」：氯的水溶液。濃的氯

水是黃綠色，有氯脫出，發生氯的臭氣。

氰 (qíng)⑧tsiŋ¹〔青〕碳與氮的化合物，分子式(CN)₂，有杏仁味，性劇毒，是用硫酸銅和氰化鉀的濃溶液製成的。在火上燃燒能發出青色火焰，所以通稱「青氣」。

氬 (yà)⑧a³〔亞〕化學元素，符號Ar或A，是不跟別的元素化合的無色無臭氣體。

氳 (yūn)⑧wɛn¹〔溫〕「氤氳」：見360頁「氤」字。

【水部】

水 (shuǐ)⑧sœy²〔沙許切〕❶一種透明無臭的液體。化學成份是二氫一氧，分子式 H₂O，在自然界中以固態、液態、氣態三種狀態存在。❷江、河、湖、海的總稱，對陸地而言。如「水路」；「水陸並進」。❸「金木水火土」五行之一。❹銀的成色。如「貼水」。❺貨物的等級。如「頭水貨」。❻一切汁液的通稱。如「湯水」；「洗臉水」；「淚水」；「汽水」。❼太陽系九大行星之一，是最接近太陽的一顆。古稱「辰星」，現多稱「水星」。❽姓。❾「水泥」：(cement)建築原料，是把苛性石灰跟黏土相混合，用水澄洗，燒成塊狀，再用機器碾成粉末。使用時加細沙拌水，乾燥以後堅硬如石。❿「水泵」：抽水機。⓫「水平」：①水平面。②指與鉛垂線垂直的平面。③測定水平用的工具。④指達到的一定標準。如「生活水平」。

一至二畫

【氷】同「冰」，見50頁。

永 (yǒng)粵wiŋ⁵〔華領切〕❶久遠。如「永垂不朽」;「永留人間」。❷長,長久。如「永遠」;「永夜」。❸姓。❹「永劫」:佛教稱永久的時間。❺图「永訣」:死別,今生不能再見。

氾 ▲(fàn)粵fan³〔販〕fan⁶〔犯〕(又)❶河水漲起來,從河裏漾出。如「洪水氾濫」;「黃氾(黃河氾濫)」。❷图「氾氾」:浮游不定的樣子。❸同「泛」,見368頁。
▲(fán)粵fan⁴〔凡〕姓。

汀 (tīng)粵diŋ¹〔丁〕❶水邊的平地。❷小洲。

求 (qiú)粵keu⁴〔球〕❶尋找。如「尋求」;「求得答案」。❷懇託,乞助。如「請求」;「求人幫忙」。❸图責備。如「苛求」;「君子求諸己」。❹图貪心。如「不忮不求」。❺姓。

汁 (zhī)粵dzɐp⁷〔執〕有某種物質含的液體。如「墨汁」;「肉汁」。

三畫

汎 (fàn)粵fan³〔販〕fan⁶〔犯〕(又)❶图在水上浮。通「泛」。如「汎舟」。見368頁。❷图寬博。如「汎愛眾」。❸通「氾」。如「汎濫」(也作「泛濫」)。❹加在名詞(特別是地名)前面,表示全面、普徧的意思,是英文pan的譯音。如「汎亞」;「汎太平洋」。❺图「汎汎」:順流無阻的樣子。

汞 (gǒng)粵huŋ³〔控〕金屬元素之一,符號Hg,也叫水銀,色白如錫,在常溫是液體,有毒。在製造儀器、醫藥品、顏料等方面很有用。

汗 ▲(hàn)粵hɔn⁶〔翰〕❶動物從皮膚排泄出來的液體。如「汗液」;「汗流浹背」。❷「汗青」:①史書,歷史。文天祥詩有「人生自古誰無死,留取丹心照汗青」。②古時寫史書以前先把竹板烤乾,水分滲出(像人出汗一樣)後容易書寫,並可防蟲蛀,叫「汗青」。參見352頁「殺青」。❸「汗牛充棟」:形容書籍之多(用車拉,牛要出汗,擺在屋裏要頂着梁)。
▲(hán)粵hɔn⁴〔寒〕:「可汗」:古時突厥的君長。

江 (jiāng)粵gɔŋ¹〔剛〕❶大河的通稱。如「珠江」;「黑龍江」。❷水名,專指長江。❸姓。❹「江河日下」:比喻日漸衰敗。

汔 图(qì)粵ŋɐt⁹〔屹〕ɐt⁹(俗)近。詩經有「汔可小康」。

汐 (xī) 粵dzik⁹〔夕〕夜裏漲的海潮。早潮叫「潮」，晚潮叫「汐」。

汛 (xùn) 粵sœn³〔信〕❶江、河的水在一定的季節忽然漲起來的現象。如「秋汛」；「桃花汛(春天桃花開的時候)」。❷是「訊」的假借，清朝時候武職駐防的地方叫「汛地」(也作「訊池」，意思是詰訊往來行人的處所)。❸指女人的月經。❹指一定的時季。如「漁汛」。❺粵灑。如「汛掃(灑掃)」。

池 (chí) 粵tsi⁴〔持〕❶存水的窪地。如「水池」；「游泳池」。❷舊時的護城河。如「城池」。❸粵「池中物」：比喻沒有遠大抱負的人。❹粵「非池中物」：比喻人的將來必大顯赫。❺粵「池魚之殃」：「城門失火，殃及池魚」。比喻不相干的人受了牽累。

汊 (chà) 粵tsa³〔詫〕水的支流。

汕 (shàn) 粵san³〔傘〕❶竹子編的捕魚具。❷粵「汕汕」：羣魚暢游的樣子。詩經有「南有嘉魚，烝然汕汕」。❸「汕頭」：地名，在廣東省。

汜 (sì) 粵tsi⁵〔似〕❶水的歧流又回到主流的叫汜。❷「汜水」：水名，在河南省。

汝 (rǔ) 粵jy⁵〔雨〕❶粵你。如「汝曹(你們)」。❷姓。

污 (汙、汚) ▲ (wū) 粵wu¹〔烏〕❶髒。如「污穢」；「溝裏有污水」。❷沾上髒東西。如「污染」。❸品格上的不潔。如「貪官污吏」。❹毀謗，誣賴人家。如「污衊」。❺粵停積的水。左傳有「潢污行潦之水」。❻奸淫。如「姦污」。❼失去光澤。如「鏡子受潮，污了，得擦一擦」。

▲粵(wù) 粵wu¹〔烏〕除去垢污。詩經有「薄污我私」。

▲粵(wā) 粵wa¹〔娃〕❶鑿地。❷下陷。

▲(yú) 粵jy¹〔于〕古水名，在今河南省臨漳縣西，已經淤塞。

四畫

汴 (biàn) 粵bin⁶〔辨〕❶古水名，在今河南省境內。❷河南省開封市的別稱。

沛 (pèi) 粵pui³〔佩〕❶旺盛。如「精力充沛」。❷粵水勢湍急貌。楚辭有「沛吾乘兮桂舟」。❸「沛然」：①形容雨大。②盛大的樣子。

沒 (沒) ▲(mò) 粵mut⁹〔末〕❶沉在水裏。如「沒

頂」;「沉沒」。❷隱藏。如「隱沒」;「出沒」。❸消滅。如「泯沒」;「埋沒」。❹扣下財物。如「沒收」;「吞沒」。❺囵盡，完。如「新穀既沒」。❻囵「沒沒」:①沉溺。②埋沒。❼囵「沒齒」:終身。❽囵同「歿」，去世的意思。見350頁。❾「沒落」:①衰落;趨向滅亡。②流落。

▲(méi)粵mut⁹〔末〕❶無。如「沒有」;「沒出息」。❷未。如「沒完」;「沒看見」。❸「沒多少」:少，不多。❹「沒命」:①不顧性命。如「沒命地跑」。②死。③無福。

汨 (mì)粵mik⁹〔覓〕「汨羅江」:水名，在湖南省湘陰縣北，是屈原投江的地方。

沔 (miǎn)粵min⁵〔免〕❶囵水流充滿的樣子。❷水名，在陝西省，即是漢水的上游。

沐 (mù)粵muk⁹〔木〕❶洗髮。❷囵蒙受。如「沐恩」。❸囵休假。如「休沐」。❹姓。❺「沐浴」:①洗髮洗身。②比喻身受其潤。❻「沐雨櫛風」:比喻辛勞。❼「沐猴而冠」:猴子穿衣戴帽，罵人有人的樣子而不算人。

汾 (fén)粵fen⁴〔焚〕「汾河」:水名，在山西省。

沌 (dùn)粵dœn⁶〔鈍〕「混沌」:見378頁「混」字。

沓 (tà)粵dap⁹〔踏〕❶重複。如「重沓」。❷眾多。如「雜沓」。❸姓。❹囵「沓沓」:①弛緩的樣子。②話多。③快走的樣子。

汰 (tài)粵tai³〔太〕❶囵太過，過分。如「奢汰」;「汰侈」。❷除去沒用的部分。如「淘汰」;「汰舊換新」。

汩 囵▲(gǔ)粵gwet⁷〔骨〕❶消滅。如「汩沒」。❷囵亂。如「汩陳其五行」。❸囵「汩汩」:①波浪聲。②比喻文思勃發。③水流的樣子。

▲(yù)粵jet⁹〔日〕❶疾速。❷波湧。

沆 囵(hàng)粵hoŋ⁴〔杭〕❶大水。❷「沆瀣」:水廣大的樣子。❸「沆瀣」:露氣。❹「沆瀣一氣」:彼此志氣相合。

汲 (jí)粵kep⁷〔級〕❶囵從井裏取水。如「汲水」。❷囵從取水引伸作提拔人才。如「汲引」。❸姓。❹「汲汲」:不停的樣子，常指忙碌。

決(决) (jué)粵kyt⁸〔缺〕❶囵疏通水道。孟子有「決之東方則東流」。❷河隄崩壞。如「潰決」;「黃河決口」。❸拿定主意，堅持不

變。如「下了決心」;「猶疑不決」。④一定。如「決不後悔」;「決無此理」。⑤判斷,確定。如「表決」;「判決」。⑥進行分判勝負的競爭。如「決賽」;「決一死戰」。⑦殺死罪犯。如「槍決」。⑧通「訣」,見675頁。

切 ▲(qī)粵tsɐi³〔切〕用開水沖。如「沏茶」。

▲(qū)粵kœy¹〔驅〕①用水把燃燒物澆滅。如「把香火沏了」。②把花椒放在油裏加熱,然後倒在菜肴上。如「沏油」。

气 (qi)粵hei³〔氣〕水蒸氣。

心 (qìn)粵sɐm³〔滲〕①水名,在山西省沁源縣。②图滲入。如「沁人心脾(形容吸入芳香或涼爽之氣,令人有舒服的感覺)」。

止 (zhī)粵dzi²〔止〕水(江河湖泊)裏邊小塊的陸地。

乙 (chén)粵tsɐm⁴〔尋〕①沒在水裏。如「沉沒」。②下陷。如「地層下沉」。③不輕,重。如「這個擔子好沉」。④謹慎,不輕浮。如「沉着」;「沉毅」。⑤遲疑。如「沉吟」。⑥過分嗜愛。如「沉迷」;「沉溺」。⑦深切。如「沉思」;「沉痛」。⑧停頓,延緩。如「這事沉一沉再辦」。⑨重壓的感覺。如「天氣陰沉」。⑩表示程度深。如「沉睡」;「沉醉」。⑪作色發怒。如「沉下臉來」。⑫抑制。如「沉住氣」。⑬「沉沉」:①深沉的樣子。②茂盛的樣子。⑭「沉着」:①鎮定不輕躁。②穩重切實。⑮「沉魚落雁」:形容女子的美貌。

沈 ▲(shěn)粵sɐm²〔審〕姓。

▲(chén)粵tsɐm⁴〔尋〕同「沉」,見本頁。

▲「瀋」的簡化,見398頁。

沖(冲) (chōng)粵tsuŋ¹〔充〕①用水流的力量刷洗。如「沖洗」;「把壺底沖乾淨」。②用開水澆。如「沖茶」;「沖藕粉」。③被大水衝破或捲走。如「沖破防隄」。④直向上飛。如「一飛沖天」。⑤發怒的樣子。如「怒氣沖沖」。⑥抵觸,冒犯。如「沖犯」。⑦吉凶運氣的破解。如「沖喜」;「沖運氣」。⑧图幼小。如「沖年」。⑨謙和,淡薄。如「沖淡」。⑩姓。⑪「沖沖」:①鑿冰聲。②情緒高漲的樣子。

沙 (shā)粵sa¹〔紗〕①很細的石粒。如「泥沙」;「飛沙走石」。②水邊缺乏黏質的土

地。如「沙灘」;「沙田」。❸聲音嘶啞。如「沙啞」。❹瓜果熟，原質鬆散而呈微粒之狀。如「沙瓤西瓜」。❺細碎而成顆粒的東西。如「豆沙」;「沙金」。❻物體表面粗糙呈細粒狀的。如「這張桌子漆噴得不好，面上發沙」。❼小數名，即是0.00000001。❽姓。❾図「沙汰」:揀選，淘汰。❿「沙門」:對出家修道人的稱呼。⓫「沙場」:平沙曠野，普通用來稱戰場。⓬「沙發」:英文 sofa 的音譯，是一種靠背寬厚，矮腳，裏面裝有彈簧的坐椅。⓭「沙龍」:①法文 salon 的音譯。原義是客廳，後來漸成為文化集會的專稱，也指出售飲料給知識分子討論文學或時事的公開場所。②巴黎正式定期舉行的藝術展覽會。⓮「沙彌」:對初出家的人的稱呼。

汭 (rui) ⑧ jœy⁶〔銳〕❶水名，一在江西省，一在甘肅省。❷図河水彎曲的地方。

沂 (yi) ⑧ ji⁴〔而〕❶「沂河」:水名，在山東省。❷姓。

沃 (wò) ⑧ juk⁷〔郁〕❶土地肥美。如「肥沃」。❷図灌溉。如「沃田」;「冷水沃面，可以解醒」。❸姓。❹「沃果」:雞

蛋去殼，放入滾水中微煮。

汶 (wèn) ⑧ men⁶〔問〕「汶水」:水名，在山東省。

汪 (wāng) ⑧ wɔŋ¹〔娃康切〕❶水深而廣。如「汪洋大海」。❷水沾到物體表面不馬上乾。如「席子上汪着水」。❸液體聚在一處。如「含着一汪子眼淚」。❹姓。❺「汪汪」:①含淚的樣子。②狗叫聲。③水大而深的樣子。

沅 (yuán) ⑧ jyn⁴〔元〕「沅江」:水名，在湖南省。
【沿】同「沿」，見370頁。
【汧】同「汧」，見372頁。
【洇】同「洶」，見373頁。
【沕】古「流」字，見375頁。

五畫

波 (bō) ⑧ bɔ¹〔玻〕❶水受震動而生的起伏現象。如「水波」;「波浪」。❷比喻事情的進行方式像波浪一樣。如「波動」;「一波未平，一波又起」。❸物理學指由彈性體振動所產生的現象。如「音波」;「光波」;「電波」。❹影響。如「波及」。❺形容目光。如「秋波」。❻「波蘭」:國名，位於歐洲中部。❼「波稜蓋」:膝蓋。

泊 ▲(bó)粵bɔk⁹〔薄〕❶船靠岸。如「泊岸」;「停泊」。❷棲止。如「漂泊」。❸安適少欲望。如「澹泊」。

▲(pō)粵bɔk⁹〔薄〕湖澤。如「湖泊」;「水泊」。

泵 (bèng)粵bɐm¹〔巴庵切〕(*pump*)一種把液體或氣體抽出或壓入的機械裝置。像抽水機打氣筒之類。

泡 ▲(pào)粵pou⁵〔抱〕在水面上浮着的,包有空氣的球狀物,大的叫泡,小的叫沫。如「氣泡」;「水泡」。

▲(pào)粵pau³〔炮〕❶表皮受燙傷或內部鼓脹而起的圓凸狀。如「燎漿泡」;「腳底起泡」。❷用水沖浸。如「泡茶」;「把髒衣服泡在盆裏」。❸「泡菜」:用鹽水浸泡的特製的鹹菜。❹「泡影」:比喻事情虛幻短促,像水泡的影子。

▲(pāo)粵pau¹〔拋〕❶不堅實,又鬆又虛空。如「這夠包很泡,不好吃」。❷流質靜止或濕的東西凝聚一處的。如「一泡尿」;「一泡屎」。

泮(類) ☒(pàn)粵pun³〔判〕❶融化。如「冰泮」。❷舊時縣學叫泮,科舉時代童子入學爲生員叫「入泮」。❸「泮池」:舊時學宮前的水池。

沫 (mò)粵mut⁹〔沒〕❶水面的細泡。❷口水。如「唾沫」。❸☒已,停止。楚辭有「身服義而未沫」。

沫 ☒(mèi)粵mui⁶〔妹〕❶微光。易經上有「日中見沫」。❷「沫血」:血流在面。

泌 ▲(mì)粵bei³〔庇〕液體從細孔排出來。如「分泌」;「泌尿」。

▲(bì)粵bei³〔閉〕水名,在河南省。

泯 ☒(mǐn)粵men⁵〔敏〕❶消失。如「泯滅」;「良心未泯」。❷「泯泯」:①水清的樣子。杜甫詩有「春流泯泯清」。②紛亂的樣子。

法 (fǎ)粵fat⁸〔髮〕❶制度。如「法則」;「法規」。❷有一定規則可以遵行的。如「法律」;「憲法」。❸有一定的技巧值得模仿的。如「書法」;「文法」。❹程式。如「方法」;「拼音法」。❺尊稱人家的書畫作品。如「法書」;「法繪」。❻佛教稱一切事理。如「佛法」;「現身說法」。❼尊稱佛家。如「法師」。❽方術。如「道士作法」。❾仿效。如「效法」;「法古今完人」。❿姓。⓫「法子」:方法。⓬「法事」:指和

尚替人做功德或祈求平安。⓭「法帖」：供人臨摹的名人書法揚印本。⓮「法門」：①初步修行的人所必經的途徑。②通稱治學或作事的途徑。③古時候稱南門爲法門。⓯「法螺」：①用螺殼做成的軍號。②「吹法螺」：笑人說大話。⓰「法寶」：①佛家以法、佛、僧爲三寶。②和尚所傳授的衣鉢、錫杖等。③身邊應用物品。如「隨身法寶」。⓱「法蘭西」：歐洲國名。簡稱法國。

沸 (fèi)粵fei³〔肺〕❶液體加熱到了「一定溫度」會起泡，上下翻滾。如「沸點(液體沸騰時的溫度，在大氣壓下，水的沸點是攝氏一百度)」；「沸水」。❷形容人聲嘈雜。如「沸騰」。❸图「沸沸」：湧出的樣子。

泛 (fàn)粵fan³〔販〕fan⁶〔犯〕(又)❶图浮在水面。如「泛舟」。❷漲溢。如「泛濫」。❸透出。如「白裏泛紅」。❹不切實。如「浮泛」；「空泛」。❺不專指一事。如「泛論」。❻「泛泛」：①漂浮。②淺薄。如「泛泛之交」。

泰 (tài)粵tai³〔太〕❶治安，太平。如「國泰民安」。❷舒適。如「康泰」。❸安定，鎮靜。如「處之泰然」。❹奢侈。

如「奢泰」。❺通暢。如「天地父泰」。❻極。如「泰古」；「泰西(舊指歐美)」。❼泰國(亞洲國名，原叫「暹羅」)的簡稱。❽姓。

沱 (tuó)粵to⁴〔駝〕❶江水的支流。❷图掉眼淚。如「出涕沱若」。❸「滂沱」：見384頁「滂」字。

泥 ▲(ní)粵nei⁴〔坭〕lei⁴〔黎〕(俗)❶水和土相和。如「爛泥」；「泥沙」。❷東西搗碎又調勻。如「棗泥」；「肉泥」。❸弄髒或已經髒了。如「這衣服泥了」。❹「泥醉」：形容大醉。

▲图(nì)粵nei⁶〔膩〕lei⁶〔利〕(俗)固執，不知變通。如「拘泥」；「泥古」。

▲图(nì)粵nei⁵〔你〕lei⁵〔李〕(俗)「泥泥」：①露濃的樣子。詩經有「零露泥泥」。②茂盛的樣子。詩經有「維葉泥泥」。

泐 图(lè)粵lɐk⁹〔肋〕(又)❶石頭紋理的裂痕。❷書寫。如「手泐」(親手書寫，舊時書信常用「手泐」代替「手書」)。

沴 图(lì)粵lœy⁶〔淚〕惡氣，妖氣。

泠 图(líng)粵lin⁴〔零〕❶聲音清澈。❷涼爽。如「清泠」。❸姓。❹图「泠泠」：①水聲。

②聲音洋溢。③和風。

泔 (gān) ⑧ gɐm¹〔甘〕淘米的水。

沽 (gū) ⑧ gu¹〔姑〕❶賣。如「待價而沽」。❷買。如「沽酒」。❸「沽名釣譽」：有意使人讚揚，並非真心作善事。

況 (況) (kuàng) ⑧ fɔŋ³〔放〕❶情形。如「近況」；「戰況」。❷比喻。如「以古況今」。❸表示進一層意思的口氣。如「何況」；「況且」。❹訪問。如「足下不遠千里，來況齊國」。❺姓。

河 (hé) ⑧ hɔ⁴〔何〕❶水的通稱。如「內河」；「運河」。❷黃河的專稱。如「河套」；「河東」。❸「河漢」：①天河。②比喻空言無實。如「河漢斯言」。❹「河東獅吼」：比喻妻子發脾氣。❺「河清海晏」：比喻太平盛世的景象。

泓 (hóng) ⑧ wɐŋ⁴〔宏〕❶古水名，在今河南省。❷水深廣的樣子。❸水清的樣子。

泲 (jǐ) ⑧ dzɐi³〔濟〕❶水清冽的酒。❷水名：①即是濟水，在山東省。②在河北省。源出贊皇縣，注入寧晉泊。

沮 ▲ (jū) ⑧ dzɐy¹〔追〕❶水名，一在陝西省；一在湖北省；一在山東省。❷姓。

▲ 図 (jǔ) ⑧ dzɐy²〔咀〕❶「沮格」：阻止。❷「沮壞」：敗壞。❸「沮喪」：失意而頹喪。

▲ 図 (jù) ⑧ dzɐy³〔最〕「沮洳」：低濕的地方。

泂 (jiǒng) ⑧ gwiŋ²〔炯〕❶深廣的樣子。❷通「迥」，見727頁。

泣 (qì) ⑧ jɐp⁷〔邑〕❶只掉淚而不出聲的哭。如「悲泣」。❷図「泣血」：極悲慟。❸「泣鬼神」：文或事極其悲壯感人。

泅 (qiú) ⑧ tsɐu⁴〔囚〕「泅水」：即是游水。

泉 (quán) ⑧ tsyn⁴〔全〕❶地下冒出來的水。如「泉水」。❷地下。如「黃泉」；「九泉」。❸古代一種錢幣的名稱。如「泉布」。❹姓。

泄 (洩) ▲ (xiè) ⑧ sit⁸〔屑〕❶漏水，漏氣。❷透露祕密。如「泄底」；「泄漏軍機」。❸図發散。如「泄憤」；「泄恨」。❹排出體外。如「排泄」。❺「泄氣」也作「洩氣」：①不能保持固有的精力。如「慢慢來，別泄氣」。②笑人薄弱或惡劣。如「這麼輕的東西都拿不動，太泄氣了」。

▲ 図 (yì) ⑧ jɐi⁶〔移毅切〕「泄泄」：①舒緩的樣子。②眾多的樣子。③鬆懈不振作的樣

子。

泫 図(xuàn)粵jyn⁵〔遠〕❶流淚的樣子。如「泫然涕下」。❷水滴下垂的樣子。謝靈運詩有「花上露猶泫」。

治 (zhì)粵dzi⁶〔自〕❶管理。如「治國」;「治家」。❷辦理。如「治裝」;「治喪」。❸修整水道。如「治河」;「治水」。❹懲罰,處分。如「處治」;「治罪」。❺醫病。如「治病」;「卒告不治」。❻研究。如「治學」。❼指國家社會安定。如「治世」;「長治久安」。❽地方長官所駐的地方。如「縣治」;「省治」。

沼 (zhǎo)粵dziu²〔剿〕❶形狀彎曲的水池。❷「沼氣」:主要成份是甲烷,部分煤礦中自然發生的氣;部分是池底腐敗植物、垃圾或糞便在沒有空氣時發酵而成。跟空氣混合,遇火會燃燒,可以作為燃料。❸「沼澤」:因湖泊淤淺而形成水草茂盛的地帶。

沾 (zhān)粵dzim¹〔尖〕❶浸濕。如「沾襟」;「汗出沾背」。❷附着,接觸。如「沾手」;「沾染」。❸有所依賴而得到好處。如「沾光」;「沾便宜」。❹「沾沾自喜」:自己有了一點小成就而得意的樣子。

注 (zhù)粵dzy³〔蛀〕❶灌入。如「注入」;「注射」。❷集中在一點上。如「注目」;「注意」。❸解釋文辭。如「注解」;「注釋」。❹供賭博時的財物。如「孤注一擲」。❺一宗。如「一注買賣」。❻記載,登記。如「起居注」;「注冊」。❼「注疏」:解釋意義的文字叫注,申說傳注的文字叫疏。

沭 (shù)粵sœt³〔術〕「沭河」:水名,在江蘇省。

泗 (sì)粵si³〔試〕❶図鼻涕。如「涕泗滂沱」。❷「泗水」:水名,在山東省。

油 (yóu)粵jeu⁴〔由〕❶動植物的脂肪質經過製煉或壓榨而成的液體。如「牛油」;「花生油」。❷礦物提煉的液體。如「煤油」;「柴油」。❸用油塗抹。如「剛油的大門」。❹沾染油垢。如「這衣服都油了」。❺浮滑,狡猾。如「油腔滑調」;「這人太油」。❻「油油」:草木有光澤。如「綠油油的」。❼図「油然」:充盛的樣子。如「天油然作雲」。

沿(沿)▲(yán)粵jyn⁴〔元〕❶靠近。如「沿海」;「沿岸」。❷順着。如「沿街叫賣」;「沿着山邊兒走」。❸因襲,相傳。如「沿襲」;「相沿

成習」。❹縫合衣鞋的邊緣。如「沿鞋口」;「沿邊兒」。❺「沿革」:事物的發展變遷。

▲(yàn)⑧jyn⁴〔元〕邊。如「河沿」。

央 (yāng)⑧jœŋ¹〔央〕❶深廣。❷雲氣起的樣子。❸「央央」:宏大深廣的樣子。❹「央央大風」:原是吳季札讚美齊樂的話,後人常用來說大國風度。如「央央大國」。

泳 (yǒng)⑧wiŋ⁶〔詠〕在水裏游動。如「游泳」。

【柒】見木部,315頁。

【染】見木部,316頁。

【泪】同「淚」,見377頁。

【泝】同「溯」,見387頁。

六畫

派 (pài)⑧pai³〔鋪快切〕❶水的分流。❷人、事跟學術的流別。如「學派」;「派別」。❸思想,作風。如「正派」;「新派」。❹分配。如「攤派」。❺差遣,任用。如「派你去辦」;「派他當科長」。

泚 図(cǐ)⑧tsi²〔此〕❶鮮明的樣子。❷水清澈的樣子。❸出汗的樣子。❹図「泚筆」:拿筆蘸墨。

洺 (míng)⑧miŋ⁴〔名〕「洺水」:水名,在河北省。今稱「洺河」。

洑 ▲図(fú)⑧fuk⁹〔伏〕洄流。如「洄洑」。

▲(fù)⑧fuk⁹〔伏〕「洑水」:泗水。

洞 ▲(dòng)⑧duŋ⁶〔動〕❶穴,窟窿。如「山洞」;「衣服破了一個洞」。❷透徹,明白。如「洞悉」;「洞見癥結」。

▲(tóng)⑧tuŋ⁴〔同〕「洪洞」:縣名,在山西省。

洮 ▲(táo)⑧tou⁴〔逃〕❶洗手。❷「洮河」:水名,在甘肅省。

▲(yáo)⑧jiu⁴〔搖〕湖名,在江蘇省宜興縣西北。

洌 (liè)⑧lit⁹〔列〕❶水清潔。如「清洌」。❷図形容酒清。歐陽修醉翁亭記有「泉香而酒洌」。

洛 (luò)⑧lok⁸〔烙〕❶「洛河」:水名。①發源於陝西省定邊縣,流入渭水。②發源於陝西省雒南縣,經河南省入黃河。❷「洛陽花」:牡丹的別名。❸「洛陽紙貴」:晉左思構思十年寫成「三都賦」,時人搶着傳寫,洛陽紙價因而昂貴。現用以比喻著作的風行一時。

洸 図(guāng)⑧gwɔŋ¹〔光〕goŋ¹〔江〕(疊)❶水湧起時所映射的亮光。如「浮洸」。❷

「洮河」:水名，在山東省。❸「洮洮」:①洶湧的樣子。②勇武果毅的樣子。詩經有「武夫洮洮」。❹「洮洋」:水深廣的樣子。

活 (huó)粵wut⁹〔華末切〕❶生存。跟「死」相反。如「活在世上」;「不論死活」。❷有生命的。如「活人」;「枯樹又活了」。❸生動的。如「靈活」;「活潑」。❹不固定的。如「活期存款」。❺逼真的。如「活像」;「神氣活現」。❻工作或工作成績。如「找點活兒做做」;「這個活兒做得真好」。❼圖救活。如「濟世活人」;「活人無數」。

洄 圖(huí)粵wui⁴〔回〕❶水盤旋迴轉的樣子。如「洄洑」。❷逆流向上。如「溯洄」。

洹 (huán)粵jyn⁴〔元〕wun⁴〔桓〕(又)「洹水」:水名，在河南省。

洪 (hóng)粵hung⁴〔紅〕❶大。如「洪福」;「洪量」。❷大水。如「山洪」;「泄洪區」。❸姓。❹「洪荒」:太古時代。

洎 圖(jì)粵gei³〔寄〕gei⁶〔技〕(又)❶圖浸，潤。管子有「越之水重濁而洎」。❷到。如「洎乎近世」。❸肉汁。左傳有「去其肉而以其洎饋」。

洊 圖(jiàn)粵dzin³〔箭〕再，屢次。如「洪水洊至」。

津 (jin)粵dzœn¹〔樽〕❶圖渡河的地方。如「津渡」;「問津」。❷口水。如「津液」;「渴生津」。❸滋潤。如「津潤」。❹天津市的簡稱。如「津浦鐵路」。❺交通要道。如「要津」。❻「津津」:①言談有味的樣子。如「津津樂道」。②溢出的樣子。

洚 圖(jiàng)粵gong³〔降〕水流不走河道。如「洚水(大水泛濫)」。

汧(汧) (qiān)粵hin¹〔軒〕❶水決的湖澤。❷水名，在陝西省。❸「汧陽」:縣名，在陝西省。今作「千陽」。

洗 ▲(xǐ)粵sei²〔駛〕❶用水去髒。如「洗澡」;「洗衣服」。❷盛水洗東西的用具。如「筆洗子」。❸伸雪冤屈或恥辱。如「洗雪」;「洗冤」。❹殺盡。如「土匪把一個村子洗了」。❺空空的，光光的。如「囊空如洗」。❻「洗塵」:設宴歡迎遠來的人。❼「洗禮」:基督教入教的儀式，引伸為愛某種特殊事件的熏陶或影響而改變舊觀念。❽「洗心革面」:改過自新。

▲(xiǎn)粵sin²〔癬〕姓。

洽 (qià)粵hɐp⁷〔恰〕❶和諧。如「融洽」。❷商量。如「接洽」。❸困浸潤。如「內洽五臟」。❹困周徧，多。如「博學洽聞」。

洫 (洫) (xù)粵gwik⁷〔隙〕❶田間水道。❷護城河。❸溝渠。❹虛。管子書上有「滿者洫之」。❺濫，敗壞。莊子書上有「所行之備而不洫」。

洵 困(xún)粵sœn¹〔荀〕眞是。如「洵屬虛言」。

洶 (洶) (xiōng)粵huŋ¹〔凶〕❶水勢很大的樣子。如「洶湧」。❷困不安寧。如「洶動」。❸「洶洶」：①形容人多鼓噪聲音又雜亂又響亮。如「來勢洶洶」。②形容水流盛大的聲勢。

洲 (zhōu)粵dzɐu¹〔州〕❶水中可以居住的地方。如「在河之洲」。❷地球上大塊陸地的區域名稱。如「亞洲」；「美洲」。❸「洲際導彈」：射程超過八千公里的導彈。

洙 (zhū)粵dzy¹〔朱〕「洙水」：水名，泗水的支流，在山東省。

洳 (rù)粵jy⁶〔預〕❶「洳河」：水名，在河北省。❷困「沮洳」：低濕。

洒 (灑) ▲(sǎ)粵sa²〔耍〕❶淋水在地上。如「洒掃」。❷噴散，散落。❸「洒家」：我。宋元時候自稱的詞。❹「洒脫」：舉止自然，不拘束。跟「矜持」相對。如「這個人很洒脫」。

▲困(xiǎn)粵sin²〔冼〕「洒如」：崇敬的樣子。禮記有「君子之飲酒也，受一爵而色洒如也」。

洏 困(ér)粵ji⁴〔而〕「漣洏」：涕淚交流的樣子。如「涕淚漣洏」。

洱 (ěr)粵ji⁵〔耳〕「洱海」：即是昆明池，在雲南省。

洟 困(tì)粵tɐi³〔替〕鼻涕。

洋 (yáng)粵jœŋ⁴〔羊〕❶地球上最大的水域。如「太平洋」；「大西洋」。❷外國的。如「洋人」；「洋貨」。❸眾多，廣大。如「洋溢」。❹銀幣，洋錢。如「現洋」；「一百塊大洋」。❺「洋洋」：①水盛大的樣子。如「河水洋洋」。②同「揚揚」，得意的樣子。如「洋洋得意」。③眾多的樣子。如「洋洋大觀」。❻「洋洋灑灑」：形容寫作長篇大論。

洿 困(wū)粵wu¹〔烏〕❶掘。禮記有「洿其宮而瀦焉」。❷

不流動的水。如「洿池」。❸
染，着色。漢書有「以墨洿色
其周垣」。❹指聲音虛浮、散
漫。文選有「大而不洿，細而
不沈」。

洧 (wěi)⑧fui²〔花繪切〕水名，
在河南省。

【洩】同「泄」，見369頁。

七畫

浡 囡(bó)⑧but⁹〔勃〕興起。如
「則苗浡然興之矣」。

浜 (bāng)⑧boŋ¹〔邦〕不通河
的小水道。

浦 (pǔ)⑧pou²〔普〕❶水邊。
❷通大河的水渠。❸姓。

浼(浼) 囡(měi)⑧mui⁵〔每〕
❶汙。孟子書有「爾
焉能浼我哉」。❷有事託人幫
忙。如「以此相浼」。❸「浼
浼」：水盛的樣子。詩經有「河
水浼浼」。

浮 (fú)⑧feu⁴〔蜉〕❶漂在水面
上，跟「沉」相反。如「浮
萍」；「漂浮」。❷囡泛舟。如
「乘桴浮於海」。❸空泛不實
在。如「浮華」；「浮名」。❹超
出。如「人浮於事」。❺暫時
的。如「浮記」；「浮友」。❻不
沉靜，不沉着。如「心浮氣
躁」。❼表面的。如「浮層」。
❽罰人喝酒。如「浮一大白」。

❾「浮浮」：眾多的樣子。詩經
有「雨雪浮浮」。❿「浮屠」：①
佛教徒。②佛塔。

涕 (tì)⑧tei³〔替〕❶眼淚。❷
鼻涕。❸囡「涕零」：流淚。

涂 (tú)⑧tou⁴〔圖〕❶古水名，
即今滁河。❷姓。❸通
「塗」，見119頁。

涅(湼) (niè)⑧nip⁹〔捏〕lip⁹
〔獵〕(俗)❶囡染黑的
東西。如「涅而不緇」。❷囡
「涅面」：在臉上刺字然後塗上
墨。是古代的「黥刑」。❸「涅
槃」：佛家稱僧人去世。也叫
「入滅」、「圓寂」。

浪 ▲(làng)⑧loŋ⁶〔晾〕❶大的
波瀾。如「白浪滔天」；「浪
濤洶湧」。❷像波浪的起伏。
如「聲浪」；「稻浪」。❸放縱。
如「浪子」；「浪蕩」。❹作不必
要的濫用。如「浪費」。❺鹵
莽。如「孟浪」。❻淫蕩。❼
妄。如「浪得虛名」。❽姓。❾
「浪漫」：①放浪不受拘束。②
英文(romantic)的意譯；音譯
作「羅曼蒂克」。具富有詩意的
涵義。

▲囡(láng)⑧loŋ⁴〔郎〕❶
「浪浪」：水流的樣子。❷「滄
浪」：水青色。

涖 囡(lì)⑧lei⁶〔利〕很快的水
流。引伸作比喻行動迅速。

泣 (li)粵lei⁶〔利〕❶「泣泣」：水流聲。❷同「莅」，見605頁。

流(沭) (liú)粵leu⁴〔留〕❶液體的移動。如「流水」；「流動」；「流血」。❷往來不定。如「流民」；「流落他鄉」。❸傳播。如「流傳」；「流芳百世」。❹河道、水道。如「河流」；「支流」。❺派別。如「流別」；「三教九流」。❻等級，品類。如「下流話」；「第一流人物」。❼沒有節制，因而趨向壞的方面。如「流為盜匪」；「和而不流」。❽不知來處的。如「流彈」。❾像潮水流動的。如「人流」；「思想主流」。❿自然界若干移動的現象。如「暖流」；「寒流」。⓫電流的簡稱。如「交流」；「直流」。⓬古代五刑之一，把犯人放逐到遠處，俗稱「充軍」。如「流放」。⓭「流亡」：因在本鄉、本國不能存身而逃亡別地。⓮「流星」：太空中的小物體闖進地球大氣層時，與大氣磨擦燃燒的現象。⓯「流連」：①依戀不忍離去。②耽於游樂而忘返。③図離散。漢書有「百姓流連，無所歸心」。

浭 (gēng)粵geŋ¹〔庚〕「浭水」：水名，在河北省。

海 (hǎi)粵hoi²〔凱〕❶地球上比洋小的水域。如「大海」；「漂洋過海」。❷許多人或東西聚在一處。如「文海」；「人山人海」。❸寬大的器物。如「海碗」；「墨海」。❹形容廣大。如「海量」；「誇下海口」。❺形容普徧。如「貼海報」。❻姓。❼「海市蜃樓」：①一種自然界的奇異光學現象，看不見的遠方物體，因為光線的屈折，而出現在目前。②比喻虛幻的景象或事情。

浩 (hào)粵hou⁶〔號〕❶大。如「浩劫(大災難)」；「浩大」。❷多。如「浩繁」；「浩如烟海」。❸姓。❹「浩氣」：盛大剛直之氣。❺「浩然」：盛大的樣子。如「浩然正氣」。❻「浩翰」：廣大眾多的樣子。❼「浩浩蕩蕩」：①水勢盛大的樣子。②聲勢陣容壯盛的樣子。

浣(澣) 図(huàn)粵wun⁵〔皖〕❶洗濯。如「浣衣」；「浣紗」。❷古時每十天休假一次，故稱每月上、中、下旬為上、中、下浣。

浹 図(jiā)粵dzip⁸〔接〕❶濕透。如「汗流浹背」。❷透過。如「淪肌浹髓(形容深刻)」。❸輪流一周。天干由甲日起到癸日止，共十日，叫

「浹日」；地支由子日起到亥日止，共十二天，叫「浹辰」。

浸 (jìn)粵dzɐm³〔支蔭切〕❶泡在液體裏。如「浸濕」；「浸漬」。❷副逐漸。如「浸漸」；「浸染」。

涇 (jīng)粵giŋ¹〔京〕❶「涇河」：水名，源出甘肅，在陝西跟渭水會合。❷「涇渭」：涇水跟渭水的合稱。涇水清，渭水濁。所以把「清濁不分」叫「不分涇渭」。

涓 (juān)粵gyn¹〔娟〕❶細小的流水。❷形容細小，些微。如「涓埃」；「涓滴歸公」。❸動選擇。如「涓吉」。❹「涓涓」：細水慢慢流淌的樣子。陶潛詩有「泉涓涓而始流」。

浚 (jùn)粵dzœn³〔俊〕❶疏通，挖深。如「浚井」；「浚河」。❷動取出，剝削。如「浚我以生」。❸通「濬」，見396頁。

浠 (xī)粵hei¹〔希〕「浠水」：水名，在湖北省。

消 (xiāo)粵siu¹〔燒〕❶滅。如「消滅」；「消除」。❷溶化，散失。如「冰消」；「煙消雲散」。❸耗費。如「消費」；「消耗」。❹需要。如「不消說」；「只消一天就能完工」。❺排遣。如「消愁」；「以消永夜」。

❻病。如「消渴」；「三消」。❼使病象退除。如「消炎」；「消腫」。❽「消防」：救火跟防火。❾「消息」：信息，新聞。

涎 (xián)粵jin⁴〔弦〕❶口水，津液。如「垂涎(流口水，形容羨慕，眼紅)」。❷「涎皮賴臉」：惹人討厭的無賴行為。

浙 (浙) (zhè)粵dzit⁸〔折〕❶江名，在浙江省。❷浙江省的簡稱。

浞 (zhuó)粵dzuk⁷〔燭〕❶潤點的樣子。❷「寒浞」：古人名，夏朝窮國君后羿的部下。

涉 (shè)粵sip⁸〔攝〕❶蹚水。如「涉水」；「跋涉」。❷經歷。如「涉世」；「涉險」。❸相關，牽連。如「牽涉」；「干涉」。❹動進入。如「涉訟」；「涉足」。❺動，着。如「涉筆」。❻動「涉獵」：涉水獵獸，比喻學不專精。

涔 名(cén)粵sɐm⁴〔岑〕❶連綿下雨，路上積水。❷落淚或汗流不止。如「涔淚」；「汗涔涔下」。❸「涔涔」：①雨多的樣子。②困頓的樣子。③淚水下滴的樣子。

涘 名(sì)粵dzi⁶〔自〕水邊。詩經有「在河之涘」。

涑 (sù)粵tsuk⁷〔束〕「涑水河」：水名，源出山西絳

縣，西南流入黃河。

浥 図(yì)⑧jɛp⁷〔邑〕「浥浥」：濕潤的樣子。

浯 (wú)⑧ŋ⁴〔吾〕水名：①浯水，在山東省。②浯溪，在湖南省。

浴 (yù)⑧juk⁹〔欲〕❶洗澡。如「沐浴」；「浴池」。❷図潔治。如「澡身浴德」。❸図「浴血」：形容血多，戰爭慘烈的樣子。

【涌】同「湧」，見384頁。

【酒】見酉部，745頁。

八畫

淼 図(miǎo)⑧miu⁵〔秒〕水大的樣子。

淝 (féi)⑧fei⁴〔肥〕水名，源出安徽省，下流分兩支。東流入巢湖；西流入淮河。

涪 (fú)⑧feu⁴〔浮〕「涪江」：嘉陵江支流，在四川省。

淡 (dàn)⑧dam⁶〔啖〕❶顏色、味道不濃。如「淡掃峨眉」；「清茶淡飯」。❷稀薄。跟「濃」相反。如「人情很淡」；「雲淡風輕」。❸不熱心。如「冷淡」；「淡漠」。❹不旺盛。如「淡月」；「生意很淡」。❺含鹽分少。如「淡水湖」。❻「淡泊」：恬靜寡慾。❼「淡淡」：①図水流平滿的樣子。②顏色淺。③不熱心。如「淡淡地說了兩句應酬話」。❽「淡菜」：一種作菜看用的蚌類；曝乾時不加鹽。

淀 (diàn)⑧din⁶〔電〕淺水的湖泊。

淘 (táo)⑧tou⁴〔陶〕❶洗。如「淘米」。❷除去壞的，留下好的。如「淘汰」。❸挖濬。如「淘井」；「水溝不通了，把它淘一淘」。❹「淘氣」：①孩子頑皮不聽話。②爲事勞神。如「算了，不要跟他淘氣了」。

淌 (tǎng)⑧toŋ²〔倘〕流。如「淌眼淚」。

添 (tiān)⑧tim¹〔他淹切〕❶增加。如「添補」；「添置儀器設備」。❷生育。如「添丁」；「添了一個小孩」。

淖 (nào)⑧nau⁶〔鬧〕lau⁶〔離效切〕(俗)❶爛泥。如「陷入泥淖」。❷「淖爾」：湖泊(蒙古語)。如「庫庫淖爾(即青海)」。

淶 (lái)⑧loi⁴〔來〕水名，在河北省。

淚(泪) (lèi)⑧lœy⁶〔類〕從淚腺分泌出來的眼液。如「眼淚」。

淋 ▲(lín)⑧lɛm⁴〔林〕❶水向下澆。如「淋浴」。❷雨水澆濕。如「渾身都淋濕了」。❸

「淋漓」：①暢達詳盡的樣子。如「興致淋漓」。②濕透的樣子。如「鮮血淋漓」。

▲ (lìn) 粵 lem⁴〔林〕❶ 濾。❷「淋病」：一種傳染的性病；也叫白濁。

涼(凉) ▲ (liáng) 粵 lœŋ⁴〔良〕❶ 微寒。如「秋涼」；「涼風」。❷ 取涼用的東西。如「涼棚」；「涼傘」。❸ 失望。如「心裏涼了半截」。❹ 図薄，不善。如「虢多涼德」。❺ 東晉時十六國國名。如「前涼」、「後涼」等。❻ 姓。

▲ (liàng) 粵 lœŋ⁴〔良〕把熱的東西放在通風的地方，使熱度減低。如「把水涼(liàng)涼(liáng)了再喝」。

淩 (líng) 粵 liŋ⁴〔零〕❶ 通「凌」，見48頁。❷ 姓。

淥 (lù) 粵 luk⁹〔六〕❶ 図水清的樣子。❷ 姓。❸ 通「漉」，見389頁。

淪 (lún) 粵 lœn⁴〔倫〕❶ 小的小波紋。如「淪猗」。❷ 沉沒。如「沉淪」。❸ 喪失，滅亡。如「淪亡」。❹ 流落。如「淪為乞丐」。❺「淪陷」：土地被敵人佔領。

淦 (gàn) 粵 gem³〔禁〕❶ 図水入船中。❷ 水名，在江西省。❸ 姓。

涸 (hé) 粵 kɔk⁸〔確〕❶ 水乾竭。如「乾涸」。❷「涸轍鮒魚」：鮒魚在乾了的車轍中。比喻窮困的境遇。

涵 (hán) 粵 ham⁴〔咸〕❶ 図水澤多，所受潤澤多。❷ 包容。如「包涵」；「海涵」。❸「涵洞」：①鐵路、公路下面泄水的洞。②通水的陰溝。❹「涵養」：身心的修養。如「涵養有素」。

淮 (huái) 粵 wai⁴〔懷〕「淮水」：水名，源出河南省桐柏山，經安徽省到江蘇省入海。今作「淮河」。

混 ▲ (hùn) 粵 wen⁶〔運〕❶ 雜亂。如「混淆」；「混亂」。❷ 攙和在一起。如「混合」。❸ 苟且過日子。如「一天混過一天」。❹ 蒙。如「魚目混珠」。❺ 胡亂。如「混說」。❻ 図「混沌」：①世界未開闢以前的景象。②胡塗無知的樣子。❼「混凝土」：水泥、細砂和石子，按一定比例相混合，加水以後凝結牢固，是建築工程常用的材料。

▲ (hún) 粵 wen⁶〔運〕水不清的樣子。如「混水」；「混濁」。

▲ 図 (gǔn) 粵 gwen²〔滾〕「混混」同「滾滾」：水流不絕的樣子。孟子有「源泉混混，不舍

書夜」。

▲(kūn)㊣kwen¹〔坤〕「混夷」即是「昆夷」：古西戎國名。

淨(凈、净) (jìng)㊣dziŋ⁶〔靜〕 ❶ 清潔。如「潔淨」。❷空無所有。如「淨盡」；「材料用淨」。❸純粹的，實質的。如「淨利」；「純淨」。❹只是。如「淨說不做」；「剩下的淨是骨頭」。❺全是、都是。如「一屋子淨是書」。❻京劇角色名，通稱花臉。❼「淨土」：佛教指西方樂土。

淒(凄) (qī)㊣tsei¹〔妻〕❶雲雨起的樣子。❷寒冷。如「淒風苦雨」。❸悲傷。如「淒涼」。❹「淒淒」：①寒涼的樣子。詩經有「風雨淒淒」。②悲傷的樣子。如「有悲心則聲音淒然」。❺「淒慘」也作「悽慘」：悲傷。

淇 (qí)㊣kei⁴〔其〕「淇水」：水名，在河南省。

淺 ▲(qiǎn)㊣tsin²〔雌演切〕❶從上到下或從外到裏的距離很近的，跟「深」相反。如「淺水」；「淺海」；「這房間很淺」。❷簡明容易了解。如「淺顯」；「由淺入深」。❸顏色淡。如「淺紅」；「淺灰」。❹微微的。

如「淺笑」。❺不久，時間短。如「年代淺」；「相處的日子還淺」。❻「淺子」：沒有提梁的圓形淺筐。

▲図(jiān)㊣dzin¹〔煎〕「淺淺」：水流很快的樣子。

清 (qīng)㊣tsiŋ¹〔青〕❶潔淨，不混雜的，跟「濁」相反。如「清水」；「天朗氣清」。❷涼爽。如「清涼」。❸單純。如「清一色」。❹明晰，不亂。如「清楚」；「清晰」。❺淨盡。如「債還清了」。❻了結。如「清帳」。❼整理。如「清理」。❽朝代名，滿族愛新覺羅氏所建立的，中國最後一個王朝(公元1644至1911)。❾「清白」：①人品純潔。②不做污賤的職業。如「身家清白」。❿「清明」：①二十四節氣之一，在陽曆四月五日前後。②政治有法度、有條理。如「清明之世」。⓫「清談」：①專講空理不切實際的談論。②敬稱他人的言論。⓬「清真寺」：回教的寺院。

淅 (xī)㊣sik⁷〔色〕❶淘米水。❷水名，在河南省。❸「淅淅」：微風聲。❹「淅瀝」：象聲詞。形容雨、雪、樹葉等落下的聲音。

涿 (zhuō) 粵 dœk⁸〔啄〕❶ 滴下的水。❷「涿州」：古州名。今作「涿縣」，在河北省。

淳(湻) (chún) 粵 sœn⁴〔純〕❶ 樸實，厚道。如「淳樸」；「風俗淳厚」。❷「淳于」：複姓。

深 (shēn) 粵 sɐm¹〔心〕❶ 高到下，外到裏，距離很大的，跟「淺」相反。如「深潭」；「深巷」。❷ 時間長久。如「年深日久」。❸ 時間久，晚。如「深秋」；「深夜」。❹ 表示程度高。如「深交」；「深信不疑」；「深謀遠慮」。❺ 精微，不顯露。如「深奧」；「意思太深」。❻ 顏色濃。如「深色」。❼ 物的內部。如「深山」。

淑 (shū) 粵 suk⁹〔熟〕❶ 善，美。大都指女人的品德。如「賢淑」；「淑質」。❷「淑女」：美好的女子。詩經有「窈窕淑女，君子好逑」。

涮 (shuàn) 粵 san³〔汕〕❶ 沖洗。如「洗洗涮涮」。❷ 用沸湯把肉片燙熟。如「涮羊肉」。❸ 謊話騙人。如「我被人涮了」。

淄 ⊠ (zī) 粵 dzi¹〔支〕❶ 黑色。如「化白于泥淄」。❷「淄水」：水名，在山東省。今作「淄河」。

淬 (cuì) 粵 tsœy³〔翠〕sœy⁶〔遂〕(又)❶ 打造刀劍，先燒紅後浸入水中，使具有一定的硬度和彈性。如「淬火」。❷「淬礪」：磨鍊。

淙 (cóng) 粵 tsuŋ⁴〔松〕❶ 水聲。❷ 水流的樣子。❸「淙淙」：①水聲。白居易詩有「淙淙三峽水，浩浩萬頃陂」。②金石聲。

淞 (sōng) 粵 suŋ¹〔鬆〕「淞江」也稱「吳淞江」：水名，源出江蘇省太湖，流經上海，與黃浦江合流入海。

涯 (yá) 粵 ŋai⁴〔崖〕ai⁴〔挨低平〕(俗)❶ 水邊。如「涯岸」。❷ 邊遠的地方。如「天涯海角」。❸ ⊠ 窮盡。如「吾生也有涯」。❹ ⊠「涯際」：邊際。

液 (yè) 粵 jik⁹〔役〕❶ 有一定體積而沒有一定形狀的流動物質。如「液體」；「液汁」。❷「液化」：氣體化為液體的過程。

淆 ⊠ (xiáo) 粵 ŋau⁴〔看 au⁴〔拗低平〕(俗) 雜亂。如「混淆」；「淆亂」。

淹 (yān) 粵 jim¹〔闇〕❶ 水漫過。如「淹沒」；「房子被水淹了」。❷ 液體沾在皮膚上而覺得不舒服。如「胳肢窩被汗淹得難受」。❸ ⊠ 久留，停

滯。如「淹留」;「淹遲」。❹囡深。如「學識淹博」;「淹貫羣書」。❺囡浸漬。禮記有「淹之以樂好」。

淫 (yín) 粵 jɐm⁴〔吟〕❶過分的。如「淫威」。❷迷惑。如「富貴不能淫」。❸不正當的性行為。如「姦淫」;「荒淫無道」。❹囡「淫佚」:行為放蕩而不加拘束。

淤 (yū) 粵 jy¹〔於〕❶水中沉澱。如「淤泥」。❷停滯,阻塞。如「淤塞」。

淵 (yuān) 粵 jyn¹〔冤〕❶深水。如「淵泉」;「魚躍於淵」。❷深,廣。如「淵博」。❸姓。❹囡「淵淵」:①水靜深的樣子。中庸有「淵淵其淵」。②鼓聲。詩經有「伐鼓淵淵」。❺囡「淵源」:①指水源。②泛指事物的根源。如「歷史淵源」。❻囡「淵藪」:指人或物聚集的地方。

涴 (wò) 粵 wo³〔蛙個切〕弄髒,泥沾在器物上。

淴 (hū) 粵 fɐt⁷〔忽〕「淴浴」:洗澡。

【減】同「血」,見373頁。
【淛】同「浙」,見376頁。
【涑】同「潄」,見383頁。
【游】同「游」,見384頁。

九畫

渤 (bó) 粵 but⁹〔勃〕「渤海」:中國山東半島和遼東半島中間的內海。

湃 (pài) 粵 bai³〔拜〕❶「湃湃」:水相激的聲音。❷「澎湃」:見392頁「澎」字。

湓 (pén) 粵 pun⁴〔盆〕❶水湧。如「湓湧」。❷「湓水」:水名,在江西省。

湄 囡 (méi) 粵 mei⁴〔眉〕水岸。如「在水之湄」。

渼 囡 (měi) 粵 mei⁵〔美〕水波紋。

渺 (miǎo) 粵 miu⁵〔秒〕❶囡水廣遠的樣子。如「渺汚」。❷「渺茫」:①兩地遠隔模糊不清。白居易長恨歌有「一別音容兩渺茫」。②遼闊不易看見的樣子。❸囡「渺渺」:微遠的樣子。

湎 囡 (miǎn) 粵 min⁵〔免〕人沉迷於酒。如「沉湎」。

湣 ▲ 囡 (mǐn) 粵 mɐn⁵〔敏〕通「閔」。春秋「魯閔公」也作「魯湣公」。
　▲ (hūn) 粵 fɐn¹〔分〕「湣湣」:污濁混亂。

渡 (dù) 粵 dou⁶〔道〕❶從此岸到彼岸。如「渡海」;「渡江」。❷坐船過河的地方。如

「渡口」;「津渡」。

湯 ▲(tāng)粵tɔŋ¹〔他康切〕❶熱水。如「赴湯蹈火」。❷帶大量汁水的菜。如「菠菜豆腐湯」。❸煮東西的汁液。如「米湯」;「湯藥」。❹商朝的開國君主,叫成湯。❺姓。

▲図(shāng)粵sœŋ¹〔商〕「湯湯」:水流很盛大的樣子。

湉 図(tián)粵tim⁴〔甜〕「湉湉」:水流平靜的樣子。

湕 図(tíng)粵tiŋ⁴〔停〕水停着不動。

湍 (tuān)粵tœn¹〔他詢切〕tsyn²〔喘〕(俗)水流得快。如「湍急」;「湍流」。

港 (gǎng)粵gɔŋ²〔講〕❶大河的分支,可以通船的小江。❷海灣,可以停船的口岸。如「商港」;「軍港」。❸香港的簡稱。如「港幣」。

渴 ▲(kě)粵hot⁸〔喝〕❶口乾想喝水。如「口渴」。❷急切。如「渴望」。

▲図(jié)粵kit⁸〔詰〕水乾了。

▲(hé)粵hot⁸〔喝〕楚越方言,稱反流的水。

湖 (hú)粵wu⁴〔胡〕❶面積較大的聚水的地方。如「洞庭湖」。❷浙江省舊湖州府的簡稱。如「湖筆」。

渙 (huàn)粵wun⁶〔換〕❶離散,散漫。如「渙散」。❷図水勢盛大的樣子。如「渙渙」。

渾 ▲(hún)粵wen⁴〔云〕wen⁶〔運〕(又)❶水濁。如「渾水」。❷全。如「渾身」。❸糊塗,不明事理。如「渾人」。❹図幾乎。如「白頭搔更短,渾欲不勝簪」。❺姓。❻「渾家」:①全家。②舊小說裏稱妻子。❼「渾噩」:「渾渾噩噩」的簡稱,指樸直沒有機詐。引伸作無知的意思。

▲図(hùn)粵wen⁶〔運〕❶大。班固幽通賦有「渾元運物,流不處兮」。❷雜。漢書有「賢不肖渾淆」。❸「渾沌」:①同「混沌」,見378頁。②比喻自然。❹「渾渾」:①大的樣子。②紛亂的樣子。③純樸。❺「渾天儀」:古時測量天體運行的儀器。

▲図(gǔn)粵gwen²〔滾〕「渾渾」同「滾滾」:水流暢盛的樣子。荀子有「財源渾渾如泉源」。

湑 (xū又讀xū)粵sœy¹〔須〕sœy²〔水〕(又)❶「湑湑」:茂盛的樣子。如「其葉湑湑」。❷「湑水」:水名,漢江上游支流,在陝西省南部。

湟 (huáng)粵woŋ⁴〔皇〕❶图低濕的地方。❷「湟水」：水名，黃河上游支流，由青海流入甘肅。

湫 ▲图(qiū)粵tseu¹〔抽〕❶水池。❷「大龍湫」：瀑布名，在浙江省雁蕩山。
▲ (jiāo)粵dziu²〔沼〕「湫隘」，低濕狹小。

湔 (jiān)粵dzin¹〔煎〕❶图洗濯，洗刷。如「湔雪」。❷「湔江」：江名，在四川省。

減(减) (jiǎn)粵gam²〔加慘切〕❶從整體中去掉若干。如「減價」;「減低成本」。❷算術名詞，從一數去掉另一數的算法。代號是「-」。如9-6＝3。❸降低程度。如「減色」。❹姓。

渠 (qú)粵kœy⁴〔瞿〕❶人工挖掘的水道。如「溝渠」。❷图他。如「渠等」(即是「他們」)。❸图大。如「渠魁(指匪寇的大頭目)」。

渫(涤) 图(xiè)粵sit⁸〔屑〕❶沖洗乾淨。❷分散到各處。漢書有「農民有錢，粟有所渫」。❸姓。

湘 (xiāng)粵sœŋ¹〔商〕❶江名，源出廣西省，經湖南省入洞庭湖。❷湖南省的簡稱。

渲 (xuàn)粵syn³〔算〕hyn¹〔圈〕(又)❶把水墨淋在紙上塗勻的作畫方法。❷「渲染」：①用顏料染成各種彩色。②過度的描寫;誇大的形容。

渣 ▲(zhā)粵dza¹〔楂〕❶提去液汁後所剩的乾質。如「油渣」;「渣滓」。❷碎屑。如「麪包渣」。
▲(zhǎ)粵dza²〔支啞切〕❶塊狀物。如「煤渣子」。❷「渣兒」：①破損的痕跡。②蒂芥。如「我和你沒碴兒沒渣兒」。

湛 ▲(zhàn)粵dzam³〔蘸〕❶图深厚。如「湛恩」。❷图清爽。如「神志湛然」。❸姓。
▲图(dān)粵dam¹〔眈〕同「耽」，逸樂的樣子。見565頁。

渚 (zhǔ)粵dzy²〔主〕小洲。如「江有渚」。

湜 图(shí)粵dzik⁹〔直〕「湜湜」：水清見底的樣子。詩經有「湜湜其沚」。

測 (cè)粵tsɐk⁷〔側〕❶度量，考量。如「測量」;「測驗」。❷料想。如「推測」;「預測」。❸「測候」：觀察天文；也指測量氣象。

渢 (féng)粵fuŋ⁴〔馮〕「渢渢」：形容樂聲、水聲抑揚。

湞 (zhēn) 粵 dziŋ¹〔貞〕「湞水」：水名，在廣東省。

湊(凑) (còu) 粵 tseu³〔臭〕**❶**聚攏。如「湊數」；「湊在一起」。**❷**挨近。如「湊上去」；「往前湊一步」。**❸**「湊手」：手頭方便。常指金錢方面。

游(遊) (yóu) 粵 jeu⁴〔由〕**❶**在水裏行動。如「游泳」。**❷**流動的，不固定的。如「游資」；「游牧民族」。**❸**江河的段落。如「上游」；「下游」。**❹**玩物以適情。如「游於藝」。**❺**姓。**❻**通「遊」，見734頁。

湮 図 (yān) 粵 jen¹〔因〕**❶**埋沒。如「湮沒」；「湮滅」。**❷**堵塞。如「河道湮塞」。

渦 ▲(wò) 粵 wo¹〔窩〕**❶**旋轉的水流，如「漩渦」。**❷**人笑時兩頰有點像渦的樣子。如「酒渦兒」。**❸**図「渦輪」：(turbine)輪機的俗名，有水輪機、燃氣輪機跟蒸氣輪機等。
▲(guō) 粵 gwo¹〔戈〕gɔ¹〔哥〕(俗)**❶**「渦河」：水名，自河南省經安徽省入淮河。**❷**「渦陽」：縣名，在安徽省。

渥 図 (wò) 粵 ɐk⁷ak⁷〔握〕(又)**❶**深厚。如「優渥(優厚)」。**❷**浸潤，塗抹。如「渥丹(用紅色塗染)」。

渭 (wèi) 粵 wɐi⁶〔胃〕「渭河」：黃河的最大支流，在陝西省。

渝 (yú) 粵 jy⁴〔如〕**❶**図改變。如「此志不渝」。**❷**重慶市的別稱。**❸**四川省巴縣的別稱。

湲 図 (yuán) 粵 jyn⁴〔元〕wun⁴〔桓〕(又)水流的樣子。

湧(涌) (yǒng) 粵 juŋ²〔擁〕**❶**水向上冒出。如「泉湧」。**❷**像水湧出似的。如「酒湧上來」。

【湼】同「涅」，見374頁。
【湻】同「淳」，見380頁。
【溫】同「温」，見387頁。
【湌】同「餐」，見823頁。
【潙】同「溈」，見394頁。

十畫

滂 図 (pāng) 粵 pɔŋ⁴〔旁〕**❶**水湧出的樣子。**❷**「滂沱」：①大雨的樣子。如「大雨滂沱」。②眼淚多的樣子。詩經有「涕泗滂沱」。**❸**「滂湃」：水勢盛大。如「山雨滂湃」。

溥 (pǔ) 粵 pou²〔普〕**❶**普徧。如「溥天之下」。**❷**図大。**❸**姓。

滅 (miè) 粵 mit⁹〔蔑〕**❶**火熄了。如「滅燈」；「滅火器」。**❷**図沉沒。如「滅頂」。**❸**盡，

除絕。如「消滅」;「滅蠅」。❹破壞。如「毀滅」。❺図「滅此朝食」:意思是急欲除敵,等滅了敵人再吃早飯。形容鬥志堅決。

溟 図(míng)⑧miŋ⁴[明]❶古人稱海。如「北溟有魚」。❷「溟濛」:①下小雨的樣子。②模糊不清的樣子。❸「溟溟」:①昏暗的樣子。②潮濕的樣子。

滏 (fǔ)⑧fu²[斧]「滏陽河」:水名,在河北省。

滇 (diān)⑧din¹[顛]tin⁴[填](又)❶雲南省的簡稱。❷「滇池」:湖名,在雲南省,也稱「昆明湖」。

滔 (tāo)⑧tou¹[韜]❶図漫。書經有「浩浩滔天」。❷慢。詩經有「天降滔德」。❸「滔天」:漫天,形容極大。如「白浪滔天」;「罪惡滔天」。❹「滔滔」:①形容水流盛大。如「江水滔滔」。②形容說話連續不停。如「滔滔不絕」。③図形容混亂。論語有「滔滔者天下皆是也」。

溏 (táng)⑧tɔŋ⁴[唐]❶水池。❷汁液流動不凝結。如「溏心兒」。

滕 (téng)⑧tɐŋ⁴[騰]❶姓。❷古國名,在現在山東省滕縣。

溺 ▲(nì)⑧nik⁷[匿]lik⁷[礫](俗)❶沒入水裏。如「溺死」;「沉溺」。❷図過分喜好寵愛。如「溺愛」;「溺於酒色」。❸「溺職」:不盡職。

　▲(niào)⑧niu⁶[尿]liu⁶〔廖〕(俗)同「尿」,小便或解小便。見166頁。

溧 (lì)⑧lœt⁹[栗]「溧水」:地名,在江蘇省。

溜 ▲(liū)⑧lɐu⁶[漏]❶滑行。如「溜冰」;「順着斜坡溜下來」。❷不告而別。如「他一個人溜出去了」。❸一種烹飪法。如「溜肉片兒」;「醋溜白菜」。❹光滑的樣子。如「滑溜溜」。❺下墜。如「價錢直往下溜」。❻很快地看一下。如「溜了他一眼」。❼斜下。如「溜肩膀」。❽「溜達」也作「蹓達」:指散步或閒遊。

　▲(liù)⑧lɐu⁶[漏]❶簷下滴水的地方。如「簷溜」。❷向下急流的水。如「河裏大溜」。❸行列。如「一溜兒有三間房」;「一溜煙兒似地跑了」。

滆 (gé)⑧gak⁸[格]「滆湖」:湖名,在江蘇省。

溝 (gōu)⑧gɐu¹[加歐切]kɐu¹〔卡歐切〕(又)❶田間的水道。如「溝洫」。❷通水道。如

「陰溝」；「排水溝」。❸平面上凹下去的長條痕跡。如「車輪在路上軋了一道溝」。❹通達。如「溝通情感」。

滾(滾) (gǔn)⑧gwen²〔袞〕❶水急流的樣子。如「滾滾」。❷轉動。如「滾鐵環」；「在地上滾」。❸水沸。如「滾水」。❹形容很熱，很圓。如「滾燙」；「滾圓」。❺輾轉。如「滾存」；「利上滾利」。❻罵人，趕人走的話。如「滾開」；「滾出去」。❼「滾瓜爛熟」：形容讀書或背書流利純熟。

溘 図(kè)⑧hep⁹〔合〕❶忽然。如「溘然長逝」。❷「溘溘」：①流水聲。李賀詩有「塘水聲溘溘」。②形容寒冷。如「十里寒溘溘」。

滑 ▲(huá)⑧wat⁹〔猾〕❶不凝滯。如「滑利」；「光滑」。❷巧詐，虛浮不實。如「油滑」；「滑頭」。❸溜着走。如「滑行」；「滑雪」。❹姓。❺縣名，在河南省。❻「滑翔」：藉空氣氣流的升降而飛動。如「滑翔機」。
　　▲(huá，舊讀gǔ)⑧gwet⁷〔骨〕wat⁹〔猾〕(又)「滑稽」：可笑、有趣的言語或動作。

溷 図(hùn)⑧wen⁶〔混〕❶骯髒。如「溷濁」。❷廁所。❸獸圈。❹同「混」，雜亂。見378頁。

溪(谿) (xī，又讀qī)⑧kei¹〔稽〕山間的流水。如「溪流」；「濁水溪」。

溴 (xiù)⑧tseu³〔臭〕❶非金屬化學元素，符號Br。是赤褐色液體，有劇毒，可作染料跟氧化劑。❷「溴水」：溴的水溶液，可作消毒藥。

滎 ▲(xing)⑧jiŋ⁴〔營〕「滎陽」：縣名，在河南省。
　　▲(yíng)⑧jiŋ⁴〔營〕「滎經」：縣名，在四川省。

溱 ▲(zhēn)⑧dzœn¹〔津〕❶水名，在河南省。❷図「溱溱」：①多而盛的樣子。詩經有「室家溱溱」。②出汗的樣子。如「汗出溱溱」。
　　▲(qín)⑧tsœn⁴〔巡〕「溱潼」：鎮名，在江蘇省。

準(準) (zhǔn)⑧dzœn²〔准〕❶量平正的器具。漢書有「繩直生準，準者所以揆平取正也」。❷依據的法則。如「準繩」；「標準」。❸正確。如「準確」；「這個鐘走得準」。❹程度。如「水準」。❺一定。如「我準來」；「他說話沒準兒」。❻預備。如「準

備」。❼人的鼻子。如「隆準（高鼻子）」。❽類似。如「準法律行爲」。

滁 (chú) ⑧ tsœy⁴〔隨〕❶「滁河」：河名，長江下游支流，在安徽省東部。❷「滁縣」：縣名，在安徽省。

溽 区(rù) ⑧ juk⁹〔辱〕❶濕。如「溽暑（夏季濕熱的氣候）」。❷濃厚。如「飲食不溽」。

溶 (róng) ⑧ juŋ⁴〔容〕❶物質在水裏分化。如「溶解」；「溶化」。❷「溶溶」：①水多的樣子。杜牧詩有「二川溶溶」。②寬廣的樣子。楚辭有「心溶溶其不可量兮」。

滋 (zī) ⑧ dzi¹〔支〕❶生長，生出來。如「滋生」；「滋芽」。❷繁殖，增多。如「滋蔓」；「繁滋」。❸液體噴出。如「滋出水來」；「管子裂了，直滋水」。❹惹起，發生。如「滋事」。❺潤澤，不乾枯。如「滋潤」。❻補身體。如「滋補」；「滋養品」。❼「滋味」：①食物的味道。②指生活中的各種趣味或特殊感覺。

滓 (zǐ) ⑧ dzi²〔子〕❶水底的沉澱物。❷提去精華後所剩的糟粕。如「渣滓」。

滄 (cāng) ⑧ tsʊŋ¹〔倉〕❶区寒冷。❷暗綠色。如「滄海」。

❸「滄桑」：「滄海桑田」的簡語，比喻世事無常，變化很大。❹「滄海一粟」：①比喻人在宇宙間地位的眇小。②比喻大小差得太多。❺「滄海遺珠」：海中的寶珠被採集的人遺棄。比喻埋沒人才。

溲 区(sōu) ⑧ sɐu¹〔收〕排洩小便。如「溲溺」；「溲器」。

溯(沂、遡) (sù) ⑧ sou³〔訴〕❶逆水行舟。如「溯江而上」。❷探究本源。如「溯源」。❸追念過去。如「回溯」；「追溯」。

溢 (yì) ⑧ jɐt⁹〔日〕❶水滿出來。如「溢出」。❷流到外面去。如「利權外溢」。❸区過度的。如「溢美（過分的讚美）」。

溫(温) (wēn) ⑧ wɐn¹〔瘟〕❶冷熱適中。如「溫帶」；「溫水」。❷使涼的液體有熱氣。如「溫酒」。❸柔和。如「溫和」；「溫柔」。❹復習。如「溫習」；「溫故而知新」。❺中醫說的熱病。如「春溫」；「冬溫」。❻不精彩，平淡乏味，多指文章、戲劇等而言。❼笑人作事不爽利。❽姓。❾「溫度」：冷熱的程度。也簡稱溫。如「氣溫」；「體溫」。❿区「溫凊」：「冬溫夏凊」的簡語，古代女子奉養父母之道，冬天

使父母溫暖，夏天使父母涼爽舒適。⓫「溫溫」：①柔和的樣子。詩經有「溫溫其恭」。②潤澤的樣子。

溫 ▲図(wěng)粵juŋ²〔湧〕❶大水的樣子。❷雲氣湧起的樣子。

▲(wēng)粵juŋ¹〔翁〕「溫江」：江名，在廣東省。

源 (yuán)粵jyn⁴〔元〕❶泉水的出處。如「水源」；「河源」。❷事物的所由來。如「來源」；「根源」。❸姓。❹「源源」：連續不斷的樣子。如「源源不斷」。

溮 (shī)粵si¹〔師〕「溮河」：河名，淮河上游支流，在河南省。

【滙】同「匯」，見65頁。
【溼】同「濕」，見397頁。

十一畫

漂 ▲(piāo)粵piu¹〔飄〕❶浮在水面。如「漂浮」；「漂流」。❷図動。如「眾昫漂山」。❸「漂泊」：東奔西走，生活不安定。❹通「飄」，見819頁。

▲(piǎo)粵piu³〔票〕❶在水裏洗衣物。如「漂母」；「把布在水裏漂一漂」。❷用化學方法使衣物褪色或更潔白。如「漂白」。❸「漂白粉」：通入氣氣的石灰，可以漂去各種東西的顏色，使成白色。

▲(piào)粵piu³〔票〕❶「漂亮」：①舉動輕快爽脆。②容貌美麗或舉止大方。❷「漂帳」：不還的債。❸「漂了」：事情不成功了，機會失去了。

漠 (mò)粵mɔk⁹〔莫〕❶北方流沙。如「大漠」；「沙漠」。❷不關心或不相關的樣子。如「漠不關心」；「漠不相關」。

滿 (mǎn)粵mun⁵〔門低上〕❶充盈的樣子。如「酒滿杯」；「水滿了」。❷「滿意」的簡詞，認爲很好。如「自滿」；「人人不滿」。❸普徧。如「滿地是水」。❹十分，全。如「滿不在乎」；「滿心喜悅」。❺很。如「滿以爲你會來」；「滿像樣子」。❻時日已過完。如「滿假」；「任期屆滿」。❼和睦周全。如「圓滿」；「完滿」。❽中國東北的民族名，清朝便是滿族入關之後建立的。❾姓。❿「小滿」：二十四節氣之一，在陽曆五月二十一日前後。

漫 ▲(màn)粵man⁶〔慢〕❶水太滿，流出來了。如「河水漫出來了」。❷淹沒。如「水漫金山寺」。❸徧布。如「彌漫」；「漫山徧野」。❹放任不加拘束的樣子。如「散漫」；「漫無秩

序」。❺莫、休，或表示浮泛的意思。如「姑漫應之」；「漫說是我，你也不行啊」。❻「漫漶」：字跡等模糊不清。❼「漫畫」：一種誇大事物特徵，帶有諷刺或幽默性的繪畫。

▲(mán)粵man⁴〔蠻〕man⁶〔慢〕(又)❶水大的樣子。❷「漫天」：①極大的。如「漫天討價」。②蔽天。如「漫天星斗」。❸「漫漫」：①長遠的樣子。如「長夜漫漫」。②無涯際的樣子。如「長路漫漫」。

滴 (dī)粵dik⁹〔敵〕❶水點。如「水滴」。❷水點往下掉。如「滴眼藥」。❸液體的量詞。如「一滴水」；「一滴油」。❹表示聲音的詞。如「滴答」。❺「滴滴」：水點連續下滴。

▲(dì)粵dik⁷〔的〕❶「滴滴」：形容詞的語尾。如「嬌滴滴」。❷「滴瀝」：水下滴的聲音。

滌 図(dí)粵dik⁹〔敵〕❶洗，灑。如「洗滌」；「滌蕩」。❷掃。詩經有「十月滌場」。

漯 ▲(tà)粵tap⁸〔塔〕「漯河」：也叫「濕水」，古黃河支流。

▲(luò) 粵lɔk⁸〔駱〕「漯河」：市名，在河南省。

漏 (lòu)粵lɐu⁶〔陋〕❶水從縫隙裏流出來。如「屋頂漏水」。❷透露出去。如「走漏消息」。❸遺落，脫落。如「漏抄兩頁書」；「漏作三道題」。❹古時候滴水計時的儀器。如「刻漏」；「漏盡更深」。❺逃避。如「漏稅」。❻「漏子」：①漏斗。②事情破綻之處。❼「漏卮」：漏的酒器，比喻利權外溢。

漓 図(lí)粵lei⁴〔離〕❶濕透，沾上水液的樣子。❷薄。如「風俗澆漓」。❸「淋漓」：見377頁「淋」字。

漦 図(lí)粵lei⁴〔離〕❶唾沫。如「龍漦」。❷順流。

漻 図(liáo)粵liu⁴〔聊〕❶清澈的樣子。❷流。如「漻淚」。

漣 (lián)粵lin⁴〔連〕❶水面的波紋。如「漣漪」。❷図哭泣流淚的樣子。如「涕泣漣漣」。❸「漣水」：水名，湘江的支流，在湖南省。

滷 (lǔ)粵lou⁵〔老〕❶鹹水。如「滷湖」。❷稠濃的湯汁。如「打滷麪」。❸用鹹汁調治食品。如「滷鴨」；「滷豆腐乾」。

漉 (lù)粵luk⁹〔鹿〕❶形容濕淋淋的樣子。如「濕漉漉地沒地方放」。❷図水慢慢滲下。如「滲漉」。

溉 (gài)粵kɔi³〔概〕❶澆，灌。如「灌溉」。❷図洗滌。

滰 因（kāng）粵 hoŋ¹〔康〕空虛。

漷 （huǒ）粵 kwɔk⁸〔廓〕kɔk⁸〔確〕（俗）水名，一在山東省，一在河北省。

漢 （hàn）粵 hɔn³〔看〕❶種族名，是中華民族的主要構成分子。❷水名，從陝西發源，經過湖北流入長江。❸屬於漢族的。如「漢字」；「漢語」。❹男子的通稱。如「漢子」；「好漢」。❺女人指丈夫或情人。如「嫁漢」；「偷漢子」。❻指銀河。如「天漢」；「銀漢」。❼朝代名：①劉邦所建，被王莽篡竊，史稱西漢或前漢（公元前206—後8）。劉秀恢復漢室，被曹丕所滅，史稱東漢或後漢（公元25—220）。②三國劉備所建的蜀漢（公元221—263）。③五代劉知遠所建後漢（公元947—950）。

滹 （hū）粵 fu¹〔呼〕❶「滹沱」：河名，在山西、河北兩省。❷姓。

滸 ▲（hǔ）粵 wu²〔塢〕水邊的地方。詩經有「在河之滸」。
▲（xǔ）粵 hœy²〔許〕「滸墅關」：江蘇省地名。

滬 （hù）粵 wu⁶〔戶〕❶捕魚的竹柵。❷上海市的簡稱。如「京滬鐵路」。❸「滬瀆」：吳淞江的下游，在上海市。

澣 因（huàn）粵 wan⁶〔患〕「漫澣」：見388頁「漫（màn）」字。

漈 （jì）粵 dzɐi³〔制〕❶水邊。如「涯漈」。❷海底深陷處。

漸 ▲（jiàn）粵 dzim⁶〔自驗切〕❶慢慢地。如「漸入佳境」；「循序漸進」。❷「漸次」：逐漸，隨時漸近。如「情況漸次明朗」。
▲因（jiān）粵 dzim¹〔尖〕❶流入。如「東方文化西漸」。❷漬濕。如「漸漬」。❸「漸染」：慢慢受感染的意思。

漿 （jiāng）粵 dzœŋ¹〔章〕❶泛稱流質的東西。如「豆漿」；「血漿」。❷衣服洗淨後用粉汁或米湯浸，過乾後可以平挺，不容易髒。如「漿洗」；「漿衣服」。❸塗牆用的石灰或黃土汁。如「泥漿」；「塗漿」。❹「漿果」：含有漿質而顆數多的果實，像葡萄一類。

漆 （qī）粵 tsɐt⁷〔七〕❶樹名，皮內的黏汁可以塗器物。❷水名，在陝西省。❸用漆塗刷。如「漆大門」；「漆成白色」。❹姓。❺「漆黑」：①很黑。如「漆黑的頭髮」。②很暗。如「院裏漆黑一片，他不敢進

去」。

漵 (xù) ⑧dzœy⁶〔序〕❶水邊。❷水名,在湖南省。

漩 (xuán) ⑧syn⁴〔旋〕❶水流回環處。❷「漩渦」:①水流激成的螺旋形。②比喻被牽入糾紛事件的關係中。如「捲入漩渦」。

滯 (zhì) ⑧dzei⁶〔自係切〕❶凝聚不流。如「停滯」。❷前行途中停留。如「滯留」。❸貨物銷路不好。如「滯銷」。❹图遺漏。詩經有「此有滯穗」。

漳 (zhāng) ⑧dzœŋ¹〔章〕❶水名,源出山西省,經過河南省、河北省流入衛河。❷江名,發源於福建平和,向東南入海。❸縣名,在甘肅省。❹「漳州」:舊府名,在福建省,首縣叫「龍溪」,出產的緞子很有名。如「漳緞」。

漲 ▲(zhàng) ⑧dzœŋ³〔賬〕图❶水上升。如「水漲船高」。❷物體擴張。如「冷縮熱漲」;「情緒高漲」。❸彌漫。如「煙塵漲天」。

▲(zhǎng) ⑧dzœŋ³〔賬〕升高。如「行情看漲」;「物價高漲」。

產 (chǎn) ⑧tsan²〔產〕「滻河」:水名,在陝西省。

滲 (shèn) ⑧sɐm³〔沁〕❶液體從細孔裏慢慢透過。如「滲透」;「水滲到土裏去了」。❷逐漸侵入別的組織或陣營。如「奸細滲入」;「防止敵人滲透」。

漱 (shù) ⑧seu³〔秀〕❶嘴裏含水沖盪。如「漱口」。❷沖刷。如「懸泉瀑布,飛漱其間」。

漬 (zì) ⑧dzi³〔至〕❶在汁液裏浸泡。如「浸漬」;「鹽漬」。❷沾染。如「油漬」;「水漬貨」。

漕 图(cáo) ⑧tsou⁴〔曹〕❶從前用水路運輸糧食。如「漕運」;「漕米(水路運輸的食米)」。❷姓。

漼 图(cuī) ⑧tsœy¹〔吹〕❶深。詩經有「有漼者淵」。❷摧毀。如「名節漼以隳落」。

漚 ▲(ōu) ⑧ɐu¹〔歐〕水泡。如「浮漚」。

▲(òu) ⑧ɐu³〔歐高去〕❶在水裏久浸。如「衣服漚得都臭了」。❷老是濕着。如「汗漚得很難受」。

漪 (yī) ⑧ji¹〔衣〕錦紋似的水波。如「漣漪」。

演 (yǎn) ⑧jin²〔堰〕❶當眾表現技藝。如「演戲」;「演奏」。❷根據事理引伸發揮。

如「演說」;「演義」。❸練習。
如「演習」;「演算」。❹「演
繹」:論理學講由普通原理推
斷特殊事實的方法。

漾 (yàng)⑧jœŋ⁶〔樣〕❶水搖
動的樣子,心情動蕩的樣
子。如「蕩漾」。❷滿出來。如
「來晚的人都從園裏往外漾」。
❸吐出來。如「漾酸水」;「小
孩漾奶」。❹水名,漢水的上
源,在陝西省。

潁 (yǐng)⑧wiŋ⁶〔泳〕❶「潁
河」:河名,源出河南省,
經過皖北流入淮河。❷姓。

漁 (yú)⑧jy⁴〔如〕❶捕魚。如
「漁民」;「漁業公司」。❷㘎
侵奪。如「漁食」;「漁利」。❸
姓。

漊 (lóu)⑧leu⁴〔樓〕水名,在
湖南省。

【滾】同「滾」,見386頁。
【灤】同「灤」,見399頁。

十二畫

潑 (pō)⑧put⁸〔葡抹切〕❶把水
灑開。如「潑水」;「把水潑
在門前的土路上」。❷凶悍蠻
橫。如「潑辣」;「潑婦」。❸機
靈生動的樣子。如「活潑」。❹
㘎「潑剌」:魚跳起的聲音。

潘 (pān)⑧pun¹〔鋪寬切〕❶㘎
淘過米的水。❷姓。

澎 ▲ (pēng)⑧paŋ¹〔烹〕「澎
湃」:波浪相衝激的聲音。

▲ (péng)⑧paŋ⁴〔彭〕「澎
湖」:羣島名,在臺灣跟福建
之間,附近共有六十四個島,
俗稱「澎湖列島」。

潭 (tán)⑧tam⁴〔談〕❶深的
水。如「深潭」。❷㘎深。如
「潭思」。❸「潭府」:尊稱他人
的家宅。

潼 (tóng)⑧tuŋ⁴〔同〕❶「梓
潼」:水名跟縣名,在四川
省。❷「潼關」:關名,在陝西
省。

潦 ▲ (lào)⑧lou⁶〔路〕❶通
「澇」,見本頁。❷「潦倒」:
落魄。

▲㘎(lǎo)⑧lou⁵〔老〕❶雨
大的樣子。如「水潦降」。❷路
上的積水。

▲ (liǎo)⑧liu⁵〔了〕❶「潦
倒」:頹廢不得志的樣子。❷
「潦草」:草率,隨便。

澇 (lào)⑧lou⁶〔路〕雨水太
多。跟「旱」相反。如「旱澇
不均」。

潾 㘎(lín)⑧lœn⁴〔倫〕水清的
樣子。

潞 (lù)⑧lou⁶〔路〕❶「潞水」:
水名,在山西省。❷「潞
河」:即是白河,在河北省。
❸姓。

敢 (gǎn)粵gem²〔敢〕「澉浦」：地名，在浙江省。

潰 (kuì)粵kui²〔繪〕❶隄岸被水沖開。如「潰決」。❷散亂，垮台。如「潰不成軍」；「經濟崩潰」。❸瘡爛了。如「潰爛」；「胃潰瘍」。

澔 (hào)粵hou⁶〔號〕同「浩」，見375頁。

潢 (huáng)粵wɔŋ⁴〔黃〕❶图積水池。如「潢池」。❷裝裱字畫，室內裝飾。如「裝潢」。❸水名，在內蒙古。❹「弄兵潢池」：小孩在水池裏玩弄兵器。引作比喻百姓作亂。

潔 (jié)粵git⁸〔結〕❶乾淨。如「清潔」；「潔白」。❷图修治。如「潔身自好」。❸图「潔樽」：整治酒杯，預備請客。是請帖上的用語。

澆 (jiāo)粵giu¹〔嬌〕hiu¹〔僥〕(又)❶用液體往下灌。如「澆花」；「把火澆滅」。❷把金屬鎔液倒入模型。如「澆鑄」。❸图薄。如「澆薄（是輕薄不純厚，常指人情風俗）」。

澗 (jiàn)粵gan³〔諫〕兩山間的流水。如「溪澗」。

潛(潛) (qián)粵tsim⁴〔池炎切〕❶入水，在水下面活動。如「潛水」；「鳥飛魚潛」。❷深藏不露。如「潛伏」；「潛意識」。❸图心靜而專。如「潛心」。❹图祕密，不聲張。如「潛行」；「潛逃」。❺「潛移默化」：在無形之中感化人的品性。

潟 图(xì)粵sik⁷〔色〕有鹹性的土地，海岸附近的鹹鹵的土地。

潝 图(xì)粵jep⁷〔泣〕水流的樣子。

潯 (xún)粵tsem⁴〔尋〕❶图水邊。❷江西省九江的別稱。

澈 (chè)粵tsit⁸〔撤〕❶水靜而清。如「清澈」。❷了悟。如「洞澈」；「大澈大悟」。

潮 (cháo)粵tsiu⁴〔憔〕❶海水受日月引力的影響，在一定時間發生漲落的現象。如「潮汐」；「漲潮」。❷濕潤。如「潮氣」；「天陰返潮」。❸像潮水起伏洶湧。如「風潮」；「思潮」。❹廣東潮州的簡稱。如「潮汕（潮州跟汕頭）」。❺「潮流」：①海水的漲落。②社會風氣的傾向。

潺 图(chán)粵san⁴〔孱〕❶「潺潺」：形容水流動或下雨的聲音。如「流水潺潺」。❷「潺湲」：水流的樣子。

潷 (bì)粵bei³〔臂〕bet⁷〔筆〕(又)擋住渣滓把液體倒出來。如「把茶潷出來」。

澄 ▲(chéng)粵tsiŋ⁴〔情〕❶水靜而清。如「澄澈」。❷使水沉澱而清。如「澄清」。

　▲(dèng)粵dɐŋ⁶〔鄧〕❶使液體裏的雜質沉澱。如「把這盆水澄一澄」。❷「澄沙」：豆沙。豆類煮爛，使它沈澱，澄去上面的水。

澂 (chéng)粵tsiŋ⁴〔情〕同「澄」，見本頁。

潲 (shào)粵sau³〔哨〕❶雨點被風吹得斜掃。如「雨往南潲」。❷灑水。如「天氣太乾，潲潲水」。

潸(潸) 囵(shān)粵san¹〔山〕❶流淚的樣子。如「潸然涕下」。❷「潸潸」：流淚不止的樣子。

澍 囵(shù)粵sy⁶〔樹〕❶合時的雨。❷雨水滋潤植物。如「澍濡」。

潤 (rùn)粵jœn⁶〔閏〕❶不乾枯。如「滋潤」；「豐潤」。❷細膩，有光彩。如「光潤」；「珠圓玉潤」。❸修飾得有了光采。如「潤色」；「潤飾」。❹利益。如「利潤」；「分潤」。❺「潤筆」也作「潤資」：請人作書畫文字所給的酬謝。

澌 囵(sī)粵si¹〔司〕❶盡。如「澌滅」。❷形容聲音。如「風雨澌澌」。

潠 (sùn)粵sœn³〔信〕同「噀」，見101頁。

澐 囵(yún)粵wɐn⁴〔雲〕水流沟湧的樣子。如「流水澐澐」。

潕(潕) (wǔ)粵mou⁵〔舞〕「潕水」：水名，在湖南省。

潙(潙) (wéi)粵gwɐi¹〔歸〕「潙水」：水名，在湖南省。

十三至十四畫

澠 ▲(miǎn)粵mɐn⁵〔敏〕❶「澠河」：河名，在河南省。❷「澠池」：池名、縣名，都在河南省。

　▲(shéng)粵siŋ⁴〔成〕「澠水」：水名，在山東臨淄縣西北。

澹 ▲(dàn)粵dam⁶〔淡〕❶心情恬靜。如「澹泊自安」。「澹然」：形容恬靜的樣子。❷辛苦的樣子。如「慘澹」。

　▲(tán)粵tam⁴〔談〕「澹臺」：複姓。

澾 (tà)粵tat⁸〔撻〕滑。

澱 (diàn)粵din⁶〔電〕❶渣滓。如「沉澱」。❷「澱粉」：存在植物裏的一種生活素，是人類食品的主要成分。

濃（nóng）粵nuŋ⁴〔農〕luŋ⁴〔龍〕
（俗）❶跟「淡」相反：①顏色深。如「濃妝豔抹」。②感情深。如「濃情厚誼」。③味道厚。如「濃茶」。④稠密。如「濃煙」。❷露水盛的樣子。詩經有「零露濃濃」。

澧（lǐ）粵lei⁵〔禮〕❶水名，縣名，都在湖南省。❷姓。

濂（lián）粵lim⁴〔廉〕「濂溪」：水名，在湖南省。

澮（kuài）粵kui²〔繪〕❶田間的水溝。❷「澮河」：水名，在山西省。

澴（huán）粵wan⁴〔環〕❶波浪回旋的樣子。如「澴波怒溢」。❷「澴水」：水名，長江中游支流，在湖北省。

激（jī）粵gik⁷〔擊〕❶水勢受到壓力噴濺起來。如「激起浪花」；「波濤相激」。❷急迫不緩和。如「激流」；「言論過激」。❸感動奮發。如「激勵」；「激昂慷慨」。❹挑動，使人心情發生變化。如「拿話激他」；「勸將不如激將」。❺強烈地變動。如「激戰」；「憤激」。❻身體突然受到雨或冷水的刺激。如「他激了雨就病了」。❼姓。❽「激光」：具方向性的極亮光束，可用於醫療、計量、信息處理及引發核聚變等方面。❾

「激素」：也稱「荷爾蒙（英文 hormone）」，人和動物的內分泌腺器官直接分泌到血中的對身體有特殊效應的物質。❿「激烈」：急劇，強烈。

濁（zhuó）粵dzuk⁹〔俗〕❶水不乾淨。跟「清」相反。如「混濁」；「污濁」。❷混亂。如「濁世」。❸沉迷。如「舉世皆濁我獨清」。❹胡塗。如「濁人（胡塗人）」。❺「濁音」：氣息發出成聲時，顫動聲帶所發出的聲音。

潺（chán）粵sin⁴〔時賢切〕❶水靜的樣子。如「潺湲」。❷「潺淵」：古湖名，在今河北省。

澨（shì）粵sɐi⁶〔逝〕❶水邊。❷水名，在湖北省。❸「山陬海澨」：指邊遠的地方。

澡（zǎo）粵dzou²〔早〕tsou³〔醋〕（又）❶洗身。如「洗澡」。❷「澡身浴德」：修身立德。

濇（sè）粵sik⁷〔色〕❶不滑利。如「枯濇」。❷「濇脈」：中醫指管脈象枯濇遲滯。❸通「澀」，見394頁。

澳（ào）粵ou³〔奧〕❶深。❷海船可以停泊的地方。如「三都澳」。❸澳大利亞的簡稱。如「白澳政策」。❹澳門的簡

稱。如「港澳(香港跟澳門)」。

澦 (yù) 粵jy⁶〔預〕「灩澦堆」：見400頁「灩」字。

澤 (zé) 粵dzak⁹〔擇〕❶水流會合的地方。如「沼澤」;「深山大澤」。❷恩惠。如「恩澤」;「澤及萬世」。❸光潤,光滑。如「潤澤」;「光澤」。❹遺留下來的痕跡。如「先人的手澤」。❺圖遺留下來的影響。如「君子之澤,五世而斬」。❻圖汗衣。詩經有「與子同澤」。
【澣】同「浣」,見375頁。

澀(澁) (sè)粵sik⁷〔色〕gip⁸〔劫〕(語) ❶不滑利。如「粗澀」;「鍊條發澀」。❷微苦而有些發木的滋味。如「這李子好澀呀」。❸文字難讀。如「艱澀」;「晦澀」。

濱 (bīn)粵ben¹〔賓〕❶水邊。如「河濱」;「海濱」。❷靠近。如「濱海地區」。

濞 ▲(bì)粵bei³〔閉〕「漾濞」：縣名,在雲南省。
▲図(pì)粵pei³〔屁〕大水突然到來的聲音。

濮 (pú)粵buk⁹〔僕〕❶縣名,在山東省。❷姓。

濛 (méng)粵muŋ⁴〔蒙〕下小雨的樣子。如「細雨濛濛」。

濤 (tāo)粵tou⁴〔逃〕❶大波浪。如「浪濤」;「驚濤駭浪」。❷松林風動的聲音。如「松濤」。

濘 (nìng)粵niŋ⁶〔佞〕liŋ⁶〔令(俗)路上有水,有爛泥。如「道路泥濘」。

濫 (làn)粵lam⁶〔纜〕❶水漫起來。如「氾濫」。❷過度,失當。如「濫用」;「寧缺勿濫」。❸浮泛不新鮮的言詞。如「陳腔濫調」。❹図「濫觴」：事物的開始。❺図「濫竽充數」：比喻沒有工作能力的人居位充數。

濠 (háo)粵hou⁴〔豪〕❶護城河。❷水名,在安徽省。

濟 ▲(jì)粵dzei³〔祭〕❶図渡河。如「若濟巨川」;「同舟共濟」;「及其半濟而擊之」。❷救助。如「救濟」。❸図成功,補益。如「無濟於事」;「必有忍,其乃有濟」。❹姓
▲(jǐ)粵dzei²〔仔〕❶「濟水」：水名,在河南省。❷「濟南」：市名,山東省省會。❸「濟濟」：①形容人多,陣容盛大。如「人才濟濟」;「濟濟一堂」。②美好的樣子。詩經「四驪濟濟」。

濬 (jùn)粵dzœn³〔俊〕❶疏通水道。如「濬河」;「清濬」。❷図深。如「水流急濬」。

濯 (zhuó) ㊕ dzɔk⁹〔鑿〕❶洗滌。如「洗濯」。❷㊅「濯濯」：①禿頂的樣子。如「童山濯濯」。②肥而光澤的樣子。如「麀鹿濯濯」。❸姓。

濕(溼) (shī) ㊕ sɐp⁷〔詩泣切〕❶水分多，跟「乾」相反。如「潮濕」；「濕毛巾」。❷沾上水。如「手弄濕了」；「衣服淋濕了」。❸中醫所說的六種病因(風、寒、暑、濕、燥、火)之一。如「風濕」；「濕氣」。

濡 ㊅(rú) ㊕ jy⁴〔如〕❶泡、浸，染。如「濡染」；「耳濡目染」。❷柔順。如「濡忍」。❸「濡滯」：停留，遲延。

濰 (wéi) ㊕ wɐi⁴〔維〕❶縣名，在山東省。❷「濰河」：水名，在山東省。

【鴻】見鳥部，857頁。
【濶】同「闊」，見781頁。
【潕】同「潕」，見394頁。

十五至二十八畫

瀑 ▲(pù) ㊕ buk⁹〔僕〕「瀑布」：山上由高處直着連續急流而下的水，遠看像下垂的布。如「飛瀑」。

▲㊅(bào) ㊕ bou⁶〔步〕❶疾雨。❷濆起的水。

瀆 (dú) ㊕ duk⁹〔讀〕❶水溝。如「溝瀆」。❷大川。如「四瀆(古代稱長江、黃河、淮河、濟水)」。❸輕慢，不敬。如「褻瀆」。❹使人討厭。如「冒瀆」；「干瀆」。❺「瀆職」：①有虧職守。②公務員違背職務上的尊嚴、信用跟義務而成立的罪。

濜 (jìn) ㊕ dzœn⁶〔盡〕水名。一在湖北省；一在陝西省。

瀏 ㊅(liú) ㊕ lɐu⁴〔流〕❶水清的樣子。❷風吹得快。❸「瀏亮」：清朗。❹「瀏覽」同「流覽」：隨意翻閱。

濼 ▲(luò) ㊕ lɔk⁹〔落〕水名，在山東省。

▲(pō) ㊕ bɔk⁹〔薄〕湖澤。

濾 (lǜ) ㊕ lœy⁶〔慮〕❶使液體通過紙、布或沙層，去掉雜質。如「過濾」；「沙濾水」。❷「濾紙」：特製的紙，是濾清各種溶液的化學用具。❸「濾光器」：對光的不同波段具選擇性的器件。

濺 ▲(jiàn) ㊕ dzin³〔箭〕水花或水點向上飛起。如「水花四濺」；「濺了一身泥」。

▲(jiān) ㊕ dzin¹〔煎〕㊅「濺濺」：流水聲。木蘭辭有「但聞黃河流水鳴濺濺」。

瀉 (xiè)粵sɛ³〔卸〕❶水向下急流。如「傾瀉」;「一瀉千里」。❷拉肚子。如「瀉肚」。

瀍 (chán)粵 tsin⁴〔前〕「瀍河」:水名,在河南省。

瀋 (shěn)粵 sɐm²〔審〕❶囚汁。如「墨瀋未乾」;「汗出如瀋」。❷瀋陽市的簡稱。

瀅 (yíng)粵jiŋ⁴〔仍〕水澄清。

【瀝】同「瀝」,見本頁。

瀕 (bīn)粵bɐn¹〔賓〕pɐn⁴〔貧〕(又)❶水邊。❷接近。如「瀕危」。

瀨 (lài)粵lai⁶〔賴〕❶水勢湍急的地方。❷淺水在沙上流。

瀝 (瀝)(lì)粵lik⁹〔力〕❶滴下。如「滴瀝」;「瀝血」。❷水慢慢往下滴。如「洗好的菜放在淺子上,把水瀝乾」。❸囚飲酒剩下的餘滴。如「餘瀝」。❹「瀝青」:黑色油狀或固體的礦物,熔化以後可以做防水防腐的塗料,跟砂石混合可以鋪路。俗稱「柏油」。❺囚「瀝膽」:竭誠。比喻傾吐心裏話。如「披肝瀝膽」。❻「瀝瀝」:①水流聲。如「泉聲瀝瀝」。②水滴不斷的樣子。❼「瀝瀝拉拉」:汁液拖帶的樣子。如「夾了一筷子菜,瀝瀝拉拉弄了一桌子湯」。

瀘 (lú)粵lou⁴〔勞〕❶水名,在四川省。❷「瀘州」:市名,在四川省。

瀧 ▲(lóng)粵luŋ⁴〔龍〕❶囚急流。如「奔瀧」;「驚瀧」。❷「瀧瀧」:①下雨的樣子。②水聲。蘇軾詩有「谷中暗水響瀧瀧」。

▲(shuāng)粵 sœŋ¹〔商〕❶水名,源出湖南省,流入廣東省,合於東江。❷「瀧岡」:在江西永豐縣南邊。

瀺 (jiāo)粵gin²〔趼〕潑,倒。如「瀺水」。

瀚 囚(hàn)粵hɔn⁶〔翰〕❶廣大的樣子。如「浩瀚」。❷「瀚海」:古稱蒙古大沙漠。

瀣 囚(xiè)粵hai⁶〔械〕「沆瀣」:見364頁「沆」字。

瀟 (xiāo)粵siu¹〔消〕❶水清的樣子。❷水名,在湖南省。❸「瀟灑」:灑脫,毫不拘束。❹「瀟瀟」:①風狂雨驟的樣子。詩經有「風雨瀟瀟」。②小雨的樣子。李清照詞有「瀟瀟微雨閙孤館」。

瀦 囚(zhū)粵dzy¹〔朱〕水停聚之處。如「瀦為大澤」。

瀠 (yíng)粵jiŋ⁴〔營〕❶大水。❷「瀠洄」:水迴旋的樣子。

瀛 囚(yíng)粵 jiŋ⁴〔營〕❶ 大海。如「瀛海」。❷池中也叫

瀛。❸「瀛寰」：地球上水陸的總稱。

瀰(mí) ⑧ nei⁴〔尼〕lei⁴〔離〕(俗) ❶ 水滿。❷「瀰漫」同「瀰漫」：充滿、遍佈的樣子。如「戰雲瀰漫」；「煙霧瀰漫」。

瀾▲(lán) ⑧ lan⁴〔蘭〕❶ 大波浪。如「波瀾」。❷「瀾瀾」：淌眼淚的樣子。

▲囝(làn) ⑧ lan⁶〔欄〕❶ 米汁。❷「瀾漫」：①放失消散的樣子。②淋漓的樣子。③色彩濃厚的樣子。

瀲(liàn) ⑧ lim⁶〔離驗切〕❶「瀲灩」：水滿出來的樣子。❷水邊。

瀺(chán) ⑧ tsam⁴〔慚〕水流聲。

瀹囝(yuè) ⑧ jœk⁹〔若〕❶ 煮。如「瀹茗〔烹茶〕」。❷ 疏通河道。如「疏九河，瀹濟潔」。

瀼(ráng) ⑧ jœŋ⁴〔羊〕「瀼瀼」：形容露水很濃。詩經有「零露瀼瀼」。

灃(fēng) ⑧ fuŋ¹〔豐〕❶「灃水」：水名，在陝西省。❷「灃沛」：雨盛大的樣子。如「大雨灃沛」。

灌(guàn) ⑧ gun³〔貫〕❶ 澆沃。如「灌溉」；「引水灌田」。❷注入，倒進去。如「灌了一壺水」；「小孩不肯吃藥，只好硬灌」。❸裝進去。如「灌香腸」。❹姓。❺「灌木」：叢生而枝幹低矮的樹。像薔薇，石榴等。

灄(shè) ⑧ sip⁸〔攝〕水名，在湖北省。

灉(yōng) ⑧ juŋ¹〔邕〕水名，原出山東省曹縣西北，沿東北流入黃河。

灘(tān) ⑧ tan¹〔攤〕❶ 近水平迤的地方。如「沙灘」；「海灘」。❷水淺流急而多石的河牀。如「黃牛灘」；「卻放輕舟下急灘」。

灕(li) ⑧ lei⁴〔離〕❶「灕江」：水名，在廣西省。❷同「漓」，見389頁。

灑(洒)(sǎ) ⑧ sa²〔耍〕❶ 把水散佈在地上。如「灑水」；「灑掃庭院」。❷容器傾倒，裏面盛的東西散落了。如「好好地端着，別把湯灑了」；「花生灑了一地」。❸「灑脫」：不拘束的樣子。

灞(bà) ⑧ ba³〔霸〕「灞河」：水名，發源於陝西省藍田縣。

灝囝(hào) ⑧ hou⁶〔浩〕水勢遠大。

【灝】見鳥部，863頁。

灠(漤)(lǎn) ⑧ lam⁵〔覽〕❶把柿子放在熱水或石灰水裏泡幾天，去掉澀味。

❷用鹽腌。

灣 (wān) ⑧wan¹〔彎〕❶水流彎曲的地方。如「水灣」;「河灣」。❷海岸深曲可以停泊海船的。如「海灣」;「廣州灣」。❸囵通「彎」,見201頁。

灤 (luán) ⑧lyn⁴〔聯〕❶河名,在河北省。❷縣名,在河北省。

【灙】同「灩」,見本頁。

灨 (gàn) ⑧gem³〔禁〕「灨江」:即是贛江,在江西省。

灩 (灔) (yàn) ⑧jim⁶〔驗〕❶「瀲灩」:水滿出來的樣子。❷「灩澦堆」:長江心突起的巨石,是長江三峽的著名險灘,在四川省瞿塘峽口。

【火部】

火 (huǒ) ⑧fɔ²〔顆〕❶物體燃燒所生的光和熱。如「火把」;「爐火」。❷指火災。如「失火」;「投保火險」。❸烹飪所用的熱力。如「火候」;「文火」。❹「火藥」的簡詞,指軍用武器或戰爭等事項。如「軍火」;「開火」。❺形容赤紅色。如「火紅」。❻形容緊急。如「火急」;「火速」。❼動怒。如「發火」。❽中醫所說的六種病因(風、寒、暑、濕、燥、火)之一。如「敗火」;「上火」。❾古時候兵制十人為「火」,後來引伸稱人的一輩是「一火」。如「火伴」(也作「伙伴」)」。❿五行「金木水火土」之一。⓫姓。⓬「火箭」:自身帶有燃料,能在沒有大氣的空間飛行,速度很快,可用來發射人造衞星、穿梭機等。

二至四畫

灰 (灰) (huī) ⑧fui¹〔恢〕❶物體燃燒後所剩的屑末。如「爐灰」;「炭灰」。❷石灰的簡稱。如「白灰」;「灰牆」。❸淺黑的顏色。如「灰色」;「銀灰色」。❹塵土。如

「灰塵」。❺消極，志氣消沉。如「灰心」。

灸 (jiǔ)⑧geu³〔救〕中醫的一種治病方法，即是用艾燒着的熱力來刺激皮膚和血液；跟扎針(用特製的針扎穴道脈絡)合稱「針灸」。

灼 図(zhuó)⑧tsœk⁸〔卓〕❶燒，炙。❷明顯，明白。如「眞知灼見(正確的見解)」。❸「灼灼」：①明亮的樣子。如「目光灼灼」。②形容花的茂盛鮮豔。詩經有「桃之夭夭，灼灼其華」。

災(灾) (zāi)⑧dzɔi¹〔栽〕❶水、火、刀兵、荒旱等各種禍害的通稱。如「火災」；「旱災」；「水災」。❷遭受禍害的。如「災民」；「災區」。

【灶】同「竈」，見506頁。

炕 (kàng)⑧kɔŋ³〔抗〕❶図乾燥。❷烤。如「把餅放在爐邊上炕一炕」。❸北方各地用磚或泥坯在屋裏砌的高台，在上面睡覺；多是下面有空洞，可以燒火取暖。俗稱「火炕」。

炔 (quē)⑧kyt⁸〔決〕化學名詞，碳氫化合物的一大類。最常見的是「乙炔」，也叫「電石氣」。

炘 図(xīn)⑧jen¹〔因〕「炘炘」：形容火光盛大的樣

子。

炙 図(zhì)⑧dzik⁸〔即中入〕dzɛk⁸〔隻〕(又)❶烤。如「炙肉」。❷薰染。如「親炙」。❸「炙手可熱」：熱得燙手。引作比喻權貴勢焰熾盛。

炒 (chǎo)⑧tsau²〔吵〕❶把食物放在鍋裏加熱並時時翻動的一種烹飪法。如「炒花生」。❷做投機生意，搶買搶賣賺錢。如「炒地皮」；「炒股票」。

炊 ▲(chuī)⑧tsœy¹〔吹〕用火煮熟食物。如「炊事」；「炊烟」。

▲図(chuì)⑧tsœy³〔趣〕「炊累」：游塵自動的樣子。莊子書上有「從容无為，而萬炊累焉」。

炎 (yán)⑧jim⁴〔嚴〕❶火光上升。❷図焚燒。❸天熱。如「炎熱」；「炎夏」。❹得病時發熱、腫痛的一種現象。如「發炎」；「肺炎」。❺指炎帝。如「炎黃(炎帝和黃帝)」。❻「炎炎」：①很熱的樣子。如「夏日炎炎」。②氣勢很盛的樣子。詩經上有「赫赫炎炎」。❼「炎涼」：①氣候冷熱無常。②比喻人情的冷暖變化。如「世態炎涼」。❽「炎黃子孫」：炎帝、黃帝相傳是中華民族的共同祖先。後中國人經常稱自己

是「炎黄子孫」。

【炅】見日部，291頁。

【炖】同「燉」，見411頁。

五畫

炳 図(bǐng) 粵 bin² 〔丙〕❶明亮，光耀，顯著。❷點，燃。如「炳燭」。

炮 ▲(páo) 粵 pau³ 〔豹〕❶中藥的藥材焙、烤等加工煉製的方法。如「炮製」；「炮煉」。❷燒。❸「如法炮製」：製藥的方法，不可隨意改變，現比喻一般事物照老樣子辦。

▲(pào) 粵 pau³ 〔豹〕❶爆竹。如「炮仗」；「鞭炮」。參見414頁「爆竹」。❷軍用武器。如「追擊炮」；「高射炮」。又作「礮」、「砲」，見482頁。

▲(bāo) 粵 bau³ 〔爆〕一種烹飪法，和炒相似，但是不放油，爐火要更大。如「炮肉」。

炱 (tái) 粵 toi⁴ 〔台〕燒柴、煤所生的烟氣凝聚而成的黑灰，俗稱「烟子」，可以做黑色染料。

炭 (tàn) 粵 tan³ 〔歎〕❶「木灰」的簡稱，是用木材燒製的燃料。❷「石炭」的簡稱，即是煤。煤經過燒製後又可成爲「焦炭」。❸燒焦了的東西。如「骨炭」。❹姓。❺同「碳」，見487頁。

炬 (jù) 粵 gœy⁶ 〔巨〕❶火把，如「火炬」；「目光如炬」。❷蠟燭。如「蠟炬」。

炯(烱) 図(jiǒng) 粵 gwi〔迥〕❶明亮。如「光炯炯」。❷明顯的。如「以炯戒」。

炫 図(xuàn) 粵 jyn⁶ 〔願〕jy〔元〕(又)❶光亮照人。如「光彩炫目」。❷誇耀。如「炫」。❸図「炫耀」：①光耀的樣子。如「光明炫耀」。②「炫耀」。自誇其能。

炸 ▲(zhà) 粵 dza³ 〔詐〕❶火爆發。如「轟炸」；「用火藥炸山」。❷激怒。如「他聽見這件事就炸了」。❸吵鬧闹散，一羣裏忽然亂動起來。如「鳥兒炸窩」；「犯人炸獄」。

▲(zhá) 粵 dza³ 〔詐〕❶用多量的油煎食物。如「炸魚」。也作「煤」。❷「炸醬」：①用油、肉煎製的醬；炸醬麪就是用炸醬來拌麪條。②借了別人的東西而據爲己有。如「我有好幾本書，都被他炸醬了」。

炤 (zhào) 粵 dziu³ 〔照〕照耀。通「照」，見407頁。

炷 (zhù) 粵 dzy³ 〔注〕❶油燈的燈心。❷指用來點火的東西。如「一炷香」。❸燒。如

【炷香】。

【烌】同「秋」，見497頁。

【為】同「爲」，見416頁。

六畫

烙 (lào) ⑧ lok⁸〔洛〕❶ 燙，熨。如「用熨斗把衣服烙平」。❷ 做餅食的一種方法，是把餅類放在鐺上或鍋裏烤熟。如「烙餅」。❸「烙印」：①用燒熱的鐵印烙在器物上，以資辨別。②比喻不易磨滅的痕迹。❹「烙鐵」：熨斗。

烈 (liè) ⑧ lit⁹〔列〕❶ 很強的，很猛的。如「猛烈」；「興高采烈」；「烈性毒藥」。❷ 剛強、嚴正的。如「剛烈」；「烈性漢子」。❸ 為正義犧牲生命的。如「烈士」；「先烈」。❹ 因事業，功業。如「功烈」；「豐功偉烈」。❺ 聲勢盛大而顯著。如「熱烈」；「轟轟烈烈」。❻ 姓。❼「烈烈」：①火焰熾盛的樣子。詩經有「如火烈烈」。②山高峻險的樣子。詩經有「南山烈烈」。③憂思的樣子。詩經有「憂心烈烈」。

烤 (kǎo) ⑧ hau¹〔考〕❶ 用火燒熟食物。如「烤鴨」；「烤肉」。❷ 用火烘乾。如「把濕衣裳烤一烤」。❸ 向火取暖。如「烤火」；「烤手」。

烘 (hōng) ⑧ huŋ³〔控〕❶ 因燒。❷ 用火烤乾或藉火取暖。如「烘乾」。❸「烘烘」：用作形容詞尾，表示出強烈的意思。如「亂烘烘」；「熱烘烘」。❹「烘托」：①中國畫技法，用水墨或淡彩使被襯托的物像更明顯突出。②指從側面着意描寫，使要表現的事物鮮明突出。

烜 图 (xuǎn) ⑧ hyn¹〔圈〕❶ 曬乾。如「日以烜之」。❷「烜赫」：聲勢盛大的樣子。如「烜赫一時」。

烝 图 (zhēng) ⑧ dziŋ¹〔蒸〕❶ 火氣上升。❷ 衆多。詩經有「天生烝民」。❸ 通「蒸」，見616頁。

烟(煙) (yān) ⑧ jin¹〔胭〕❶ 物質燃燒所化的氣體。如「炊烟」；「烟薰火燎」。❷ 烟氣凝結的黑灰。如「松烟」；「鍋烟子」。❸ 烟草或其製成品的簡稱。如「香烟」；「烟絲」。❹ 鴉片烟的簡稱。如「烟土」；「禁烟」。❺ 指雲霧。如「烟霞」；「過眼雲烟」。

烊 ▲ (yáng) ⑧ jœŋ⁴〔羊〕❶ 鎔化金屬。❷ 溶化。如「糖烊了」。

▲ (yàng) ⑧ jœŋ⁴〔羊〕「打烊」：商店晚上關門停止營

業。

烏 (wū) ⓟwu¹〔汚〕❶烏鴉。如「月落烏啼霜滿天」。❷黑色。如「烏雲」;「烏黑」。❸囝何,安。如「又烏足道乎」。❹姓。❺「烏江」:長江上游支流,在貴州省北部及四川省東南部。❻「烏合」:比喻臨時倉卒集合起來,沒有組織的人羣。如「烏合之眾」。❼「烏托邦」:*Utopia*。英國小說家湯瑪斯‧謨爾用拉丁文寫的寓意小說,內容假設有一個島叫「烏托邦」,島上的政、教和社會制度,都合理想。現在指空想社會以及一切不可能實現的理想計劃。

【羔】見羊部,554頁。

【絲】同「絲」,見534頁。

七至八畫

烹 (pēng) ⓟpaŋ¹〔鋪坑切〕❶煮。如「烹調」。❷一種做菜的方法,稍微一炒,再加醬油等作料,不讓它太爛。如「醋烹豆芽菜」。❸嘛哦。如「把他烹走了」。

烽 (fēng) ⓟfuŋ¹〔風〕「烽火」:古代邊防上為了報警、戒備跟求援時,在高台上燃燒的火。

烺 囝(lǎng)ⓟlɔŋ⁵〔朗〕明朗。

烴 (tīng) ⓟtiŋ¹〔聽〕❶有機化學上碳氫化合物(*hydrocarbon*)的簡稱。通稱「烴類」。❷囝焦臭。

烯 (xī)囝hei¹〔希〕有機化合物不飽和的碳化氫的簡稱,分子式可用 CnH_2n 表示;有乙烯、丙烯等多種不同分子結構的烯屬烴。

焄 囝(xūn)ⓟfɐn¹〔分〕❶火焰上升。❷香氣。

焊 (hàn)ⓟhɔn⁶〔汗〕通「銲」,見761頁。

焉 ▲囝(yān) ⓟjin¹〔烟〕❶安,何,怎麼能。詩經有「焉得諼草」。❷連詞,「乃」的意思。墨子書有「必知亂之所起,焉能治之」。❸鳥名。據說是一種黃色的鳥。

▲囝(yān)ⓟjin⁴〔言〕❶代名詞。論語有「眾好之,必察焉」。❷助詞,用在句末。如「利莫大焉」;「蓋亦有足多者焉」。❸詞尾,用在形容詞或副詞的後邊。書經有「其心休焉」;詩經有「惄焉如搗」。❹連詞,「於是乎」的意思。禮記上有「天子焉始乘舟」。❺介詞,「於」的意思。孟子書有「人莫大焉無親戚臣君上下」。

焐 (wù)粵ŋ⁶〔悟〕使物體得到暖氣。如「用熱水袋焐手」;「把被褥焐熱了」。

烷 (wán)粵jyn⁴〔元〕有機化合物飽和的碳化氫的簡稱,分子式可用CnH_{2n+2}表示;有甲烷、乙烷等多種不同分子結構的烷屬烴。

【焗】同「炯」,見402頁。

【煥】同「煥」,見407頁。

焙 (bèi)粵bui⁶〔悖〕烘,烤。如「焙茶」;「在火上焙一點花椒」。

焚 ▲(fén)粵fen⁴〔墳〕❶燒。如「焚香」。❷「焚書坑儒」:①秦始皇燒毀書籍活埋儒生的事情。②比喻不修文教的暴政。❸囝「焚琴煮鶴」:比喻糟蹋美好的事物。

▲囝(fèn)粵fen⁵〔奮〕通「僨」。左傳有「象有齒以焚其身(比喻因財得禍)」。參見35頁。

焓 (lún)粵lœn⁴〔倫〕「苯」的舊譯名。見597頁。

焜 囝(kūn)粵kwen¹〔坤〕明亮的樣子。如「焜耀」。

焦 (jiāo)粵dziu¹〔招〕❶火傷。如「燒焦」;「焦黑」。❷東西被燒或被油炸得酥脆。如「焦棗兒」;「炸得很焦的油條」。❸着急。如「等得心焦」。❹東西烤炸過度,燒成炭的樣子。如「燒焦了」。❺比喻乾燥到極點。如「舌敝唇焦」。❻姓。❼「焦點」:①光線經過透鏡的焦合點。②事情的重要點。❽「焦頭爛額」:①形容火傷的形狀。②比喻極度困苦辛勞。

焮 囝(xìn)粵jen³〔印〕❶燒。❷火氣。

煦 囝(xǔ)粵hœy²〔許〕❶「煦煦」:諂笑的樣子。❷同「呴」,見84頁。❸同「煦」,見407頁。

焯 (zhuō)粵tsœy⁸〔綽〕囝同「灼」,明顯,明白。見401頁。

然 (rán)粵jin⁴〔言〕❶是,對。如「不以為然」;「大謬不然」。❷如此,這樣。如「未必然」;「到處皆然」。❸但是,可是。如「他雖年老,然身體強健」。❹表示狀態的詞尾。如「仍然」;「偶然」;「悚然」。❺囝那樣。如「似不相識者然」;「如慈母之於子女然」。❻囝卻。莊子書有「始我以汝為聖人邪,今然君子也」。❼囝「雖然」的簡語。董西廂有「然憔悴,尚天真」。❽姓。❾「然而」:轉折連詞。①表示全部相反的意思。②表示局部讓步。❿囝通「燃」,見412頁。

焠 ⊠(cuì)粵sœy⁶〔遂〕❶燒。❷「焠掌」：古時苦學者拿火自燒手掌，避免因睡着而影響讀書。❸同「淬」，見380頁。

焰(燄) (yàn)粵jim⁶〔驗〕❶火苗。如「火焰」。❷氣勢旺盛的情態。如「氣焰萬丈」。

無 ▲(wú)粵mou⁴〔毛〕❶沒有，不存在。跟「有」相反。如「無中生有」。❷不。如「無記名投票」。❸⊠勿，毋，不要。孟子書有「無曲防，無遏糴」。❹不論。如「事無大小，都由他決定」。❺⊠語首助詞。詩經有「無念爾祖」。❻「無任」：不勝，非常的意思。如「無任感激」。❼「無奈」：無可如何。❽「無辜」：沒有罪過的人。❾「無窮」：①不盡。②沒有限度。❿「無謂」：沒有意義，沒有道理。⓫「無賴」：①指品行不好的無業遊民。②指放刁、撒賴的行為。③⊠潦倒失意。如「無聊賴」。⓬「無稽」：無可查考，沒有根據。如「無稽之談」。⓭「無疆」：無限，沒有窮盡。如「萬壽無疆」。⓮「無罪推定」：刑事訴訟中被告人在未經法院終審判決確定有罪之前，應推定是無罪的。

▲(mó)粵mɔ⁴〔磨〕「南(ná)無」：佛家合掌稽首之禮。

焱 (yàn)粵jim⁶〔焰〕❶火花。❷旌旗受風飄動的樣子。如「旌旗焱焱」。
【勞】見力部，60頁。

九畫

煲 (bāo)粵bou¹〔褒〕❶用緩火煮。如「煲湯」。❷鍋。如「沙煲」；「瓦煲」。

煤 (méi)粵mui⁴〔梅〕❶古代植物久埋地下漸漸變成的黑褐色礦物，可作燃料。俗稱「石炭」、「煤炭」。❷「煤炭」的簡稱。❸「煤子」：烟氣凝結的黑灰。如「鍋煤子」。❹「煤油」：輕質石油，蘊藏在地下的茶褐色液體燃料，不透明，有惡臭。可以加熱分析為揮發油、燈油、重油等，功用很廣。❺「煤氣」：①燒煤所發的氣。②用大鐵爐煉煤所得的氣，無色，以鐵管分送各處，供做燃料。

煩 (fán)粵fan⁴〔凡〕❶又多又亂。如「麻煩」；「煩雜」。❷勞動他人的客氣話。如「煩您給帶點東西」。❸很苦悶，不痛快。如「煩惱」。❹⊠「煩言」：煩亂忿爭的話。如「嘖有煩言」。❺「煩絮」也作「絮

煩」：說話囉嗦、不簡潔。❻「煩瑣」：煩雜瑣碎。

煉（鍊） (liàn)粵lin⁶〔練〕❶鎔化金屬，去掉其中的雜質。如「煉鐵」；「煉鋼」。❷用火熬。如「提煉」；「把油煉出來」。❸中醫炮熬藥石。如「煉丹」。❹「煉乳」：精製濃縮的牛乳。

煇 ▲図(huī)粵fɐi¹〔揮〕同「輝」，火光，光彩。見721頁。

▲(xūn)粵fɐn¹〔分〕通「熏」；燒、炙。史記有「去眼煇耳」。參見409頁「熏」。

▲図(yùn)粵wɐn⁶〔運〕同「暈」，太陽周圍的光氣圈。見298頁。

煥（焕） (huàn)粵wun⁶〔換〕❶光彩顯露出來的樣子。如「煥然一新」。❷「煥發」：光彩四射。如「精神煥發」。

煌 (huáng)粵wɔŋ⁴〔王〕❶光明。如「輝煌」。❷「煌煌」：明亮的樣子。詩經有「明星煌煌」。

煎 (jiān)粵dzin¹〔箋〕❶熬。如「煎藥」。❷把食物用少量的油烤熟。如「煎餅」；「煎魚」。❸「煎逼」：逼迫。❹「煎熬」：①烹調法的一種。②比喻處境的焦愁痛苦。

煢 図(qióng)粵kiŋ⁴〔瓊〕❶孤獨，沒有依靠。如「煢獨」。❷「煢煢」：孤獨無依的樣子。

煦 (xǔ，又xù)粵hœy²〔許〕❶暖和。如「煦日初升」；「春光和煦」。❷「煦伏」：鳥類孵卵。❸「煦煦」：①和藹而有小恩惠的樣子。如「煦煦為仁」。②和暖。如「煦煦春滿袍」。❹「煦仁孑義」：指小仁小義。

煊 図(xuān)粵hyn¹〔喧〕溫暖。同「暄」，見297頁。

煠 (zhá)粵dza³〔詐〕❶煮。❷用油煎，同「炸」，見402頁。

照 (zhào)粵dziu³〔詔〕❶光線射在東西上。如「光明普照大地」。❷利用光線反射的原理，使物體的影像顯現在另一件器物上。如「照鏡子」。❸依着，不改變。如「仿照」；「照樣抄寫」。❹面向着，對着。如「照着東飛」；「照着敵人開槍」。❺攝影。如「這張像片是新照的」。❻像片。如「近照」；「玉照」。❼核對察視。如「對照」。❽憑證。如「執照」；「護照」。❾通知。如「知照」；「關照」。❿明白、知道。如「心照不宣」。⓫図太陽光。如「殘照」；「夕照」。⓬「照會」：國

家之間的一種外交文書，常用作交涉，表明立場、態度或通知等。⓭「照明彈」：能在空中發光的炮彈。

煮(煑) (zhǔ)粵dzy²〔主〕❶把食物用火烹熟。如「煮飯」。❷「煮豆燃萁」：比喻兄弟不能相容。❸図「煮鶴焚琴」也作「焚琴煮鶴」：比喻糟蹋美好的事物。

煞 ▲(shà)粵sat⁸〔殺〕❶結束，結尾。如「煞尾」；「收煞」。❷極，很。如「煞費苦心」；「煞費躊躇」。❸凶神。如「煞氣騰騰」；「凶神惡煞」。❹閉，死。如「把這條通路封煞」；「把這個門釘煞」。

▲(shā)粵sat⁸〔殺〕❶緊縛。如「把腰帶用力煞一煞」。❷減除。如「吃蒜煞濕氣」；「綠豆湯可以煞暑氣」。❸「煞車」：①控制機件使車停住。②用繩緊縛住車上裝載的東西。

煬 (yáng)粵jœŋ⁴〔羊〕❶図火勢猛烈。❷同「烊」，鎔化金屬。見403頁。

煨 (wēi)粵wui¹〔偎〕❶放在炭火裏燒熟。如「煨栗子」。❷一種烹飪法，用微火慢慢煮。如「煨肉」。❸「煨燼」：灰燼。

煒 図(wěi)粵wei⁵〔偉〕深紅色。

煜 図(yù)粵juk⁷〔郁〕❶光明，照耀。如「日以煜乎晝，月以煜乎夜」。❷火焰。❸盛。❹「煜煜」：明亮的樣子。如「星明煜煜」。

【煙】同「烟」，見403頁。
【煖】同「暖」，見297頁。
【煥】同「暖」，見297頁。
【煆】同「鍛」，見766頁。
【煱】同「爐」，見409頁。

十畫

熇 ▲図(hù)粵hɔk⁹〔學〕火盛熾熱。

▲(kǎo)粵hau²〔考〕燥。

▲図(hè)粵hɔk⁹〔學〕「熇熇」：火盛的樣子。詩經有「多將熇熇，不可救藥」。

熗 (qiàng)粵tsœŋ³〔唱〕❶烹飪法之一，把蔬菜或蛤、蝦等放在沸水裏稍煮一下，拿出來用油、醋、醬油涼拌。如「熗蝦」；「熗芹菜」；「熗青蛤」。❷同「嗆」，烟氣進到鼻孔裏。見97頁。

熙 (xī)粵hei¹〔希〕❶図歡喜，和樂。❷図光明，興盛。如「熙天曜日」。❸図「熙熙」：和樂的樣子。❹「熙熙攘攘」也作「熙熙壤壤」：形容許多人來來

往往熱鬧的樣子。

熄 (xī)⊛sik⁷〔息〕❶火滅。如「熄滅」。❷囝銷亡。孟子書有「王者之迹熄而詩亡」。

熏 ▲(xūn)⊛fen⁴〔分〕❶利用火烟烤食物，使有特異的美味。像熏魚、熏雞等等。常寫作「燻」。❷使氣味傳到東西上。如「用茉莉花熏茶葉」。❸氣味刺激人。如「臭氣熏人」。❹烟氣撲到東西上。如「爐火熏黑了牆」。❺火烤。如「熏籠」；「熏蒸」。❻嚴厲斥責。如「他熏了我一頓」。❼囝感動。如「眾口熏天」。❽通「曛」，見300頁。

▲(xùn)⊛fen¹〔分〕❶毒氣傷人。如「他被煤氣熏死了」。❷說人的名聲惡劣為眾所盡知。如「他的名聲熏透了」。❸「熏香」：有毒的香，點燃的香氣能使人迷醉；盜賊有用熏香的。❹同「蕭」，見626頁。

熊 (xióng)⊛huŋ⁴〔洪〕❶一種野獸，俗名「狗熊」，長四五尺，四肢很粗，普通的是黑色，也有棕色的；寒帶有白熊。❷姓。❸「熊熊」：火光旺盛的樣子。如「熊熊烈火」。❹「熊掌」也作「熊蹯」：熊的腳掌，是珍貴的食品。❺「熊蜂」：一種最大的蜂。❻「熊

貓」：珍奇罕見的動物，產在中國四川西部，有小熊貓大熊貓兩種，形如熊，頭部皮毛白色，身上赤褐色，黑耳朵，有黑眼圈，樣子逗人喜愛；吃嫩竹筍、水果、昆蟲，住樹洞。❼囝「熊熊」：①指熊和羆兩種猛獸，常比喻凶猛的勢力。楚辭有「虎豹鬥兮熊羆咆」。②比喻勇猛的武士。

煽 (shān)⊛sin³〔扇〕❶用扇子扇火，使火旺盛。❷鼓動人家做不好的事。如「煽動」。

熒 囝(yíng)⊛jiŋ⁴〔仍〕❶光亮很小的。如「一燈熒然」。❷眼光迷亂，疑惑。如「熒惑」；「五光十色，使人目熒」。❸「熒光」：物理學上指物體被光照射時，吸收了照射光的一部分而發出的一種特殊的光。❹「熒熒」：①形容光采豔麗。②光閃動的樣子。如「明星熒熒」。③光微弱的樣子。如「燈光熒熒如豆」。

熅(煴) ▲囝(yūn)⊛wen¹〔溫〕❶沒有火苗的火。❷「熅熅」：火勢微弱的樣子。

▲(yùn)⊛wen⁶〔運〕❶用熱力弄平東西，跟「熨」相同。❷「熅斗」同「熨斗」：見411頁「熨」字。

【熘】同「餾」，見824頁。
【熔】同「鎔」，見768頁。
【犖】見牛部，424頁。

十一畫

熛 [因](biāo) [粵] biu¹〔標〕❶火飛。❷速。史記有「卒如熛風」。❸「熛闕」：赤色的宮闕。

熲 [因](jiǒng) [粵] gwiŋ²〔炯〕❶火光。❷「熲熲」：光明的樣子。楚辭有「神光兮熲熲」。

熵 (shāng) [粵] sœŋ¹〔商〕科學名詞*entropy*的譯名：①熱力學函數；即是用溫度除熱能所得的商數，也稱「熱熵」。物質發生能力的作用減低，熱熵就加大。②物質內部不穩定的函數。例如金剛石(純碳元素)的原子有嚴緊的結構，極其穩定，它的熵數也極小。③信息學(情報科學)用熵來描述信息系統的信實率，具有較高的不可預知率的信息系統，它的熵數較高。

熟 (shú，又讀shóu) [粵] suk⁹〔孰〕❶食物經過加熱到能吃的程度。如「熟食」；「煮熟」。❷莊稼瓜果等生長到可收成的程度。如「成熟」；「一年三熟」。❸習慣的，向來認識的。如「熟人」；「輕車熟路」。❹以前經歷過的，留着印象的。如「耳熟能詳」。❺製煉過的。如「熟鐵」；「熟皮」；「熟石灰」。❻經常做，時間久了，精通而有經驗。如「熟練」；「熟能生巧」。❼「熟睡」：酣睡，睡得很沉。

熱 (rè) [粵] jit⁹〔移滅切〕❶溫度高，跟「冷」相反。如「熱水」；「天氣熱」。❷弄熱了。如「把冷粥熱一熱再吃」。❸暑氣。如「受熱」。❹情緒高。如「熱心」；「熱情」；「熱烈」。❺應時，受人歡迎喜愛的情況。如「這一行現在是熱門」；「貨剛出廠，趁熱銷了不少」。❻「熱中」：一心一意要求得某種事務的成功；引伸指熱心仕途，希望謀得官位說的。❼「熱血」：①指情緒熱烈，有血性而熱心的人。②對於冷血而言，動物血溫比體外氣溫高的是熱血動物，像人、獸等。❽「熱狗」：*hot dog*的譯名。一種美國式的簡便食物，是夾香腸的長麪包。❾「熱帶」：地球表面在赤道南北各二十三度半之間的地帶，溫度最高。❿「熱喪」：父母剛去世不久的期間。⓫「熱電」：直接因熱的作用而生的電。⓬「熱鬧」：①繁盛活躍的樣子。②不寧靜。⓭

熬 ▲(áo)粵ŋou⁴〔遨〕ou⁴〔澳低平〕(俗)ŋau⁴〔肴〕(語)au⁴〔坳低平〕(俗)❶乾煎。如「煎熬」;「熬油」。❷久煮。如「熬膠」;「熬藥」。❸勉強忍耐。如「熬夜」;「苦熬」。

▲(āo)粵ŋou⁴〔遨〕ou⁴〔澳低平〕(俗)ŋau⁴〔肴〕(語)au⁴〔坳低平〕(俗)❶煮。如「熬白菜」。❷因懊惱、煩悶而消極。如「為一點小事兒熬了好幾天」。

熠 図(yì)粵jɐp⁷〔邑〕❶光明。如「熠燿」。❷「熠熠」:光彩閃爍的樣子。如「星光熠熠」。

熨 ▲(yùn)粵wɐn⁶〔運〕tɔŋ³〔燙〕(俗)❶用火斗按衣、布等物使平貼。如「把衣服熨一熨」。❷「熨斗」:燙平衣服的用具。

▲(yù)粵wɐt⁷〔屈〕「熨貼」:安貼平服。

十二畫

燜(mèn)粵mun⁶〔悶〕用微火慢慢煮,並且蓋嚴了不使透氣。如「燜飯」;「燜肘子」。

燔 図(fán)粵fan⁴〔凡〕❶焚燒。❷烤。❸「燔肉」:①烤肉。②祭祀用的熟肉。

燈(dēng)粵dɐŋ¹〔登〕❶發光照明的用具。如「油燈」;「電燈」。❷指元宵節的彩燈。如「燈節」;「看燈」。❸「燈下」:在燈光之下;指夜間。❹「燈火」:泛指燈光。❺「燈謎」:貼在花燈上供人猜射的謎語。也叫「文虎」、「燈虎」。❻「燈心草」:生於沼澤之地的草本。莖直立,單生,細柱形,可作油燈的燈芯。

燉(炖) ▲(dùn)粵dɐn⁶〔第恨切〕❶大煮,使食物爛熟。如「燉肉」。❷器內盛水或汁液等,放在爐上加溫。如「燉酒」;「燉藥」。

▲(dūn)粵dœn¹〔敦〕「燉煌」也作「敦煌」:地名,即是現在甘肅省敦煌縣。

燙(tàng)粵tɔŋ³〔趟〕❶極熱。如「開水太燙,涼一涼再喝」。❷極熱的感覺。如「這碗粥喝着燙嘴」。❸加熱。如「把酒燙一燙」。❹皮膚被熱東西所傷。如「燙傷了手」。❺用熱力改變物體的樣子。如「燙平了衣服」;「燙上一行金字」。❻「燙手」:①東西摸着太熱,不可摸,不可拿。②指事情難辦,跟「棘手」的意思差不多。❼「燙麵」:用沸水和麵。如「燙麵餃」;「燙麵餅」。

燎 △図(liáo)粵liu⁴〔聊〕❶縱火。❷延燒。如「星星之火，可以燎原」。❸烤。❹明亮。❺「燎漿泡」：皮膚燙傷腫起來的水泡。也叫「燎泡」。

△(liào)粵liu⁶〔料〕火炬。詩經有「庭燎之光」。

△(liǎo)粵liu⁵〔了〕燒毛，挨近火而燒焦。如「燎了一撮頭髮」。

燐 (lín)粵lœn⁴〔倫〕❶化學上的「磷」也寫作「燐」。❷「燐火」：夜間在野地裏忽隱忽現的青光，是燐質遇空氣燃燒發出來的。俗稱「鬼火」。❸「燐光」：帶有硫酸鹽的物質或硫化物曬過太陽以後，能吸收輻射能，移到暗處，會發青色微光。

熠 図(jiān)粵dzim¹〔尖〕❶火滅。❷比喻打敗仗。

熹 図(xī)粵hei¹〔希〕❶天亮，微明的陽光。如「晨熹」。❷明亮。❸烤、熱。❹「熹微」：天剛亮的樣子。

熺 図(xī)粵hei¹〔希〕明亮。同「熹」，見本頁。

熾 図(chì)粵tsi³〔次〕❶火勢盛大。如「熾焰」。❷形容熱烈旺盛。❸「熾烈」：火勢旺盛；比喻情勢熱烈。

燒 (shāo)粵siu¹〔消〕❶火焚。如「火燒戰船」。❷煮熟食物。如「燒飯」；「燒菜」。❸一種烹調法，先用油炸，再加漿汁來炒。如「燒茄子」；「紅燒蘿蔔」。❹烤。如「燒鴨」；「燒餅」。❺病人體溫增高。如「發燒」。❻譏笑人忽然遇到得意的事而忘形胡為。如「自從發了這筆小財，燒得他不知怎樣才好」。❼「燒酒」：一種含酒精多，刺激性很強的酒。❽「燒鹼」：即「氫氧化鈉」，分子式是NaOH。

燊 図(shēn)粵sen¹〔申〕熾盛。

燃 (rán)粵jin⁴〔言〕❶燒。如「燃料」。❷引火點着。如「燃燈」。❸図「燃眉」：火燒眉毛，比喻事情萬分急迫。❹「燃燒」：兩種物質起激烈的化學反應而發光發熱的現象。

燁(爆) 図(yè)粵jip⁹〔頁〕❶火光很盛的樣子。❷「燁燁」：光盛閃爍的樣子。詩經有「燁燁震電」。

燚 (yì)粵jik⁹〔亦〕人名用字。

燕 △(yàn)粵jin³〔宴〕❶「燕子」：候鳥名，益鳥的一種，嘴大腳短，尾巴像剪子，背黑，腹白。春季飛到北方，

秋季以後飛回南方；搭窩在人家的房梁，隔年還能認出舊巢。捉小蟲吃。❷「燕居」：閒居。❸「燕樂」同「宴樂」：指宴會或祭祀上饗時所奏的音樂。❹「燕麥」：穀類植物，俗稱野麥。❺「燕窩」：金絲燕用胃中分泌物所築成的巢，是多膠質的珍貴食品。❻通「讌」，見690頁。❼通「宴」，見155頁。

▲ (yān) 粵 jin¹〔烟〕❶ 國名：①周武王封他的弟弟召公奭於燕，是北燕，在今河北省大興縣。到春秋戰國時候漸漸強大起來，為七雄之一。②東晉時候五胡亂華，鮮卑族慕容氏建立的國號是燕的有五次，分別稱為前燕、後燕、西燕、南燕、北燕。❷河北省的簡稱。❸姓。❹「燕京」：北京的舊稱。

喬 囡(yù) 粵wɐt⁹〔華睹切〕lœt⁹〔律〕(俗)火光。

【燄】同「焰」，見406頁。

十三畫

毀 囡(huī) 粵 wɐi²〔委〕❶ 燒壞。如「焚燬」。❷烈火。❸火勢旺盛的樣子。

會 (huì) 粵wui⁶〔會〕將多種食物混在一起，加汁調和，稍煮就熟。如「雜燴」；「燴豆腐」。

燮(燮) 囡(xiè) 粵sit⁸〔屑〕❶調和。❷姓。❸「燮理」：調和治理。

燭 (zhú) 粵dzuk⁷〔竹〕❶ 用蠟和脂膏製成，用以點燃取光的東西。如「蠟燭」。❷照，耀。如「火光燭天」。❸囡看透。如「洞燭其奸」。❹姓。❺「燭光」：①計算光度的單位，通常以直徑八分之七吋的鯨油燭，每小時燃去一百二十公克所發出的光度叫一燭光。②指點燃蠟燭所發的光。如「燭光晚會」。❻「燭花」：①蠟燭的火焰。②點殘的蠟燭芯結成的穗。❼「燭燭」：明亮的樣子。如「燭燭晨月明」。

燥 (zào) 粵tsou³〔噪〕❶乾，水分少。如「乾燥」。❷「燥子」：切細碎的肉。

燦 (càn) 粵tsan³〔粲〕鮮明，發亮。如「燦爛」。

燧 (suì) 粵sœy⁶〔睡〕❶古時取火的用具，陽燧取火於日，木燧取火於木。❷古時告警的烟。白晝燒柴舉烟來報寇警叫燧；夜間燒柴舉火報警叫烽。❸火把之類的東西。❹「燧石」：石英類，用鋼鐵敲擊，能發火。也叫「火石」。❺「燧人氏」：古帝號，傳說他發明

鑽木取火，敎民熟食。

營 (yíng)⑧jin⁴〔仍〕❶軍壘，軍隊駐紮的地方。如「營房」；「安營」。❷陸軍的編制，一營四個連，約五百人。❸從事辦理。如「營利」；「營業」。❹建設。如「營造」。❺謀求。如「營生」；「營救」。❻姓。❼「營火」：夜間露營，堆木燃火，圍着火堆做各種活動。❽「營營」：來來往往亂烘烘的樣子。詩經有「營營青蠅」。❾「營養」：生物由食物中吸收必要的成分來滋養身體，包括消化、吸收、代謝、排泄四種作用。

燠 ▲囡(yù)⑧juk⁷〔郁〕煖。禮記有「問衣燠寒」。
▲囡(ào)⑧ou³〔澳〕很熱。

十四至二十五畫

燾 ▲囡(dào)⑧dou⁶〔道〕遮蓋。
▲(tāo)⑧tou⁴〔逃〕多用於人名。

燼 囡(jìn)⑧dzœn⁶〔盡〕火燒過後剩下的東西。如「灰燼」；「餘燼」。

燹 囡(xiǎn)⑧sin²〔癬〕❶火，野火。❷「兵燹」：戰爭中受到的焚燒破壞。
【燻】同「熏」，見409頁。

【燿】同「耀」，見560頁。

熝 (āo)⑧ŋou⁴〔遨〕ou⁴〔澳俗平〕(俗)放在火裏烤。

爆 ▲(bào)⑧bau³〔波拗切〕❶炸裂。如「爆破」。❷一種烹飪法，在滾水或滾油裏稍微一煮、一炸。如「爆肚兒」。❸「爆竹」：用紙捲火藥做成的，點燃引線會引起炸裂，發出很大的響聲。也叫「炮仗」。❹「爆發」：①突然發生。②猛炸。
▲(bó)⑧bok⁸〔博〕❶用火逼乾。❷燒。

爍 囡(shuò)⑧sœk⁸〔削〕❶光。如「灼爍」。❷「爍爍」：光芒閃動的樣子。韓愈詩有「紅燈爍爍綠盤龍」。❸通「鑠」，見774頁。

爇 囡(ruò)⑧jyt⁹〔乙〕燃燒。如「爇燋」。

爐(鑪) (lú)⑧lou⁴〔勞〕❶裝燃料燒火的用具。如「火爐」；「煤油爐」。❷「爐火純青」：原指道家煉丹成功時，爐火發出純青的火焰。後用作比喻功力精深。

爔 (xī)⑧hei〔曦〕❶火光。❷通「曦」，見300頁。

爖 囡(lóng)⑧luŋ⁴〔龍〕火燒着了的樣子。

爛 (làn) 粵lan⁶ 〔離限切〕 ❶煮得過分熟軟。如「飯燜爛了」。❷腐敗。如「破爛」；「腐爛」。❸極。如「爛熟」。❹光明。如「燦爛」。❺灼傷。如「焦頭爛額」。❻「爛漫」：①光彩鮮麗的樣子。如「山花爛漫」。②坦白光明的樣子。如「天眞爛漫」。③囡睡熟了的樣子。④囡消散。⑤囡淫靡。如「爛漫靡靡之樂」。❼「爛好人」：①決不得罪人的人。②諷刺對事不分是非、不持主見的人。❽「爛攤子」：①東西散亂沒有秩序。②事情或局面紊亂，難以收拾整頓。

爚 囡(yuè) 粵jœk⁹〔若〕 ❶火飛。❷光明，耀目。班固西都賦有「震震爚爚，雷奔電激」。

爝 囡(jué) 粵dzœk⁸〔雀〕火炬。莊子書上有「日月出矣，而爝火不息」。

爨 (cuàn) 粵tsyn³〔寸〕 ❶生火做飯。如「分爨（一家兄弟各自過生活）」；「同居各爨」。❷竈。如「爨下」。❸雲南省境內的一部分種族，古時叫爨。❹姓。

【爪部】

爪 ▲(zhǎo) 粵dzau²〔找〕 ❶手足的甲。❷動物的腳指。如「張牙舞爪」。❸「爪牙」：①鳥獸的腳爪和牙齒，用以自衞示威。比喻英勇的武臣。②比喻黨羽。❹「爪哇島」：Java Island的中譯。是印度尼西亞人口最集中，經濟最發達的地區。

▲(zhuǎ) 粵dzau²〔找〕 ❶動物的腳趾或趾甲。如「爪子」；「爪兒」。❷器物的腳。如「三爪鍋」。

三至十四畫

【妥】見女部，136頁。
【孚】見子部，149頁。

爬 (pá) 粵pa⁴〔把〕 ❶手和腳一齊着地走路。如「爬行」。❷從下往上走。如「爬山」；「向上爬」。❸用指甲撓、搔。如「爬癢」。❹囡「爬梳」：爬搔梳櫛，比喻整理紛亂的事務。❺「爬蟲」：四肢短小，用腹部貼地爬着走動的動物，像龜、蛇、鱷魚等類。

爭(争) (zhēng) 粵 dzɐŋ¹ 〔增〕dzaŋ¹〔支坑切〕(語)❶努力求取。如「競爭」；

「兵家必爭之地」。❷吵嘴，辯論。如「爭論」；「口舌之爭」。❸搶着，惟恐落後。如「爭先恐後」；「爭着付錢」。❹囝怎麼，如何。如「多情爭似無情」。❺囝差。如「高低爭幾許」；「爭些兒當面錯過」。❻「爭風」：因為妒忌而相爭。❼囝通「諍」，規勸。見683頁。

【采】見采部，750頁。
【受】見又部，75頁。
【乳】見乙部，11頁。

爰 囝(yuán)粵jyn⁴〔元〕wun⁴〔垣〕(文)❶於是。如「獲有心得，爰成此書」。❷改換。如「爰田」；「爰居(移居)」。❸姓。❹「爰金」也作「金爰」：中國古今幣名，流通於戰國時期的楚國。

【奚】見大部，132頁。
【舀】見臼部，586頁。
【覓】見見部，667頁。
【管】同「管」，見513頁。
【舜】見舛部，589頁。
【愛】見心部，223頁。

爲(為) ▲(wéi)粵wɐi⁴〔圍〕❶作，行。如「所作所爲」；「爲善最樂」。❷當作，認爲。如「四海爲家」；「指鹿爲馬」。❸是。如「失敗爲成功之母」。❹囝使。易經有「爲我心惻」。❺被。如「敵軍爲我軍所敗」。❻囝表示發問、反問的語助詞，用在語句的末了。如「匈奴未滅，何以家爲」。❼「爲力」：盡力以助其成功。❽「爲難」：①作對或刁難。②有不容易解決的事而感到困難。

▲(wèi)粵wɐi⁶〔位〕❶指說原因的詞。如「爲什麼」。❷給、替。如「爲民服務」；「爲國家爭光」。❸表示行動的目的所在。如「爲爭自由而戰」。❹受，被。如「爲人所喜愛」。❺囝對，向，與。如「不足爲外人道也」；「且爲諸君言之」。❻「爲人作嫁」：原是從「爲他人作嫁衣裳(秦韜玉貧女詩)」簡縮而成的詞語。比喻爲別人忙碌，爲別人辛苦。❼「爲虎作倀」：幫助惡人做壞事。

【亂】見乙部，11頁。

爵 (jué)粵dzœk⁸〔雀〕❶飲酒器，有三條腿。❷「爵位」：君主時代或君主國家的貴族等級，分「公、侯、伯、子、男」五等。❸「爵士」：①貴族等級，在男爵之下。②英文jazz的譯音，現代新舞曲名，由美國黑人民謠改成。

【父部】

父 ▲(fù)⑧fu⁶〔付〕❶爸爸。如「父親」;「父母」。❷稱男性長輩。如「伯父」;「舅父」。❸年老人的尊稱。如「父老」。❹「父執」:稱父親的好朋友。

▲図(fǔ)⑧fu²〔苦〕❶對老年人的通稱。如「田父」;「漁父」。❷男子的美稱,同「甫」。如「尼父(稱孔子)」。見447頁「甫」。

爸 (bà)⑧ba¹〔巴〕「爸爸」:即是父親。

【斧】見斤部,283頁。

爹 (diē)⑧dɛ¹〔多些切〕❶父親。也說「爹爹」。❷對長者的尊稱。如「老爹」。❸「爹娘」:父母,爸爸媽媽。

【釜】見金部,752頁。

爺 (yé)⑧jɛ⁴〔耶〕❶古時候稱父親。如「爺娘(父母)」。❷祖父,爸爸的爸爸。如「爺爺」。❸尊敬人的稱呼。如「老爺」;「太爺」;「大爺」;「少爺」。❹已往對人客氣而又表示親近的稱呼。如「張爺」;「李大爺」。❺對神的稱呼。如「老天爺」;「財神爺」。❻以往婢僕稱呼男主人。紅樓夢有「一個做爺的還賴我們」。❼

「爺兒倆」:男性長輩與幼輩的合稱,如父親與子女,伯父或叔父與姪兒、姪女,祖父與孫男、孫女等。合稱兩個人說爺兒倆,如果合稱更多的人,也可說爺兒仨,爺兒五個等等。❽「爺兒們」:①超過兩個或以上男性長輩、幼輩的合稱。②指男子的。如「爺兒們坐那席,女的坐這席」。③指女人的丈夫。如「她的爺兒們很會做生意」。

【爻部】

爻 (yáo，舊讀 xiáo) 粵 ŋau⁴
〔肴〕au⁴〔坳低平〕(俗)組成八
卦的畫線。長的全線(一)是陽
爻；斷開的兩段線(--)是陰
爻。每一卦用三爻合成，可得
八卦。如「☰」；「☷」等。

七至十畫

爽 (shuǎng) 粵 soŋ²〔沙慷切〕❶
清亮，明朗。如「秋高氣
爽」；「神清目爽」。❷舒服，
痛快。如「豪爽」；「身體不
爽」。❸差少或超出，失誤。
如「爽約」；「絲毫不爽」。❹囮
「爽然」：形容茫然無主見的樣
子。如「爽然自失」。❺「爽
口」：適合口味，清脆不膩。
❻「爽快」：①舒適愉快。②性
情率直。③指事情辦得敏捷痛
快。❼「爽直」：性直而爽快。
❽「爽爽」：俊朗出眾的樣子。

爾 (尒) (ěr) 粵 ji⁵〔耳〕❶你。
如「爾等」。❷如
此，這樣。如「果爾」；「不過
爾爾」。❸形容詞或副詞的詞
尾，跟「然」的用法相同。如
「偶爾」；「率爾」。❹囮指示形
容詞。如「爾時」；「爾處」。❺
囮用在一句末尾的語助詞，表
示「罷了」、「而已」的意思。公
羊傳有「不崇朝而徧雨乎天下
者，唯泰山爾」。❻囮同
「乎」，表示疑問的語助詞。公
羊傳有「然則何言爾」。❼囮同
「矣」，表示決定的語助詞。公
羊傳有「其國亡矣，徒葬於喪
爾」。❽囮語末助詞，放在形
容詞後面的，論語有「鼓瑟
希，鏗爾」。作副詞語尾的，
論語有「子路率爾而對」。❾通
「邇」，近。周禮有「實相近者
相爾也」。❿「爾朱」：複姓。
⓫「爾雅」：①合乎正則而典雅
的意思。如「文章爾雅」；「他
是個溫文爾雅的人」。②一部
解釋經文和古代名物的古書，
列為十三經之一。

【爿部】

爿 ▲(qiáng)[粵]tsœŋ^4〔祥〕木材的半邊。左半邊叫「爿」；右半邊叫「片」。

▲(pán)[粵]ban^6〔辦〕量詞，吳語稱商店。如「一爿水果店」。

三至四畫

壯 (zhuàng)[粵]dzɔŋ^3〔葬〕❶强健，有力。如「壯漢」；「雄壯」。❷肥大，粗大。如「這頭牛長得壯」。❸氣盛，力量大。如「理直氣壯」。❹偉大。如「壯觀」；「壯志凌雲」。❺增加勇氣或力量。如「壯膽子」；「以壯聲勢」。❻中國人口最多的少數民族名。❼「壯丁」：①壯年的男子。②到達兵役年齡的男子。❽「壯月」：陰曆八月的別稱。

斨 [文](qiāng)[粵]tsœŋ^1〔槍〕斧上插木柄的方形孔。

戕 [文](qiáng)[粵]tsœŋ^4〔牆〕傷害，殺害。如「戕賊（殘害）」。

【妝】見女部，137頁。

牀(床) (chuáng)[粵]tsɔŋ^4〔藏〕❶古人稱坐卧的用具。如「胡牀」。❷睡覺的用具。如「牀鋪」；「行軍牀」。❸河流的槽狀底。如「河牀」。❹安放器物的架子。如「琴牀」；「菜牀」。❺架子樣的工具或機器名稱。如「鉋牀」；「車牀」；「銑牀」。❻「牙牀」：①牙根上的肉。②用象牙裝飾的卧牀。

【狀】見犬部，425頁。

五至十三畫

牁 (kē)[粵]gɔ^1〔哥〕「牂牁」：見本頁「牂」。

牂 (zāng)[粵]dzɔŋ^1〔莊〕❶[文]母羊。❷「牂牁」：古郡名，在貴州遵義一帶。❸「牂牂」：茂盛的樣子。詩經有「東門之楊，其葉牂牂」。

【將】見寸部，160頁。

【臧】見臣部，584頁。

牆(墻) (qiáng)[粵]tsœŋ^4〔祥〕❶房屋周圍的壁。如「牆壁」；「圍牆」。❷「牆角」：兩牆相連的轉折處。❸「牆根」：牆底的基礎部分。❹「牆頭」：牆的最上部。❺「牆頭草」：長在牆頭上的草。比喻沒有主見，隨人左右的人。如「牆頭草，隨風倒。」

【片部】

片(片) ▲(piàn) ⑧pin³〔騙〕 ❶木材的半邊。左半邊叫「爿」；右半邊叫「片」。❷又薄又平的東西。如「肉片」；「鐵片」；「明信片」。❸少，半，零碎。如「片刻(一會兒)」；「片言折獄」。❹姓名印在紙上作請謁用的。如「名片」；「卡片」。❺量詞：①片狀的東西。如「一片瓦」；「一片藥」。②指範圍、面積或成面的東西。如「眼前一片草地」；「一片金光閃爍」。❻一段，一方。如「片段」；「片面(單方面的)」。❼「片假名」：日本文楷體字母。

▲(piān) ⑧pin²〔批演切〕用於「像片」、「唱片」、「畫片」、「影片」等。

四至八畫

版 (bǎn) ⑧ban²〔板〕❶經過排字拼組或腐蝕、雕刻，供印刷的東西。如「拼版」；「鋅版」；「照相版」。❷印刷的次數。如「初版」；「第三版」。❸報紙的頁碼。如「第一版」；「第四版」。❹古代書寫用的木片。❺「版畫」：一種先鏤刻或腐蝕完成之後而拓印的藝術品。有銅版畫、石版畫、木版畫(木刻)等。❻「版稅」：著作人把著作物委託發行人出版，每次按出版數量，照定價或實價抽取的酬金。❼「版圖」：國家的戶籍冊跟地圖，後來轉作國家疆域的意思。❽「版權」：著作者跟出版家，根據出版法所特別享有的權利。❾「版式」：書刊排版的式樣。❿通「板」，見310頁。

牌 (pái) ⑧pai⁴〔排〕❶揭示文告的板。如「公告牌」；「指路牌」。❷商標。如「名牌汽車」；「雙喜牌香烟」。❸賭具或玩具。如「紙牌」；「撲克牌」。❹木主。如「牌位」。❺識別用的標誌。如「門牌」。❻古軍器。如「藤牌」；「擋箭牌」。❼「詞牌」：詞曲的調名、格式。如「憶秦娥」；「蝶戀花」。❽「牌坊」：一種紀念性的建築物。古代多建於廟宇、陵墓、祠堂、園林，衙署、道路口。❾「牌文」：清代一種下行的公文。

【牋】 同「箋」，見514頁。

九至十五畫

牒 (dié) ⑧dip⁹〔碟〕❶官文書。如「通牒」。❷一種證明

文件。證明血統關係的叫「譜牒」；證明和尚身分的叫「度牒」。❸姓。

【牖】同「聞」，見779頁。

【牎】同「窗」，見504頁。

牖 図(yǒu)粵jeu⁵〔友〕❶窗。如「戶牖」。❷誘導。如「啓牖民智」。

牘 図(dú)粵duk⁹〔讀〕❶古代寫字用的木簡。❷引伸作文書，信札。如「公牘」；「尺牘」。

【牙部】

牙 (yá)粵ŋa⁴〔芽〕a⁴〔亞低平〕(俗)❶生於口腔裏，咀嚼食物的器官。如「門牙」；「大牙」；「牙齒」。❷跟牙齒有關的事物。如「牙科」；「牙刷」。❸象牙的簡稱。如「牙箸」。❹舊指買賣的介紹人。如「牙行(為買賣雙方說合交易並抽取佣金的商行)」；「牙儈」。❺精緻的木器邊緣上常有雕刻的花邊排列如牙齒的。如「搬這些傢具要小心，別把牙子碰掉」。❻聰明，機伶，不受騙。如「這孩子真牙」。❼図咬。如「投之一骨，狗起牙之」。❽姓。❾「牙牙」：嬰兒學話聲。❿図「牙慧」：襲用別人的話。如「拾人牙慧」。⓫「牙牌」：①象牙或獸骨製成的版片，用以寫官銜或記事。②用象牙或獸骨製成的賭具。

三至十一畫

【邪】見邑部，740頁。

牚 (chēng)粵tsaŋ¹〔雌坑切〕同「撐」(今多寫作「撐」)，見268頁。

【雅】見隹部，793頁。

【鴉】見鳥部，856頁。

【牛部】

牛 (niú)⑧ŋɐu⁴〔偶低平〕ɐu⁴〔歐低平〕(俗)❶反芻類家畜，體大，性馴，力大，能幫人耕地、拉車，肉跟奶營養價值很高，角跟骨也都有用，可作器物。❷星宿名，二十八宿之一。❸固執，倔強。如「牛脾氣」；「牛性子」。❹姓。❺「牛刀」：①宰牛用的刀。②比喻大材。如「牛刀小試」。❻「牛耳」：古時歃血為盟，由主盟的人，抓住牛耳朵割出血來，塗在嘴上。因而把「執牛耳」比喻「居領導地位的人」。❼「牛郎」：①牧牛的人。②民間傳說「牛郎織女」中的人。❽「牛痘」：在牛體上所種的痘漿，移種於人體，可以預防天花。❾「牛頭馬面」：鬼卒名。傳說是地獄中閻羅王的兩名獄卒。一為人身牛頭；一為人身馬面。

二至三畫

牝 ⊠(pìn)⑧pen⁵〔皮引切〕❶雌性的禽獸，跟「牡」相對。如「牝雞」；「牝牛」。❷「牝雞司晨」：舊時歧視女人，比喻女人當權。❸接受門閂的孔。

牟 (móu)⑧meu⁴〔謀〕❶牛叫聲。如「牟然而鳴」。❷取。如「牟利」。❸姓。

牡 ⊠(mǔ)⑧mau⁵〔卯〕❶雄性的禽獸，跟「牝」相對。❷門閂。❸「牡丹」：灌木名，羽狀複葉，夏初開花，色有紅白黃紫等種，有花王之稱，是中國特產。❹「牡蠣」：也稱蠣黃。一種淺海裏的軟體動物，味道鮮美，滋養料豐富。俗稱「蠔」，也叫「蚵」。

牤 (māng)⑧mɔŋ¹〔杧〕北方稱公牛為牤牛。

牠 (tā)⑧ta¹〔他〕同「它」，專指事物的代稱。

牣 ⊠(rèn)⑧jen⁶〔刃〕❶充滿。如「充牣」。❷通「韌」。如「堅牣」。見808頁。

四至五畫

牧 (mù)⑧muk⁹〔木〕❶放飼牲畜。如「牧羊」。❷看牛羊的人。如「牧童」。❸古時稱一州的長官。如「州牧」。❹⊠治理。如「牧民」。❺⊠視察。如「牧眾」。❻「牧師」：基督教的傳教士。

物 (wù)⑧met⁹〔勿〕❶一切有形體的東西。如「動物」；「植物」；「礦物」。❷內容，實質。如「言之有物」。❸訪求。

如「物色人才」。❹图我以外的人或境界。如「物望(眾所仰望)」;「物議(眾人的譏議)」。❺「物理」:①研究物體性質、運動、變化等的原理,在學校裏是一種學科的名稱。②事物的道理。如「人情物理」。❻「物資」:可以用來生產、貿易、使用的物質。❼「物質」:①佔有空間,人可以察覺它存在的東西。②指生活上的必需品。如「物質豐富」。❽「物色」:①尋求不易得的人選或東西。②風物,景色。③古代祭祀用的牲體的毛色。

【牜】同「犇」,見424頁。

抵 图(dǐ)粵dɐi²〔底〕❶牛羊用犄角相撞。❷「牴觸」也作「抵觸」:事物相衝突,發生矛盾。

牯 (gǔ)粵gu²〔古〕❶母牛。❷割去生殖器的公牛。

牮 (jiàn)粵dzin³〔箭〕❶用木把傾斜的房屋支正。❷用土石擋水。

牲 (shēng)粵sɐŋ¹〔生〕sang¹〔沙坑切〕〔語〕❶供祭祀及食用的家畜。牛、羊、豬、馬等在飼養時叫畜;用來祭神的時候叫牲。如「三牲」;「犧牲」。❷「牲口」:①牲畜類的總稱。②雞的別稱。

六至七畫

特 (tè)粵dɐk⁹〔打麥切〕❶图公牛。❷不普通的,與眾不同的。如「特別」;「特出」。❸專,專為。如「特派」。;「特來拜訪」❹图但,只是。如「不特」;「非特」。❺「特寫」:①電影術語,是把劇中的一部分情節特別加以擴張,使獨佔一個鏡頭,引起觀眾的特別觀感。②報章、雜誌上以專欄文章敍述某件事物。❻「特長」:特別的專長、本領。

牸 (zì)粵dzi⁶〔字〕雌性的牲畜。如「牸牛」。

牷 图(quán)粵tsyn⁴〔全〕毛色單一的牛。

牽 (qiān)粵hin¹〔軒〕❶拉,挽。如「牽動」;「手牽手」。❷連累,帶累。如「牽連」;「牽扯」。❸縫紉法之一,把兩個邊縫合。❹拘束。如「牽制」;「拘文牽義」。❺「牽牛」:①拉着牛。②花名,牽牛花即是喇叭花,花冠像漏斗。③星名,牽牛星。❻「牽強」:勉強。❼「牽掛」:心中掛念。

牻 (máng)粵moŋ⁴〔亡〕黑白雜色的牛。也泛指毛色不純的獸類。

牾 (wǔ) 粵ŋ⁵〔午〕同「啎」，見
93頁。

【犁】同「犂」，見本頁。

【牭】同「粗」，見522頁。

八至九畫

犂 (犁) (lí) 粵 lei⁴〔黎〕❶耕
開田土的農具。❷
用犂耕田。如「犂田」。❸雜色
或黑色的牛。如「犂牛」。❹
姓。

犅 図 (gāng) 粵 goŋ¹〔江〕公
牛。

犄 (jī) 粵 gei¹〔基〕「犄角」：①
獸角。②角落。如「屋犄
角」。

犋 (jù) 粵 gœy⁶〔具〕多指兩頭
牛拉一張犂或耙。

犀 (xī) 粵 sei¹〔西〕❶一種體大
像牛的野獸。皮很厚，沒有
毛。角長在鼻子上。印度犀牛
只有一隻角，非洲犀牛有兩隻
角。角很硬，很名貴，可以作
藥。❷堅固。如「犀利（堅利尖
銳。指武器，也可指言辭、眼
光）」。

【犇】同「奔」，見131頁。

犍 ▲図 (jiān) 粵 gin¹〔堅〕割去
生殖器的牛。

▲ (qián) 粵 kin⁴〔虔〕「犍
為」：縣名，在四川省。

犏 (piān) 粵 pin¹〔篇〕「犏牛」：
犛牛和黃牛雜交所生的牛。

十至十六畫

犖 図 (luò) 粵 lok⁸〔烙〕❶雜色
的牛。❷雜色，文彩錯雜。
如「駁犖」。❸「犖犖」：事理分
明的樣子。❹「犖确」：山多石
大的樣子。韓愈詩有「山石犖
确行徑微」。

犒 (kào) 粵 hou³〔耗〕❶以酒食
財物勞軍。如「犒軍」；「犒
師」。❷泛指慰勞獎賞。如「犒
賞」；「犒勞」。

犛 (犛) (lí) 粵 lei⁴〔離〕「犛
牛」：體大如牛，毛
叢密，角長而尖。產在青海、
西藏、西康高原，可飼養供力
役。

犢 (dú) 粵 duk⁹〔讀〕❶小牛。
如「犢車」；「初生之犢不怕
虎」。❷「護犢」：偏袒自己的
子女。

犧 (xī) 粵 hei¹〔希〕❶古時祭祀
用的家禽，毛色單一，肢體
完全的。❷「犧牲」：①祭祀用
的家畜。②損己利人或捨身報
國的行為。③忍心捨棄，低價
傾銷。

犨 (犫) (chōu) 粵 tseu⁴〔酬〕
❶図牛喘息聲。❷
姓。

【犬部】

犬 (quǎn)(粵)hyn²〔蝦苑切〕❶狗。如「猛犬」；「雞犬不驚」。❷對人謙稱自己的兒子。如「小犬」；「犬子」。❸「犬齒」：在門牙的兩邊，俗稱「虎牙」。❹「犬牙相錯」：兩地交界地方，參差不齊，有如狗牙。

二至三畫

犯 (fàn)(粵)fan⁶〔飯〕❶抵觸。如「犯法」。❷侵害。如「侵犯」。❸有罪的人。如「囚犯」；「罪犯」。❹復發。如「犯病」。❺觸及。如「犯諱」。❻值得，划得來。如「犯不上」；「犯不着」。❼「犯難 (nàn)」：冒險。

犰 (qiú)(粵)keu⁴〔求〕「犰狳」：獸名，全身披甲，口吻突出，四肢強壯，爪很銳，能挖地，吃白蟻、蚯蚓等。

犴 ▲(àn)(粵)ŋɔn⁶〔岸〕ɔn⁶〔案低去〕(俗)❶北方的一種野狗。❷囝監獄。

▲(hān)(粵)hɔn⁴〔寒〕麋，即駝鹿。

四至五畫

狄 (dí)(粵)dik⁹〔敵〕❶古時北方的一個種族名。春秋時有「赤狄」；「白狄」。❷姓。

狃 囝(niǔ)(粵)neu²〔紐〕leu²〔拉口切〕(俗)❶習慣了而不知變通。如「狃於積習」。❷貪。如「狃食」。

犺 (kàng)(粵)kɔŋ³〔抗〕❶囝健犬。❷「狼犺」同「狼抗」：見427頁「狼」字。

狂 (kuáng)(粵)kwɔŋ⁴〔葵杭切〕kɔŋ⁴〔奇杭切〕(俗)❶瘋癲，精神不正常。如「發狂」；「瘋狂」。❷誇大。如「口出狂言」。❸放蕩不拘。如「狂放」；「狂士」。❹自高自大。如「狂妄」。❺大。如「狂風」。❻快速。如「狂奔」。❼囝「狂狷」：狂是勇於進取；狷是有所不為。❽「狂笑」：大笑。❾「狂瀾」：①大波浪。②囝時勢的衰頹，如狂瀾倒下來，要盡力挽回。如「挽狂瀾於既倒」，現作「力挽狂瀾」。❿「狂犬病」：也叫「恐水病」，多由瘋狗咬傷而起，病徵是咽喉痙攣，呼吸急促而死。⓫「狂想曲」：一種自由奔放不拘形式的樂曲。

犼 (hōu)(粵)heu³〔希幼切〕獸名，形狀像狗，能吃人。

狀 (zhuàng)(粵)dzɔŋ⁶〔撞〕❶樣子。如「狀態」；「形狀」。❷

犬部 犬 (2-4) 犯犰犴狄狃犺狂犼狀 425

情況。如「病狀」。❸陳述事實的文字。如「行狀」;「訴狀」。❹一種證明書。如「獎狀」;「委任狀」。❺図形容,描述。如「不堪言狀」。❻「狀元」:科舉時代殿試第一名。

犹 (yǔn)⑧wen⁵〔允〕「玁狁」:見431頁「玁」字。

狉 図(pī)⑧pei¹〔丕〕「狉狉」:很多野獸蠢動的樣子。如「鹿豕狉狉」。

狒 (fèi)⑧fei³〔肺〕「狒狒」:猿類動物,身高三尺左右,面貌像狗又像人,性凶暴,多數產在非洲中部。

狗 (gǒu)⑧geu²〔久〕❶會看家的家畜。❷罵人的話,多指受人利用替人奔走的人。如「走狗」;「狗腿子」。❸諂媚奉承。如「這個人專會狗着他上司」。❹「狗熊」:熊的一種,軀體小。❺「狗仗人勢」:比喻借勢欺負人。❻図「狗苟蠅營」:罵人鑽營攀附。

狐 (hú)⑧wu⁴〔胡〕❶哺乳動物食肉類的野獸,俗稱「狐狸」,形體像狗,性狡猾多疑,毛皮可以作裘。❷姓。❸「狐臭」:人胳肢窩下面發臭的病。❹「狐疑」:比喻多疑。❺「狐假虎威」:比喻借人家的威風恐嚇別人。

狙 (jū)⑧dzœy¹〔追〕❶図狙猨的猿類。❷「狙擊」:暗中埋伏,突然襲擊。❸「狙詐」:狡猾奸詐。

狎 図(xiá)⑧hap⁹〔狹〕❶非常親近。如「狎昵」;「狎近」。❷戲弄。如「戲狎」。❸待人不莊重。如「狎侮」。❹図「狎邪」:嫖妓,冶遊。

狖 (yòu)⑧jeu⁶〔又〕古書上說的一種長尾猴。

【狍】同「麅」,見866頁。
【畎】見田部,450頁。

六至七畫

狠 (hěn)⑧hen²〔很〕❶殘忍。如「狠毒」;「心好狠」。❷凶猛地,重重地。如「狠狠地揍他」。❸「狠心」:心地殘忍。❹同「很」,見205頁。

狡 (jiǎo)⑧gau²〔餃〕❶奸滑,詭詐。如「狡猾」。❷図美好。如「狡童(是指美好而浮滑的少年)」。❸「狡兔三窟」:比喻藏身的方法想得很周密。

狩 図(shòu)⑧seu³〔瘦〕❶冬天出獵。❷打獵的泛稱。❸図「狩獵」:用獵具或鷹犬捕捉鳥獸。❹「巡狩」:舊時稱天子巡行諸侯各國。

狨 (róng)⑧jung⁴〔容〕❶一種小猴子,全身黃色絨毛,長尾

巴，善於爬樹。❷通「絨」，見534頁。

【狰】同「猙」，見428頁。

【狥】同「徇」，見205頁。

狽 (bèi) [粵] bui³〔貝〕❶狼類的獸，前脚很短。❷「狼狽」：見本頁「狼」字。

狴 (bì) [粵] bɐi⁶〔幣〕「狴犴」：形狀像虎的野獸。古時獄門用作圖案，因此又把「狴犴」作爲牢獄的別稱。

峱 (náo) [粵] nau⁴〔撓〕lau⁴〔離看切〕(俗)山名，在山東省臨淄縣南。

狼 (láng) [粵] lɔŋ⁴〔郎〕❶獸名，樣子像狗，毛灰黃色，性情兇狠狡猾。❷比喻貪心狠毒的人。如「狼貪」；「狼子野心」。❸星名，即是天狼星。❹「狼抗」：①吃東西猛急的樣子。②笨重。❺「狼煙」：古時軍中報警的烽火。❻「狼狽」：①疲憊困窘的樣子。如「狼狽不堪」。②互相倚靠，聯合作惡。如「狼狽爲奸」。❼[文]「狼藉」也作「狼籍」：比喻散亂不整。

狸 (lí) [粵] lei⁴〔離〕❶犬科動物，樣子像狐，毛黑褐色，尾粗而長，四肢短。❷通「貍」，見695頁。❸「狐狸」：見426頁「狐」字。

猁 (lì) [粵] lei⁶〔利〕「猞猁」：見428頁「猞」字。

狿 (gēng) [粵] gɐŋ¹〔庚〕❶古時「狗」的俗字。❷狗的一種，即是小型的獵犬。

狷(獧) [文] (juàn) [粵] gyn³〔眷〕❶性情急躁。如「狷急」。❷清介自守。如「狷介」。

狹 (xiá) [粵] hap⁹〔峽〕❶窄，不寬廣。跟「廣」相反。如「狹小」；「狹窄」。❷「狹義」：範圍狹小的；跟「廣義」相對。❸「狹路相逢」：在很窄的路上相遇，無地可讓。比喻仇人相遇難以容讓。

狻 (suān) [粵] syn¹〔酸〕「狻猊」：即獅子。

狺 [文] (yín) [粵] ŋɐn⁴〔銀〕ɐn⁴(俗)「狺狺」：吠叫聲。

狳 (yú) [粵] jy⁴〔余〕「犰狳」：見425頁「犰」字。

八至九畫

猋 [文] (biāo) [粵] biu¹〔標〕❶暴風。❷狗走的樣子。

猛 (měng) [粵] maŋ⁵〔蜢〕❶[文]勇健的狗。❷勇健的。如「猛士」；「猛將」。❸凶惡的。如「猛獸」；「苛政猛於虎」。❹劇烈。如「猛火」；「往下猛衝」。❺[文]嚴厲。如「寬猛相濟」；

「爲政失之猛」。❻急驟，忽然。如「猛回頭」；「突飛猛進」。❼姓。❽「猛犸」：一種古脊椎動物，大小跟現代的象相似，全身有毛，門牙向上彎曲，俗稱「毛象」，已絕種。

猊 (ní)粵ŋei⁴〔危〕ei⁴〔矮低平〕(俗)「狻猊」：見427頁「狻」字。

猓 (guǒ)粵gwo²〔果〕go²〔加可切〕(俗)「猓玀」：種族名，散居中國四川、雲南、貴州等省跟越南北部。也作「猓玀」，「玀玀」，「羅羅」，「儸儸」。

猇 図(xiāo)粵hau¹〔敲〕老虎要吃人時發出的聲音。

猘 図(zhì)粵dzei³〔制〕❶瘋狗。❷威猛。

猙(猙)(zhēng)粵dzeŋ¹〔增〕「猙獰」：凶惡的樣子。

猖 (chāng)粵tsœŋ¹〔昌〕❶狂妄，任性胡爲。如「猖狂」。❷「猖獗」：鬧得很兇，很難遏止。

猞 (shē)粵se³〔瀉〕「猞猁」也作「猞猁猻」：一種像貍貓的野獸，俗名土豹。大耳朵，長毛，皮可以做裘，很珍貴。出產在烏拉山一帶。

猜 (cāi)粵tsai¹〔釵〕❶疑心。如「猜忌」；「猜疑」。❷揣測。如「猜想」；「猜謎」。❸図「猜忍」：多疑而殘忍。

猝 図(cù)粵tsyt⁸〔撮〕急遽。如「倉猝」；「猝不及防」。

猗 ▲図(yī)粵ji¹〔衣〕歎美的詞。如「猗歟盛哉」。
▲(yǐ)粵ji²〔綺〕同「倚」，見31頁。
▲図(ě)粵ŋo⁵〔我〕o⁵〔柯低上〕(俗)「猗儺」：柔順的樣子。
【猪】同「豬」，見694頁。

猱 (náo)粵nau⁴〔撓〕lau⁴〔離肴切〕(俗)❶猿的一種。❷抓，搔，通「撓」。西廂記有「心癢難猱」。❸古琴彈奏的一種指法。❹図「猱升」：像猴子似的爬樹、爬杆。

猴 (hóu)粵heu⁴〔喉〕❶一種形狀像人，能用後腿走路的動物，頰下有嗉囊，臀部有尾巴。俗稱「猴子」。❷笑人躁急。如「瞧他那猴急的樣子」。❸開玩笑的話，說小孩子乖巧。如「這孩子多猴啊」。❹譏笑瘦子。如「你看他長得一身猴子相」。

猢 (hú)粵wu⁴〔胡〕「猢猻」：猴類動物的通稱。

猩 (xīng)粵siŋ¹〔星〕❶「猩猩」：大猿，毛赤褐色，顏面裸出，身高四五尺，手很

長，下肢短，凶猛有力。❷「猩紅」：像猩猩血的紅色。❸「猩紅熱」：一種危險的傳染病。患者喉痛、寒戰、發熱、頭痛，一兩天以後臉上跟全身紅疹密佈，小孩患的比較多。

猶 (yóu)粵jeu⁴〔由〕❶獸名，像猴子，腿短。❷好像，如同。如「雖死猶生」；「猶緣木而求魚」。❸囡還，尚且。如「雖敗猶榮」；「困獸猶鬥」。❹囡尚且。左傳有「蔓草猶不可除」。❺姓。❻「猶太」：①Jews，種族名，也叫希伯來人，即以色列民族。②譏笑人吝嗇的詞。❼囡「猶子」：姪子。❽囡「猶女」：姪女。❾「猶豫」也作「猶疑」：遲疑不決。

猷 (yóu)粵jeu⁴〔由〕❶謀略，計劃。如「鴻猷」；「嘉猷」。❷道理。詩經有「秩秩大猷」。

猥 (wěi)粵wei²〔委〕❶鄙陋，下流。如「卑猥」；「猥賤」。❷多，雜。如「猥雜」；「猥濫」。❸乃，助詞。如「猥自狂屈」。❹「猥瑣」：形容人又沒骨氣，又不開展。❺「猥獕」：說人身體矮小，樣子難看。❻「猥褻」：指關於色情、淫邪而違背善良風俗的。

【猫】同「貓」，見695頁。
【猬】同「蝟」，見643頁。
【猨】同「猿」，見430頁。

十至十一畫

獃 ▲(dāi)粵dai¹〔多挨切〕❶癡傻。如「獃子」；「獃氣」。❷發傻，胡塗。如「獃頭獃腦」；「站在那兒發獃」。
　　▲(ái)粵ŋoi⁴〔呆〕ɔi⁴〔愛低平〕(俗)板滯，拘泥，不能變通。通「呆」，見81頁。

猾 (huá)粵wat⁹〔滑〕❶狡詐。如「狡猾」。❷擾亂。書經上有「蠻夷猾夏」。

臻 囡(zhēn)粵dzœn¹〔津〕「臻狂」同「榛狂」：形容草木叢生，羣獸蠢動的樣子。比喻還沒開化。

獅 (shī)粵si¹〔師〕猛獸名，俗稱「獅子」。身長七八尺，頭圓大，尾細長，毛黃褐色。雄獅脖子上有鬣，吼聲洪大，有獸王之稱。

獁 (mǎ)粵ma⁵〔馬〕「猛獁」：見427頁「猛」字。

猻 (sūn)粵syn¹〔孫〕「猢猻」：猴類動物的通稱。

猺 (yáo)粵jiu⁴〔搖〕❶獸名。❷種族名，居住在兩廣、湖南、雲南等省山區。今改稱「傜」，見34頁。

獄 (yù) ⓹juk⁹〔育〕❶監禁犯人的地方。如「監獄」；「牢獄」。❷囝訴訟案件。如「冤獄」；「斷獄」。❸「獄卒」：在監牢裏看管囚犯的人。

猿(猨) (yuán)⓹jyn⁴〔元〕獸名，比猴子大，形狀像人，能站能坐，腳可當手用，前肢稍長。頰下沒有囊，臀部沒有堅皮，不長尾巴。

獍 (jìng)⓹giŋ³〔敬〕古時傳說的一種惡獸，形狀像虎豹，但比較小，性殘忍，生下來就會吃了牠母親。因此古人拿牠跟「梟」並稱「梟獍」，形容兇殘的或忤逆不孝的人。

猚 囝(cuī)⓹tsœy¹〔吹〕「猥猚」：形容人長得難看。

獒 (áo)⓹ ŋou⁴〔熬〕ou⁴〔澳低平〕(俗)大而猛的狗，善於打鬥，能幫人打獵。

【獐】同「麞」，見867頁。

十二至十三畫

獠 (liáo)⓹liu⁴〔聊〕❶囝面貌凶惡，是辱罵人的話。如「撲殺此獠」。❷囝夜間打獵。❸「獠牙」：外露的長牙。如「青面獠牙(形容極其凶惡)」。

獗 (jué)⓹kyt⁸〔決〕「猖獗」：見428頁「猖」字。

【默】見黑部，871頁。

獨 (dú)⓹duk⁹〔讀〕❶古人傳說的一種野獸，像猿而大，能吃猿。❷單獨的，一個。如「獨木橋」；「無獨有偶」。❸老而無子的人叫「獨」。如「鰥寡孤獨」。❹特異的。如「獨出心裁」。❺但，只。如「唯獨」；「不獨」。❻專斷。如「獨裁」；「獨斷獨行」。❼姓。❽「獨孤」：複姓。❾「獨立」：①有能力自立而無須倚賴他人。②脫離保護者而自立，像殖民地脫離母國，而成立國家。③獨自站着。

獪 囝(kuài)⓹kui²〔繪〕狡獪。

獬 囝(xiè)⓹hai⁵〔蟹〕❶獬犻狗，也叫「哈叭狗」。❷「獬豸」也作「獬廌」：古時傳說的一種像羊的野獸，能分辨曲直，見到人打鬥時，會用角觸理曲的人。

獫 (xiǎn)⓹him²〔險〕❶一種長嘴狗，也稱爲「獫犬」。❷通「玁」，「獫狁」同「玁狁」，見431頁。

十四至二十畫

獰 (níng)⓹niŋ⁴〔寧〕liŋ⁴〔零〕(俗)❶「猙獰」：見428頁「猙」字。❷「獰笑」：凶惡的假笑。❸「獰醜」：相貌醜惡。

獲 ▲(huò)粵wɔk⁹〔穫〕❶得到。如「獲獎」;「不勞而獲」。❷能夠。如「不獲面辭」。❸囡獵得,擒住。如「獵獲」;「擒獲」;「俘獲」。❹囡女奴。如「臧獲」。

▲(huái)粵wai⁴〔懷〕「獲鹿」:縣名,在河北省。

獮 囡(xiǎn)粵sin²〔冼〕❶殺。如「已獮其十七八」。❷秋天打獵。

獵(獵)(liè)粵lip⁹〔躐〕❶捕捉禽獸。如「漁獵」;「打獵」。❷打獵的。如「獵人」;「獵犬」;「獵槍」。❸「獵奇」:刻意搜尋新奇的事物。❹囡「獵獵」:風聲。

獷(guǎng)粵gwɔŋ²〔廣〕kɔŋ³〔抗〕(俗)形容粗野。如「粗獷」;「獷悍」。

獸(獸)(shòu)粵sɐu³〔瘦〕❶四條腿,全身大部分有毛的脊椎動物的總稱。❷「獸醫」:治療家畜疾病的醫生。❸「獸性」:比喻野蠻,下流。

獺(tǎ)粵tsat⁸〔察〕獸名,有水獺、海獺、旱獺三種。獺皮可以做衣裳,很名貴。

獻(xiàn)粵hin³〔憲〕❶恭敬地送給。如「獻香」;「獻花」。❷送給公眾。如「捐獻」;「貢獻」。❸表演。如「獻技」。❹故意顯示。如「獻媚」;「獻殷勤」。❺囡賢人。論語書上有「文獻不足(文,指典籍;獻,指賢人)」。

獼(mí)粵nei⁴〔尼〕lei⁴〔離〕(俗)「獼猴」:一種猴子,又名「沐猴」,也叫「猢猻」,紅臉,灰褐色的毛,短尾巴。
【獾】同「貛」,見696頁。

玀(luó)粵lɔ⁴〔羅〕「玀玀」:蠻族名,即是「猓玀」。也寫作「儸」。

玁(xiǎn)粵him²〔險〕❶「玁狁」也作「獫狁」:中國周代西北的遊牧民族,到秦漢叫匈奴。❷「玁犬」:一種長嘴的狗。

【玄部】

玄 (xuán)粵jyn⁴〔元〕❶黑色。
如「玄狐(黑狐)」;「玄青(深
黑色)」。❷深奧,微妙。如
「玄機」;「玄妙」。❸虛偽不可
靠。如「這話真玄」。❹空洞不
實在。如「玄虛」。❺姓。❻
「玄玄」:①微妙無形。②指
天。淮南子有「玄玄至碭而運
照」。③深遠的樣子。如「玄玄
焉測之則無源」。❼「玄孫」:
曾孫的兒子。

四至六畫

【𤣲】同「妙」,見136頁。
【畜】見田部,450頁。

率 ▲(shuài)粵sœt⁷〔恤〕❶帶
領。如「率領」;「率隊遠
征」。❷輕忽。如「草率」;「輕
率」。❸漂亮,好看。如「他打
扮得真率」;「他的字寫得好
率」。也作「帥」。❹榜樣。如
「表率」。❺爽直,坦白。如
「率直」;「坦率」。❻囵大概,
大略。如「大率」;「率皆如
此」。❼遵循。如「率由舊
章」。❽姓。❾「率然」:①輕
捷的樣子。如「率然高舉」。②
不加思考,不慎重。後漢書有
「率然對曰」。

▲(lǜ)粵lœt⁹〔律〕❶一定的
能力。如「效率」;「速率」。❷
比例中相比的數。如「百分
率」。❸囵相似,猶「類」。史
記有「大抵率寓言也」。

【玉部】

玉 (yù) 粵juk⁹〔肉〕❶一種漂亮的礦石，半透明，質地潤滑堅硬，有油光。如「白玉」；「寶玉」。❷比喻漂亮。如「玉顏」；「亭亭玉立」。❸對人的敬稱。如「玉照」；「玉體安健」。❹囡喜愛而使其有成就。詩經有「王欲玉汝，是用大諫」。❺姓。❻「玉人」：①雕琢玉器的人。②玉雕的人像。③容貌美麗的人(多指美麗的女子)。❼「玉女」：①仙女，即太華神女。②美女。③對他人之女的敬稱。❽「玉宇」：①傳是神仙住的地方。②明淨的天空。❾「玉成」：成全的意思。❿「玉兔」：指月亮。神話說月中有兔。

王 ▲(wáng) 粵woŋ⁴〔黃〕❶秦代以前中國統治者的稱號。如「周平王」；「楚莊王」。❷秦代至清代的爵位名，在公爵之上。如「漢，河間獻王」；「明，寧靖王」。❸泛指同類之中最強的。如「棋王」；「歌王」；「獅子是獸王」。❹泛稱「國家的」。如「王法」；「王師」。❺「帝王」、「王者」的簡稱。如「王室」；「王宮」。❻囡尊稱。如「王父(祖父)」；「王母(祖母)」。❼佛的尊稱。如「法王」；「象王」。❽姓。

▲囡(wàng) 粵woŋ⁶〔旺〕❶據有，君臨天下。如「以德行仁者王」。❷興盛，同「旺」，見292頁。

二至四畫

玎 (dīng) 粵diŋ¹〔丁〕❶象聲詞。❷指玉石相碰的聲音。如「玎玲」；「玎璫」。

玕 囡(gān) 粵gon¹〔干〕❶次於玉的美石。❷「琅玕」：見436頁「琅」字。

玖 (jiǔ) 粵geu²〔久〕❶像玉的黑石。❷「九」的大寫。見第10頁。

玘 囡(qǐ) 粵hei²〔喜〕佩玉。

玗 (yū) 粵jy¹〔于〕像玉的石頭。

玫 (méi) 粵mui⁴〔梅〕❶「玫瑰」：①美玉，黑雲母的別稱。②落葉灌木，像薔薇，枝有刺，花有紅、黃、白各色，香氣很濃。❷「玫瑰露」：酒名。

玠 (jiè) 粵gai³〔介〕長一尺二寸的大圭。

玦 (jué) 粵kyt⁸〔決〕半環狀的玉佩。

玥(yuè)粵jyt⁹〔月〕古代傳說中的一種神珠。

珏(玨)(jué)粵gɔk⁸〔角〕兩塊玉合成的玉器。

玩 ▲(wán)粵wun⁶〔換〕wan⁴〔還〕(又)❶遊戲。如「玩耍」;「遊玩」。❷耍弄,戲弄。如「玩弄」;「玩把戲」;「玩人喪德,玩物喪志」。❸嘲謔。如「玩笑」。❹輕忽。如「玩忽」;「玩世」。❺體會。如「玩味」。❻「玩物」:①沉迷於玩好的事物。②觀賞景物。③供人玩弄的東西。❼「玩意」:①小玩具,小擺設。②指新奇有趣的東西、事物。
　　▲(wán)粵wun²〔碗〕供觀賞的。如「古玩」。
【玧】同「瑘」,見437頁。

五畫

玻(bō)粵bo¹〔波〕「玻璃」:①一種透明物體,是用細砂、石灰石、碳酸鈉、碳酸鉀等礦物質製造而成,種類很多。②用塑膠製成的半透明物體,也通稱玻璃。如「玻璃絲襪」。③一種透明的紙。如「玻璃紙」。

珀(pò)粵pak⁸〔魄〕「琥珀」:見437頁「琥」字。

珉(瑉)(mín)粵men⁴〔民〕像玉的一種石頭。

珐(琺)(fà)粵fat⁸〔法〕「珐瑯」:①一種不透明玻璃質的物體,塗在金屬器物表面作裝飾並防鏽蝕。②牙齒表面的一層硬質,也稱珐瑯質。

玳(瑇)(dài)粵dɔi⁶〔代〕「玳瑁」:龜類動物;背甲黃褐色,半透明,可以製造裝飾品。

玷 ▣(diàn)粵dim³〔店〕❶白玉上的污點。如「白圭之玷」。❷由上項引伸作過失、污辱。如「玷污」;「玷辱」。

玲(líng)粵liŋ⁴〔零〕❶玉聲。如「玎玲」。❷「玲瓏」:①玉聲。②空明的樣子。③器物精巧的樣子。④靈活敏捷。如「活潑玲瓏」。❸「玲玲」:玉聲。

珂(kē)粵ɔ¹〔柯〕❶像玉的白石。❷「珂羅板」:collotype的音譯,印刷用照相版的一種,專供印刷圖畫美術品之用。原理跟石印相同,而底版用的是玻璃,所以畫面紋理精細,效果比較好。

珈(jiā)粵ga¹〔加〕古時女人的首飾。

珍(珎)(zhēn)粵dzen¹〔眞〕❶寶貝貴重的東西。如「奇珍異寶」。❷可寶貴

的。如「珍貴」;「珍禽」。❸保重。如「珍重」;「珍攝」。❹看重。如「珍惜」;「珍視」。❺好吃的東西。如「珍饈」;「山珍海味」。❻「珍珠」:蚌內所結的圓珠,是珍貴裝飾品。❼「珍珠米」:玉蜀黍的別稱。

珊(珊) (shān)粵san¹〔山〕❶「珊珊」:佩玉相碰的聲音。杜甫詩有「時聞雜佩聲珊珊」。❷「珊瑚」:腔腸動物珊瑚蟲,在暖海營共同生活。所分泌的石灰質結成樹枝的樣子,採取上來經過加工製造,有紅、白、粉紅等色,價格很高。珊瑚蟲的骨骼,積久高出海面,堅固如岩石,叫珊瑚礁。很多珊瑚礁在一起,叫珊瑚島。

珅 (shēn)粵sɐn¹〔申〕玉的名字。

珄 (shēng)粵sɐŋ¹〔生〕囵金色。

玼 囵(cǐ)粵tsi²〔始〕❶玉色鮮明。❷衣服顏色鮮明的樣子。

【珏】同「玨」,見434頁。

六畫

班 (bān)粵ban¹〔頒〕❶行列,位次。如「班次」;「排班」。❷分組,組別。如「三年班」;「會考班」。❸輪流工作跟休息。如「值班」;「上班」;「下班」。❹軍隊的基層單位,在「排」以下,人數按任務與裝備而不同。❺量詞:①用於形容人羣。如「一班人」。②用於定時開行的交通工具。如「下一班船」;「下一班飛機」。❻囵回來。如「班師(調回軍隊)」。❼姓。❽「班門弄斧」:在魯班門前弄大斧。比喻在能人面前賣弄本事,有不自量力的意思。

珮 (pèi)粵pui³〔配〕古人在衣帶上繫的玉質飾物。

珞 (luò)粵lɔk⁸〔洛〕「瓔珞」:見442頁「瓔」字。

珪 (guī)粵gwɐi¹〔歸〕❶「珪璋」:貴重的玉器;也用來比喻人品。❷古「圭」字,見111頁。

珙 (gǒng)粵guŋ²〔鞏〕大璧。

珩 (héng)粵hɐŋ⁴〔恆〕珮上的橫玉。

珓 (jiào)粵gau³〔教〕「杯珓」:卜具,古時用兩片蚌殼投空擲地,依其俯仰以斷休咎。後來改用腰形的木頭或竹根,分成兩半,一面半圓,一面平。

珣 (xún)粵sœn¹〔旬〕玉名。

珠 (zhū)粵dzy¹〔朱〕❶沙粒進入蚌殼，蚌體受到刺激，分泌「眞珠質」結成的有光小圓體，叫「眞珠」。也叫「珍珠」，是很貴重的裝飾品。❷泛稱圓顆粒的東西。如「念珠」；「眼珠」。❸「珠算」：用算盤計數的方法。❹図「珠璣」：本來指珠玉。後稱人的詩文很好。如「滿腹珠璣」。❺「珠圓玉潤」：①比喻文詞的圓熟。②形容歌聲的美妙。❻「珠聯璧合」：比喻好東西聚在一起。常用作婚嫁的頌辭。

珥 (ěr)粵ji⁶〔二〕❶用珠玉做的耳環。❷劍柄上端像兩耳的突出部分。如「劍珥」。❸太陽周圍的光暈。如「日珥」。❹「珥筆」：古時史官、諫官入朝，將筆插在帽側，以便隨時記錄，撰述。

珧 (yáo)粵jiu⁴〔搖〕「江珧」：蚌的一種，肉柱叫江珧柱，俗稱乾貝。
【玽】同「玽」，見438頁。

七畫

琅 (láng)粵lɔŋ⁴〔狼〕❶図「琅玕」：像是玉的石頭。❷比喻潔白。❸姓。❹「琅琅」：①金石相擊聲。②讀書聲。如「書聲琅琅」。③形容玉的光彩。如「琅琅其璞」。

琉 (瑠) (liú)粵leu⁴〔流〕❶有光的石。❷「琉璃」：①用扁青石作藥料燒成的東西。如「琉璃瓦」。②玻璃。

理 (lǐ)粵lei⁵〔里〕❶做事。如「管理」；「辦理」。❷物質組織的紋路。如「肌理」。❸層次。如「條理」。❹道義。如「道理」；「合理」。❺指自然學科。如「物理」；「理科」。❻睬，招呼，表示關心的態度。如「置之不理」；「不理不睬」。❼弄齊整。如「理髮」；「整理」。❽溫習。如「理完了舊課」。❾図平治。如「理亂」。❿姓。⓫「理想」：①根據事理來構成設想，推定事情的究竟，或希望它如何如何的設想。②符合希望，令人滿意的。如「十分理想」。⓬「理會」：①図道理的妙合處。②評理。水滸傳有「和你官司裏去理會」。③料理，處理，辦理。水滸傳有「夫人不必掛心，世傑自有理會」。④明曉，知道。朱子全書有「逐一理會，切不可含糊。」⑤覺得。如「大家都說冷，我卻不理會」。⑥關心，在意。如「這麼大的事情他都不理會」。⓭

「理性」：①人能夠判斷和推理的能力。②哲學名詞。⑭「理論」：①對事物的看法及解釋。②據理爭論。

琀 図(hàn)粵hem³〔勘〕大殮時放在死人嘴裏含着的玉、珠、貝。

球 (qiú)粵keu⁴〔求〕❶圓形的立體物。如「地球」；「籃球」。❷專指地球。如「東半球」；「北半球」。❸図美玉。❹図玉磬。書經上有「戛擊鳴球」。❺通「毬」，見356頁。❻通「璆」，美玉。見440頁。

琇 図(xiù)粵seu³〔秀〕像玉的美石。

珽 (tǐng)粵tiŋ⁵〔挺〕帝王所持的玉笏。

現 (xiàn)粵jin⁶〔硯〕❶顯露。如「表現」；「實現」。❷目前。如「現在」；「現狀」。❸當時實有的。如「現金」；「現成的」。❹當場。如「現場」。❺現金、現款的簡稱。如「兌現」；「貼現」。❻「現代」：當代，現今所處的時代。❼「現眼」：丟臉，出醜。❽「現象」：①哲學上說由實體上發生的變化狀態。②通稱事實的發展跟變化。❾「現實」：①存在於我們眼前的事實跟狀況。②說人勢利短視，只顧眼前。

⑩「現身說法」：①佛經說佛力廣大，能顯現種種法身，向人說法。②以自己的經驗作比喻來勸人。

瑯(玡) (yá)粵je⁴〔耶〕「瑯瑯」： 見 439 頁「瑯」。

八畫

琶 (pa)粵pa⁴〔爬〕「琵琶」：見本頁「琵」字。

琵 (pí)粵pei⁴〔皮〕❶「琵琶」：四弦的樂器，用桐木做成，下圓上彎。❷「琵琶骨」：也叫「鎖骨」，在肩下兩旁，跟肩胛骨緊接。

琱 図(diāo)粵diu¹〔刁〕❶磨製玉器。❷同「雕」，刻鏤的意思。見794頁。❸在牆上畫裝飾畫，同「彫」。見202頁。

琳 (lin)粵lem⁴〔林〕❶美玉。❷「琳琅」也作「琳瑯」：①美玉。②比喻優美的人材或珍貴的圖書。③玉聲。

琯 図(guǎn)粵gun²〔管〕❶簫、笛類的樂器。❷磨治金玉使其光澤鮮明。

琨 (kūn)粵kwen¹〔昆〕美玉。

琥 (hǔ)粵fu²〔虎〕❶製成虎形的玉器。❷「琥珀」：黃褐色透明的化石，是古代松柏樹脂

變成的，通常用來製造飾物。

琚(jū)[粵]gœy¹〔居〕佩玉名。

琪(qí)[粵]kei⁴〔其〕❶玉名。❷「琪花瑤草」：仙境的花草。

琦(qí)[粵]kei⁴〔其〕❶美玉。❷卓異，奇特。如「瑰意琦行」。

琴(栞)(qín)[粵]kɐm⁴〔禽〕❶樂器名。最初是五弦，後來改爲七弦。❷胡琴、月琴、風琴、鋼琴等的簡稱。如「操琴」；「彈琴」。❸姓。❹「琴瑟」：①琴跟瑟兩種樂器。②図比喻夫婦和好。如「琴瑟和鳴」。③比喻友情。詩經有「窈窕淑女，琴瑟友之」。

琢(zhuó)[粵]dœk⁸〔啄〕❶雕刻玉石。如「玉不琢，不成器」。❷「琢磨」：雕琢以後磨光，從詩經「如琢如磨」而來，引伸作再求精細的意思。

琛(chēn)[粵]sɐm¹〔深〕❶珍寶。❷「天琛」：自然之寶。

琤(琤)(chēng)[粵]dzɐŋ¹〔增〕❶「琤瑽」：古人走路時佩玉相碰的聲音。❷「琤琤」：奏琴聲，流水聲。

琰(yǎn)[粵]jim⁵〔染〕「琰圭」：古時一種上尖下方的玉器。

琮(cóng)[粵]tsuŋ⁴〔蟲〕❶古人所用的瑞玉，八角形，中間有圓孔。❷姓。

琬(wǎn)[粵]jyn²〔婉〕❶「琬圭」：古時一種沒有稜角的圭。❷図「琬琰」：琬圭跟琰圭。用作比喻美德。如「琬琰爲心」。

【琺】同「琺」，見434頁。

【斑】見文部，281頁。

九畫

瑁(mào)[粵]mou⁶〔冒〕❶古時天子所執的玉器。❷「玳瑁」：見434頁「玳」字。

瑙(nǎo)[粵]nou⁵〔腦〕lou⁵〔老〕(俗)「瑪瑙」：見439頁「瑪」字。

瑚(hú)[粵]wu⁴〔胡〕❶「瑚璉」：古時宗廟祭祀盛黍稷的容器。❷「珊瑚」：見435頁「珊」字。

琿▲(hún)[粵]wɐn⁴〔雲〕❶一種美玉。❷「琿春」：縣名，在吉林省。

▲(huī)[粵]fɐi¹〔輝〕「瑷琿」：見441頁「瑷」字。

瑕(xiá)[粵]ha⁴〔霞〕❶玉上的斑點。如「白璧微瑕」。❷比喻過失。❸姓。❹「瑕疵」：比喻缺點。

瑄(xuān)[粵]syn¹〔宣〕古時祭天用的六寸大的璧。

珹 (zhēn)粵dzɐm¹〔針〕像玉的美石。

瑑 (zhuàn)粵syn⁶〔篆〕圭璧上的雕紋。

瑞 (ruì)粵sœy⁶〔睡〕❶古時用作符信的玉器。❷吉祥，好預兆。如「祥瑞」。❸「瑞雪」：冬季應時的雪，可以殺死害蟲，使作物豐收。

瑟 (sè)粵sɐt⁷〔失〕❶中國古樂器名，長八尺多，原有五十根絃，後來改為二十五絃。❷潔淨鮮明的樣子。詩經有「瑟彼玉瓚」。❸图「瑟瑟」：①風聲。如「秋風瑟瑟」。②碧珠。白居易詩有「半江瑟瑟半江紅」。❹「瑟縮」：因冷而身體蜷縮一團的樣子。

瑛 (yīng)粵jiŋ¹〔英〕❶玉的光彩。❷透明的玉。

瑋 (wěi)粵wɐi⁵〔偉〕❶玉名。❷珍貴。如「瑰瑋(奇偉貴重)」。

瑜 (yú)粵jy⁴〔愉〕❶美玉。❷玉的光彩。❸「瑜伽」：①思惟的意思。②「瑜伽術」的簡稱，是一種鍛鍊身體的方法。

瑗 (yuàn)粵jyn⁶〔願〕孔大邊小的璧。

瑒 (cháng)粵dɔŋ⁶〔蕩〕古代祭祀用的一種圭。

【瑉】同「珉」，見434頁。

【瑃】同「玼」，見434頁。
【頊】見頁部，813頁。

十畫

瑪 (mǎ)粵ma⁵〔馬〕「瑪瑙」：石英類礦物，跟玉髓性質相同。有紅、白、灰各色相間，成平行層，多數是圓形的，可以做飾物。

瑭 (táng)粵tɔŋ⁴〔唐〕玉名。

瑱 (zhèn)粵tin³〔他燕切〕dzɐn³〔鎮〕(又)❶古時一種作為符信的玉器。❷古人塞耳用的玉器。❸「瑱圭」：帝王授給諸侯朝見時所執的圭。

瑯 (láng)粵lɔŋ⁴〔狼〕❶「瑯琊」：山名。在山東省，也寫作「琅玡」。❷「珐瑯」：見434頁「珐」字。

瑰 (瓌)▲(guī)粵gwɐi¹〔歸〕❶像玉的石頭。❷图奇偉。如「瑰瑋」。❸珍貴。如「瑰寶」。
　　▲(guī)粵gwɐi³〔貴〕「玫瑰」：見433頁「玫」字。

瑨 (jìn)粵dzœn³〔進〕似玉的美石。

瑲 图(qiāng)粵tsœŋ¹〔槍〕❶玉石撞擊聲。詩經有「有瑲蔥珩」。❷「瑲瑲」：鈴聲。詩經有「八鸞瑲瑲」。

瑣(璅) (suǒ)（粵）so²〔所〕❶因玉石相碰的微細聲音。❷細，小。如「瑣碎」。❸連環形的玉飾、花紋。❹「瑣瑣」：①細小的樣子。②聲音細碎。如「玉珂聲瑣瑣」。

瑤 (yáo)（粵）jiu⁴〔搖〕❶美玉。如「瓊瑤」。❷因美好。如「瑤章」；「瑤質」。❸因比喻潔白。如「瑤華」。❹「瑤草」：傳說中的一種仙草。❺「瑤族」：中國的少數民族之一，聚居在中國西南部。

瑩 (yíng)（粵）jiŋ⁴〔營〕❶光潔像玉的石。❷形容光潔，透明。如「晶瑩」。

瑢 (róng)（粵）juŋ⁴〔容〕「瑽瑢」：見本頁「瑽」字。

【瑠】同「琉」，見436頁。

十一畫

璃(瓈) (li)（粵）lei⁴〔離〕❶「玻璃」：見434頁「玻」字。❷「琉璃」，見436頁「琉」字。

璉 (liǎn)（粵）lin⁵〔離免切〕「瑚璉」：見438頁「瑚」字。

瑾 (jǐn)（粵）gen²〔謹〕gen⁶〔近〕（又）「瑾瑜」：美玉。

璇 (xuán)（粵）syn⁴〔船〕❶美玉。❷「璇璣」也作「璿璣」：①古時測天文的儀器。②北斗星名。

璋 (zhāng)（粵）dzœŋ¹〔章〕❶古玉器，形狀像一半的圭。❷因「弄璋」：生了男孩。詩經有「乃生男子，載弄之璋」。

璀 (cuǐ)（粵）tsœy¹〔崔〕❶玉石的光彩。❷「璀璨」：珠玉光明燦爛的樣子。

璁 (cōng)（粵）tsuŋ¹〔沖〕❶一種像玉的石頭。❷「璁瓏」：明潔的樣子。

璁 (cōng)（粵）tsuŋ¹〔沖〕「璁瑢」：佩玉相碰的聲音。

璆 (qiú)（粵）keu⁴〔球〕❶美玉。❷玉相擊聲。史記有「環珮玉聲璆然」。

【璅】同「瑣」，見本頁。

十二至十三畫

璞 (pú)（粵）pok⁸〔撲〕❶未經琢磨的玉（在石中尚未加工的玉）。❷比喻真實。如「返璞歸真」。❸因「璞玉渾金」：還沒琢磨的玉；還沒鍛鍊的金。比喻本質美好不必裝飾。

璠 (fán)（粵）fan⁴〔煩〕寶玉。

璘 因(lín)（粵）lœn⁴〔倫〕❶玉的光彩。❷「璘彬」：色彩繽紛的樣子。

璡 (jīn)粵dzœn¹〔津〕似玉的美石。

璐 (lù)粵lou⁶〔路〕美玉。

璜 (huáng)粵woŋ⁴〔黃〕半璧形的佩玉。

璣 (jī)粵gei¹〔機〕❶不圓的珠子。❷「璇璣」，見440頁「璇」字。❸「珠璣」，見436頁「珠」字。

璟 囡(jǐng)粵giŋ²〔景〕玉的光彩。

璧 (bì)粵bik⁷〔壁〕❶玉的通稱。❷平面圓形的玉，中間有孔。❸「璧還」：敬辭，退回贈物或歸還借物。是從藺相如「完璧歸趙」的故事引伸得來。

璫 (dāng)粵doŋ¹〔當〕❶穿耳垂戴珠飾。❷「貂璫」：漢代宦官冠上的兩種飾物。後作為宦官的代稱。

環 (huán)粵wan⁴〔還〕❶玉石琢成的圈子。如「玉環」。❷圓形中空的東西。如「門環」；「鐵環」。❸圈形的飾物。如「耳環」；「指環」。❹綴物成串，結成圈形。如「花環」。❺圍繞。如「環島」；「環球旅行」。❻「環境」：①周圍的境界。②人身周圍的事物狀況。

璩 (qú)粵kœy⁴〔渠〕❶環一類的玉器。❷姓。

璪 (zǎo)粵dzou²〔早〕古時用彩絲穿玉塊，掛在帽上作裝飾。

璨 囡 (càn) 粵 tsan³〔燦〕「璨璨」：光明的樣子。

璱 (sè)粵sɐt⁷〔失〕❶橫紋好像瑟弦的玉。❷囡玉的色澤鮮潔的樣子。

璦 (ài)粵ɔi³〔愛〕❶美玉。❷「璦琿」：縣名，在黑龍江省北部。現改稱「愛輝」。

十四至十九畫

璽 (xǐ)粵sai²〔徙〕❶印章的通稱，秦漢以後專指帝王的印。❷姓。

璿 (xuán) 粵 syn⁴〔船〕❶美玉。❷「璿璣」同「璇璣」：見440頁。

璺 (wèn)粵mɐn⁶〔問〕玉器、陶瓷破裂而顯現出的痕跡。如「打破沙鍋璺(問)到底(追問到底)」。

瓊 (qióng) 粵 kiŋ⁴〔擎〕❶美玉。❷囡比喻精美。如「瓊漿(美酒)」；「瓊樓玉宇」。❸「瓊州島」：即海南島。

【璃】同「璃」，見440頁。

【瓌】同「瑰」，見439頁。

瓏 (lóng)粵luŋ⁴〔龍〕「玲瓏」：見434頁「玲」字。

瓖 (xiāng) 粵 sœŋ¹〔商〕同「鑲」，鑲嵌。見774頁。

瓔 (yīng) 粵 jiŋ¹〔嬰〕❶似玉的美石。❷「瓔珞」：用珠玉綴成的頸飾。

瓘 (guàn) 粵 gun³〔貫〕玉名。

瓚 (zàn) 粵 dzan³〔贊〕古時祭祀用的勺子一類的玉器。

【瓜部】

瓜 (guā) 粵 gwa¹〔寡高平〕❶屬葫蘆科的蔓生植物，掌狀葉，有捲鬚，花多半是黃色的，果實可以吃，種類很多。如「黃瓜」；「西瓜」。❷「瓜分」：分割財物或土地，像切瓜似的。❸圖「瓜代」：職務期滿而換人接替。❹「瓜葛」：瓜跟葛都是蔓生植物，比喻世代親戚輾轉有連屬的關係。也泛指牽連。

五至十七畫

瓞 圖(dié) 粵 dit⁹〔秩〕小瓜。詩經有「綿綿瓜瓞」。

瓠 (hù) 粵 wu⁶〔戶〕蔬類植物，果實圓而長，可以吃。有兩頭差不多粗的，又名「瓠瓜」；也有上部細長，下部圓大的，叫「懸瓠」。

瓢 (piáo) 粵 piu⁴〔嫖〕取水或盛東西的器具，用葫蘆或木料製成。

瓣 (bàn) 粵 fan⁶〔範〕❶組成花朵的各片。如「花瓣」。❷瓜果瓤中可按自然紋理分開的瓣形部分。如「掰一瓣橘子」。❸瓜類的種子。

瓤 (ráng) 〔粵〕nɔŋ⁴〔囊〕lɔŋ⁴〔狼〕

(俗) ❶ 瓜果內部的肉。如「西瓜瓤兒」;「黃瓤兒西瓜」。❷ 果仁。如「花生瓤兒」;「核桃瓤兒」。❸ 東西的內部。如「錶瓤兒(錶內部的機件)」;「信瓤兒(函件內的信紙)」。❹ 事情的內幕或隱祕的部分。如「瓤裏的事誰知道」。

【瓦部】

瓦 ▲ (wǎ) 〔粵〕ŋa⁵〔雅〕a⁵〔啞低上〕(俗) ❶ 用陶土燒成的器物的總稱。如「瓦盆」。❷ 用陶土燒成的建築材料。如「磚瓦」;「瓦片」。❸ 囡紡磚。詩經有「乃生子女,載弄之瓦」,所以世俗把生了女孩說是「弄瓦」。❹ 公克(格蘭姆)的舊譯,是由日本傳入的。❺ 瓦特 (watt) 的簡稱,是表示每秒鐘電流所生電力的單位。746瓦等於一馬力。❻「瓦全」:比喻喪志苟全。北齊書有「大丈夫寧可玉碎,不能瓦全」。❼「瓦斯」:氣體,gas 的日譯。有時專指煤氣。軍事上專指毒氣。❽「瓦解」:比喻全部解體或潰散。

▲ (wà) 〔粵〕ŋa⁵〔雅〕a⁵〔啞低上〕(俗) 把瓦鋪在屋頂上。如「天要下雨了,趕快把瓦(wǎ)片瓦(wà)好」。

三至八畫

瓩 (qiānwǎ) 〔粵〕tsin¹ŋa⁵〔千瓦〕電的功率單位,即「千瓦」。

瓴 (líng) 〔粵〕liŋ⁴〔零〕❶ 屋頂上仰着鋪的瓦,也作「瓦溝」。❷ 有耳的瓶。

【䆺】同「碗」，見486頁。

瓷（甆）(ci) 粵tsi⁴〔池〕❶細緻的陶器。如「中國瓷器聞名世界」。❷「瓷土」：也叫陶土，俗稱白土。製造瓷器的原料。❸「瓷胎」：還沒鍛燒的瓷器的坯。❹「瓷窯」：燒瓷器的窯。❺「瓷磚」：表面塗釉像是瓷器的磚。

瓿 (bù) 粵peu²〔鋪嘔切〕小甕。

瓶（瓶、餅）(píng) 粵piŋ⁴〔平〕口小腹大，可以盛液體或其他東西的容器。如「花瓶」；「酒瓶」。
【瓪】同「缸」，見549頁。

九至十四畫

甃 (zhòu) 粵dzeu³〔咒〕❶井壁。❷用磚砌井、池等。

甄 (zhēn) 粵jen¹〔因〕❶図製造陶器。❷鑒別，審查。如「甄拔」；「甄別」。❸表明。如「甄大義以明責」。❹姓。
【甎】同「瓷」，見本頁。

甍 (méng) 粵meŋ⁴〔盟〕図屋梁。如「比屋連甍(形容房屋相連)」。
【甋】同「磚」，見488頁。

甌 (ōu) 粵eu¹〔歐〕❶図小盆。❷図盂，杯。如「酒甌」。❸地名。浙江省舊溫州府的地區稱「東甌」；廣西省貴縣別稱「西甌」。❹「金甌」：①盛器。如「春酒泛金甌」。②比疆土完整鞏固。如「國猶金甌，無一傷缺」。

甏 図(bèng)粵paŋ⁶〔葡硬切〕❶小口的缸。❷酒甕。

甑 図(zèng, 舊讀 jìng)粵dzeŋ⁶〔贈〕❶一種蒸飯用瓦器。❷「甑塵釜魚」：甑中生塵，釜中生魚。形容貧戶斷炊已久。

甕（瓮、罋）(wèng)粵u❶陶器，口小腹大。如「酒甕」。❷「甕闊」：極闊綽。❸「甕城」：擁在城門外面的小城圍。❹「甕聲甕氣」：形容聲音粗沉。

甓 (pi)粵pik⁷〔僻〕磚。

【甖】同「罌」，見549頁。

【甘部】

甘 (gān) ⑧gem[1] 〔金〕❶甜的，美好的。如「甘美」；「同甘共苦」。❷自願，喜歡。如「自甘墮落」；「心甘情願」。❸悅耳的言辭。如「甘言蜜語」。❹図嗜好。書經有「甘酒嗜好」。❺姓。❻図「甘旨」：美味。❼「甘汞」：汞跟氯的化合物，分子式 Hg_2Cl_2，可作瀉藥利尿的藥。❽「甘油」：分子式 $C_3H_5(OH)_3$，澄明無色或淡黃色的液體，從油質、脂肪或糖漿分解而成，可供藥用或工業用。❾「甘草」：多年生草本，地下莖跟根部都可以作藥，味甘。❿「甘薯」也作「甘藷」：番薯的別稱。⓫「甘拜下風」：誠心佩服，自認不如。

四至八畫

甚 ▲(shèn) ⑧sem[6] 〔時任切〕❶很，頗。如「近況甚好」；「成績甚佳」。❷過分，過度。如「欺人太甚」；「去其太甚」。❸超過，程度更深。如「有甚於此者」；「日甚一日」。❹「甚至」也作「甚至於」、「甚而」：表示更進一層的詞。如「不止沒看見，甚至沒聽說過」。❺疑問形容詞。或代名詞。如「甚處」；「甚事」；「甚時」；「做甚」。❻図「甚囂塵上」：喧嘩擾攘得很厲害，氣氛很緊張。多用爲盛起而紛亂的意思。

▲(shén) ⑧sem[6] 〔時任切〕「甚麼」（「甚」也作「什」）：①疑問代名詞，專指事物的。如「這是甚麼」；「你作甚麼」。②指示代名詞，泛指一般事物的。如「說甚麼」；「想甚麼」。③疑問形容詞。如「甚麼人來了」；「你甚麼時候回來的」。④不定或虛指的形容詞。如「他是不是受了甚麼委屈」。

【某】見木部，313頁。

甜 (tián) ⑧tim[4] 〔恬〕❶五味（酸、甜、苦、辣、鹹）之一，味道像蜜像糖。跟「苦」相反。如「甜湯」；「甜點心」。❷美好的，有利的。如「這項買賣很甜」。❸舒適，美暢。如「睡得很甜」。❹「甜蜜」：①味道甜。②比喻極親愛。❺「甜頭」：利益，好處。

【尠】見小部，164頁。

【斟】見斗部，283頁。

【生部】

生 (shēng) 粵 seŋ¹ 〔姓〕saŋ¹ 〔蘇坑切〕(語) ❶ 產出。如「出生」;「生辰」;「生孩子」。❷ 發出,出現。如「發生」;「生病」。❸ 活着,跟「死」相反。如「生存」;「人生於世」;「活生生的(形容鮮活)」。❹ 滋長,增加。如「生長」;「生力軍」。❺ 自然長成。如「生得一副魁梧的身材」。❻ 養育。如「十年生聚」。❼ 生存,使活着。如「謀生」;「貪生怕死」。❽ 有活能力的東西。如「生物」;「生靈」。❾ 性命。如「殺生」;「捨生取義」。❿ 整個生活階段。如「一生」;「此生」。⓫ 沒煮熟的。如「生菜」;「生米」。⓬ 不熟悉。如「生人」;「生字」。⓭ 不熟練。如「生手」;「生疏」。⓮ 學習的人,弟子自稱或老師稱呼弟子。如「招生」;「學生」;「練習生」。⓯ 戲劇扮演男人的角色。如「鬚生」;「小生」。⓰ 強,硬要。如「生拉硬拽」。⓱ 無故。如「好機會生生放過了」。⓲ 極甚,深。如「生怕」;「生恐」。⓳ 図「生涯」:①人生所處的環境。②賴以營生的事業。⓴

「生事」:①古代始喪之禮。禮記有「生事畢而鬼事始已」。②惹起事端。如「造謠生事」。③世事,人事。杜甫詩有「滿目悲生事」。㉑「生靈」:①指百姓。②生命。如「殘害生靈」。㉒「生龍活虎」:比喻活潑勇猛。㉓「生死攸關」:死活中最重要的時刻。

五至七畫

姓 図 (shēn) 粵 seŋ¹ 〔身〕❶ 眾生並立的樣子。❷「姓姓」:眾多。詩經有「姓姓其鹿」。
【售】見目部,473頁。

產 (chǎn) 粵 tsan² 〔剷〕❶ 生下來。如「母雞產卵」;「第一胎產一男」。❷ 有關女人生育的。如「產房」;「助產」。❸ 自然生長,種植或製造。如「盛產魚蝦」;「產品精良」。❹ 天然的礦物。如「礦產」。❺ 指產品說。如「水產」;「土產」;「特產」。❻ 図出生的人。孟子有「陳良,楚產也」。❼ 泛稱一切財物。如「家產」;「財產」。❽「產業」:①私有的土地、房產、家產。②指生產事業的。如「產業工人」。

甥 (shēng) 粵 seŋ¹ 〔生〕saŋ¹ 〔蘇坑切〕(語) ❶ 姊妹的子女。如「外甥」。❷ 妻的兄弟姊妹的

子女也稱甥。❸男子對姨、舅的自稱。❹図女婿、外孫都稱甥。❺「甥女」：姊妹的女兒，或女子對姨、舅的自稱。

甦 (sū)粵sou¹〔鬚〕死而復活。如「復甦」；「甦醒」。又作「穌」、「蘇」。

【用部】

用 (yòng)粵juŋ⁶〔佣〕❶任使。如「任用」；「用新人，行新政」。❷使器官、工具、物質等做事。如「用水澆菜」；「用電發動機器」。❸效果，功能。如「功用」；「作用」。❹花費的錢財。如「家用」；「零用」。❺施行。如「感情用事」。❻進飲食。如「用飯」；「請用茶」。❼器物。如「器用」。❽需要。如「你不用去」；「不用走路」。❾以。如「用才自薦」。❿図因為。如「用是之故」；「用特函商」。⓫「用心」：①集中注意力，仔細思考。如「用心聽講」。②居心，存心。如「別有用心」。

甩 (shuǎi)粵let⁷〔拉乞切〕❶拋棄。如「把朋友甩了」。❷掄，擺。如「甩尾巴」。

一至四畫

甪 (lù)粵luk⁹〔鹿〕❶古獸名。❷「甪里」：鎮名，在江蘇吳縣東。

甫 (fǔ)▲粵fu²〔苦〕❶図男子的美稱，在名下加「甫」，表示尊敬。如「尼甫(仲尼—孔子)」。❷敬問別人名字的用

語。如「請教台甫」。❸図方
纔。如「行裝甫卸」。❹開始，
起初。老子書上有「以閱衆
甫」。❺姓。❻図「甫甫」：衆
多的樣子，大的樣子。詩經有
「魴鱮甫甫」。

▲(pǔ) 粵pou²〔普〕「十八
甫」：地名，在廣州市。

▲(pù) 粵pou³〔舖〕粵方
言，十里爲一甫。如「四甫
路」。

甬 (yǒng) 粵juŋ²〔湧〕❶浙江省
舊寧波府的別稱。❷「甬
道」：①庭院間的中道。②有
棚頂的通道或走廊。

甮 (béng) 粵buŋ³〔不控切〕「不
用」兩字的合音，有「不必」
的意思。如「甮客氣」。

甮 (fèng) 粵fuŋ⁶〔鳳〕方言詞，
「不用」的意思。

【甯】見宀部，157頁。

【田部】

田 (tián) 粵tin⁴〔塡〕❶可以
植作物的土地。如「稻田」、
「旱田」。❷土地的泛稱。
「田園」；「田舍」。❸図打獵，
易經有「以田以漁」。❹図耕
作。如「男力田」。❺姓。❻図
「田田」：①蓮葉浮水的樣子。
如「蓮葉何田田」。②形容聲
宏大。禮記有「殷殷田田」。❼
「田賽」：體育名詞。以高度、
遠度計算的項目，包括跳高、
跳遠、撐竿跳高、三級跳遠、
推鉛球、擲鐵餅、標槍、鏈球
等。❽「田雞」：①蛙類的一
種。②笑人近視戴眼鏡。如
「四眼田雞」。❾「田徑賽」：體
育名詞。是「田賽」跟「徑賽（以
速度計算的各項長短距離賽跑
及跳欄等項目）」的合稱。

一至三畫

甲 ▲(jiǎ) 粵gap⁸〔夾〕❶十天
干(甲、乙、丙、丁、戊、
己、庚、辛、壬、癸)的第一
位。❷高的代稱。如「甲等」、
「甲上」。❸超出一般之上的。
如「桂林山水甲天下」。❹假設
的代名詞。如「某甲」；「甲
地」。❺古時軍人穿的護身

衣。如「盔甲」。❻堅固的外殼。如「裝甲車」;「甲介動物」。❼手腳尖端的鈣質片。如「指甲」。❽民政基層單位的舊名,相當於「鄰」。如「保甲(里鄰)」;「甲長(鄰長)」。❾「甲子」:①稱述年歲。②六十年一週紀的名稱。❿「甲魚」:鱉。⓫「甲骨文」:商代人在龜甲獸骨上面所刻的占卜的文字,是中國有實物可證的最早的文字。清朝光緒二十五年在河南安陽出土。

申 (shēn)粵sen¹〔身〕❶十二地支的第九位。❷十二時辰之一,下午三時至五時。❸陳述,說明。如「申請」;「申明」。❹表示。如「申謝」;「申敬」。❺重複,一再。如「三令五申」。❻上海的別稱。「黃埔江」別稱「春申江(簡作申江)」,因而得名。❼姓。❽「申申」:①安祥的樣子。②反覆不休。❾「申理」:①加強治理。②為受屈的人申辯。

由 (yóu)粵jeu⁴〔尤〕❶原因。如「原由」。❷自,從。如「由上到下」;「由台灣到香港」。❸聽任。如「信不信由你」。❹因經過。如「觀其所由」;「必由之路」。❺因遵循。如「民可使由之」。❻因。

如「咎由自取」。❼因于。詩經有「無易由言」。❽「由由」:①自得的樣子。②遲疑的樣子。楚辭有「由由而進」。❾「由衷」:出於本心。

甸 ▲(diàn)粵din⁶〔電〕❶古稱郊外。❷「甸服」:古時王城外周圍五百里的地方。
　　▲(tián)粵tin⁴〔田〕❶打獵。❷「甸甸」:車馬聲。孔雀東南飛有「新婦車在後,隱隱何甸甸」。

町 ▲(tǐng)粵tiŋ⁵〔挺〕❶田界。如「町畦」。❷日本的地區名,工商區稱町。
　　▲(dìng)粵diŋ¹〔丁〕「畹町」:鎮名,在雲南省。

男 (nán)粵nam⁴〔南〕lam⁴〔藍〕(俗)❶雄性的人。通稱「男子」。❷兒子。如「他有兩男一女」。❸兒子對父母寫信時的自稱。❹五等爵位的第五等。

畀 囡(bì)粵bei²〔彼〕賜,給。如「畀予」。

甽 ▲(zhèn)粵dzen³〔振〕通「圳」,見111頁。
　　▲(quǎn)粵hyn²〔犬〕通「畎」,見450頁。
【甿】同「氓」,見15頁。

四畫

畈 図(fàn)⑧fan³〔販〕❶田。

畋 図(tián)⑧tin⁴〔田〕❶耕田。❷打獵。

畇 (yún)⑧wen⁴〔云〕「畇畇」：田地平坦整齊的樣子。詩經有「畇畇原隰」。

界 (jiè)⑧gai³〔介〕❶土地連接的邊線。如「地界」；「縣界」。❷限定的範圍。如「界限」；「以水爲界」。❸社會上按職業或性別所作的區分。如「工商界」；「婦女界」。❹図隔開。如「版面界爲三欄」。

畎 図(quǎn)⑧hyn²〔犬〕❶田間的小溝。❷山谷通水的地方。❸「畎畝」：田間。❹「畎田」：有小溝的田。

畏 (wèi)⑧wei³〔慰〕❶害怕。如「畏懼」；「畏難」。❷敬服。如「畏友（品德端重，令人尊崇的朋友）」；「後生可畏」。❸「畏首畏尾」：心裏過分害怕，顧忌太多。見肉部，574頁。

【胃】見肉部，574頁。
【畱】同「留」，見本頁。
【毗】見比部，355頁。
【畊】同「耕」，見563頁。

五畫

畚 (běn)⑧bun²〔本〕用竹木做的盛土器。如「畚箕」。

畔 図(pàn)⑧bun⁶〔叛〕❶田地的界限。❷旁邊。如「井畔」；「河畔」。❸「畔岸」：①邊際。②放縱任性。漢書有「放散畔岸」。❹通「叛」，見75頁。

畝(畞、畆) (mǔ)⑧meu[某]❶図田壟。❷計算田地面積的單位。一畝是六十平方丈。

留(畱、畄、畄) (liú)⑧leu〔流〕❶停止在一個地方，時間有長有短。如「留學」；「留宿」。❷阻攔，不放走。如「挽留」；「留他吃飯」。❸保存。如「保留」；「留備查考」。❹注意。如「留神」；「留心」。❺接受。如「把禮物留下」。❻姓。❼「留連」：盤桓不忍離去的樣子。❽「留難」：用難題要挾或阻止、束縛。

畛 図(zhěn)⑧tsen²〔疹〕❶田間分界的小路。❷界限。如「無所畛域」。❸致，告。禮記有「畛於鬼神」。

畜 ▲(chù)⑧tsuk⁷〔促〕❶泛指禽獸。如「孳畜」；「畜生」。❷受人飼養的動物。如「牲畜」；「六畜（馬、牛、羊、雞、犬、豕）」。

▲(xù)⑧tsuk⁷〔促〕❶飼

禽獸。如「畜牧」。❷養育。如「畜養」;「仰事俯畜(對上侍奉父母,對下養育妻子)」。❸囵通「蓄」,見616頁。

六畫

畢 (bì)圖bet⁷〔不〕❶做完。如「完畢」;「事畢」。❷囵完,全。如「畢生」;「畢肖」。❸盡,全。如「眞相畢露」。❹古代田獵用的長柄網。詩經有「畢之羅之」。❺星名,二十八宿之一。❻姓。❼「畢命」:死。❽「畢眞」:十分眞切明顯。❾「畢業」:學生在校學習期滿,成績及格。❿「畢竟」:究竟,到底。

畧(畧) (lüè)圖lœk⁹〔掠〕❶計劃。如「戰略」;「建國方略」。❷簡要的。如「大略」;「略圖」。❸稍稍。如「略知一二」;「略勝一籌」。❹省去。如「省略」;「略去下文」。❺治理。如「經略」。❻攻佔,奪取。如「侵略」;「攻城略地」。

畦 (qí)圖kwei⁴〔葵〕❶田中間的分區。如「分畦栽種」。❷囵田五十畝。

【絫】見糸部,530頁。
【畱】同「留」,見450頁。

七畫

番 ▲(fān)圖fan¹〔翻〕❶從前指外國或外國來的。如「番邦」。❷更替。如「更番」;「輪番」。❸次數。如「三番五次」。❹「番茄」:蔬類,果實扁圓,熟後現出紅色,生吃做菜都可以。❺「番椒」:辣椒。❻「番薯」:即是「甘薯」,俗名「地瓜」。

▲(pān)圖pun¹〔潘〕「番禺」:縣名,在廣東省。

畫 ▲(huà)圖wak⁹〔或〕❶設計。如「策畫」;「計畫」。❷繪圖。如「畫圖」;「畫一幅風景」。❸區分。如「畫分」;「畫界」。❹描寫。如「描畫」。❺簽押。如「畫押」。❻寫字的筆道。如「鐵畫銀鉤」;「筆畫清楚」。❼漢字一筆叫一畫。如「天字是四畫」;「如字是女部三畫」。❽「畫外音」:電影名詞。指不是由畫中的人或物直接發出的聲音。❾「畫餅充饑」:比喻以空想來安慰自己。❿「畫蛇添足」:比喻做些多餘的事情,不但無益,反而有害。

▲(huà)圖wa⁶〔話〕wa²〔娃高上〕(語)圖。如「漫畫」;「圖畫」;「人物畫」。

異（异）(yì) 粵ji⁶〔義〕❶不同。如「大同小異」；「日新月異」。❷怪，奇。如「奇異」；「怪異」。❸特別的。如「異人」；「異稟」；「異才」。❹別的，另外的。如「異鄉」；「異地」；「異日」。❺图分開。如「夫妻離異」；「兄弟異爨」。❻图變怪的事。如「災異」。❼图驚訝，不知原因。孟子有「王無異於百姓之以王為愛也」。❽「異事」：①別的事。禮記有「不有異事，必有異慮」。②奇怪的事。蘇軾詩有「異事驚倒百歲翁」。

畬▲图(yú) 粵jy⁴〔余〕開墾過兩年的田。

▲(shē) 粵sɛ¹〔些〕❶焚燒田地上的草木，以灰作肥料。❷同「畬」，中國少數民族名。

畬(shē) 粵sɛ¹〔些〕「畬族」：中國少數民族之一。自稱「山客」，古稱「輋人」、「畬民」。

【畮】同「畝」，見450頁。
【畱】同「留」，見450頁。

八畫

當▲(dāng) 粵dɔŋ¹〔噹〕❶擔任。如「擔當」；「當兵」。❷主持。如「當家作主」。❸承受。如「當不起」；「不敢當」。❹應該。如「當然」；「理當」。❺對着。如「當面」；「當機立斷」。❻相稱，相配。如「旗鼓相當」；「門當戶對」。❼在，正值。如「適當其時」。❽抵抗，阻攔。如「銳不可當」；「螳臂當車」。❾比擬。如「安步當車」。❿本，即。如「當地」。⓫從前。如「當年」；「當時」。⓬「當心」。⓭「當令」：恰合時令。如「他吃穿都是應時當令的」。⓮「當局」：①身當其事的人。如「當局者迷」。②指負責其事的機構。也指執政者。如「治安當局」；「政府當局」。⓯「當仁不讓」：應該做的，就擔當起來，用不着推讓。

▲(dǎng) 粵dɔŋ²〔黨〕通「擋」。如「抵當」。見269頁。

▲(dàng) 粵dɔŋ³〔檔〕❶合宜。如「適當」；「恰當」。❷抵押。如「開當鋪」；「把錶送去當了」。❸詭騙，圈套。如「你不能上當」。❹認為，視為。如「把好話當壞話」；「可不能當正事兒做」。❺以為。如「原來是你，我當是張先生呢」。❻此，本，即。如「當天」。❼作為，視作。如「寒夜客來茶當酒」。❽「當真」：①認為是事實。②真實。❾「當選」：選

舉時被選上。

畸 (jī) ⑧kei¹〔崎〕❶不整齊的田。❷零數。如「畸零」。❸不正常的。如「畸形」。❹図「畸人」：①不合時俗的人。②奇怪的人。

畹 図(wǎn)⑧jyn²〔院〕古時田二十畝或三十畝爲一畹。

畽 (tán)⑧tam⁴〔談〕❶坑，水塘。❷「畽葛」：地名，在廣東省。

【畽】同「疃」，見本頁。

十至十七畫

畿 (jī)⑧gei¹〔基〕國都周圍的地方。如「京畿」;「近畿」。

疃(畽) (tuǎn)⑧tœn²〔他筍切〕❶図禽獸所踐踏的地方。❷村莊。如「賈家疃」。

疄 図(lín)⑧lœn⁴〔鄰〕田壟。

【疅】見土部，123頁。

疆 (jiāng)⑧gœŋ¹〔薑〕❶界限，邊界。如「疆域」;「邊疆」。❷理定地界。如「疆理」。❸極限，止境。如「萬壽無疆」。❹「疆場」：図①國境。②田畔。❺図「疆場」：戰場。

疇 (chóu)⑧tsɐu⁴〔酬〕❶田地。如「田疇」。❷種類。如

「疇類」。❸図從前。如「疇昔」。❹図「疇人」：曆算家。

【纍】見糸部，547頁。

【罍】見缶部，549頁。

疊(叠、叠) (dié)⑧dip⁹〔蝶〕❶重複，一層層向上堆。如「重疊」。❷用手摺。如「疊被」;「疊衣服」。❸図懼。詩經有「莫不震疊」。❹「打疊」：收拾、安排的意思。❺「疊韻」：①雙字詞的兩個字同韻。②賦詩重用前韻。❻「疊羅漢」：一種遊戲，由許多人層層疊成各種樣式。

【疋部】

疋 (pǐ)⑨pet⁷〔匹〕❶布或綢緞的量詞，常以十丈為一疋。也寫作「匹」。❷泛稱織物。如「布疋」;「疋頭」。

四至九畫

【胥】見肉部，574頁。

疍 (dàn)⑨dan⁶〔但〕同「蜑」，見638頁。

【蛋】見虫部，636頁。

疏(疎) ▲(shū)⑨so¹〔梳〕❶稀少，不周密。如「疏漏」;「疏落」。❷不親近;不熟悉。如「疏遠」;「生疏」。❸忽視，不注意。如「疏忽」;「疏於防範」。❹開，通。如「疏導」;「疏通」。❺分散。如「疏散物資」;「仗義疏財」。❻囵空虛，不實在。如「空疏」;「才疏學淺」。❼囵粗食。如「飯疏食」。❽姓。❾「疏懶」:不慣拘束。

▲(shū，舊讀shù)⑨so³〔沙個切〕❶通解文義。如「注疏」。❷奏章的分條陳述。如「奏疏」;「拜疏」。

【楚】見木部，329頁。

疑 (yí)⑨ji⁴〔移〕❶不相信，加以猜測。如「半信半疑」;

「疑是地上霜」。❷不能作决定。如「遲疑」;「嫌疑」。❸不能解决的或不能馬上斷定的。如「疑問」;「疑案」。

寲 (寲) (zhì)⑨dzi³〔置〕有阻礙不能順利前進。如「跋前寲後」。

【疒部】

二至四畫

疔 (dīng)⑧diŋ¹〔丁〕dɛŋ¹〔釘〕(語)一種惡瘡，形如豌豆，長在臉上或手上，患者會發燒發冷。

疙 (gē)⑧gɛt⁹〔加迄切〕「疙瘩」：①指皮膚上腫起的圓形小塊。②泛指球形或塊狀的東西。如「土疙瘩」；「冰疙瘩」。③不易解決的事情。如「這件事有點疙瘩」。④不通暢。如「這篇文章寫得很疙瘩」。

疘 (gāng)⑧goŋ¹〔江〕「脫疘」：肛門下漏的病。

疚 (jiù)⑧gɐu³〔救〕❶久病。❷心裏的痛苦。如「內疚」；「深感歉疚」。

疝 (shàn)⑧san³〔汕〕病名。小腸墜脫，下降到腎囊，使腎囊腫大。俗稱「小腸疝氣」。

疤 (bā)⑧ba¹〔巴〕創傷或皮膚病好了以後留下來的痕跡。如「疤痕」；「疤瘌」。

疥 (jiè)⑧gai³〔介〕一種會傳染的皮膚病，發癢，起小水疱。如「疥瘡」。

疷 (zhī)⑧dzi¹〔支〕病。詩經有「之子之遠，俾我疷兮」。

疫 (yì)⑧jik⁹〔役〕❶流行性傳染病的總稱。如「時疫」；「瘟疫」。❷「疫苗」：預防傳染病的接種劑。

疣 (肬) (yóu)⑧jɐu⁴〔尤〕❶皮膚上所生的局部突起的肉粒。❷「贅疣」：比喻多餘的無用之物。

疢 (chèn)⑧tsɐn³〔趁〕熱病。如「疢如疾首」。

五畫

病 (bìng)⑧biŋ⁶〔並〕bɛŋ⁶〔巴鄭切〕(又)❶身體受到病菌侵襲或因為臟器障礙而發生的不舒適的情形。如「病人」；「生病」。❷弊，壞處。如「弊病」；「毛病」。❸缺陷。如「語病」；「幼稚病」。❹困損害。如「禍國病民」。❺因憂患。如「君子病無能焉」。❻「病根」：①疾病的根源。②事情失敗的根由。❼「病入膏肓」：病勢已無法救治。

疲 (pí)⑧pei⁴〔皮〕❶勞累，困倦。如「疲乏」；「疲倦」。❷「疲憊」：困倦無力。❸「疲於奔命」：形容奔波勞累。

痱 (疿) (fèi)⑧fei²〔匪〕fei²〔花矮切〕(又)「痱

疒部 (2-5) 疔疙疘疚疝疤疥疷疫疣疢病疲痱　455

子」：人在夏天因爲汗水老漚着，皮膚上起的紅色小顆粒。

疸 ▲ (dǎn) 粵 tan² 〔坦〕「黃疸」：一種膽汁滲入血液而使皮膚、眼球現出黃色的病。

▲ (da) 粵 dap⁸ 〔搭〕通「瘩」，見459頁。

痁 (shān) 粵 dim³ 〔店〕久患的瘧疾。

疰 (zhù) 粵 dzy³ 〔注〕「疰夏」：小孩因排汗機能發生障礙而引起的疾病。

疼 (téng) 粵 teŋ⁴ 〔騰〕❶痛。如「頭疼」；「手疼」。❷憐愛。如「疼愛」；「媽媽疼孩子」。❸可惜，捨不得。如「心疼」。

疳 (gān) 粵 gem¹ 〔甘〕❶「疳積」：幼兒因爲貧血、營養不良引起的腸胃病。❷「牙疳」：牙根壞血病。❸「下疳」、「疳瘡」：一種發生在生殖器間的花柳病。

疾 (jí) 粵 dzet⁹ 〔姪〕❶病。如「積勞成疾」。❷囡痛恨。如「疾惡如仇」。❸囡迅速。如「疾馳而去」。❹痛苦。如「民間疾苦」。❺囡「疾首」：怨恨得很。如「痛心疾首」。❻囡「疾視」：怒目而視。❼囡「疾風勁草」：比喻遇到患難，才知道節操的堅強。

痂 (jiā) 粵 ga¹ 〔加〕瘡口好了以後結的乾硬塊。

疽 (jū) 粵 dzœy¹ 〔追〕「癰疽」：見462頁「癰」字。

痀 囡 (jū) 粵 kœy⁴ 〔渠〕「痀僂」也作「佝僂」、「痀瘻」：駝背。參見22頁「佝」字。

痃 (xuán) 粵 jin⁴ 〔弦〕「橫痃」：性病的一種，在腿腹之間的淋巴腺腫脹，甚至潰爛。

痄 (zhà) 粵 dza³ 〔詐〕「痄腮」：耳下腺腫的病。

疹 (zhěn) 粵 tsɐn² 〔診〕❶一種皮膚上起紅色小顆粒的病，有傳染性。如「痳疹」；「風疹」。❷疾病。

症 ▲ (zhèng) 粵 dziŋ³ 〔政〕生的現象。如「症候」；「對症下藥」。

▲「癥」的簡化，見461頁。

痾 (痀) 囡 (kē) 粵 o¹ 〔柯〕病。如「養痾」；「沉痾(重病)」。

【疱】同「皰」，見466頁。

六畫

疵 囡 (cī) 粵 tsi¹ 〔雌〕毛病，缺點，過失。如「疵瑕」；「吹毛求疵」。

痌 囡 (tōng) 粵 tuŋ¹ 〔通〕同「恫」，病苦。如「痌瘝」(也作「恫瘝」)。

痢 囡(lì)粵lei⁶〔屬〕同「癩」，傳染病。見461頁。

痕 (hén)粵hen⁴〔霞仁切〕❶疤瘢。如「傷痕」。❷印跡。如「墨痕」。

痊 囡(quán)粵tsyn⁴〔全〕病好了。如「痊愈」。

痔 (zhì)粵dzi⁶〔治〕「痔瘡」：一種肛門腫痛的疾病。

痍 囡(yí)粵ji⁴〔移〕❶創傷。❷「瘡痍」：①比喻民間的痛苦。杜甫詩有「乾坤含瘡痍」。②喻戰火之後的殘破景況。如「瘡痍滿目」。

痏 囡(wěi)粵fui²〔花繪切〕瘡，疤痕。

【痫】同「癇」，見637頁。
【痒】同「癢」，見461頁。

七畫

痞 (pǐ)粵pei²〔鄙〕❶病名，慢性脾臟腫大。腹內好像生硬塊。如「痞積」；「痞塊」。❷比喻惡人。如「文痞」；「地痞」。

痘 (dòu)粵dɐu⁶〔豆〕❶痘瘡，發生在全身，像豆子大小的膿疱，俗稱「天花」，是極危險的傳染病。❷「痘苗」：種痘所用。由牛體痘瘡的膿汁製成，接種在人身上，可以預防天花傳染。

痛 (tòng)粵tuŋ³〔他控切〕❶因疾病或創傷而感到苦楚。如「痛苦」；「肚子痛」。❷傷心。如「悲痛」；「沉痛」。❸徹底地，盡力去做。如「痛改前非」。❹憐惜。如「痛愛」。❺非常的，極端的。如「痛恨」；「痛快」。❻儘量的，用力的。如「痛飲」；「痛打」。❼「痛癢相關」：親愛的人彼此關心。

痢 (lì)粵lei⁶〔利〕「痢疾」：病名，患者大便次數很多，但不通暢，排出黏液、膿汁或混雜血液。有「白痢(糞便帶膿或黏液的)」、「赤痢(糞便帶血的)」兩種。

痙 囡(jìng)粵giŋ⁶〔競〕「痙攣」：筋肉牽掣，舉動不靈的一種神經性病症。

痣 (zhì)粵dzi³〔志〕皮膚上所生的圓點，有紅色的，有黑色的。

痧 (shā)粵sa¹〔沙〕❶中醫病名。如「絞腸痧(指霍亂)」。❷「痧子」：中醫病名，西醫叫「麻疹」。

痠 (suān)粵syn¹〔酸〕人身肌肉過度疲勞或是因病引起的微痛無力的感覺。如「腰痠背痛」。

痦 (wù)粵ŋ⁶〔誤〕「痦子」：黑痣。

痤 (cuó) 粵 tsɔ⁴〔鋤〕「痤瘡」：一種有黑頭的疙瘩。俗稱「粉刺」，多生於青年人的臉部。

【㾺】同「㾹」，見459頁。

八畫

痹 (痺) (bì) 粵 bei³〔臂〕肢體失去感覺，不能隨意活動的病。如「手腳麻痺」。

痲 (má) 粵 ma⁴〔麻〕❶病名：①痲疹，見456頁「疹」字。②大痲瘋，由痲瘋桿菌侵入皮膚引起，會傳染，很難治愈。❷同「麻」，臉上有天花瘢痕的。如「痲子」(常寫作「麻子」)。

痳 (lin) 粵 lɐm⁴〔林〕同「淋」，病名。見377頁。

痰 (tán) 粵 tam⁴〔談〕❶氣管及支氣管黏膜的分泌物。❷「痰喘」：中醫說的氣管積痰、呼吸不暢的病。

瘨 (diǎn) 粵 din²〔典〕「瘨腳」也作「點腳」：腳有毛病，走路時一腳作點地的樣子的人。

痼 囡 (gù) 粵 gu³〔故〕久病。如「痼疾」。

瘃 囡 (zhú) 粵 dzuk⁷〔竹〕手腳的凍瘡。

瘁 囡 (cuì) 粵 sœy⁶〔睡〕❶疾病。❷勞苦。如「鞠躬盡瘁」。

瘂 (yǎ) 粵 a²〔鴉高上〕同「啞」，見93頁。

痿 (wěi) 粵 wei²〔委〕筋肉衰弱不能動作的一種病。

瘀 (yū) 粵 jy²〔于高上〕積血。如「瘀血」。

【痱】同「疿」，見455頁。
【痴】同「癡」，見461頁。
【痾】同「疴」，見456頁。

九畫

瘋 (fēng) 粵 fuŋ¹〔風〕❶顛狂，是嚴重的精神病。如「發瘋」；「瘋癲」。❷癱瘓。如「瘋癱」。❸「瘋子」：患精神病的人。

瘧 ▲ (nüè) 粵 jœk⁹〔若〕❶病名，每天或隔一天按時發冷發熱。由瘧蚊傳染的。❷「瘧蚊」：能將瘧疾原蟲傳入人體的毒蚊。其特徵是翅上有褐色斑點，後腳比身體長兩倍，靜止時後腳高舉。
　▲ (yào) 粵 jœk⁹〔若〕用於口語音。如「發瘧子」。

瘌 (là) 粵 lat⁹〔辣〕「瘌痢」也作「鬎鬁」：頭上生瘡，頭髮脫落的一種病。

瘊 (hóu) 粵 hɐu⁴〔侯〕「猴子」：皮膚上所生的小疙瘩。

瘓(痪)(huàn)粵wun⁶〔換〕
四肢麻木不能活
動。如「癱瘓」。

瘈▲図(jì)粵dzɐi³〔制〕瘋狂。
▲(zhì)粵dzɐi³〔制〕同
「猘」，瘋狗。如「瘈犬」。

瘕図(jiǎ)粵ga¹〔加〕肚子裏有
積塊的病。

瘇図(zhǒng)粵dzuŋ²〔腫〕腳
腫。

瘖図(yīn)粵jɐm¹〔音〕啞，不
能說話。

瘍(yáng)粵jœŋ⁴〔羊〕❶癰疽
跟皮膚病的總稱。❷潰爛。
如「胃潰瘍」。

瘐図(yǔ)粵jy⁵〔雨〕❶病。❷
「瘐死」：被囚禁者病死在監
獄裏。如「瘐死獄中」。

【瘉】同「癒」，見461頁。

【瘟】同「瘟」，見460頁。

十至十一畫

瘢(bān)粵ban¹〔班〕❶創傷或
皮膚病等瘡瘍後留下的疤
痕。如「疤瘢」。❷皮膚上的斑
點。如「雀瘢」；「白瘢」。

瘩▲(da)粵dap⁸〔搭〕「疙
瘩」：見455頁「疙」字。
▲(dá)粵dap⁸〔搭〕「瘩
背」：病名，生於兩肩骨活動
處的癰疽。

瘤(liú)粵leu⁴〔留〕❶皮膚上或
身體的內部長出的肉塊，因
為刺激或微生物寄生而引起。
如「肉瘤」；「腸上長瘤子」。❷
「瘤胃」：反芻類動物的胃分四
囊，最大的一個囊叫瘤胃。

瘝図(guān)粵gwan¹〔關〕病。
如「恫瘝在抱」。

瘠図(jí)粵dzik⁸〔脊〕dzɐk⁸
〔隻〕(又)❶瘦弱。❷土地不
肥沃。如「瘠土」。

瘥▲図(chài)粵tsai³〔鈘〕病好
了。
▲(cuó)粵tsɔ⁴〔鋤〕病。

瘡(chuāng)粵tsɔŋ¹〔倉〕❶皮
肉腫爛潰瘍等病的總稱。如
「頭上長瘡」。❷外傷。如「刀
瘡」；「棒瘡」。❸「瘡疤」：①
皮膚上生過瘡留下的疤痕。②
痛苦的往事。如「揭人瘡疤」。
❹図「瘡痍」：①皮膚受傷裂
開。②比喻戰亂之後民生凋
敝。如「瘡痍滿目」。

瘦(shòu)粵seu³〔秀〕❶身體不
豐滿，跟「胖」、「肥」相反。
如「瘦小」；「骨瘦如柴」。❷精
的獸肉。如「瘦肉」。❸窄小，
通常指衣服的寬窄。如「袴管
太瘦」；「袖子太肥，拿去改瘦
點」。❹図土地瘠薄，不肥
沃。❺書法筆畫細。如「瘦金
體」；「鍾書體瘦」。❻図凡是

不豐滿的都可以用「瘦」來形容。如「山瘦」；「石瘦」。

瘙 (sāo) 粵sou¹〔蘇〕「瘙疹」：中醫說的一種小孩子的皮膚病，像是輕微的出疹子。

瘞 図(yì)粵ji³〔意〕❶埋藏，埋葬。❷「瘞錢」：殉葬的錢。

瘟 (瘟) (wēn) 粵wen¹〔溫〕一時流行於人畜的急性傳染病。如「瘟疫」；「牛瘟」。

瘼 図(mò)粵mɔk⁹〔莫〕生病，痛苦。如「民瘼(民間痛苦)」。

瘺 (lòu) 粵leu⁶〔漏〕「痔瘺」：痔瘡破潰，膿液淋漓不止的病。

瘻 図▲(lòu)粵leu⁶〔漏〕❶脖子腫的病。❷通「瘺」，見本頁。
　▲(lóu)粵leu⁴〔流〕「痀瘻」也作「痀瘺」、「佝瘻」：見456頁「痀」字。

瘰 (luǒ)粵lɔ²〔裸〕「瘰癧」：脖子的淋巴腺結核的病。

瘸 (qué)粵kɛ⁴〔騎〕❶腿有毛病，走路時身體不平衡。如「一瘸一拐」。❷「瘸子」：跛腳的人。

瘴 (zhàng)粵dzœŋ³〔障〕❶「瘴氣」：山林裏濕熱蒸發的氣，可以使人生病。❷「瘴癘」：地氣潮濕而引起的病，內病叫「瘴」，外病叫「癘」。

瘵 図(zhài)粵dzai³〔債〕❶病。❷肺癆。

瘳 図(chōu)粵tseu¹〔抽〕❶病好了。❷比喻國勢振興。莊子有「庶幾其國有瘳乎」。

十二至十三畫

癍 (bān)粵ban¹〔班〕皮膚病，血液不潔而發生的斑點。

癈 (fèi)粵fei³〔肺〕同「廢」，指人肢體殘缺，機能障礙。見192頁。

癉 ▲図(dàn)粵dan³〔旦〕❶憎恨。如「彰善癉惡」。❷因勞累而引起的病。
　▲(dān)粵dan¹〔單〕「火癉」：毒菌侵入皮膚紅腫的病。

癆 (láo)粵lou⁴〔勞〕結核菌傳染病。如「肺癆(肺結核)」、「腸癆(腸結核)」。

療 (liáo)粵liu⁴〔聊〕❶治病。如「治療」；「療養」。❷救治。如「療飢(止住飢餓)」。

癃 図(lóng)粵luŋ⁴〔龍〕❶年老彎腰駝背的樣子。❷小便不通的病。

癇 (癇) (xián) 粵han⁴〔閑〕「顛癇」：見462頁「顛」字。

癌 (ái，舊讀yán）⓿ŋam⁴〔岩〕am⁴(俗）❶皮膚或內臟所生的一種惡性腫瘤。如「肺癌」。❷指有大害而難解救的事物。如「空氣污染是都市之癌」。

癖 (pī）⓿pik⁷〔僻〕嗜好。如「潔癖」；「嗜酒成癖」。

癜 (diàn）⓿din⁶〔殿〕皮膚現出白色或紫色斑點的病。俗稱紫癜風或白癜風。

癘 囡(lì）⓿lei⁶〔厲〕❶惡瘡。如「疥癘」（即是「疥瘡」）。❷傳染病。如「疫癘」。

癒（瘉） 囡(yù）⓿jy⁶〔預〕病好了。如「病癒」。「癒」也作「愈」。

十四至二十五畫

癟（癟） ▲(biě）⓿bit⁹〔別〕❶凹下去，不飽滿。如「乾癟」；「肚子餓癟了」。❷縮小。如「皮球漏氣，越來越癟」。❸臨時應付不了緊急發生的事而着急。如「出門沒帶錢，你可受了癟了」。

▲(biě）⓿bit⁹〔別〕「癟三」：吳語，稱窮極無聊的流氓。

癡（痴） (chī）⓿tsi¹〔雌〕❶傻，不聰明。如「白癡」；「癡呆」。❷發瘋。如「發癡」。❸沉迷於某種事物而不知回頭。如「情癡」；「書癡」。

❹傻傻的，無意識的。如「癡癡地等」。❺「癡心」：①癡情，為愛情迷戀不捨。②癡想，空想。❻「癡人說夢」：形容說些不合實際的荒唐話。

癤 (jiē）⓿dzit⁸〔節〕「癤子」：①小瘡。②木材的疤痕。

癥 囡(zhēng）⓿dziŋ¹〔貞〕❶肚子裏膨脹結塊的病。❷「癥結」：①指人肚子膨脹結塊的病。②病根的所在。③比喻事理疑難的所在。

癢（痒） (yǎng）⓿jœŋ⁵〔仰〕皮膚上受了刺激，忍不住要抓搔才舒服的一種感覺。

癩 (lài）⓿lai³〔賴高去〕❶一種惡性傳染病，即是「痲瘋」。❷因為長癬或疥瘡而致毛髮脫落，俗稱「癩痢」，「瘌痢」。如「癩狗」。❸外表像是長過癩。如「癩瓜」；「癩蝦蟆（蟾蜍）」。❹惡劣的意思。如「這個人眞不癩」。

癧（癧） (lì）⓿lik⁹〔歷〕「瘰癧」：見460頁「瘰」字。

癬 (xuǎn）⓿sin²〔洗〕皮膚病，能傳染，患處常發癢，生白色的鱗狀皮。如「白癬」；「頭癬」。

癮 (yīn) 粵 jen⁵ 〔引〕❶一種嗜好，久了成習慣的。如「煙癮」；「酒癮」。❷「癮頭」：常指迷戀的程度。

癭 (yīng) 粵 jiŋ² 〔映〕❶長在脖子上的囊狀瘤。❷囝樹木上所生的贅瘤。如「長歌敲柳癭」。

癯 囝 (qú) 粵 kœy⁴ 〔渠〕瘦。如「清癯」。

癰 (yōng) 粵 juŋ¹ 〔雍〕「癰疽」：一種毒瘡，因為血液運行不良，毒質淤積而生的。以長在背、肩、臀等處為多。淺的叫「癰」，深的叫「疽」。

癲 (diān) 粵 din¹ 〔顛〕❶神經錯亂，言行不正常。如「癲狂」；「瘋瘋癲癲的」。❷「癲癇」：一種不容易治好的神經系統的病，多數由遺傳或酒精中毒得來，發病時失去知覺，吐白沫，手腳痙攣。

癱 (tān) 粵 tan¹ 〔灘〕❶「癱瘓」：肢體麻痹不能行動的病。❷「癱子」；患癱瘓病的人。❸身體一時疲軟不能轉動。如「嚇癱了」。

【癬】同「癬」，見461頁。

癴 囝 (luán) 粵 lyn¹ 〔拉寬切〕身體因為病而彎曲。

【癶部】

癶 (bō) 粵 but⁹ 〔撥〕❶兩腿向外彎曲。如「卡癶着腿」。❷不正常的步伐。像八字一樣走路。

四至九畫

癸 (guǐ) 粵 gwɐi³ 〔貴〕❶天干的末位。❷姓。

登 (dēng) 粵 dɐŋ¹ 〔燈〕❶從下面向上走。如「登高」；「登山」。❷記載。如「登記」；「登帳」。❸囝成熟。如「五穀豐登」。❹囝收受別人的東西，常作敬詞。如「拜登厚賜」。❺「登時」：立刻。如「登時就做」。❻囝「登庸」：舉用人才。❼「登龍門」：得到有勢力的人推薦而使自己身價增高。❽「登堂入室」：比喻學問造詣很深。❾「登峯造極」：比喻學問、技能等達到最高境界。

發 (fā) 粵 fat⁸ 〔法〕❶生長出來。如「發芽」。❷放射，送出。如「發電」；「發光」。❸顯露出來。如「樹葉發黃」；「味兒發酸」。❹感覺。如「發麻」；「發癢」。❺送出，遣出。如「發信」；「發兵」；「發錢」。❻起程。如「出發」；「朝發

至」。❼開始，引起。如「發動」；「發起」。❽開展，旺盛。如「發財」；「發展」。❾表達，說出。如「發言」；「發誓」。❿打開，揭露。如「揭發」；「發掘」。⓫泄。如「發脾氣」。⓬量詞，槍砲子彈一顆叫一發。⓭指物體膨脹。如「發酵」；「麪發了」。⓮「發凡」：①摘舉書中的大意。②入門一類的書。⓯「發引」：出殯時靈柩出發，送喪者執紼前導（引，指拉柩車的大索，即是紼）。⓰「發憤」：①下決心努力。如「發憤爲學」。②發泄憤怒。⓱「發祥地」：①帝王生長的地方。②事業或運動發源的地方。⓲「發奸擿伏」（「奸」也作「姦」）：舉發隱藏的罪案；常作稱讚吏治的精明。

【凳】見几部，49頁。

【白部】

白 (bái)粵bak⁹〔帛〕❶像雪或乳汁那樣的顏色。如「白布」；「白紙」。❷光明。如「東方發白了」；「月白風清」。❸日間。如「白天」；「白日」。❹淺顯的。如「白話文」。❺空無所有。如「白手成家」；「交了白卷」。❻徒然。如「白跑一趟」；「白爲他傷心」。❼不付代價的。如「白吃」；「白看戲」。❽清楚。如「明白」；「眞相大白」。❾指喪事。如「白事」。❿誤寫同音字或誤讀字形近似的字。如「白字（別字）」；「唸白了」。⓫戲劇裏的對話。如「道白」；「對白」。⓬敍述，說明。如「告白」；「表白」。⓭戲曲中的說話。如「對白」；「獨白」。⓮姓。⓯「白丁」：①平民。②沒有功名的人。⓰「白族」：中國少數民族之一。⓱「白眼」：眼珠斜視，現出眼白，跟「青眼」相對，表示輕視或憎惡。如「不願受人家的白眼」。⓲「白熱」：①在攝氏一千五百度以上的高溫度時，火焰熾熱而發白光的狀態。②人的情緒或一種運動的進行達到最緊張的狀態。如

「白熱化」。

一畫

百 ▲(bǎi)粵bak⁸〔伯〕❶數目字，十的十倍。大寫作「佰」。❷形容門類眾多。如「百科全書」；「百貨公司」。❸姓。❹「百姓」：泛指平民。❺「百分比」：符號為「%」，表示百分之幾。如「百分之十」也寫成「10%」。

▲(bó)粵bak⁸〔伯〕「百色」：縣名，在廣西。

二至四畫

【皃】「貌」的本字，見695頁。

皂(皁) (zào)粵dzou⁶〔造〕❶舊時稱操低賤職業的人。如「皂隸」。❷黑色。如「不分皂白」。❸图馬槽。❹肥皂的簡稱。如「香皂」；「藥皂」。

的 ▲(dì)粵dik⁷〔嫡〕❶箭靶的中心。如「鵠的」；「眾矢之的」。❷心裏想達到的境地。如「目的」；「標的」。❸图明顯的樣子。如「的然可見」。

▲(dí)粵dik⁷〔嫡〕❶「的確」：確實。❷「的款」：確實有的款項。❸「的當(dàng)」：①正確。②確實。③妥貼。

▲(de)粵dik⁷〔嫡〕❶表示所屬的介詞。如「我的新衣」；「妹妹的書」。❷形容詞語尾。如「聰明的人」；「紅的花」。❸聯接代名詞。如「開車的」；「賣豆腐的」。❹副詞語尾。如「慢慢的」；「高高的」。❺表決定的語助詞。如「走路要小心的」；「不能偷懶，偷懶是不能成功的」。

【帛】見巾部，179頁。

皈 (guī)粵gwɐi¹〔歸〕「皈依」：佛教說的身心歸向。

皇 (huáng)粵wɔŋ⁴〔王〕❶大。如「堂皇」。❷稱國家的君主。如「皇帝」；「秦始皇」。❸尊稱已死的長輩或祖宗。如「皇考」；「皇妣」。❹姓。❺「皇甫」：複姓。❻「皇皇」：①美盛顯明的樣子。如「皇皇巨著」。②图心不定的樣子。如「皇皇不可終日」。

皆 图(jiē)粵gai¹〔街〕全，都。如「皆大歡喜」；「盡人皆知」。

【泉】見水部，369頁。

五至十八畫

皋(皐、臯) 图(gāo)粵gou¹〔高〕❶水澤。如「九皋(深水的地方)」。❷水岸。如「江皋」。❸

姓。❹「皋比(pi)」：①虎皮。②比喻「講座」。宋朝大儒張載曾經坐在虎皮上講授易經，後世稱位居講席的人為「坐擁皋比」。

皎 図(jiǎo)粵gau²〔絞〕❶光明，潔白。如「皎潔」。❷姓。❸「皎皎」：①潔白的樣子。詩經有「皎皎白駒」。②明亮的樣子。如「明月何皎皎」。
【皐】同「皋」，見464頁。

皓(皜) 図(hào)粵hou⁶〔浩〕❶光明的樣子。如「皓月當空」。❷潔白的樣子。如「皓齒」。❸「皓皓」：①潔白的樣子。②光明磊落的樣子。

皕 図(bì)bik⁷〔碧〕二百。

皖 (wǎn)粵wun⁵〔浣〕安徽省的別稱。

皙 図(xī)粵sik⁷〔析〕❶白色。如「白皙的皮膚」。❷明辨。

皞(皡、暤) 図(hào)粵hou⁶〔浩〕❶光明潔白的樣子。❷「皞皞」：心情舒暢的樣子。

皚 図(ái)粵ŋɔi⁴〔呆〕ɔi⁴〔愛低平〕(俗)❶潔白。如「皚如嶺上雪」。❷「皚皚」：潔白的樣子。如「皚皚白雪」。
【皜】同「皓」，見本頁。
【魄】見鬼部，844頁。

皤 図(pó)粵pɔ⁴〔婆〕❶老人毛髮顏色發白。❷形容白素。易經有「賁如皤如」。❸肚子大的樣子。左傳有「皤其腹」。❹「皤皤」：白頭的樣子。如「白髮皤皤」。

皦 図(jiǎo)粵giu²〔矯〕❶潔白，明亮。❷清白。❸姓。❹「皦目」：明亮的月亮。

皭 図(jiào)粵dziu³〔照〕❶白色。❷潔淨的樣子。❸「皭皭」：潔白的樣子。

【皮部】

皮 (pí)⑨pei⁴〔脾〕❶動植物體的外層。如「牛皮」;「樹皮」。❷稱皮革做的東西。如「皮包」;「皮帶」。❸事物的表面。如「皮相」;「地皮」。❹小孩子頑劣不聽話。如「頑皮」;「這個小男孩好皮」。❺形容韌性大,或食物放久了變得不酥脆。如「這塊餅都皮啦」。❻薄片的物質。如「鐵皮」;「豆腐皮」。❼姓。❽「皮裏春秋」也作「皮裏陽秋」:嘴裏不說好壞,而內心自有批評。

五至十一畫

皰(疱) (pào)⑨pau³〔豹〕臉上的酒刺、粉刺。如「面皰」。

皴 (cūn)⑨sœn¹〔荀〕❶國畫畫法之一。如「皴法(用細筆堆疊描畫而成)」。❷皮膚受寒風侵襲或冰水浸泡以後常會裂開。如「凍得臉都皴了」。❸皮膚因多時不洗,脫落的表皮和積聚的油垢。如「脖子上一擦就有好多皴」。

皸 囗(jūn)⑨gwen¹〔軍〕皮膚因寒冷或乾燥而破裂。

【皷】同「鼓」,見876頁。

【頗】見頁部,813頁。

皺 (zhòu)⑨dzeu³〔畫〕❶面部的紋。如「皺紋」。❷物品的摺痕。如「別把衣服弄皺了」。❸攢眉。如「眉頭一皺」。❹「皺胃」:反芻動物的第四胃。

皶 (zhā)⑨dza¹〔渣〕臉或鼻子上凸起的含有白色脂肪質的小瘡。

【皿部】

皿 (mǐn)⑨miŋ⁵〔茗〕盤盂類容器的總稱。如「器皿」。

三至五畫

盂 (yú)⑨jy⁴〔余〕盛液體或飲食物的容器。如「水盂」；「痰盂」。
【孟】見子部，149頁。
【盃】同「杯」，見310頁。

盆 (pén)⑨pun⁴〔盤〕❶寬口斂底的容器。如「花盆」；「洗臉盆」。❷量詞，指用盆裝的東西。如「幾盆水」；「一盆蘭花」。❸「盆地」：地理學名詞，四周多山當中低平的地方。

盅 (zhōng)⑨dzuŋ¹〔中〕小的杯子。如「酒盅」；「茶盅」。
【盋】同「盍」，見本頁。

盈 (yíng)⑨jiŋ⁴〔營〕❶充滿。如「笑聲盈耳」；「熱淚盈眶」。❷多出，有餘。如「盈利」；「盈餘」。❸溢出。如「水流而不盈」。❹增長，長進。如「進退盈縮」。❺「盈盈」：①美好的樣子。如「盈盈樓上女」。②水流清淺的樣子。如「盈盈一水間」。

盉 (hé)⑨wɔ⁴〔和〕古代調味用的青銅器。

盍(盍)図(hé)⑨hɐp⁹〔合〕❶何不，為什麼不。如「盍各言爾志」。❷「盍興乎來」：為什麼不共同來做一做。

盎 (àng)⑨ɔŋ³〔盎〕❶古人用的一種盆子。❷図「盎然」：盛大的樣子。如「興趣盎然」。❸「盎斯」（*ounce*的音譯，也作「安士」，舊稱「英兩」）：①英制量衡單位。金衡合一磅的十二分之一；常衡合一磅的十六分之一。②英制容量單位，合2.84公勺；美制合2.366公勺。

益 (yì)⑨jik⁷〔億〕❶增進。如「增益」；「延年益壽」。❷有好處。如「益蟲」；「開卷有益」。❸更加。如「精益求精」；「多多益善」。❹図富饒。呂氏春秋有「其家必日益」。❺姓。
【盌】同「碗」，見486頁。

六至七畫

盔 (kuī)⑨kwɐi¹〔虧〕❶預防頭部受傷所戴的帽子。如「頭盔」。❷鉢。

盒 (hé)⑨hɐp⁹〔合〕❶有底有蓋可以相合的盛物器具。如「盒子」；「墨盒」；「鞋盒」。❷量詞，指用盒裝的東西。如

「一盒糖」。

盛 ▲(shèng)粵sing⁶〔剩〕❶熱鬧的，規模大的。如「盛會」；「盛況空前」。❷深厚的。如「盛情」；「盛意」。❸興旺，暢茂。如「梅花盛開」；「生意興盛」。❹豐富的，華麗的。如「盛宴」；「盛裝」。❺姓。❻盛氣：①囡蓄怒待發的樣子。②咄咄逼人的氣勢。如「盛氣凌人」。

▲(chéng)粵sing⁴〔成〕❶用容器裝東西。如「盛飯」；「鍋裏的菜先盛起來」。❷容納。如「箱子太小，盛不了這麼多東西」。

盜(盗)(dào)粵dou⁶〔道〕❶偷竊或搶人財物。❷偷或搶人財貨的人。如「盜賊」；「強盜」。❸囡用非法的方式取得。如「盜國」；「欺世盜名(欺騙世人，竊取聲名)」。❹「盜汗」：在睡覺的時候出冷汗，是一種病象。

八至十一畫

盟 ▲(méng)粵meng⁴〔萌〕❶誓約。如「同盟」；「聯盟」；「盟約」。❷指結拜兄弟。如「盟兄」；「盟弟」。❸區域名稱。蒙古、青海等地，合幾個部落或幾個旗為一盟。

▲(míng)粵meng⁴〔萌〕發誓。如「盟一個誓」。

盝 囡(lù)粵luk⁹〔鹿〕盛東西用的小盒子。

盞 (zhǎn)粵dzan²〔支板切〕❶小杯子。如「酒盞」；「把盞言歡」。❷量詞，燈一個叫一盞。如「門口一盞路燈」。

監 ▲(jiān)粵gam¹〔緘〕❶從旁察看。如「監視」；「監工」。❷牢獄。如「監獄」。❸「監守自盜」：盜竊自己所主管保護的公物。

▲(jiàn)粵gam³〔鑑〕❶古時官署名。如「欽天監(掌天文曆法)」；「國子監(管大學生的教育)」。❷古時的宦官。如「內監」；「太監」。❸姓。

盡 (jìn)粵dzœn⁶〔燼〕❶完畢。如「用盡心血」；「冬盡春來」。❷全部用出來。如「盡力」；「盡其所長」。❸極端的。如「盡頭」；「盡善盡美」。❹全，都。如「應有盡有」。❺完備。如「詳盡」。❻死。如「自盡」。❼囡「盡瘁」：盡心竭力。

十至十九畫

盤 (pán)粵pun⁴〔盆〕❶盛東西用的器皿，淺底，外緣是圓的或方的。如「瓷盤」；「茶

情當中沒有人、物或繁複的情況間隔着。如「我直接去跟他說，就可以不必託人告訴他」。⑬「直流電」：經常向一個方向流行的電流，簡稱「直流」。跟「交流電」相對。普通從電池發出的是直流電。⑭「直截了當」：簡單爽快。

盼 (pàn)⑧pan³〔批晏切〕❶希望。如「盼望」；「盼你們一帆風順，馬到功成」。❷圖看。如「左顧右盼」。❸圖眼睛黑白分明。詩經有「美目盼兮」。

眉 (méi)⑧mei⁴〔微〕❶眼上的毛。如「眉毛」；「濃眉大眼」。❷細長彎曲像眉的。如「眉月」。❸書頁上頭的空白部分。如「眉批」；「頂眉」。❹圖旁邊、邊側。漢書上有「居井之眉」。❺姓。❻「眉目」：①事情的次序或頭緒。如「這件事有點眉目了」。②條理。如「眉目清楚」。③指眉毛跟眼睛，又指面貌。如「眉目清秀」。❼圖「眉宇」：①眉端。②指人的面貌。❽圖「眉睫」：眉毛跟睫毛都是在極近眼前的地方，用來比喻迫近。如「此事迫在眉睫」。❾「眉壽」：長壽。❿「眉來眼去」：指男女間以眉目傳情。⓫「眉飛色舞」：

形容歡喜得意的神氣。

眊 圖(mào)⑧mou⁶〔冒〕❶眼睛不明亮。❷「眊眊」：①眼睛昏花，神智不清。②思考勞神。❸通「耄」，見561頁。

眇 (miǎo)⑧miu⁵〔秒〕❶圖偏盲，一隻眼睛有毛病。❷微小的樣子。如「眇小」；「眇乎其小」。❸「眇眇」：①微小的樣子。②高遠的樣子。

眄 圖(miàn)⑧min⁵〔免〕❶斜着眼看。如「按劍相眄」。❷「眄睞」：眷顧的樣子。

眈 圖(dān)⑧dam¹〔耽〕「眈眈」：兩眼向下注視着的樣子。如「虎視眈眈」。

眒 (dǔn)⑧dœn⁶〔鈍〕短時間的睡眠。如「打眒兒」。

盾 (dùn)⑧tœn⁵〔提卵切〕❶古時打仗護身用的藤牌。也有用金屬片或皮革做的。❷盾形的裝飾品、紀念品、獎品。如「銀盾」。❸「後盾」：背後支援的力量。

看 ▲(kàn)⑧hon³〔漢〕❶瞧，用眼睛觀察。如「看報」；「你看他走了沒有」。❷對人物事情的認識、了解。如「我看他不行」；「你看這辦法怎麼樣」。❸拜訪、探問、慰問。如「看朋友」；「看病人」。❹照應，愛護。如「看顧」；「照

看」。❺診治。如「看病」;「這位大夫把我看好了」。❻考察,考驗。如「他工作不努力,暫時留用查看」。❼語助詞,姑且試試的意思。如「用這個辦法先試試看」;「先吃一劑藥看怎麼樣」。❽預料,估量。如「看情況」;「這樣子的營業還能看長嗎」;「這樣子做,工作是難以看好的」。❾留神。如「別跑,看跌着」;「輕一點放,看碰破了」。❿對待。如「另眼相看」。

▲(kān)粵hon¹〔蝦安切〕❶視。如「監看」。❷守着,保護着。如「看門」;「看小孩」。❸負責使用、管理。如「一個人看兩台紡紗機」。❹監守。如「看押」;「把竊犯看起來」。❺「看看」:①試,估計。如「你看看這麼辦行不行」。②粵是「差不多將要」的意思,唐人詩詞常用此語。

盻 図(xì)粵hei⁶〔系〕❶瞪着,眼睛帶着怨恨的樣子看人。❷勤苦不休息的樣子。❸「盻盻」:怒視的樣子。

相 ▲(xiāng)粵sœŋ¹〔商〕❶雙方都進行的。如「相親相愛」;「守望相助」。❷一方對另一方有所行動的詞(動作由一方面進行)。如「相勸」;「實

不相瞞」;「另眼相看」。❸比較。如「相等」;「相當」。❹看。如「相女婿」;「相一相地方的大小」。❺姓。❻図「相左」:①彼此意見不同。②不相遇。❼「相得益彰」:①兩相配合,更顯出美好。②湊在一起,功效更顯著。

▲(xiàng)粵sœŋ³〔沙向切〕❶形狀,模樣。如「相貌」;「眞相」。❷察看。如「相機行事」。❸就人的容貌而判斷其心術或命運。如「相命」。❹幫助。如「相夫敎子」;「吉人天相」。❺中國古代最高級的官,即是官吏的首長。如「宰相」。❻指樂器琵琶頸部鑲有四塊或六塊的山形物體。

省 ▲(shěng)粵saŋ²〔眚〕❶地方行政區域名稱。像廣東省、福建省。❷古代的官署名。如「中書省」。❸簡化,減少。如「省時」;「省事」。❹簡約。如「儉省」;「省吃儉用」。❺免。如「做事要計劃周詳,省得以後發生麻煩」。❻図宮禁。如「省中(宮中)」

▲(xǐng)粵siŋ²〔醒〕❶檢查。如「反省」;「內省」。❷看望尊親問安。如「省親」;「晨昏定省」。❸知道。如「不省人事」。❹明白,領悟。如「發人

472 **目部** (4) 盻相省

深省」。❺囝考校。禮記上有「日省月試」。

【冒】見冂部，44頁。

【眂】同「視」，見668頁。

五畫

眜 囝(mò)粵mut⁹〔沒〕冒。文選有「眜潛險，搜瑰奇」。

眛 囝(mèi)粵mui⁶〔妹〕眼睛看不清楚。

眢 (yuān)粵jyn¹〔冤〕❶眼球枯陷失明。❷「眢井」：無水的枯井。

眠 (mián)粵min⁴〔棉〕❶睡覺。如「不眠不休」。❷動物的一種生理現象，在一個較長時間(幾天或幾十天)靜止不動、不吃。如「蠶眠」；「冬眠」。❸囝指草木偃伏。❹囝指橫放着的東西。如「眠琴」。

眩 (xuàn)粵jyn⁴〔元〕❶迷惑。如「眩惑」。❷眼花。如「目眩」。❸「眩暈」：一時知覺昏迷的病症。

眨 (zhǎ)粵dzap⁸〔答l〕眼睛很快地一睜一閉。如「眨眼」；「一眨眼工夫」；「眨巴眼兒」。

眞 (真) (zhēn)粵dzen¹〔珍〕❶實在，不虛假。跟「僞」、「假」相對。如「千眞萬確」；「眞人眞事」。❷清楚。如「看不眞」；「聽得很

眞」。❸本質，本性。如「天眞」；「歸眞反璞」。❹很，甚。如「眞好」；「你說得眞對」。❺指漢字的楷體字。如「眞書」；「眞草隸篆」。❻囝指官位的實授。如「眞除」。❼姓。❽「天眞」：①沒有拘束和顧忌，性格單純、直率。②指用一般的簡單事理去推斷特殊的複雜的事物。

眙 ▲囝(chì)粵tsi³〔賜〕盯着看。史記有「目眙不禁」。
▲(yí)粵jy⁴〔宜〕「盱眙」：山名，縣名，都在安徽省。

眚 囝(shěng)粵saŋ²〔省〕❶眼睛生翳的病。❷弊病。❸過失。❹災禍，災難。

眴 囝(shùn)粵sœn³〔信〕轉動眼睛向人示意。

眦 (眥) 囝(zì)粵dzi⁶〔字〕眼眶子。如「目眦盡裂(形容大怒的樣子)」。

【際】同「視」，見668頁。

六至七畫

眸 囝(móu)粵meu⁴〔謀〕瞳人，黑眼珠。如「明眸皓齒」。

眯 ▲(mī)粵mei⁵〔米〕灰土進了眼睛，使眼睛睜不開或看不清楚。如「沙土眯了眼睛」。
▲(mī)粵mei¹〔媽希切〕❶眼

皮微微合攏。如「他眯起眼睛看了半天」。❷「眯縫」：眼皮合攏而不全閉。

眺 图(tiào)粵tiu³〔跳〕向遠處望去。如「遠眺」。

眶 (kuàng)粵kwaŋ¹〔框〕hɔŋ¹〔康〕(又)眼眶，即是眼窩的周圍。如「熱淚滿眶」。

眷 (juàn)粵gyn³〔絹〕❶图顧念。如「眷念」；「眷顧」。❷愛慕。如「眷戀」。❸親屬。如「家眷」；「親眷」；「眷屬」。❹图「眷眷」：①心裏常常想念。詩經有「眷眷懷顧」。②一心一意。三國志有「是以眷眷，勤求俊傑」。

眴 ▲图(shùn)粵sœn³〔信〕眼睛轉動來表示意思。
▲(xuàn)粵jyn⁶〔願〕图眼睛昏花。

眹 图(zhèn)粵dzɐm⁶〔朕〕❶黑眼珠，瞳人。❷預兆，通「朕」，見304頁。

眾(衆) (zhòng)粵dzuŋ³〔種〕❶多。如「眾寡不敵」。❷多數人。如「羣眾」；「大眾」。❸佛教把人數說成眾。如「九眾(僧九人)」。❹图「眾口鑠金」：比喻眾人的謠言足以顛倒是非。❺图「眾目昭彰」：多數人所共見。❻「眾志成城」：比喻同心協力，力量便無比強大。❼图「眾擎易舉」：合力做事，容易成功。

眵 (chī)粵tsi¹〔雌〕眼裏的分泌物凝結成的東西。俗稱「眼屎」。

眭 (suī)粵sœy¹〔雖〕❶图深目惡視。❷姓。

眼 (yǎn)粵ŋan⁵〔顏低上〕an⁵〔晏低上〕(俗)❶視覺器官。眼睛。❷孔穴，窟窿。如「針眼」；「砲眼」；「鑽一個眼兒」。❸下圍棋中間無子的空白處。❹關節，要點。如「腰眼」；「節骨眼」。❺音樂的節拍。如「一板三眼」。❻「眼紅」：①眼睛生病，發紅。②妒忌，眼饞的意思。如「別讓紅人家」。③激怒的樣子。如「仇人見面，分外眼紅」。❼「眼中釘」：比喻所嫉恨的人。❽「眼巴巴」：殷切盼望的樣子。❾「眼睜睜」：①注視的樣子。②當面，公然。如「眼睜睜被人搶走了」。❿「眼皮子淺」：見識淺小，嫌貧愛富。

眽 图(mò)粵mɛk⁹〔默〕「眽眽」同「脈脈」：見574頁。

睇 图(dì)粵tɐi²〔體〕❶眼睛側看，很快的看過。❷粵方言。看。

睏 (kùn)粵kwɐn³〔困〕❶疲倦想睡。如「眼睏」。❷睡。如

「睏覺」。

睊 図(juàn)圖gyn³〔絹〕❶側目斜視。❷「睊睊」：斜着眼看，表示忿恨的樣子。

睄 (qiáo)圖tsiu⁴〔樵〕同「瞧」，見478頁。

睎 図(xī)圖hei¹〔希〕❶望。❷羨慕。本作「睎」。

着 ▲(zhuó)圖dzœk⁸〔雀〕穿衣。如「着衣」；「日子好過，吃着不愁」。

▲(zhuó)圖dzœk⁹〔自若切〕❶做，用，動。如「着手」；「着力」。❷指事情的歸宿、結果。如「着落」；「衣食無着」。❸接近，連接。如「附着」；「不着邊際」。❹図下棋走子。如「兩人着棋」。❺「着手成春」也作「着手回春」：手到病除；病一治就好。是稱讚醫師醫術高明的用語。跟「妙手回春」意思相近。

▲(zháo)圖dzœk⁹〔自若切〕❶切實承受到，及，中。如「打着了」；「猜着了」。❷恰好，恰合。如「這是最好的版本，這本書你算買着了」。❸感受，受到。如「着涼」；「着風」；「着慌」；「着急」。❹燃燒。如「着火」；「風太大啦，燈點不着」。❺用，動。如「着

眼（注目）」；「着一把手兒（助一臂之力）」。

▲(zhāo)圖dzœk⁹〔自若切〕❶計策，方法。如「三十六着，走爲上着」。❷表示意見相合。如「着哇！這樣最好」。❸叫，讓。水滸傳有「好意着你烘衣裳向火，便要來吃酒」。❹放，擱進去。如「着點兒鹽」。

▲(zhe)圖dzœk⁹〔自若切〕❶助動詞，表示動作正在進行。如「坐着」；「兩個人正說着話呢」。❷助動詞，表示目前的靜止情況。如「四周鑲着花邊」；「牆上貼着些標語」。❸助詞，表示某種情形程度的高。如「他可聰明着呢（聰明得很）」；「這石頭沉着呢（沉得很）」。❹表示命令或囑咐語氣的助詞。如「你慢着」；「你要快着點」；「你可要記着」。

八畫

睥 図(bì)圖pei⁵〔被〕「睥睨」：①斜着眼睛看，表示看不起或不服氣。②側目窺察。

睦 (mù)圖muk⁹〔目〕❶和順，相親。如「和睦」；「睦鄰」。❷姓。

督 (dū)圖duk⁷〔篤〕❶催促。如「督促」。❷察看，管理。

如「監督」；「督學」；「督察」；「總督(官名)」。❸責備。如「督責」；「督過」。❹「總督」的簡稱。❺姓。

睨 図(nì)粵ŋɐi⁶〔魏〕ɐi⁶〔矮低去〕(俗)「睥睨」：見475頁「睥」字。

睞 図(lài)粵lɔi⁶〔誄〕❶看。曹植洛神賦有「明眸善睞」。❷瞳子不正。

睖 (lèng)粵liŋ⁶〔另〕「睖瞪」：眼睛直視發呆的樣子。

睩 図(lù)粵luk⁹〔鹿〕看的樣子。

睪 ▲(yì)粵jik⁹〔亦〕伺視。
▲図同「澤」，見395頁。

睫 (jié)粵dzit⁹〔捷〕「睫毛」、「眼睫毛」，上下眼皮邊上的細毛。如「目不交睫(不合眼，不睡覺)」；「眉睫(比喻迫近)」。

睛 (jīng)粵dziŋ¹〔晶〕眼珠。如「目不轉睛」；「畫龍點睛」。

睠 図(juàn)粵gyn³〔眷〕❶回頭看。❷關心。同「眷」，見474頁。

睜(睁) (zhēng)粵dzɐŋ¹〔增〕張開眼睛。如「睜眼一看」；「眼睛半睜半閉」。

睒 図(shǎn)粵sim²〔閃〕❶光。❷見，窺。❸「睒睒」：光亮

閃爍的樣子。

睡 (shuì)粵sœy⁶〔遂〕❶閉目安息，使大腦處於休息狀態。如「睡覺」。❷図「睡鄉」：睡夢中的境界。

睬 (cǎi)粵tsɔi²〔彩〕❶注視。❷過問，理會。如「不理不睬」；「揚揚不睬」。

睢 (suī)粵sœy¹〔雖〕❶図瞪眼。如「恣睢」。❷姓。❸「睢睢」：張目仰視的樣子。漢書有「萬衆睢睢」。❹「睢縣」：地名，在河南省。

睟 図(suì)粵sœy⁶〔遂〕臉色光潤。孟子書有「睟然見於面」。

睚 図(yá)粵ŋai⁴〔涯〕ai⁴〔挨低平〕(俗)❶眼角。❷「睚眥」：發怒瞪眼。如「睚眥之仇」。

九畫

睹(覩) (dǔ)粵dou²〔島〕看見。如「目睹」；「有目共睹」。

睪 (gāo)粵gou¹〔高〕「睪丸」：雄性動物生殖器官的一部分，也叫「精巢」或「外腎」。

瞀 図(mào)粵mɐu⁶〔茂〕❶眼睛看不清。❷昏亂，糊塗，沒有知識。❸心緒紊亂。❹「瞀瞀」：①垂目下視的樣子。

②眼睛昏花。

瞄 (miáo) 粵 miu⁴〔苗〕❶注視。❷「瞄準」：用眼睛注視目標，使發射、投射的動作準確。

睽 図 (kuí) 粵 kwei⁴〔葵〕❶「睽睽」：瞪着眼睛看的樣子。如「衆目睽睽」。❷通「暌」，見297頁。

睺 図 (hóu) 粵 heu⁴〔喉〕❶半盲。❷深目。

瞅 (瞅) (chǒu) 粵 tseu²〔丑〕看，瞧。如「瞅着他笑」；「瞅了一眼」。

睿 (叡) 図 (ruì) 粵 jœy⁶〔銳〕聰明通達。

十畫

瞇 (mī) 粵 mei¹〔媽希切〕❶閉眼。如「瞇一瞇眼」。❷「瞇縫眼」：上下眼皮距離很近的意思。

瞑 ▲図 (míng) 粵 miŋ⁴〔明〕❶「瞑目」：①閉目。如「死不瞑目」。②死。後漢書有「今獲所願，甘心瞑目」。❷「瞑瞑」：①目力衰弱的樣子。②昏花迷亂的樣子。

　▲ (miàn) 粵 min⁶〔面〕「瞑眩」：憤亂的樣子。

瞌 (kē) 粵 hep⁹〔合〕「瞌睡」：坐着打盹兒。

瞎 (xiā) 粵 het⁹〔核〕❶眼睛壞了看不見東西。如「眼睛瞎了」。❷胡亂，盲動。如「瞎說」；「瞎鬧」。

瞋 (瞋) 図 (chēn) 粵 tsɐn¹〔親〕❶「瞋目」：發怒時張大眼睛的樣子。❷同「嗔」，見98頁。

十一至十二畫

瞟 (piǎo) 粵 piu⁵〔縹〕斜着眼睛很快地一看。如「瞟了他一眼」。

瞞 (mán) 粵 mun⁴〔門〕❶隱藏實情不使人知道。如「隱瞞」；「實不相瞞」。❷眼睛看不清楚。❸図「瞞瞞」：貪愛酒色的樣子。荀子書上有「酒食聲色之則，則瞞瞞然，瞑瞑然」。

瞢 図 (méng) 粵 muŋ⁴〔蒙〕❶視線模糊。❷天色陰暗，不光明。如「瞢瞢無光」。❸慚愧。如「有靦瞢容」。

瞘 (kōu) 粵 keu¹〔溝〕「瞘瞜」：眼睛深陷在眼眶裏(通常是害病或疲倦過度的表現)。如「一夜沒睡，眼睛都瞘瞜了」。

瞜 (lōu) 粵 leu¹〔拉歐切〕❶看。❷「瞘瞜」：見本頁「瞘」字。

瞠 図 (chēng) 粵 tsaŋ¹〔撐〕❶瞪着眼看。❷「瞠乎其後」：比

喻落後趕不上。

瞥 (piē) 粵 pit⁸〔撇〕很快的從眼前掠過，匆匆一看。如「一瞥」；「瞥見」。
【瞥】同「瞥」，見559頁。

瞪 (dèng) 粵 deŋ⁶〔鄧〕❶睜大眼睛直看。如「瞪眼」；「把眼一瞪」。❷惡意地看人，常是表示憤恨。如「瞪他一眼」。❸眼睛發愣。如「目瞪口呆」。

瞳 (tóng) 粵 tuŋ⁴〔童〕❶眼珠。如「瞳人」。❷「瞳孔」：虹彩中的小孔。

瞭 ▲ (liǎo) 粵 liu⁵〔了〕清楚，明白。如「明瞭」。
▲ (liào) 粵 liu⁴〔聊〕登高遠望。如「瞭望」。

瞵 囡 (lín) 粵 løn⁴〔倫〕瞪着眼睛注意看。如「虎視鷹瞵」。

瞶 囡 (kuì) 粵 kui²〔潰〕❶眼睛裏沒有瞳人。❷很仔細地看。

瞰 (矙) 囡 (kàn) 粵 hɐm³〔勘〕❶偷看。❷從上往下看。如「俯瞰」；「鳥瞰」。

瞧 (qiáo) 粵 tsiu⁴〔樵〕❶囡偷看。❷看。如「瞧熱鬧」；「這件事，你瞧着辦吧」。

瞬 (shùn) 粵 sœn³〔舜〕❶眼睛轉動。如「轉瞬」。❷比喻極短的時間。如「瞬息」。
【瞯】同「覵」，見669頁。

十三至二十一畫

瞽 囡 (gǔ) 粵 gu²〔鼓〕眼瞎。如「瞽者」。

瞼 (jiǎn) 粵 gim²〔檢〕眼皮。

瞿 ▲ (qú) 粵 kœy⁴〔渠〕❶姓。❷「瞿塘峽」：長江三峽之一，在四川省。
▲ 囡 (jù) 粵 gœy³〔句〕❶「瞿瞿」：①迅速張望的樣子。②驚顧的樣子。❷「瞿然」：以驚訝的眼光來看的樣子。

瞻 (zhān) 粵 dzim¹〔尖〕❶看。如「觀瞻」。❷向上看。如「瞻望」。❸「瞻仰」：①自下向上看。②觀看別人事物的敬詞。

矇 ▲ (méng) 粵 muŋ⁴〔蒙〕❶囡有黑眼珠而看不見，瞎。❷囡「矇矇」：心裏糊塗，不明白。❸「矇矓」：疲倦想睡，眼睛半張半合的樣子。
▲ (mēng) 粵 muŋ⁴〔蒙〕❶說假話，做出假行動或用假東西來詐騙。如「矇騙」；「說瞎話矇人」。❷昏迷。如「他打球打矇了」。❸胡亂猜測。如「瞎矇」。❹僥幸。如「他的射擊哪能打得這麼準？這一槍全是矇的」。❺「矇矇亮」：天快亮的時候。

瞿（jué）⑨fɔk⁸〔霍〕❶驚惶注視的樣子。如「瞿然失色」。❷姓。❸「瞿瞿」：①彷徨四顧的樣子。②疾走的樣子。❹「瞿鑠」：形容老而強健。

矓（lóng）⑨luŋ⁴〔龍〕「矇矓」：見478頁「矇」字。

矗（chù）⑨tsuk⁷〔促〕直立，高起。如「矗立」。

【瞯】同「瞰」，見478頁。

矚（zhǔ）⑨dzuk⁷〔足〕注視。如「高瞻遠矚」。

【矛部】

矛（máo）⑨mau⁴〔茅〕❶古代的一種武器，長杆上頭有帶刃的鐵尖，能刺人。❷「矛盾」：①「矛」跟「盾」的合稱，引伸作比喻言論或行為自相抵觸。②事物內部的依賴和衝突。

矜▲（jīn）⑨giŋ¹〔京〕❶図憐惜。❷図自大，驕傲。如「驕矜」。❸愼重。如「矜持」。❹尊敬。如「矜式（尊敬效法）」。❺「矜貴」：①自恃地位崇高。如「恃才矜貴」。②珍貴。

▲図（qín）⑨giŋ¹〔京〕同「稜」，矛的柄。

▲図（guān）⑨gwan¹〔關〕❶同「鰥」，見851頁。❷同「瘝」，見459頁。

【務】見力部，60頁。

矟（shuò）⑨sɔk⁸〔朔〕同「槊」，即是長矛。

矞図（yù）⑨wɛt⁹〔核〕「矞皇」：①旺盛的樣子。②優美的樣子。

稜（qín）⑨giŋ¹〔京〕同「矜」，矛的柄。

【蟊】見虫部，644頁。

【矢部】

矢 (shǐ) [粵] tsi^{2}〔始〕❶箭。如「弓矢」;「無的放矢」。❷誓。如「矢志不移」。❸[文]糞便。如「遺矢」。古作「屎」。❹「矢言」:①誓言。②正直的言論。

二至七畫

矣 [文](yǐ)[粵]ji^{5}〔以〕❶助詞，表示完成或過去。如「由來久矣」;「十年於茲矣」。❷助詞，表示決定或將要。如「吾必謂之學矣」。❸通「哉」。如「甚矣！汝之不慧」。❹通「耳」。表決定語末助詞。❺表吩咐、囑咐的助詞。如「先生休矣！吾籌之熟也」。❻在轉折句裏表示停頓。如「盡美矣，未盡善也」。

知 ▲(zhī)[粵]dzi^{1}〔支〕❶曉得。如「毫無所知」;「知無不言」。❷知識。如「無知」;「求知」。❸識別。如「知人善任」。❹使知道。如「通知」;「知會」。❺對人能了解，有交情。如「知交」;「相知」。❻招待。如「知賓」;「知客」。❼覺。如「草木有生而無知」。❽主持。如「知縣」;「知事」。❾「知了」:蟬的別稱。❿[文]「知命」:①安於天命，不作分外的要求。②古人稱五十歲是「知命之年」。

▲(zhì)[粵]dzi^{3}〔至〕❶姓。❷同「智」，見297頁。

矧 [文](shěn)[粵]tsɐn^{2}〔診〕❶何況，況且。如「十日之期，猶嫌其久，矧乃一月乎」。❷亦。書經有「矧惟不孝不友」。❸通「齗」，牙根。禮記有「笑不至矧」。參見881頁。

矩 (jǔ)[粵]gœy^{2}〔舉〕❶畫方形的器具，是一種曲尺。❷法則。如「規矩」。❸「矩形」:長方形。❹[文]「矩矱」也作「榘矱」:法度。

短 (duǎn)[粵]dyn^{2}〔多院切〕❶跟「長」相反。如「短袖襯衫」;「冬天晝短夜長」。❷不夠，差。如「這一套書短了一本」;「算來算去還短了一百元」。❸指人的過失。史記有「上官大夫短屈原於頃襄王」。❹臨時的，零散的。如「短工」。❺「短兵」:①刀劍等比較短的兵器。如「短兵相接(衝鋒肉搏)」。②持刀劍的士兵。如「短兵百人」。❻「短長」:①善惡或優劣。如「一較短長」。②生死。書經有「矧予制乃短長之命」。❼「短見」:①膚淺

的見識。②自殺。如「自尋短見」。

矬 (cuó) [粵]tsɔ4〔鋤〕❶矮，身材短小。如「矬個兒」;「你比他矬半尺」。❷「矬子」：身體短小的人。

【智】見日部，297頁。

八至十四畫

矮 (ǎi) [粵]ɐi2〔翳高上〕❶人的身材不高。如「矮人」;「矮小」。❷短，低。如「矮屋」;「矮凳」。

【雉】見隹部，793頁。

矯 (jiǎo) [粵]giu2〔繳〕❶把彎的弄成直的，把錯的改成對的。如「矯正錯誤」;「痛矯前非」。❷[文]假稱，假託。如「矯詔」;「矯命」。❸勇健。如「矯健」。❹[文]高舉。如「矯首而望」。❺[文]「矯矯」：①勇武的樣子。②翹然出衆的樣子。

矰 (zēng) [粵]dzɐŋ1〔增〕古代一種繫着生絲的射鳥用的短箭。

矱 [文](yuē) [粵]wɔk9〔獲〕法度，標準。如「矩矱」。

【石部】

石 ▲(shí) [粵]sɛk9〔碩〕❶構成地殼的物質，由礦物集結而成，常是堅硬的塊狀物，地質學統稱岩石。❷[文]碑碣的統稱。如「功績勒乎金石」。❸[文]指「藥石」。左傳有「美疢不如惡石」。❹古時打仗用以投擊敵人的石頭，是一種兵器。如「冒矢石奮戰」。❺[文]古樂八音之一。石樂器即是磬。❻姓。❼「石油」：地下氫跟碳的化合物，是液體礦物。原油經過蒸餾，可製成多種不同的油料，最大的用途是做交通工具的燃料。❽「石炭」：即是煤，可以作燃料，也可以作塑膠原料。❾「石膏」：含水的硫酸鈣，菱形結晶，加熱後成白色粉末，可以塑像，也是製造水泥、顏料的原料。

▲(dàn) [粵]dam3〔擔〕容量單位，十斗爲一石。

二至五畫

【矴】同「碇」，見486頁。

矻 [文](kū) [粵]ŋɐt9〔兀〕ɐt9(俗)「矻矻」：勤勉不息的樣子。

矼 ▲[文](qiāng) [粵]gɔŋ1〔江〕誠實的樣子。如「德厚信矼」。

▲ (jiāng) 粵 gɔŋ¹〔江〕石橋。

矽 (xī) 粵 dzik⁹〔夕〕「硅」的別譯，非金屬化學元素之一，符號Si，褐色粉末或針狀板片狀結晶，是做玻璃的重要材料。

【矾】同「礬」，見490頁。

砒 (pī) 粵 pei¹〔丕〕❶砷的舊稱，又叫「信石」，可供藥用，性極毒。❷「砒霜」：砒的化合物，性毒。

砍 (kǎn) 粵 hem²〔坎〕❶用刀斧劈。❷拋、擲。如「拿磚頭砍人」。

砉 (xū) 粵 wak⁹〔或〕「砉然」：皮骨相離的聲音。

砌 ▲(qì) 粵 tsei³〔切〕❶堆疊。如「砌牆」。❷台階。如「雕欄玉砌」。

▲(qiè) 粵 tsit⁸〔設〕「砌末(子)」：舊劇中的佈景雜物的統稱。

砂 (shā) 粵 sa¹〔沙〕❶細碎的石粒。❷像砂的東西。如「砂糖」。❸同「沙」。如「泥砂」；「礦砂」。見365頁。

砘 (dùn) 粵 dœn⁶〔頓〕❶播完土地後用來軋地的農具，用石頭做的。❷用砘子砘地。

砑 (yà) 粵 ŋa⁶〔訝〕a⁶〔亞低去〕(俗)用力軋磨使物光滑。

如「砑光」。

砭 (biān) 粵 bin¹〔鞭〕❶石針。❷古人用石針刺肌膚治病。引伸作勸人改過遷善。如「痛下針砭」。

【研】同「研」，見484頁。

【斫】見斤部，284頁。

【泵】見水部，367頁。

破 (pò) 粵 pɔ³〔披個切〕❶裂開。如「石破天驚」。❷毀壞。如「破碎」；「破壞」。❸打開，分開。如「一破兩半」；「破整為零」。❹消耗。如「破費」；「破鈔」。❺戰勝。如「破敵」；「破城」。❻解析文義。如「破題」；「破解」。❼揭穿。如「破案」；「一語道破」。❽消除。如「破除」。❾變通以往的規定。如「破例」；「破格任用」。❿(文)凋殘。杜甫詩有「二月已破三月來」。⓫傷，敗。如「破產」；「家破人亡」。⓬「破曉」：天剛剛亮。⓭「破天荒」：從來沒有過的。⓮「破音字」：有好幾個讀音，意思也不相同的字叫破音字。

砰 (pēng) 粵 pin¹〔乒〕❶象聲詞，表示大的響聲。❷「砰砰」：①鼓聲。②敲門聲。③槍聲。

砲(礮) (pào) 粵 pau³〔豹〕兵器，古時用機身

石，現在用鋼鐵造砲管，用火藥來發射子彈。如「迫擊砲」；「要塞砲」。現多作「炮」。

砝 (fǎ) 粵 fat⁸〔法〕「砝碼」：放在天平的一邊，稱物品重量的標準器。

砥 (dǐ) 粵 dɐi²〔底〕❶ 图磨刀石。❷「砥柱」：①山名，在黃河的中流。②比喻獨立不撓，能鎮定一方。如「中流砥柱」。❸「砥礪」：磨鍊。如「砥礪品行」。

砣 (tuó) 粵 tɔ⁴〔駝〕❶「秤砣」：即是秤錘，現多寫作「鉈」。❷「碾砣」：碾子上的碌碡。❸「鼉磯島」也作「砣磯島」：在山東省蓬萊縣北渤海中。

砢 ▲(luǒ) 粵 lɔ²〔裸〕❶石頭多。❷「磊砢」：①眾多錯雜的樣子。②高聳的樣子。③形容人的才情奇特。

▲(kē) 粵 ɔ¹〔柯〕「砢磣」：形容人醜陋，寒磣。

砟 ▲(zhǎ) 粵 dza³〔炸〕塊狀物。如「煤砟子」；「爐灰砟兒」。

▲図(zhà) 粵 dza³〔炸〕碎石。

砮 (nú) 粵 nou⁵〔努〕lou⁵〔魯〕(俗)古代用石做的箭頭。

砼 (tóng) 粵 tuŋ⁴〔同〕混凝土。

砬(礚) (lá) 粵 lap⁹〔立〕砬子，大石塊。多用於地名。

砦 (zhài) 粵 dzai⁶〔寨〕❶山野村落周圍防守用的柵欄。❷「鹿砦」：為軍事防禦用而排置在地上的障礙物，又名「鹿角柵」，從前用削尖的竹木，現在多用鐵蒺藜網。❸同「寨」，見332頁。

砧(碪) 図(zhēn) 粵 dzɐm¹〔針〕❶搗衣石。❷砧板。❸「砧鑕」：即是鑕。

砷 (shēn) 粵 sɐn¹〔申〕一種化學元素，符號 As，俗稱「砒」，是灰色的固體，有毒。

砸 (zá) 粵 dzap⁸〔匝〕❶撞擊使破。如「茶杯砸碎了」。❷壞，失敗。如「事情辦砸了」；「演唱會砸了」。❸壓。如「牆倒了，砸壞好多東西」。❹搗。如「把蒜瓣兒砸爛」。❺「砸鍋」：比喻辦事失敗。

六至七畫

硇 (náo) 粵 nau⁴〔撓〕lau⁴〔離肴切〕(俗)「硇砂」：即是氯化銨，分子式 NH_4Cl，白色結晶的礦物，是醫藥及工業用的原料。

硉 図(lù) 粵 lœt⁹〔律〕「硉兀」：不平的樣子。

硌 ▲(gè) 粵gɔk⁸〔角〕因為和凸起不平的東西接觸而感覺難受或受到損傷。如「鞋裏有沙子，腳硌得好疼」；「褥子沒鋪平，背脊硌得慌」。

▲(luò) 粵lɔk⁸〔烙〕山上的大石。

硐(dòng) 粵duŋ⁶〔洞〕山洞，窰洞，礦坑。

硅(guī) 粵gwɐi¹〔圭〕元素「矽」的別譯，又叫「硅素」。見482頁「矽」。

硒(xī) 粵sɐi¹〔西〕非金屬化學元素之一，符號 Se。是淡紅色的薄片，加熱就成青灰色，容易傳電，可供玻璃着色及製晶體管用。

硃(zhū) 粵dzy¹〔朱〕「硃砂」：水銀跟硫黃的天然化合物，顏色鮮紅，用作顏料，又可入藥。

砹(ài) 粵ŋai⁶〔艾〕ai⁶〔挨低去〕(俗)一種放射性元素，化學符號 At。

研(硏) ▲(yán) 粵jin⁴〔言〕❶細磨。如「研墨」；「研成細末兒」。❷仔細探求事物的道理跟變化。如「研究」；「鑽研」。

▲(yàn) 粵jin⁶〔彥〕同「硯」，見485頁。

硠 図(láng) 粵lɔŋ⁴〔郎〕「磅硠」：石頭相碰擊的聲音。

硫(liú) 粵lɐu⁴〔流〕❶非金屬元素之一，符號 S。俗稱「硫黃」，也作「硫磺」。黃色固體，容易燃燒，是製造火藥火柴和硫酸的重要原料，也可作藥品。❷「硫酸」：$sulphuric$ $acid$，分子式 H_2SO_4，性質劇烈，容易跟別的物質化合，工業用途很廣。

【硐】同「硐」，見486頁。

硜(硜) 図(kēng) 粵 heŋ¹〔亨〕❶石頭撞擊的聲音。❷「硜硜」：小石塊堅硬的樣子。比喻識見淺陋而固執。

硞(què) 粵 kɔk⁸〔確〕❶「犖硞」：山多大石的樣子。❷通「確」，見488頁。❸図同「埆」，見115頁。

硤(xiá) 粵hap⁹〔峽〕「硤石」：①古地名，在河南省孟津縣西。②鎮名，在浙江省海寧縣東北。

硝(xiāo) 粵siu¹〔消〕❶礦物，結晶色白而透明，可以造火藥跟玻璃。❷「硝酸」：又名「硝鏹水」，分子式 HNO_3；無色液體，能腐蝕木質跟金屬。

硨(chē) 粵tsɛ¹〔車〕「硨磲」：文蛤類最大者，厚殼可作裝

飾品。

硯(yàn)㊢jin⁶〔彥〕❶「文房四寶」之一，是磨墨的用具，一般是用石做成。❷㊇稱同學。如「硯兄」;「硯友」。❸㊇「硯田」：比喻靠文字寫作為生。

硬(yìng)㊢ŋaŋ⁶aŋ⁶〔罌低去〕(俗)❶跟「軟」相反，質堅。如「堅硬」。❷倔强的，不屈服的。如「硬漢」;「硬性子」。❸狠。如「心腸硬」。❹說事物豐富充實。如「菜硬」;「戲碼兒硬」。❺健壯。如「硬朗」。❻不自然。如「生硬」。❼勉强，不顧一切的。如「硬幹」;「硬把他拉來」。❽指書法或行文遒勁有力。如「硬筆可破石」。❾「硬水」：含有多量礦物質的天然水。

八畫

碑(bēi)㊢bei¹〔卑〕❶豎立的石塊，多是在表面刻上文字，是為紀念或紀事的。如「石碑」;「紀念碑」。❷「碑帖」：把石碑上的文字搨印下來，成為字帖，供人作書法臨摹之用。也叫「法帖」;「碑刻」。❸「碑碣」：泛指刻有文字的豎石;方頭的叫「碑」，圓頭的叫「碣」。

碚(bèi)㊢pui⁵〔倍〕地名用字。歐陽修有遊「蝦蟆碚」詩，陸游入蜀記有荊門十二碚等。現在地名，如重慶有「北碚」。

硼▲(péng)㊢paŋ⁴〔彭〕❶一種非金屬化學元素，符號*B*，褐色粉末或結晶，可以消毒防腐。❷「硼砂」：硼酸的水溶液，用碳酸鈉中和，可產生硼砂;白色斜方柱形的結晶，也有天然生成的。可以作防腐劑。❸「硼酸」：分子式H_3BO_3。白色結晶形的粉末，防腐消毒力很強，用作製繃帶材料跟擦洗傷口、漱口等的藥。

▲㊇(pēng)㊢paŋ¹〔烹〕「硼砰」：水聲。

碙(gāng)㊢gɔŋ¹〔剛〕「碙洲」：地名，在廣東省廣灣口外海中，宋末端宗(趙昰)死在這裏。

碰(掽)(pèng)㊢puŋ³〔鋪控切〕❶遇。如「我在巷口碰到他」。❷撞。如「一個跟頭摔下去，腦門碰在門檻上」。❸試探。如「碰運氣」。❹「碰釘子」：①求人被拒絕。也說「碰壁」。②辦事受到阻礙。

碉 (diāo) ㊂diu¹〔刁〕❶石室。❷「碉堡」：石築的堡壘。

碘 (diǎn) ㊂din²〔典〕一種化學元素，符號I。存在海水或鹽泉中，黑色結晶體，可以供醫藥、照像或染料等用。把碘溶在酒精裏溶化而成「碘酒」，是外用藥品。

碇 (矴、椗) (dìng) ㊂din⁶〔定〕繫船的石墩或鐵錨。

碓 (duì) ㊂dœy³〔對〕❶石製的春米具，用木、石製成。❷「碓房」：用碓春米的作坊。

磈 ㊂ (léng) ㊂lin⁴〔零〕「磈磳」：形容石頭不平的樣子。

碌 ▲(lù) ㊂luk⁷〔麓〕❶小石。❷事情忙。如「忙碌」；「勞碌」。❸「碌碌」：①平凡不出色。如「碌碌無為」。②煩忙。如「忙忙碌碌」。

▲(liù) ㊂luk⁷〔麓〕「碌碡」：農具，用圓柱形石塊做成，用人力拉動，可以碾穀類或碾平場地。

碏 ㊂ (què) ㊂dzœk⁸〔雀〕❶敬。❷石雜色。

硎 (硎) ㊂ (xíng) ㊂jin⁴〔刑〕❶磨刀石。❷「新發於硎」：比喻人做事敏捷，像剛磨過的刀。

碎 (suì) ㊂sœy³〔歲〕❶破裂。如「粉碎」；「杯子摔碎了」。❷不完整的。如「碎布」；「事情很瑣碎」。❸絮叨，嘮叨。如「碎嘴子」；「閒言碎語」。❹㊂指文字纖細。文中子有「謝莊、王融，古之纖人也，其文碎」。

碗 (盌、椀、瓰) (wǎn) ㊂wun²〔腕〕❶盛飲食的器皿。如「飯碗」。❷量詞，指用碗裝的東西。如「一碗水」。
【碁】同「棋」，見326頁。
【碍】同「礙」，見490頁。

九至十畫

碧 (bì) ㊂bik⁷〔壁〕❶青綠色。如「碧空」；「金碧輝煌」。❷美麗的青石。❸㊂「碧血」：形容忠烈殺身的詞。如「碧血丹心」。❹㊂「碧落」：天空。

碭 (dàng) ㊂dɔn⁶〔蕩〕❶文石。❷「碭山」：縣名，在江蘇省。

碟 (dié) ㊂dip⁹〔蝶〕盛食物的小盤子。通稱「碟子」。

碡 (zhou) ㊂duk⁹〔獨〕「碌碡」：見本頁「碌」字。

碲 (dì) ㊂dei³〔帝〕一種非金屬化學元素，符號Te，常由重金屬化合物裏產生，供製陶

瓷、玻璃等。

碫 図(duàn)粵dyn⁶〔段〕粗的磨刀石。

碳 (tàn)粵tan³〔炭〕❶非金屬化學元素，符號C。有機物裏含量最多，冶鐵煉鋼都需要碳。碳跟它的化合物，在工業、醫藥各方面用途很廣。❷「碳水化合物」：即是「醣」。

碣 (jié)粵kit⁸〔竭〕圓頭的碑。如「墓碣」。
【碱】同「鹼」，見864頁。

磋(鎈) (chá)粵tsa⁴〔查〕❶皮肉被玻璃、瓷器的碎片碰破。如「把手碰了一個口子」。❷「碴兒」：①碎片。如「冰碴兒」；「玻璃碴兒」。②人我雙方都不愉快的事。如「我跟他有碴兒」。③事端。如「他今天來找碴兒」。④鬍鬚沒剃乾淨的殘餘部分或初生的短毛髮。如「鬍子碴兒」。⑤勢頭。如「那個碴兒來得眞兇」。

碩 図(shuò)粵sɛk⁹〔石〕❶大。如「碩大無朋」；「碩果僅存」。❷「碩士」：學位名。大學畢業得學士學位之後，再進入研究院或研究所繼續研究所得的學位，比博士低，比學士高。

碞 (yán)粵ŋam⁴〔癌〕am⁴(俗)❶險。❷同「巖」，見175頁。

碥 (biǎn)粵bin²〔扁〕在水旁斜着伸出來的山石。
【碪】同「砧」，見483頁。

磙(磎) (gǔn)粵gwen²〔滾〕用石頭做成的圓柱形壓、軋用的器具。

磉 (sǎng)粵sɔŋ²〔嗓〕柱下石。

磅 ▲(bàng)粵bɔŋ⁶〔鎊〕❶英美制重量單位 pound 的音譯。一公斤等於2.2046磅。❷把東西放在磅秤上稱重量。如「過磅」；「磅體重」。
▲図(páng)粵pɔŋ⁴〔旁〕❶「磅礴」：①廣大。②充塞。❷「硑磅」：①石滾落聲。②水衝擊聲。

磐 (pán)粵pun⁴〔盤〕❶大石。❷「磐石」：①縣名，在吉林省。②大而厚的石。比喩穩固。

碼 (mǎ)粵ma⁵〔馬〕❶記數的字。如「數碼」；「明碼實價」。❷英國長度名 yard 的通稱，每碼三英尺，約合0.9144公尺。❸「碼頭」：①停泊船隻的地方。②商埠。

碾 (niǎn)粵nin⁵〔拿免切〕dzin²〔展〕(俗)❶軋東西的器具，

通稱「碾子」。❷用碾子軋壓。

磊 (lěi) ⓟ lœy⁵〔呂〕❶図石頭很多。如「山石磊磊」。❷図很大的樣子。❸「磊落」：①「磊磊落落」的簡詞。②錯雜、多的樣子。❹「磊磊落落」：①分明的樣子。②心地光明、坦白。

磕 (kē) ⓟ hɐp⁹〔合〕❶図石頭相擊的聲音。❷碰撞。如「磕破一塊皮」。❸「磕牙」：①閒談。②互相談笑戲謔來作消閒。❹「磕頭」：叩頭。❺「磕磕吧吧」：說話不順，口吃的樣子。❻「磕磕絆絆」：道路不平，行走費力的樣子。

確(确、碻) (què) ⓟ kok⁸〔涸〕❶堅定的。如「確認」；「確信」。❷眞實的。如「確實」；「正確」。❸「確切」：確實恰當。❹「確鑿」：眞實。如「證據確鑿」。

磔 図(zhé) ⓟ dzak⁹〔摘〕❶古代分裂罪犯肢體的酷刑。❷書法向右下斜的一筆，也作「捺」。❸「磔磔」：①鳥叫聲。蘇軾詩有「春山磔磔鳴春禽」。②爆裂的聲音。如「爆竹聲磔磔」。

磑 ▲(wèi) ⓟ wui¹〔偎〕❶磨子。❷磨切。

▲図(wéi) ⓟ wei⁴〔圍〕「磑磑」：①堅固的樣子。②高的樣子。

▲図(ái) ⓟ ŋɔi⁴〔呆〕「磑磑」同「皚皚」：見465頁。

磁 (cí) ⓟ tsi⁴〔詞〕❶能吸引鐵、鎳、鈷等的特性。如「磁力」；「磁性」。❷「磁石」也叫「磁鐵」：有磁性的礦石。❸「磁場」：磁石周圍磁力所及的地方。❹「磁針」：製成針形的磁石，兩端常指向南北，可以用作指南針。❺同「瓷」，見444頁。

磋 (cuō) ⓟ tsɔ¹〔初〕❶把獸骨或獸角磨光。❷研究。如「切磋」。❸「磋商」：琢磨商量研究。

十一至十二畫

磚(甎、塼) (zhuān) ⓟ dzyn¹〔專〕❶用土燒成的建築材料。如「紅磚」；「磚瓦」。❷「磚頭」：磚或碎磚。

磨 ▲(mó) ⓟ mɔ⁴〔蘑〕❶磨擦使其光滑或銳利。如「磨光」；「磨刀」。❷練習，研究。如「磨練」；「琢磨」。❸波折，阻障。如「好事多磨」；「折磨」。❹消滅。如「磨滅」。❺拖時間。如「磨蹭」；「磨工夫」。

▲ (mò) 粵 mɔ⁴〔磨〕❶用來碾碎穀物的器具。如「石磨」。❷用石磨碾碎東西。如「磨麴」;「磨豆腐」。❸掉轉方向(通常指車輛)。如「巷子太窄,不能磨車」。

鹵 (lǔ) 粵 lou⁵〔虜〕「䃵砂」:即是「硇砂」,見483頁。

磧 (qì) 粵 dzik⁷〔積〕❶淺水中露出的沙堆。❷沙漠。如「沙磧」。

磬 (qìng) 粵 hiŋ³〔慶〕❶古代用玉石做成的矩形樂器。❷銅製的鉢狀物,是禮佛時敲打用的。❸囝「磬折」:身體屈折,像磬背一樣。

嘰 (kàn) 粵 hen³〔瞰〕❶山崖。❷「赤嘰」:地名,在廣東省。

磣 (chěn) 粵 tsɐm²〔寢〕❶吃的東西在嘴裏有夾帶沙粒雜質的感覺。如「牙磣」。❷醜惡,難看。如「磣樣」。

【磩】同「砌」,見483頁。

磴 (dèng) 粵 dɐŋ³〔櫈〕❶山岩上的石級。❷量詞,台階一級叫「一磴」。

磷 ▲ (lín) 粵 lœn⁴〔鄰〕❶非金屬化學元素,符號P。有黃磷、赤磷。可造火藥、肥料、藥品。❷「磷磷」:水中可以見到石的樣子。如「磷磷水中

石」。❸同「燐」,見412頁。

▲ 囝 (lìn) 粵 lœn⁶〔論〕薄。論語有「磨而不磷」。

磺 (huáng) 粵 wɔŋ⁴〔黃〕「硫磺」:見484頁「硫」字。

磻 (pán) 粵 pun⁴〔蟠〕「磻溪」:地名,在陝西省。

磯 (jī) 粵 gei¹〔基〕❶水邊突出的石岸。如「采石磯(地名,在安徽當塗縣)」;「燕子磯(地名,在南京市)」。❷囝水激石。孟子書有「是不可磯也」。

礅 (dūn) 粵 dœn¹〔敦〕❶厚而粗的石頭。如「石礅」。❷柱下石。如「磉礅」。

礁 (jiāo) 粵 dziu¹〔焦〕海洋中隱現水面的岩石。如「暗礁」。

磽 囝 (qiāo) 粵 hau¹〔敲〕土地不肥沃,不適宜耕種。又作「墝」。

礄 (qiáo) 粵 kiu⁴〔喬〕地名用字。如湖南省有「礄把溷」(產鉛)。

磲 (qú) 粵 kœy⁴〔渠〕「硨磲」:見484頁「硨」字。

磳 囝 (zēng) 粵 dzɐŋ¹〔僧〕「破磳」:見486頁「磳」字。

【硜】同「硜」,見484頁。

十三至十七畫

礌(礧) (léi) 粵 lœy⁶〔淚〕❶把石頭從高往下

推。❷「礌石」：防城的器具。

磝 ▲囡(hé)粵hɐt[9]〔瞎〕❶實。❷深刻，通「覈」，見666頁。

▲(qiāo)粵hau[1]〔敲〕「磝磽」：石不平的樣子。

礎 (chǔ)粵tsɔ[2]〔楚〕❶囡柱下的石頭。如「礎石」。❷「基礎」：指事情的始基或根本。

礞 (méng)粵muŋ[4]〔蒙〕「礞石」：礦物名，有青白二種。青礞可入藥。

礙(碍) (ài)粵ŋɔi[6]〔外〕ɔi[6]〔愛 低 去〕(俗)❶阻攔，阻止。如「礙事」；「障礙」。❷妨害。如「無礙」；「有礙觀瞻」。

礬(矾) (fān)粵fan[4]〔凡〕「明礬」也作「明矾」：無色透明結晶，工業用途很廣。明礬是含鋁、鉀的化合物，分子式 $K_2SO_4 \cdot Al_2(SO_4)_3 \cdot 24H_2O$，由礦物礬石製成。

礫 囡(lì)粵lik[7]〔拉益切〕碎的小石子。如「瓦礫」。

礪 囡(lì)粵lɐi[6]〔厲〕❶粗的磨刀石。❷磨利。如「磨礪以須」。

礦(鑛) (kuàng)粵kwɔŋ[3]〔曠〕kɔŋ[3]〔抗〕(俗)❶藏在地層下面有待採掘的自然物質。如「煤礦」；「鐵礦」。❷採掘礦物的場所。如「礦牀」；「礦坑」。

礩 囡(zhì)粵dzɐt[7]〔質〕柱下的石頭。

【礧】同「礌」，見489頁。

礱 (lóng)粵luŋ[4]〔龍〕❶有齒痕的用來磨穀去殼的農具。❷用磨礱去穀皮。如「礱穀」。

礤 (cǎ)粵tsat[8]〔察〕❶刮刨。❷「礤牀」：刮刨蔬菜使成絲狀的用具。

【礮】同「砲」，見482頁。

礴 (bó)粵bɔk[9]〔薄〕「磅礴」：見487頁「磅」字。

【示部】

示 (shì)粵si⁶〔士〕❶告訴，使知道。如「指示」；「暗示」。❷表明。如「出示」；「示意」。❸顯現。如「示威」。❹要求對方回覆的敬辭。如「示覆」；「示知」。

二至四畫

礽 図 (réng)粵jiŋ⁴〔仍〕❶幸福。❷通「仍」，見18頁。

祁 (qí)粵kei⁴〔其〕❶図盛大。❷姓。❸図「祁寒」：十分寒冷。

社 (shè)粵sɛ⁵〔時野切〕❶土地神。❷祭土神的地方。❸有組織的團體。如「合作社」；「集會結社」。❹「社交」：交際應酬。❺「社會」：①多數人彼此有相互關係的集合體。通常亦指人羣。②指同一階層的羣體。如「上層社會」。③小學科目之一，包括歷史、地理、衞生等。❻「社稷」：①土地神跟穀神。②図國家的代稱。如「執干戈以衞社稷」。

祀 (禩)(sì)粵dzi⁶〔自〕❶祭。如「祭祀」；「祀祖(祭祀祖先)」。❷商代指年。書經有「惟十有三祀」。

祈 (qí)粵kei⁴〔其〕❶向神求福。如「祈福」；「祈禱」。❷請求。如「祈求」；「敬祈光臨」。❸姓。❹「祈使句」：漢語句式之一，表示命令、勸告、請求、催促的句子。如「快上車吧」。

祇 ▲図(qí)粵kei⁴〔其〕❶土地神；也泛稱神。如「神祇」；「天神地祇」。❷大。❸平安。
▲(zhǐ)粵dzi²〔紙〕❶図恰，正好簡直是。史記有「祇取辱耳」；「祇益禍耳」。❷同「只」。僅僅；但。見77頁。

祊 (綮)(bēng)粵beŋ¹〔崩〕古代宗廟內設祭的地方。

祆 (xiān)粵hin¹〔軒〕「祆教」：拜火教。源出波斯，唐時傳入中國。

祅 (yāo)粵jiu¹〔腰〕jiu²〔妖〕(又)通「妖」，見137頁。

祉 図(zhǐ)粵dzi²〔止〕幸福。如「社會之福祉」；「台祉」。
【柰】見木部，314頁。

五至八畫

祕 (秘)▲(mì)粵bei³〔泌〕❶不能讓人知道的。如「隱祕」；「祕密」。❷難得一見的珍藏。如「祕籍」。❸「祕書」：①職務之一，負責收發

文件辦理文書、檔案等工作。②從事祕書工作的人。③図宮禁裏的珍貴藏書。

▲ (bì) 粵 bei³〔泌〕❶「便祕」：大便乾燥、困難、次數少的症狀。❷「祕魯」：南美洲的國家名。

祓 図(fú) 粵 fɐt⁷〔拂〕❶古習俗，祭除求福消災的儀式。如「祓除不祥」。❷福。

祜 図(hù)粵wu²〔壺〕幸福。詩經有「受天之祜」。

祛 図(qū)粵kœy¹〔驅〕驅逐，除去。如「祛疑」；「祛痰劑」。

祇 図(zhī)粵dzi¹〔支〕恭敬的。如「祇請大安」；「祇候光臨」。

祝 (zhù)粵dzuk⁷〔足〕❶祈禱。如「祝福」。❷頌賀。如「祝壽」；「慶祝」。❸図削斷。如「祝髮(剃去頭髮)」。❹姓。❺「祝融」：火神。

神 (shén)粵sen⁴〔辰〕❶宗教裏指天地跟萬物的主宰者。如「神靈」；「天神」。❷玄妙不可思議。如「神祕」；「神奇」。❸不平凡的，特別高超的。如「神童」；「神品」。❹精力。如「精神」；「費神」。❺特別尊嚴的。如「神聖」。❻姓。❼「神父」：天主教的傳教士。❽「神

交」：①彼此仰慕而沒見過面的交誼。形容思慕之切。②忘形之交。比喻情意相投，素有相知的朋友。❾「神州」：中國古稱赤縣神州，以後簡稱爲神州。❿「神氣」：①図精神。②臉上的表情或事情的情況。③指表現於外的得意情態。⓫「神經」：①神經纖維的簡稱，是人體主管知覺、運動的器官，分佈全身。②罵人神志不清的話。③「神經病」的簡稱。⓬「神話」：神怪的傳說。⓭「神采」：指人的精神，神氣。

祖 (zǔ)粵dzou²〔早〕❶父親的父親。如「祖父」。❷先代長輩的通稱。如「祖宗」；「祖先」。❸創始的人，而在後世受人尊崇的。如「佛祖(釋迦牟尼)」；「鼻祖」。❹初，開始。如「萬物之祖」。❺図沿襲，仿效。史記有「秦王必祖張儀之故智」。❻図古代出行的時候祭祀路神。如「祖道」。❼引申請人吃飯餞行。如「祖餞」。❽姓。

祚 図(zuò)粵dzou⁶〔造〕❶福氣。左傳有「天祚明德」。❷古時指皇帝的位子。史記有「卒踐帝祚」。❸流傳。如「祚萬世」。❹年。曹植詩有「歲元祚」。

祠 (ci)粵tsi⁴〔詞〕❶供祖先的家廟。如「宗祠」;「祠堂」。❷供鬼神或有功德的人的廟。如「土地祠」;「忠烈祠」。❸因春祭,古代在春天舉行的一種祭祀。❹因祭祀的總名。

祟 (suì)粵sœy⁶〔遂〕❶迷信的人說鬼怪害人的事,也指鬼怪說。❷比喻暗中破壞。如「從中作祟」。❸「鬼鬼祟祟」:比喻行動不光明。
【祘】同「算」,見514頁。

祐 (yòu)粵jɐu⁶〔右〕神明護助。如「庇祐」;「保祐」。

票 ▲ (piào)粵piu³〔漂〕❶憑證,證券。如「車票」;「支票」。❷量詞,一宗買賣叫一票。如「這一票生意做不成了」。❸匪徒稱被綁的人。如「綁票」。❹因標記、題籤。如「票擬(清朝各處奏本,先由內閣閣員預擬批答之詞,進候欽定)」。❺「票友」:業餘的戲劇演員。❻「票房」:①售票處。②票友排練的處所。
▲因 (piāo)粵piu¹〔飄〕「票姚」:勁疾的樣子。也作「票鷂」、「剽姚」、「嫖姚」。

祧 (tiāo)粵tiu¹〔挑〕❶遠祖的廟。如「宗祧」。❷祭祖,也用作繼承的意思。如「承祧」;「兼祧」。

祭 ▲ (jì)粵dzɐi³〔際〕拜鬼神,或對死去的人表示哀悼或致敬的儀式。如「祭祀」;「公祭」。
▲ (zhài)粵dzai³〔債〕姓。

祫 因 (xiá)粵hap⁹〔峽〕古時集遠近祖先在太廟合祭。

祥 (xiáng)粵tsœŋ⁴〔詳〕❶福,善。如「吉祥」;「祥瑞」。❷吉凶的預兆。如「不祥之兆」。❸古喪祭名。父母之喪滿周年的祭祀叫「小祥」;滿二年的祭祀叫「大祥」。

祲 因 (jìn)粵dzɐm¹〔針〕古人所說的不祥之氣。
【視】見見部,668頁。

祿 (lù)粵luk⁹〔陸〕❶福,善。如「受祿于天」。❷官吏的俸給。如「俸祿」。❸姓。

祼 因 (guàn)粵gun³〔貫〕祭神時把酒灑在地上來降神。

禁 ▲ (jìn)粵gɐm³〔加暗切〕❶避忌。如「禁忌」;「入國問禁」。❷制止。如「禁止」;「禁倒垃圾」。❸拘押。如「監禁」;「關禁閉」。❹從前稱帝王所住的地方。如「禁中」;「宮禁」。❺「禁軍」:保護皇帝的軍隊。
▲ (jīn)粵gɐm¹〔今〕❶力量擔當得起。如「弱不禁風」;「禁得起風吹日曬」。❷耐得住。如「禁穿」;「禁用」。

祺 (qí)粵kei⁴〔其〕❶吉祥，有福氣。❷安泰，不憂懼的樣子。

褯 (zhà)粵dza³〔乍〕同「蜡」，見641頁。

【稟】同「稟」，見499頁。

九至十一畫

禖 (méi)粵mui⁴〔梅〕❶古時求子的祭。❷求子所祭的神。

禘 (dì)粵dɐi³〔帝〕夏祭，古代在夏季舉行的一種祭祀。

福 (fú)粵fuk⁷〔幅〕❶跟「禍」相反，指生活快樂，身體健康，長命而子孫都發達，這些能使人心滿意足的事。如「享福」；「福祿壽考」。❷好的。如「福地」；「福音」。❸幸運的。如「福將」。❹祭祀用的酒肉。如「福物」；「福酒」。❺從前婦女把兩手放在腰部的拜禮。俗稱「萬福」，簡稱「福」。❻姓。

禔 (tí)粵tɐi⁴〔提〕福，安。如「福禔」。

禍 (huò)粵wo⁶〔華賀切〕❶跟「福」相反，災害殃咎的總稱。如「禍患」；「惹禍」。❷為害，損害。如「禍國殃民」。

禊 (xì)粵hɐi⁶〔系〕古人在春秋兩季，到水邊去「祓除不祥」的一種祭禮。有「修禊」、

「春禊」等。

禎 (zhēn)粵dziŋ¹〔貞〕吉祥。如「禎祥」。

禕 (yī)粵ji¹〔衣〕美好。

禋 (yīn)粵jɐn¹〔因〕❶心意誠敬的祭祀。如「潔禋」。❷祭天。

禡 (mà)粵ma³〔罵〕古時出兵，到了一個地方祭當地的神以求平安的儀式。

禛 (禎)(zhēn)粵dzɐn¹〔真〕真誠心能受福的意思。

禦 (yù)粵jy⁶〔預〕❶抵抗。如「禦敵」；「禦寒」。❷敵人。如「不畏強禦」。

禤 (xuān)粵hyn¹〔喧〕姓。

【禤】同「穎」，見501頁。

十二至十七畫

禧 (xǐ)粵hei¹〔希〕福，吉祥。如「恭賀新禧」。

禪 ▲(chán)粵sim⁴〔蟬〕❶佛經說「思慮澄靜」的意思，和尚打坐叫「坐禪」。❷泛稱有關佛教的事物。如「禪林」；「禪杖」。

▲(shàn)粵sin⁶〔善〕古時天子讓位。如「禪讓」；「禪位」。

【禩】同「祀」，見491頁。

【鬃】同「祊」，見491頁。

禮 (lǐ)粵lɐi^5〔醴〕❶程序莊肅的一種儀式。如「禮儀」;「典禮」。❷規規矩矩的態度。如「禮節」;「禮貌」。❸表示敬意。如「敬禮」;「禮賢下士」。❹表示敬意的贈品。如「送禮」;「禮物」。❺周禮、儀禮、禮記這三種經書總稱「三禮」。❻姓。

禰 ▲(mí)粵nei^4〔尼〕lei^4〔離〕(俗)姓。

▲(nǐ)粵nei^5〔你〕lei^5〔李〕(俗)父廟。

禱 (dǎo)粵tou^2〔討〕❶向神祈福或祝告。如「祈禱」;「禱告」。❷図祈求，請求。如「祈雨爲禱(書信裏常用的詞)」。

禳 (ráng)粵jœŋ^4〔羊〕❶古人爲了解除瘟疫疾病而舉行的祭祀。如「祈禳」;「禳解(祈禱求神消災)」。❷攘除災害、病疫。如「禳災」。

【内部】

内 図(róu)粵jɐn^4〔柔〕同「蹂」，見712頁。

四至八畫

禺 (yú)粵jy^4〔如〕❶區。❷山名，在浙江武康縣。❸「番(pān)禺」：地名，在廣東省。

禹 (yǔ)粵jy^5〔雨〕❶夏朝開國帝王的名字，他曾經治過洪水。❷姓。❸図「禹域」：古稱中國。

离(卨) (xiè)粵sit^8〔屑〕古人名用字。

禽 (qín)粵kɐm^4〔琴〕❶鳥類的總稱。如「家禽」;「飛禽走獸」。❷姓。❸「禽獸」：①鳥類和獸類。②罵人的話。

【禾部】

禾 (hé)⑧wo⁴〔和〕❶帶梗的穀類植物的總稱。如「田禾」;「禾苗」。❷指稻子。❸古代特指粟。

二畫

禿 (tū)⑧tuk⁷〔他屋切〕❶頭上沒有頭髮。如「禿頂」。❷羽毛落盡,或東西沒有尖鋒的。如「禿筆」;「禿尾巴雞」。❸比喻事理不周全。如「這件事還禿着頭兒呢」。❹光溜溜的。如「禿山」;「光禿禿的」。

秀 (xiù)⑧seu³〔瘦〕❶美麗。如「秀外慧中」;「山明水秀」。❷聰明,文雅,靈巧。如「秀雅」;「秀氣」。❸特別優異的。如「優秀人才」;「一時之秀」。❹稻麥吐穗開花。如「麥秀」;「穀秀」。❺「秀才」:①優異的才能。②泛指讀書人。❻「秀色可餐」:形容女子姿色非常秀美。

私 (sī)⑧si¹〔斯〕❶屬於個人的。如「私事」;「私生活」。❷利己的,跟「公」相反。如「自私」;「大公無私」。❸屬於少數人的。如「私立學校」;「公私兼顧」。❹特別親近的。如「私交」;「私人」。❺祕密的,偷偷地。如「私通」;「私藏軍火」;「竊竊私語」。❻不合法的,不正當的。如「私貨」;「私弊」。❼姓。❽「私憤」:個人的怨恨。

【利】見刀部,52頁。

三至四畫

秉 (bǐng)⑧bing²〔丙〕❶在手裏握着。如「秉燭夜遊」;「秉筆直書」。❷⑧執掌。如「秉政」。❸按照。如「秉公處理」。❹古量名。十公石爲一公秉,合十六斛。❺姓。❻通「稟」,稟受。如「秉性」;「秉賦」。

秈(籼) (xiān)⑧sin¹〔仙〕早熟而沒有黏性的稻。如「秈米」。

【和】見口部,83頁。
【季】見子部,149頁。
【委】見女部,138頁。
【秆】同「稈」,見498頁。

秕(粃) (bǐ)⑧bei²〔比〕❶粟結實而裏面是空的。如「秕子」;「糠秕」。❷⑧比喻不良。如「秕政(不良的政治)」。

秒 (miǎo)⑧miu⁵〔渺〕❶禾芒。❷圓周計算法,六十秒爲一分,六十分爲一度。❸計

時的單位，六十秒爲一分，六十分爲一小時。❹図「秒忽」：形容數目非常細微。

秔（稉、粳） (jing)⑧geŋ¹〔庚〕稻米成熟比較晚而且米煮熟不黏的。如「秔米」；「秔稻」。

科 (kē)⑧fo¹〔蝌〕❶事物的分門別類。如「文科」；「薔薇科」。❷機關裏分別辦事的單位。如「事務科」；「兵役科」。❸從隋朝到清朝末年，政府選取人才的方法。如「科舉」；「開科取士」。❹京劇裏的動作。如「插科打諢」。❺図定罪。如「科罪」；「科以重刑」。❻図等差。論語有「爲力不同科」。❼「科學」：①泛稱有系統有組織的各種知識。②專指自然科學。③指合乎科學的。如「這種做法不科學」。❽「科班」：從前招收兒童學戲的戲班。如「科班出身(唱戲的人從小在戲班裏學成的)」。

秋（烌） (qiū)⑧tsɐu¹〔抽〕❶一年四季的第三季。陰曆七至九月；陽曆九至十一月。❷稻麥成熟。如「麥秋」。❸一年。如「千秋」；「一日不見如三秋」。❹図時。如「多事之秋」；「危急存亡之秋」。❺姓。❻「秋千」同「鞦

韆」：見807頁。❼「秋水」：①秋天的水。②比喻清澈的神色。③含情的眼波。❽「秋波」：①形容女子的眼神。②指用眼睛示意。如「暗送秋波」。③用眼神討好人的意思。❾「秋毫」：鳥獸在秋天生的絨毛極細小，因此用來比喻極細小的事物。如「明察秋毫」。

种 ▲(chóng)⑧tsuŋ⁴〔松〕❶姓。❷幼稚。
▲「種」字的簡化，見500頁。

【香】見香部，827頁。

五畫

秣 (mò)⑧mut⁸〔抹〕❶餵馬的飼料。如「糧秣」。❷図餵馬。❸「秣馬厲兵」：把馬餵飽了，把兵器磨利了，準備作戰。

秬 (jù)⑧gœy⁶〔巨〕黑色的黍子，可以做酒。

秦 (qín)⑧tsœn⁴〔巡〕❶周代國名。周孝王封伯益的後代在甘肅天水，國號秦。戰國時代是七雄之一，到嬴政併吞六國。❷朝代名。東周末年，嬴政併吞六國，統一全國，經過十五年滅亡(公元前221—206)。❸東晉苻健建

立，史稱前秦。❹東晉姚萇建立，史稱後秦。❺東晉姚乞伏國仁所建，史稱西秦。❻陝西省的別稱。❼姓。

秩 (zhì)粵dit⁹〔迭〕❶次序，條理。如「秩序」。❷俸給。如「秩祿」。❸古時公務人員的品級。如「爵秩」。❹十年算一秩。如「八秩大慶(八十歲壽辰)」。

秤 ▲(chèng)粵tsiŋ³〔雌慶切〕❶用來衡量物體輕重的器具。如「磅秤」；「秤砣」。❷同「稱」，見500頁。

▲(ping)粵piŋ⁴〔平〕「天秤」同「天平」：衡量物體重量的一種儀器。

秫 (shú)粵sœt⁹〔述〕❶有黏性的高粱，可以釀酒。如「秫米」。❷「秫秸」：高粱稈。

秭 (zǐ)粵dzi²〔子〕❶古數目。十萬叫億，一萬億叫秭。❷「秭歸」：湖北省縣名。

租 (zū)粵dzou¹〔遭〕❶田賦。如「租稅」；「田租」。❷東西給人暫用。如「房屋出租」；「租了一所兒房子」。❸東西給人暫用所收取的代價。如「房租」；「收租」。❹囤積。如「蓄租」。

秧 (yāng)粵jœŋ¹〔央〕❶禾苗。如「稻秧」；「插秧」。❷

可以移植的植物幼苗。如「樹秧」；「菜秧子」。❸某些植物的莖。如「地瓜秧」。❹初生的動物。如「豬秧」；「魚秧子」。❺栽培，畜養。如「秧一盆魚」；「秧了幾棵花」。
【盎】見皿部，467頁。
【秘】同「祕」，見491頁。

六至七畫

移 (yí)粵ji⁴〔宜〕❶搬動。如「遷移」；「移民」。❷改變。如「立志不移」；「移風易俗」。❸囤施。如「移德」。

稊 (tí)粵tɐi⁴〔提〕❶草名，形狀像稗，實中有細米，可吃。❷囤樹木重新生出的新葉。如「枯楊生稊」。

稂 (láng)粵lɔŋ⁴〔狼〕❶稻麥田裏的雜草。❷低劣。如「不稂不秀(不低不高)」。❸「稂莠」：有害秧苗的雜草。

稈(稈) (gǎn)粵gon²〔趕〕穀類植物的莖。如「麥稈」；「高粱稈兒」。

稀 (xī)粵hei¹〔希〕❶疏，不密。如「稀疏」；「月明星稀」。❷少有。如「稀少」；「人生七十古來稀」。❸跟「稠」相反，是薄而不凝。如「稀飯」；「稀薄」。❹形容爛到極點。如「稀爛」。

程 (chéng) 粵 tsiŋ⁴〔情〕❶度量的總稱。❷図計量考核。如「引重鼎不程其力」。❸道路的段落。如「路程」;「里程碑」。❹事情進行的步驟、順序。如「程序」;「議程」。❺法式。如「程式」;「規程」;「章程」。❻一段時間。如「日程」;「這一程子我沒空」。❼姓。❽「程度」:道德、知識、能力、事物等所達到的地步。如「大學程度」。

稍 ▲(shāo) 粵 sau²〔沙考切〕❶図古時候稱微少的俸。❷図古時候稱距王城三百里的地方。❸略微,指程度淺、數量少、時間短暫。如「稍等一下」;「稍有不同」。

　▲(shào) 粵 sau²〔沙考切〕「稍息」:軍事或體操的口令,命令隊伍從立正姿勢變為休息的姿勢。

稅 (shuì) 粵 sœy³〔歲〕❶國家向人民徵收所得的一部分,作為國家的經費。如「所得稅」;「營業稅」。❷図租賃。如「稅屋」。❸図「稅駕」:解去車繩,是休息的意思。

【梗】同「杭」,見497頁。
【稆】見山部,174頁。
【稭】同「楷」,見500頁。
【黍】見黍部,870頁。

【稆】同「穡」,見502頁。
【稃】同「麩」,見867頁。

八至九畫

稗 (bài) 粵 bai⁶〔敗〕❶粟類,葉子像稻,結實像黍,微苦。❷小。如「稗官」。❸「稗史」也作「稗說」:記載瑣事的野史、小說之類。

稟 (稟) ▲(bǐng) 粵 ben²〔品〕❶受命。如「稟承」。❷對尊長的報告。如「稟告」。❸天性所表現的性格或能力。如「資稟」;「稟性」;「稟賦」。

　▲図通「廩」,見192頁。

稜 (棱) (léng) 粵 liŋ⁴〔零〕❶物體的兩邊面的接角。如「稜角」;「見稜見角」。❷図「稜稜」:①嚴寒的樣子。②威嚴的樣子。

稞 (kē) 粵 fɔ¹〔科〕一種麥類植物,通稱「青稞」。出產在中國西南各省高寒的地方,結的實皮薄子脆,可以作食品或釀酒。

稘 図(jī) 粵 gei¹〔基〕周年。同「期(jī)」,見305頁。

稚 (穉、稺) (zhì) 粵 dzi⁶〔治〕❶幼小。如「童稚」;「幼稚園」。❷像小孩子一樣的。如「想法幼

稚」;「稚氣未除」。

稠 (chóu) ⑧tseu⁴〔酬〕❶多。如「稠人廣眾」;「人烟稠密」。❷濃,密,跟「稀」相反。如「粥煮得太稠」。❸姓。

稔 図(rěn) ⑧nem⁵〔拿妗切〕lem⁵〔凜〕(俗)❶穀熟。如「歲稔」;「豐稔」。❷素常熟習、知道。如「稔知」;「稔悉」;「相稔」。❸年。一年也作「一稔」。

稨(萹) (biǎn) ⑧bin²〔貶〕扁豆。

秸(秸) (jiē) ⑧gai¹〔皆〕去了穗的禾稈。如「麻秸棍兒」。

種 ▲(zhǒng) ⑧dzuŋ²〔腫〕❶植物的籽粒。如「種子」;「穀種」。❷生物的延續。如「傳種」;「絕種」。❸人類的族類。如「黃種」;「白種」。❹事物的類別,樣式。如「種類」;「各種東西全有」。❺膽量,勇氣。如「有種」。❻「種種」:①各種。②図頭髮短的樣子。左傳有「余髮如此種種」。③図淳厚樸實。如「種德之民」。

▲(zhòng) ⑧dzuŋ³〔眾〕❶栽植,培養。如「種田」;「種花」。❷把疫苗引入人體用來抗疫。如「種牛痘」;「接種卡介苗」。❸「種德」:積德。

稱 ▲(chēng) ⑧tsiŋ³〔秤〕用秤量輕重。如「稱稱看,有多重」。

▲(chēng) ⑧tsiŋ¹〔青〕❶述說。如「人人稱便」;「此地據稱有礦產」。❷叫,叫做。如「稱呼」;「稱兄道弟」。❸自居。如「稱霸一方」;「稱帝」。❹讚譽。如「稱讚」;「稱頌」。❺図舉。如「稱兵」;「稱觴」。❻姓。

▲(chèng) ⑧tsiŋ³〔秤〕❶衡器。也作「秤」。❷適合,配置適當。如「稱職」;「稱身」。

▲(chèn) ⑧tsen³〔趁〕❶合意。如「稱心」。❷富有。如「稱錢」。

【秾】同「糯」,見525頁。

十畫

稻 (dào) ⑧dou⁶〔道〕禾本科穀類植物,一年生草本,大都種在水田裏,故稱「水稻」。子可碾成米。有秈稻、杭稻、糯稻等種。

稾(槀) (gǎo) ⑧gou²〔稿〕❶同「稿」,禾稈。見本頁。❷稾城,河北省縣名。❸図「稾葬」:草草埋葬。

稿 (gǎo) ⑧gou²〔稿〕❶稻草的稈子。如「稿薦(稻草編的席子)」。❷文章,繪畫的草底。

如「文稿」;「畫稿」。❸文章。
如「投稿」;「稿件」。❹商量，
討價還價。如「稿價」。

穀 (gǔ)粵guk⁷〔菊〕❶糧食的
總稱。通常把「稻、麥、
黍、稷、菽」合稱「五穀」。❷
名善，吉祥。如「穀旦(好日
子)」。❸生，活着。詩經有
「穀則異室」。❹名「穀道」：肛
門。❺名「穀穀」：鳥鳴聲。❻
「穀雨」：春季節氣，在陽曆四
月十九或二十一日。

稽 ▲(jī)粵kɐi¹〔溪〕❶考，
核。如「稽查」;「稽核」。❷
名停留，遲緩。如「稽延」;
「稽遲」。❸名計較。如「反脣
相稽」。❹姓。
　▲名(qǐ)粵kɐi²〔啟〕❶「稽
首」：叩頭到地的最敬禮。❷
「稽顙」：喪事時孝家回拜賓客
的禮，雙膝跪下，把額頭觸
地。

稷 (jì)粵dzik⁷〔跡〕❶沒有黏
性的黍，即是高粱。❷古代主
管農事的官。❸百穀之長，五
穀之神。如「社稷(土地神跟穀
神)」。

稼 (jià)粵ga³〔嫁〕❶種穀。如
「耕稼」;「稼穡」。❷稻麥等
作物。如「莊稼」。
【積】同「繢」，見542頁。
【稈】同「稚」，見499頁。

十一畫

穆 (mù)粵muk⁹〔木〕❶形溫和
的樣子。如「穆如清風」。❷
莊敬的樣子。如「肅穆」。❸形
靜默的樣子。如「穆然」。❹宗
廟神位的次序。左邊是「昭」;
右邊是「穆」。❺姓。

積 (jī)粵dzik⁷〔績〕❶堆聚。如
「積聚」;「堆積」。❷時間長
久。如「積年累月」;「積重難
返(積習深而難改)」。❸算術
乘法的得數。

穇 (cǎn)粵sam¹〔衫〕一種穀類
植物，子果可吃，也可作飼
料。

穄 (jì)粵dzɐi³〔祭〕泛指沒有黏
性的黍粟之類。

穌 (sū)粵sou¹〔鬚〕❶死而復
生。如「復穌」。也作「蘇」、
「甦」。❷「耶穌」：見741頁
「耶」字。

穎(穎) (yǐng)粵wiŋ⁶〔泳〕❶
名禾的尖端。如「嘉
禾重穎」。❷名毛筆尖。如「毛
穎(毛筆)」;「穎端(毛筆
頭)」。❸名錐子尖。如「脫穎
而出」。❹名聰明。如「聰穎」;
「穎悟」。❺「新穎」：新奇，與
一般不同的。如「花樣新穎」。
【穎】見頁部，814頁。
【穅】同「糠」，見525頁。

十二至十七畫

穗 (suì) 粵 sœy⁶〔睡〕❶穀類植物所結的果實。如「稻穗」;「麥穗」。❷用絲或線做的裝飾像穗的形狀的。如「絲線穗兒」。❸廣州市的別名。
【穉】同「稚」,見499頁。

穠 図(nóng) 粵 nuŋ⁴〔農〕luŋ⁴〔龍〕(俗)❶花木繁盛的樣子。如「夭桃穠李」。❷「穠纖」:繁密跟細小。

穢 図(huì) 粵 wɐi³〔畏〕❶田裏的雜草。❷骯髒的。如「汚穢」。❸醜惡的行為。如「穢行」;「穢事」。❹淫亂,猥褻。如「淫穢」;「穢亂」。

穡 図(sè) 粵 sik⁷〔色〕收割穀物。如「稼穡」。

穫 ▲(huò) 粵 wɔk⁹〔獲〕❶收割穀物。❷「收穫」:①割取成熟的農作物。②所得到的成果。

　　▲(hù) 粵 wu⁶〔戶〕「焦穫」:古澤藪名,在今陝西省境。

穧 図(jì) 粵 dzɐi⁶〔滯〕剛割下的農作物。

穩 図(wěn) 粵 wɐn²〔揾〕❶妥當,安定。如「穩當」;「平穩」。❷沉着不輕浮。如「穩健」。❸準。如「十拿九穩」。
【穨】同「頹」,見814頁。

【穤】同「糯」,見525頁。

穭(稆) 図(lǔ) 粵 lœy⁵〔呂〕不種自生的穀物。

穰 図▲(ráng) 粵 jœŋ⁴〔羊〕❶穀類植物的莖。❷豐收。如「大穰」。

　　▲(rǎng) 粵 jœŋ⁵〔養〕❶興盛。如「人稠物穰」。❷「穰穰」:①豐盛的樣子。詩經有「降福穰穰」。②紛亂。如「天下穰穰」。

【穴部】

穴 (xué) ⑧ jyt⁹〔月〕❶ 岩洞，地洞。如「穴居野處」。❷洞，窩巢。如「巢穴」；「虎穴」。❸墓地。如「死則同穴」。❹孔。如「鑽穴」。❺人體經脈要害的地方。如「穴道」；「穴位」。

一至三畫

【空】古「挖」字，見249頁。

究 (jiū) ⑧ geu³〔救〕❶細心推求。如「研究」；「尋根究底」。❷終，到底。如「究竟」；「究應如何處理」。❸図「究竟」：①憎惡。詩經有「自我人究究」。②不止。楚辭有「長吟永欷，涕究究兮」。

空 ▲ (kōng) ⑧ huŋ¹〔凶〕❶虛，沒東西，不切實的。如「空虛」；「空無所有」；「儘說空話」。❷白白的；枉費。如「空跑一趟」；「空歡喜一場」。❸寬綽而沒有限制、阻礙。如「海闊天空」；「秋水空明」。❹天上，地面以上的。如「晴空」；「領空」；「航空」。❺指佛教。如「遁入空門」。❻「空中樓閣」：比喻幻想或虛構的事物。❼「空穴來風」：比喻有了缺點，引起外界不實在的傳聞。❽「空谷足音」：比喻難得的人物或言論。❾「空空洞洞」：空洞無物的樣子。

▲ (kòng) ⑧ huŋ¹〔凶〕❶間隙。如「留個空」；「鑽空子」。❷閒暇。如「空閒」；「今天沒空」。❸留下待用。如「空白」；「空着一個坐位」；「空出一塊土地」。❹窮乏負債。如「虧空」。❺倒懸或傾斜。如「空着頭，好難受」；「洗好了豆兒先把水空出來」。

穹 図 (qióng) ⑧ kuŋ⁴〔窮〕❶天空。如「穹蒼」。❷中間高起，周緣下垂的。如「穹廬(蒙古包)」。❸深。如「穹谷」。❹「穹窿」：①高大而中間隆起的圓形。②長而曲的樣子。

窏 図 (xī) ⑧ dzik⁹〔夕〕「窀窏」：見504頁「窀」字。

【帘】見巾部，180頁。

四至九畫

突 (tū) ⑧ det⁹〔凸〕❶忽然。如「突然」；「突變」。❷觸犯。如「衝突」；「唐突」。❸衝破。如「突圍」；「突破紀錄」。❹烟囪。如「曲突徙薪」。❺「突突」：害怕或緊張時候心跳加快。

窀 囝(zhūn)粵dzœn[1]〔津〕「窀穸」：墓穴。

穿 (chuān)粵tsyn[1]〔川〕❶鑿通。如「穿孔」；「穿井」。❷貫通孔眼。如「穿針」；「穿串珠兒」。❸泛指通過。如「穿過馬路」。❹着衣着鞋。如「穿衣」；「穿鞋」。❺破成洞。如「鞋底穿了」。❻明，透。如「說穿」；「看穿」。❼囝貫通，會通。漢書有「貫穿經傳」。❽「穿梭」：比喻來去不停。❾「穿梭機」：一種由火箭運載進入太空，繞地球飛行，然後再進入大氣層，返回地面的載人航天飛機。
【穽】同「阱」，見783頁。

窆 囝(biǎn)粵bin[2]〔匾〕下葬。如「告窆（喪家把下葬的日期通知親友）」。

窄 (zhǎi)粵dzak[8]〔責〕❶狹隘，跟「寬」相反。如「窄路」；「狹窄」；「心眼兒窄」。❷不寬裕。如「窄日子眞是難過」。

窅 囝(yǎo)粵jiu[2]〔妖〕❶深遠。如「窅眇」；「窅冥」。❷「窅窅」也作「窈窈」：①隱晦的樣子。②深遠的樣子。❸「窅然」：悵然。❹通「窈」，見本頁。
【窊】同「窪」，見505頁。

窈 囝(yǎo)粵miu[5]〔秒〕❶深遠，幽暗。淮南子有「深微窈冥」；史記「項羽紀」有「窈冥畫晦」。❷「窈窕」：①美好的樣子。詩經有「窈窕淑女，君子好逑」。②妖冶的樣子。③深遠的樣子。

窕 囝(tiǎo)粵tiu[5]〔提了切〕❶閑靜。❷美好的樣子。❸「窈窕」：見本頁「窈」字。

窒 囝(zhì)粵dzet[9]〔姪〕❶阻塞。如「窒礙」；「窒息」。❷抑制。如「窒欲」。
【窨】同「窨」，見505頁。
【窗】同「窗」，見本頁。

窖 (jiào)粵gau[3]〔教〕❶儲藏東西的地洞。如「地窖」。❷把東西藏在地窖裏。如「窖冰」「窖果子」。

窘 (jiǒng)粵kwen[3]〔困〕❶窮迫，窮困。如「困窘」；「生活很窘」。❷難住。如「受窘」「這就把他窘住了」。❸困惑。如「窘態畢露」。

窗 (窓、窻、牕) (chuāng)粵tsœŋ〔昌〕❶牆上開口用作通氣透光的裝置。如「窗戶」。❷指讀書的地方。如「窗課」；「窗友」。

窠 囝(kē)粵fɔ[1]〔科〕❶動物棲息的洞穴。如「虎窠」。❷囝「窠臼」：舊格式，老套。

窟 (kū) 粵 fet⁷〔忽〕❶洞穴，孔。如「窟窿」。❷獸穴。如「狡兔三窟」。❸聚集容身的地方。如「賭窟」；「匪窟」；「貧民窟」。

窣 図(sū) 粵 sœt⁷〔恤〕❶「窣窣」：描寫聲音的詞：①風聲。李建勳詩有「陰風窣窣吹紙錢」。②細碎聲。辛棄疾詩有「靜聽窣窣蟹行沙」。❷「窸窣」：見506頁「窸」字。

窨 ▲(yìn) 粵 jem³〔蔭〕❶地下室。如「地窨子」。❷久藏在地窨裏。如「窨藏」。
▲(xūn) 粵 fen¹〔分〕用鮮花把茶葉熏香。

窪(窊) (wā) 粵 wa¹〔蛙〕❶深凹進去。如「眼眶子窪進去」。❷指低陷的地方。如「窪地」；「水窪」。

窩 (wō) 粵 wo¹〔倭〕❶禽獸跟昆蟲住的地方。如「豬窩」；「雞窩」；「螞蟻窩」。❷人的住處，有笑謔的意味。如「挪窩（搬動住處）」。❸藏匿。如「窩藏」；「窩家」。❹壞人住的地方。如「賊窩」；「土匪窩」。❺把直的東西弄彎。如「把鐵絲窩個圈圈兒」。❻量詞，動物一胎叫一窩。如「生下一窩小貓」。❼「窩心」：受了侮辱或誣害而無法表白。❽「窩囊」：

罵人飯桶無能的話。

窬 図(yú) 粵 jy⁴〔如〕在牆上挖的窟窿。如「穿窬之小盜」。

十至十七畫

窮 (qióng)粵kun⁴〔邛〕❶缺少錢財。如「窮苦」；「貧窮」。❷極，盡。如「趣味無窮」；「理屈詞窮」。❸推求到極點。如「窮根究底」；「窮理盡性」。

窰(窑、窯) (yáo) 粵 jiu⁴〔搖〕❶燒製陶器的竈，也指稱其工場。如「甎窰」；「瓦窰」。❷採煤的洞。如「煤窰」。❸山西、陝西、甘肅等地在土坡上挖洞居住的洞穴。如「窰洞」。❹「窰子」：妓院。

窳 図(yǔ) 粵 jy⁵〔羽〕❶東西粗糙不堅緻。❷懶惰。❸弱。❹惡劣。

窵 (diào) 粵 diu³〔弔〕❶「窵窅」：形容深遠的樣子。❷「窵遠」：離得很遠。

窺(闚) 図(kuī)粵kwɐi¹〔規〕偷看。如「窺伺」；「窺探」；「管窺蠡測（比喻所見淺小）」。

窶 図▲(jù) 粵 gœy⁶〔巨〕貧窮。如「窶人之子」。
▲(lóu) 粵 leu⁴〔流〕「甌窶」：高地狹小的地方。史記

有「甌窶滿篝(意思是希望貧瘠的地方豐收，收穫滿篝籠)」。

窸 囡(xī)粵sik⁷[色]「窸窣」：形容細碎而又斷斷續續的聲音。

窿 (lóng)粵luŋ⁴[隆]luŋ¹[拉翁切](語)❶「窟窿」：見505頁「窟」字。❷「穹窿」：見503頁「穹」字。

竅 (qiào)粵kiu³[卡要切]❶孔穴。如「耳、目、口、鼻」合稱「七竅」。❷要點。如「竅門」；「一竅不通」。

竄 (cuàn)粵tsyn²[喘]❶逃走，亂跑。如「抱頭鼠竄」；「東奔西竄」。❷形容敵軍或成羣的盜匪的行動。如「流竄」；「竄擾」。❸囡放逐。書經上有「竄三苗於三危」。❹囡修改文字。如「竄改」；「點竄」。

竇 (dòu)粵dɐu⁶[豆]❶孔穴，窟窿。如「鼻竇炎」；「疑竇(可疑的漏洞)」。❷姓。

竈(灶) (zào)粵dzou³[支澳切]煮食物的地方。如「爐竈」。

竊 (qiè)粵sit⁸[屑]❶偷盜。如「竊盜」；「竊案」。❷小偷。如「慣竊」；「鼠竊」。❸囡私下的，指自己說，是「我個人」的意思。如「竊思」；「竊念」；「竊為足下不取」。❹囡暗地裏。

如「竊笑」。❺囡「竊竊」：①私下裏談說的樣子。②分析辨別。莊子書有「竊竊然知之」。

【立部】

立 (lì)粵lap⁹〔蠟〕❶直着身子站着。如「立正」;「直立不動」。❷直豎起來。如「把棍立在門後」。❸建樹。如「立功」;「立業」。❹設置。如「創立」;「設立」。❺締結。如「訂立條約」;「雙方立個合同」。❻即時,馬上。如「立即」;「立刻」。❼生存。如「立身於世」;「獨立自主」。❽「立場」:①觀察事物和處理問題時所持的態度。②泛指人所處的地位。

三至六畫

【妾】見女部,138頁。

竑 图(hóng)粵weŋ⁴〔宏〕❶廣大。❷量度。如「竑其輻廣」。

站 (zhàn)粵dzam⁶〔暫〕❶立,久立。如「站起來」;「站得住」。❷交通上停歇的地方。如「車站」。❸保持。如「這房子蓋得好,站個百八十年沒問題」。❹機關團體在各地設立的小單位。如「工作站」;「服務站」。

【竚】同「佇」,見23頁。

【竝】「並」的本字,見第4頁。

竟 (jìng)粵giŋ²〔景〕❶居然,想不到會這樣的。如「他竟敢不理我」。❷到底,結果。如「究竟」;「有志竟成」。❸图盡。如「未竟之功」;「夜讀已竟」。❹图窮究其事。如「窮原竟委」。

章 (zhāng)粵dzœŋ¹〔張〕❶成篇的文字。如「文章」;「篇章」。❷詩歌或文詞的段落。如「樂章」;「第四章第二節」。❸法規,條件。如「法令規章」;「約法三章」。❹印信。如「私章」;「簽名蓋章」。❺標誌。如「肩章」;「徽章」。❻條理。如「雜亂無章」。❼图文采。考工記有「赤與白謂之章」。❽姓。❾图通「嫜」,見145頁。❿通「彰」,見203頁。

【翊】見羽部,558頁。

【竫】同「凈」,見508頁。

七至八畫

童 (tóng)粵tuŋ⁴〔同〕❶未成年的人。如「孩童」;「學童」。❷沒長犄角的牛羊。易經有「童牛之牿」。❸山上沒草木或人禿頭。如「童山」;「頭童齒豁」。❹愚昧無知。如「童昏」;「童蒙(年幼無知)」。❺姓。❻图「童童」:①樹蔭下垂的樣子。②樹沒有枝葉的樣子。❼

立部 立 (3-7) 妾竑站竚竝竟章翊竫童 507

「童話」：專為兒童編寫的故事。文字淺白有趣，情節動人，能啓發兒童的幻想。❽通「僮」。如「書童」。見35頁。

竣 図(jùn)⑧dzœn³〔俊〕事情完畢。如「竣工」；「竣事」。

竦 図(sŏng)⑧suŋ²〔聳〕❶恭敬的樣子。❷伸長脖子，提起腳跟站着。如「竦立」。❸同「悚」，見219頁。❹通「聳」，見568頁。

【竢】同「俟」，見28頁。

諍(诤) 図(jìng)⑧dziŋ⁶〔淨〕❶安靜。如「諍立安坐」。❷編造。如「諍言(偽造的話)」。

【靖】見青部，802頁。
【竪】同「豎」，見692頁。
【意】見心部，223頁。

九至十五畫

端 (duān)⑧dyn¹〔多寃切〕❶正直的。如「端正」。❷事物的起頭。如「開端」。❸原因。如「無端」。❹用手捧着東西。如「端茶」；「端碗」。❺到底。如「營營端為誰」。❻事物的一頭。如「筆端」；「末端」；「兩端」。❼「端木」：複姓。❽「端的」：①果然，眞的。②究竟，底細。❾「端詳」：①仔細打量。②始末，詳情。如「細說端詳」。③端莊安詳。如「容止端詳」。

竭 (jié)⑧kit⁸〔揭〕❶盡。如「竭力」。❷乾涸。如「山崩川竭」。

【颯】見風部，819頁。

競(竞) (jìng)⑧giŋ⁶〔勁〕❶比賽，爭逐。如「競賽」；「競爭」。❷図強。左傳有「心則不競，何憚於病」。

【竹部】

竹 (zhú) 粵 dzuk⁷〔足〕❶ 常綠多年生植物，莖直有節，中空質硬，可以做建築材料，也可以做傢具。❷ 八音之一，是簫管類的樂器跟樂音。如「絲竹並奏」。❸ 姓。❹ 圀「竹帛」：簡策和縑帛。古時沒有紙，在竹簡上刻字或用白絹寫字。

二至四畫

竻 圀(lè) 粵 lεk⁹〔離墨切〕❶ 竹根。❷ 有刺而堅的竹。

竺 (zhú) 粵 dzuk⁷〔竹〕❶「天竺」：印度的古名。❷ 姓。

竿 (gān) 粵 gɔn¹〔干〕竹幹。如「竹竿」；「釣竿」。

笓 (chí) 粵 tsi⁴〔池〕同「篪」，見516頁。

竽 (yú) 粵 jy⁴〔如〕jy¹〔于〕(又)古樂器，笙類，有三十六簧，長四尺二寸。

笆 (bā) 粵 ba¹〔巴〕❶ 有刺的竹籬。如「竹籬笆」。❷ 泛指用竹子或條狀物編成的障隔。❸「笆斗」：柳條編成的盛糧食的器具。

笏 (hù) 粵 fet⁷〔忽〕古代大臣朝見皇帝時所執的手版。

笈 圀(jí) 粵 kεp⁷〔級〕書箱。如「負笈從師」。

笑 (咲) (xiào) 粵 siu³〔嘯〕❶ 快樂時面部的表情。如「微笑」；「哈哈大笑」。❷ 譏嘲。如「嘲笑」；「取笑」。❸「笑柄」：取笑的資料。❹「笑話」：①能使人發笑的話或事。②引伸作輕視或譏諷。如「簡直是笑話」。

笊 圀(zhào) 粵 dzau³〔罩〕「笊籬」：在水裏撈東西的器具，形狀好像蜘蛛網，用竹篾、柳條或金屬線編成的。

笫 圀(zǐ) 粵 dzi²〔紙〕牀席。左傳有「牀笫之言不踰閾」。

【笔】同「筆」，見510頁。

【笋】同「筍」，見512頁。

【笨】同「莽」，見511頁。

五畫

笨 (bèn) 粵 bεn⁶〔步刃切〕❶ 不靈巧。如「笨重」；「笨手笨腳」。❷ 不聰明。如「笨拙」；「愚笨」。

笸 (pǒ) 粵 pɔ²〔回〕「笸籮」：用柳條兒編成的盛東西的器具。

笢 (mǐn) 粵 mεn⁵〔敏〕❶ 竹篾。❷「笢子」：頭梳。也叫「梳子」。

范 (fàn)⑧fan⁶〔飯〕竹子做的模型器。

符 (fú)⑧fu⁴〔扶〕❶古人用來作憑證的東西，把用竹、木、金、玉做的牌子，劈成兩半，雙方各執其一作爲信物。如「虎符」；「符節」。❷記號。如「符號」；「音符」。❸術士所寫的神祕文字。如「符咒」；「符籙」。❹相合。如「符合」；「言行相符」。❺姓。

笪 (dá)⑧dat⁸〔靼〕❶粗的竹席，常作曬穀用。如「穀笪」。❷牽船索。❸姓。

笛 (dí)⑧dɛk⁹〔糴〕❶竹製的樂器，有七孔。❷吹氣發聲的哨子。如「警笛」；「汽笛」。

第(弟) (dì)⑧dɐi⁶〔弟〕❶指次序。如「等第」；「第三名」。❷住宅。如「第宅」；「門第」。❸科舉時代應試及格的等次。如「及第」；「不第(不及格)」；「落第」。❹圖但。如「第靜觀其變」。❺「第三者」：雙方當事人以外的人。法律上稱「第三人(當事人之間的行爲得對抗惡意第三人，而不能對抗善意第三人)」。

笤 (tiáo)⑧tiu⁴〔條〕「笤帚」：掃除塵土的用具。多用高粱穗、黍子穗、棕或細竹枝做成。

笠 (lì)⑧lɛp⁷〔粒〕「斗笠」：竹篾跟竹葉做成的帽子，可以擋雨遮陽。

笳 (jiā)⑧ga¹〔加〕胡人捲蘆葉製成的樂器。如「胡笳」。

笞 圖(chī)⑧tsi¹〔雌〕❶舊時的五刑之一，是用竹板子打。如「鞭笞」；「笞刑」。❷舊刑具，用竹片製成，俗稱「小板子」。

笘 (shān)⑧sim³〔沙厭切〕「竹笘」：從前學生寫字用的竹片，塗上白堊，寫完可以擦掉再寫。

笙 (shēng)⑧sɐŋ¹〔生〕管樂器名，有十三根長短不同的竹管，每根竹管都有一個簧，用嘴吹的。

笮 ▲(zé)⑧dzak⁸〔責〕❶圖承屋瓦的竹蓆。❷圖窄迫。如「壓窄」。❸姓。
▲圖(zhà)⑧dza³〔炸〕❶酒器。❷榨，壓。

笥 (sì)⑧dzi⁶〔自〕古時用竹或葦作的盛飯或放衣物的方形器具。

六畫

筆(笔) (bǐ)⑧bɐt⁷〔不〕❶寫字畫畫用具。如「鉛筆」；「毛筆」；「畫筆」。❷字畫

上着墨的痕迹。如「這一筆寫得太好了」。❸図書寫，記述。如「代筆」;「筆之於書」。❹量詞。一宗，一件。如「這一筆帳還沒淸」。❺像筆一樣直。如「筆直」;「筆挺」。❻指文人寫作的技巧。如「筆法」;「伏筆」。❼「筆耕」：靠寫字或寫文章過活。❽「筆畫」：指寫字的點橫直撇捺。❾「筆算」：用筆在紙上寫數字的運算法。是對「珠算」、「心算」及其他計算方法說的。❿「筆戰」：彼此寫文章辯論。

筏(fá)[粵]fɐt[9]〔伐〕渡水的竹排或木排。如「竹筏」;「木筏」。

答(荅)▲(dá)[粵]dap[8]〔搭〕❶應對。如「回答」;「一問一答」。❷還報。如「答禮」;「報答」。

▲(dā)[粵]dap[8]〔搭〕❶「答應」：①應聲回答。②允許。❷「答理」：跟人講話或打招呼。❸「答答」：①竹聲。②害羞的樣子。

等(䒭)(děng)[粵]dɐŋ[2]〔戥〕❶品級，次第。如「等第」;「等級」。❷相同。如「相等」;「等分」。❸待，候。如「等候」;「等待」。❹不止一種，一時說不出或說不完，用「等」或「等等」表示。如「媽媽今天買了很多東西，有魚、肉、菜等等」;「我的桌子上有筆、紙、計算機等用具」。❺儕輩。如「爾等(你們)」;「渠等(他們)」;「我等」。❻「等於」：相等，相同。如「費了半天勁，效果等於零」。❼「等閒」：①不留意。岳飛滿江紅詞有「莫等閒，白了少年頭」。②尋常，容易對付的。如「來人並非等閒之輩」。

筒(筩)(tǒng)[粵]tuŋ[2]〔統〕❶竹管。如「郵筒(古代寄信時裝信件用的竹筒)」。❷稱各種管狀的像竹筒的東西。如「筆筒」;「煙筒」;「郵筒(設在路旁的寄信筒)」;「袖筒」;「槍筒」。

筐(kuāng)[粵]hɔŋ[1]〔康〕本來是盛物的方形竹器，現在通稱竹篾或柳條等等所編的盛物的器具。如「土筐」;「籮筐」。

笄(筓)(jī)[粵]gɐi[1]〔雞〕❶古人盤頭髮用的簪子。❷指女子到了十五歲。如「及笄之年(意思是成年)」。

筊(jiǎo)[粵]gau[2]〔絞〕❶竹索。❷同「筊」，見435頁。

筋(jīn)[粵]gɐn[1]〔斤〕❶肌肉裏面的柔韌物。如「筋肉」。❷俗稱連着骨頭的韌帶。如「牛

蹄筋」。❸靜脈管的俗稱。如「青筋暴起」。❹肌肉上的力量。如「筋力」。❺「筋斗」也作「觔斗」;跟頭:把頭着地用力讓身體倒翻過去。

荃 図(quán)粵tsyn⁴〔全〕❶捕魚的竹器。❷「得魚忘荃」:比喻人在成功之後忘本。

筇 (qióng)粵kuŋ⁴〔窮〕竹名,可以做枴杖,所以稱竹杖為筇。

筑 ▲(zhú)粵dzuk⁷〔竹〕❶古樂器,形狀像琴,十三弦。❷貴陽市的別稱。

　　▲「築」字的簡化,見517頁。

策(筴、筞) (cè)粵 tsak⁸〔冊〕❶古人把竹簡一片一片串起來,用作記事。如「簡策」;「史策」。❷古時任官封爵的符令;也作動詞,指皇帝任命或封爵。如「策封」。❸計劃,謀略。如「策劃」;「政策」;「策略」。❹舊時一種談論政事的論文。❺科舉時代考試的一種文體。如「策論」;「策問」。❻図馬鞭。❼用馬鞭驅馬。如「策馬」。❽図「策策」:狀聲詞,落葉聲。❾「策應」:①跟友軍呼應聯絡,截斷或牽制擊破敵軍。②互相呼應支援。❿「策源地」:

發源地,根據地。

筍(笋) (sǔn)粵sœn²〔榫〕❶竹根長出的嫩芽,可以做菜吃。❷「筍虡」:懸鐘磬的架。橫木叫筍;直木叫虡。❸通「榫」,見333頁。
【笓】同「篦」,見516頁。
【筘】同「篯」,見517頁。
【笋】同「筍」,見514頁。

七至八畫

筢(pá)粵pa⁴〔爬〕農家取草的竹器,有五齒。

筵(tíng)粵tiŋ⁴〔亭〕❶紡紗的器具。也作「錠」。❷図小竹。

筸(gǎn)粵gɔn²〔趕〕「鎮筸」:地名,在湖南鳳凰縣。

筷(kuài)粵fai³〔快〕箸,夾菜的食具。如「竹筷子」。

筧図(jiǎn)粵gan²〔柬〕導水用的長竹管。

筥(jǔ)粵gœy²〔舉〕圓形的盛米的竹器。

筱(篠) (xiǎo)粵siu²〔小〕❶小竹子。❷ 通「小」,見162頁。

筭(suàn)粵syn³〔算〕❶計算時所用的籌碼。如「筭籌」。❷同「算」,見514頁。

筯(zhù)粵dzy⁶〔住〕dzy³〔著〕(又)同「箸」,筷子。見51

筮 (shì) 粵sei⁶〔誓〕古時用蓍草占卜。

筲(䈰) (shāo) 粵sau¹〔梢〕❶図古時候一種竹製的容器，容納一斗二升。❷挑水的水桶。如「水筲」。❸量詞。一桶水叫「一筲水」。❹「筲箕」：淘米的竹器。❺「斗筲」：形容量小。論語有「斗筲之人，何足算也」。

筵 (yán) 粵jin⁴〔延〕❶竹席。❷席，位。如「講筵」。❸酒席。如「筵席」；「喜筵」。

筠 ▲ (yún) 粵wen⁴〔云〕❶竹皮。❷図竹。如「松筠之操（褒揚人的貞節）」。

▲ (jūn) 粵gwen¹〔君〕「筠連」：縣名，在四川省。

【筞】同「策」，見512頁。
【筴】同「策」，見512頁。
【筩】同「筒」，見511頁。
【筦】同「管」，見本頁。
【節】同「節」，見515頁。

箔 (bó) 粵bok⁹〔薄〕❶用葦編的大而密的簾子。如「葦箔」。❷養蠶具。如「蠶箔」。❸把金屬物打成薄片。如「金箔」；「錫箔」。

箅 (bì) 粵bei³〔庇〕平面有空隙的竹器，放在鍋裏水面上以方便蒸或餾東西。俗稱「算子」。

箇 (gè) 粵go³〔加課切〕❶同「个」，見17頁。❷同「個」，見29頁。❸「箇舊」：縣名，在雲南省。❹図「箇中人」：此中人，局中人。

箍 (gū) 粵ku¹〔卡烏切〕❶用竹篾或金屬條束緊物體。如「木桶散了，叫人把它箍好」。❷束緊物體的竹篾或金屬圈。如「鐵箍」。

管(筦、㸑) (guǎn) 粵gun²〔館〕❶簫笛一類的樂器。如「簫管」；「管樂器」。❷中空的圓柱形的東西。如「血管」；「自來水管」。❸主持，辦理。如「管理」；「管帳」。❹負責，供給。如「管吃」；「管住」。❺顧慮。如「不管人家的死活」；「好壞不管，全買下來」。❻拘束，教導。如「管束」；「管教」。❼關係，干涉。如「去不去，管我什麼事」。❽準，保證。如「管保成功」；「包管你滿意」。❾不論，即使。如「不管」；「儘管」。❿図筆。如「握管」。⓫図鑰匙。如「管鑰」。⓬姓。⓭「管鮑」：管仲跟鮑叔牙，兩人交情很好，所以用「管鮑」來比喻友誼深厚。⓮図「管窺蠡測」：從竹管孔看天

空;用貝殼測量海水。比喻對事物了解得太窄,不夠全面。漢書有「以管窺天,以蠡測海」。

箜(kōng) 粵 hung¹〔空〕「箜篌」:樂器名,像瑟而較小,有二十三條絃(史記說是二十五條絃),用木撥彈。

箕(jī)粵gei¹〔基〕❶揚米去糠的竹器,略成方形,三面有矮沿。如「簸箕」。❷掃地盛垃圾灰土的用具。如「畚箕」;「箕帚」。❸星名,二十八宿之一。❹姓。❺「箕斗」:①人手指紋。螺形的叫斗;不成斗的叫箕。②箕宿和斗宿,都是星宿名。❻図「箕裘」:繼其父業並保持完整。如「克紹箕裘」。

箋(牋)(jiān)粵dzin¹〔煎〕❶幅小而精美的紙。如「錦箋」。❷図泛稱信札。如「信箋」。❸図古書的注釋。如「箋注」。❹図古文體名,屬於奏記之類。如「箋奏」。

箐(qìng)粵dzing¹〔精〕雲南、貴州一帶指大竹林子。

箘図(jùn)粵kwen²〔菌〕❶竹筍。❷「箘簵」:竹名。❸「箘桂」:植物名,是桂的一種。

箝(拑、鉗)(qián)粵kim⁴〔鈐〕❶

鐵製的工具,如「箝子(用來夾起釘子或轉動固着的物[件]的)」;「火箝(夾炭進出炭[爐]的)」。❷夾住。如「箝制[」;「把煤炭箝出來」。❸図「箝口」:①脅迫人使他不敢說話。②人自己緘默不肯發言

箏(筝)(zhēng) 粵 dze[ng]〔僧〕❶樂器,形制像瑟,古時十二根絃,後來改為十六根絃。❷「風箏」:①[用]紙糊在竹架上,引長線藉風力而飛升的玩具。又名「紙鳶」。②図屋角簷所懸的「鐵馬」,現在俗稱「風鈴」。杜甫詩有「[簷]箏吹玉柱」。

箠(棰)図(chui)粵 tsœy[]〔徐〕❶馬鞭。❷「箠[楚]」:杖刑。

箑図(shà)粵 sɐp⁸〔霎〕dzi[]〔捷〕(又)扇子。

算(祘)(suàn)粵syn³〔蒜〕❶核計數目。如「算[賬]帳」;「能寫會算」。❷計劃。如「打算」;「算無遺策」。❸[推]測。如「算命」。❹當作,認[]為。如「這事還不能算完[」];「算是我的錯好了」。❺承認。如「說話要算數」。❻作罷,完結。如「算了算了,別吵啦」。❼可以認為。如「吃的虧算[是]不大」。❽「算盤」:中國的一

種傳統計算工具。

【箃】同「簁」，見516頁。

【箄】同「簲」，見518頁。

【箒】同「帚」，見180頁。

【箸】同「著」，見516頁。

九畫

篇 (piān)⑨pin¹〔偏〕❶頭尾完整的文字。如「一篇論文」；「短文三篇」。❷書的部分。如「孟子七篇」。❸量詞：①紙一頁叫一篇。如「篇幅（書本、報紙的總面積）」。②指文章。如「一篇文章」。❹「篇章」：①書籍。②詩。

範 (fàn)⑨fan⁶〔飯〕❶法式、模型。如「模範」；「規範」。❷界限。如「範圍」；「就範」。❸「範疇」：人類認識外物形成概念的根本思惟形式。

篌 (hóu)⑨heu⁴〔喉〕「箜篌」，見514頁「箜」字。

篁 図(huáng)⑨wɔŋ⁴〔黃〕❶竹的通稱。❷竹林。如「幽篁」。

節(節、莭) ▲(jié)⑨dzit⁸〔折〕❶植物枝幹的連接處。如「松節」；「節上生枝」。❷動物骨骼相連接的部分。如「關節」；「骨頭節兒」。❸文章的段落。如「章節」；「三章十六節」。❹事情的情形。如「情節」；「不拘小節」。❺人的操守。如「節操」；「氣節」。❻禮儀。如「禮節」。❼音樂的拍子。如「節奏」；「三個小節」。❽約束，限制。如「節制」；「節育」。❾減省。如「節儉」；「節衣縮食」。❿時令。如「節氣」。⓫每年在固定的日子舉行慶祝、宴樂或祭祀。如「端午節」；「兒童節」；「青年節」；「清明節」。⓬古時外交人員所執的信物。⓭代表國家駐在外國辦事的外交人員。如「使節」。⓮選取一部份的。如「節選」；「節譯」。⓯姓。⓰「節度使」：古官名。在重要地方設總管，統攬數州軍事大權。

▲(jie)⑨dzit⁸〔折〕「節骨眼（兒）」：方言詞，比喻緊要的、能起決定作用的環節或時機。

箭 (jiàn)⑨dzin³〔戰〕❶搭在弓上射出去的古兵器，文言叫「矢」。如「弓箭」；「箭靶子」。❷形容飛快。如「一個箭步」；「光陰似箭」。❸図指竹子說。如「嘉樹美箭」。❹「箭子」：指花梗、花軸、乇伸出的花苞。如「蘭花出了箭子」。❺「箭竹」：竹的一種，堅勁可製箭。

篋 ☒(qiè)⑧hap⁹〔峽〕收藏東西的小箱子。如「翻箱倒篋」。

筅(筿)⑴(xiǎn)⑧sin²〔洗〕「筅帚」：俗稱「炊帚」，是刷鍋的刷子，用竹篾或植物的根做的。現在已改用化學纖維製作。

箱 (xiāng)⑧sœŋ¹〔商〕❶收藏衣物的器具。如「皮箱」；「樟木箱子」。❷像箱子樣可容納裝載物的東西。如「冰箱」；「貨箱」；「車箱」。❸☒古時指倉廩說。詩經有「乃求萬斯箱」。❹量詞。如「一箱書」；「貨物一箱」。❺商品的包裝單位。如「裝箱」。

箴 ☒(zhēn)⑧dzɐm¹〔針〕❶規戒，勸告。如「箴言」；「箴諫」。❷一種寓意規戒的文體。

箸(筯)(zhù)⑧dzy⁶〔住〕dzy³〔著〕(又)❶吃飯時夾菜用的器具。即是筷子。也作「筋」。❷同「著」，顯明。見613頁。

篆 (zhuàn)⑧syn⁶〔時願切〕❶書體。如「大篆」；「小篆」；「篆體」。❷「篆書」：分大篆、小篆。大篆相傳是周宣王時太史籀所作；小篆相傳是秦朝李斯所作。篆書也叫「篆字」、

「篆文」。❸☒尊稱別人的名字。如「台篆」；「雅篆」。❹☒印信。如「接篆」。❺「篆刻」：用篆字雕刻印章。

箾 ☒(shuò)⑧sok⁸〔朔〕❶用竹竿打人。❷古代一種舞竿。❸「箾蔘」：樹枝高長的樣子。

箬(篛)(ruò)⑧jœk⁹〔若〕❶箬籜。❷「箬竹」：一種矮竹，高三四尺，葉子大，可做竹笠或包粽子用。

十至十二畫

篦 (bì)⑧bei⁶〔避〕❶「篦子」：用細竹篾或塑膠原料做成的梳髮用具，齒比梳子密。❷用篦子梳。如「篦頭」。

篔 (yún)⑧wen⁴〔云〕「篔簹」：大竹名。

篨 (chú)⑧tsœy⁴〔躇〕「籧篨」：見520頁「籧」字。

篪(箎)(chí)⑧tsi⁴〔池〕古時一種用竹管製成的樂器，像笛，橫吹，有八孔。

篚 (fěi)⑧fei²〔匪〕❶古時收藏衣物的圓形竹器，常跟筐合稱「筐篚」。❷禮器用，長方形的。

篤 ☒(dǔ)⑧duk⁷〔督〕❶忠厚，誠實，意志純一。如「誠篤」；「篤厚」。❷全心全意的。如「篤學」；「篤信」。❸病

勢很沉重。如「病篤」;「篤疾」。

篙 (gāo)粵gou¹〔高〕撐船用的長竿子。如「拿篙把船撐開」。

篝 (gōu)粵geu¹〔加歐切〕keu¹〔卡歐切〕(又)❶竹籠。❷「篝燈」:用竹籠把燈光遮住。❸「篝火」:①把燈火放在籠裏,使隱約若燐火。②現在稱營火,在野外燃起的一堆堆的火。

籧 図 (jù)粵gœy⁶〔巨〕同「虡」,「籧籚」也作「籧虡」。見633頁「虡」;519頁「籧」。

築 (zhù)粵dzuk⁷〔竹〕❶建造。如「築路」;「建築」。❷図把鬆土砸實。如「版築」。❸用兵器刺人。如「豬八戒用釘耙築了過去」。❹図房子的雅稱。如「留月小築」。❺図「築室道謀」:在路邊造房子,遇上路人便上前請教。引作比喻毫無計劃時和人商量事情,結果一定是人多論雜,毫無收穫。出自詩經「如彼築室於道謀」。

篘 (chōu)粵tseu¹〔抽〕❶漉酒的用具。❷動詞,漉酒。

篩 (shāi)粵sɐi¹〔西〕❶有密孔的竹器。可以漏下細的,留下粗的,俗稱「篩子」。❷用篩子過東西。如「篩糠」;「篩煤」。❸敲,擊。如「篩鑼」。❹「篩酒」:把酒放在壺裏,擱在火上熱。

篡 (cuàn)粵san³〔散〕❶図奪取。如「篡竊」。❷大臣奪君位。如「王莽篡漢」。

【篛】同「箬」,見516頁。

篷 (péng)粵puŋ⁴〔蓬〕❶用竹片、葦蓆或織物做成遮陽擋雨的東西。如「車篷」;「布篷」。❷船帆。如「風來了,扯篷吧」。❸図比喻小船。皮日休詩有「一篷衝雪返華陽」。

篾 (miè)粵mit⁹〔滅〕把竹子、蘆葦劈成細而長的薄片。如「竹篾」。

篼 (dōu)粵dɐu¹〔兜〕❶竹做的爬山的轎子。❷盛東西的器具。

簍 (lǒu)粵leu⁵〔柳〕用竹子編的盛東西用的器具。如「字紙簍」;「火炭簍」。

簏 (lù)粵luk⁷〔碌〕高的竹箱子。

篸 (筘) (kòu)粵keu¹〔扣〕「篸子」:紡織機上打入緯紗的工具。

簀 図 (zé)粵dzak⁸〔責〕❶竹蓆。❷「易簀」:人將死。

簉 図 (zào)粵dzou⁶〔造〕副的,附屬的。如「簉室(妾,姨太

太)」。

篲 (huì，舊讀suì)ⓔsœy⁶〔遂〕wei⁶〔惠〕(又)同「彗」，竹帚。見201頁。

簇 (cù)ⓔtsuk⁷〔促〕❶叢聚，成團的，成堆的。如「花團錦簇」；「一簇人馬」。❷很新的。如「簇新」。❸同「鏃」。如「箭簇」。見770頁。

簌 (sù)ⓔtsuk⁷〔促〕❶ⓩ菜。詩經有「其簌維何」。❷「簌簌」：①細碎的聲音。如「風一吹，樹林裏就簌簌地響起來」。②紛紛落下的樣子。如「淚珠簌簌地掉了下來」。
【篳】同「蓽」，見618頁。
【篠】同「筱」，見512頁。

簰 (箄、簿)(pái)ⓔpai⁴〔牌〕竹木做的大筏子。

簞 ⓩ(dān)ⓔdan¹〔單〕❶古時盛飯的圓形竹器。❷「簞食壺漿」：形容民眾踴躍勞軍的熱情。❸「簞食瓢飲」：形容安貧樂道的樣子。

簦 (dēng)ⓔdeng¹〔登〕古時有柄的笠，像現在的傘。

簟 ⓩ(diàn)ⓔtim⁵〔提染切〕❶竹蓆。❷ⓩ「簟簟」：平正的樣子。

簣 ⓩ(kuì)ⓔgwei⁶〔櫃〕盛土的竹器。

簧 (huáng)ⓔwong⁴〔黃〕❶樂器裏振動發聲的薄銅片。如「簧樂器」。❷器物裏能夠發生彈力的機件。如「彈簧」；「鎖簧」。❸ⓩ「簧鼓」：①花言巧語蠱惑別人。莊子書上有「使天下簧鼓」。②比喻花言巧語的人。如「如簧之舌」。

簡 (簡)(jiǎn)ⓔgan²〔柬〕❶古時候沒有紙，用來寫字的竹板。如「竹簡」。❷古人把寫好字的竹簡一片片地串起來。如「簡策(意思是書)」。❸指書信。如「書簡」；「簡札」。❹ⓩ選擇，分別。如「簡拔」。❺單純的，淺顯的，容易懂的。如「簡單」；「簡明」。❻怠慢，輕忽。如「簡慢」。❼省略。如「簡略」；「簡筆字」。❽公務員的等級名。如「簡任官」。❾姓。❿「簡簡」：大的樣子。如「其聲簡簡然」。⓫「簡直」：①簡單直捷。②實在，完全，擴大誇張言語行動的程度或結果。如「這種行為簡直不是人類所有的」。⓬「簡練」：①ⓩ選擇以後加以練習揣摩。②簡單精要。如「文字簡練」。

簠 (fǔ)ⓔfu²〔苦〕古代祭祀時盛稻、粱的器具。

簫 (xiāo)粵siu¹〔宵〕古時稱多管密排的樂器；現在專稱單管的。如「洞簫」；「單簧簫」。

簪 (zān)粵dzam¹〔支監切〕❶古人縮髮的器具，質料有玉、金屬等。❷插上，戴上。如「簪花」。❸図聚集。如「簪盍艮朋」。

簨 図(sǔn)粵sœn²〔筍〕❶古時掛鐘磬的架子。❷「簨虡」也作「筍虡」。見512頁「筍」字。

十三至十五畫

簸 ▲(bǒ)粵bo³〔播〕❶用箕使米起落，去掉米糠和灰塵。❷搖動。如「顛簸」。❸「簸弄」：播弄，玩弄。

▲(bò)粵bo³〔播〕「簸箕」：①簸米的器具。②掃地時盛塵土的用具。

簹 (dāng)粵doŋ¹〔當〕「簹簹」：見516頁「簹」字。

簿 ▲(bù)粵bou⁶〔步〕bou²〔寶〕〔語〕❶記事或書寫的本子。如「日記簿」；「作文簿」。❷図「簿錄」：①典籍的目錄。②查抄財產。❸「鹵簿」：古時官員出行時在其前後的儀仗隊。

▲(bó)粵bok⁹〔薄〕同「箔」，養蠶用的器具。如「蠶簿」。見513頁「箔」。

籀 (zhòu)粵dzeu⁶〔就〕❶図「諷籀」：讀書。❷「籀文」：中國文字的古代體式，即是「大篆」，相傳是周太史籀所撰。

簾 (lián)粵lim⁴〔廉〕❶掛在門窗上遮陽的東西，一般是用細竹篾等材料編結成的。❷通「帘」，見180頁。

簵 図(lù)粵lou⁶〔路〕一種可以作箭的竹子。

簽 (qiān)粵tsim¹〔纖〕❶題寫名字或代表姓名的符號。如「簽名」；「簽押」；「簽約」。❷寫有文字的小紙條。如「簽條」；「標簽」。❸「簽呈」：公務機關屬下對長官的書面請示或請求。❹通「籤」，見520頁。

簷(檐) (yán)粵sim⁴〔蟬〕❶房頂斜下部分的下端。如「屋簷」；「前簷」。❷向下覆蓋的東西的邊緣。如「帽簷兒」。

籃 (lán)粵lam⁴〔藍〕❶用藤竹或金屬纖維等編織，用來盛東西的器具。如「菜籃」；「花籃」。❷籃球運動供投球的圓框。如「攻籃」；「籃下切入」。❸籃球的簡稱。如「籃壇」。

籍 (jí)粵dzik⁹〔夕〕❶書的總稱。如「書籍」；「古籍」。❷

戶口冊子。如「戶籍」。❸生長或久居的地方。如「籍貫」(簡稱「籍」);「本籍」;「祖籍」。❹囤登記在本子上。如「籍沒(把犯人的財產登記,全部沒收)」。❺姓。❻囤「籍籍」:紛亂喧吵的樣子。如「人言籍籍」。

籌(chóu)粵tsɐu⁴〔酬〕❶計數的工具。如「籌碼」。❷料量計劃。如「籌備」;「籌劃」。❸舊小說裏計算人的單位詞。水滸傳裏有「六籌好漢正在後堂飲酒」。❹「籌商」也作「籌議」:籌劃,商議。❺「籌算」:計算。

【纂】見糸部,547頁。
【籤】同「籤」,見本頁。
【籐】同「藤」,見627頁。

十六至二十六畫

籜(tuò)粵tɔk⁸〔托〕竹皮,筍殼。

籟(lài)粵lai⁶〔賴〕❶囤古代一種管樂器,即「簫」。如「鳴籟(吹簫)」。❷空虛處所發出的聲音。如「天籟(大自然的聲音)」;「萬籟俱寂」。

籙囤(lù)粵luk⁹〔錄〕❶「圖籙」:簿子。❷「符籙」:道士的符咒。

籠▲(lóng)粵luŋ⁴〔龍〕❶用竹子編的可以盛東西或蓋東西的器具。如「鳥籠」;「蒸籠」。❷從前拘禁犯人的竹木檻。如「囚籠」。❸「籠屜」:蒸籠。

▲(lǒng)粵luŋ⁵〔壟〕❶從前竹篾編成的盛物器或罩物器。淺的竹器叫箱;深的有蓋的叫籠。❷包括。如「籠統」。❸遮蓋,罩住。如「籠罩」。❹「籠絡」:用手段拉攏人。

籛(jiān)粵dzin¹〔煎〕姓。相傳商時的彭祖,姓籛,名鏗。

籤(籖)(qiān)粵tsim¹〔簽〕❶作標誌用的紙片。如「書籤」。❷卜卦用的細長竹條。如「在佛前抽了個上上籤」。❸抓鬮用的紙片。如「抽籤」;「他中了籤,就要入營當兵去」。❹細長的條狀物。如「牙籤(剔牙用的)」。

籧(qú)粵kœy⁴〔渠〕「籧篨」:古代用竹子或葦子編成的粗蓆。

籥(yuè)粵jœk⁹〔若〕❶古樂器。有的比笛短,三孔;有的比笛長,六孔或七孔。❷同「鑰」,見774頁。

籩(biān)粵bin¹〔邊〕「籩豆」:古時祭祀時用來盛食品的竹器。常跟高腳的木器「豆」合稱。

斸 (duàn)⑧dyn⁶〔段〕放在水裏捕捉魚蟹的竹柵。

籬 (li)⑧lei⁴〔離〕❶用竹或樹枝編成圍牆，分隔內外的。如「籬笆」;「藩籬」。❷「笊籬」:見509頁「笊」字。

籮 ▲(luó)⑧lɔ⁴〔羅〕❶底方上圓的竹器。從前用來淘米的。❷一種細篩子。

▲(luó)⑧lɔ¹〔拉柯切〕數目單位，十二打叫一籮。又作「羅」。

籲 (yù)⑧jy⁶〔預〕呼喚，請求。如「呼籲」。

【米部】

米 (mǐ)⑧mɐi⁵〔馬蟻切〕❶穀類或若干植物去了殼的種籽。如「稻米」;「花生米」。❷借指食物。如「他病得很重，水米不進」。❸「米突（*meter*，*metre*）」的簡譯，即是「公尺」。如「百米賽跑」;「長十五米」。❹姓。❺「米湯」:①米煮的湯。②比喻說話奉承別人。如「灌米湯」。❻「米珠薪桂」:米像珍珠，柴像肉桂。比喻物價昂貴。

三至四畫

籽 (zǐ)⑧dzi²〔子〕植物的種子。

【籼】同「籼」，見496頁。
【粃】同「秕」，見496頁。
【料】見斗部，282頁。
【敉】見攴部，277頁。

粑 (bā)⑧ba¹〔巴〕「糍粑」:見524頁「糍」字。

粉 (fěn)⑧fen²〔花隱切〕❶細末。如「麵粉」;「肥皂粉」。❷化裝品呈細末狀的。如「脂粉」;「搽粉」。❸白色的。如「粉牆」;「粉面」。❹塗抹，裝飾。如「粉刷」;「粉飾」。❺破壞，擊敗。如「粉碎」。❻使破

碎。如「粉身碎骨」。❼淺紅。如「粉紅」。❽「粉刺」：面部所起的小疱。❾「粉墨」：①搽臉的粉跟畫眉的墨，指婦女的粧飾。②演戲化裝。③修飾文詞。

五至六畫

粕 (pò)⑧pok⁸〔樸〕❶壓榨糧食。像豆、麥、花生等剩下的渣滓。如「大豆粕(豆餅)」。❷「糟粕」：見525頁「糟」字。

粒 (lì)⑧lep⁷〔笠〕❶小圓珠或小碎塊的形體。如「米粒」；「顆粒」；「碎粒兒」。❷量詞，指像粒的東西。一顆也叫一粒。如「一粒子彈」；「一粒珠子」。❸指一粒說。如「粒米不進」。❹図指以米為食。書經有「烝民乃粒」。

粘 ▲(zhān)⑧nim⁴〔拿嚴切〕lim¹〔拉尖切〕(俗)用黏質塗料把兩個物體貼合在一起。如「粘貼」；「把紙條粘好」。
　▲(zhān)⑧dzim¹〔尖〕「粘米」：大米的一種。

粗 (觕、麤)(cū)⑧tsou¹〔操〕❶圓徑大的。跟「細」相反。如「大樹比竹子粗」。❷東西不精緻。如「粗糙」；「粗茶淡飯」。❸事情簡單但是費體力的。如「粗

工」；「粗活」。❹不文雅的。如「說粗話」；「動作粗野」。❺不周密。如「粗心」；「粗人總是心浮氣躁」。❻聲音重濁。如「粗聲粗氣」。❼稍微。如「粗具規模」；「粗通文字」。❽「粗率」：①簡陋。②粗心。❾「粗枝大葉」：①疏略，不細密的。②大體的輪廓；常指敍事、作畫。❿「粗製濫造」：製造東西過粗過濫。比喻只講數量，不求質量。

粞 図(xī)⑧sei¹〔西〕碎米。

粥 (zhōu)⑧dzuk⁷〔祝〕❶稀飯。如「早上喝粥」；「小米兒粥」。❷「粥粥」：①柔弱的樣子。禮記有「粥粥若無能也」。②雞相呼的聲音。韓愈詩有「羣飛羣啄，羣雌粥粥」。

粢 図(zī)⑧dzi¹〔之〕❶古時供祭祀的穀。如「粢盛」。❷六穀(稻、麥、粱、菽、黍、稷)也叫「六粢」。

粟 (sù)⑧suk⁷〔宿〕❶穀類，是「粱」的變種，俗稱「小米」。❷從前泛稱糧食。如「重農貴粟」。❸図舊時作「俸祿」的代稱。史記有「義不食周粟」。❹図雞皮疙瘩。蘇軾詩有「凍玉樓寒起粟」。❺姓。

粵 (yuè) 粵 jyt⁹〔月〕❶廣東省的別稱。如「粵漢鐵路」。❷「兩粵」：指廣東廣西。
【粧】同「妝」，見137頁。

七至八畫

粱 (liáng) 粵 lœŋ⁴〔良〕❶穀類植物；所結的實是「粟」，通稱「小米」，是北方一般百姓的重要食糧。❷囡指精緻的食物。如「膏粱」；「粱肉」。❸「高粱」：①稷的別名，結的種子可以食用和製酒。②指磨去外皮的指高粱的種子。如「高粱米」（常簡稱「高粱」）。③用高粱釀成的酒。如「高粱酒」（常簡稱「高粱」）。

粲 囡(càn) 粵 tsan³〔燦〕❶露齒而笑的樣子。如「以博一粲」。❷上等精米。如「白粲」；「黃粲」。❸「粲然」：①鮮明的樣子。②笑的樣子。
【粳】同「杭」，見497頁。

粺 囡(bài) 粵 bai⁶〔敗〕bɐi⁶〔幣〕(又)精細的白米。

粼 (lín) 粵 lœn⁴〔倫〕「粼粼」：清澈的樣子。如「河水粼粼」；「白石粼粼」。

精 (jīng) 粵 dziŋ¹〔晶〕❶春去糠皮的米。如「精米」。❷經過提煉，品質純粹的。如「精鹽」。❸生物的雄性生殖質。

如「精液」；「受精」；「精子」。❹跟「粗」相反。如「精緻」；「精巧」。❺細做的。如「精細」；「精密」。❻專一。如「專精」。❼擅長。如「精通」。❽赤裸的。如「赤身裸體，精着來，光着去」。❾人的活力。如「精神」；「精力」；「聚精會神」；「殫精竭慮」。❿聰明，思想周密。如「精明」；「他這個人好精」。⓫舊時迷信所說的妖怪。如「妖精」；「狐狸精」。⓬極，甚，非常。如「下雨不打傘，淋得精濕精濕的」。⓭「精神」：①指人的思想或作風。如「尚武精神」。②指思想或主義。如「科學精神」；「民主精神」。③指人的生活動力。如「打起精神」；「他年紀雖然大，但是還很有精神」。⓮「精闢」：立論詳密而有獨到之處。

粽(糉) (zòng) 粵 dzuŋ³〔縱〕dzuŋ²〔總〕(又) 粽子，用竹葉或葦葉裹糯米，又可以加豆沙、肉塊等，包成三角體，然後連着葉子煮熟，剝開葉子吃。是端午節的應節食品。又叫「角黍」。

粹 (cuì) 粵 sœy⁶〔睡〕❶專純不雜。如「純粹」。❷精華。如「精粹」。❸「粹白」：純白。

九至十一畫

糊 ▲(hú)⑧wu⁴〔胡〕❶把米、麥或薯類的粉加水調成的漿。❷貼，黏。如「把紙糊在窗子上」。❸不清晰。如「模糊」。❹燒焦。如「餅烙糊了」。❺「糊口」同「餬口」：見824頁。

▲(hù)⑧wu⁴〔胡〕❶濃稠的汁水。如「芻糊」；「秦椒糊」。❷「糊弄」：①草草了事，敷衍的樣子。②矇混，欺瞞。如「你別想糊弄人」。

▲(hū)⑧wu⁴〔胡〕用黏稠的東西把縫子、窟窿封上、堵上。如「膿血糊住了瘡口」；「用泥把牆上的窟窿糊上」。

糂 (sǎn)⑧sam²〔詩減切〕同「糝」，見525頁。

糈 図(xǔ)⑧sœy²〔水〕「糧糈」：糧食。

糅 (róu)⑧jeu²〔柚〕混合，攪合。如「糅合」；「文白雜糅」。

糌 (zān)⑧dza¹〔楂〕「糌粑」：西藏的主要食品，炒熟的青稞磨成粗芻粉，用茶跟酥油拌起來吃。

【餱】同「餱」，見824頁。

糒 図(bèi)⑧bei⁶〔備〕「糒糗」：行軍用的乾糧。

糖 (táng)⑧tɔŋ⁴〔唐〕❶用麥、甘蔗、甜菜製成，味道很甜。有麥芽糖、紅糖、白糖（也叫沙糖）、冰糖之分。❷「糖果」：糖製的顆粒或小塊。也常簡稱「糖」。

糕(餻) (gāo)⑧gou¹〔高〕❶用米芻粉蒸製而成的食品。如「蛋糕」；「蘿蔔糕」。❷「糟糕」：見525頁「糟」字。

糗 図(qiǔ)⑧tsɐu³〔臭〕乾糧。如「糒糗」。見本頁「糒」字。

糍(餈) (cí)⑧tsi⁴〔池〕「糍粑」：把熟糯米攪和搗打成泥團的樣子，揉成餅狀。陰乾以後可以久藏，蒸煮油炸着吃都行。

糢 (mó)⑧mou⁴〔無〕「糢糊」的「糢」字的俗寫。

糜 ▲図(mí)⑧mei⁴〔眉〕❶稠飯。如「肉糜」。❷損耗，浪費。如「糜費」。❸爛壞。如「糜爛」。❹姓。

▲(méi)⑧mei⁴〔眉〕「糜子」：黍類穀物，不黏。

糞 (fèn)⑧fɐn³〔訓〕❶大便，動物吃了食物消化以後，渣滓從大腸推到肛門，排洩出來。如「糞便」。口語說「屎」。❷施肥。如「糞田」。❸掃除，清除。如「糞除」。❹「糞門」即

是肛門。

糠 (kāng) 粵 hoŋ¹〔康〕❶ 米皮，穀皮。如「米糠」；「麥糠」。❷ 蘿蔔失去水分，軟軟的，質地不堅實不緻密的。如「糠蘿蔔」。❸ 囝「糠粃」也作「穅粃」：穀類的廢棄不能吃的部分；又比喻廢棄的東西。

強(糨) (jiàng) 粵 gœŋ⁶〔技讓切〕「糨糊」：把麪粉加水調成半固體的稠漿，可粘東西。也叫「糨子」。

糟 (zāo) 粵 dzou¹〔遭〕❶ 釀酒釀醋，把酒或醋提了以後剩下的渣滓。如「酒糟」。❷ 比喻沒有價值的東西。如「糟粕」。❸ 用酒糟醃食品。如「糟魚」；「糟豆腐」。❹ 腐朽。如「屋梁糟了」；「椅子腿兒糟了」。❺ 比喻事情已經敗壞。如「事情糟了」。❻ 形容人缺少能力，或是事情做得不好。如「我的成績很糟」；「他的小說寫得糟透了」。❼「糟心」：事情不如意。❽「糟粕」：①酒渣。②比喻廢棄的東西。❾「糟糕」：事情壞到不可收拾。❿ 囝「糟糠」：①窮人所吃的粗糧。②貧窮時的妻子。後漢書有「糟糠之妻不下堂」。⓫「糟蹋」也作「糟踐」：①不愛惜東西。如「不管什麼都胡亂糟蹋」。②侮

辱，嘲罵。如「你怎麼張嘴就糟蹋人」。

糙 (cāo) 粵 tsou³〔燥〕❶ 還沒去皮的米。如「糙米」。❷ 粗，不光滑，不細緻。如「粗糙」。

糝 (sǎn) 粵 sam²〔詩減切〕❶ 米粒。如「飯米糝(飯米粒)」。❷ 把細末從上向下撒。如「把金粉糝在紙上」。

十二至十九畫

糧 (liáng) 粵 lœŋ⁴〔良〕❶ 穀類食物的總稱。如「糧食」；「乾糧」。❷ 田賦的舊說法。如「田糧」；「納糧」。
【糉】同「粽」，見523頁。
【糨】同「強」，見本頁。

糰 (tuán) 粵 tyn⁴〔團〕用米粉或麪粉製成的圓球形食品。如「湯糰兒」。

糯(稬、稉) (nuò) 粵 no⁶〔儒〕lo⁶〔離賀切〕(俗) 有黏性的稻米。如「糯米」(也叫「江米」)。

糲 囝(lì) 粵 lei⁶〔厲〕粗米，糙米。如「布衣糲飯」。

糴 (di) 粵 dɛk⁹〔笛〕買進糧食。如「糴米」。

糵(蘖) 囝(niè) 粵 jip⁹〔頁〕❶ 釀酒用的麴。如「麴糵」。❷「媒糵」：說壞話陷害人。

糶(tiào) 粵 tiu³〔跳〕賣出糧食。如「平糶」;「糶米」。

【糸部】

糸 图 (mì) 粵 mik⁹〔覓〕細絲。

一至二畫

系 (xì) 粵 hɐi⁶〔係〕❶ 聯屬關係,連接、關聯着的。如「系統」;「直系尊親」。❷ 图 掛念。如「系念」。❸ 學術上的門類。如地質學上有「泥盆系」;「錫魯系」。❹ 大學的分科。如「系科」;「化學系」。❺ 懸掛。同「繫」,見546頁。

糾(糺)(jiū) 粵 gɐu²〔九〕dɐu²〔斗〕(俗)❶ 有察。如「糾察」。❷ 矯正。如「糾正」。❸ 牽連,纏繞。如「糾纏」;「糾紛」。❹ 集合。如「糾合」。❺ 檢舉,揭發。如「糾舉」;「糾劾」。❻ 图「糾糾」:①稀疏的樣子。②同「赳赳」,勇武的樣子。見704頁

三畫

紇 ▲(hé)粵hɐt⁹〔劾〕❶ 图粗的絲。❷「回紇」也作「回鶻」:唐代西北的游牧民族,是現在維吾爾族的祖先。
▲(gē)粵gɐt⁷〔吉〕「紇縫」繩線打成的結。

紅 ▲(hóng)粵huŋ⁴〔洪〕❶赤色。如「紅布」;「花紅柳綠」。❷顯達。如「他是當今政治上的紅人兒」。❸表演奏樂有了成就。如「紅歌星」;「電視紅星」。❹形容女人得寵。如「府中就數四姨太最紅」。❺喜慶的事。如「紅白喜事」。❻表示光榮(常用紅布從肩上斜披下來)。如「披紅」;「掛紅」。❼商業上指純利。如「紅利」;「分紅」。❽姓。❾「紅塵」:①鬧市的飛塵,形容繁華的景象。②指人世間。

▲図(gōng)粵guŋ¹〔公〕❶通「工」。如「女紅(指縫紉刺繡等工作)」。❷古地名,春秋時的魯地。

紀 (jì)粵gei²〔己〕❶図找出散絲的頭緒。❷記載。如「紀實」;「紀錄」。❸紀年單位:①古時以十二年為一紀。如「增壽一紀」。②現在以一百年為一紀。如「二十世紀」。❹規矩,法度。如「紀律」;「軍風紀」。❺年歲。如「年紀」。❻史書上專記帝王的傳記。史記有「高帝本紀」。❼地質學名詞。地質的時代分三個等級,第二等級叫做「紀」(*period*)。如古生代有寒武紀、奧陶紀等等。❽姓。❾「紀元」:①紀事

年度的起始。中國古時以新君就位的第二年為紀元;西洋以耶穌誕生那年為紀元。②新的開始。如「新紀元」。

紃 図(xún)粵tsœn⁴〔巡〕圓形像繩的「條子」。

紂 (zhòu)粵dzɐu⁶〔就〕❶勒在馬臀上的皮帶。❷商朝最後一個帝王的諡號,諡法「殘忍捐義曰紂」。

紉 (rèn)粵jɐn⁶〔刃〕❶縫補衣服。如「縫紉」。❷以線穿針。如「紉針」。❸図欽佩感服。如「感紉」。

紈 (wán)粵jyn⁴〔元〕❶輕細的白絹。❷「紈扇」:一種用細絹製成的扇子。❸「紈袴」:出身富貴不知人生甘苦的富家子弟。如「紈袴子弟」。

紆 図(yū)粵jy¹〔于〕❶彎曲迴繞。❷心頭鬱結,不暢快。楚辭有「志紆鬱其難釋」。❸図「紆尊降貴」:貶抑尊貴的地位,謙卑自處。

約 ▲(yuē)粵jœk⁸〔衣雀切〕❶管束,限制。如「約束」;「約法三章」。❷共同訂立、遵守的條款。如「契約」;「條約」。❸預先定好的期會。如「失約」;「有約在先」。❹預先說好。如「預約」;「約定」。❺邀請。如「約他來講演」。❻儉

省。如「節約」;「儉約」。❼囡貧窮。論語有「不可以久處約」。❽大略,大概。如「大約」;「約略」。❾模糊,不十分清楚的。如「隱約」。❿算術上指用公因數去除分子和分母,使分數簡化的過程。如5/10可以約成½。⓫「約莫」也作「約摸」:估計、大概的意思。⓬「約定俗成」:名物法則等成了社會習用或公認的。

▲(yāo)⑧jœk⁸〔衣雀切〕用秤稱東西。如「約約看,有多重」。

四畫

紕 ▲(pī)⑧pei¹〔披〕❶「紕漏」:疏忽錯誤。❷囡「紕繆」:錯誤。

▲囡(pí)⑧pei⁴〔皮〕衣服上緄的邊。如「縞冠素紕」。

紛 (fēn)⑧fɐn¹〔芬〕❶紊亂。如「紛亂」;「紛擾」。❷眾多。如「大雪紛飛」;「議論紛紛」。❸「紛歧」:混亂不一致。❹「紛紛」:①多而且亂的樣子。②很多的樣子。❺「紛紜」:多、亂的樣子。如「眾說紛紜」。

紡 (fǎng)⑧fɔŋ²〔訪〕❶一種柔軟而仔密的絲織品。如「紡綢」。❷將絲、麻、棉等抽成紗線。如「紡紗」;「紡棉花」。

納 (nà)⑧nap⁹〔衲〕lap⁹〔臘(俗)〕❶收,進來。如「出納」;「交納」。❷交,獻。如「納稅」;「納糧」。❸接受。如「採納」;「薄禮四色,敬請笑納」。❹交結。如「納交」。❺享受。如「納涼」;「納福」。❻忍住。如「納着性子」;「納着氣兒」。❼縫紉法的一種。如「納鞋底」。❽「納納」:①沾濕的樣子。楚辭有「衣納納而挬露」。②廣大包容的樣子。杜甫詩有「納納乾坤大」。❾「納罕」:驚異的意思。❿「納悶」:心裏懷疑。

紐 (niǔ)⑧nɐu²〔扭〕lɐu²〔拉口切〕(俗)❶囡器物上面可以提起的部分。如「印紐」;「紐紐」。❷扣結。如「衣紐」;「紐扣」。❸供人操縱的機鍵。如「電紐」。❹事物的中心。如「樞紐」。❺姓。

紘 囡(hóng)⑧wɐŋ⁴〔宏〕❶帽子兩邊垂下可以在下巴繫緊的帶子。❷通「宏」,152頁。❸通「弘」,見198頁。

級 (jí)⑧kɐp⁷〔吸〕❶有形的次。如「登上石級」;「拾級而上」。❷等次。如「甲級」;「高級」。❸學校中依年限課所分的學級。如「同級」;「

年級」。

紙(帋)(zhǐ)粵dzi²〔止〕❶用人工或機器所製造，供寫字、繪畫、印刷、包裹用的片狀製品。原料大都是植物的纖維質，是中國東漢蔡倫發明的。❷「紙版」：①厚硬的紙張。②印刷用的「紙型」。在紙版上倒鉛液作成鉛版，放在印刷機上印刷。❸「紙烟」：用薄紙把切碎的烟葉捲為筒形的。也叫「捲烟」；「烟捲」；「香烟」。❹「紙上談兵」：不合實際的空談。

紮(紥)▲(zhā)粵dzat⁸〔札〕停留，暫住。如「紮營」。

▲(zā)粵dzat⁸〔札〕❶繫纏緊。如「紮帶」；「結紮」。❷量詞，指東西一束，一把。如「一紮大蒜」。

紖(zhèn)粵dzɐn⁶〔陣〕拴牛的繩子。

純▲(chún)粵sœn⁴〔脣〕❶專一不雜。如「純潔」；「毛色純白」。❷最真誠的。如「純愛」；「純孝」。❸充分的，高度的。如「純熟」。❹淨。如「純利」。❺「純粹」：①純正不雜。也作「醇粹」。②完全。如「那次吵架，純粹是他的錯」。

▲(zhǔn)粵dzœn²〔准〕衣

服、鞋帽上的緄邊。

紗(shā)粵sa¹〔沙〕❶棉花紡成的細縷，可以捻成線，也可以織成布。如「棉紗」。❷輕軟細薄的絲織品。如「羽紗」；「麻紗」。❸稀疏得像紗布的類似織物。如「鐵紗」；「尼龍窗紗」。❹「紗帽」：①古時做官的人或貴人所戴的帽子。②常用來比喻「官職」。

紓(shū)粵sy¹〔書〕❶緩和。❷解除。如「紓禍(解除禍患)」；「紓難(解除危難)」。

紝(紅)(rèn)粵jɐm⁶〔任〕❶紡織機上的線。❷紡織。

素(sù)粵sou³〔訴〕❶圖白色的生絹。如「繰素」。❷白色的。如「素絲」；「素車白馬」。❸喪服。如「縞素」；「素服」。❹本來的。如「素性」；「素質」。❺構成事物的本質。如「元素」；「因素」。❻平常，向來。如「平素」。❼樸質，不裝飾的。如「素淨」；「樸素」。❽蔬食(不包括葱、蒜、韭)。如「吃素」；「素席」。❾經常累積起來的。如「研究有素」；「訓練有素」。❿沒錢。如「東西很好，可惜自己手頭兒素」。⓫圖空虛的。如「素王」。⓬圖向來。如「素志(向來抱定的志

願)」;「素不相識」。⓭「素材」：文學或藝術方面，由累積經驗所造成作品內容的材料。⓮「素描」：①用單純線條描繪，不加彩色的畫，像墨筆畫、鋼筆畫、炭筆畫等。②文藝作品不十分渲染的描寫。⓯囡「素昧平生」：向來不相認識。

索 ▲(suǒ)⑧sɔk⁸〔朔〕❶粗繩子或粗鐵鍊。如「麻索」；「鐵索」。❷蕭條無趣，寂寞。如「興味索然」。❸尋找，搜求。如「搜索」；「索解」。❹討取，要。如「索欠」；「函索即寄」。❺囡單獨，跟眾人分離的。如「索居」。❻逕直。如「他索胡鬧起來」。❼姓。❽「索索」：①恐懼的樣子。如「震索索」。②無生氣的樣子。如「索索無眞氣」。③碎雜的聲音。如「樹索索而搖枝」。❾「索引」：將書籍或報刊中的要點摘錄，按字形、字音或分類排列，便利查閱的附表或冊子。❿「索然」：①寂寞，無趣。如「索然無味」。②囡完畢。陸機的賦有「索然已盡」。③囡落淚的樣子。莊子書有「索然出涕」。⓫「索性」：直截了當。如「索性把它吃光了」。▲(suó)⑧sɔk⁸〔朔〕「索性」

的「索」的又讀。

紋 (wén)⑧mɛn⁴〔文〕❶錦繡的花文。如「錦紋」。❷東西的皺痕。如「紋路」；「指紋」。❸「紋絲不動」：一點兒都不移動。❹「紋銀」：成色最佳的銀塊。

紊 (wěn)⑧mɛn⁶〔問〕雜亂。如「有條不紊」。

紜 囡(yún)⑧wɛn⁴〔云〕「紛紜」：見528頁「紛」字。

五畫

絆(靽) (bàn)⑧bun⁶〔伴〕❶勒馬的繩子。❷腳受到阻礙。如「絆了腳子」；「一跤絆倒在地上」。❸「羈絆」：牽纏不能脫身。❹「絆腳石」：①路上的石塊，走路不小心碰到會跌倒。②比喻使事情失敗的阻障。

紼(綍) (fú)⑧fɛt⁷〔佛〕❶大繩子。❷引柩入穴的繩索。❸「執紼」：送葬。

紱 (fú)⑧fɛt⁷〔佛〕「印紱」：繫在印環上的絲繩。

紿 囡(dài)⑧dɔi⁶〔代〕欺騙。如「欺紿」。

累 ▲(lěi)⑧lœy⁵〔呂〕❶積聚，增多，加重。如「累積」；「日積月累」。❷負擔。如「家累」。❸囡屢次。如「累

次」。

▲ (lèi) 粵 lœy⁶〔類〕❶牽涉。如「連累」。❷疲勞。如「跑得很累」。❸負債。如「虧累」。❹請託，央及別人作事的客氣話。如「累你多走一趟」。

▲ (léi) 粵 lœy⁴〔雷〕❶「累贅」也作「累墜」；「累堆」：是拖累、麻煩的意思。如「走遠路帶這麼多東西，眞是累贅」。❷綑綁。如「係累」。❸「累累」：①一次又一次。②多的樣子。如「罪惡累累」。又作「纍」。

紺 囯(gàn) 粵 gem³〔禁〕❶織物顏色黑裏透點紅色。❷佛寺的別稱。如「紺宇」；「紺園」；「紺殿」；「紺坊」。

絅(褧) 囯(jiǒng) 粵 gwiŋ²〔炯〕單的罩袍。詩經有「衣錦絅衣」。

細 (xì) 粵 sei³〔世〕❶微小。跟田「粗」相反。如「細小」；「細雨」。❷長而不粗。如「細鐵絲」。❸精緻。如「細瓷」；「細緻」。❹心思周密。如「細心」；「精打細算」。❺不重大，瑣碎的。如「細節」；「細事」。❻詳盡。如「細說」；「細看」。❼「細軟」也作「細輭」：精細柔軟的衣物。❽「細膩」：①精細周

密。②光滑潤澤。

紲(絏) 囯(xiè) 粵 sit⁸〔洩〕❶拴馬的韁繩。❷「縲紲」：古時綑綁犯人的黑繩子。引伸作拘禁、牢獄的意思。

絃 (xián) 粵 jin⁴〔賢〕❶樂器上用來發音的線。同「弦」，見198頁。❷比喻妻子。如「斷絃（妻死）」；「續絃（續娶）」。

紾 囯(zhěn) 粵 tsɐn²〔診〕轉。淮南子有「千變萬紾」。

終 (zhōng) 粵 dzuŋ¹〔中〕❶整個時間，從開始到末了。如「終年積雪」；「終日不食」。❷完畢，結局。如「有始有終」。❸死亡。如「善終」；「壽終正寢」。❹到底。如「終於完成了工作」；「終有眞相大白的一天」。❺姓。❻「終身」：人的一生。

紬 ▲ (chóu) 粵 tsɐu⁴〔綢〕同「綢」，見538頁。

▲ (chōu) 粵 tsɐu¹〔抽〕「紬繹」：引出頭緒來。

絀 (chù) 粵 dzyt⁸〔綴〕❶不足，不夠。如「支絀」；「相形見絀」。❷通「黜」，見872頁。

絁 (shī) 粵 si¹〔施〕古時一種粗綢布。

紹 (shào) 粵 siu⁶〔邵〕❶囯接續。如「紹述」；「克紹箕

袭」。❷替人引進牽合。如「介紹」。❸浙江紹興的簡稱。只用於「紹酒」。

紳 (shēn)⑧sen¹〔申〕❶古人衣服上的大帶子。❷指地方上有地位的人。如「紳士」;「土豪劣紳」。

紫 (zǐ)⑧dzi²〔子〕❶藍跟紅混合的顏色。如「紫袍子」。❷「紫外線」:光線通過分光鏡時,按照次序是紅、橙、黃、綠、藍、靛、紫。這是見得到的光線,在紫色以外看不到的,叫「紫外線」。

組 (zǔ)⑧dzou²〔祖〕❶古時印章上的絲帶子。❷聯合而成。如「組閣」;「組織一個球隊」。❸結合成的一羣。如「小組」;「語文組」。❹東西成套的。如「組詩」。

【紫】同「紫」,見529頁。

六畫

絰 図(dié)⑧dit⁹〔秩〕麻葛做的喪服。

統 (tǒng)⑧tuŋ²〔桶〕❶図絲的緒端。❷事物相繼世代不絕的。如「血統」;「傳統」。❸總攬管理。如「統轄」;「統治」。❹合一。如「統一」。❺共計,全部。如「統共」;「統統」。❻地質學的名詞。地質系統的「岩石系統」分五個等級,第三等級叫「統」(series)。❼「統帥」:①國家武裝部隊的最高統率人,通常是國家的元首。②統轄並督率部隊。也作「統率」。❽「統計」:①總括計算。②把同一範圍的事務分類加以計算,觀察其演變情形,作比較研究。

絡 ▲(luò)⑧lɔk⁸〔烙〕❶包羅。司馬貞補史記序有「綜絡古今」。❷維繫。如「籠絡人心」。❸罩在馬頭上的籠頭。如「絡頭」。❹人體的血管跟神經細管。如「脈絡」;「經絡」。❺人體骨節相連的筋肉。如「筋絡」。❻果實裏面的網狀纖維。如「橘絡」;「絲瓜絡」。❼沒漚過的麻。如「絡麻」。❽「絡繹」:繼續不斷的樣子。如「行人絡繹不絕」。

▲(lào)⑧lɔk⁸〔烙〕「絡子」:線編的網子,可以裝東西。

絓 図(guà)⑧gwa³〔掛〕阻礙。如「絓礙」;「絓誤」。

絎 (háng)⑧hɔŋ⁴〔航〕her〔幸〕(又)縫紉法之一,用長線先粗粗地縫上。如「絎棉被」。

給 ▲(jǐ)⑧kɐp⁷〔級〕❶供應。如「供給」;「自給自足」。❷

532 **糸部** (5-6) 紳紫組紫絰統絡絓絎給

豐足。如「家給人足」。❸図言語敏捷。如「捷給」。❹「給養」：供給軍隊人馬的糧草。

▲(gěi)⓪kɐp⁷〔級〕❶把東西交給別人。如「給你一本書」；「給他三個橘子」。❷用一種動作對待別人。如「給大家道謝」；「給他一個教訓」。❸替，為。如「我給他找個事兒」；「給國家做點事情」。❹用在外動詞前邊作助動詞，但必須是用在「讓誰」或「把甚麼」的後邊。如「他讓人給打了」；「你把那本書給拿來」。「給」字本身並不表「讓(被)」或「把」的意思。

結 ▲(jié)⓪git⁸〔潔〕❶把繩絲相連成物。如「結網」；「結繩記事」。❷互相聯合。如「結交」；「結婚」。❸凝聚。如「結冰」；「結成硬塊」。❹構成。如「結怨」；「結仇」。❺繩子、帶子或線打成了扣子。如「領結」；「打了個死結」。❻終止，收束。如「結算」；「結過帳」。❼表示保證的文件。如「保結」；「切結」。❽「結果」：①植物長了果實。②事物的歸宿。③小說裏說把人殺死。如「一刀把他結果了」。❾「結拜」：結為異姓兄弟或姊妹。小說裏常作「結義」。❿図「結

草」：死後報恩。常用作感恩的客氣話。如「結草銜環」。

▲(jiē)⓪git⁸〔潔〕❶植物長果實。如「結子兒」；「結了果子」。❷「結實」：①堅固。②強健。③植物生長的果實。❸「結巴」：口吃，說話不流利，老是重複。

潔 ▲(jié)⓪git⁸〔結〕同「潔」，乾淨。見393頁。

▲図(xié)⓪kit⁸〔揭〕❶用繩子量度物體的粗細。❷「絜矩」：審度事理，推此及彼的意思。

絞 (jiǎo)⓪gau²〔狡〕❶把兩根繩子在一起扭緊。如「絞麻繩」。❷摀緊。如「絞毛巾」；「絞腦汁(盡力思考)」。❸古時死刑之一，用繩子把犯人勒死。如「絞刑」。❹図急切。左傳有「叔孫絞而婉」。

絳 (jiàng)⓪gɔŋ³〔降〕❶図紅色。如「絳脣黛眉」。❷山西省縣名。

絕 (jué)⓪dzyt⁹〔支月切〕❶斷了。如「絕望」；「絡繹不絕」。❷隔斷。如「絕緣」；「音信隔絕」。❸盡，完畢。如「氣絕身死」；「趕盡殺絕」。❹沒希望，沒出路的境地。如「絕路」；「絕處逢生」。❺極甚。如「風景絕佳」。❻獨一無二

的。如「絕代風華」;「精采絕倫」。❼鐵定的,無論如何不能改變的。如「絕不延期」;「他絕不來」。❽「絕句」:舊詩體之一。一首四句,有五絕(五言絕句)和七絕(七言絕句)兩種。❾「絕對」:①哲學名詞。凡是形容兩個相對立的,有比較有關係的叫「相對」;沒有比較關係的叫「絕對」。②一定的意思。如「這件事絕對作不到」。③對仗工穩,不能再有別的對法的聯語。❿「絕頂」:①山的最高峯。②非常、極甚的意思。如「聰明絕頂」。⓫図「絕倒」:①佩服傾倒。晉書有「歎息絕倒」。②形容大笑。如「哄堂絕倒」。③因爲哀傷而昏倒。隋書有「朝夕哀臨……未嘗不絕倒」。⓬「絕緣體」:電學上說不能通電的物體,像橡膠、玻璃、乾木等。⓭「絕無僅有」:①很難遇到第二次。②很難找到第二個。

絏 (xiè)粵sit⁸〔洩〕❶同「紲」,見531頁。❷「縲絏」:見543頁「縲」字。

絮 (xù)粵sœy⁶〔睡〕❶彈過以後鬆鬆的棉花。如「棉絮」。❷植物種子所附像棉絮的茸毛。如「柳絮」;「蘆絮」。❸把棉花鋪平,均勻的塞進布套子裏。如「絮褥子」;「絮大棉襖」。❹形容說話連續重複不停,教人討厭。如「絮煩」;「絮叨」。❺「絮絮」:說話重複,連續不停。如「絮絮叨叨」。

絢 図(xuàn)粵hyn³〔勸〕❶裝飾在外的文采。❷「絢爛」:光彩奪目的樣子。

絨 (róng)粵juŋ⁴〔容〕❶表面有一層柔細短毛的織物。如「呢絨」。❷刺繡所用的絲縷。如「絨線」。❸用羊毛或駝毛結成的繩。如「絨繩」。❹動植物的細毛。如「絨毛」。

絲(絲) (sī)粵si¹〔斯〕❶蠶吐的東西,是綢緞的原料,跟茶、瓷同是中國古代的特產。❷絲織物的總稱。如「絲絨」;「妾不衣絲」。❸細長像絲的東西。如「雨絲」;「鐵絲」。❹文學作品用來代替「思」字。如「情絲」;「愁絲」。❺長度、容量、重量的微小單位。十絲爲一毫,十毫爲一釐。❻形容極細微。如「絲毫不少」;「一絲不苟」。❼絃樂器的簡稱。如「絲竹並奏」。❽比喻緊湊合度。如「絲絲入扣」。❾姓。❿「絲瓜」:蔬類,莖細長,葉掌狀分裂,果

實細長，嫩的可以作菜吃。⓫「絲棉」：蠶吐在平面上的絲組成片狀，可以填絮衣服。⓬「絲絨」：一種絲織品，花紋凸起，有短茸毛。

絪 図(yīn)粵jen¹〔因〕「絪縕」同「氤氳」：見360頁「氤」字。

【紙】同「紙」，見529頁。
【絝】同「褲」，見657頁。

七畫

綁 (bǎng)粵bɔŋ²〔榜〕❶用繩索綑綁起來。如「把手腳綁住」。❷「綁票」：土匪捉了人，要人家拿錢贖回。

絻 ▲図(miǎn)粵min⁵〔緬〕同「冕」，見45頁。
▲(wèn)粵men⁶〔問〕古喪禮，脫了帽子，把一寸寬的布條從後脖子向前，到了前額交叉，再向後在髻上繞緊。

絛(絲) (tāo)粵tou¹〔滔〕❶用絲編成的扁帶子。❷「絛蟲」：動物腸裏扁長形的寄生蟲。分「裂頭」、「有鈎」、「無鈎」三種，雌雄同體。

綈 ▲図(tì)粵tei⁴〔啼〕光澤而厚的絲織物。如「綈袍」。
▲(tí)粵tei⁴〔啼〕比綢子厚實、粗糙的紡織品，用絲做

經，棉綫做緯。

綆 図(gěng)粵geŋ²〔梗〕❶打水的桶上繫的繩子。❷図「綆短汲深」：比喻才力不能勝任。

經 (jīng)粵giŋ¹〔京〕❶紡織機上的直綫。❷世界地圖或地球儀上貫穿南北兩極的直綫。如「東經」；「西經」。❸舊時有永久存在價值的書。如「十三經」；「四書五經」。❹宗教教義的書。如「聖經」；「佛經」；「可蘭經」。❺講各種技藝的書或文章。如「茶經」；「內經」；「馬經(講賽馬賭博的文章)」。❻常道；指道義法制。中庸有「凡爲天下國家有九經」。❼策劃，從事。如「經營」；「經商」。❽親自做過。如「經驗」；「身經百戰」。❾保持。如「經久耐用」。❿持久不變的道理。如「天經地義」；「離經叛道」。⓫人體的脈絡。如「經絡」；「經脈」。⓬指女人的月信。如「月經」；「經期」。⓭通過，過去。如「經手管錢」；「經香港轉去美國」。⓮図治理。如「以經邦國」。⓯図分劃。如「體國經野」。⓰図自縊而死。如「自經」。⓱姓。⓲図「經綸」：本來指繰絲的事；現在用來比喻規劃政事。⓳「經

緯」：①地球的經度跟緯度。②直線跟橫線。③有條理的計劃。⑳「經濟」：①⃞經世濟民。如「有經濟之才」。②關於財貨的事。如「經濟恐慌」。③儉約節制。如「事少人多，不合經濟原則」。㉑「經史子集」：中國古書的分類。經是經典跟小學(文字、訓詁、音韻各種)；史是史書；子是諸子(思想學說)；集是詩文、詞賦、圖贊。㉒「經年累月」：經過時間很久。

絹 (juàn) ⑧gyn³〔眷〕❶稀疏的生絲織物。❷「手絹」：即是手帕。

絿 ⃞(qiú) ⑧keu⁴〔求〕急切。詩經上有「不競不絿」。

綌 ⃞(xì) ⑧gwik⁷〔隙〕粗葛布。

綃 (xiāo) ⑧siu¹〔消〕生絲的織物。唐詩有「一曲紅綃不知數」。

絺 ⃞(chī) ⑧tsi¹〔雌〕❶細葛布。❷姓。

綏 ⃞(suí) ⑧sœy¹〔須〕❶安撫。如「綏靖」；「撫綏」。❷安定，生活平安。書札常有「敬頌台綏」的句子。❸雙方交戰。如「交綏」。❹「綏綏」：①相隨的樣子。②有文采的樣子。❺「綏遠」：舊省名。現並入內蒙古自治區。❻「綏靖」：安撫，平定。

【綍】同「紼」，見530頁。
【綉】同「繡」，見545頁。
【綑】同「捆」，見250頁。

八畫

緋 (fēi) ⑧fei¹〔非〕❶⃞紅色綢布。❷「緋色」：紅色。

綹 (liǔ) ⑧leu⁵〔柳〕❶長條的絲線，十根叫一縷，十縷叫一綹。❷髮、鬚、線、麻等的一股。如「五綹長鬚」；「一綹青絲」；「一綹絲線」。❸衣服綿軟下垂而起的直皺紋。如「這大褂兒穿起來總是綹着」。❹「剪綹」：扒手的舊稱。

綾 (líng) ⑧ling⁴〔零〕「綾子」：比緞薄的絲織品。如「綢緞綾羅」。

綸 ▲⃞(lún) ⑧lœn⁴〔輪〕❶青絲帶子。❷長條絲線，十根叫一綸。❸釣竿上的線。如「釣綸」。❹垂釣。如「垂綸」。❺把蠶絲合攏。
　　▲(guān) ⑧gwan¹〔關〕「綸巾」：青絲縧帶做的頭巾，相傳是諸葛亮所創，又名「諸葛巾」。

綠 ▲(lǜ) ⑧luk⁹〔錄〕❶青黃兩色混合而成的顏色。如「綠草」；「綠葉」。❷「綠肥」：把

新鮮綠色植物的根、莖、葉埋入地裏，腐爛分解成肥料；有改良土質，使後來的農作物容易生長的功用。❸「綠油油」：濃綠的樣子。

▲(lù)粵luk⁹〔錄〕「綠林」：①西漢末年聚集湖北綠林山的農民軍。②聚集山林之間反抗官府或搶劫財物的集團。

綱 (gāng)粵gɔŋ¹〔剛〕❶網的總繩。❷比喻文章、言論或事物的主要項目。如「大綱」；「綱要」。❸古時結幫運輸貨物的組織。如「鹽綱」；「綱運」。❹「綱目」：事物的大綱跟細目。❺「綱紀」：①國家社會的秩序跟規律。②治理。詩經上有「綱紀四方」。❻「綱常」：三綱五常。君臣、父子、夫婦為「三綱」；仁、義、禮、智、信為「五常」。❼図「綱舉目張」：①網的大綱舉起，網上面的細孔自然張開顯露；比喻條理分明。②比喻下從上，小從大。

緄 (gǔn)粵gwen²〔滾〕❶図用線織成的帶子。❷「緄邊」：在衣服的領、袖、罷等部分特別縫上的圓條形的邊。

緊(緊) (jǐn)粵gen²〔謹〕❶密，切合，跟「鬆」相反。如「握緊筆桿」；「鞋帶繫緊」。❷情形很嚴重，很急迫。如「緊要」；「緊張」。❸快，不逗留的。如「趕緊」；「催得緊」。❹困窘，不寬裕（常指錢財說）。如「日子過得很緊」；「手頭兒太緊」。❺「緊自」：連接不停，重複不休。如「緊自說就討厭了」。❻「緊湊」：密合，沒有縫兒；不鬆散，不拖時間。

綦 (qí)粵kei⁴〔其〕❶図很，非常。如「責任綦重」。❷図「綦衣」：青黑色的衣服。❸「綦毋（或作母）」：複姓。

綺 図(qī)粵ji²〔椅〕❶有斜花紋的絲織物。如「綺羅」。❷美麗，美妙。如「綺麗」；「綺思」。❸図「綺年」：年輕。如「綺年玉貌（形容年輕貌美的女子）」。❹「綺襦紈袴」：富貴人家的子弟。

綮 ▲(qǐ)粵kei²〔啓〕古兵器「戟」的套子。

▲(qìng)粵hiŋ³〔慶〕「肯綮」：筋肉結合處，比喻緊要的地方。

綣 (quǎn)粵hyn³〔勸〕「繾綣」：見547頁「繾」字。

綻 (zhàn)粵dzan⁶〔棧〕❶衣服脫線。如「袴管綻開了」；「下罷綻線了」。❷人的嘴張開或花的開放。如「綻開笑靨」；「秋菊初綻」。❸「破綻」：破

裂，裂痕。

綴(zhuì)粵 dzyt⁸〔掇〕dzœy³
〔最〕(又)❶囵連結。如「連綴」；「綴文」。❷縫補。如「補綴」綴」。❸裝飾。如「點綴」。

綢(chóu)粵tsɐu⁴〔酬〕❶絲織物的通稱。❷囵緻密。詩經有「綢直如髮」。❸「綢緞」：①綢跟緞。②是絲織物的通稱。❹囵「綢繆」：①形容情意纏綿，李陵詩有「與子結綢繆」。②經營，使它牢固。如「未雨綢繆」。

綽(chuò)粵tsœk⁸〔卓〕❶形容寬鬆。如「手頭寬綽」；「綽綽有餘(足夠、寬裕)」。❷囵「綽約」：形容女人體態柔弱的樣子。❸「綽號」：諢名，人的外號。如「魯智深的綽號叫花和尚」。

綬(shòu)粵sɐu⁶〔受〕古人繫印章的絲帶。如「印綬」；「璽綬」。

緇囵(zī)粵dzi¹〔資〕❶黑色。如「緇素」；「在涅貴不緇」。❷泛指和尚。如「緇徒」；「緇門」；「緇流」。

綜(zōng)粵dzuŋ³〔眾〕❶交錯的樣子。如「錯綜複雜」。❷合起來。如「綜合」；「綜計」。❸起了皺紋，不平坦。如「衣服壓綜了，不能穿出去」。

綿(縣)(mián)粵min⁴〔棉〕❶精純的絲絮。如「絲綿」。❷細密。如「綿密」。❸連續不斷。如「連綿不絕」；「春雨綿綿」。❹囵形容力量柔弱。如「綿薄」；「綿力」。❺「綿子」：蠶吐絲在平面織成的薄片，放在墨盒中做蓄墨體。也有用它來絮衣服的。❻囵「綿亙」：連續不絕。❼「綿羊」：羊的一種，角比山羊短小，性情溫順，毛長而軟，可以織成衣料。❽「綿延」：連續延長。❾「綿綿」：①不停、連續不斷的樣子。如「春雨綿綿」；「綿綿思遠道」。②安靜的樣子。詩經有「綿綿翼翼」。

綵(cǎi)粵tsɔi²〔彩〕彩色的綢子。如「剪綵」；「張燈結綵」。

維(wéi)粵wɐi⁴〔惟〕❶囵方形網四個角上的粗繩子。❷囵由粗繩子引伸作「安定的要素」。如「禮義廉恥，國之四維」。❸連結。如「維繫」。❹保持，保全。如「維持」；「維護」。❺組織生物體的細長的物質。如「纖維」。❻回族的一支「維吾爾」的簡稱。❼考慮，計度。如「思維」；「恭維」。❽囵語助詞。如「進退維谷」。❾

「維新」：改革舊法實行新政。❿「維他命」：vitamine的音譯，也叫維生素、生活素，是食物中最重要的滋養成分。

綰(wǎn)粵wan²(烏反切)❶把長的東西盤繞捲起。如「她把長頭髮綰起來」。❷图「綰統」：聯絡貫通。❸图「綰轂」：扼住要衝的地區。引伸作掌握政權的人。如「綰轂天下」。

網(网)(wǎng)粵mɔŋ⁵(罔)❶用繩、線編的捕鳥捕魚的器具。如「魚網」。❷像網一樣的東西。如「鐵絲網」；「蜘蛛網」。❸能拘束人的事或力量。如「天網恢恢」；「法網難逃」。❹組織一種縱橫聯繫的嚴密關係。如「通信網」；「發行網」。❺「網球」：一種球類運動。❻「網羅」：捕捉魚鳥的器具。引伸作搜求，羅致。如「網羅人才」。

【綫】同「線」，見540頁。
【緒】同「緒」，見540頁。
【綳】同「繃」，見542頁。
【緐】同「繁」，見543頁。
【繩】同「繩」，見546頁。
【総】同「總」，見544頁。

九至十畫

編(biān)粵pin¹〔篇〕❶連結，交織。如「編草蓆」；「編竹籃子」。❷順次排列。如「編列」；「編組」。❸書籍。如「巨編」；「人手一編」。❹纂集。如「編書」；「編報紙副刊」。❺捏造。如「編了一套瞎話騙人」。❻图「編貝」：排列起來的貝殼。形容人的牙齒潔白整齊。❼「編年史」：按年的次序記載史事。

緶(biàn)粵pin⁴〔駢〕扁長的編織物。如「草帽緶」。

緲图(miǎo)粵miu⁵〔秒〕「縹緲」：見542頁「縹」字。

緬(miǎn)粵min⁵〔免〕❶思念，遠想。如「緬懷先民」。❷图「緬邈」：遙遠的樣子。❸緬甸(Burma)的簡稱。

緡(mín)粵men⁴〔民〕❶图釣竿上的線。❷舊時串制錢的細繩。因此一串錢(一千個)叫一緡。

緞(duàn)粵dyn⁶〔段〕密厚而光滑的絲織品，中國的特產之一。如「綢緞」；「緞子」。

緹图(tí)粵tei⁴〔提〕❶黃紅色的綢子。❷「緹騎」：從前捉拿押解罪犯的官役。

締(dì)粵dɐi³〔帝〕tei³〔替〕(又)❶图結合，結成。如「締約」；「締結婚姻」。❷图組織，

構成。如「締造大業」。❸「取締」：禁止，取消。

練 (liàn) 粵 lin⁶〔鍊〕❶柔軟潔白的熟絹。如「白練」；「江平如練」。❷図把生絹煮熟，讓它潔白的過程。❸反覆學習，增加經驗。如「練習」。❹精熟。如「熟練」；「老練」。❺姓。

緱 (gōu) 粵 geu¹〔加歐切〕❶図纏在劍柄上的繩子。❷姓。❸「緱氏」：山名，在河南省偃師縣南。

緙 (kè) 粵 hek⁷〔克〕図❶織物的緯線。❷「緙絲」：絲織品之一，花紋像是雕刻成的樣子。

緩 (huǎn) 粵 wun⁶〔換〕❶慢，跟「急」相反。如「緩行」。❷寬鬆，跟「緊張」相反。如「緩和」。❸延遲。如「緩召」；「展緩」；「緩兵之計」。❹恢復，甦醒。如「緩一口氣再說」。❺図「緩急」：寬舒或急迫，引伸作需要幫助的意思。❻「緩衝」：局外人在中間調停，把雙方隔開，緩和緊張形勢。

緝 ▲(jī) 粵 tsɐp⁷〔輯〕❶搜捕。如「緝捕」。❷図把麻劈開接續起來。❸光明的樣子。如「緝熙」。

▲(qī) 粵 tsɐp⁷〔輯〕縫紉法的

一種，細密地縫，線迹很小，密接成直行。

緘 (jiān) 粵 gam¹〔監〕❶図閉上嘴，不說話。如「緘默」；「三緘其口」。❷「緘札」：書信。

緧 図(qiū) 粵 tsɐu¹〔抽〕馬尾下的飾物。

線(綫) (xiàn) 粵 sin³〔扇〕❶用絲、麻、棉等製成的細縷。如「毛線」。❷像是細線的。如「光線」；「畫一道虛線」。❸幾何學上稱平面上的界，有位置跟長度，沒有厚度和高度、寬度。如「直線」；「曲線」。❹從這邊到那邊所經由的路。如「路線」；「航線」。❺形容非常狹窄微小。如「一線希望」；「一線生機」。❻尋求隱祕事物或人物的門徑。如「眼線」；「線索」。❼邊際，範圍。如「飢餓線上」；「死亡線上」。❽「線民」：緝捕盜賊的引路人。

緗 図(xiāng) 粵 sœŋ¹〔商〕❶淺黃色的絲織品。❷「縹緗」：見542頁「縹」字。

緒(緒) (xù) 粵 sœy⁵〔髓〕❶絲線的頭。如「端緒」；「頭緒」。❷比喻事情的開端。如「千頭萬緒」；「事情就緒」。❸図開頭的部分。如

「緒言」;「緒論」。❹心境。如「心緒」;「情緒」。❺囡剩下的。如「緒餘」。

【䋽】同「絏」,見531頁。

【緼】同「縕」,見542頁。

【褖】同「裸」,見660頁。

【緫】同「總」,見544頁。

【縂】同「總」,見544頁。

【緜】同「綿」,見538頁。

緦 (sī)粵si¹〔思〕❶囡細麻布。❷「緦麻服」也作「緦服」:五服裏最輕的喪服,只穿三個月,用在本宗高祖父母及五服內在小功以下的。

緯 (wěi)粵wɐi⁵〔偉〕❶織物的橫絲;也是橫線的通稱。❷「緯度」:地球上各地的緯線跟赤道相距的度數。❸「緯線」:地球上跟赤道並行的各圈線。以赤道為中點,向北的叫北緯;向南的叫南緯。❹「經緯」:見535頁「經」字。

緻 (zhì)粵dzi³〔至〕精細。如「精緻」;「緻密」。

緣 (yuán)粵jyn⁴〔原〕❶原因。如「緣由」;「無緣無故」。❷人與人之間情意投合的情分。如「緣分」;「人緣」。❸邊。如「邊緣」。❹扒着東西往上爬。如「攀緣」。❺循,沿,繞。如「緣溪行」;「緣目而知形可也」。❻「緣木求魚」:爬到樹上捉魚。比喻行動和目的相反,必定徒勞無功。

縛 (fù)粵bɔk⁸〔博〕❶用繩子綁。如「手無縛雞之力」。❷由綁引伸作不自由。如「太受束縛」。

縢 囡(téng)粵tɐŋ⁴〔騰〕❶封閉,封口。如「金縢(用金線封)」。❷囡約束。詩經有「竹閉緄縢」。

縞 囡(gǎo)粵gou²〔稿〕❶白色的生絹。如「強弩之末,不能穿魯縞」。❷「縞素」:白色喪服。

縠 囡(hú)粵huk⁹〔酷〕縐紗。

縑 (jiān)粵gim¹〔兼〕❶細絹。❷「縑素」:古人常用來作書畫的白細絹。

縉 (縉) 囡(jìn)粵dzœn³〔晉〕❶赤色的絲織物。❷「縉紳」:官宦的代稱。

縣 ▲(xiàn)粵jyn⁶〔願〕在省之下鄉鎮之上的地方行政區域。如「縣政府」。
　　▲囡(xuán)粵jyn⁴〔元〕同「懸」,見229頁。

縐 (zhòu)粵dzɐu³〔晝〕❶絲織物的一種,軟薄而有花紋。❷布面扭結有皺紋的織物。如「縐紗」;「縐布」。❸同「皺」,見466頁。

繽 図 (zhěn) 粵 tsɐn² 〔診〕細密。如「繽密」。

縋 (zhuì) 粵 dzœy⁶ 〔罪〕從高處用繩子掛着東西往下墜。如「縋城而逃」。

縟 図 (rù) 粵 juk⁹ 〔玉〕❶ 繁瑣的。如「繁文縟節」。❷「縟禮」：繁雜囉唆的禮節。

縗 図 (cuī) 粵 tsœy¹ 〔吹〕❶ 喪服。用麻布披在胸前，三年之喪才用的。❷「縗墨」：用墨縗染經，是古人居喪臨戎的服裝。

縊 図 (yì) 粵 ɐi³ 〔翳〕用繩子勒脖子而死。如「自縊」；「縊死」。

縈 図 (yíng) 粵 jiŋ⁴ 〔營〕❶ 旋繞。❷「縈紆」：盤旋彎曲的樣子。白居易詩有「雲棧縈紆登劍閣」。

縕 (緼) 図 ▲ (yùn) 粵 wɐn³ 〔醞〕❶ 枲麻。❷ 淵奧。❸「縕袍」：裏面鋪碎麻的粗劣的衣袍。
　　▲ (yūn) 粵 wɐn¹ 〔溫〕「絪縕」：見535頁「絪」字。
【縧】同「絛」，見535頁。

十一畫

繃 (綳) ▲ (bēng) 粵 bɐŋ¹ 〔崩〕❶ 撐緊或撐緊的東西。如「繃子（刺繡時用來撐緊布料的一種工具）」。❷ 間隔疏鬆的縫綴。如「先把口袋繃在衣服上，等會兒再細細地縫」。❸ 詐騙的行為。如「坑繃拐騙」。❹ 勉強支持。如「繃場面」。❺「繃帶」：紮裹傷口的布條，用柔軟的紗布做的。
　　▲ (běng) 粵 maŋ¹ 〔魔坑切〕❶ 忍。如「繃不住就哭了」。❷ 拉下來，板着。如「繃着臉兒生氣」。
　　▲ (bèng) 粵 bɐŋ⁶ 〔步幸切〕裂開。如「別吹了，再吹就要繃啦」。

縻 (mí) 粵 mei⁴ 〔眉〕❶ 牛繮繩。❷ 繫、捆、拴。如「羈縻」。

縹 ▲ (piāo) 粵 piu⁵ 〔皮秒切〕❶ 青白色的綢子。❷ 図 淡青色，現在叫「月白」。❸ 図「縹帙」：淡青色帛做成的書衣，引作指書卷。❹「縹緗」：縹，淡青色的帛；緗，淡黃色的帛。古代常用作書囊或書衣，故引作指書籍。
　　▲ (piāo) 粵 piu¹ 〔飄〕図「縹緲」也作「縹眇」：高遠隱約的樣子。如「山在虛無縹緲間」。

繆 ▲図 (móu) 粵 mɐu⁴ 〔謀〕「綢繆」：見538頁「綢」字。
　　▲ (miào) 粵 miu⁶ 〔妙〕姓。
　　▲ (miù) 粵 mɐu⁶ 〔謬〕❶ 通

「謬」，錯誤。見687頁。❷囝假裝。如「繆爲恭敬」。

▲囝(mù)粵muk⁹〔木〕通「穆」。三國時關羽死後謚稱「壯繆」。參見501頁「穆」字。

縵 (màn)粵man⁶〔慢〕❶沒有花紋的絲織品，引伸作樸素的意思。❷「縵縵」：①廣遠紆緩的樣子。②沮喪的樣子。

繁(緐) ▲(fán)粵fan⁴〔凡〕❶多，跟「簡」相反。如「繁忙」；「繁殖」。❷複雜。如「繁複」；「繁瑣」。❸熱鬧，興盛。如「繁盛」；「繁榮」。❹「繁華」：①奢侈而熱鬧。②囝形容顏色美麗。阮籍詩有「昔日繁華子，安陵與龍陽」。

▲(pó)粵po⁴〔婆〕姓。

縲 囝(léi)粵lœy⁴〔雷〕「縲紲」也作「纍紲」、「累紲」：黑色的繩子，從前用來捆綁犯人。

縫 ▲(féng)粵fung⁴〔逢〕❶用針線做衣服，補衣服。如「臨行密密縫」。❷外科醫生動手術使裂開的傷口合攏。如「他這一跤摔得很重，醫生在他腿上縫了六針」。❸「縫紉」：衣服的剪裁、縫合、補綴等工作。

▲(fèng)粵fung⁶〔奉〕❶衣服的線迹。如「衣縫」。❷間隙。

如「裂縫」；「門縫」。❸漏洞。如「說話漏了縫兒」。

縭(褵) 囝(lí)粵lei⁴〔離〕❶從前女人出嫁時罩住面部的彩巾。❷引指結婚。如「結縭」。

縷 (lǚ)粵lœy⁵〔呂〕leu⁵〔柳〕(又)❶細線。如「一絲縷」；「身無寸縷」。❷纖細的東西。如「一縷炊烟」。❸細細的，詳盡的。如「縷述」；「條分縷析」。❹囝「縷縷」：①比喻纖細的樣子。②接連不絕，比喻情緒。書信裏說想說的話說不完，常作「不盡縷縷」。

績 (jì)粵dzik⁷〔蹟〕❶囝把麻劈開接長。如「績麻」。❷事業，功業。如「戰績」；「豐功偉績」。❸「績效」：工作的成績，效果。❹囝「績學」：治理學問。如「績學之士(淵博的學者)」。

縴 (qiàn)粵hin³〔獻〕拉船前進的粗繩。如「拉縴」。

繈(繦) (qiǎng)粵kœŋ⁵〔鏹〕❶串錢的麻繩。❷同「襁」，見662頁。

縶 囝(zhí)粵dzɐp⁷〔執〕❶拘捕，監禁。如「縶囚」。❷拴住馬腳。如「縶馬」。

縿 囝(shān)粵tsam¹〔參〕古人指旗子的正幅。

總（縂、揔、惣）(zǒng) 粵 dzuŋ² 〔腫〕 ❶合起來。如「總共」；「總和」。❷概括全部。如「總綱」；「總而言之」。❸負全部責任的。如「總司令」；「總指揮」。❹無論如何。如「不管怎麼說，他總不答應」。❺經常，一直。如「他總不聽話」；「你總是遲到」。❻「總之」：「總而言之」的略語。❼「總統」：共和國的元首。❽「總算」：①總起來計算的意思。如「這生意今年總算起來賺不了五萬塊錢」。②大致，可以說。如「他的功夫總算不錯」。③畢竟，到底。如「千辛萬苦，總算是熬出來了，有好日子過了」。❾図「總總」：①形容多。也作「林林總總」。②雜亂的樣子。

縱▲(zòng) 粵 dzuŋ³〔衆〕 ❶釋放。如「縱虎歸山」；「諸葛亮七擒七縱孟獲」。❷放。如「縱火」。❸放任，讓他想怎麼樣就怎麼樣。如「縱目遠望」；「縱一葦之所如」。❹跳起來。如「縱身一跳」。❺假使，即使，推想的詞。如「縱使」；「縱然」。

▲(zòng，舊讀 zōng) 粵 dzuŋ¹〔中〕❶直線。如「縱貫鐵路」。❷南北向的線。如「橫者為緯，縱者為經」。❸「縱橫」：①南北跟東西。如「幅員廣大，縱橫千里」。②図恣意橫行。如「筆意縱橫」。③図形容眼淚鼻涕直流。如「涕泗縱橫」。④図比喻外交上的手段。如「縱橫捭闔」。⑤「縱橫家」：先秦九流之一，以審察時勢游說動人為主，最出名的有蘇秦、張儀等。

繅(sāo) 粵 sou¹〔蘇〕「繅絲」：把蠶繭煮過，抽出絲來的過程。

縮▲(suō) 粵 suk⁷〔宿〕 ❶不伸開，或是伸開又收回去。如「縮手縮腳」；「把頭一縮，鑽進被窩裏去」。❷收斂。如「緊縮」；「縮小範圍」。❸害怕退避。如「退縮」；「畏縮」。❹姓。

▲図(sù) 粵 suk⁷〔宿〕 ❶理直。如「自反而縮，雖千萬人吾往矣」。❷節儉。如「縮衣節食」。

緊図(yì) 粵 ji¹〔衣〕❶不完全的內動詞。同「是」。左傳有「民不易物，惟德緊物」。❷語首助詞，同「惟」。左傳有「爾有母遺，緊我獨無」。

繇▲図(yóu) 粵 jeu⁴〔由〕 ❶從，自。爾雅有「繇膝以下

為揭，繇膝以上為涉」。❷古書中通「由」。

　▲囡(yáo)⑧jiu⁴〔搖〕❶通「徭」，徵役。如「繇賦」（即是「徭賦」）。❷通「陶(yáo)」，見786頁。

　▲(zhòu)⑧dzeu⁶〔就〕卦兆的占辭。

【穎】見頁部，815頁。

十二至十三畫

繙(fān)⑧fan¹〔番〕「繙譯」也作「翻譯」：把一種語文譯成另一種語文。參見688頁「譯」字。

繚囡(liáo)⑧liu⁴〔聊〕❶彎曲盤旋的樣子。如「繚繞」。❷縫紉法之一，用針把布邊斜着縫起來。如「繚貼邊」。❸同「撩」，亂的樣子。見267頁。

繢囡(huì)⑧kui²〔繪〕❶彩色的毛織物。漢書東方朔傳有「狗馬被繢罽」。❷通「繪」，見546頁。

繑(qiāo)⑧hiu¹〔梟〕❶袴紐。❷縫紉法之一，將布邊捲入密密縫成。

繡（绣）(xiù)⑧seu³〔秀〕❶用彩色的絲線在綢緞上刺成各種花紋。如「刺繡」；「湘繡」。❷「繡房」也叫

「繡閣」；「繡戶」：舊時稱未出嫁女子的卧房。

織(zhī)⑧dzik⁷〔即〕❶用絲、麻、棉、草、毛等編製物品。如「織布」；「織毛衣」。❷囡形容來來往往的很多。如「行人如織」。❸「織女」：①星名。②民間傳說「牛郎織女」中的人物。

繕(shàn)⑧sin⁶〔善〕❶修整，補綴。如「修繕」；左傳有「繕甲兵」；「繕城郭」。❷抄寫。如「繕寫」；「繕校」。

繞(rào)⑧jiu⁵〔擾〕jiu²〔妖〕(又)❶纏。如「圍繞」；「繞線」。❷糾纏不清，攪亂。如「故意拿話繞他」。❸轉圈兒，走迂迴的遠路。如「繞場一周」；「繞到後面打他」。❹「繞嘴」：不順口。❺「繞口令」：①也叫「拗口令」、「急口令」。連用雙聲、疊韻跟類似的字合成語句，使人一時不容易唸得清楚，可用以矯正口音。②指含意曲折的話。如「我不懂得你這繞口令兒啊」。

繒　▲囡(zhēng)⑧dzeŋ¹〔增〕古時絲織品的總稱。

　▲(zèng)⑧dzeŋ⁶〔贈〕❶織布的用具，用線做成，使經線上下分開，好穿過緯線。❷紮，捆。

繐 (suì)粵sœy⁶〔穗〕❶古時喪服所用的一種稀疏細布。禮記有「緦衰繐裳」。❷用絲線結成的穗狀裝飾物，常掛在旗的邊上。

【繖】同「傘」，見33頁。

【繰】同「繰」，見543頁。

縺 (da)粵dat⁹〔達〕「紇縺」，見526頁「紇」字。

繪 (huì)粵kui²〔劊〕❶畫圖。如「繪圖」；「繪畫」。❷描述。如「繪影繪聲」。

繯 图(huán)粵wan⁶〔幻〕wan⁴〔環〕〔又〕❶图旗上的繫結。漢書有「虹霓爲繯」。❷絞。如「繯首（絞刑）」；「投繯（自殺）」。

繳 ▲(jiǎo)粵giu²〔矯〕❶交納。如「繳費」；「繳納」。❷把東西還給原主。如「繳還」。❸交出。如「繳械」。

▲图(zhuó)粵dzœk⁸〔雀〕生絲做的繫在箭上的繩子；用來射鳥，射中了可以拉住。孟子書有「思援弓繳而射之」。

繮(韁) (jiāng)粵gœŋ¹〔姜〕繮繩，拴馬的繩子。

繭(蠒) (jiǎn)粵gan²〔簡〕❶蠶吐絲做成的橢圓形的巢，蠶藏在裏面變成蛹。如「蠶繭」。❷图通「趼」，手足過分摩擦而生的厚皮。見709頁。

繫 ▲(xì)粵hɐi⁶〔係〕❶聯絡。如「聯繫」。❷图牽掛。如「繫懷」。❸图拘禁。如「繫囚」。❹图懸掛，掌握。如「紗燈繫於檐間」；「以一身繫天下之安危」。

▲(jì)粵hɐi⁶〔係〕紮，綁。如「鞋帶鬆了，繫好再走」。

繩(繩) (shéng)粵siŋ⁴〔成〕❶用綿、麻、草、絲或金屬絲、尼龍絲兩股以上絞成的長條。細的叫繩，繩子；粗的叫索。❷图規矩、法度，如「準繩」。❸图糾舉別人的過錯。書經有「繩愆糾謬」。❹图約束。如「繩之以法」。❺图繼承。詩經有「繩其祖武」。❻图「繩繩」：①戒懼的樣子。②不絕的樣子。詩經有「子孫繩繩」。❼图「繩墨」：木工取直的工具，用來比喻法度、規矩。

繰 ▲(qiāo)粵tsiu¹〔超〕图絲織品。

▲(sāo)粵sou¹〔蘇〕同「繰」，見544頁。

繹 图(yì)粵jik⁹〔亦〕❶本義是抽絲，引伸作「抽出」；「理出頭緒」。如「反覆尋繹」。❷「絡繹」：見532頁「絡」字。❸

「演繹」：見391頁「演」字。

十四至二十一畫

辮 図(biàn)粵bin¹〔鞭〕❶把幾股線狀物編成的長條。❷「辮子」；「辮兒」：常指把頭髮分成了絡編成髮辮。如「小妹紮了兩個小辮兒」。

繽 図(bīn)粵ben¹〔賓〕「繽紛」：繁盛紛亂的樣子。

繼 図(jì)粵gei³〔計〕❶持續，接連。如「前仆後繼」；「繼續不斷」。❷隨後，跟着。如「繼而」。❸「繼子」：通稱過繼的兒子。❹「繼承」：承繼先人的事業、財產或未了的志願。❺「繼室」也作「繼配」：稱原配死後續娶的妻。

繾 図(qiǎn)粵hin²〔遣〕「繾綣」：纏綿，不忍分離。如「情意繾綣」。

繻 図(xū)粵sœy¹〔須〕❶一種輕軟而細密的絲織物。❷古時作符信的絲織物，上面寫字，分成兩半，過關時驗合。

纁 図(xūn)粵fen¹〔分〕淺紅色。

纂 図(zuǎn)粵dzyn²〔轉〕❶搜集資料編成書。如「編纂」；「纂修」。❷婦女的髮髻。如「她頭上綰個纂兒」。❸通「纘」，繼續。見548頁。

纆 図(mò)粵mek⁹〔墨〕兩股合成的繩子。

纍 図(léi)粵lœy⁴〔雷〕❶大繩索。漢書李廣傳有「以劍斫絕纍」。❷監禁。左傳上有「兩釋纍囚」。❸「纍纍」：①連結成串的樣子。如「結實纍纍」。②衰疲的樣子。禮記有「喪容纍纍」。③失意的樣子。史記有「纍纍若喪家之犬」。

纊 図(kuàng)粵kwɔŋ³〔礦〕kɔŋ³〔抗〕(俗)絮，絲棉。

纈 図(xié)粵kit⁸〔揭〕❶用綢子結的綵球。❷有花紋的絲織物。

續 (xù)粵dzuk⁹〔俗〕❶接連下去或斷了又接。如「繼續」；「斷斷續續」。❷後來加入或快完的時候再加進去。如「茶壺裏再續些水」。❸図歷史重演。史記有「此亡秦之續也」。❹姓。❺「手續」：辦事的程序。❻「續絃」：妻死再娶。絃也作弦。❼図「續貂」：①比喻封爵的濫授。晉書有「貂不足，狗尾續」。②自謙接續別人沒完成的事業。

纏 (chán)粵tsin⁴〔前〕❶圍繞。如「纏繞」；「拿繃帶纏傷口」。❷攪擾。如「糾纏不清」；「纏個不停」。❸應付。如「難纏的人物」。❹「纏回」：

也叫「纏頭回」，指甘肅、新疆等地的回族人民。他們在冬天拿布條繞頭。❺図「纏足」：舊時女子用布帛裹腳，使腳又尖又小。❻「纏綿」也作「纏緜」：①情意親密難分。②情節感人，使人久久不忘。如「纏綿悱惻（形容情節或文詞哀婉動人）」。

縷 図 (lú) ⑧ lou⁴〔勞〕❶布條子。❷潔白的麻或絲。
【轡】見車部，723頁。
【變】見言部，689頁。

纖(纖) (xiān) ⑧ tsim¹〔簽〕❶図細微。如「纖細」；「纖介」。❷図小。如「纖巧」。❸「纖毛」：①動物學說形成皮膜組織細胞的突起，比鞭毛短而細，是一種藉以運動的生成物。如草履蟲體面的毛狀物就是。②下等植物的運動器官。❹「纖維」：①組織生物體的細長絲形物質。②人造的紡織原料。如「尼龍纖維」。❺図「纖纖」：①細微。②形容女人柔美的手。古詩有「纖纖出素手」。

纔(才) (cái) ⑧ tsoi⁴〔財〕❶表示一種口氣，是說就能達到某種目的或標準。如「努力工作纔能有成績」；「品學兼優纔是好學生」。❷表

示時間不久，剛剛的。如「昨天纔來」。❸只，僅。如「他來了纔三天」。

纓 (yīng) ⑧ jin¹〔英〕❶帽帶。如「帽纓子」。❷線或繩做的像穗子的裝飾物。如「長槍上紮着紅纓子」。❸蘿蔔、芥菜的莖和葉子。如「蘿蔔纓子」；「芥菜纓兒」。❹古時繫馬的繩套一類的東西，也借用指捆俘虜的繩子。❺「請纓」：自請從軍殺敵。❻図「纓絡」：①用線縷珠寶結成的妝飾品。晉書有「其王服天冠，被纓絡」。②比喻縈繞。

纛 (dào) ⑧ duk⁹〔毒〕dou⁶〔道〕(又)古時軍隊的大旗。

纘 図 (zuǎn) ⑧ dzyn²〔轉〕繼續。如「纘先烈之餘緒」。

纜 (lǎn) ⑧ lam⁶〔濫〕❶繫船的粗繩子。如「解纜揚帆」。❷用索繫船。如「纜舟」；「纜舸」。❸「電纜」：一種導電的裝置，通常是一束金屬絲外面裹着絕緣的保護層，設於地下或海底。❹「纜車」：電纜車（cable car）的簡稱。利用電力拉動車輪走動的車子。有地上及空中兩種。

【缶部】

缶 (fǒu)粵feu²〔否〕❶大肚小口的瓦器。❷古時候秦國用這種瓦器作敲打的樂器。如「擊缶」;「鼓缶而歌」。

三至十七畫

缸(甌) (gāng)粵goŋ¹〔江〕❶用陶土或瓷土做的器具,用來盛東西,圓形的,口寬,大肚,底小。如「米缸」;「酒缸」。❷用作一般容器或有容器作用的機件名稱。如「汽缸(發動機的主要部份)」。❸一種陶瓷質料,用沙石黏土等燒製,很堅固。如「缸瓦」;「缸甌」;「缸盆」。

缺 (quē)粵kyt⁸〔決〕❶少了,不夠。如「衣食無缺」;「這本書缺了一頁」。❷殘破,或像是因為破裂而有空隙。如「殘缺」;「大家圍成一圈,留出一個缺口」。❸空。如「缺額」;「這一部分暫缺」。❹指官職的空位。如「出缺」;「遇缺即補」。❺「缺欠」:短少。❻「缺席」:應該到場而不到場。❼「缺德」:罵人品德不好。❽「缺憾」:事件有不完美的地方,不能滿意。❾「缺

點」:①短處,不完備的地方。②過失,錯誤。

【缽】同「鉢」,見755頁。
【缾】同「瓶」,見444頁。
【磋】同「磋」,見487頁。

罃 (yīng)粵eŋ〔鶯〕長頸的瓶子。

罄 囡(qìng)粵hiŋ³〔慶〕❶器物中空。❷盡,空了,完了。如「告罄」;「罄其所有」。❸「罄竹難書」:形容罪狀太多而寫不完。通鑑記李密數隋煬帝十罪,有「罄南山之竹,書罪無窮」的句子。

罅 囡(xià)粵la³〔喇〕❶東西的裂縫。如「石罅」;「罅隙」。❷事情的漏洞、破綻。❸「罅漏」:漏洞。

【罇】同「樽」,見338頁。
【罐】同「罐」,見550頁。
【罋】同「甕」,見444頁。

罌(甖) (yīng)粵aŋ¹❶古時的一種小口大肚的瓶子。❷「罌粟」:二年生草本,花大而美麗,有紅、紫、白各種顏色;果實未成熟時有白漿,含嗎啡性,可供藥用,也是製造鴉片的原料。

罍 (léi)粵lœy⁴〔雷〕古時的一種盛酒的器具,也指酒壺說。

缶部 缶 (3-15) 缸缺缽缾磋罃罄罅罇罐罋罌罍 549

罎(罈)^(tán) 粵 tam⁴〔談〕同「壜」，見123頁。

鑪^(lú) 粵 lou⁴〔盧〕「酒鑪」：為了安放酒甕所砌起來的土台子。

罐(鑵、鑵)^(guàn) 粵 gun³〔灌〕❶盛東西或汲水用的器具（從前多是瓦器，現多為金屬），樣子像圓筒。如「瓦罐」；「茶葉罐」。❷圓筒形的器具。如「拔火罐兒（一種短小的烟囱，也叫拔火筒，罩在火爐上，使炭火燒得旺）」。❸「罐頭」：食物密封在馬口鐵製的罐裏的販賣品。

【网(罒)部】

网^(wǎng) 粵 mɔŋ⁵〔莽〕❶古「網」字，見539頁。❷漢字的部首之一，變成了一個字頂上的「罒」或「宀」的部分。

三至九畫

罕^(hǎn) 粵 hɔn²〔侃〕❶稀少。如「希罕」；「罕有之物」。❷鳥網。❸姓。

罔^{図(wǎng)} 粵 mɔŋ⁵〔莽〕同「網」，淮南子有「罝、罘、羅、罔」。

罔^{図(wǎng)} 粵 mɔŋ⁵〔網〕❶無，不。如「置若罔聞」。❷邪曲，虛無。論語雍也篇有「罔之生也幸而免」。❸「誣罔」：拿沒根據的事冤枉人。❹「罔極」：無窮。詩經有「欲報之德，昊天罔極（比喻父母對子女的恩德像天一樣的無窮，不知道怎樣才能報答得了）」。

罘^(fú) 粵 feu⁴〔浮〕❶図捕捉兔子用的網。❷図「罘罳」：鏤花的屏風。❸「芝罘」：山東省烟台市的舊名。

罡^(gāng) 粵 gɔŋ¹〔江〕❶道教常用的字。❷「天罡」：①北斗星。②凶神的名字。❸「罡

風」：高空中的風。也作「剛風」。

罟 図(gǔ)粵gu²〔古〕❶網眼密的魚網。❷指法網。詩經有「畏此罪罟」。

罝 図(jū)粵dzɛ¹〔嗟〕捉兔的網。詩經有「肅肅兔罝，施於中林」。

罣 (guà)粵gwa³〔卦〕❶牽掛。如「罣念」。❷図牽連。如「罣誤(因事牽連而犯了過失，遭受譴責)」。❸阻礙。如「罣礙」。

【罜】見目部，474頁。

罦 図(fú)粵fɐu⁴〔浮〕❶捕鳥的網。❷「罦罳」同「罘罳」：見550頁「罘」字。

罥 (juàn)粵gyn³〔眷〕掛。

【罭】見言部，676頁。

置 (zhì)粵dzi³〔至〕❶放，安放。如「置於案上」；「置之不理」。❷設立，安排。如「設置」；「佈置」。❸說出，說定。如「難置可否」；「不能置一辭」。❹買。如「置產」；「置些家具」。❺図廢棄，不加重視。國語有「是以小怨置大德也」。❻図驛站。孟子書有「速於置郵而傳命」。❼「置若罔聞」：不睬不理。

罩 (zhào)粵dzau³〔支孝切〕❶捕魚的竹籠。❷遮蓋。如「籠罩」；「用紗罩把食物罩起來」。❸遮蓋的器具。如「燈罩」；「罩子」。

罪(辠) (zuì)粵dzœy⁶〔聚〕❶犯法的，有過失的。如「罪人」；「罪犯」。❷刑罰。如「判罪」。❸重大的過失，犯法的事實。如「罪行」；「立功贖罪」。❹痛苦，苦難。如「受罪」；「受不了這個罪」。❺図責備，歸咎。如「怪罪」；「知我罪我」。❻図「罪不容誅」：罪過很大，處死刑還不夠。

罨 (yǎn)粵jim²〔掩〕❶掩捕魚鳥的網。❷掩蓋。「冷罨法」和「熱罨法」都是醫療方法，用冷水或熱水把布濕潤了蓋住患處。

罫 ▲(huà)粵wa⁶〔畫〕阻礙。
▲(guǎi)粵gwai²〔拐〕棋盤上的方格子。
【蜀】見虫部，639頁。
【睪】見目部，476頁。

罰(罸) (fá)粵fɐt⁹〔乏〕❶懲治，處分。如「受罰」。❷古時候稱拿出金錢贖罪。如「罰金」。

署 (shǔ)粵tsy⁵〔柱〕❶官衙，辦公處的所。如「官署」；

「公署」。❷簽，寫。如「署名」;「簽署」。❸図對官職的暫時擔任或代理。如「署理」;「試署」。❹「部署」:佈置、安排。如「人事部署」;「戰略部署」。

罳 図(sī)粵si¹[斯]「罘罳」:圍屏。

罱 (lǎn)粵lam⁵[覽]❶一種夾魚的工具。❷撈水草，河泥作肥料。

十至十二畫

罷 ▲(bà)粵ba⁶[吧]❶停止。如「罷工」;「欲罷不能」。❷完。如「吃罷飯」;「他說罷，就走了」。❸免除。如「罷免」;「罷官」。❹表失望忿恨的感歎詞，常疊用。如「罷!罷!這種壞心的人怎會做出好事來!」。❺「罷了①」的簡詞。如「話不說便罷，說就說清楚」。❻「罷了」:①用在語句的末尾的助詞，表示語意的制限或讓步的口吻。如「這不過是很小的一點事罷了」。②罷休。

▲(ba)粵ba⁶[吧]在語句末尾幫助說話口氣的詞，常是表示命令或囑咐、疑問等的口氣。同「吧」。

▲図(pí)粵pei⁴[皮]❶「罷弊」也作「罷敝」;「疲弊」:困乏。❷「罷癃」:①駝背。②也作「疲癃」。衰頹老病。❸同「疲」，見455頁。

罵(駡)(mà)粵ma⁶[微夏切]❶用惡毒難聽的言詞侮辱人。如「破口大罵」。❷申斥。如「他做錯了事，挨了一頓罵」。❸「罵街」:沿街破口亂罵。❹「罵座」:謾罵同座的人。

罶(liǔ)粵leu⁵[柳]捕魚的竹簍子。

【罰】同「罰」，見551頁。

罹 図(lí)粵lei⁴[離]❶憂愁，苦難。詩經有「逢此百罹」。❷遭遇到。如「罹難」;「罹禍」。

罺 図(chāo)粵tsau¹[抄]小網。

罽 図(jì)粵gei³[計]毛織的地毯之類。

罾 ▲図(zēng)粵dzeŋ¹[增]一種方形用竹竿做支架的打魚網子。

▲(zèng)粵dzeŋ⁶[贈]扯緊。同「繒(zèng)」，見54頁。

十四至十九畫

羅(luó)粵lɔ⁴[鑼]❶本是捉鳥的網，也用來廣泛比喻招取、招致等意思。如「羅致」

「搜羅」。❷囝用網子捉鳥。如「門可羅雀(也比喻門前冷清清,很少人來)」。❸囝擺,陳列。如「羅列」;「珍寶羅於前」。❹一種細密像篩子的用具,用來使粉末漏下。❺一種輕軟稀疏的絲織品。如「綾羅綢緞」。❻姓。❼囝「羅佈」:羅列分佈。(比喻排列分佈的稠密。)❽囝「羅拜」:眾人環繞向中央的人敬拜,表示非常敬仰。❾「羅掘」:「羅雀掘鼠」的略詞。唐朝張巡守睢陽,被圍斷糧,命令軍士羅雀掘鼠做糧食,後來用這個語詞比喻用盡方法籌款的意思。❿「羅漢」:佛家對聖者(修行得道者)的尊稱。羅漢的地位較次於菩薩。⓫「羅盤」:用磁針指示方向的儀器,即是「指南針」;也叫「羅經」。⓬囝「羅織」:陷害沒有罪的人。⓭「羅鍋」:駝背的人。也叫「羅鍋子」;「羅鍋兒」。⓮「羅羅」:清疏的樣子。如「羅羅清疏」。⓯「羅馬字」:古羅馬的文字,所用字母的形式是現在歐美各國所通用的。⓰同「脶」,見578頁。

▲(luó)粵lo¹〔拉柯切〕數目單位,是英文 *gross* 的譯音。十二打是一羅。

羈(羇) 囝(jī)粵gei¹〔基〕❶離開家在外生活。❷「羇旅」:旅客。

羈(羈) (jī)粵gei¹〔基〕❶囝馬絡頭。❷拘束。如「羈束」;「放蕩不羈」。❸牽引。如「羈絆」。❹在外鄉寄居。同「羇」。❺「羈旅」也作「羇旅」:離家出外的旅客。

【羊部】

羊 ▲(yáng)粵jœŋ⁴〔陽〕❶反芻類家畜。毛直而短的是山羊，毛長而鬈的叫綿羊。❷姓。❸「羊毫」：羊毛做的毛筆。❹「羊齒」：植物名，屬羊齒科。多年生隱花植物，葉是羽狀複葉，叢生有毛，子囊生在葉的背面，地下莖可入藥，治條蟲。❺「羊腸小道」：曲折的小路。❻図「羊質虎皮」：羊披着虎皮。比喻虛有其表而無其實。

▲(xiáng)粵tsœŋ⁴〔詳〕「祥」字古時寫成「羊」。

芈 ▲(miē)粵mɛ¹〔咩〕羊叫的聲音。

▲(mǐ)粵mɛ⁵〔麻野切〕姓。

二至四畫

羌(羗、羌)(qiāng)粵gœŋ¹〔疆〕古時稱甘肅、陝北一帶的游牧民族，分東西兩部，後來移居甘肅東南部跟四川的松潘、茂縣一帶。

美 (měi)粵mei⁵〔尾〕❶漂亮，好看。如「年輕貌美」；「她今天打扮得好美喲」。❷好。如「美言」；「美味」；「美意」。❸稱讚，誇獎。如「讚美」。❹好的表現、成績、事情。如「君子成人之美」。❺自覺得意的樣子。如「臭美」；「別美了，你的錢是騙來的」。❻國名，美利堅合眾國的簡稱。如「中美兩國」。❼洲名。如「南美(洲)」；「北美」。❽打扮，化妝。如「美化」；「美容」。❾「美人」：①漂亮的女人。如「你才是個大美人哪」。②美國人的略稱。③図賢德的人。詩經有「云誰之思，西方美人」。❿「美中不足」：事物雖美而仍稍有缺陷。

羑 (yǒu)粵jeu⁵〔有〕❶図誘，進。書經有「誕受羑若」。❷「羑里」：古地名，在河南省湯陰縣。傳說周文王曾被紂王關在那裏。

【姜】見女部，139頁。
【差】見工部，177頁。
【恙】見心部，218頁。

羓 (bā)粵ba¹〔巴〕醃肉。

羔 (gāo)粵gou¹〔高〕❶幼小的羊。❷泛指幼小畜類。❸「羔羊」：①小羊。②図詩經篇名，比喻卿大夫的廉潔。後來用來稱美士大夫。③基督教經典裏比喻受難或殉道的教徒。

羖 囻(gǔ)粵gu²〔古〕黑的公羊。

五至六畫

羝 囻(dī)粵dɐi¹〔低〕公羊。

羚 (líng)粵liŋ⁴〔零〕「羚羊」：形狀像山羊，角向後彎，背高，毛又密又長。角可以作藥。

羞 (xiū)粵sɐu¹〔收〕❶囻好吃的食物。如「時羞(當令好吃的食物)」。❷感到恥辱。如「羞恥」。❸難為情。如「害羞」。❹侮辱人家。如「你別這樣羞人家」。❺囻「羞惡(wù)」：因為自己不好而覺得恥辱，看到別人不好而覺得憎惡(wù)。❻「羞答答(的)」：難為情的樣子。❼「羞惱成怒」也作「惱羞成怒」：因為羞愧而轉成惱怒。
【着】見目部，475頁。

羢 (róng)粵juŋ⁴〔容〕❶細的羊毛駝毛。❷毛織品，如「呢羢」。❸同「絨」，見534頁。

羡 ▲(yi)粵ji⁴〔宜〕地名，漢書地理志有「江夏郡沙羡」。
▲同「羨」，見本頁。
【翔】見羽部，558頁。

七畫

羥 (qiǎng)粵kœŋ⁵〔鏹〕「羥基」：化學上氫氧的合稱。即「氫氧基(—OH)」。

羣(群) (qún)粵kwɐn⁴〔裙〕❶集合多數的集團。如「人羣」；「捨己為羣」。❷多數，很多的。如「羣山」；「羣島」。❸囻聚攏。如「羣居」。❹眾人。如「羣策羣力」；「羣起而攻之」。❺「羣龍無首」：比喻眾人失去領袖。

羨(羡) (xiàn)粵sin⁶〔善〕❶因為愛慕而希望得到。如「欣羨」；「羨慕」。❷囻盈餘。如「羨財」。

義 (yì)粵ji⁶〔異〕❶公平合宜的道理，正正當當的行為。如「正義」；「義不容辭」。❷為志節而犧牲的行為。如「慷慨就義」；「從容殉義」。❸主持正道，切合正義的。如「義士」；「義旗」。❹有益公眾的。如「義舉」；「義演」；「義賣」。❺指彼此長久不變的感情，固定的情誼。如「義氣」；「義僕」；「義犬」。❻意思，解釋。如「字義」；「音同義異」。❼不是親屬而認作親屬的。如「義父」；「義子」。❽假的，可是當真的用。如「義肢」；「義齒」。❾姓。❿「義務」：①泛稱人在社會應盡的天職。②依

法律或契約的規定，强其作為或不作為的限制性，也叫義務。是對「權利」說的。如「當兵納稅，是公民的義務」。③作事不接受報酬。如「他來幫忙，純粹是義務」。⓫「義形於色」：把在腦子裏激盪的正義感，表現在臉上。

羧 (suō) ⑧so¹〔梭〕化學上指碳酸失去氫氧原子而成的一價複基。即是原子團—COOH。

【羛】見食部，822頁。

九至十三畫

羯 (jié)⑧kit⁸〔揭〕❶名閹過的公羊。❷古代西北種族名，是匈奴的支派。❸「羯鼓」：樂器名，形狀像漆桶，用兩根棍兒敲的。

羰 (tāng)⑧toŋ¹〔湯〕「羰基」：即是「碳酰基 (＝CO)」，是由碳酸減去兩個氫氧原子團而成的複基。也叫「碳氧基」。

羭 名(yú)⑧jy⁴〔余〕❶黑色的母羊。❷美。如「攘羭(掠人之美)」。

羱 名(yuán)⑧jyn⁴〔元〕野生的羊。

羲 (xī)⑧hei¹〔希〕❶姓。❷「伏羲」也作「伏犧」、「包犧」：中國傳說的古帝王名。

【羴】同「羶」，見本頁。

羸 名 (léi) ⑧lœy⁴〔雷〕❶瘦弱。如「身體羸弱」。❷疲困。如「請羸師以張之(假裝軍隊已經疲困來引誘敵人)」。❸「羸露」：衰敗。

羹 (gēng) ⑧geŋ¹〔庚〕❶用肉、菜做的湯。如「魚羹」。❷「羹匙」也作「調羹」：湯匙。

羶 (羴、膻) (shān)⑧dzin¹〔煎〕❶羊肉的臊味。如「沒吃羊肉先沾一身羶」。❷名引伸指入侵中國的北方游牧民族。如「遍地腥羶」。

【羽部】

羽 (羽) (yǔ)粵 jy⁵〔雨〕❶鳥類的硬毛。如「羽毛」;「羽扇」。❷图鳥類的代稱。如「羽族(鳥類)」;「鱗羽(魚類跟鳥類)」。❸指嘍囉,同黨。如「黨羽」。❹古時五音之一。❺图古代舞伎手上舉的雉尾做的東西。❻图釣魚用的浮標。呂氏春秋有「餌有宜適,羽有動靜」。❼「羽林」也作「御林」:古時皇宮衞兵的名稱。❽图「羽翼」:①比喻輔佐的人。②輔佐。③翅膀。

三至五畫

羿 (yì)粵 ngei⁶〔毅〕ei⁶〔矮低去〕(俗)「后羿」:傳說是夏代有窮國的國君,善於射箭。

羽 图(hóng)粵 weng⁴〔宏〕蟲飛的樣子。

翅 (翄) (chì)粵 tsi³〔次〕❶「翅膀」:鳥類跟昆蟲的翼。如「大鵬展翅」;「插翅難飛」。❷「魚翅」:沙魚的鰭,是珍貴的名菜。❸图通「啻」。孟子告子下有「奚翅食重」(「奚翅」即是「何啻」;「豈止」)。

翁 (wēng)粵 jung¹〔雍〕❶图父親。如「乃翁」;「吾翁即若翁」。❷丈夫的父親,太太的父親。如「翁姑(丈夫的父母)」;「翁婿(老丈人跟女婿)」。❸男性老頭兒。如「老翁」;「漁翁」。❹對人的尊稱。如「某(人的字)翁」。❺姓。❻「翁仲」:古稱石像或銅像,後世專稱立在墓道兩旁的石人。

翀 (chōng)粵 tsung¹〔冲〕向上直飛。

翎 (líng)粵 ling⁴〔零〕❶鳥類的硬毛。通常說「翎兒」或「翎毛」。❷箭羽。

習 (xí)粵 dzap⁹〔襲〕❶學過以後時常反覆練習。如「溫習」;「學而時習之」。❷研究,學着做,向人討教。如「學習」;「研習」。❸做慣了成自然。如「習慣」;「習俗」;「習氣」。❹图常常的。如「習聞」;「習見」。❺图親狎。如「狎習」。❻姓。❼「習尚」:一般人在習慣上所看重或喜歡的。❽图「習習」:①風和緩的樣子。如「涼風習習」。②飛動的樣子。如「習習籠中鳥」。③盛多的樣子。如「冠蓋習習」。❾「習非成是」也作「習非勝是」:錯誤沿習既久,因不能矯正而

把錯的當作是對的。

翌 図(yì)⑧jik⁹〔亦〕❶「翌日」：明天，第二天。❷「翌年」：明年，第二年。

翊 図(yì)⑧jik⁹〔亦〕❶飛的樣子。❷輔助。如「翊贊(指幫忙國家元首作事)」。

六至八畫

翕 図(xī)⑧jɐp⁷〔泣〕❶合，收斂。如「翕張(一張一合)」。❷「翕翕」：和合的樣子。❸「翕然」：和協順暢的樣子。❹図「翕如」：①盛大的樣子。②變動的樣子(指樂音)。論語有「始作，翕如也」。

翔 (xiáng)⑧tsœŋ⁴〔祥〕❶轉着圈盤旋而不搧動翅膀。如「飛翔」；「滑翔機」。❷図從飛引伸為高的意思。如「翔貴(指物價高漲)」。❸同「詳」。如「翔實(詳盡而確實)」。見679頁「詳」。

翛 (xiāo)⑧siu¹〔消〕「翛翛」：羽毛敗壞的樣子。

翡 (fěi)⑧fei²〔匪〕「翡翠」：①綠色的硬玉，半透明，可以做手釧、指環等首飾。②鳥名。跟「翠鳥」同類。嘴長而直，有藍、綠色羽毛，捕食昆蟲，羽毛可作裝飾用。

翟 ▲(zhái)⑧dzak⁹〔擇〕姓。
▲(dí)⑧dik⁹〔敵〕❶長尾的山雉。❷樂舞所用的雉羽。❸墨子的名字。

翠 (cuì)⑧tsœy³〔脆〕❶青綠色。如「青山翠谷」；「翠綠的衣服」。❷翡翠的簡稱。如「她的戒指上鑲了一塊翠」。❸「翠華」：天子的旗。從前天子用翠鳥的羽毛裝飾旌旗，在出行時用。❹図「翠微」：①山旁彎曲不平的地方。②山邊青翠的顏色。

九至十畫

翩 図(piān)⑧pin¹〔篇〕❶鳥飛的樣子。如「衆鳥翩飛」。❷「翩然」：行動輕快的樣子。❸「翩翩」：①鳥兒輕巧地飛的樣子。②比喻人文采風流瀟灑的樣子。如「風度翩翩」。③說行動輕快。④欣喜自得的樣子。❹図「翩躚」：輕舉飛舞的樣子。

翬 図(huī)⑧fɐi¹〔揮〕❶飛。❷有彩色花紋的山雞。

翦 (jiǎn)⑧dzin²〔展〕❶姓。❷剪刀。楊維楨詩有「便欲手把并州翦」。❸齊斷，削割。❹滅除。❺揮動。水滸傳有「虎尾倒豎起來，只一翦」。❻図「翦翦」：①狹小。②寒峭的

風輕吹的樣子。❼通「剪」，見56頁。

菁 図(zhù)粵dzy³〔注〕飛起來。如「鷥翔鳳菁(比喻筆勢的美妙)」。

翫 図(wán)粵wun⁶〔換〕❶習慣以後不加注意。如「翫忽(輕視)」。❷觀賞。如「翫味」。❸図「翫愒」：以苟安為滿足，不再向前努力。❹同「玩」，見434頁。

翮 図(hé)粵het⁹〔劾〕gak⁸〔隔〕(又)鳥兒硬毛的梗。

翰 (hàn)粵hɔn⁶〔汗〕❶赤羽的山雞。❷長而堅硬的鳥毛。❸古時用鳥的硬毛做筆，所以筆墨叫「翰墨」。❹用筆寫的文件、書信。如「華翰(尊稱別人來信)」。❺高飛。

鶮 (hè)粵hɔk⁹〔學〕「鶮鶮」：羽毛潔白潤澤的樣子。

【翔】同「翔」，見本頁。

十一至十四畫

翳 (yì)粵ɐi³〔縊〕❶瞳孔上長的白膜，遮住瞳孔以後人就成了瞎子。❷図遮蔽。如「羣蝗翳日」；「柳林蔭翳」。❸図「翳翳」：隱隱，不分明的樣子。陶潛的歸去來辭有「景翳翳以將入」。

翻(飜) (fān)粵fan¹〔番〕❶図飛的樣子。如「翻翻」。❷改變。如「翻臉不認人」。❸把一種語文譯成另一種語文。如「翻譯」；「把這本小說翻成英文」。❹反轉過來。如「翻船」；「馬仰人翻」。❺爬過。如「翻山越嶺」。❻「翻印」：重印別人的書籍圖畫等出版物。❼「翻砂」：把金屬溶液注入濕砂做的模型裏，冷卻以後結成器物。❽「翻雲覆雨」：比喻人情反覆無常。杜甫詩有「翻手作雲覆手雨」。

翹 ▲(qiáo)粵kiu⁴〔喬〕❶鳥尾巴上的長毛。❷舉起。如「翹首」；「翹舌音」。❸平直的木板變成彎曲。如「你把這塊好板子曬得都翹了」。❹図「翹企」也作「翹望」：盼望非常殷切。❺図「翹楚」：特出的人才。

▲(qiào)粵kiu³〔竅〕❶不平，向上突起。如「板子一彎，兩頭就翹起來」。❷「翹翹板」：一種幼童運動器具。

翱(翱) (áo)粵ŋou⁴〔遨〕ou⁴〔澳低平〕(俗)「翱翔」：①飛的樣子。如「祖國長空任翱翔」。②図敖遊。詩經有「齊子翱翔」。

翼 (yì) 粵jik⁹〔亦〕❶鳥類昆蟲的翅膀。如「鳥之兩翼」;「薄如蟬翼」。❷図輔助。如「輔翼」。❸図保護,養育。如「卵翼」。❹政治上的派別。激進的叫「左翼」;保守穩健的叫「右翼」。❺軍隊的左右兩支兵力。如「兩翼夾擊」。❻星宿名,二十八宿之一。❼姓。❽「翼翼」:①謹慎不魯莽的樣子。如「小心翼翼」。②鳥飛的樣子。❾図通「翌」,見558頁。

翾 図 (xuān) 粵hyn¹〔圈〕❶低飛。❷「翾翾」:飛的樣子。❸通「儇」,見36頁。

耀(燿) (yào) 粵jiu⁶〔曜〕❶光線照射。如「照耀」;「陽光很強,太耀眼了」。❷光榮。如「榮耀」;「光耀」。❸自誇、顯示自己。如「衒耀」;「耀武揚威」。

【老部】

老 (lǎo) 粵lou⁵〔魯〕❶年紀很大的人,跟「少」相反。如「元老」;「老公公」;「老少平安」。❷對長輩的尊稱。如「老師」;「老伯」。❸熟人的稱呼,加在姓上做詞頭;有時候是表示親近。如「老黃」;「老李」。❹熟練的,經驗豐富的。如「老練」;「老手」。❺原來的。如「老家(原籍或故鄉)」。❻舊的,已經很久的。如「老醋」;「老酒」;「老主顧」。❼堅硬的,跟「嫩」相反。如「牛肉煮老了,嚼不動」;「雞子煮老了,不鮮美」。❽很,極。如「老早就來了」;「老遠的跑來找你」。❾總是,常常。如「她老哭」;「王家哥哥老愛開人家玩笑」。❿兄弟姐妹之間的排行。如「老大考上大學」;「你就是老三吧」。⓫排行最末最幼小的。如「老兒子」;「老姨兒」。⓬作某些習慣上對稱謂的詞頭用。如「老媽子(僕)」;「老道(道士)」;「老師(教師)」。⓭加在普通名詞前面,作詞頭用。如「老虎」;「老鼠」;「老鴉」。⓮古代道

老子的簡稱。如「老莊」；「佛老」。⓯[文]軍隊銳氣喪失，因而變弱。如「師老無功」；「師直爲壯，曲爲老」。⓰死的諱稱。紅樓夢有「京中老了人口」。⓱姓。⓲「告老」：官吏因年老而退休。⓳「老子」：①父親。如「老子英雄兒好漢」。②周代哲學家李耼，相傳著有道德經，孔子曾去向他問禮。③倨傲的自稱。如「老子天下第一」。⓴「老成」：①閱歷多而練達世事。如「老成持重」。②老練。如「少年老成」。③複姓。㉑「老娘」：潑婦的自稱。如「老娘不是好惹的」。㉒「老老實實」：誠實、安分的樣子。

考（攷）(kǎo) [粵] hau²〔巧〕❶長壽。如「壽考」。❷稱已死的父親。如「先考」。❸測驗。如「考試」；「招考」。❹檢查。如「考查」；「考績」。❺深入研究。如「考古」。❻姓。❼「考妣」：稱已死的父母。❽「考據」也稱「考證」：對古代文物制度的考核辨證。

三至六畫

【孝】見子部，149頁。

耄 [文] (mào) [粵] mou⁶〔冒〕❶年紀很老。禮記說「八十九十曰耄」（也作七十以上的通稱）。❷亂。左傳有「諺所謂老將至而耄及之者」。❸「耄耄」：年紀老頭髮白的樣子。❹「耄耋」：年紀很老。

耆 [文] (qí) [粵] kei⁴〔其〕❶年紀老。禮記將六十歲叫「耆」；說文將七十歲叫「耆」。如「耆老」；「耆宿」。❷強橫。左傳有「不懦不耆」。❸憎惡。詩經有「上帝耆之」。

耇（耈、耉）[文] (gǒu) [粵] gɐu²〔九〕長壽。

者（者）(zhě) [粵] dzɛ²〔姐〕❶專指做某種事的人。如「記者」；「作者」。❷詞尾，等於作代名詞的「的」；「……的人」。如「弱者」；「勝利者」。❸[文]指示形容詞，相當於「這」。如「者番（這次）」；「者事（這事）」。❹[文]語助詞，表示停頓。孟子書上有「庠者，養也；校者，敎也；序者，射也」。

耋（耊）[文] (dié) [粵] dit⁹〔迭〕年老。說文有「八十曰耋」；左傳注有「七十曰耋」。

翥 (zhù) [粵] dzy³〔注〕同「翥」，見559頁。

【而部】

而 (ér) 粵ji⁴〔兒〕❶又，並且，而且。如「物美而價廉」；「聰明而活潑」。❷用來連接兩種動作：① 表示承接，有「再」、「又」、「然後」的意思。如「學而時習之」；「思考而判斷」。② 表示用前一動作形容後一動作。如「席地而坐」；「破門而入」。③ 與「可是」的用法相似，表示前後相反而又相連的關係。如「不勞而獲」；「不言而喻」。❸表示轉折的連詞。如同「但是」的語氣。如「殘而不廢」；「生活困苦而不絕望」。❹轉換語氣的詞，和「卻」、「乃」的用法相似。如「接受了他的施捨，不是感謝，而是慚愧」。❺表示因果關係，如同「所以」的語氣。如「脣亡而齒寒」；「努力奮鬥而獲得勝利」。❻跟爲字呼應，表示前面的話是目的。如「爲人類幸福而謀貢獻」。❼以。如「從今而後」；「除此而外」。❽囡口語中「就」的意思。如「生而眇者」。❾囡口語中「才」的意思。大戴記有「捫燭而得其形」。❿囡連接副詞與其所修飾的動詞。如「呱呱而泣」；「欣然而同意」。⓫囡用在句的中間，跟「之」字或白話「的」字用法相似。論語上有「君子恥其言而過其行」；孟子有「德之流行，速於置郵而傳命」。⓬囡若，如，表示條件(假設、比較)。如「人而無信」；「雖死而生」。⓭囡你。⓮囡你的，同「爾」。如「而父」；「而翁」。⓯囡用在一個詞或一句末了，表示語氣的助詞。論語有「已而，已而，今之從政者殆而」。⓰「而已」：罷了(表示制限或讓步的助詞)。⓱「而今」：現在。

三至四畫

耐 (nài) 粵nɔi⁶〔內〕lɔi⁶〔耒〕(俗)❶忍受。如「耐勞」；「耐性」。❷維持長久。如「耐用」；「耐久」。❸「耐煩」：① 不怕麻煩。② 不急躁。

耑 ▲(zhuān) 粵dzyn¹〔專〕作用作「專」字，見161頁。
▲(duān) 粵dyn¹〔端〕「端」字，見508頁。

耍 (shuǎ) 粵sa²〔灑〕❶遊戲。如「戲耍」；「玩耍」。❷操縱，玩弄。如「耍猴子」；「耍傀儡」。❸弄，施展。如「耍手腕」；「耍花招」。❹舞動，特指武藝的活動。如「耍刀」

「耍罈子」。❺賭博。如「耍
錢」;「偌大的家產，沒幾年就
叫他耍光了」。

【恧】見心部，216頁。

【耒部】

耒 (lěi)粵loi⁶〔賴〕❶図犂上的
木柄。❷「耒水」：水名，在
湖南省。❸図「耒耜」：泛指耕
種的器具。

三至九畫

耔 (zī)粵dzi²〔子〕同土培植苗
根。

耙 ▲(pá)粵pa⁴〔爬〕❶一種橫
木上附有平排尖齒(鐵齒或
木齒)，加上長柄，用來使地
面土塊平整，使地上物聚攏或
散開的農具。俗稱「耙子」。❷
用耙整平土塊。如「地已經耙
過了」。

　▲(bà)粵ba³〔霸〕同「耙」，
見564頁。

耕(畊) (gēng)粵geŋ¹〔庚〕
gaŋ¹〔加坑切〕(又)❶
犂田，用犂鬆土除草。如「耕
田」;「春耕」。❷図用做「謀
生」的比喻。像靠寫作生活的
稱爲「筆耕」;靠教書生活的稱
爲「舌耕」。❸「耕牛」：耕田用
的牛。❹「耕耘」：①耕田與除
草。②泛指農田耕作的事情。
③比喻付出精神和勞力。如
「一分耕耘，一分收穫」。❺図
「耕織」：①耕田與織布。②指

一般正常生活的活動而言(以往農業社會男耕女織,是最重要的生產事項)。如「勤儉持家,耕織不輟」。

耖 (chào)⑧tsau³〔抄〕❶一種在耕、耙地以後把土弄得更細的農具。❷用耖弄細土塊。

耗 (hào)⑧hou³〔好〕❶消費,用去。如「消耗」;「耗費」。❷減損,不豐富。如「虧耗」;「年成豐耗不同」。❸囚消息,信息。如「噩耗」;「聞耗震驚」。❹拖延時間,延宕。如「耗工夫」;「一耗就是半天」。❺「耗子」:北方稱老鼠。

耘 囚(yún)⑧wen⁴〔云〕❶除草。如「耘田」;「耕耘」。❷「耘耘」:形容農事情況繁盛。

枷 (jiā)⑧ga¹〔加〕「連枷」:一種打稻穀的農具。

耜 囚(sì)⑧dzi⁶〔自〕一種農具,即是裝在犁上來掘土的鐵片。如「耒耜」。

耠 (huō)⑧hep⁹〔合〕❶一種開溝鬆土的農具。❷用耠翻土。

【耡】同「鋤」,見762頁。

耦 囚(ǒu)⑧ŋeu⁵〔偶〕eu⁵〔嘔低去〕(俗)❶古時指兩個人在一塊各持着耒耜並肩耕地。❷兩個人。❸同「偶」,雙數。見32頁。

十至十五畫

榜 (pǎng)⑧poŋ⁵〔蚌〕在田地上除草培土。如「榜地」;「榜過兩遍了」。

耨 囚(nòu)⑧neu⁶〔拿又切〕leu⁶〔漏〕(俗)❶除草的農具。❷除草。

耩 (jiǎng)⑧goŋ²〔講〕keu〔溝〕(又)用耬車播種或施肥。如「耩糞」;「耩棉花」。

耬 (lóu)⑧leu⁴〔流〕「耬車」:種田下種的器具,樣子像腳犁。其中安放「耬斗」,耬斗裏放種子。耬車往前走,耬斗搖動,把種子播下去。

耮 (lào)⑧lou⁶〔澇〕❶用荊條等編成的一種農具,功用和耙相似。❷用耮平整土地。

耙 (bà)⑧ba³〔霸〕❶一種用馬拉着走的木製帶鐵齒的農具,用它在耕過的田裏弄碎土塊。❷用耙弄碎土塊。如「耕過的田地再耙一遍」。

耰 囚(yōu)⑧jeu¹〔憂〕❶古時的一種農具,就是無齒的耙,用來平地和打碎土塊。❷播種之後用「耰」平土,把種子蓋上。

耱 (mò)⑧mo⁶〔磨〕即是「耮」,見本頁。

【耳部】

耳 (ěr)⑨ji⁵〔以〕❶動物的聽覺器官，即是耳朵。如「言猶在耳」；「耳聞不如目見」。❷図聽。如「久仰大名」。❸指兩旁附着的東西：①器皿如瓶、罐、鍋等兩旁附着像耳朵一樣的東西，是為拿着方便；叫「耳子」。②指房屋位置在兩旁的，叫「耳房」，是當中正房的對稱；也簡稱「耳」，如「五間北房三正兩耳」。❹図用在一句末了，表示語氣的助詞，是「而已」、「罷了」的意思。如「前言戲之耳」。❺図表示決定的語助詞，跟「矣」字的用法相似。❻「耳目」：①耳朵跟眼睛。比喻視聽。如「耳目一新」。②聽的人跟看的人。如「這地方耳目眾多，咱們的事情不好談」。③代人刺探消息的人。如「派個耳目去探一探虛實」。④図審查。晉書有「耳目人間，知外患苦」。⑤以往稱呼御史為天子的「耳目官」。❼「耳沉」：聽覺方面有聽不大清楚的毛病。❽「耳順」：①図論語有「六十而耳順」，意思是說到了六十歲，對聽到的話都能有很強的了解判斷；以後便用「耳順」作為六十歲的代稱。如「年逾耳順」。②順耳，受聽。如「這句話我聽着倒還耳順」。❾「耳語」：湊到對方耳邊，低聲說話。❿「耳熟」：形容常常聽到。如「這個地名，聽着很耳熟」。⓫図「耳熱」：耳部發熱。形容人興奮的狀態。如「酒酣耳熱」。⓬「耳邊風」：指聽話者認為說話者的話無足輕重，不屑一聽。如「你不要將我的話當作耳邊風」。⓭「耳提面命」：形容叮嚀教誨。⓮「耳鬢斯磨」：比喻男女彼此親密相處的情景。

二至七畫

耵 (dīng)⑨diŋ²〔頂〕tiŋ¹〔汀〕(又)「耵聹」：耳垢，耳屎，耳朵中皮脂腺的分泌物。

【取】見又部，75頁。
【耶】見邑部，741頁。
【耷】見大部，132頁。

耽 (dān)⑨dam¹〔擔〕❶図過度的喜好，似乎入了迷。如「耽酒」；「耽於聲色」。❷延遲。如「耽擱」；「耽誤」。❸図「耽湎」：過分嗜酒而荒誤正業。❹図「耽樂」：過度貪圖快樂。

耿 (gěng)⑨geŋ²〔梗〕❶正直，有氣節。如「耿介」；

「耿直」。❷內心不安。如「憂耿」;「悽耿」。❸姓。❹「耿耿」:①圀形容光明的樣子。如「銀河耿耿」。②心裏掛念不忘。如「忠心耿耿」。③圀內心不安。如「耿耿不寐」。

【恥】見心部,217頁。

【耻】同「恥」,見217頁。

聃(冄) (dān)粵dam¹〔擔〕❶圀耳朵很大而沒有耳輪。❷中國古代哲學家老子李耳的字(別號),也稱為「老聃」。

聊 (liáo)粵liu⁴〔遼〕❶圀姑且。如「聊備一格」;「聊表寸心」。❷依賴,憑藉。如「民不聊生(人民生活沒有着落)」。❸興趣。如「無聊(沒有意味)」。❹閒談。如「聊天」。❺圀「聊且」:姑且。如「聊且一觀」。

聆 圀(líng)粵ling⁴〔零〕聽。如「聆教」。

聒 圀(guō)粵kut⁸〔括〕❶聲音嘈雜。如「聒噪」。❷說話太多使人厭煩。如「聒絮」。

聘 (pìn)粵ping³〔併〕❶邀請擔任職務。如「聘書」;「聘請」。❷訂婚。如「下聘」;「聘禮」。❸女兒出嫁。如「他家女兒下月出聘」。❹兩國間為了交好而派遣官員互相訪問。如

「聘問」。

聖 (shèng)粵sing³〔勝〕❶至高無上的人格。❷造詣極高的。如「詩聖杜甫」;「書畫聖手」。❸宗教上有關教主的事情。如「聖經」;「聖靈」;「聖誕節」。❹有大智慧。如「聖哲」。❺至尊的稱呼,以往稱頌皇帝的言詞。如「聖駕」;「聖旨」。❻「聖人」:①有至高無上的人格的人,歷來稱周文王、孔子是「聖人」。②專稱孔子。③以往下屬對皇帝的尊稱。❼「聖賢」:①道德修養達到極頂的人,叫做「聖人」;有善行的人,叫做「賢人」;通稱「聖賢」。②也指神佛。如西廂記裏說拜神佛是「拜了聖賢」。❽「聖善」:①舊時稱美母親之辭。詩經有「母氏聖善」。②引作母親的代稱。

八至十一畫

聚 (jù)粵dzœy⁶〔罪〕❶會合,很多人湊在一塊。如「聚餐」;「大家聚在一起談論」。❷把財物搜集積蓄起來。如「聚斂」。❸圀「聚落」:人民聚居的地方。❹「聚合」:①集合。②物質由許多小分子接連成巨大分子的作用,叫做「聚合」;這樣接連成的巨大分

子，叫做「聚合物」。❺囝「聚訟」：許多人爭論，得不到一致的意見。如「對此問題聚訟不已」；「聚訟紛紜(大家意見不一致)」。

聞 (wén) 粵 men⁴〔文〕❶ 聽到。如「所見所聞」；「聞所未聞」。❷ 消息。如「新聞」；「奇聞」。❸ 知識。如「博學多聞」。❹ 傳達報呈。如「奉聞」；「訃聞」。❺ 用鼻子嗅。如「聞香味兒」。❻ 姓。❼囝聲譽。如「令聞」。❽ 有好名譽的。如「聞人」。❾「聞達」：被稱揚薦拔。❿「聞雞起舞」：出自晉人祖逖半夜聽到雞叫就起來舞劍的故事；引作比喻志士及時奮起。

【聰】同「聰」，見568頁。
【馘】同「馘」，見826頁。

聯 (lián) 粵 lyn⁴〔鑾〕❶ 連，合。如「聯合」；「三聯單」。❷「對聯」的簡稱。如「春聯」。❸ 對聯上下兩幅各稱為「一聯」；上一幅叫「上聯」，下一幅叫「下聯」。❹「聯邦」：若干國家結合，制定共同憲法，建立共同中央政府的政治制度。採這種制度的國家，叫「聯邦國」。❺囝「聯袂」：形容兩個人或幾個人在一起走。如「聯袂而來(同行而來)」。❻「聯

綿」同「連綿」：接續不斷。❼「聯繫」也作「連系」：①把兩種事物連結起來。②接頭，接洽。

聲 (shēng) 粵 sing¹〔升〕❶ 聲音，由音波振動鼓膜刺激聽神經而發生的感覺。如「留聲機」；「大聲說話」。❷ 指說話、唱歌等。如「聲樂」；「不聲不響」。❸囝名譽。如「素有政聲」；「聲名卓著」。❹ 說出來，表達意思。如「聲述」；「聲明」。❺ 宣佈出來。如「聲討」；「聲東擊西」。❻ 語言學裏的子音(輔音)，在中國聲韻學裏叫做「聲」。如f和u拼成fu，f是聲，u是韻。❼ 字音聲調。如「上聲」；「去聲」。❽「聲色」：①歌舞和女色。②說話的聲音和臉色。如「不動聲色」。❾「聲律」：文字的聲調與格律，多指詩賦說的，也作詩賦的代稱。❿「聲納」：英文 soner 的譯音。是在軍艦上的測聽器械，從音波測聽出潛艇的方向和位置。⓫「聲帶」：①喉嚨裏的發聲器，是喉頭中間附列的兩條韌帶，繃在喉頭軟骨的兩旁，在呼氣通過聲門時顫動發聲。②電影片附於膠片上的發音部分。⓬囝「聲聞」：①由誦經聽法而悟道。②名

譽，聲譽。⓭図「聲價」：名譽和身價。如「一登龍門，聲價十倍」。⓮「聲調」：①指詩文字句裏音韻配置的抑揚頓挫。如「聲調鏗鏘」。②音樂的節奏。如「聲調悠揚」。③指字音的陰平聲、陽平聲、上聲、去聲、入聲等讀法。④泛稱人的語音或樂器所發的音，又指發聲的高低快慢。

聰(聰) (cōng) 粵 tsung¹〔匆〕❶図聽覺敏銳。如「耳聰目明」。❷聽力。如「左耳失聰」。❸図明察。❹「聰明」：①視聽靈敏。如「耳目聰明」。②有智慧。

聳(sǒng) 粵 sung²〔慫〕❶図使人吃驚。如「危言聳聽」。❷高起，直立。如「聳肩」；「高聳」。❸「聳動」同「慫動」：鼓動、勸誘。❹「聳懼」同「悚懼」：心裏害怕。

聱図(áo) 粵 ngou⁴〔熬〕ou⁴〔澳低平〕(俗)❶不接受別人的意見。❷「聱牙」：①形容不平、不直、不順。②形容文章難懂難唸。如「詰屈聱牙」。

十二至十六畫

聶(niè) 粵 nip⁹〔捏〕lip⁹〔獵〕(俗)姓。

聵(kuì) 粵 kui²〔潰〕❶耳朵聾。如「聾聵」。❷不明事理。如「昏聵」。

職(zhí) 粵 dzik⁷〔即〕❶本分應當做的事。如「職務」；「盡職」。❷事務，所從事的工作。如「兼職」；「在職」。❸執掌。如「職掌」。❹「職員」的簡稱。如「職工」。❺図只，但，就是。如「職是之故」；「職此而已」。❻上行公文裏屬員的自稱。❼「職蜂」：在一窩蜜蜂裏擔任營巢、釀蜜、飼養幼蜂等工作的蜂。也叫「工蜂」。

聹(níng) 粵 ning⁴〔寧〕ling⁴〔零〕(俗)「耵聹」：見565頁「耵」字。

聽▲(tīng) 粵 ting¹〔他兄切〕teng¹〔他腥切〕(語)❶用耳朵接受聲音。如「你聽一聽，有甚麼聲音」。❷服從。如「聽命令」；「乖孩子聽話」。❸等候。如「聽信兒」；「聽一聽再做決定」。❹罐。如「一聽奶粉」(是英文 tin 的譯音)。❺「聽差」：僕役。

▲(tìng，舊讀 tìng) 粵 ting³〔他慶切〕❶任憑，由着，順着。如「聽其自然」；「聽天由命」。❷治理。如「聽政」。❸裁斷。如「聽訟」。❹「聽憑」：任隨，任憑。

聾 (lóng) ⑧luŋ⁴〔龍〕❶聽覺殘損，耳朶聽不見或聽不清。❷「聾子」：耳聾的人。❸「聾啞」：一種聽力缺失又不會說話的疾病。

【聿部】

聿 図(yù) ⑧wɐt⁹〔核〕lœt⁹〔律〕(又)❶古書裏在一句的開頭用的發語詞。❷「聿皇」：輕疾快速的樣子。漢書有「武騎聿皇」。

四至八畫

【書】見曰部，301頁。
【書】見日部，295頁。
【畫】見田部，451頁。

肆 (sì) ⑧si³〔試〕❶図不嚴肅，隨便。如「二人一莊一肆」。❷放縱，任意去做。如「放肆」；「肆行無忌」。❸図小店鋪，陳列出商品售賣的地方。如「店肆」；「茶館酒肆」。❹図陳列起來，擺出來。詩經上有「肆筵設席」。❺図閙市，市街。如「市肆」。❻図處死刑把屍體陳放示衆。周禮秋官有「肆之三日」。❼図極，盡。詩經有「其風肆好」。❽「四」的大寫，見106頁。❾図「肆力」：盡力。❿図「肆應」：有才能而對問題都能應付處理得好。

肅 (sù) ⑧suk⁷〔宿〕❶莊嚴，認真，安靜的樣子。如「嚴肅」。❷恭敬的樣子。如「肅立」；「肅然起敬」。❸図書信

裏用來表示敬禮的意思。如「手肅」；「端肅」。❹囡迎接。如「肅客入」。❺囡斂縮。禮記上有「草木皆肅」。❻姓。❼囡「肅殺」：①形容秋天草木枯落的蕭條氣象。②形容嚴厲而摧殘的力量。❽「肅清」：①削平寇亂或除不良的事。如「肅清匪亂」；「肅清烟毒」。②囡冷冷靜靜。如「冬夜肅清」。❾囡「肅肅」：①整飭的樣子。詩經有「肅肅兔罝」。②鳥翅羽飛動的聲音。詩經有「肅肅其羽」。③迅速的樣子。詩經有「肅肅征宵」。④嚴正的樣子。詩經有「肅肅謝功」。

肄 囡(yì)粵ji⁶〔義〕❶學習。如「肄業(修習學業，讀書、求學)」。❷勞苦。❸樹被砍斷後再生的嫩枝條。詩經有「伐其條肄」。

肇 (zhào)粵siu⁶〔兆〕❶引起一件事情的開頭。如「肇端」；「肇禍」；「肇事」。❷囡開始。如「肇造」。❸「肇基」：開始創立基礎。

【盡】見皿部，468頁。

【肉部】

肉 (ròu)粵juk⁹〔玉〕❶包着骨頭的柔韌質。如「肉體」。❷蔬果可吃的部分。如「瓜肉」；「果肉」。❸不脆。如「這西瓜瓤兒太肉」。❹行動遲緩。如「做事真肉」。❺極為疼愛的稱呼。如「兒啊，我的心肝，我的肉啊」。❻「肉刑」：指中國古代殘害人的身體的刑罰。像「笞刑」；「劓刑(割掉鼻子)」等。❼「肉冠」：鳥類頭上露出的紅色肉塊。❽「肉柱」：介殼類動物短厚而圓的肌肉，彈力很強，專司開閉介殼。❾「肉桂」：植物名，皮味辛烈而多脂，可以做藥。❿「肉麻」：①肌肉感覺麻木。②對於難堪的事物所生的感想。

一至三畫

【肐】「臆」的本字，見582頁。

肋 ▲(lèi)粵lɐk⁹〔離麥切〕lak〔離額切〕(又)❶「肋骨」也作「脅骨」：胸部弓形扁骨，左右共十二對，前端連接胸骨，後端連接脊柱，最下兩對前端不相連。❷「肋膜」：沿肋骨裏面，遮蔽肺部的薄膜。
▲(lè)粵lak⁹〔勒〕「肋肢」：

容貌服飾不整潔。

肌 (jī)⑧gei¹〔基〕❶皮膚和肉的合稱。生理學上特指筋肉。如「隨意肌」；「不隨意肌」。❷図「肌膚」：①皮膚。②肌肉跟皮膚。

【肎】同「肯」，見572頁。

肚 ▲(dù)⑧tou⁵〔提老切〕人及獸類的腹部。如「肚皮子」。

▲(dǔ)⑧tou⁵〔提老切〕獸類胃的俗稱。如「羊肚」；「牛肚」。

肐 (gē)⑧gak⁸〔格〕❶「肐膊」也作「肐臂」；「胳臂」：人的肩膀以下，手部以上，分上下兩節。❷「肐膊肘」：上臂跟下臂之間向外面凸起的關節。

肝 (gān)⑧gon¹〔干〕❶肝臟，是脊椎動物的內臟之一，也是最大的腺，位置在橫膈膜右下側，管膽汁的分泌，肝醣的製造與儲藏，尿素的製造等。❷図「肝膽」：①比喻密切。②比喻誠懇。③稱人有血性，重義氣。

肛 (gāng)⑧gɔŋ¹〔江〕「肛門」：人體直腸下端排糞的出口。

肓 (huāng)⑧fɔŋ¹〔方〕❶人體心臟下面，橫膈膜上面的部位。❷「病入膏肓」：生病沉重難治。

肘 (zhǒu)⑧dzau²〔爪〕❶人的上臂下臂之間向外面凸起的關節部位。如「掣肘」；「懸肘寫大字」。❷「肘子」：豬腿根部的肉。❸図「肘腋」：比喻最接近的地方。晉書有「害起肘腋」。

四畫

肥 (féi)⑧fei⁴〔淝〕❶肌肉豐滿。❷含脂肪質多的獸肉。如「肥肉」。❸土地生產力大。如「肥田」；「肥沃」。❹培壅耕地的滋養料。如「肥料」；「堆肥」。❺豐裕充足。如「肥滿」。❻姓。❼「肥皂」：①皂莢的一種，夏天開白花。結肥短的莢。把它搗碎，加水能出泡沫，用來洗衣服。②用鹼和牛油的製成品，去污力強，可以把髒的衣物洗淨。

肺 ▲(fèi)⑧fɐi³〔廢〕❶「肺臟」：脊椎動物內臟之一，主管呼吸。人的肺在胸腔裏，左右分五葉，上部界鎖骨，下部接橫膈膜，中間包着心臟。❷図「肺腑」：①比喻親密。②衷心。如「肺腑之言」。

▲図(pèi)⑧pui³〔佩〕「肺肺」：茂盛的樣子。詩經有「其葉肺肺」。

肪 (fáng)粵fɔŋ¹〔方〕動物體內凝結的油質。如「脂肪」。

肭 (nà)粵nœt⁹〔拿術切〕lœt⁹〔律〕(俗)「膃肭」：見580頁「膃」字。

股 (gǔ)粵gu²〔古〕❶图大腿，從胯到膝蓋的部分。❷商業名詞：①合資經商。如「合股」。②全部資金分作若干相等的單位。如「股份」。③持有股份的投資人。如「股東」。❸機關單位名稱。如「文書股」；「總務股」。❹數量名詞，指直角三角形兩條直角邊的長邊。❺一縷。如「一股香味」。❻量詞，線香一束叫一股。❼图「股肱」：股是大腿，肱是下臂。比喻左右輔助的人。

肱 (gōng)粵gwɐŋ¹〔轟〕臂的第二節，從肘到腕，即是下臂。

肽 (tài)粵tai³〔太〕氨基酸的氨基與另一氨基酸的羧基縮合後，失去一水分子所成的化合物。

肯（肎）(kěn)粵hɐŋ²〔蝦耿切〕❶图粘在骨上的肉。❷願意。如「他肯去」。❸許可。如「首肯」。❹「肯定」：①承認的意思，跟「否定」相對。②指語意堅定不移。如「他的話很肯定」。❺「中肯」：正中要害，恰到好處。

肩 (jiān)粵gin¹〔堅〕❶脖子下面兩邊，連着兩臂最上端的部位。如「雙肩」；「肩頭」；「肩膀」。❷擔負。如「肩負使命」；「身肩重任」。

胫（肸）图(xī)粵jet⁹〔日〕❶音響的傳播。❷「胫胫」：①笑的樣子。②勞碌的樣子。

肢 (zhī)粵dzi¹〔支〕❶人的手腳。如「四肢」。❷鳥獸的翅膀跟腿。如「前肢」；「後肢」。

肫 (zhūn)粵dzœn¹〔津〕❶家禽的胃。如「雞肫」；「鴨肫」。❷图「肫肫」：懇摯的樣子。

肴（餚）图(yáo)粵ŋau⁴〔爻〕au⁴〔拗低平〕(俗)煮熟的魚肉等食物。如「肴饌」；「美酒佳肴」。

育 (yù)粵juk⁹〔玉〕❶生子。如「生育」。❷撫養。如「育嬰」。❸「育育」：活潑的樣子。❹「德育」：道德品質的教育、培養。

【肬】同「疣」，見455頁。

五畫

背 ▲(bèi)粵bui³〔貝〕❶胸部的後面。如「背脊」。❷物體的反面或後面。如「背面」；「刀背」。❸違反。如「背約」

「背叛」。❹不面對。如「背着臉兒」。❺默。如「背誦」。❻図指人死亡。如「慈父見背」。❼図不順利。如「背運」;「背時」。❽靠着。如「背山面海」。❾離開。如「離鄉背井」。❿「背書」:①背誦書文。②在票據的後面簽名,表示負責。⓫「背景」:①舞臺後面的佈景。②一切事件後面的情景。③比喻可做倚靠的人物或勢力。

▲(bēi)⑧bui³〔貝〕❶把東西放在背上或掛在肩上。如「背東西」。❷「背黑鍋」:代人受過。

胞 (bāo)⑧bau¹〔包〕❶裹在胎兒外邊的膜。如「胞衣」;「衣胞」。❷同父母所生的。如「同胞兄弟」。❸同一個國家種族的人。如「全國同胞」。❹「胞子」:隱花植物子囊中像粉末般的小點,營繁殖作用,同顯花植物的種子。

胚 (pēi)⑧pui¹〔坯〕❶懷孕一個月。❷植物種子內所生出的嫩芽。❸還沒完成的器物。❹「胚胎」:①婦女懷胎一月。②比喻事物的初生。

胖 ▲(pàng)⑧bun⁶〔叛〕❶身體長得豐滿,肉多,跟「瘦」相反。如「肥胖」。❷「胖子」:

稱長得很胖的人。

▲図(pán)⑧pun⁴〔盆〕大、舒心。如「心廣體胖」。

胕 図(fū)⑧fu¹〔呼〕❶腳。❷同「膚」,見580頁。

胎 (tāi)⑧toi¹〔苔〕❶人或動物在母體裏還沒出生的。如「懷胎」;「胎兒」。❷泥塑的偶像。如「泥胎」。❸用橡膠所做的車輪內帶。如「輪胎」。❹事物的開始,根源。如「禍胎」。

胡 (hú)⑧wu⁴〔狐〕❶古時漢人稱北方的游牧民族。如「胡人」。❷古時指從國外傳來的東西。如「胡琴」;「胡蘿蔔」。❸任意亂做。如「胡說」;「胡為」。❹懵懂,不明理,迷亂。如「胡塗」;「含胡」。❺將就,隨便。如「胡亂」。❻図獸類頷下垂着的肉。詩經有「狼跋其胡(老狼的下巴垂着的肉塊)」。❼図怎麼。詩經有「胡為乎泥中」。❽図為甚麼。如「田園將蕪胡不歸」。❾姓。❿「胡同」也作「衚衕」:北方稱小巷子。⓫「鬍」的簡化,見841頁。

胛 (jiǎ)⑧gap⁸〔甲〕「肩胛」:肩上連背的部位,有一根像飯鏟的扁平骨。

胠 図(qū)⑧kœy¹〔驅〕❶從旁打開。如「胠篋(開箱偷東

西)」。❷腋下。

胥 (xū)㊁sœy¹〔須〕❶古代稱小官。周禮有「周官八職，七曰胥」。❷囵皆，俱。詩經有「民胥然矣」。❸囵等待。史記有「胥後命」。❹囵輔助。管子有「與人相胥」。❺姓。❻「鈔胥」：①管謄寫的小吏。②代人抄寫的人。

胝 囵(zhī)㊁dzi¹〔支〕「胼胝」：見本頁「胼」字。

胄 囵(zhòu)㊁dzeu⁶〔就〕❶後裔。如「炎黃世胄」。❷「胄子」：長子（「胄」字下方是「冃」字，和屬「门」部的「冑」不同，見45頁）。

朕 ▲(zhēn)㊁dzen¹〔珍〕鳥類的胃。如「雞朕肝兒」。
▲同「疹」，見456頁。

胔 囵(zì)㊁dzi³〔至〕❶鳥獸的殘骨。❷腐屍。如「掩骼埋胔」。

胙 囵(zuò)㊁dzou⁶〔做〕❶祭祀時用過的肉。❷福，祿。國語周語有「天地所胙」。

胤 囵(yìn)㊁jen⁶〔刃〕❶子孫相承續。❷「胤嗣」：後嗣。

胃 囵(wèi)㊁wei⁶〔位〕❶動物體內消化食物的器官，形狀像囊，橫臥在橫膈膜下面，上連食道，下通小腸。❷星名，二十八宿之一。❸「胃口」：食

慾。引伸指人的喜好、興趣。如「我對這件事沒胃口」。
【脉】同「脈」，見本頁。
【胆】同「膽」，見581頁。

六畫

胼(胼)囵(pián)㊁pin⁴〔便〕「胼胝」：手腳過分勞動，皮膚受摩擦而生的厚皮。

脈(衇、脉)▲(mài)㊁mɐk⁹〔默〕❶血管。如「脈管」；「動脈」。❷有系統而相屬的。如「山脈」；「一脈相承」。❸植物葉上的筋絡。如「平行脈」；「網狀脈」。
▲(mò)㊁mɐk⁹〔默〕「脈脈」：只用眼睛注視，心情難以說出的樣子。如「脈脈含情」。

胴(dòng)㊁duŋ⁶〔洞〕自頸以下除去四肢的體腔、軀幹。如「胴體」。

能(néng)㊁nɐŋ⁴〔拿恆切〕leŋ⁴〔離恆切〕(俗)❶才幹。如「才能」；「能力」；「無能」。❷有幹才的。如「選賢與能」；「能者多勞」。❸力量可以做到。如「能夠」；「貓能捉老鼠」。❹可。如「能不能讓我進來」。❺物理方面的發生「作用」的潛勢。如「熱能」；「能

源」。

胳 (gē) 粵gak⁸〔格〕❶腋下。如「胳肢窩」。❷「胳棱瓣」：膝蓋。❸通「肐」，見571頁。

胱 (guāng) 粵gwɔŋ¹〔光〕gɔŋ¹〔江〕(俗)「膀胱」：見579頁「膀」字。

胯 (kuà) 粵kwa³〔誇高去〕腰和大腿之間的部分。如「胯骨」；「胯下之辱(從人家胯下爬過的恥辱)」。

脊 (jǐ) 粵dzek⁸〔隻〕❶人跟動物背部的骨柱。如「脊梁」；「脊柱」。❷大的物體中央高起的部分。如「屋脊」；「山脊」。❸囵條理。詩經有「有倫有脊」。

脅 (脇) (xié) 粵hip⁸〔怯〕❶人體軀幹兩側自腋下到肋骨盡頭的部位。如「兩脅」。❷用威力逼迫。如「威脅」；「脅人從己」。❸收斂。如「脅肩諂笑(聳起肩膀，裝出笑臉。形容逢迎的醜態)」。

朓 (tiǎo) 粵tiu³〔跳〕古代稱夏曆月底月亮出現在西方的情景。

胸 (匈) (xiōng) 粵huŋ¹〔凶〕❶身體前面脖子以下肚子以上的部分。如「胸腔」；「胸脯」。❷說人的懷抱氣量。如「胸襟」；「心胸」。❸

「胸有成竹」：比喻事先已有妥善計劃，臨時不會慌亂。❹「胸無點墨」：比喻沒有一點兒學識。

脂 (zhī) 粵dzi¹〔支〕❶動物體內固體的油質。常稱「脂肪」。如「牛脂」；「羊脂」。❷「胭脂」的簡稱。如「脂粉」。❸姓。❹「脂膏」：①油脂。②囵比喻富厚的地位。③指老百姓的血汗換來的財物。

胾 (zì) 粵dzi³〔至〕切成大塊的肉。

脆 (脃、膬) (cuì) 粵tsœy³〔翠〕❶東西容易斷破。❷食品酥鬆可口。如「脆棗兒」；「餅乾很脆」。❸音響清越。如「聲音清脆」。❹爽利了當的意思。如「說話乾脆」；「他做事真脆」。❺囵風俗澆薄。如「脆薄」。❻「脆弱」：懦弱、不堅強。

胺 (àn) 粵ɔn¹〔安〕英文 amines，有機化學指氨 (NH₃)的氫原子由烴基代替而成的化合物。也作「亞胺(imines)」。

胰 (yí) 粵ji⁴〔夷〕❶「胰臟」：人體內一種內分泌腺，在胃下面，形狀像牛舌，能分泌胰液，幫助消化，又能調節醣類的新陳代謝作用。糖尿病是胰

臟功能有阻障而起的。❷「胰子」：肥皂，因爲從前有用豬的胰臟製成去污品的。

胭(臙) $^{(yān)}$ 粵jin¹〔烟〕「胭脂」：①紅色顏料，婦女化妝用。②國畫中用的一種紅色。如「胭脂紅」。

七畫

脖(頞) $^{(bó)}$ 粵but⁹〔勃〕「脖子」：頭跟身體相連的部分，即是頸項。

脬 $^{(pāo)}$ 粵pau¹〔拋〕「尿脬」：膀胱。

脯 ▲ $^{(fǔ)}$ 粵pou²〔普〕❶乾肉。如「肉脯」。❷果肉經過蜜餞再晾乾的。如「桃脯」；「杏脯」。
▲ $^{(pú)}$ 粵pou⁴〔葡〕❶胸部。如「胸脯」。❷多指家禽胸部的肉。如「雞脯子」；「鴨脯子」。

脰 図 $^{(dòu)}$ 粵dɐu⁶〔豆〕頸項，即是脖子。

脲 $^{(niào)}$ 粵niu⁶〔尿〕liu⁶〔料〕（俗）「脲素」：有機化合物，分子式 $CO(NH_2)_2$，無色晶體，是塑料、藥劑和農業的重要原料。

脫 $^{(tuō)}$ 粵tyt⁸〔他說切〕❶肉離開骨。❷把穿戴着的衣物除下來。如「脫帽」；「脫衣」。❸

離開。如「脫開」；「脫手」；「脫險」。❹遺漏。如「脫漏」；「脫誤」。❺図推想或然的詞，或許，倘或。漢書有「事既未然，脫可免禍」。❻「脫身」：指逃出險境或擺脫一切。❼「脫胎」：道教用語。脫凡胎而成聖胎，脫凡骨而成聖骨，比喻得道的人。引伸比喻重新做人。如「脫胎換骨」。❽「脫心靜」：對事不負責，不努力而只圖自身安靜的意思。

脘 $^{(wǎn)}$ 粵gun²〔管〕胃的內腔。

脝 図 $^{(hēng)}$ 粵hɐŋ¹〔亨〕「膨脝」：見581頁「膨」字。

脛(踁) $^{(jìng)}$ 粵giŋ³〔敬〕自膝蓋到腳的部分，即是小腿。

脧 ▲図 $^{(juān)}$ 粵syn¹〔孫〕「脧削」：剝奪，萎縮。
▲ $^{(zuī)}$ 粵dzœy¹〔追〕小男孩的生殖器。

脩 $^{(xiū)}$ 粵sɐu¹〔收〕❶乾肉條。如「牛脩」。❷「束脩」：①古時拿成束的乾肉作送給老師的贄見禮。②引作指教師的酬金。❸同「修」，見31頁。

脣(唇) $^{(chún)}$ 粵sœn⁴〔純〕❶嘴的邊緣。如「嘴脣」。❷「脣舌」：①図口才。②言詞。如「大費脣舌」。❸

「脣亡齒寒」：比喩彼此關係密切，互相依靠。

脤 図(shèn)粵sen⁵〔時引切〕❶生的祭肉。❷腎。

脞 図(cuǒ)粵tsɔ²〔楚〕細碎。書經有「元首叢脞哉」。

脗 (wěn)粵men⁵〔敏〕❶合口。❷通「吻」，見82頁。

脢 (méi)粵mui⁴〔梅〕「脢肉」：豬、牛類脊背上的肉。

【脚】同「腳」，見578頁。

【豚】見豕部，693頁。

八畫

脾 (pí)粵pei⁴〔皮〕❶「脾臟」：在胃的左側，是製造白血球的器官。❷「脾氣」：①人的性格氣質。②說人容易發怒叫「有脾氣」或「脾氣大」。

腓 図(féi)粵fei⁴〔肥〕❶脛肉，小腿後面筋肉突出的部分，俗稱「腿肚子」。❷図病。詩經有「百卉具腓」。❸図避。詩經有「君子所依，小人所腓」。

腐 (fǔ)粵fu⁶〔付〕❶朽爛。如「腐爛」。❷陳舊。如「腐舊」。❸鬆軟的東西。如「豆腐」。❹豆腐的簡稱。如「腐乳」。❺「腐刑」：古時割去生殖器的酷刑。也叫「宮刑」。❻「腐蝕」：①物體跟酸鹼類物質接觸時的化學反應。②使腐化

墮落。

腑 (fǔ)粵fu²〔苦〕「六腑」：中醫名詞，指胃、膽、三焦、膀胱、大腸、小腸。

腚 (dìng)粵diŋ³〔訂〕臀的俗稱。如「光腚」。

腆 (tiǎn)粵tin²〔他演切〕❶凸出。如「腆胸」；「腆肚子」。❷図豐厚。如「不腆之儀(些微的禮物)」。❸「腼腆」：見578頁「腼」字。

腔 (qiāng)粵hɔŋ¹〔康〕❶口、胸、腹空的地方。如「口腔」；「胸腔」。❷器物中空的部分。如「爐腔」。❸曲調。如「崑腔」；「梆子腔」。❹說的話。如「答腔」。❺說話的語音。如「南腔北調」。

腊 ▲図(xī)粵sik⁷〔色〕乾肉。▲「臘」的簡化，見582頁。

腖 (dōng)粵duŋ³〔東〕蛋白腖，蛋白質不完全水解的產物，是複雜的多肽化合物。

脹 (zhàng)粵dzœŋ³〔帳〕❶飲食過飽時胃部不舒服的感覺。如「吃太飽了，肚子脹得慌」。❷皮肉浮腫。如「腫脹」。❸膨大。如「膨脹」。❹「脹率」：物體加熱一度體增脹的程度。

腎 (shèn)粵sen⁶〔慎〕「腎臟」：也叫內腎，俗稱腰子，在腰

部後面脊椎骨兩旁，左右兩枚對列，是分析血液裏的廢料化成尿液的器官。

膵 (cuì) 粵 tsœy³〔脆〕❶ 同「脆」，見 575 頁。❷ 同「膵」，見581頁。

腌 ▲(ā) 粵 jim¹〔淹〕「腌臢」：不清潔。
▲同「醃」，見747頁。

腋 (yè) 粵 jik⁹〔亦〕胳肢窩。

腕 (wàn) 粵 wun²〔碗〕❶ 肐膊跟手掌相連的部位。如「懸腕寫大字」；「他的腕力很大」。❷ 小腿跟腳相連的部位。❸「腳腕子」：踝子骨的地方，也叫「腳脖子」。

腁 (qí) 粵 kɐi²〔啟〕腓腸肌，即小腿的肚子。

【勝】見力部，60頁。

【胖】同「胖」，見574頁。

九畫

膼 (bì) 粵 bik⁷〔碧〕❶ 図「膼臆」：憋住氣不洩出。❷「膼膼膊膊」：形容雞拍翅膀或冰裂開的聲音。

脧 (miǎn) 粵 min⁵〔免〕「脧腆」：難爲情的樣子。

腹 (fù) 粵 fuk⁷〔復〕❶ 肚子。如「腹部」；「腹腔」。❷ 內。如「深入腹地」。❸ 図懷抱。詩經

有「出入腹我」。❹ 図「腹笥」：指書箱，比喻心裏所盛的書，泛指讀過的書和記誦曉的文章詞藻典故。如「腹笥甚豐」。

腦 (nǎo) 粵 nou⁵〔惱〕lou⁵〔老〕(俗)❶ 高等動物神經系統的主要部分，是主管知覺、動作的重要器官。分大腦、小腦、中腦、延髓等部分。如「腦子」；「腦筋」；「腦髓」。❷ 稱白色固體或半固體，像腦髓的東西。如「樟腦」；「豆腐腦兒」。❸「腦袋」：頭。

腩 (nǎn) 粵 nam⁵〔南低上〕lam⁵〔覽〕(俗)❶ 乾肉。❷ 牛肚子上近筋骨處的鬆軟肌肉。

腡 (luó) 粵 lɔ⁴〔羅〕❶ 手指紋。❷「腡肌」：手指或腳趾端近爪甲處的肌膚。

腳 (腳) ▲(jiǎo) 粵 gœk⁸〔加約切〕❶ 足，人和動物的行動器官。❷ 器物的基部。如「山腳」；「桌腳」。❸ 曲本、劇本。如「腳本」。
▲(jué) 粵 gɔk⁸〔角〕「腳色」也作「角色」：戲劇的各色演員。如「旦腳」；「丑腳」。

腱 (jiàn) 粵 gin³〔建〕❶ 附在骨上的堅韌肌肉，白色。❷ 特指供人食用的牛筋。

腺 (xiàn) 粵 sin³〔線〕動物體內分泌液汁的器官。如「乳

腺」;「唾腺」。

腥 (xīng) 粵 siŋ¹〔升〕sɛŋ¹〔語〕 ❶生肉。如「魚腥」。❷血、肉、魚類等的氣味。如「血腥氣」。

腫 (zhǒng) 粵 dzuŋ²〔總〕皮肉浮脹。如「紅腫」;「腫脹」。

腸 (cháng) 粵 tsœŋ⁴〔場〕動物腹腔中的器官,分大腸和小腸。小腸管消化;大腸管排洩。

腠 図(còu) 粵 tsɐu³〔湊〕皮膚的紋理。如「腠理」;「膚腠」。

腮 (sāi) 粵 soi¹〔鰓〕同「顋」,面頰。見815頁。

腭(齶) 図(è) 粵 ŋɔk⁹〔岳〕ɔk⁹〔惡入入〕(俗) ❶齒齦上下的肉。❷「腭骨」:硬口蓋的骨。

腰 (yāo) 粵 jiu¹〔邀〕 ❶胯骨以上肋骨以下的部分。❷俗稱內腎為腰,也叫腰子。❸腰子形的東西。如「腰果」。❹地勢像腰形的。如「土腰」;「海腰」。❺事物的中間部分。如「山腰」。❻跟腰部有關的東西。如「腰帶」;「腰包」。

腴 図(yú) 粵 jy⁴〔如〕 ❶肥沃,豐美。如「膏腴之地」。❷指人富厚。隋書有「處腴膏不潤其質」。❸說人胖。如「面貌豐腴」。

【腔】見土部,119頁。
【腰】見女部,144頁。
【膃】同「膃」,見580頁。

十至十二畫

膊 (bó) 粵 bɔk⁸〔博〕 ❶身體的上肢近肩膀的部分。如「肐膊」。❷「赤膊」:裸露上身。❸図「膊膊」:雞聲。

膀 ▲(bǎng) 粵 bɔŋ²〔綁〕 ❶人體自肩到腕的部分。❷「膀子」:①肩膀。②上臂。❸図「膀臂」:得力的助手。

　　▲(páng) 粵 pɔŋ⁴〔旁〕「膀胱」:貯尿的囊,卵圓形,在腹腔下部,底部左右各有一條輸尿管通到腎臟,另有出口通尿道。俗稱「尿胞」。

　　▲(bàng) 粵 bɔŋ³〔巴放切〕「吊膀子」:男女間眉目傳情互相引誘。

　　▲(pāng) 粵 pɔŋ¹〔鋪康切〕 ❶肌肉浮腫。❷「奶膀子」:女人乳部周圍。

腿(骽) (tuǐ) 粵 tœy²〔他水切〕 ❶人體的下肢,包括脛與股。❷動物的四肢,分前腿、後腿。❸桌椅、櫃子下面的支柱。如「桌腿」。❹醃製的豬腿。如「火腿」;「南腿」。

脊 囡(lǚ)粵lœy⁵〔呂〕❶脊骨。
如「心脊(比喻親信的人)」。
❷「脊力」:體力。

膈 (gé)粵gak⁸〔隔〕「膈膜」:
介於腹腔和胸腔之間的筋肉
質的膜。也叫橫膈膜。

膏 ▲(gāo)粵gou¹〔高〕❶脂
油。❷囡肥肉。如「膏粱」。
❸囡土地肥沃。如「膏腴之
地」。❹果子或藥材煎煉的濃
汁。如「梨膏」;「枇杷膏」。❺
濃汁一類的東西。如「牙膏」。
❻囡恩澤。孟子有「膏澤下於
民」。❼囡甘。如「膏雨」;「膏
露」。❽囡「膏火」:①指從前
晚上讀書點燈用的油火。如
「膏火不繼(沒有錢買不起膏
火,意思是不能繼續讀書求
學)」。②古時書院給學生買膏
火的津貼。❾「膏肓」:①人體
心臟跟橫膈膜之間,中醫說是
藥石無法進入的。②比喻病勢
沉重難治。如「病入膏肓」。
　▲(gào)粵gou³〔告〕❶囡滋
潤。詩經有「陰雨膏之」。❷
「膏油」:在車軸或機械上塗上
的油。

膃(膃) (wà)粵wet⁷〔屈〕「膃
肭」:海獸,俗叫海
狗。

膜 ▲(mó)粵mɔk⁹〔莫〕❶動物
體內組織的薄皮,是維護內
臟器官的穩定,或有其他作用
的。如「腦膜」;「肋膜」。❷薄
皮一類的東西。如「笛膜」。
　▲(mó)粵mou⁴〔無〕「膜
拜」:長跪而拜。

膆 (sù)粵sou³〔素〕同「嗉」,見
98頁。

膚 (fū)粵fu¹〔呼〕❶身體的表
皮。如「皮膚」;「肌膚」。❷
淺薄。如「膚淺」;「膚泛」。❸
囡大。如「以奏膚功」。❹「膚
皮」:身體脫落下來的白皮
屑。

膛 (táng)粵tɔŋ⁴〔堂〕❶胸腔。
如「胸膛」;「開膛破肚」。❷
器物的中空部分。如「鎗膛」。
❸「膛線」:鎗膛、炮膛裏面的
螺旋狀線條。

膠 (jiāo)粵gau¹〔交〕❶動物的
皮、骨、角等熬成的濃汁,
有的用來粘東西,有的用做藥
品。如「鰾膠」;「虎骨膠」。❷
樹皮中分泌的黏液。如「桃
膠」;「杏膠」。❸橡膠或塑膠
的簡稱。如「膠鞋」;「膠盃」。
❹有黏性的東西。如「膠水」;
「強力膠」。❺姓。❻囡「膠柱
鼓瑟」:比喻固執不知變通。

膝 (xī)粵set⁷〔失〕❶大腿小腿
相連處的關節的外部。如
「膝蓋」;「膝行」。❷「膝下」:
兒女對父母的敬稱,意思是如

同在父母的膝前。

窒（zhì）粵dzet⁹〔姪〕女子的陰道。

膕（guó）粵gwɔk⁸〔國〕gɔk⁸〔各〕（俗）腿彎，即膝部的後面。

【膝】見水部，385頁。

【膘】同「膘」，見582頁。

膨（péng）粵paŋ⁴〔彭〕❶脹大。如「膨脹（體積增大）」。❷圖「膨脝」：腹脹大的樣子。

膰（fán）粵fan⁴〔凡〕祭祀所用的熟肉。

膩（nì）粵nei⁶〔餌〕lei⁶〔利〕（俗）❶肥油多的食物。如「油膩」。❷厭煩。如「玩膩了」；「看膩了」。❸糾纏，教人討厭。如「膩煩」；「膩畏」。❹塗補縫隙。如「膩縫」。❺油垢、髒。如「垢膩」。❻細緻，光滑。如「細膩」。❼親密。如「膩友」。❽「膩子」：用作塗補縫隙的油灰。

膫（liáo）粵liu⁴〔聊〕男人的生殖器。

膴▲圖（hū）粵fu¹〔呼〕❶魚腹肉。❷去骨的乾肉。❸大，多。

▲（wǔ）粵mou⁵〔武〕厚，高官厚祿。如「膴仕」。

膳（饍）（shàn）粵sin⁶〔善〕飯食。如「早膳」；「膳

廳」。

膵（cuì）粵tsœy⁶〔脆〕「膵臟」即是「胰臟」；「膵液」即是「胰液」。見575頁「胰」字。

【縢】見糸部，541頁。

【膬】同「脆」，見575頁。

【螣】見虫部，643頁。

十三至十九畫

臂▲（bì）粵bei³〔庇〕❶人體從肩到腕的部分。如「臂膊」。❷動物的前肢。如「螳臂」。

▲（bei）粵bei³〔庇〕「胳臂」：上肢，肩膀以下手以上的部分。

膽（胆）（dǎn）粵dam²〔低減切〕❶動物內臟之一，貼在肝臟右邊。形狀像小囊，能儲藏苦味的膽汁幫助消化，殺菌。❷勇氣。如「膽大」；「膽小」；「膽子小」。❸器物的內部。如「球膽」；「暖壺膽」。

臀（tún）粵tyn⁴〔團〕兩條大腿上端跟腰相連在身後的部位。俗稱「屁股」。

膿（nóng）粵nuŋ⁴〔農〕luŋ⁴〔龍〕（俗）筋肉腐爛變成的液汁。

臁（lián）粵lim⁴〔廉〕小腿的兩旁。如「臁骨」。

臉（liǎn）粵lim⁵〔離染切〕❶面部。❷顏面。如「沒臉見

人」。❸面部的表情。如「笑臉」;「變臉不認人」。❹指物體前面的部分。如「門臉」;「鞋臉」。❺「臉蛋」:常指女人或小孩兒的臉。❻「臉皮厚」:指人不怕羞。❼「臉皮薄」:指人怕羞。

膨 図(gǔ)⑧gu²〔古〕❶膨脹。如「氣膨」;「水膨」。❷「膨脹」:腸內發酵,蓄積氣體,腹部緊張如鼓的病。

膾 図(kuài)⑧kui²〔繪〕❶切細的肉絲。論語有「膾不厭細」。❷「膾炙人口」:切細的肉絲叫膾;燒烤的肉叫炙。兩者都是人所愛吃的。引作比喻詩文作品的廣受讚美歡迎。

臄 図(jué)⑧kœk⁹〔奇若切〕上顎。

臊 ▲(sāo)⑧sou¹〔蘇〕腥臭的氣味。如「腥臊」;「臊氣」。
▲(sào)⑧sou³〔素〕羞愧。如「臊得滿臉通紅」。

臆(肊) 図(yì)⑧jik⁷〔億〕❶胸。如「胸臆之間」;「淚下沾臆」。❷私下的主觀想法。如「臆測」;「臆斷」。

膺 図(yīng)⑧jiŋ¹〔英〕❶心胸。如「服膺」;「義憤填膺」。❷當,受。如「膺選」。❸打擊。如「膺懲」。

臃 (yōng)⑧juŋ²〔擁〕「臃腫」:①腫脹。②身體過胖,或是衣服穿得太多,行動不靈。

【膽】見言部,686頁。
【賸】見貝部,702頁。
【臒】同「臛」,見本頁。
【膻】同「癉」,見556頁。

臏(髕) (bìn)⑧ben³〔殯〕❶膝蓋骨。如「臏骨」。❷図古時刑罰之一,削去膝蓋骨。

臍 (qí)⑧tsi⁴〔池〕❶肚臍。哺乳動物腹部中間,有一個凹陷的部位,是出生時臍帶脫落的痕跡。❷螃蟹腹部下面能活動的厴,尖形的是雄蟹,圓形的是雌蟹。❸螺殼底部開口處的薄殼片。❹図「噬臍」:後悔不及的意思。

臕(膘) (biāo)⑧biu¹〔標〕肥。

臘(腊、臈) (là)⑧lap⁹〔立〕❶古時年終的祭典,在十二月舉行,所以後稱陰曆十二月為「臘月」。❷臘月或冬天醃製的魚、肉。如「臘肉」;「臘魚」。❸図和尚受戒為僧的年數。元稹詩有「七十八年三十臘」。

臚 図(lú)⑧lou⁴〔盧〕❶陳列。如「臚列」。❷傳達。如「臚傳」;「臚唱」。

【臟】同「�」，見576頁。
【騰】見馬部，832頁。
【臝】同「裸」，見659頁。

臟 (zàng)粵dzɔŋ⁶〔撞〕胸腹內各器官的總稱。如「五臟六腑」。

臠 图(luán)粵lyn⁴〔聯〕切成塊的肉。

臞 (qú)粵kœy⁴〔瞿〕图消瘦。史記有「形容甚臞」。

臢 (za)粵dzim¹〔尖〕「腌臢」：不清潔。

【臣部】

臣 (chén)粵sɐn⁴〔神〕❶在君主時代，官吏是君主的臣。如「君臣」；「臣下」。❷古人有自稱為「臣」的，是自謙的語氣。❸服從。如「臣服」。❹图加以統治、統屬。左傳上有「王臣公，公臣大夫」。❺現在仍用「忠臣」；「功臣」；「奸臣」作對人褒貶批評的比喻。如「有中興大臣之風」；「他是工業建設的一大功臣」。❻姓。

二至十一畫

臥 (臥) (wò)粵ŋɔ⁶〔餓〕ɔ⁶〔柯低去〕(俗)❶躺下。如「仰臥」；「臥牀不起」。❷休息、睡覺。如「臥室」；「臥車」。❸鳥獸等趴着。如「貓臥着」；「雞臥在草上」。❹「臥底」：潛伏在內，準備做內應。❺「臥薪嘗膽」：越王勾踐為報仇雪恥，刻苦生活，睡在柴薪上，嘗最苦的膽。後世引作比喻刻苦鍛鍊自己，準備復仇。

【堅】見土部，117頁。
【緊】見糸部，537頁。
【監】見皿部，468頁。

臧 (zāng)粵dzɐŋ¹〔莊〕❶圀美好。如「人謀不臧」。❷圀古代對奴隸的稱呼。如「臧獲(奴婢)」。❸姓。❹圀「臧否(pǐ)」：①批評，褒貶。②「可否」的意思。❺圀通「贓」，見703頁。

臨 ▲(lín)粵lɐm⁴〔林〕❶到。如「身臨其境」；「雙喜臨門」。❷接近，靠近。如「臨街」；「臨江」。❸在高處向下看。如「登臨」；「居高臨下」。❹摹仿着寫或畫。如「臨帖」；「臨畫」。❺面對。如「如臨大敵」。❻將要。如「臨走」；「臨別贈言」。❼姓。❽「臨盆」：婦女生產。❾「臨時」：①到時候。如「事先作好準備，臨時便不會忙亂」。②暫時，非經常的。如「臨時措施」；「臨時會議」。❿「臨渴掘井」：比喻事先不準備，需要的時候才想法子。

▲圀(lìn)粵lɐm⁶〔離任切〕眾人一齊哭。左傳有「卜臨於大宮」。

【自部】

自 (zì)粵dzi⁶〔字〕❶己身。如「自己」；「自謀生計」。❷必然的，當然的。如「不努力自將失敗」。❸從，由。如「自東至西」。❹圀苟，假如。左傳有「自非聖人，外寧必有內憂」。❺姓。❻「自大」：自認為了不起。如「自高自大」。❼「自由」：自己能作主，不受約束。❽「自在」：安樂舒服。如「自由自在」；「逍遙自在」。❾「自動」：①出於自願的。②指機器能自行控制的。如「自動售票機」。❿「自然」：①天然存在並非人為的。如「自然景物」。②不勉強，不造作。如「自然美」；「文筆自然」。③當然。如「學習不認真，自然沒有好成績」。

臬 (niè)粵nip⁹〔聶〕lip⁹〔獵〕(俗)❶圀箭靶子；借用為標準、法度的代稱。如「奉為圭臬」。❷圀極至，終極。如「其廣無臬」。❸「臬司」：明清掌刑按察司的別稱，也稱「臬臺」。

臭 ▲(chòu)粵tsɐu³〔湊〕❶難聞的氣味，跟「香」相反。如「臭味」。❷名譽敗壞，被人詬

厭的。如「他到哪兒哪兒臭」。
❸感情冷淡。如「他們本是好
朋友，近來忽然臭了」。❹很
激烈的意思。如「臭罵」；「臭
打」。❺壞的，卑劣的，不堪
說的。如「臭事」；「臭名」。❻
「臭皮囊」：指人的軀殼。

▲ (xiù) ⑧ tsɐu³〔湊〕❶氣
味。❷囝通「嗅」，見98頁。

【息】見心部，217頁。
【皐】同「皋」，見464頁。

齈 囝 (niè) ⑧ nip⁹〔聶〕lip⁹〔獵〕
(俗)「齈齀」：不安的樣子。

【至部】

至 (zhì) ⑧ dzi³〔志〕❶到。如
「從古至今」；「第一號至第
十號」。❷極、最。如「至少」；
「仁至義盡」。❸最好的，最親
近的。如「至交」；「至親」。❹
至於。如「成績還不至太差」。
❺節氣名稱用字。如「夏至」；
「冬至」。

【到】見刀部，53頁。
【郅】見邑部，741頁。

致 (zhì) ⑧ dzi³〔志〕❶囝極，
盡。論語有「人未有自致者
也，必也親喪乎」◦❷招引。
如「羅致」；「招致」。❸給，送
給。如「致送」；「致函某某」。
❹表示。如「致賀」；「致敬」。
❺達到，獲得。如「致富」。❻
盡，用得徹底。如「致力」。❼
旨趣，意態。如「興致」；「情
致」。

臺 (台) (tái) ⑧ tɔi⁴〔擡〕❶高
而平的建築物，可
以登上去向遠處看的。如「瞭
望臺」。❷高出地面的建築，
可以在上面表演、講話的。如
「講臺」；「戲臺」。❸觀測天象
或發送電信的地方。如「電
臺」；「天文臺」。❹對人的尊
稱用詞。如「兄臺」；「憲臺」。

❺臺灣省的簡稱。❻姓。

臻 図(zhēn)粵dzœn¹〔津〕達到。如「漸臻佳境」;「臻於完善」。

【臼部】

臼 ▲(jiù)粵keu⁵〔舅〕keu³〔扣〕(又)❶舂米的器具,用石頭鑿成。如「石臼」。❷図「臼窠」也作「臼科」;「窠臼」:陳舊的格調。❸「臼齒」:近喉兩旁的幾個大牙齒,齒形像臼,用以磨嚼食物的。
▲同「掬」,見255頁。

二至七畫

臾 図(yú)粵jy⁴〔余〕「須臾」:片刻,一會兒。
【兒】見儿部,40頁。

臿 (chā)粵tsap⁸〔插〕❶同「鍤」,見767頁。❷通「插」,見259頁。
【叟】見又部,75頁。
【舁】見廾部,195頁。

舀 (yǎo)粵jiu⁵〔移了切〕❶用瓢、杓取水或其他液體。❷「舀子」:取水用的杓子。

舂 (chōng)粵dzuŋ¹〔忠〕❶把穀或糙米放在石臼裏,搗去皮殼。如「舂米」。❷古罪刑之一,服舂米的勞役,婦女犯罪的,多科這種罪刑。❸図突擊。

舄(舄) 図(xì)粵sik⁷〔色〕❶鞋。❷大的樣子。

詩經有「松桷有舄」。❸通「瀉」，見393頁。

舅 (jiù) ⑧ keu⁵〔臼〕keu³〔扣〕
(又) ❶母親的弟兄。如「舅舅」;「舅父」。❷妻的弟兄。❸古時候兒媳對公公的稱呼。如「舅姑」(也作「翁姑」)。

與 ▲(yǔ) ⑧ jy⁵〔語〕❶同，和，跟。如「我與他」。❷給，送給，交給。如「贈與」;「付與」。❸囦對待，對付。如「此人易與，不足畏也」。❹囦交好。如「相與甚厚」。❺囦助。如「與人為善」。❻囦等待。如「歲不我與」。❼囦「與其」的簡詞。如「與人刃我，寧自刃」。❽姓。

▲囦(yù) ⑧ jy⁶〔預〕參加。如「參與其事」;「與聞」。

▲囦(yú) ⑧ jy⁴〔如〕同「歟」，助詞。見345頁。

九至十二畫

興 ▲(xīng) ⑧ hiŋ¹〔兄〕❶發動，舉辦。如「百廢俱興」;「大興土木」。❷旺盛。如「興盛」;「興旺」。❸流行，盛行。如「這是時興的式樣」。❹准許。如「不興他胡鬧」。❺囦起來。如「夙興夜寐」。❻「興奮」:精神振作，情緒激動。

▲(xìng) ⑧ hiŋ³〔慶〕❶趣味。如「興高采烈」;「酒興正濃」。❷詩經六義(賦、興、比、風、雅、頌)之一，是寄興於物而發的言詞。❸「興趣」:對事物感到喜愛的情緒。

舉 (舉) (jǔ) ⑧ gœy²〔矩〕❶把東西高高提着或拿着。如「舉旗」;「舉重」。❷推薦，推選。如「選舉」;「推舉」。❸動作。如「義舉」;「一舉一動」。❹囦起。如「舉義」;「舉兵」。❺囦全體，全部。如「舉家出遊」;「舉國騰歡」。❻囦育子。如「不舉(不能生育)」。❼「舉人」:科舉時代稱鄉試中式的人。❽「舉世」:全世間。楚辭有「舉世皆濁我獨清，舉世皆醒我獨醒」。❾「舉一反三」:原是從論語「舉一隅不以三隅反，則不復也」而來。引伸作比喻從某方面了解其他方面，是「觸類旁通」的意思。❿「舉足輕重」:一個人的贊成或反對，可以決定兩方的成敗。比喻地位的重要。⓫囦「舉案齊眉」:夫婦互相敬愛有禮。參見320頁「案」。

【學】見子部，150頁。
【輿】見車部，722頁。
【擧】同「舉」，見本頁。

舊(jiù)粵 geu⁶〔技又切〕❶跟「新」相反：①原有的或過去的。如「守舊」；「舊習慣」。②因時間久而變了樣。如「舊皮鞋」。❷交誼，有交情的人。如「念舊」；「與之有舊」。❸「舊國」：①故鄉。②故國。
【覺】見見部，669頁。
【黌】見黃部，870頁。
【釁】見酉部，749頁。

【舌部】

舌(shé)粵 sit⁸〔洩〕❶人和動物口中管辨別味道並幫助咀嚼跟發音的器官。❷器物上像舌頭樣的部分。如「鈴舌（鈴鐺裏面的錘）」；「箕舌（簸箕前面靠近邊緣的部分）」。❸語言辯論的代稱。如「舌戰」；「饒舌」。❹「舌人」：①古時稱譯官。②引作指口頭言辭的傳譯者。③指代表發言的人。❺「舌耕」：以敎書爲生。❻「舌劍唇槍」也作「唇槍舌劍」：比喻雙方辯詞犀利，針鋒相對，各不相讓。

舍▲(shè)粵 sɛ³〔瀉〕❶房屋。如「宿舍」；「旅舍」。❷飼養禽畜的房屋或棚子。如「牛舍」；「雞舍」。❸指自己的家。如「舍下」；「寒舍」。❹稱自己的卑幼親屬或自己的親戚。如「舍姪」；「舍親」。❺居住。如「舍於其家」。❻對人的尊稱。如「鄭舍」；「楊二舍」（元人小說戲曲裏多這樣說）。❼古時行軍一宿爲一「舍」；又稱行軍三十里爲一「舍」。如「退避三舍」。❽図「舍人」：①古時候宮內近侍的官；歷代有很多稱「舍人」的官名。如「中書舍人」；「起居舍人」等。②

門客或親近左右的通稱。③宋元時候尊稱貴顯子弟，猶稱公子。也簡稱爲「舍」。

▲ 図 (shě) ⑧ sɛ² 〔寫〕同「捨」，見256頁。

舐 図 (shì) ⑧ sai⁵ 〔時蟹切〕❶用舌舔。❷「舐犢」：比喻人疼愛子女像老牛用舌舐小牛的情形一樣。如「舐犢情深」。

【甜】見甘部，445頁。

舒 (shū) ⑧ sy¹ 〔書〕❶伸開。如「舒展」。❷遲緩。如「舒緩」。❸姓。

舔 (tiǎn) ⑧ tim² 〔忝〕❶用舌頭接觸物體。如「舔傷」；「舔一下嘴脣」。❷用舌頭取食。

【舖】同「鋪(pù)」，見760頁。

【舘】同「館」，見823頁。

【鴰】見鳥部，857頁。

【舛部】

舛 図 (chuǎn) ⑧ tsyn² 〔喘〕❶差錯。如「舛誤」；「訛舛」。❷違背。如「舛午」。

舜 (shùn) ⑧ sœn³ 〔信〕❶中國古代的一個帝王名；國號「虞」，所以也稱「虞舜」。❷姓。

舝 図 (xiá) ⑧ het⁹ 〔瞎〕同「轄」，車軸兩頭的鐵鍵（舝字把「舛」分開寫在字的上下，像是鍵在軸的兩端）。

舞 (侮) (wǔ) ⑧ mou⁵ 〔武〕❶身體按音樂節奏作出種種姿態的表演。如「舞蹈」；「歌舞」。❷拿着耍動。如「舞劍」。❸做出來，耍弄。如「舞弊」；「舞文弄墨」。❹興起。如「鼓舞」。

【舟部】

舟 図 (zhōu) 粵 dzeu¹〔州〕**①**船。如「盪舟」;「逆水行舟」。**②**佩帶。詩經有「何以舟之,維玉及瑤」。**③**古代承禮器的盤。**④**姓。**⑤**「舟子」:船夫。

二至四畫

舠 (dāo) 粵 dou¹〔都〕形狀像刀的小船。

舡 ▲ 図 (chuán) 粵 syn⁴〔船〕同「船」,見591頁。

▲ (xiāng) 粵 gɔŋ¹〔江〕「舡魚」:一種軟體動物,產在暖海,軀幹像卵形。

舢 (shān) 粵 san¹〔山〕「舢板」也作「三板」:小船。

般 ▲ (bān) 粵 bun¹〔搬〕**①**一種類,樣式。如「這般」;「一般」。**②**移動。俗作「搬」。**③**「般般」:種種,樣樣。

▲ 図 (bān) 粵 ban¹〔班〕**①**図通「班」,回、還。如「般師」(也作「班師」)。**②**図「般般」同「斑斑」:形容有文彩的樣子。**③**通「斑」,見281頁。

▲ 図 (pán) 粵 pun⁴〔盆〕**①**流連,樂。如「般桓」;「般樂」。**②**「般還」同「盤旋」:見468頁。

▲ (bō) 粵 bɔ¹〔波〕but⁸〔鉢〕(又)「般若(rě)」:梵語,智慧的意思。

舨 (bǎn) 粵 ban²〔板〕「舢舨」也作「舢板」:見本頁「舢」字。

舫 図 (fǎng) 粵 fɔŋ²〔紡〕**①**兩隻船並連在一起。**②**船。如「畫舫(遊宴乘用裝飾華麗的船)」。

航 (háng) 粵 hɔŋ⁴〔杭〕**①**在水上或空中行駛。如「航海」;「航空」。**②**図船。張衡賦有「譬臨河而無航」。**③**図兩隻船並連在一起渡水。**④**「航天」:作星際飛行。**⑤**「航行」:①船在水面或水底行駛。②飛機及其他飛行器按航線飛行。

【舩】同「船」,見591頁。

五畫

舶 (bó) 粵 bɔk⁹〔薄〕pak⁸〔拍〕(又) 航海的大船。如「船舶」。

舵 (duò) 粵 tɔ⁴〔鉈〕控制船行方向的裝備,裝在飛機、船的尾部。如「船舵」;「飛機升降舵」。

舲 図 (líng) 粵 liŋ⁴〔零〕有窗的小船。

舸 図 (gě) 粵 gɔ²〔加可切〕ha〔可〕(又)大船。

舺 (jiǎ)粵gap[8]〔甲〕图小船。

舷 (xián)粵jin[4]〔言〕船邊。如「左舷」;「右舷」。

舳 (zhú)粵dzuk[9]〔俗〕❶船尾把舵的地方(船尾叫「舳」;船頭叫「艫」)。❷图「舳艫」:長方形的大船,古時候泛指各種船說。

船(舩) (chuán)粵syn[4]〔旋〕渡水的交通工具。如「輪船」;「帆船」;「河裏有隻船」。

舴 (zé)粵dzak[8]〔責〕「舴艋」:古時的一種小船。

七至十三畫

艇 (tǐng)粵tiŋ[5]〔挺〕teŋ[5]〔語〕❶小而窄長的船,也泛指一般不太大的船。如「汽艇」;「遊艇」。❷图「潛水艇」:可以潛到水裏去的船艦。

艄 (shāo)粵sau[1]〔梢〕❶船尾。❷「艄公」:管船的、船尾掌舵的人;也泛稱船夫。

艋 (měng)粵maŋ[5]〔猛〕「舴艋」:見本頁「舴」字。

艙 (cāng)粵tsɔŋ[1]〔倉〕船或飛機的內部。如「客艙」;「貨艙」;「機艙」。

艘 (sōu)粵sɐu[2]〔守〕量詞,指船的數目名稱。如「三艘船」。

艗 图 (yì)粵jik[9]〔亦〕「艗首」:船頭。古人造船愛把船頭畫上鷁鳥,因此稱船頭爲艗。

艚 (cáo)粵tsou[4]〔曹〕載貨的木船。

【鷁】見鳥部,857 頁。

艟 (chōng)粵 tuŋ[4]〔同〕「艨艟」:見本頁「艨」字。

【艪】同「櫓」,見341頁。

【艢】同「檣」,見339頁。

艤 图(yǐ)粵ŋei[5]〔蟻〕ɐi[5]〔翳低上〕(俗)停船靠岸。如「艤舟以待」。

十四至十六畫

艨 (méng)粵muŋ[4]〔蒙〕「艨艟」也作「蒙衝」:古時的戰船,上面蒙着牛皮。

艦 (jiàn)粵lam[6]〔濫〕戰船。如「軍艦」;「砲艦」。

艪 同「櫓」,見341頁。

艫 图(lú)粵lou[4]〔勞〕❶船頭。❷「舳艫」:見本頁「舳」字。

【艮部】

艮 ▲(gèn)粵gɐn³〔加印切〕❶易經八卦之一，卦形是「☰」，象徵山。含有限制、阻止的意思。❷図「艮時」：古時間計量單位，即是午前二時到四時。❸姓。

▲(gèn)粵gɐn³〔加印切〕❶吃的東西不鬆脆。如「艮蘿蔔」。❷性子直，不隨和。如「這個人真艮」。❸說話粗率沒有曲折。如「他的話太艮」。

良 (liáng)粵lœŋ⁴〔梁〕❶好。如「善良」；「良師」。❷図很。如「良久」；「用心良苦」。❸図的確，果然。如「良如所言」；「良有以也」。❹指本能的。如「良知良能」。❺身家清白。如「良家婦女」。❻姓。❼「良知」：①孟子所指的天賜的仁、義、禮、智等觀念。②好友，知己。❽「良夜」：①天色美好之夜。②深夜。❾「良藥苦口」：是「良藥苦口利於病，忠言逆耳利於行」的上句，意思是治病的好藥往往是味苦難吃。引伸作比喻直言勸告的好話聽起來雖然難受，但卻很有益處。

艱 (jiān)粵gan¹〔奸〕❶困難。如「文定艱深」；「艱難困苦」。❷図憂。如「丁憂」也作「丁艱」。

【色部】 【艸部】

【艸】同「草」，見603頁。

二至四畫

色 ▲(sè)粵sik⁷〔式〕❶顏色，色彩，是光線射在物體上，再反射到人的視覺所產生的印象。日光能反射「紅、橙、黃、綠、藍、靛、紫」七色。❷面容，臉上的神情。如「面有愧色」；「欣然色喜」。❸囡指「作色」(發怒)。左傳有「室於怒，市於色(在家裏生氣，到了街上變了臉色)」。❹指女色。如「沉迷酒色」。❺種類。如「各色人等」；「貨色齊全」。❻東西的品質。如「成色」；「足色」；「音色」。❼景象。如「春色」；「夜色」。❽指性慾。如「色情」；「色魔」。❾「色盲」：視覺的一種病態。患者不能辨別色彩。❿囡「色屬內荏」：外貌剛強嚴厲而內心懦弱。

▲(shǎi)粵sik⁷〔式〕❶顏色。如「這種花布會掉色」。❷「色子」：賭具，即是骰子。

艴 囡(fú)粵fet⁷〔拂〕生氣而面色改變的樣子。如「艴然不悅」。

【艶】同「豔」，見692頁。

芁 ▲囡(qiú)粵keu⁴〔求〕荒遠。詩經有「我征徂西，至于芁野」。

▲(jiāo)粵gau¹〔交〕「秦芁」：草名，可以做藥用。

芿 (nǎi)粵nai⁵〔乃〕lai⁵〔離蟹切〕(俗)「芋芿」：即是「芋頭」。見594頁「芋」字。

艾 ▲囡(ài)粵ŋai⁶〔刈〕ai⁶〔挨低去〕(俗)❶多年生草本植物，開黃色小花，葉背有白色的毛；可以做藥，也可以做印泥。❷囡蒼白色。因老人髮白如艾，故作為老人的尊稱。禮記說「五十(歲)曰艾」。❸囡年輕貌美。如「少艾」。❹囡止。如「方興未艾」。❺姓。❻囡「艾艾」：形容口吃，說話不流利。如「期期艾艾」。

▲(yì)粵ŋai⁶〔刈〕ai⁶〔挨低去〕(俗)❶囡通「刈」，收穫。穀梁傳有「一年不艾而百姓飢」。❷「自怨自艾」：悔恨自己的錯處而改正缺點。

芃 囡(péng)粵puŋ⁴〔蓬〕「芃芃」：草木茂盛的樣子。如

「芃芃黍苗」。

芒 ▲(máng)粵mɔŋ⁴〔忙〕❶多
年生草本植物，葉子細長而
尖，莖的外皮可以織草鞋，所
以草鞋也叫「芒鞋」。❷草葉的
尖端或穀實上的尖毛；稻子有
稻芒，麥子有麥芒。❸刀劍鋒
利的部分。如「鋒芒」。❹四射
的光線。如「光芒」。❺姓。❻
「芒硝」也作「芒消」：藥名，即
是硫酸鈉。❼「芒種」：二十四
節氣之一，在陽曆六月七日或
八日。❽「芒刺在背」：比喻因
為害怕而坐立不安。

▲(máng)粵mɔŋ¹〔媽康切〕
「芒果」：果名，閩廣台灣等處
生產，形狀像鵝卵，皮青肉
黃，很好吃。又作「檬果」，
「樣果」。

芐 (hù)粵wu⁶〔戶〕藥草名，中
醫叫「地黃」。

芑 (qǐ)粵hei²〔起〕❶圖長白苗
的穀類植物。❷藥草「地黃」
的別名。

芊 (qiān)粵tsin¹〔千〕❶圖「芊
芊」：草木茂盛的樣子。❷
姓。

芎 (xiōng)粵guŋ¹〔弓〕❶「芎
藭」：藥草名。❷「川芎」：
四川出產的芎藭。

芍 (sháo)粵tsœk⁸〔卓〕「芍
藥」：多年生草本植物，花

像牡丹，有紅、白、紫等色，
可供觀賞，根可作藥材。如
「白芍」。

芏 (dù)粵dou⁶〔杜〕「芏茳」：
見604頁「茳」字。

芄 (wán)粵jyn⁴〔元〕「芄蘭」：
多年生蔓草植物，梗裏有白
汁，種子上長白毛，可以做棉
的代用品。

芋 (yù)粵wu⁶〔互〕❶蔬類植
物，葉子像盾形。地下莖圓
形，俗稱「芋頭」，也叫「芋
艿」，可以吃。❷「山芋」：即
是番薯。

芨 (jī)粵gɐp⁷〔急〕「白芨」：多
年生草本植物，葉長形，莖
可供藥用。

芭 (bā)粵ba¹〔巴〕❶「芭蕉」：
多年生草本植物，葉長大，
花淡黃色，種在庭院供觀賞。
❷「芭蕾」：法文 Ballet 的音
譯，歐洲古典舞劇的統稱，後
逐漸形成一種不同風格的舞
蹈。俗稱「芭蕾舞」。❸「芭
籬」：用葦草編織作障蔽的籬
笆。

芐 (biàn)粵bin⁶〔辨〕「芐基」：
英文benzyl的音譯，化學名
詞。也叫「苯甲基」，見597頁
「苯」字。

芘 (pī)粵pɔt⁷〔匹〕煤焦油裏含
着的一種有機化合物。

芼 囡（mào）粵 mou⁶〔務〕採擇。詩經有「參差荇菜，左右芼之」。

芾 囡▲（fèi）粵 fɐi³〔肺〕「蔽芾」：微小的樣子。詩經有「蔽芾甘棠」。

▲（fú）粵 fɐt⁷〔拂〕❶草木茂盛。❷通「黻」，見808頁。❸「米芾」同「米黻」：宋代書畫家的名字。

芣 （fú）粵 fɐu⁴〔浮〕「芣苢」：草名，俗稱車前子，可做藥。

芬 （fēn）粵 fɐn¹〔分〕❶香氣。如「芬芳」；「芬菲」。❷同「紛」，見528頁。

芳 （fāng）粵 fɔŋ¹〔方〕❶香。如「芳香」；「芳草鮮美」。❷囡指道德或名譽好。如「流芳百世」。❸對人的敬稱。如「芳齡」；「請問芳名」。

芙 （fú）粵 fu⁴〔扶〕「芙蓉」：①落葉灌木，幹高四五尺，葉掌狀，花有紅白黃各色，也叫「木芙蓉」。②荷花的別名。也作「芙蕖」。

花（苍、蘤）（huā）粵 fa¹〔呼鴉切〕❶植物體的一部分，是顯花植物的生殖器官，生在莖或葉上，果實或種子就長在花上，常說「花兒」。如「玫瑰花」。❷泛稱庭園裏供觀賞的植物。如「花木」；「種花」。❸形狀像花的物體。如「雪花」；「爆米花」。❹棉花或棉的果實的簡稱。如「花紗布產製品」。❺條紋，圖案。如「花紋」；「印花布」。❻雜色的。如「花貓」；「頭髮花白」。❼視線模糊不清。如「頭昏眼花」；「眼睛都看花了」。❽遠視。如「花眼」；「花鏡」。❾天然痘（variola）的俗稱，是「天花」的簡詞。如「出過花兒」。❿表示種類繁雜。如「花色繁多」；「花樣翻新」。⓫燃放時能冒火的煙火。如「花砲」；「放花」。⓬消耗。如「花費不少」；「花了三塊錢」。⓭虛假的。如「花言巧語」；「報了花帳」。⓮指妓女或指一般美貌的女人。如「交際花」。⓯像花一樣美的。如「花容玉貌」；「花枝招展」。⓰姓。⓱「花子」也作「化子」：要飯的，乞丐。⓲「花押」：從前說在文書與契約上簽名。⓳「花紅」：①營業所得分配股東的紅利。②林檎的別名。③從前遇到喜慶的事，在身上插金花披紅帶，稱作花紅；也是對有功的人的一種獎勵。⓴「花消」：①所耗費的錢財。②指購置財物所支出的佣金。㉑「花絮」原作「花花絮絮」：比喻各種零碎的

艸部 （4） 芼芾芣芬芳芙花　595

事。㉒「花名冊」：人名冊。㉓「花花公子」：指浮華的闊家子弟。㉔「花花世界」：繁華的地方。㉕「花花綠綠」：指顏色豔麗。

芰 (jì)粵gei⁶〔技〕四角的菱。

芥 (jiè)粵gai³〔介〕❶「芥菜」：蔬菜類植物，葉子有缺刻而皺縮，地下莖呈圓錐形，莖葉及根可吃，種子小，像粟粒，味辛辣，研成的細末可調味，俗稱「芥辣」。❷「纖芥」也作「纖介」：比喻小。❸「芥子」：①芥菜的種子。②図比喻極小。❹図「芥蒂」也作「蒂芥」：鯁礙的東西；比喻積在心裏的嫌怨、輕微的憾恨。
　　▲(gài)粵gai³〔介〕「芥藍」也作「芥蘭」：蔬菜植物，一年或二年生草本，莖粗壯，直立，分枝性強，葉較大，邊緣有波狀，花白色或黃色。

芪 (qí)粵kei⁴〔其〕「黃芪」：藥草名。

芡 (qiàn)粵him³〔欠〕❶一年生水草本植物，莖葉子圓大有刺，夏天開紫花，果實可以吃。稱「芡實」。❷「芡粉」：①芡實製成的澱粉，可以做藥用。②泛指可以用溫水調成糊狀的粉，像綠豆粉、藕粉等。

❸「勾芡」：烹飪加粉使湯汁變濃。

芹 (qín)粵ken⁴〔勤〕「芹菜」：蔬菜名，莖有稜角，中空，長羽狀的複葉，夏天開白花，可吃。

芩 (qín)粵kɐm⁴〔琴〕「黃芩」：草名，可作藥。

芯 ▲(xīn)粵sɐm¹〔心〕去皮的燈心草。如「燈芯」。
　　▲(xìn)粵sœn³〔信〕❶「蠟芯」：蠟燭中心可燃燒的部分。❷「芯子」也作「信子」：①俗稱蛇舌。②煮熟的羊舌。

芝 (zhī)粵dzi¹〔之〕❶「靈芝」：菌類植物，寄生在枯樹上，有青、白、黃、赤等色，古人認爲是瑞草。❷舊函牘稱呼對方的容貌。如「芝儀」、「芝宇」。❸「芝麻」也作「芝蔴」：①胡麻的俗稱。②胡麻所結的子，可以榨油。

芷 (zhǐ)粵dzi²〔止〕「白芷」：香草名，多年生草本，高四尺多，夏天開簇簇小白花，根可以做藥。

芻 図(chú)粵tso¹〔初〕❶牧養牲口。如「芻牧」。❷飼養牛馬的草料。如「芻秣」。❸図「芻言」：「芻蕘之言」的省略，比喻草野之人的言論，常用作對自己言論的謙辭。也作「芻

議」。❹「芻狗」：把草紮成狗形，是古人祭祀的東西，用完後扔掉。引作比喻廢棄不用的物品。老子有「天地不仁，以萬物為芻狗」。❺「芻蕘」：①刈草採柴的人。詩經有「詢於芻蕘」。②謙稱自己的議論粗淺。如「芻蕘之言」。

芟 図(shān)團sam¹〔衫〕割草。引伸作「芟除」。如「芟夷」；「芟除」。

芮 (ruì)團jœy⁶〔銳〕❶図「芮芮」：草細小的樣子。❷姓。❸「芮城」：縣名，在山西省。

芽 (yá)團ŋa⁴〔牙〕a⁴〔亞低平〕(俗)❶植物剛出土的嫩苗，或剛滋生出來的嫩葉。如「新芽」；「綠豆芽」。❷事物的起源。如「萌芽」；「根芽」。

芫 ▲(yuán)團jyn⁴〔元〕「芫荽」：落葉灌木，開小紫花，有毒，漁人用來毒魚。
　　▲(yán)團jyn⁴〔元〕「芫荽」：也叫「香菜」、「胡荽」，一年生草本植物，開白花；嫩葉跟莖都有香味，可以吃。

芸 (yún)團wɐn⁴〔雲〕❶「芸香」：多年生草本植物，莖、葉、花有特殊香味，放在書裏可以免蠹魚的侵害。❷「芸芸」：眾多的樣子。如「芸芸眾生」。❸「芸編」：書籍的別稱。古人常用芸香放在書裏驅除蠹蟲，故把書籍稱為「芸編」。

苟 (gōu)團geu¹〔溝〕❶菜名。❷姓。

五畫

苞 (bāo)團bau¹〔包〕❶花朵沒開的時候包着花朵周圍的葉片。如「含苞待放」。❷蓆草。莖堅韌，可織蓆及鞋。❸図「苞苴」：①包裹東西贈送他人（有「行賄」的意思）。②用來行賄的財物。如「苞苴公行」。

苯 (běn)團bun²〔本〕❶一種有機化合物，分子式C_6H_6，無色的液體，有特殊氣味，可以作溶媒劑跟芳香屬化合物的原料。❷「苯甲基」：甲苯分子中少掉一個氫原子所組成的基團（$C_6H_5CH_2—$）。也稱「苄基」。

苾 図(bì)團bet⁹〔必〕❶馨香。❷「苾芬」：形容祭品的香美。詩經有「苾芬孝祀」。

苤 (piě)團pei²〔鄙〕「苤藍」：一年生蔓菁類植物，莖圓球形，是很好吃的菜蔬。

苹 ▲(píng)團piŋ⁴〔平〕❶草名，白蒿類，葉青白色，嫩莖可以吃。❷同「萍」，見607

頁。

▲「蘋」字簡化。「苹果」同「蘋果」：見628頁。

茉 (mò)⑧mut⁹〔末〕「茉莉」：常綠灌木。花白色，很香。可以放進茶葉裏同時熏乾，製成香片茶。

莓 (méi)⑧mui⁴〔梅〕草名，一枝三葉，葉面青色，背部淡白，開小白花，夏初結果子，顏色像櫻桃。如「草莓」。

茅 (máo)⑧mau⁴〔矛〕❶「茅草」也叫「白茅」：多年生草本植物，有青白兩色，可以蓋屋頂，製繩索。❷姓。❸「茅房」也叫「茅廁」：廁所。❹「茅塞」：自謙知識未開的詞。如「聽了人家有啟發性的話，使我茅塞頓開」。

茆 (máo)⑧mau⁴〔矛〕「茆菜」的別稱。見620頁「蓴」字。

茂 (mào)⑧meu⁶〔貿〕❶旺盛的樣子。如「茂林修竹」；「枝葉茂密」。❷事業發達。如「茂業」；「財源茂盛」。❸「茂才」：「秀才」的別稱。見496頁「秀」字。

苗 (miáo)⑧miu⁴〔描〕❶初生的植物。如「樹苗」；「麥苗」；「稻苗」。❷稻麥還沒吐穗之前的稱呼。如「青苗」。❸剛孵出的幼魚。如「魚苗」。❹

火焰。如「火苗」。❺露出地面或藏得不深的礦物。如「礦苗」。❻事情的頭緒。如「根苗」；「苗頭」。❼囝子孫後代。如「苗裔」。❽能使機體增強免疫力的細菌劑。如「疫苗」；「牛痘苗」。❾姓。❿「苗族」：散居中國西南各省的少數民族。⓫「苗條」：身材纖細柔美。

苜 (mù)⑧muk⁹〔目〕「苜蓿」：豆科野菜，二年生草本，開小黃花，俗名「金花菜」。莖葉可以作飼料或肥料。

范 ▲(fàn)⑧fan⁶〔飯〕❶姓。❷「范縣」：地名，在山東省。

▲「範」的簡化，見515頁。

苻 (fú)⑧fu⁴〔扶〕❶一種叢生的草，莖像葛，葉子呈圓形，有毛，也叫「鬼目草」。❷姓。❸「萑苻」：見609頁「萑」字。

茀 囝(fú)⑧fɐt⁷〔拂〕❶路上草太多太亂的樣子。❷治，整理。詩經有「茀厥豐草」。❸福。詩經有「茀祿爾康矣」。

苔 ▲(tái)⑧tɔi⁴〔台〕隱花植物，顏色蒼綠，生在陰濕的地方，靠胞子繁殖。地錢、角苔等都屬這類植物。

▲(tāi)⑧tɔi¹〔胎〕「舌苔」：

舌面的垢膩。

苕 ▲ (tiáo)粵 tiu⁴〔條〕❶ 木名，又名「紫葳」、「凌霄花」，爬蔓，花黃紅色。❷葦花，條可以作掃帚。如「苕帚」。

▲ (sháo)粵 siu⁴〔韶〕「紅苕」：方言詞。即是甘薯。

茶 (niè)粵 nip⁹〔聶〕lip⁹〔獵〕(俗)疲倦的樣子。如「精神發茶」。

苙 囶(lì)粵 lɐp⁷〔粒〕❶ 豬圈。❷藥草名，即是「白芷」。參見596頁「芷」字。

苓 (líng)粵 lìng⁴〔零〕❶ 菌類植物，有「茯苓」；「豬苓」等，可以作藥。❷芳草名。❸囶「苓落」同「零落」：比喻衰落。

苟 (gǒu)粵 geu²〔狗〕❶囶暫且，不認真。如「苟安」；「一筆不苟」。❷囶不正當的。如「苟且」；「苟合」。❸囶隨便地。如「不苟言笑」；「不敢苟同」。❹囶假若，如果。如「苟非其人」；「苟或有之」。❺囶眞誠地。論語有「苟志於仁矣」。❻姓。

苛 (kē)粵 ho¹〔呵〕❶ 對人的要求細碎煩瑣。如「苛求」；「苛責」。❷待人刻薄。如「苛刻」；「待人太苛」。❸嚴厲暴虐。如「苛政猛於虎」。❹苛

性」：化學上的腐蝕性。

苦 (kǔ)粵 fu²〔虎〕❶五味(酸、甜、苦、辣、鹹)之一，跟「甘」、「甜」相反。如「良藥苦口」；「這種藥好苦」。❷ 很難忍耐的感覺。如「痛苦」；「苦惱」。❸窮，沒錢。如「困苦」；「生活很苦」。❹勞累多，收入少。如「做苦工」；「苦差事」。❺盡力。如「苦讀」；「埋頭苦幹」。❻自我限制，鞭策。如「刻苦」；「苦心孤詣」。❼除去得太多太過。如「指甲剪得太苦了」；「線頭兒留得太苦太短」。❽囶患。漢書韓信傳有「亭長妻苦之」。❾恨。如「苦於不識字」。❿「苦水」：①味道不好的水。②比喻藏在心裏的不愉快感受。如「大吐苦水」。

苴 ▲(jū)粵 dzœy¹〔追〕❶能結子的大麻。❷囶「苞苴」：見597頁「苞」字。

▲囶(jǔ)粵 dzœy²〔嘴〕古人在鞋裏加的草墊。

苣 ▲ (jù)粵 gœy⁶〔巨〕「萵苣」：見613頁「萵」字。

▲ (qǔ)粵 gœy⁶〔巨〕「苣蕒菜」：多年生草本植物，花黃色。莖葉嫩時可吃。

茄 ▲(qié)粵 kɛ²〔卡寫切〕❶「茄子」：一年生草本植物。

開紫花，果實細長或圓形，有紫色或白色的，是日常蔬菜。❷「番茄」：見451頁「番」字。

▲(jiā)〔加〕❶荷莖。❷「雪茄」：見796頁「雪」字。

苧 (zhù)〔柱〕「苧麻」：多年生草本植物，是中國特產。莖高三四尺，葉卵形，花淡黃綠色；莖皮纖維堅韌柔滑，可製夏布或線；根可做藥。

茁 (zhuó)〔綴〕❶草初生的樣子。詩經有「彼茁者葭」。❷「茁壯」：①生長的樣子。②肥壯的樣子。

茌 (chí)〔池〕「茌平」：縣名，在山東省。

苫 ▲(shān)〔沙淹切〕❶把茅草編成，蓋在屋頂上的片狀覆蓋物。如「草苫子」。❷用乾草或麥稭編成的墊蓆。❸「苫次」：居喪。❹「苫塊」：「寢苫枕塊」的簡稱，古時父母喪時用乾草作蓆，土塊作枕。所以居父母之喪。

▲(shàn)〔沙厭切〕遮蓋起來。如「把麥垛苫一苫」；「下雨的時候把這堆東西苫上」。

苒 (rǎn)〔染〕❶「苒苒」：草茂盛的樣子。❷「苒荏」同「荏苒」：見603頁「荏」。

若 ▲(ruò)〔弱〕❶相似。如「大直若屈，大巧若拙」。❷假使，如果。如「假若」；「若是」；「若不」。❸大約計算的詞，等於是「多少」。如「若干」。❹你。如「若輩」；「吾翁即若翁」。❺及，與，或。後漢書有「彊盜為上官他郡縣所糺覺」。❻奈。左傳有「寇深矣，若之何」。❼柔順。左傳有「故民入川澤山林，不逢不若」。❽如此。孟子有「以若所為，求若所欲，猶緣木而求魚也」。❾乃，始，纔。國語周語有「必有忍也，若能有濟也」。❿轉接連詞，說完一件再說一件時用。⓫古文裏要用作沒有實際字義的助詞。⓬姓。

▲(rě)〔野〕❶「般若」：見590頁「般」字。❷「蘭若」：寺院。

苡(苢) (yǐ)〔以〕「薏苡」：見625頁「薏」字。

英 (yīng)〔嬰〕❶植物的花或葉子。如「舜英(木槿花)」；「落英繽紛」。❷物質的精粹部分。如「精英」。❸才能超眾的人。如「英俊」；「英雄人物」。❹美；多稱才德之

美。禮記有「與三代之英」。❺英國的簡稱。如「英磅」;「英文」。❻姓。❼「英雄」:①爲大衆謀利益而有功績的人。②指英武過人的人。

苑 ▲[文](yuàn)[粵]jyn^{2}〔院〕❶花園或養禽獸的園子。如「鹿苑」;「上林苑」。❷人物聚集的地方。如「藝苑」;「文苑」。

▲(yuán)[粵]jyn^{4}〔元〕姓。

▲[文](yù)[粵]wɐt^{7}〔屈〕積壓，蘊結。詩經有「我心苑結」(「苑結」同「鬱結」)。

苘 (qǐng)[粵]gwiŋ^{2}〔炯〕「苘麻」:一年生草本植物，莖直立，開黃花，莖皮的纖維可製繩子。

【苐】同「第」，見510頁。

【苽】同「菰」，見608頁。

六畫

茫 [文](máng)[粵]mɔŋ^{4}〔忙〕❶水域廣大的樣子。如「淼茫大海」。❷引伸作寬廣無邊際。如「天幕蒼茫」。❸雜亂不清的樣子。如「茫無頭緒」。❹「茫昧」:暗晦不可知的樣子。❺「茫茫」:①廣大的樣子。②不明白，難捉摸。如「前途茫茫」。③形容霧氣迷濛。如「白茫茫的一片」。❻「茫然」:全無所知的樣子。

茗 (míng)[粵]miŋ^{5}〔皿〕❶茶的嫩芽。❷茶的別稱。如「品茗」。

茷 [文]▲(fá)[粵]fɐt^{9}〔伐〕草葉多。

▲(pèi)[粵]pui^{3}〔沛〕通「旆」，見286頁。

茯 (fú)[粵]fuk^{9}〔伏〕「茯苓」:也叫「茯神」、「茯靈」，菌類，生在松林裏，塊球狀，包着松根寄生，可作藥。

荑 ▲[文](tí)[粵]tɐi^{4}〔提〕❶草木初生的嫩芽。❷「柔荑」:形容女人的手柔軟。❸通「稊」，見498頁。

▲(yí)[粵]ji^{4}〔移〕芟除，割草。如「芟荑雜草」。

茼 (tóng)[粵]tuŋ^{4}〔同〕「茼蒿」:一年生草本植物，莖葉嫩的可以吃，是家常的蔬菜。北方叫「蒿子」。

荔(荔) (lì)[粵]lɐi^{6}〔例〕「荔枝」:常綠喬木，果實外殼有龜甲紋，熟了是紅色的，果肉白色多汁，香甜好吃。

茢 (liè)[粵]lit^{9}〔列〕葦花的別稱，參見599頁「苕」字。

茛 (gèn)[粵]gɐn^{3}〔艮〕「毛茛」:多年生草本植物，開黃花，果實集合成球形，有毒，可作外用藥。

荄 図(gāi)粵goi¹〔該〕❶草根。如「根荄」。❷草木枯乾的莖。

苦 (guā)粵kut⁸〔括〕「苦蔞」：蔓草名。葉子狹長而光滑，結橢圓形的果實，果仁跟果皮可做藥用。

茴 (huí)粵wui⁴〔回〕「茴香」：多年生草本植物，葉子細長如絲，莖高五六尺，花黃色，子大小像麥粒，可以作香料。莖葉可食，俗稱「茴香菜」。

荒 (huāng)粵foŋ¹〔方〕❶還沒有開墾的土地。如「荒土」；「墾荒」。❷農作物歉收。如「荒年」；「逃荒」。❸廢棄。如「荒廢」；「荒蕪」。❹言行虛誕不實。如「荒誕」；「荒謬」。❺缺少，不夠用。如「水荒」；「屋荒」。❻空曠人少。如「荒涼」；「荒村」。❼迷亂。如「荒淫」。❽「荒唐」：①浮誇，不實。如「這句話真荒唐」。②行為放蕩。如「他不像從前那樣荒唐了」。

茭 (jiāo)粵gau¹〔交〕多年生草本植物，種在水裏，高五六尺，新芽像筍，嫩脆可口，夏秋開花；結的果實叫「茭米」，可以煮飯。茭的嫩芽，叫「茭白」或「茭白筍」。

荊(荆) (jīng)粵giŋ¹〔京〕❶落葉有刺的植物，古人用作刑杖。如「負荊請罪(向人認錯)」。❷對人稱自己的妻。如「寒荊」；「拙荊」。❸姓。❹「荊州」：古時九州之一，在現在湖南、湖北、四川一帶。❺「荊棘」：多刺的灌木。也比喻困難的環境。❻「荊釵布裙」：用荊枝作釵，粗布作裙。形容婦女的節儉。

茜 ▲(qiàn)粵sin⁶〔善〕❶「茜草」：多年生蔓草，莖呈方形，中空，葉長卵形，開白花，根可作紅色顏料，也可作藥。❷紅色。
▲(xī)粵sei¹〔西〕多用於人名。

荃 図(quán)粵tsyn⁴〔全〕❶香草。❷書信裏敬稱對方用的詞。如「荃察」；「荃照」；「荃鑒」。

荇(莕) (xìng)粵heŋ⁶〔杏〕荇菜。多年生水草，嫩葉可以吃。

荀 (xún)粵sœn¹〔詢〕姓。

茱 (zhū)粵dzy¹〔朱〕「茱萸」：落葉喬木，有濃烈香味，可入藥。有「山茱萸」、「吳茱萸」跟「食茱萸」三種。

茶 (chá) 粵tsa⁴〔查〕❶常綠灌木，開白花，採嫩葉子焙乾，可以作茶葉。如「採茶」；「茶園」。❷用茶葉沏成的飲料。如「喝茶」；「茶水招待」。❸喝茶的器具或跟茶葉有關的事。如「茶杯」；「茶市」。❹若干飲料也有用茶作名稱的。如「涼茶」；「杏仁茶」。❺茶與點心的合稱。如「早茶」；「下午茶」。❻「茶色」：顏色名，即茶褐色。

茺 図(chōng)粵tsuŋ¹〔充〕「茺蔚」：二年生草本植物，莖方柱形，葉掌狀多裂，花唇形，淡紫紅色。莖、葉、子實等都入藥。俗稱「益母草」。

荏 (rěn)粵jem³〔蕋〕❶一年生草本植物，又名「荏胡麻」，葉有鋸齒，開小白花，種子白色，叫「白蘇子」，可以餵鳥，榨油。❷図柔弱。如「色厲內荏」。❸図「荏苒」：侵尋，遷延，形容時光度過。如「光陰荏苒」。

茸 ▲(róng)粵juŋ⁴〔容〕❶図草初生的樣子。李白詩有「庭草滋新茸」。❷「鹿茸」的簡稱。❸「松茸」：人工培育的嫩蕈，可作罐頭。❹「蒲茸」也作「蒲絨」：香蒲的花。

▲(rǒng)粵juŋ⁵〔勇〕❶同

「氄」，見357頁。❷「茸闒」同「闒茸」：見782頁「闒」字。

茹 (rú)粵jy⁴〔如〕❶図吃。如「茹素」；「茹毛飲血」。❷図忍受。如「含辛茹苦」。❸図根部相連屬的。如「拔茅連茹」。❹図猜想。詩經有「不可以茹」。❺姓。

茲 (茲、兹) ▲図(zī)粵dzi¹〔資〕❶這，這個。如「念茲在茲」；「茲事體大」。❷這時，現在。如「今茲」；「茲有一事相託」。❸將來，以後。如「以迄來茲」。❹図益，更加。如「賦斂茲重」。

▲(cí)粵tsi⁴〔池〕「龜(qiū)茲」：漢代西域國名，在現在新疆省庫車、沙雅一帶。

茨 (cí)粵tsi⁴〔池〕❶図茅草或葦草編的屋頂。詩經有「如茨如梁」。❷図蒺藜的古稱。詩經有「牆有茨」。❸「茨菰」：植物名，即是「慈菇」。

草 (艸) (cǎo)粵tsou²〔雌好切〕❶草本植物的總稱。如「乾稻草」；「碧草如茵」。❷田野的代稱。如「草莽」；「草澤」。❸中國字體的一種。如「草書」；「行草」。❹粗率、不細膩。如「草率」；「潦草」。❺文稿。如「起草」；

「打草稿」。❻還沒決定的文件。如「草約」；「草案」。❼雌性家畜。如「草雞」。❽圖輕易殘害。如「草菅人命」。❾特指燃料或飼料。如「柴草」；「糧草」。❿「草草」：①憂慮。詩經有「勞人草草」。②匆忙。如「草草收場」。③雜亂。如「草草不恭」。⓫「草創」：開始創辦或創立。⓬「草木皆兵」：形容心裏疑惑害怕，見到山上的草木，都以為敵人來了。

茬 (chá)粵tsi⁴〔池〕❶莊稼收割後的殘留的根莖。如「麥茬兒」。❷在同一塊土地上莊稼種植或收割的次數。如「輪茬」；「頭茬」；「二茬韭菜」。

荍 (qiáo)粵kiu⁴〔喬〕古書上指「錦葵」：二年生草本植物，夏季開花，花紫色或白色，可供觀賞。

茵 (yīn)粵jen¹〔因〕❶褥席。如「碧草如茵」。❷「茵陳」也作「茵蔯」：多年生藥草名。生在水邊沙地上，葉上有白毛，夏秋開花，莖葉可以作藥。

茳 (jiāng)粵gɔŋ¹〔江〕「茳芏」：多年生草本植物，莖三棱形，開綠褐色小花，莖可編蓆。

【答】同「答」，見511頁。
【荅】同「等」，見511頁。

七畫

荸 (bí)粵but⁹〔勃〕「荸薺」：多年生草本植物，種在水田裏，地下莖圓形，肉白，味甜，可以吃。又名「地栗」，俗稱「馬蹄」。

莫 ▲(mò)粵mɔk⁹〔漠〕❶不可，不要。如「莫等閒」；「閒人莫進」。❷沒有。如「莫不歡欣鼓舞」。❸姓。❹「莫非」：①沒有不是，即是「都是」。②表示疑問的詞：難道。如「莫非是他搞的鬼」。❺圖「莫逆」：沒有違逆的事情，比喻朋友要好。如「你我莫逆之交」。❻「莫須有」：不須有確定的證據。宋朝秦檜誣害岳飛，說不出岳飛有罪，只說岳飛有「莫須有」之罪。因此，後人將「莫須有」引作冤獄的代稱。
▲圖同「暮」，見298頁。

莓 (méi)粵mui⁴〔梅〕❶青苔。❷同「莓」，見598頁。

莩 ▲(fú)粵fu¹〔呼〕蘆莖中的薄膜。如「葭莩」。
▲圖同「殍」，見350頁。

莆 ▲(pú)粵pou⁴〔葡〕「莆田」：縣名，在福建省。
▲(fǔ)粵fu²〔府〕「蓮莆」：一種瑞草。

荳 (dòu) 粵 deu⁶ 〔竇〕 ❶ 同「豆」，見692頁。❷「荳蔻」同「豆蔻」：見692頁。

荻 (di) 粵 dik⁹ 〔狄〕多年生草本植物，生在水邊，跟蘆同類。

莛 図(tíng) 粵 tiŋ⁴ 〔廷〕草莖。

荼 ▲(tú) 粵 tou⁴ 〔途〕 ❶ 蔬類植物，俗稱「苦菜」。❷ 開白花的茅，因荼的白花一開，就漫山遍野，所以形容興盛熾烈，常用「如火如荼」。❸「荼毒」：苦菜跟螫蟲，比喻「苦毒」。如「荼毒生靈」。❹「荼毗」：佛教徒說火葬。❺「荼蘼」又稱「酴醾」：落葉亞灌木，春末開花。❻「開到荼蘼」：形容春天的花期將盡，最繁盛的時期快過了。

▲(shū) 粵 sy¹ 〔書〕「神荼」：中國神話傳說中門神的名字。如「神荼鬱壘」。

莨 ▲(láng) 粵 lɔŋ⁴ 〔狼〕多年生草本植物，莖葉粗硬，可以用來蓋屋頂。也叫「狼尾草」。

▲(làng) 粵 lɔŋ⁶ 〔浪〕「莨菪」：多年生草本植物，全株有粘刺腺毛，有毒，可以作鎮痛或治療痙攣的藥劑。

▲(liáng) 粵 lœŋ⁴ 〔良〕「薯莨」：多年生纏繞藤本，地下呈塊莖狀，外紫黑色，內爲棕紅色，莖有刺，草根熬汁可以染綢紗，盛產於福建、廣東等地山區。

莰 (kǎn) 粵 hɐm² 〔坎〕有機化合物，也稱「莰烷」，通式爲 $C_{10}H_{18}$，白色結晶，有樟腦的香味。

莅(莅、涖) 図(lì) 粵 lei⁶ 〔利〕 ❶ 臨，到。如「莅臨」；「莅任」。❷ 古代君主君臨天下。孟子書有「莅中國而撫四夷」。

莉 (lì) 粵 lei⁶ 〔利〕「茉莉」：見598頁「茉」字。

荷 ▲(hé) 粵 hɔ⁴ 〔何〕 ❶ 多年生水生草本，又叫「蓮」，地下莖叫藕。結的子叫蓮子。❷ 荷蘭王國的簡稱。

▲(hé) 粵 hɔ⁶ 〔賀〕「荷爾蒙」：英文 hormone 的音譯，意譯爲「激素」，一種內分泌腺的分泌物，是維持人體發育、生殖、新陳代謝等機能所不能缺少的物質。

▲図(hè) 粵 hɔ⁶ 〔賀〕 ❶ 負擔。如「負荷」；「荷擔」。❷ 謝人美意。如「感荷」；「爲荷」。❸「荷荷」：失意怨怒的聲音。如「徒呼荷荷」。

莢 (jiá) 粵 gap⁸ 〔夾〕 ❶ 豆類的果實。如「豆莢」。❷ 狹長而

沒有隔膜的果實。如「皂莢」。

莖 (jīng)粵heŋ¹〔亨〕giŋ³〔敬〕(又)❶植物體的本幹。如「地上莖」;「莖葉粗硬」。❷物體的柄幹,形狀像莖。如「陰莖(雄性外生殖器官)」。❸計算細條東西的量詞。如「數莖白髮」。

莒 (jǔ)粵gœy²〔舉〕❶草名。古代齊國人稱芋為莒。❷春秋時國名,在現在山東省莒縣一帶。❸姓。

莧 (xiàn)粵jin⁶〔現〕「莧菜」:蔬菜名,一年生草本,葉卵圓形,有青紅兩色,嫩時可以吃。

莜 (yóu)粵jeu⁴〔由〕「莜麥」也稱「油麥」:一年生草本植物,花綠色,莖直立,葉細長,種子可以吃。

莝 (cuò)粵dzo⁶〔坐〕「莝草」:鍘碎的草。

莊 (zhuāng)粵dzɔŋ¹〔裝〕❶嚴肅。如「莊嚴」;「莊重」。❷田家的村落。如「村莊」;「張家莊」。❸道路。如「康莊」。❹某些做大宗批發的店鋪。如「錢莊」;「綢緞莊」。❺賭博輪流作主。如「坐莊」。❻姓。❼「莊敬」:莊嚴持重而敬慎奮發。禮記表記篇有「莊敬日強(意思是首先必須莊敬而後才能日漸篤實堅強)」。❽「莊稼」:農作物。❾「莊敬自強」:意思是以莊敬的態度去謀求自立自強。

茝 (chǎi)粵tsoi²〔采〕香草名。「白芷」的別稱。

莘 ▲(shēn)粵sen¹〔辛〕❶図長長的樣子。詩經有「有莘其尾」。❷図「莘莘」:形容眾多的樣子。如「莘莘學子」。
▲ (xīn)粵 sen¹〔辛〕「莘莊」:地名,在上海市。

莎 ▲(suō)粵so¹〔梳〕「莎草」:多年生草本植物,地下有紡錘形塊莖,莖直立,三棱形,葉呈線狀,根叫香附,可以作藥。又名「香附子」。
▲(shā)粵sa¹〔沙〕「莎雞」:鳴蟲,也叫「紡織娘」。

莏 (suō)粵so¹〔梳〕用手摩擦。

荽 (suī)粵sœy¹〔雖〕「芫荽」:見597頁「芫」字。

莪 (é)粵ŋɔ⁴〔鵝〕ɔ⁴〔柯低平〕(俗)「莪蒿」:多年生草本植物,生長在水邊,開黃綠色小花,嫩的可以吃。

莠 (yǒu)粵jeu⁵〔友〕❶草名。又名「狗尾草」,像穀禾而妨害稻禾的生長。❷品行不良。如「莠民」;「良莠不齊」。

莞 図▲(wǎn)粵wun⁵〔皖〕「莞爾」：微笑。論語有「夫子莞爾而笑」。

▲(guǎn)粵gun²〔管〕「東莞」：縣名，在廣東省。

▲(guān)粵gun¹〔官〕❶多年生草本植物，自生於沼澤或種在水田裏，高五六尺，可以織蓆。俗稱「水葱」。❷姓。

▲同「豌」，見692頁。
【莭】同「節」，見515頁。
【莕】同「荇」，見602頁。

八畫

菠 (bō)粵bo¹〔波〕「菠菜」：蔬菜名，葉子三角形，根紅色有甜味，也叫「菠薐菜」。

菢 図(bào)粵bou⁶〔步〕鳥兒抱窩孵蛋。

菶 図(pěng)粵bung²〔捧〕「菶菶」：植物茂盛的樣子。

萍 (píng)粵ping⁴〔平〕❶「浮萍」：①水面浮生的小植物，葉扁平而小，有鬚根下垂。有「青萍」、「紫萍」等。②比喻人的行蹤不定。杜甫詩有「相看萬里客，同是一浮萍」。❷「萍蹤」：萍生水中，飄泊不定。引作比喻行蹤不定。❸「萍水相逢」：比喻人偶然相遇，聚散無定。

菩 (pú)粵pou⁴〔葡〕❶「菩提」：梵文 Bodhi 的音譯。佛經裏指「洞明眞諦而覺悟」的意思。❷「菩薩」：①梵文 Bodhisattva(菩提薩埵)的簡稱，指「能自覺本性又能普渡衆生」的人，地位次於「佛」。②泛指神佛。如「廟裏供了幾尊菩薩」。❸「菩提子」：①一年生草本植物，莖高三四尺，葉子像黍葉，開紅白花；果實圓而有硬殼，可作念佛的數珠。②廣東人稱葡萄。❹「菩提樹」：常綠亞喬木，高兩丈多，葉橢圓，花隱在花托裏；果實圓硬，可作念佛用的數珠。

莽 (mǎng)粵mong⁵〔網〕❶常綠灌木，葉長橢圓形，花瓣細長，種子有毒，木材可作器具。❷泛指叢生的草。如「草莽」；「莽原」。❸粗魯，不細心。如「鹵莽」；「莽撞」。❹姓。❺図「莽莽」：①草深的樣子。楚辭有「草木莽莽」。②無涯際的樣子。杜甫詩有「莽莽萬重山，孤城山谷間」。

萌 図(méng)粵meng4〔盟〕❶草木發芽。如「萌芽」。❷事物的剛開始。如「萌動」。❸發生。如「萌生」；「故態復萌」。

菲 ▲(fēi)⑨fei¹〔非〕❶花草茂盛。如「芳菲」。❷菲律賓國的簡稱。❸图「菲菲」：①芳香。②雜亂的樣子。

▲(fěi)⑨fei²〔匪〕❶图薄少。如「菲敬」；「菲薄」。❷菜名，像蕪菁，花紫紅色，可以吃。

棻 (fēn)⑨fen¹〔分〕有香味的樹木。

菔 ▲(fú)⑨fuk⁹〔服〕「萊菔」：見本頁「萊」字。
▲同「蔔」，見617頁。

菡 图(dàn)⑨dam⁶〔淡〕「菡萏」：見本頁「萏」字。

萏 (dàng)⑨dɔŋ⁶〔蕩〕「莨萏」：草名，有毒，根可作藥。

菂 图(dì)⑨dik⁷〔的〕蓮子。

萄 (táo)⑨tou⁴〔陶〕「葡萄」：見611頁「葡」字。

萜 (tián)⑨tim⁴〔甜〕甜菜，可作製糖的原料。

菟 ▲(tù)⑨tou³〔吐〕「菟絲」也作「兔絲」：一種寄生的蔓草。莖細柔，呈絲狀，橙黃色，種子可作藥。

▲图(tú)⑨tou⁴〔徒〕「於(wū)菟」：古代楚國人稱「老虎」。

萊 (lái)⑨lɔi⁴〔來〕❶草名，即是「藜」。❷泛指野草。如「草萊」。❸图田地荒無生了野草。詩經有「田萊多荒」。❹「萊菔」：即是蘿蔔。❺姓。

菱 (líng)⑨liŋ⁴〔陵〕❶一年生草本水草，種在池塘裏，葉三角形，夏天開小白花，秋天結實，可吃。❷「菱形」：數學上指四邊相等兩對角相等的平行四邊形。❸「菱角」：菱的果實。形狀有三角、四角、或兩角的。

崙 (lún)⑨lœn⁴〔倫〕「苯」的舊譯名。見597頁。

菉 (lù)⑨luk⁹〔鹿〕❶草名，即是藎草。❷通「綠」。如「菉豆」(也作「綠豆」)。

菏 (hé)⑨gɔ¹〔哥〕hɔ⁴〔何〕(又)「菏澤」：縣名，在山東省。

菇 (gū)⑨gu¹〔姑〕菌類。如「蘑菇」；「草菇」。

菰 (茹) (gū)⑨gu¹〔姑〕❶蔬類植物，種在水田裏，即「茭白」。❷通「菇」，見本頁。❸「菰米」：茭白的花結的種子，可以吃。

菓 (guǒ)⑨gwɔ²〔果〕gɔ²〔加可切〕(俗)「水果」的「果」字的俗寫。見311頁。

菡 图(hàn)⑨ham⁵〔何覽切〕「菡萏」：荷花的別稱。

華 ▲(huá)⑧wa⁴〔胡霞切〕❶ 中國古時候漢族自稱「華夏」，因此，中國也稱「中華」，簡稱「華」。如「華人」；「華語」。❷ 光彩，漂亮。如「華美」；「華麗」。❸ 文飾。如「樸實無華」。❹ 時光，時間。如「年華」。❺ 結晶。如「昇華」。❻ 事物精采的部分。如「精華」。❼ 繁榮，旺盛的樣子。如「繁華」；「榮華」。❽図頭髮白了。如「華髮」。❾図脂粉。如「鉛華」。

▲(huā)⑧fa¹〔花〕同「花」。如「春華秋實」。

▲(huà)⑧wa⁶〔話〕❶姓。❷「華山」：山名，在陝西省。❸「華陰」：縣名，在陝西省。

萑 図(huán)⑧wun⁴〔桓〕❶ 荻草的別名。❷「萑苻」：原是春秋時鄭國的一個沼澤地名，盜賊經常在這裏出沒藏匿。後引作比喻盜匪聚集的地方。

菅 (jiān)⑧gan¹〔奸〕❶草名，葉細長而尖，根又硬又短，可以做刷帚。❷図比喻輕賤。如「草菅人命」。

菫 (jǐn)⑧gen²〔僅〕❶ 蔬菜名，莖葉可以吃，也叫「旱芹」。❷ 毒草名，又叫「烏頭」。

菁 (jīng)⑧dziŋ〔晶〕❶「蕪菁」：蔬類植物，俗叫大頭芥。❷精粹的部分。如「菁華（精華）」。❸図「菁菁」：草木茂盛的樣子。詩經有「菁菁者莪」。

菹(葅) 図(zū)⑧dzœy¹〔追〕❶醃菜，酸菜。❷多草的水源。孟子書有「驅蛇龍而放之菹」。

菊 (jú)⑧guk⁷〔谷〕二年生草本植物，種類很多，花很漂亮，普通在秋天開花。可作觀賞用，也可以做藥材。

蒝 (juǎn)⑧gyn²〔捲〕「蒝耳」也作「卷耳」：草名。莖高一尺左右，葉長卵形，花白色，果實像桑葚有刺。

菌 (jūn)⑧kwɐn²〔綑〕❶隱花植物之一。由單細胞或多細胞構成，不開花，沒有莖和葉，不含葉綠素，不能自己製造養料，多寄生。❷細菌的簡稱。如「殺菌」；「無菌室」。

萋 (qī)⑧tsɐi¹〔妻〕❶草茂盛的樣子。如「芳草萋萋」。❷図「萋萋」：草木眾多繁盛的樣子。

萁 図(qí)⑧kei⁴〔其〕豆梗。曹植詩有「煮豆燃豆萁」。

菖 (chāng)⑧tsœŋ¹〔昌〕❶「菖蒲」：多年生草本植物，生

在水邊，有香氣，地下有根莖，花穗像棍棒，葉長像劍，也叫「蒲劍」。❷「菖蘭」：一年生草本植物，春天開花，花有六瓣，有黃紫色，形狀像蝴蝶，俗稱「洋蝴蝶」。

萇 (cháng) 粵 tsœŋ⁴〔祥〕❶姓。❷「萇楚」：灌木，葉子果子都像桃，果子味苦，不能吃。也叫「羊桃」。

菽 図(shū) 粵suk⁹〔淑〕❶豆類的統稱。❷「菽麥」：①豆和麥。②図比喻容易分別的東西。笑人笨，不懂事，說「不辨菽麥」。❸「菽水承歡」：菽水指極平常的飲食，承歡指奉養父母使父母歡心。引伸作比喻雖貧寒而能盡孝。

菑 (菑) ▲図(zī) 粵dzi¹〔之〕❶図開墾一年的田。❷姓。
▲図同「災」，見401頁。

菜 (cài) 粵tsɔi³〔蔡〕❶蔬類的統稱。如「青菜」；「白菜」；「菠菜」。❷下飯的餚饌的總稱。如「炒菜」；「川菜」；「粵菜」。❸図「菜色」：形容飢餓人的臉色。❹「菜貨」：罵人懦弱沒用。

萃 図(cuì) 粵sœy⁶〔睡〕❶草叢生茂盛的樣子。如「薈萃」。❷聚集在一塊兒的。如「萃集」。❸輩，類。如「出類拔萃（人才特出）」。

菘 図(sōng) 粵suŋ¹〔鬆〕蔬菜名，即是白菜。

菸 (yān) 粵jin¹〔烟〕❶「菸草」：一年生草本植物，莖粗，葉子很大。葉子乾燥以後發黃，可以切成烟絲，製造捲菸，也可以作殺蟲劑。❷「菸鹼」：生物鹼之一，尼古丁（nicotine）的意譯，也作「菸草素」。化學成分是 $C_{10}H_{14}N_2$，存在於草裏。毒性很大，兩三滴就能致人於死地。

萎 ▲(wěi, 舊讀wēi) 粵wěi²〔毀〕❶草木枯黃。如「枯萎」；「萎謝」。❷衰敗。如「經濟萎縮」。
▲(wēi) 粵wěi¹〔威〕❶指人死亡。如「哲人其萎」。❷「萎蕤」同「葳蕤」：即玉竹。

【菴】同「庵」，見190頁。
【荊】同「荆」，見602頁。
【菫】同「蓳」，見614頁。

九畫

葆 図(bǎo) 粵bou²〔保〕❶草木叢生的樣子。❷蘊藏。❸保持。如「永葆青春」。❹古時的一種傘蓋。禮記有「匠人執犭葆御柩」。

芭 ㊈(pā)㊉ba¹〔巴〕❶花朵。如「奇葩異卉」。❷華麗的樣子。韓愈文章有「詩正而葩」。因此詩經也叫「葩經」。

萹 (piān)㊉pin¹〔偏〕「萹竹」：多年生草本植物，葉狹窄而厚，像竹葉，可作藥材。

葡 (pú)㊉pou⁴〔蒲〕❶「葡萄」：落葉蔓生木本植物，葉掌形，多裂，開黃花，果實淡綠色或紫色，甘美可吃，也可以釀酒。❷歐洲葡萄牙國的簡稱。

葑 (fēng)㊉fuŋ¹〔風〕❶蔬菜名。即是蕪菁，俗稱「大頭芥」，根可以吃。❷㊈菰草叢生，根容易盤結，加上泥沙淤積，日久成田。如「葑田」。

蒂(蔕) (dì)㊉dɐi³〔帝〕❶果實跟枝莖相連的部分。❷㊈「蒂芥」同「芥蒂」：見596頁「芥」字。

董 (dǒng)㊉duŋ²〔懂〕❶㊈監督，管事。如「工程之進行，悉由陳君董其事」。❷督理事務的人。如「董事」；「會董」；「校董」。❸姓。

落 ▲(luò)㊉lɔk⁹〔樂〕❶葉子、花瓣從樹上掉下來。如「落葉」；「落英繽紛」。❷下墜。如「降落傘」；「落塵量很大」。❸衰敗。如「淪落」；「家

道中落」。❹脫漏。如「遺落」；「脫落」。❺稀疏。如「冷落」；「寥落」。❻人們聚居的地方。如「部落」；「村落」。❼跌價。如「落價」。❽能飛的鳥、蟲、航空器從高處飛下來停住。如「鳥兒落在樹上」；「直升機落在甲板上」。❾剩餘。如「除了開銷，這一筆生意還能落個兩三千元」。❿得到。如「管閒事，落不是」。⓫跟不上。如「落伍」；「落後」。⓬新屋建造成功。如「落成」。⓭歸到。如「花落誰家」。⓮房子的位置跟方向。如「坐落」。⓯堆疊起來。如「把書都落起來」。⓰成堆的。如「一落書」。「一落碗」。⓱停頓。如「段落」。⓲永久居留。如「落戶」。⓳題署。如「落款」。⓴寬闊的樣子。如「廓落」。㉑「落泊」也作「落魄」：窮困，不得意。如「落泊書生」。㉒「落拓」也作「落托」：①放浪不羈。②落泊。㉓㊈「落落」：①坦白率真的樣子。如「落落大方」。②㊈跟別人不相合的樣子。如「落落寡合」。

▲(lào)㊉lɔk⁹〔樂〕用於一些口語詞，如「落枕」；「落炕」等。

▲(là)㊉lai⁶〔賴〕❶遺漏，

遺下。如「抄一課書落了五個字」。❷遺失。如「我的錢口袋落在你家了」。

葛 ▲(gé)⑧gɔt⁸〔割〕❶多年生蔓草，複葉，花紫紅色，莖可編籃做繩，纖維又可織葛布，根可做藥，又可取出澱粉，食用製糊都行。❷「葛藤」：葛的蔓。比喻糾纏牽連的關係。

▲(gě)⑧gɔt⁸〔割〕姓。

葵 (kuí)⑧kwɐi⁴〔攜〕❶「蒲葵」：常綠喬木，木材可做器具，葉子可做扇子，俗稱「芭蕉扇」。❷「向日葵」：一年生草本植物，開大黃花，花向着太陽，種子可吃，又可榨油。

葫 (hú)⑧wu⁴〔胡〕❶蔬菜類，即是大蒜。❷「葫蘆」：①一年生蔓草植物，莖會纏繞，有卷鬚；開白花。果實有的像大小兩球堆疊。有的剖開以後，去掉瓜瓤曬乾，可以做水舀子。②用葫蘆果實曬乾製成的裝酒、裝藥的容器。

葷 ▲(hūn)⑧fɐn¹〔昏〕❶肉類食物。如「葷菜」；「葷油」。❷有刺激性的蔬菜，像葱、蒜、韭菜之類的。❸言語或小說講到男女淫穢事情的。如「他講的笑話太葷」。

▲(xūn)⑧fɐn〔昏〕「葷粥(yù)」：古種族名，史記有「北逐葷粥」；索隱說是「匈奴別名也」。也作「葷允」、「獫鬻」、「熏粥」、「熏鬻」、「薰育」。

莊 (hóng)⑧huŋ⁴〔紅〕「莊草」：一年生草本植物，蓼類，高五六尺，葉長圓形，有長柄，秋天開穗狀紅花，可供觀賞，果子可入藥。

葓 (hóng)⑧huŋ⁴〔紅〕❶「葓菜」：水草名，可供食用，莖中空，又稱「空心菜」。❷同「莊」，見本頁。

葭 (jiā)⑧ga¹〔加〕❶初生的蘆葦。❷図「葭莩」：蘆葦莖裏的薄膜。比喻疏遠的親戚。❸「葭縣」：縣名，在陝西省。❹同「笳」，見510頁。

葺 図(qì)⑧tsɐp⁷〔緝〕❶用茅草覆蓋的房子。❷修補，修蓋。如「修葺」。

葸 図(xǐ)⑧sai²〔徙〕害怕的樣子。如「畏葸不前」。

萱(蕿、蘐) (xuān)⑧hyn¹〔喧〕❶「萱草」：多年生草本植物，草細長，背面有棱脊，花紅黃色，可吃，俗稱「金針菜」。❷姓。❸図「萱堂」：比喻母親。

著 ▲ (zhù) 粵 dzy³〔注〕❶ 顯明。如「著名」;「顯著」。❷寫作。如「著述」;「著書立說」。❸編寫出來的作品。如「名著」;「著作」。❹「土著」:①世代居住在一定的地方。②世居本地的人。

▲同「着」,見475頁。

甚 (shèn) 粵 sɐm⁶〔甚〕桑樹所結的果實。如「桑甚」。

葬 (塟) (zàng) 粵 dzɔŋ³〔壯〕掩埋死人。如「埋葬」;「葬禮」。

葱 (蔥) (cōng) 粵 tsuŋ¹〔匆〕❶多年生草本植物,葉中空成管狀,有辛辣味,是常吃的蔬菜,根可以作藥。❷翠綠色。如「葱翠」。❸「葱蘢」:草木青翠茂盛的樣子。

萼 (蕚) (è) 粵 ŋɔk⁹〔岳〕ɔk⁹〔惡低入〕(俗) 花瓣的最外一層,一般呈綠色,在花芽期有保護作用。

葉 ▲ (yè) 粵 jip⁹〔頁〕❶葉子,植物的一部分,通常長在枝莖上,主管呼吸、同化、蒸發等作用。❷花瓣重複的。如「千葉蓮」;「千葉牡丹」。❸書頁。如「冊葉」;「活葉文選」。❹成片的東西。如「百葉窗」。❺世代,時期。如「奕葉(累代)」;「清朝中葉」;「明朝末葉」。❻形容輕小。如「一葉扁舟」。❼姓。❽「葉落歸根」:比喻事物結局終須返回本源。

▲ (shè) 粵 sip⁸〔攝〕古邑名,在現在河南省葉縣。

葯 (yào) 粵 jœk⁹〔若〕❶白芷的葉子。❷「花葯」:植物的雄蕊頂端藏着花粉的部分。❸通「藥」,見628頁。

萵 (wō) 粵 wo¹〔窩〕「萵苣」也作「萵筍」:一年生或二年生植物,葉子窄長,沒有柄,附生在莖上。花黃色,莖跟嫩葉可吃。

葳 (wēi) 粵 wɐi¹〔威〕「葳蕤」:①也作「萎蕤」,多年生草本植物,根莖多肉,可以製澱粉,也可作藥。即「玉竹」。②圖草木葉子下垂的樣子。柳宗元的袁家渴記有「搖颺葳蕤」。

葖 (tū) 粵 dɐt⁹〔突〕❶蘿蔔。❷「葖葵」:見614頁「葖」字。

葦 (wěi) 粵 wɐi⁵〔偉〕❶一種細的蘆葦。❷圖船。如「縱一葦之所如」。❸「蘆葦」:見628頁「蘆」字。

葹 (shī) 粵 si¹〔施〕❶植物名。也叫「卷耳」。❷古稱一種拔心不死的草。

萬 (wàn) 粵 man⁶〔慢〕❶數目,千的十倍。如「九千元

加一千元是一萬元」。❷比喻事物多。如「萬國」；「雙手萬能」。❸極，甚，非常的。如「排除萬難」。❹絕對。如「萬無一失」；「萬不可這樣」。❺吩咐的話，常作「千萬」。如「路上千萬自己小心」。❻姓。❼「萬一」：①萬分之一。②或者。如「萬一他不來」。③意外發生的事。如「以防萬一」。❽「萬古」：年代久遠。如「萬古長青」。❾図「萬幾(jī)」也作「萬機」：指國家元首處理千頭萬緒的政務。如「日理萬幾」。❿「萬萬」：①形容極多。如「千千萬萬」。②絕對。如「萬萬不能如此」。⓫「萬歲」：①千秋萬代永遠存在。如「友誼萬歲」。②封建時臣下對皇帝的稱呼。

綯 (zhòu)粵dzɐu⁶〔紂〕❶用草包裹。❷量詞。用草繩束成一梱的東西。如「一綯碗」。

萸 (yú)粵jy⁴〔如〕「茱萸」：見602頁「茱」字。

蒮 (yú)粵jy⁴〔余〕多年生草本植物，莖高一尺多，葉圓心形，春天開小白花，地下莖圓柱形，可以作爲香料，俗稱山蒮菜。

萭 (yǔ)粵jy⁵〔雨〕姓。

【募】見力部，60頁。
【惹】見心部，223頁。
【葅】同「菹」，見609頁。
【萏】同「菡」，見610頁。
【葬】同「葬」，見613頁。
【韮】同「韭」，見809頁。
【葢】同「蓋」，見615頁。
【蔲】同「蔻」，見619頁。
【葰】同「濩」，見625頁。

十畫

蓓 図 (bèi)粵pui⁵〔倍〕「蓓蕾」：含苞未開的花。

蒡 (bàng)粵bɔŋ²〔榜〕「牛蒡」：二年生草本植物，根肉質，葉子心形，背面有白毛，初夏開紫花，嫩葉可以吃，果實可作藥。

蓖 (草) (bì)粵bei⁶〔避〕「蓖麻」：一年或多年生草本植物，全株光滑，莖圓形，中空，有分枝，葉大多裂，種子可榨油，可供工業醫藥用。

菆 (gū)粵gwɐt⁷〔骨〕「菆葵」：骨朵兒。

蒲 (pú)粵pou⁴〔葡〕❶姓。❷「香蒲」：多年生草本植物，生在水邊，葉細長，可以編織蓆子；根莖長在泥土裏，可吃。❸図「蒲服」同「匍匐」：見62頁。❹「蒲柳」：即「水楊」，

在秋天裏落葉最早的樹木。引作比喻體質衰弱或身分低微。如「蒲柳之姿」。❺「蒲團」：用蒲葉織成的圓草墊，向佛坐或跪拜用的。❻「蒲節」：端午節的別稱。❼「蒲公英」：多年生草本植物，葉由根部叢生，開黃花，花冠有冠毛，頂端有一圈白毛，隨風飛散，苗可作藥。

蒲 (pú) ⑧pou⁴〔葡〕「樗蒲」：見335頁「樗」字。

蒙 ▲(méng) ⑧mung⁴〔朦〕❶遮蓋。如「手蒙眼睛」；「蒙着頭睡覺」。❷囡受到。如「蒙難」；「多蒙指教」。❸欺騙。如「蒙混」；「蒙蔽」。❹囡幼稚。如「蒙童（剛讀書的小孩）」。❺囡愚昧。如「蒙昧」。❻囡自稱的謙詞。張衡西京賦有「蒙竊惑焉」。❼姓。❽囡「蒙蒙」：①盛多的樣子。②不明的樣子。❾「蒙塵」：君主播遷於外。

▲(měng) ⑧mung⁴〔朦〕「蒙古」：①中國行政區域。如「內蒙古自治區」。簡稱「內蒙」。②民族名稱。簡稱「蒙」。③國名，全稱「蒙古人民共和國」，簡稱「外蒙」。

莨 (làng) ⑧long⁶〔浪〕「蒗蕖」：縣名，在雲南省。

蓏 (luǒ) ⑧lo²〔裸〕瓜瓠之類的植物。

蓋 (蓋) ▲(gài) ⑧goi³〔加愛切〕❶由上向下遮覆。如「蓋好被」；「把鍋蓋上」。❷容器封口或遮掩的部分。如「鍋蓋」；「茶壺蓋」。❸指人體的扁平的骨頭。如「天靈蓋（頭蓋骨）」；「膝蓋」。❹建築房屋。如「蓋房子」；「蓋了三間草屋」。❺把圖章印在文件上。如「蓋章」。❻超過，壓倒。如「英雄蓋世」。❼囡古人指傘。如「冠蓋」；「雨則御蓋」。❽囡發語詞。史記有「蓋聞聖人遷徙無常」。❾囡疑問詞，「大概」的意思。孟子有「蓋上世嘗有不葬其親者」。❿囡承接連詞，有「因為」的意思。如「孔子罕稱命，蓋難言之也」。

▲(gě) ⑧gep⁹〔技合切〕姓。

蓘 (蓘) 囡(gǔn) ⑧gwen²〔滾〕把鬆土壅在植物根部。

蒯 (kuǎi) ⑧gwai²〔拐〕❶一年生草本植物，在水邊叢生，莖可以搓繩子或編蓆子。❷姓。

蒿 (hāo) ⑧hou¹〔蝦高切〕❶多年生草本植物，分青蒿（香蒿）、白蒿（艾蒿）、茼蒿等

種。❷「蒿子」：「茼蒿」的俗稱。❸〔文〕「蒿目」：因憂慮時局而極目遠望。如「蒿目時艱」。

蒺 (jí)⑧dzet⁹〔疾〕❶「蒺藜」：一年或二年生草本植物，莖平臥，橫生在沙地上，羽狀複葉，夏天開小黃花；結的子帶刺，可以作藥。❷像蒺藜的東西。如「蒺骨朶(古代的一種兵器)」。

蒹 (jiān)⑧gim¹〔兼〕沒有長穗的蘆葦。荻草的別稱。

蒟 (jǔ)⑧gœy²〔舉〕❶「蒟醬」：多年生蔓草本植物，夏天開綠花，果子像桑葚，可以吃。❷「蒟蒻」：多年生草本植物，開紫色花，地下莖呈球狀，可作食品。

蒨 (qiàn)⑧sin⁶〔善〕❶〔文〕草茂盛。❷〔文〕赤紅色。❸「蒨草」的別稱。❹「蒨蒨」：鮮明的樣子。

蓆 (xi)⑧dzik⁹〔值〕dzek⁹〔自劇切〕〔語〕❶用草或蘆葦等編成的東西。如「枕蓆」；「草蓆」。❷用地蓆的多寡來計算空間的大小。如「這棟屋子，房間是八蓆，客廳是十蓆(一蓆是三尺寬六尺長)」。

蓄 (xù)⑧tsuk⁷〔促〕❶儲藏。如「儲蓄」；「蓄水池」。❷蘊藏不露。如「含蓄」。❸培養。

如「蓄髮」；「養精蓄銳」。❹存在心裏。如「蓄意」。

蓁 ▲〔文〕(zhēn)⑧dzœn¹〔津〕❶草盛貌。❷「蓁蓁」：①植物長得茂盛。詩經有「其葉蓁蓁」。②形容積聚在一起。楚辭有「蝮蛇蓁蓁」。❸通「榛」，叢木。見332頁。

▲ (qín) ⑧ tsœn¹〔巡〕「蓁椒」：秦椒。

蒸 (zhēng)⑧dziŋ¹〔晶〕❶水氣上升。如「蒸發」；「雲蒸霞蔚」。❷在密閉容器裏靠熱氣使食物變熟。如「蒸饅頭」；「蒸餃子」。❸「蒸餾」：把液體放在密閉的器具裏加熱，使它發生蒸汽，冷了又成爲液體，用來除去液體中的雜質，使它純淨。❹「蒸蒸日上」：不斷向上、進步。

蒒 (shī)⑧si¹〔師〕多年生草本植物，生長在海邊沙地上，果子像大麥，七月裏成熟，可以做糧食。

蓍 (shī)⑧si¹〔詩〕❶「蓍草」：俗稱「蚰蜒草」、「鋸齒草」，多年生草本植物，莖直，高兩三尺，葉細長，花像菊，白色，可入藥。古人用它的莖占卜凶吉。❷「蓍龜」：古人用蓍草跟龜甲來占卜，故常引作「占卜」的代稱。

蒔 (shì)⑧si⁴〔時〕❶图移植，栽種。如「蒔花數十株」。❷「蒔蘿」：多年生草本植物，莖高兩三尺，葉互生，羽狀複葉，開小黃花，果子像黍粒，可作香料，俗稱小茴香。

萠 (shuò)⑧sok⁸〔朔〕「萠果」：植物果實的一種，由多子房合成，成熟後裂開的，像百合、罌粟等。

蓐 图(rù)⑧juk⁹〔玉〕❶草蓆，草墊子。引伸作「卧具」。❷「坐蓐」：女人生孩子。

蒻 (ruò)⑧jœk⁹〔弱〕❶初生的香蒲，可以織蓆。❷「蒟蒻」：見616頁「蒟」字。

蓉 图(róng)⑧juŋ⁴〔容〕❶「芙蓉」：見595頁「芙」字。❷「蓉城」：四川省成都市的簡稱。

蒼 (cāng)⑧tsɔŋ¹〔倉〕❶深藍色。如「蒼天」。❷深綠色。如「蒼松翠柏」。❸灰白色。如「白髮蒼蒼」。❹灰黃色。如「蒼鷹」。❺顯出老態。如「蒼老」。❻图指天。如「蒼穹」。❼图「蒼生」：指國民，社會大衆。❽「蒼茫」：①沒有邊際的樣子。如「海天蒼茫」。②形容迷濛不清楚。❾「蒼蒼」：①深青色。②茂盛的樣子。③形容頭髮灰白。

蒐 (sōu)⑧sɐu¹〔收〕❶聚集。如「蒐集」；「蒐羅」。❷图打獵。左傳有「春蒐夏苗」。

蓑 (suō)⑧sɔ¹〔梳〕「蓑衣」：棕櫚葉或草做成的雨具。

蒜 (suàn)⑧syn³〔算〕多年生宿根草本，有大蒜、小蒜兩種，葉扁長，地下有鱗莖，俗稱「蒜瓣」，帶辣味，可供食用，也可提煉作藥。

蓀 图(sūn)⑧syn¹〔孫〕香草，也叫「荃」。

蒽 (ēn)⑧jɐn¹〔因〕一種有機化合物，分子式$C_{14}H_{10}$，無色晶體，發青色螢光，工業上用以製造染料。

蓊 图(wěng)⑧juŋ²〔湧〕草木茂盛的樣子。如「蓊蓊」；「蓊勃」；「蓊蔚」；「蓊鬱」。

【墓】見土部，120頁。
【夢】見夕部，127頁。
【幕】見巾部，183頁。
【慈】見心部，225頁。
【蔖】同「蓧」，見618頁。
【菠】同「苆」，見605頁。
【蔓】同「漫」，見625頁。
【純】同「蓴」，見620頁。

十一畫

蔔 (bo)⑧bak⁹〔白〕「蘿蔔」，見630頁「蘿」字。

華(蓽)(bì)粵bet⁷〔不〕❶多年生藤本植物，葉卵狀，花小，莖像荊竹樹枝之類，可以用來編物。❷「蓽門」：荊條編的門。文言裏引作比喻窮苦人家。❸「蓽路藍縷」：駕柴車穿破衣去開闢土地。現用作形容開創事業的艱辛。

蓬(péng)粵puŋ⁴〔篷〕fuŋ⁴〔馮〕(又)❶多年生草本植物，菊科，莖直立，一尺多高，葉子像柳葉，開小白花，秋天乾枯之後受風吹捲，連根拔起，到處飛飄。俗稱「飛蓬」、「飄蓬」。❷散亂不整齊的樣子。如「蓬頭垢面」。❸姓。❹図「蓬戶」也作「蓬門」：①用蓬草編成的門。②引作比喻窮苦人家。❺「蓬勃」也作「蓬蓬勃勃」：興盛的樣子。如「朝氣蓬勃」。❻図「蓬蓽」：①指窮苦人家。②謙稱自己的住宅。如「您今天光臨，真是蓬蓽生輝」。❼「蓬蓬」：見619頁「蓬」字。

蔓▲(màn)粵man⁶〔慢〕❶細長而能纏繞的植物莖。木本的叫藤；草本的叫蔓。如「蔓草」；「蔓生植物」。❷像蔓草一樣擴展延伸。如「蔓延」；「蔓衍」。

▲(wàn)粵man⁶〔慢〕口語詞。如「瓜蔓子」；「牽牛花蔓子」。

▲(mán)粵man⁴〔蠻〕「蔓菁」：即是「蕪菁」，見623頁。

蔤図(mì)粵met⁹〔勿〕荷的莖部。

蔑(蔑)▲図(miè)粵mit⁹〔滅〕❶欺負。如「侮蔑」；「污蔑」。❷小。如「蔑視」。❸無，沒有。如「蔑以復加(無以復加)」。❹拋去，捨棄。如「蔑棄」。

▲同「衊」，見650頁。

蓧(diào)粵diu⁶〔掉〕古人鋤地時除草的農具。論語有「遇丈人，以杖荷蓧」。

薙(tuī)粵tœy¹〔推〕一年或二年生草本植物，葉掌狀，多裂，花淡紅或白，可入藥。俗稱「益母草」，也叫「茺蔚」。

蔦(niǎo)粵niu⁵〔鳥〕liu⁵〔了〕(俗)❶落葉小灌木一年生光滑蔓草，莖細長，葉羽狀，深裂，花冠紅色，蒴果，卵圓形，寄生在桑楓等樹，俗稱「桑寄生」。❷「蔦蘿」：①蔦草，莖細長，夏天開紅花，常種在庭院供觀賞。②図比喻兄弟或親戚連綿依附。詩經有「蔦與女蘿，施于松柏」。

兜 (dōu)⑨dɐu¹〔兜〕❶指某些植物的根和靠近根的莖。如「禾兜」。❷株與株之間的距離。如「兜距」。❸量詞，植物一株叫一兜。

蔫 (niān)⑨jin¹〔烟〕❶植物缺少水分，因而不直挺，顯得沒有生氣的樣子。如「花兒蔫了」。❷人精神委靡，消沉，不活潑。如「這孩子這兩天發蔫了」。❸暗中的，不動聲色的。如「他們就蔫蔫兒的溜了」；「打開房門，不知道的正蔫不唧兒地埋頭用功」。❹「蔫蔫的」：悄悄地。

蔞 (lóu)⑨lɐu⁴〔流〕❶「蔞蒿」：多年生草本植物，菊科，生在水邊，高四五尺，葉互生，羽狀深裂，莖可以吃。❷「瓜蔞」同「苦蔞」：見602頁。

蓼 ▲(liǎo)⑨liu⁵〔了〕❶一年生草本植物，生在水邊，葉子鞘狀，有辣味，花淡紅色或白色。古人常用葉子調味。❷玉蜀黍的穗兒。❸「蓼藍」：草名，葉可作藍色染料。

▲图(lù)⑨luk⁹〔陸〕❶「蓼莪」：詩經篇名。描述孝子追念父母的心情。❷「蓼蓼」：又高又粗的樣子。詩經有「蓼蓼者莪」。

蓮 (lián)⑨lin⁴〔連〕❶多年生草本植物，生在淺水裏，葉又圓又大，高出水面，花有紅有白，在花托上結子，叫「蓮子」；地下莖叫「藕」。又名「荷」。❷佛家認為蓮是「彌陀所居的淨土」，所以指「淨土」為「蓮」。❸「蓮蓬」：蓮花結的果實，外苞像小喇叭形，有二三十個小孔，形狀像蜂房，小孔裏藏着蓮子。❹「蓮花落」也作「蓮花樂」：一種曲名。原是乞丐唱的曲子，內容多是宣揚佛教教義；後演唱內容漸多民間傳說，繼而成了曲藝的一種。

蔻 (蔻) (kòu)⑨kɐu³〔扣〕❶「豆蔻」：見 692 頁「豆」字。❷「蔻丹」：泛稱女人用的各種顏色的指甲油(是從著名的指甲油商標牌號 cutex 譯音而來)。

蔊 (hǎn)⑨hɔn⁵〔旱〕「蔊菜」：二年生草本植物，十字科，葉長橢圓形，羽狀淺裂，花黃色。莖葉都辣，可供食用。

蕙 (huì，舊讀suì)⑨sœy⁶〔睡〕「王蕙」：又名「地膚」、「地葵」、「地麥」，一年生草本植物，嫩葉可作菜，種子可作藥，莖枝老了用作掃帚。

艸部 (11) 兜蔫蔞蓼蓮蔻蔊蕙 619

蔣 (jiǎng) 粵 dzœŋ² 〔獎〕❶姓。❷菰（茭白筍）的別名。

蓰 図 (xǐ) 粵 sai² 〔徙〕物數的五倍。孟子書有「或相倍蓰」。

蓨 (xiū) 粵 sɐu¹ 〔收〕「蓨酸」：存在植物體中的一種有機酸，無色，有柱狀結晶體，可作漂白或染色用，又名「草酸」。

蔗 (zhè) 粵 dze³ 〔借〕甘蔗。如「蔗田」；「蔗糖」。

蔯 (chén) 粵 tsɐn⁴ 〔塵〕蒿類，見604頁「茵蔯」。

蓴（蒓）(chún) 粵 sœn⁴ 〔純〕「蓴菜」：多年生睡蓮科水草，夏天開紅紫花，葉橢圓形，莖跟葉表面都有黏液，嫩葉可以作羹。浙江蕭山的湘湖出產最多。

蔬 (shū) 粵 so¹ 〔梳〕可以吃的草或菜通稱蔬。如「蔬菜」；「蔬果」。

蔡 (cài) 粵 tsɐi³ 〔菜〕❶ 図大龜。❷周代國名，國土在現在河南省的上蔡、新蔡、汝南等縣及安徽省鳳臺縣等地。❸姓。

蔟 (cù) 粵 tsuk⁷ 〔促〕❶「蠶蔟」：供蠶結繭的用具。❷同「簇」，見518頁。

蓯 (cōng) 粵 tsuŋ¹ 〔聰〕「肉蓯蓉」：深山赤楊根上的寄生植物，多年生草本，高一尺多，像短柱，互生的鱗狀葉，黃褐色，夏天開穗狀花，暗紫色，可作補藥。

蔌 (sù) 粵 tsuk⁷ 〔速〕❶図菜。詩經有「其蔌維何，維筍及蒲」。❷「蔌蔌」：①図鄙陋。詩經有「蔌蔌方有穀」。②泉水流動的樣子。③同「簌簌」，見518頁。

蓿 (xu) 粵 suk⁷ 〔宿〕「苜蓿」：見598頁「苜」字。

蔭 ▲ (yìn) 粵 jɐm³ 〔衣暗切〕❶樹陰。如「濃蔭蔽日」。❷「蔭蔽」：隱蔽。
▲ (yìn) 粵 jɐm³ 〔衣暗切〕❶蔭涼。如「這屋子很蔭」。❷同「廕」，庇護。如「庇蔭」。

蔚 ▲ (wèi) 粵 wɐi³ 〔慰〕❶図草木茂盛。如「薈蔚」。❷引伸作盛大的樣子。如「蔚為風氣」。❸図文采很盛的樣子。如「文風蔚起」。❹藍色。如「蔚藍的海水」。
▲ (yù) 粵 wɐt⁷ 〔屈〕「蔚縣」：❶地名，在河北省。❷姓。

【慕】見心部，225頁。
【摹】見手部，264頁。
【暮】見日部，298頁。
【蔥】同「葱」，見613頁。
【蔜】同「蔜」，見615頁。

【蔕】同「蒂」，見611頁。
【蓺】同「藝」，見628頁。
【蔴】同「麻」，見868頁。

十二畫

蔽 (bì)⑧bei³〔閉〕❶遮蓋，擋住。如「衣不蔽體」；「烏雲蔽日」。❷掩藏。如「掩蔽」；「蔽匿」。❸受阻隔，不通。如「蔽塞(閉塞)」。❹欺騙，隱瞞事實。如「蒙蔽」。❺囡總括。如「一言以蔽之」。

蕒 (mai)⑧mai⁵〔買〕「苦蕒」：一種野菜。

蕃 ▲(fán)⑧fan⁴〔凡〕❶茂盛，很多。如「蕃茂」；「蕃衍」。❷通「繁」。如「蕃殖」。❸囡通「藩」，見627頁。

▲(fān)⑧fan¹〔翻〕❶中國古代稱西方游牧民族。如「吐蕃」；「吐魯蕃」。又作文明很低的民族的通稱。❷通「番」，外來的。如「蕃椒」；「蕃薯」。

▲(pí)⑧pei⁴〔皮〕❶姓。❷古地名，即是邳國。

蕡 囡(fén)⑧fen⁴〔焚〕❶麻的種子。❷形容草木結子很多的樣子。詩經有「桃之夭夭，有蕡其實」。

蕩 (dàng)⑧doŋ⁶〔宕〕❶湖泊。如「蘆花蕩」；「黃天蕩」。❷囡清除。如「蕩滌邪穢」；「蕩平寇氛」。❸往返搖動。如「飄蕩」；「蕩船」。❹震動，動亂。如「板蕩」；「蕩漾」。❺毀壞光了。如「傾家蕩產」。❻指人缺少道德觀念，行為放縱沒有抑制。如「放蕩」；「蕩婦」。❼「蕩然」：全數失去。如「蕩然無存」。❽「蕩蕩」：①廣大。漢書有「大海蕩蕩水所歸」。②渺茫空曠廣遠的樣子。論語有「蕩蕩乎民無能名焉」。③平易。書經有「王道蕩蕩」。❾「浩浩蕩蕩」：①曼延長遠的樣子。②廣闊壯盛的樣子。❿囡「蕩檢逾閑」：不受禮法拘束。

蕁(蒵) ▲(tán)⑧tam⁴〔談〕❶草名。❷囡火向上燃燒。淮南子有「火上蕁，水下流」。

▲(qián)⑧tsem⁴〔尋〕「蕁麻」：麻的一種。多年生草本，長在山野，高兩三尺，莖葉有毛，被人碰到時，能分泌毒汁，使人發疹。莖皮的纖維可以紡織原料。

蕗 (lù)⑧lou⁶〔路〕「蕗草」：即是甘草。

蕢 (kuì)⑧gwei⁶〔跪〕❶紅梗的莧菜。❷古時候盛土的草器。論語有「有荷蕢而過孔氏之門者」。❸姓。

蕙 (huì) [粵] wɐi⁶〔惠〕❶多年生草本植物，葉橢圓形，秋天開紅花，很香，結黑果子。❷「蕙蘭」：蘭的一種，春季開花，每莖開八九朵，香氣次於蘭。❸[文]比喻高雅芳潔。如「蘭心蕙質」。

蕉 ▲(jiāo) [粵] dziu¹〔招〕❶「芭蕉」的簡稱。❷「香蕉」：也叫「甘蕉」，多年生草本植物，莖直立，柔軟，由粗厚、複瓦狀的葉梢包迭而成，葉扇狀，花呈穗形，果實長形，蕉肉香軟。

▲[文] (qiáo) [粵] tsiu⁴〔潮〕「蕉萃」同「憔悴」：見227頁「憔」字。

蕑 (jiān) [粵] gan¹〔奸〕❶植物名，俗稱蘭草。❷「蕑子藤」：蔓草名，果實像梨，可以生吃。

蕨 (jué) [粵] kyt⁸〔厥〕羊齒科植物，多年生草本，春天發嫩葉，可以吃。地下莖可製澱粉。

蕎 (qiáo) [粵] kiu⁴〔喬〕「蕎麥」：一年生草本植物，莖紅色，葉三角形，開小白花，結黑色果子，磨成粉可以作食品。

蕖 (qú) [粵] kœy⁴〔渠〕「芙蕖」：荷花的別名。

蕭 (xiāo) [粵] siu¹〔消〕❶草名，即是「艾蒿」，可以作藥。❷寂寞，冷落的樣子。如「蕭索」；「蕭條（不興旺）」。❸姓。❹「蕭瑟」：樹木被風吹拂所發出的聲音。❺[文]「蕭牆」：最靠近的地方。如「禍起蕭牆（形容亂事出在內部）」。❻[文]「蕭蕭」：①馬鳴聲。如「馬鳴蕭蕭」。②寒風聲。如「風蕭蕭兮易水寒」；「無邊落木蕭蕭下」。❼「蕭規曹隨」：比喻後任的人遵循前任的人所訂的規章辦事。出自西漢蕭何跟曹參的故事。

蕈 (xùn) [粵] sœn³〔信〕菌類植物，常生在樹林裏或草地上，形狀像傘，種類很多，有些可以吃。如「松蕈」；「香蕈」。

蕆 [文] (chǎn) [粵] dzin²〔展〕tsin²〔淺〕（又）完畢。如「蕆事」。

蕣 [文] (shùn) [粵] sœn³〔信〕木槿。

蕘 [文] (ráo) [粵] jiu⁴〔搖〕❶供燃燒用的草柴。❷打草採柴的人。

蕤 [文] (ruí) [粵] jœy⁴〔移誰切〕「葳蕤」：見613頁「葳」字。

蕊（蕋、桵、蘂）(ruǐ) [粵] jœy⁵〔移緒切〕jœy⁶〔銳〕（又）❶

還沒開的花蕾，即是花骨朵兒。❷植物繁殖的器官，有「雄蕊(花鬚)」和「雌蕊(花心)」兩種。

蕞 囝(zui)働dzœy³〔最〕「蕞爾」：形容極小。如「蕞爾小國」。

蕕 囝(yóu)働jeu⁴〔由〕一年生草本植物，有臭味，古人常拿它跟「薰(香草)」並提。如「薰蕕同器(比喻好的壞的聚在一起)」。

蕪 (wú)働mou⁴〔無〕❶農田不除草。如「荒蕪」。❷雜亂。如「蕪雜」；「刪汰繁蕪」。❸「蕪菁」：蔬類，俗名大頭芥，可以作菜吃。

蕷 (yú)働jy⁴〔余〕藥草名，多年生草本，長在淺水裏，地下具短根莖狀，葉長橢圓形，開白花，根狀莖可入藥。也叫「澤瀉」、「水瀉」、「芒芋」。

蕓 (yún)働wen⁴〔云〕「蕓薹」：即是油菜。嫩莖葉可吃；種子可以榨油，也可以食用。

【蕣】同「蕣」，見613頁。
【藜】同「藜」，見627頁。
【蕰】同「蘊」，見625頁。

十三畫

薄 ▲(báo)働bɔk⁹〔礴〕❶不厚。如「如履薄冰」；「薄

紙」。❷稀，淡，不稠。如「薄酒」；「空氣稀薄」。❸不敦厚。如「薄情」；「刻薄」。❹土地不肥沃。如「薄田」。

▲(bó)働bɔk⁹〔礴〕❶同「薄(báo)」❶❷，用於成語或合成詞。如「單薄」；「淺薄」；「淡薄」；「厚薄」等。❷形容微小。如「薄技」；「薄弱」；「薄酬」。❸關係不密切。如「薄親」。❹囝迫近。如「薄暮」；「兵薄城下」。❺囝門簾。如「帷薄」。❻囝輕視。如「鄙薄」；「而流俗顧薄之」。❼囝聊且。詩經有「薄澣我衣」。❽囝發語詞。詩經有「薄伐玁狁」。❾囝林薄，亂草叢生的地方。❿姓。

▲(bò)働bɔk⁹〔礴〕「薄荷」：脣形科，多年生草本，高兩尺左右，葉卵形，略有細毛，有鋸齒；開小脣形花，淡紫色，莖葉有特別香氣，味涼。可以蒸餾成薄荷油，莖葉可入藥。

薜 ▲(bì)働bei⁶〔幣〕❶「薜荔」：常綠灌木，爬蔓，花小，葉卵形，果子含乳汁，可作清涼飲料。又名「木蓮」。❷囝「薜蘿」：兩種野生植物，薜荔跟女蘿。引作比喻隱居者所穿的衣服。

▲ (bò) 粵 bak⁸〔百〕藥草名，即是當歸。

薙 (tì) 粵 tei³〔替〕❶図除去野草。❷剃。如「薙髮(剃髮)」。

蕾 ▲図 (lěi) 粵 lœy⁵〔呂〕含苞還沒開的花。如「花蕾」；「蓓蕾」。

▲ (léi) 粵 lœy⁴〔雷〕譯音字，用於「芭蕾舞」。

薐 (léng) 粵 liŋ⁴〔零〕「菠薐菜」：即是菠菜。

薅 (hāo) 粵 hou¹〔蒿〕❶除去野草。如「拿鋤薅野草」；詩經有「以薅荼蓼」。❷拔去。如「薅下幾根頭髮」。

薈 図 (huì) 粵 kui²〔繪〕❶草木茂盛。如「薈蔚」。❷聚集。如「人文薈萃」。

薨 図 (hōng) 粵 gweŋ¹〔轟〕❶封建時代稱諸侯的死。禮記有「天子死曰崩，諸侯曰薨」。❷「薨薨」：蟲聲飛的聲音。

薨 ▲ (hòng) 粵 huŋ⁶〔閧〕❶図草木茂盛。❷図草木的萌芽。

▲ (hóng) 粵 huŋ⁴〔紅〕「雪裏蕻」：見796頁「雪」字。

蕺 (jí) 粵 tsɐp⁷〔緝〕多年生本植物，夏天開淡黃色的花，莖葉有特異氣味，可以吃。俗稱「魚腥草」。

薊 (jì) 粵 gei³〔計〕❶多年生草本植物，有大小兩種，莖葉都有刺。葉羽狀。大的高四五尺，開紫紅花；小的高一尺多，開淡紫花。❷姓。

薦 (jiàn) 粵 dzin³〔箭〕❶獸類所吃的草。❷草蓆。如「藁薦」；「草薦」。❸推舉，介紹。如「舉薦」；「薦賢自代」。❹図獻，進。祭死人的禮節。如「薦酒(獻酒)」。❺「薦骨」：在脊柱下端，三角形，也叫「薦椎」。

薑 (jiāng) 粵 gœŋ¹〔姜〕多年生草本植物，葉對生，地下莖成塊狀，味辣。可做調味品，也可作藥。

薔 (qiáng) 粵 tsœŋ⁴〔祥〕「薔薇」：落葉灌木，莖枝多刺，羽狀複葉，花五瓣，有紅白黃等色，有香氣。

薂 図 (xiá) 粵 ha⁴〔霞〕荷葉。

薤 (xiè) 粵 hai⁶〔械〕❶多年生草本植物，葉似韭，中空，夏天開紫色小花，鱗莖跟嫩葉可以作菜。❷図「薤露」：古時輓歌名，說「生命如同薤葉上的露水，容易消逝」。

薪 (xīn) 粵 sɐn¹〔新〕❶柴草。如「薪炭」；「曲突徙薪」。❷「薪水(工資)」的簡稱。如「月

薪」;「支薪」。❸図「薪傳」也作「傳薪」：柴火傳燒下去，比喻師徒相傳不絕。❹「薪桂米珠」也作「米珠薪桂」：比喻物價高漲。

薌 図(xiāng)粵hœŋ¹〔鄉〕❶穀類的香氣。❷同「香」，見827頁。

薛 (xuē)粵sit⁸〔屑〕❶図蒿類的草。❷古國名，在現在山東省滕縣東南。❸姓。

薓（蔘、蓡）(shēn)粵sɐm¹〔心〕同「人參」的「參」，見73頁。

薏 (yì)粵ji³〔意〕❶「薏苡」：一年生草本植物，莖直立粗壯，有分枝，葉線狀披針形，結橢圓形果實，實中的仁叫「薏米」，可做藥及食用。❷蓮子中心的胚芽。

薇 (wēi)粵mei⁴〔微〕❶羊齒類隱花植物，多年生草本，莖直立，圓柱形，葉橢圓形，開紫褐色小花，全株有灰白色短柔毛，並含有白色乳汁，嫩葉可以吃，也可入藥。❷「薔薇」：見624頁「薔」字。

蕷 (yù)粵jy⁶〔預〕「薯蕷」：見626頁「薯」字。

薀（蘊）図(yùn)粵wɐn³〔慍〕❶水草。如「薀藻（即是金魚草）」。❷同「蘊」，

積聚。見629頁。

蕹 (wèng)粵uŋ³〔甕〕「蕹菜」：一年生草本植物，開白色或淡紫色喇叭花，莖軟中空。葉像菠蘿。嫩葉嫩莖作菜吃。俗稱空心菜。

【燅】同「燖」，見612頁。

十四至十五畫

藐 (miǎo)粵miu⁵〔秒〕❶微小。如「藐小」。❷看輕。如「藐視」。❸図「藐藐」：①大的樣子。詩經有「藐藐昊天」。②美麗的樣子。詩經有「既成藐藐」。③不相入的樣子。詩經有「聽我藐藐」。

薹 (tái)粵tɔi⁴〔臺〕❶多年生草本植物，生於沼澤地，莖叢生，高三四尺，葉扁細長而尖，可以做斗笠。❷蔬菜割去葉子以後重發的莖。如「菜薹」；「蒜薹」。

藍 ▲(lán)粵lam⁴〔籃〕❶一年生草本植物，秋季開花，花落後結三棱形小果。葉中可提製出染料「靛青」、「藍靛」。荀子「勸學」有「青出於藍」（「藍」指藍草）。❷深青色。如「藍地白字」；「藍色墨水」。❸姓。❹「藍本」：著作文字所根據的原本。❺「藍圖」：①用曬藍法製成的圖。②比喻「計劃」、

「步驟」。如「建設藍圖」。❻図「藍縷」也作「藍褸」;「襤褸」:形容衣服破舊。如「衣衫藍縷」。

▲(la)粵lam⁴〔籃〕「苤藍」:見597頁「苤」字。

藁 (gāo)粵gou²〔稿〕❶多年生草本植物,羽狀複葉,有缺刻和鋸齒,複傘形花序,果實有銳棱,根莖可入藥。❷「藁城」:縣名,在河北省。

藻 (piāo)粵piu⁴〔嫖〕「大藻」:多年生水草本植物,浮於水面,葉子可以作飼料,俗稱「水浮蓮」。

薺 ▲(jì)粵tsɐi⁵〔池蟻切〕❶「薺菜」:二年生草本植物,葉羽狀,莖高一尺多,開小白花,結短角果子,莖葉嫩的可吃,可入藥。❷蒺藜的別名。

▲(qí)粵tsɐi⁴〔齊〕「荸薺」:見604頁「荸」字。

藉 ▲(jiè)粵dze³〔借〕❶図古人說草墊子。❷図在上面坐卧。如「死亡枕藉」;「藉萋萋之纖草」。❸假借。如「藉口」;「藉故」。❹依託。如「憑藉」。❺安慰。如「慰藉」。

▲(jí)粵dzik⁹〔直〕❶踐踏、欺凌。❷從前稱天子親耕勸農。如「藉田」。❸「狼藉」:①凌亂。如「杯盤狼藉」。②比喻破敗不可收拾。如「聲名狼藉」。❹「藉藉」:雜亂眾多的樣子。如「人言藉藉」。

藎 (jìn)粵dzœn²〔准〕❶一年生草本植物,葉卵狀,花紫褐色,莖汁可作黃色染料。❷図忠愛。如「藎臣(忠臣)」。

薰 (xūn)粵fɐn¹〔分〕❶多年生草本植物,有香氣,可以製線香。又名「蕙草」。❷図和煦。如「薰風」。❸図香氣。江淹別賦有「陌上草薰」。❹火烤。如「雙薰香片」。❺図燒香。如「薰沐」。❻像是香薰火烤。如「薰陶(比喻養成人材)」;「薰染」。

薯(藷) (shǔ)粵sy⁴〔殊〕❶薯類植物的簡稱。❷「薯莨」:多年生藤本野生植物,無花,葉尖長,節有小刺,根似番薯,皮赤褐色,肉黃色帶紅,可染網罾,入水不濡。廣東人多用以染絲絹之屬,叫「薯莨綢」,用作衣着非常涼爽。❸「甘薯」:又叫「番薯」、「白薯」或「山芋」,多年生草本植物,莖細長,根塊狀,肉紅皮紫,生熟都可以吃。❹「薯蕷」:又叫「山藥」,多年生草本植物,莖細長,夏開淡黃色花,根多肉,可以吃。❺「馬鈴薯」:俗稱「土

豆」、「山藥蛋」，多年生草本植物，地下莖呈圓、卵、橢圓形，有芽眼，皮紅、黃、白或紫色，羽狀複葉，多用塊莖繁殖，塊莖可以吃。

薷 図(rú)粵jy⁴〔如〕❶木耳。❷「香薷」：藥草名，多年生草本植物，花像穗子，有香氣。

藏 ▲(cáng)粵tsoŋ⁴〔牀〕❶躲起來。如「藏匿」；「捉迷藏」。❷儲存。如「收藏」；「藏書」。❸「藏拙」：掩蔽自己的長處或短處，不使顯露。

▲(zàng)粵dzoŋ⁶〔狀〕❶西藏的簡稱。如「前藏」；「後藏」。❷西藏民族的簡稱。如「藏胞」；「漢、滿、蒙、回、藏、苗」。❸儲存東西的所在。如「庫藏」；「寶藏」。❹佛教道教經典的總稱。如「道藏」；「大藏」。❺「藏青」：藍而近黑的顏色。

薩 (sà)粵sat⁸〔殺〕❶姓。❷「菩薩」：見607頁「菩」字。

蓮 (yuǎn)粵jyn⁵〔軟〕❶中藥草名，也叫「遠志」。❷姓。

【蒍】同「蒍」，見630頁。

【稸】同「稸」，見500頁。

【舊】見臼部，588頁。

藠 (jiào)粵jiu²〔妖〕「藠頭」：即是「薤」。

藩 図(fān)粵fan⁴〔凡〕❶籬笆牆。如「藩籬」。❷蔽障，保衛。古時稱屬國，屬地。如「藩國(古諸侯分封的國)」。❸古時的地方長官。如「藩鎮(唐朝各州的節度使)」；「藩司(明、清的布政司)」。

藤(籐) (téng)粵teŋ⁴〔騰〕❶通稱「藤蘿」。蔓生木本植物，有紫藤、白藤等種。❷白藤的莖(可編製器物)。如「藤條」；「藤椅」。❸泛指蔓生植物的莖。如「葡萄藤」。❹「藤黃」：植物名。常綠小喬木葉呈橢圓狀，果實圓形，樹脂有毒，可入藥，並可作繪畫顏料。

藟 (lěi)粵løy⁵〔磊〕❶藤葛之類的草。❷図纏繞。

藜(蔾) (li)粵lei⁴〔黎〕❶一年生草本植物，葉菱狀卵形，邊緣有齒牙，下面有粉狀物，花小型，聚成小簇，果實包於花中，莖高五六尺，老莖可作枴杖。❷「藜藿」：粗劣食物。❸「蒺藜」：見「蒺」字。

藭 (qióng)粵kuŋ⁴〔窮〕「芎藭」：見594頁「芎」字。

藚 (xù)粵dzuk⁹〔俗〕藥草名，生在淺水裏，即是「澤瀉」。

藪 図(sǒu) 粵 seu² 〔叟〕 ❶ 大湖。❷ 物所聚集的地方。如「淵藪」。

藕 (ǒu) 粵 ŋeu⁵ 〔偶〕 eu⁵ 〔嘔低上〕(俗) ❶ 蓮的地下莖，外皮呈黃褐色，肉白色，肥大有節，中間有空洞，折斷處有絲相連，可以吃，也可以做藕粉。❷「藕斷絲連」：藕雖然斷了，但絲仍然連着。比喻表面上斷了關係，但情意卻沒有斷絕。

藝(蓺、埶) (yì) 粵 ŋei⁶ 〔毅〕ei⁶ 〔翳低去〕(俗) ❶ 才能，技術。如「手藝」；「多才多藝」。❷ 図 種植。如「樹藝五穀」。❸ 図 極限。如「貪欲無藝」。❹ 図「藝祖」：唐宋人稱唐高祖、宋太祖。❺「藝術」：跟自然物或科學相對。凡用心思造成，有美的價值的東西。像詩歌、音樂、繪畫、戲劇、雕塑、攝影等等，都稱爲藝術。

藥(葯) ▲(yào) 粵 jœk⁹ 〔若〕 ❶ 可以用來治病的物質。如「藥材」；「西藥」。❷ 能以少量而發生大效用的物質。如「火藥」；「麻藥」。❸ 治療。如「不可救藥」。❹ 用毒物殺害。如「藥老鼠」。❺ 芍藥花的簡稱。如「紅藥」。❻ 図「藥石」：①治病用的藥品跟砭石。②比喻規勸的話。

▲(yuè) 粵 ŋɔk⁹ 〔岳〕ɔk⁹ 〔惡低去〕(俗) 姓。

【藟】見糸部，546頁。
【蕰】同「蘊」，見629頁。

十六至二十四畫

蘋 ▲(pín) 粵 pen⁴ 〔貧〕 隱花植物，莖橫生在淺水泥土中，葉柄長，頂端由四小葉組成一複葉，像田字。也叫「田字草」。

▲(píng) 粵 pin⁴ 〔平〕「蘋果」：落葉亞喬木，葉橢圓形，春天開淡紅花，果實圓扁香甜。

蘑 (mó) 粵 mɔ⁴ 〔磨〕 ❶「蘑菇」：①菌類植物，生在枯樹幹上，呈傘狀，蓋小柄大，可以吃，品種很多。②故意「糾纏」、「搗亂」或「麻煩」。如「他爲了這件事蘑菇個沒完」。❷ 蘑菇的簡稱。

蘱 (lài) 粵 lai⁶ 〔賴〕蒿類野菜，也叫「蘱蕭」，即是「芶」。

藺 (lìn) 粵 lœn⁶ 〔吝〕 ❶ 草名，莖細長，可以編蓆子，也可作燈芯。❷ 姓。

蘆 (lú) 粵 lou⁴ 〔盧〕 ❶「蘆葦」：禾本科，多年生宿根草本，生於池澤、河岸或路旁，夏秋

開花，莖高一丈左右，中空，可以做簾子或掃帚，蓋屋頂。❷「蘆筍」：石刁柏的嫩莖，可以作菜吃。❸「蘆薈」：常綠植物，產在熱帶，葉裏有汁，黑色有光，可以做藥。❹「葫蘆」：見612頁「葫」字。

蘢 (lóng) ⑧luŋ⁴〔龍〕❶草名。也作「馬蓼」。❷図「蔥蘢」：草木茂盛的樣子。

蘅 (héng) ⑧heŋ⁴〔恆〕「杜衡」也作「杜蘅」：一種香草，心形的葉子，開紫花，根莖都可做藥。

藿 (藿) (huò) ⑧fɔk⁸〔霍〕❶豆葉。「藜藿之羹（古代指一種粗劣食物）」。❷「藿香」：多年生草本植物，夏季開花，莖葉香味很濃，可入藥。

蘄 (qi) ⑧kei⁴〔其〕❶草名，即是當歸。❷通「祈」，求請。❸姓。❹「蘄春」：縣名，在湖北省。

諸 ▲ (zhū) ⑧ dzy¹〔朱〕「藷蔗」：即是甘蔗。
▲同「薯」，見626頁。

藻 (zǎo) ⑧dzou²〔早〕❶一種生在水裏的隱花植物。如「海藻」。❷図文采。如「辭藻」；「藻飾」。❸「藻井」：中國宮殿式建築塗畫文彩的天花板。

蘀 (tuò) ⑧tɔk⁸〔托〕草木脫落的皮葉。

蘇 (sū) ⑧sou¹〔鬚〕❶「紫蘇」：一年生草本植物，莖方形，帶紫色，葉呈卵形或圓形，夏季開花，淡紅色，莖、葉、實都可作藥。❷從死亡邊緣活了過來。如「蘇醒」；「死而復蘇」。❸図解救，除去疲困。如「以蘇民困」；「后來其蘇」。❹下垂的穗狀物。如「流蘇」。❺図割草。如「樵蘇」。❻蘇州的簡稱。如「上有天堂，下有蘇杭」。❼姓。❽「蘇丹」：①回族國君的稱呼。②國名，在北非洲。❾「蘇打」也作「梳打」：英文 soda 的音譯。即是無機化合物碳酸鈉，分子式 $NaCO_3$，工業上的用途很廣，也可作藥。

藹 (ǎi) ⑧ɔi²〔靄〕❶図樹木繁茂的樣子。❷和氣。如「和藹可親」。❸図「藹然」：①油潤的樣子。②和藹的樣子。

蘊 (蘊) 図(yùn) ⑧wen³〔醞〕❶積聚，藏。如「蘊結」；「蘊藏」。❷事情的內容。如「底蘊」；「內蘊」。❸深奧。如「精蘊」。❹水草名，也叫「聚藻」，用來養金魚。❺図把草聚積起來燒火。❻図「蘊藉(jiè)」：性情寬博含蓄。❼

図「蘊蘊」：鬱熱的暑氣。
【蘂】同「蕊」，見622頁。
【薜】同「檗」，見150頁。
【藼】同「萱」，見612頁。
【薐】同「蕁」，見621頁。

蘭 (lán) 粵 lan⁴〔攔〕❶「蘭花」：常綠多年生草本植物，根簇生，肉質，圓柱形，葉細長而尖，春天開花，幽香清遠，種類很多。❷「蘭草」：香草名，菊科，多年生草本，葉呈卵形，邊緣有鋸齒，生在山地，高三四尺，全部有香氣，秋天開淡紫花，供觀賞，也可作藥。❸图比喻芳潔美好。如「蘭薰桂馥(比喻世德流芳)」。❹姓。❺图「蘭桂」：比喻子孫。❻「蘭譜」：①結拜為異姓兄弟所寫的譜系。②說明養蘭畫蘭方法的書。

蘧 (qú) 粵 kœy⁴〔渠〕❶「蘧麥」：多年生草本植物，即是「燕麥」。❷姓。❸图「蘧然」：驚覺的樣子。❹「蘧蘧」：①自得的樣子。莊子有「蘧蘧然固也」。②高的樣子。

蘘 (ráng) 粵 jœŋ⁴〔羊〕「蘘荷」：多年生草本植物，花大，白色或淡黃色，結蒴果，根可入藥。

蘚 (xiǎn) 粵 sin²〔癬〕叢生在溼地和枯木岩石上的隱花植物。莖葉細小。

【蘖】同「檗」，見341頁。
【蘗】同「檗」，見338頁。

蔿 (蘤) ▲图 (wěi) 粵 wɐi²〔委〕花。
▲古「花」字，見595頁。

蘼 (mí) 粵 mei⁴〔微〕「蘼蕪」：多年生草本植物，莖高一尺多，羽狀複葉，開白花，有清香。

蘺 (lí) 粵 lei⁴〔離〕❶「江蘺」：①香草名，即是「蘼蕪」。②一種紅色的海藻。❷通「籬」，見521頁。

蘿 (luó) 粵 lɔ⁴〔羅〕❶「蘿蔔」又作「萊菔」：日常食用的菜蔬，一年或二年生草本，莖高一尺左右，葉子羽狀分裂，地下莖多肉，生吃熟吃均可，種子可供藥用。❷「藤蘿」：見627頁「藤」字。

蘹 (huái) 粵 wai⁴〔懷〕茴香。

虀 图 (jī) 粵 dzɐi¹〔擠〕❶鹹菜。❷「虀鹽」：素食。❸同「齏」，見880頁。

蘸 (zhàn) 粵 dzam³〔湛〕接觸一下，沾上一些東西。如「用葱蘸醬」；「筆蘸墨」；「蘸着糖吃」。

虆 图 (léi) 粵 lœy⁴〔雷〕❶一種蔓草。❷盛土的籠子。

【蘗】見米部，525頁。

【虉】同「虉」，見629頁。

【虍部】

二至六畫

虎 (hǔ) 粵fu² 〔苦〕❶猛獸，形狀像貓，不會爬樹。皮毛黃褐色，有黑色條紋，力大兇殘，食小獸或人類。俗稱「老虎」。❷比喻威猛。如「虎將」；「發虎威」。❸姓。❹「虎口」：①比喻危險的地方。如「虎口餘生」。②拇指與食指相連的部分。❺「虎虎」：形容精神充沛的樣子。如「虎虎有生氣」。❻「虎符」：古時軍中作信物的兵符。❼「虎視」：像老虎要撲食時那樣注視着，引作比喻等待有利的時機下手。如「虎視眈眈」。❽「虎列拉」：*cholera* 的音譯。病名，即是霍亂。❾「虎頭蛇尾」：比喻有始無終。

虐 (nüè) 粵jœk⁹ 〔若〕❶苛毒，殘暴。如「虐待」；「暴虐無道」。❷「虐疾」：暴疾，重病。

虔(虔) (qián) 粵kin⁴ 〔奇然切〕❶恭敬。如「虔誠」。❷姓。❸「虔婆」：①賤婆，罵老婦人的話。②說動聽的話取利的老太婆，像開妓院的老鴇。❹囵「虔劉」：殺害。

虓 図(xiāo) 粵hau¹〔敲〕❶老虎怒吼。❷「虓將」：勇武的將軍。

彪 (biāo) 粵biu¹〔標〕❶小老虎。❷老虎身上的斑紋。❸図「彪形」：體格又高又壯。如「彪形大漢」。❹図「彪炳」：光彩煥發。如「功業彪炳」。

虒 (sī) 粵si¹〔思〕「虒亭」：地名，在山西省。

虖 図(hū) 粵fu¹〔夫〕❶虎吼聲。❷同「呼」，叫。如「於虖」；「烏虖」。見84頁。

處（處、処）▲(chù) 粵tsy³〔雌恕切〕❶地方，場所。如「住處」；「通信處」。❷部分，點。如「短處」；「有益處」；「不知有何得罪於人之處」。❸機關團體組織的單位。如「訓導處」；「社會處」。❹「處處」：各處，到處。

▲(chǔ) 粵tsy⁵〔柱〕❶居住。如「穴居野處」。❷置身，存在。如「設身處地」；「處於這個偉大的時代」。❸共同工作或生活。如「你跟王主任怎會處不來」；「她們婆媳之間處得很好」。❹應付，辦理。如「處理」；「處置」。❺懲戒。如「懲處」；「處罰」。❻決斷。如「處決（執行死刑）」。❼図退

隱。如「出處」。❽図「處士」：古時指有學問才能而隱居不出來做官的人。❾「處女」：對尚未結婚而保持貞操的女子的通稱。❿「處女作」：指初次發表的作品。⓫「處女航」：指輪船飛機在新開的航路上第一次航行。⓬「處心積慮」：存心蓄意已久。

虜 (lǔ) 粵lou⁵〔魯〕❶捉到。如「虜獲」。❷作戰時生擒敵軍。如「俘虜」。❸図搶奪，同「擄」。如「虜掠」。❹奴。如「守財虜」。❺図稱入侵或擾亂邊界的敵人。宋朝人稱金兵元兵為「韃虜」；明朝人稱滿族為「索虜」。

虛（虛、虗）(xū) 粵hœy¹〔墟〕❶空的，跟「實」相反。如「虛榮」；「虛情假意」。❷謙退，跟「滿」相反。如「謙虛」；「虛心求進」。❸衰弱。如「身體虛弱」；「身子太虛」。❹心裏有愧而膽怯。如「膽虛」；「作賊心虛」。❺白白地，徒然地。如「芳華虛度」；「形同虛設」。❻図指天空。如「太虛」；「凌虛」。❼図孔竅。如「循虛以出入」。❽図空出職位。如「虛左以待」。❾「虛心」：不自滿，不自以為是。❿「虛無」：道家認為「道」

的本體，是「有而若無，實而若虛」，「眞理無形象可見」的境界。⓫「虛榮」：不實在的榮譽。⓬「虛左以待」：空着尊位等待賢人。⓭囵「虛與委蛇(yí)」：假意殷勤。⓮「虛應(yìng)故事」：敷衍了事。

七至十二畫

號 ▲(hào) 粵 hou⁶〔浩〕❶名稱。如「國號」；「別號」。❷命令。如「號令」；「發號施令」。❸商店。如「商號」；「老字號」。❹商品的大小形式。如「特大號」；「要小一號的」。❺標誌。如「信號」；「記號」。❻軍用小喇叭。如「號角」；「號音」。❼召喚。如「號召」。❽計算人數。如「內科今天掛了三十幾號」。❾稱謂。如「號爲竹林七賢」。❿樣子，種類。如「他就是這一號人」。⓫日。如「六月十號」。⓬「號外」：報社在不是出報的時候，因爲突發的重大事件而臨時出版的小型報紙。⓭「號稱」：大概估計，據說如此。可是還不能證實的。

▲(háo) 粵 hou⁴〔豪〕❶大叫。如「鬼哭狼號」；「奔走呼號」。❷哭。如「號哀」；「啼飢號寒」。

虞 (yú) 粵 jy⁴〔如〕❶囵憂慮。如「衣食無虞」；「大局堪虞」。❷囵預料。如「以備不虞(預料不到的)之需」。❸囵欺騙。如「爾虞我詐」。❹上古帝號。舜受禪以後，號稱「有虞氏」，所以後來稱他爲「虞舜」。❺姓。❻「虞美人」：①一種庭院種植觀賞植物，一年生草本，莖直立，分枝，葉羽狀分裂，初夏開花，深紅色，花苞橢圓形，有四片花瓣，種子細小。②詞牌名，取自項羽寵姬虞美人。也作「一江春水」、「王壺冰」等。

虡 囵(jù) 粵 gœy⁶〔巨〕鐘磬的架子兩旁的立柱子。

虢 (guó) 粵 gwik⁷〔隙〕周時國名：西虢在現在陝西寶雞；南虢在現在河南陝縣；東虢在現在河南滎陽；北虢在現在山西的平陸。

【慮】見心部，226頁。
【膚】見肉部，580頁。
【覷】同「覰」，見634頁。
【盧】見皿部，469頁。

虧 (kuī) 粵 kwɐi¹〔規〕❶缺，欠。如「月有盈虧」；「功虧一簣」。❷虛弱。如「身體虧損」。❸短少，賠本。如「虧欠公款」；「做生意虧了好多錢」。❹負心，對不起人。如

「作了虧心事」;「虧負他一片好意」。❺幸而。如「幸虧」;「虧他救了你」。❻跟「幸虧」相反，有譏笑、責備的意思。如「虧你還是哥哥，老幫別人欺負自己的弟弟」。❼「虧空」：收入不夠支出而負債。

虩(覤) (xì)粵gwik⁷〔隙〕恐懼。

【虫部】

虫 ▲(huī)粵wei²〔毀〕古「虺」字，見本頁。
▲「蟲」的簡化，見646頁。

一至四畫

虬(虯) (qiú)粵keu⁴〔求〕❶「虬龍」：古人傳說的有角的小龍。❷形容蜷曲的樣子。如「虬髯」;「虬蟠」。

虱(蝨) (shī)粵set⁷〔室〕「虱子」：蟲名，寄生在人體跟其他哺乳動物的身上，能吸血，也能傳染疾病。種類很多，有衣虱、頭虱、毛虱、牛虱、狗虱等等。

虻(蝱) (méng)粵moŋ⁴〔忙〕昆蟲名，形狀像大蒼蠅，愛吸人畜的血。如「牛虻(寄生在牛身上的虻蟲)」。

虼 (gè)粵get⁷〔吉〕「虼蚤」：跳蚤。

虺 ▲(huī)粵wei²〔毀〕❶毒蛇。長兩尺，土色。❷図「虺虺」：雷聲。
▲図(huī)粵fui¹〔灰〕「虺隤」：有病的樣子。引作形容人沒有志氣。

虹 (hóng)粵huŋ⁴〔紅〕❶白天雨後天空出現的彩色弧形光

圈，是太陽光照射着水氣形成的。有紅、橙、黃、綠、藍、靛、紫七色。若日光受兩次反射，會現出兩道弧形。紅色在外，紫色在內，顏色較鮮豔的叫「虹」，俗稱「主虹」；紫色在外，紅色在內，顏色較淡的叫「霓」，俗稱「副虹」。❷图比喻長橋。❸「虹彩」：①虹的光彩。②「虹膜」的別稱，是眼球膜囊中層的一部分，中央的小孔就是瞳孔；虹彩控制瞳孔的擴大或縮小，來調節光線射入瞳孔的多少。

蚌 ▲(bàng)粵pɔŋ⁵〔皮網切〕生活在水裏的一種軟體動物，瓣鰓類，殼長橢圓形，有輪紋，肉很鮮，好吃。殼內是真珠色層，有的能產珠。

▲(bèng)粵pɔŋ⁵〔皮網切〕「蚌埠」：市名，在安徽省。

【虵】同「蛇」，見637頁。

蚍 图(pí)粵pei⁴〔皮〕「蚍蜉」：大的螞蟻。韓愈詩有「蚍蜉撼大樹，可笑不自量」。

蚨 (fú)粵fu⁴〔扶〕❶「青蚨」：①古人說的一種飛蟲，像蟬，比較大些，母子不相離。②图錢的別稱。❷「蚨蝶」：即是蝴蝶。

蚪 (dǒu)粵dɐu²〔斗〕「蝌蚪」：見642頁「蝌」字。

蚣 (gōng)粵guŋ¹〔公〕「蜈蚣」：見640頁「蜈」字。

蚘 ▲同「蛔」，見637頁。

蚰 ▲(yóu)粵jɐu⁴〔由〕「蚰蜒」也作「蚰蜒」：見本頁「蚰」字。

蚧 (jiè)粵gai³〔介〕「蛤蚧」：見637頁「蛤」字。

蚑 (qí)粵kei⁴〔其〕❶「長蚑」：一種蜘蛛類的蟲子。❷图「蚑行」：走得慢。

蚩 (chī)粵tsi¹〔雌〕❶蟲名，即毛蟲。❷图癡笨。❸图通「媸」，醜。❹图通「嗤」，笑。❺「蚩尤」：傳說是上古時候黃帝的諸侯(有人說是古代苗族的酋長)，喜歡打仗，跟黃帝戰於涿鹿，被黃帝所殺。❻图「蚩蚩」：①無知的樣子。詩經有「氓之蚩蚩」。②忙亂的樣子。如「天下蚩蚩」。

蚇 (chī)粵tsɛk⁸〔赤〕「蚇蠖」：即是「尺蠖」。

蚺(蚦) ▲(rán)粵jim⁴〔炎〕蛇類，沒有毒，長兩三丈，背上黃褐色，有斑紋，腹部白色，肛門兩旁有小突起，是後肢退化的遺跡。

▲图(tiàn)粵tim³〔他厭切〕「蚦蛺」：舌頭吐出來的樣子。

蚋 (ruì)粵jœy⁶〔銳〕也作「蜹」。一種小蚊子，長一分多，形狀有些像蜂，能吸人畜

的血。

蚤（zǎo）粵 dzou²〔早〕❶「跳蚤」：昆蟲名，頭小體粗，六條腿，能跳，寄生在人畜身上，吸血，因此成為傳染病的媒介。也叫「虼蚤」。❷因早。孟子書有「蚤起，施從良人之所之」。

虮▲図（cì）粵 tsi³〔次〕毛蟲。「虮」的俗字，見638頁。
▲同「蠐」，見648頁。

蚜（yá）粵 ŋa⁴〔牙〕a⁴〔丫低平〕（俗）「蚜蟲」：害蟲之一。古時叫竹蝨，口部有吸管，能刺入植物新芽吸取汁液，再從肛門排出甜液餵養幼蟲。因為螞蟻喜歡吃蚜蟲排出的甜液，常保護蚜蟲，與蚜蟲共棲，故俗稱「蟻牛」。

蚓（螾）（yǐn）粵 jen⁵〔引〕「蚯蚓」：見本頁「蚯」字。

蚊（蟁、蠹）（wén）粵 men¹〔媽因切〕❶雙翅類昆蟲，俗稱「蚊蟲」、「蚊子」。體細長，黑褐色，翅透明，六條長腿。雄蚊吸花汁，雌蚊吸人畜的血，能傳染疾病。在水裏產卵，幼蟲叫「孑孓」。❷図「蚊雷」：形容許多蚊子聲音像響雷。

五畫

蛋（dàn）粵 dan⁶〔但〕dan²〔低反切〕（語）❶鳥類和爬蟲類生的卵。如「母雞下蛋」。❷形狀像蛋的。如「臉蛋」。❸「蛋白質」：動物體的主要成分，是碳、氫、氧、硫、氮等各種物質的化合物。是動物維持生命最重要的物質。❹同「蜑」，見638頁。

蛉（líng）粵 liŋ⁴〔零〕❶「蜻蛉」：見641頁「蜻」字。❷「螟蛉」：見643頁「螟」字。

蛄（gū）粵 gu¹〔姑〕❶「螻蛄」：見645頁「螻」字。❷「蟪蛄」：見646頁「蟪」字。

蚵▲（kè）粵 hɔ²〔可〕「屎蚵螂」：蜣蜋的俗稱。
▲（háo）粵 hou⁴〔豪〕同「蠔」，見648頁。

蚶（hān）粵 hɐm¹〔堪〕蚌類軟體動物，外殼很厚，淡褐色，乾燥以後變白，有突起的直線條。肉鮮美，大都在開水鍋裏燙一燙即可吃。

蚯（qiū）粵 jɐu¹〔丘〕「蚯蚓」：環蟲類蠕形動物，體圓細長，環節很多，能挖地成洞，使土壤疏鬆，有益農作。俗稱「曲蟮」。

蛆 ▲(qū)⑧tsœy¹〔吹〕蠅類的幼蟲，在糞坑或腐敗的動物屍體上常可看到。長三四分，白色微黃，有環節。約三四星期，經過蛹變爲成蟲。

▲(jū)⑧dzœy¹〔追〕「蜛蛆」：即是蜈蚣。

蚿 (xuán)⑧jin⁴〔絃〕「馬蚿」：又叫「馬陸」，是一種像蜈蚣的蟲，比較小，沒有毒。俗稱「香油蟲」。

蚱 (zhà)⑧dza³〔炸〕❶「蚱蜢」：蝗蟲的一種，體長一寸多，頭三角形，是稻麥的害蟲。❷「蚱蟬」：黑色大蟬，體長一寸四分多，翅透明，夏天鳴叫，聲直而長。❸「螞蚱」：蝗蟲的俗稱。

蛀 (zhù)⑧dzy³〔注〕❶「蛀蟲」：各種嚙蝕木頭、衣物的蠹蟲的通稱。❷被蟲咬壞了。如「木板蛀了一個大洞」。❸「蛀齒」：齒質腐蝕的病，即是齲齒。口語說「蛀牙」；「蟲吃牙」；「蟲蛀牙」。

蚔 図(chí)⑧tsi⁴〔池〕螞蟻的卵，古人有做食品吃的。

蛇(虵) ▲(shé)⑧se⁴〔佘〕爬蟲類動物。身體圓而長，沒有四肢，全身有鱗，用腹部的鱗在地上爬。卵生，也有少數胎生。牙齒銳利，分有毒、無毒兩種。有毒的頭部呈三角形。種類很多。

▲図(yí)⑧ji⁴〔兒〕「委蛇」：見138頁「委」字。

蚰 (yóu)⑧jeu⁴〔由〕「蚰蜒」：①節足動物，跟蜈蚣同類，長一兩寸，黃黑色，腳細長，共十五對，捕食害蟲，有益農作物。②比喻曲折的路。如「蚰蜒小路」。

【蚼】同「蚐」，見635頁。

六畫

蛑 (móu)⑧meu⁴〔謀〕「蝤蛑」：見642頁「蝤」字。

蛤 ▲(gé)⑧gep⁸〔鴿〕❶「蛤蜊」也作「蛤蠣」：蟶屬軟體動物，殼圓形，外面黃褐色，肉味鮮美。❷「蛤蚌」：蚌。❸「蛤蚧」：長四五寸，頭部像蝦蟆，背部綠色，屬爬蟲蜥蜴類。

▲(há)⑧ha¹〔哈〕「蛤蟆」即「蝦蟆」，見642頁「蝦」字。

蛞 (kuò)⑧fut⁸〔闊〕「蛞蝓」：一種軟體動物，即是「蜒蚰」。

蛔(蚘、蛕) (huí)⑧wui⁴〔回〕「蛔蟲」：軟體動物，樣子像蚯蚓，沒環節。寄生在人畜的腸子裏，能威脅健康。

蛟 (jiāo) 粵 gau¹〔交〕❶「蛟龍」：古代傳說中一種像龍的動物，能發洪水。❷古人認為大水是蛟龍作怪，因此把發大水叫「發蛟」。

蛐 ▲ (qú) 粵 kuk⁷〔曲〕「蛐蟮」：蚯蚓。
▲ (qū) 粵 kuk⁷〔曲〕「蛐蛐兒」：蟋蟀。

蛩 図(qióng) 粵 kung⁴〔窮〕❶「飛蛩」：蝗蟲的別名。❷「吟蛩」：蟋蟀的別名。❸図「蛩蛩」：憂思的樣子。

蛭 (zhì) 粵 dzet⁹〔姪〕❶蠕形動物，環蟲類，形狀像蚯蚓，但是形體比較寬，能刺入人畜肌膚吸血，俗稱「馬蟥」。❷「肝蛭」：寄生肝臟的蠕形動物，能威脅人的健康。

蛇 図(zhà) 粵 dza³〔炸〕水母的一種，又叫「海蜇」。

蛛 (zhū) 粵 dzy¹〔朱〕❶「蜘蛛」的簡稱。❷「蛛絲」：蜘蛛腹內分泌的細絲。❸「蛛絲馬跡」：蜘蛛絲跟馬蹄印。比喻事情的線索。

蛓 図(cì) 粵 tsi³〔次〕毛蟲。

蛙 (wā) 粵 wa¹〔娃〕「青蛙」：兩棲的脊椎動物，種類很多，四肢有尖爪，前肢小，後肢粗大有力，趾間有膜，能潛伏水

裏。吃害蟲，有益農作物，卵生，幼蟲叫「蝌蚪」。

【蛕】同「蛔」，見637頁。

七畫

蜂(蠭) (fēng) 粵 fung¹〔風〕❶膜翅類的昆蟲，種類很多。有蜜蜂、土蜂、馬蜂、大黃蜂等。❷蜜蜂的簡稱。如「蜂房」；「蜂蜜」。❸図像蜂成羣的。如「蜂擁」；「蜂起」。❹「蜂巢胃」：反芻動物的胃分作四囊，第二囊有無數蜂巢狀的皺紋，俗稱「蜂巢胃」。

蜉 (fú) 粵 feu⁴〔浮〕「蜉蝣」：擬脈翅類昆蟲，長六七分，頭部像蜻蛉略小，四翅，體細狹。成蟲在夏秋之間近水而飛，交尾產卵後幾小時就死了。

蜑 (dàn) 粵 dan⁶〔但〕「蜑戶」：古民族的一種，住在福建、廣東沿海，以船為家，捕魚或行船為業，不跟當地住民通婚。

蜓 (tíng) 粵 ting⁴〔停〕「蜻蜓」：見641頁「蜻」字。

蜋 (láng) 粵 long⁴〔郎〕❶「蜋蜩」：蟬的一種，又是蟬的別名。❷「蜣蜋」同「蜣螂」：見641頁。❸「螳蜋」同「螳螂」：

見644頁「螳」。

蜊 (lí)⓹lei⁴〔離〕「蛤蜊」：見637頁「蛤」字。

蛺 (jiá)⓹gap⁸〔夾〕「蛺蝶」：①蝶類的總名。②蝶的一種，翅赤黃有黑紋。

蛸 ▲(xiāo)⓹siu¹〔消〕「螵蛸」：見644頁「螵」字。
▲(shāo)⓹sau¹〔梢〕「蠨蛸」：見649頁「蠨」字。

蜆 (xiǎn)⓹hin²〔顯〕❶軟體動物，像小蛤蜊，生在淡水裏，肉味鮮美。也叫「扁螺」。❷小黑蟲，長一寸多，頭赤，常吐絲自懸。也叫「縊女」。

蜇 ▲(zhé)⓹dzit⁸〔折〕「海蜇」也作「海蛇」：水母類腔腸動物的一種，頭部隆起呈饅頭狀，可供食用。
▲図(zhē)⓹dzit⁸〔折〕蟲螫。

車 (chē)⓹tsɛ¹〔車〕「蝃螯」：蛤類，殼紫色，肉可吃。

蜍 (chú)⓹tsœy⁴〔徐〕「蟾蜍」：見647頁「蟾」字。

蜃 (shèn)⓹sen⁶〔慎〕❶蛤類的總稱。❷大蛤蜊。❸図「蜃氣」：海面或沙漠裏所見遠方的倒影，由光線折射而發生的自然現象。❹「海市蜃樓」：比喻虛幻不真的事。

蜀 (shǔ)⓹suk⁹〔熟〕❶蝶蛾類的幼蟲，即是「蠋」。❷國名，在四川省一帶：①新莽時公孫述自立為蜀王。②蜀漢，三國時代劉備建立的王朝。③後蜀，五代時孟知祥建立的王朝。❸四川省的古稱。❹図「蜀犬吠日」：比喻人少見多怪。

蛻 (tuì)⓹tœy³〔退〕❶蛇、蟬等在生長期間脫去皮殼。也用來說一切事物的變化。如「蛻化」；「蛻變」。❷蟲類脫下來的皮。如「蟬蛻（蟬的幼蟲所脫下的表皮）」；「蛇蛻（蛇所脫下的表皮）」。❸「遺蛻」同「遺體」：死者的屍體。

蛾 (蚳) ▲(é)⓹ŋɔ⁴〔娥〕ɔ⁴〔柯低平〕(俗)❶鱗翅類昆蟲，體肥大，有密毛，口器不及蝶類發達，觸角有羽狀跟絲狀的。靜止時兩翅平舉，翅面灰白。夜裏飛出，喜歡接近光亮。種類很多。❷図比喻美人的眉（細長像蠶蛾觸角）。❸美女的代稱。如「蛾眉」。❹指寄生的東西。如「木蛾（木耳）」；「桑蛾（桑耳）」。❺姓。❻「蛾眉月」：指新月，月牙兒。
▲図同「蟻」，見647頁。

蜒 (yán) 粵 jin⁴〔言〕❶「蜒蚰」：有肺的軟體動物，跟蝸牛同類異種，體是圓筒形，沒外殼。又名「蛞蝓」。❷「蚰蜒」：見637頁「蚰」字。❸「蜿蜒」：見641頁「蜿」字。

蜈 (wú) 粵 ŋ⁴〔吳〕「蜈蚣」：蟲名，節足動物，有扁平的環節二十二節，口邊的爪很銳利，捕食害蟲時能注射毒液。

蛹 (yǒng) 粵 juŋ²〔湧〕昆蟲從幼蟲過度到成蟲時的一種狀態。在此期間身體蜷縮起來，外皮變厚，不動不食。有被蛹（吐絲作繭自縛，像蠶蛹）、裸蛹兩種。

八至九畫

蝂 (bǎn) 粵 ban²〔板〕「蝜蝂」：見641頁「蝜」字。

蜢 (měng) 粵 maŋ⁵〔猛〕「蚱蜢」：見637頁「蚱」字。

蜜 (mì) 粵 met⁹〔密〕❶蜜蜂採花的甘液釀成，可以吃，可以入藥。如「蜂蜜」。❷比喻甘美。如「甜言蜜語」。

蜌 (féi) 粵 fei⁴〔肥〕「臭蟲」的古名。

蜚 ▲(fěi) 粵 fei²〔匪〕「蜚蠊」：蟑螂。

▲(fēi) 粵 fei¹〔非〕同「飛」。如「蜚言蜚語（隨便說的沒有根據的話，類似謠言）」。見820頁「飛」字。

蝀 囝(dōng) 粵 duŋ³〔凍〕「蝀蝀」：見644頁「蝀」字。

蜭 囝(tàn) 粵 tam³〔探〕「蚲蜭」：吐舌的樣子。

蜩 (tiáo) 粵 tiu⁴〔條〕❶囝蟬的總名。詩經有「五月鳴蜩」。❷囝「蜩螗」：比喻喧吵不安寧的樣子。詩經有「如蜩如螗，如沸如羹」。❸囝「蜩螗沸羹」：比喻喧雜。也可略作「蜩沸」。

蜱 (pí) 粵 pei⁴〔皮〕蜘蛛一類的動物，體形扁平，種類很多，對人、畜及農作物有害。

蜺 (ní) 粵 ŋei⁴〔倪〕ei⁴〔翳低平〕（俗）❶寒蟬。❷同「霓」，見799頁。

蜧 (lì) 粵 lei⁶〔麗〕大蝦蟆。

蛦 (liǎng) 粵 lœŋ⁵〔兩〕「蛦蜽」：見641頁「蛦」字。

蜦 (lún) 粵 lœn⁴〔倫〕❶大蚯蚓。❷神蛇。

蜾 (guǒ) 粵 gwo²〔果〕go²〔加可切〕（俗）「蜾蠃」：蟲名，像細腰蜂，在樹上作窠，能捕捉螟蛉等害蟲，有益農作。

蜞 (qí) 粵 kei⁴〔其〕「蟛蜞」：見646頁「蟛」字。

蜣 (qiāng) 粵goeŋ[1][薑]「蜣螂」也作「蜣蜋」：黑色甲蟲，背上有硬殼，喜吃人畜的糞。俗名叫「屎蚵蜋」。

蜻 (qīng) 粵tsiŋ[1][青] ❶「蜻蛉」：脈翅類昆蟲，像蜻蜓，不過前翅的前緣稍短，不能飛得太遠。❷「蜻蜓」：脈翅類昆蟲，分頭胸腹三部，頭部有複眼一對，口在下方，很發達，適於捕食蚊蠅等害蟲，腹部細長，分好多節，尾上分叉，幼蟲叫水蠆。

蜷 (quán) 粵kyn[4][拳] 蟲子彎曲的樣子。如「蜷曲」。

蜥 (xī) 粵sik[7][色]「蜥蜴」：爬蟲類，扁頭，四條腿，像壁虎，也叫「四腳蛇」。

蜘 (zhī) 粵dzi[1][知]「蜘蛛」：節足動物，分頭、胸部、腹部，有腳四對。肛門前有瘤狀突起的紡織器，能抽絲織網，捕昆蟲吃。

蜴 (yì) 粵jik[9][亦]「蜥蜴」：見本頁「蜥」字。

蜿 (wān) 粵jyn[1][鴛]「蜿蜒」：曲曲彎彎的樣子。

蜡 ▲ (zhà) 粵dza[3][乍]「蜡祭」：周代年終祭名。
▲ (chà) 粵tsa[3][岔]「八蜡」：古時候關於農事的祭祀。

▲「蠟」的簡化，見648頁。

蜽 (wǎng) 粵moŋ[5][網]「蜽蛃」同「魍魎」：見 845 頁「魍」字。

蜮 (yù) 粵wik[9][域] ❶ 蟲名，古時候也叫「短狐」，形狀像鱉，相傳能含沙射人為災。❷ 螟類的食苗蟲。❸「鬼蜮」：比喻暗中害人者。

【蜨】同「蝶」，見642頁。
【蜤】同「蟅」，見644頁。

蝙 (biān) 粵pin[1][編]「蝙蝠」：一種會飛的哺乳動物，頭部像老鼠，前後肢連尾部之間有薄膜，能飛，後肢細長，有鉤爪，白天倒掛着睡，夜晚飛出捕食飛蟲，有冬眠期。

蝥 (máo) 粵mau[4][矛] ❶「斑蝥」：鞘翅類昆蟲，形狀像天牛，長六七分，背上硬翅很美，能捕食害蟲。❷同「蝥」，見644頁。

蝠 (fú) 粵fuk[7][福] ❶「蝙蝠」的簡稱。如「蝠糞」。❷「蝠蝙」：見本頁「蝙」字。

蝮 (fù) 粵fuk[7][福]「蝮蛇」：一種毒蛇，長一尺多，頭大，全身灰褐色。俗名叫「土虺蛇」。

蝜 (fù) 粵fu[6][付]「蝜蝂」也作「負板」：古人所說的一種性情躁急、能背東西而放不下來

的黑色蟲子。

蝶(蜨) (dié)⑧dip⁹〔碟〕❶「蝴蝶」的簡稱。❷「蝴蝶」：見本頁「蝴」字。

蝻 (nǎn)⑧nam⁴〔南〕lam⁴〔藍〕(俗)蝗蟲的幼蟲，剛孵化不能飛。

蝲 (là)⑧lat⁹〔辣〕「蝲蝲蛄」：即是「螻蛄」。參見645頁「螻」字。

蝸 (wō)⑧wo¹〔窩〕❶「蝸牛」：有肺的軟體動物，身體外面有硬的外殼，頭上有四根觸角，兩根比較長，尖端有眼；腹部兩端伸長成為腳，爬行很慢。雌雄同體，對植物有害。❷「蝸角」：比喻細小。❸自謙居室陋小。如「蝸居」；「蝸舍」；「蝸廬」。

蝌 (kē)⑧fo¹〔科〕❶「蝌蚪」：蛙的幼蟲，黑色，頭圓尾細，長在水裏，成長時先生後肢，繼生前肢，尾巴消失後變成蛙或蟾蜍。❷「蝌蚪文」：中國古字體，字形像是蝌蚪。

蝴 (hú)⑧wu⁴〔胡〕「蝴蝶」：鱗翅類昆蟲，有四翅，喜歡飛到花上探蜜。有粉蝶、黃蝶、鳳蝶等多種。幼蟲是毛蟲。

蝗 (huáng)⑧wong⁴〔王〕穀類害蟲，口器闊大，前翅黃褐色，後翅半透明，喜歡結羣飛行，傷害禾稼。俗稱「蝗蟲」。

蝍 ▲(jié)⑧dzik⁷〔即〕「蝍蛉」：即是「蜻蜓」。
▲(ji)⑧dzik⁷〔即〕「蝍蛆」：①蟋蟀。②蜈蚣。

蝤 ▲(qiú)⑧tseu⁴〔囚〕「蝤蠐」：天牛、桑牛的幼蟲，色白身長，能蛀蝕桑樹，深入幹中。因為它色白而肥，所以古人用它比喻婦人的頸部。詩經有「領如蝤蠐」。
▲(yóu)⑧jeu⁴〔由〕「蝤蛑」：俗稱「梭子蟹」或「海螃蟹」，最後兩腳寬扁，沒有爪子。

蝦 ▲(xiā)⑧ha¹〔哈〕❶甲殼節足類動物，長尾，分頭胸腹三部，有兩對觸鬚，生活在水中。種類很多，肉味鮮美。❷「蝦米」：①蝦。②去殼曬乾的蝦肉。
▲(há)⑧ha⁴〔霞〕ha¹〔哈〕(俗)「蝦蟆」也作「蛤蟆」：青蛙、蟾蜍的統稱。

蝎 ▲(xiē)⑧hit⁸〔歇〕同「蠍」，見647頁。
▲(hé)⑧hot⁸〔渴〕木頭的蛀蟲。

蝕 ▲(shí)⑧sik⁹〔食〕❶日食月食。蝕的情形，按次序分為「初虧(初蝕)」；「蝕甚」；「生光」；「復圓」等階段。有日月

「全蝕」跟「日環蝕」的情形。「全蝕」又稱「蝕既」。❷侵剝損傷。如「侵蝕」;「剝蝕」。

▲(shí)粵sit⁹〔時熱切〕蟲蝕本。如「蝕本」;「偷雞不着蝕把米」。

蝣(yóu)粵jɐu⁴〔由〕「蜉蝣」:見638頁「蜉」字。

蝘(yǎn)粵jin²〔演〕「蝘蜓」:即是「壁虎」。

蝟(猬)(wèi)粵wɐi⁶〔胃〕❶「刺蝟」:一種小獸,長一尺多,全身有尖銳像長針樣的硬毛,腿很短,畫伏夜出,吃田間害蟲。❷図「蝟起」:比喻事端紛起,好像蝟毛的森豎。❸図「蝟集」:比喻事情繁多而且叢雜,難以處理。

蝓(yú)粵jy⁴〔如〕「蛞蝓」:見637頁「蛞」字。

【蝕】同「虵」,見634頁。
【螁】同「蠕」,見648頁。
【蝨】同「虱」,見634頁。

十至十一畫

螃(páng)粵pɔŋ⁴〔旁〕❶「螃蟹」:甲殼類節足動物,體圓扁,色青黑,水陸兩棲,橫走很快。❷「螃蜞」也作「蟛蜞」:一種紅色小蟹。

螞▲(mǎ)粵ma⁵〔馬〕❶「螞蟻」:蟻的通稱。見647頁「蟻」字。❷「螞蟥」:即是「馬蟥」。見828頁「馬」字。

▲(mā)粵ma¹〔媽〕「螞螂」:蜻蜓的俗稱。也叫「老琉璃」。

▲(mà)粵ma⁶〔罵〕「螞蚱」:蝗蟲類,即是「蚱蜢」。

螟(míng)粵miŋ⁴〔明〕❶稻的害蟲,從葉腋鑽入稻莖,吸食汁液,使稻枯死。❷「螟蛉」:①螟蛉蛾的幼蟲,能食害植物,種類很多。②図古人看到蜾蠃捉螟蛉到窩裏去餵自己的幼蟲,以為是要養大螟蛉,因此把收養的義子叫「螟蛉」。

螣▲(tè)粵dɐk⁹〔特〕吃稻葉的青色害蟲。

▲(téng)粵tɐŋ⁴〔騰〕❶「螣蛇」也作「騰蛇」:中國神話裏說能飛的神蛇。❷相術家稱人嘴上的縱紋。

螗(táng)粵tɔŋ⁴〔唐〕❶「螗蜩」:蟬類,背青綠色,頭有斑紋,鳴聲清圓。❷「螗蟧」:見640頁「蜩」字。

螂(láng)粵lɔŋ⁴〔郎〕❶「蜣螂」:見641頁「蜣」字。❷「螞螂」:見643頁「螞」字。❸「螳螂」:見本頁「螳」字。❹

「蟑螂」：見645頁「蟑」字。

蝼 (qín)粵tsœn⁴〔秦〕❶蟲名，是一種頭闊而方的小蟬。❷図「蝼首」：比喻美人的額，方廣像蝼的頭部。

螅 (xī)粵sik⁷〔色〕「水螅」：腔腸動物，身體像圓柱，綠色或褐色，一頭有口，口上有幾根細長像線的觸手。產在淡水裏。

融 (róng)粵juŋ⁴〔容〕❶固體受熱變軟或變爲液體。如「融解」；「融化」。❷貨幣流通。如「金融」。❸和協。如「融洽」；「融和」。❹調勻，參合。如「融會」。❺図很明亮的樣子。詩經有「昭明有融」。❻姓。❼図「融融」：①和樂的樣子。如「其樂也融融」。②和煦的樣子。如「春光融融」。

蟖 (sī)粵si¹〔師〕「螺蟖」：見645頁「螺」字。

螋 (sōu)粵seu¹〔收〕「蠼螋」：見649頁「蠼」字。

螦 (suǒ)粵sok⁸〔索〕塵芥蟲，鞘翅類，黑褐色，體形橢圓，能捕食別的蟲子。

螢 (yíng)粵jiŋ⁴〔仍〕❶鞘翅類昆蟲，生在水邊，長三分多，能飛，夜間腹部發燐光，俗稱「螢火蟲」。❷「螢光」：物理學名詞，某種固體或液體受到光線照射，不作單純的反射，而把光線吸收，發出跟它不同而是本身固有的光。❸「螢光板」：塗有鉑氰化鋇或硫化鋅等能發光物質的平面板。❹「螢光幕」：電視機上凸形的屏幕。

螈 (yuán)粵jyn⁴〔元〕❶「螈蠶」：一年兩收的蠶。❷「蠑螈」：見648頁「蠑」字。

【蚉】古「蚊」字，見636頁。

【螽】同「蠱」，見649頁。

【螘】同「蟻」，見647頁。

螵 (piāo)粵piu¹〔飄〕❶「螵蛸」：粘在樹枝上的螳螂的卵（很多卵堆連在一起的卵塊）。❷「海螵蛸」：烏賊的骨，質堅而疏鬆。

蟆 ▲(má)粵ma⁴〔麻〕形狀像蚊子而比較小的蟲。
▲(ma)粵ma⁴〔麻〕mou¹〔毛高平〕(語)「蝦蟆」：見642頁「蝦」字。

蝥 (máo)粵mau⁴〔矛〕❶專吃稻根的蝗蟲。❷図「蟊賊」：吃禾稼的蟲。引作比喻小人的爲害。

蝀 (蝃)図(dì)粵dei³〔帝〕「蝃蝀」：「虹」的別名。參見634頁「虹」字。

螳 (táng)粵tɔŋ⁴〔堂〕❶「螳螂」也作「螳蜋」：直翅類的昆

蟲，體長，綠色，腹部肥大，頭三角形，頸部細長，前腳像鐮刀，捕食害蟲。俗稱「刀螂」。❷「螳臂當車(jū)」：用螳螂的前臂擋住車子。比喻不自量力，必定失敗。

螻 (lóu) [粵] lɐu⁴〔樓〕❶「螻蛄」：稻麥的害蟲，黑褐色，體圓，長一寸多，有翅兩對，會飛，腳三對，前肢能挖地。❷[文]「螻蟻」：螻蛄跟螞蟻。比喻輕微。

螺 (luó) [粵] lɔ⁴〔羅〕❶軟體動物，藏在有旋紋的硬殼裏，肉可吃。如「螺螄」；「海螺」。❷像螺殼旋紋的東西。如「螺絲釘」；「螺旋菌」。❸把有色的螺殼打碎磨薄，粘在器物上作裝飾。如「螺鈿」。❹「螺紋」：①指紋的一種。②物體上繪有像螺旋形的圖案。❺「法螺」：見367頁「法」字。

蟈 (guō) [粵] gwɔk⁸〔國〕gɔk⁸〔各〕(俗)「蟈蟈兒」：有害的昆蟲，翅短，腹大，長一寸多。雄蟲前翅基部有發聲器。俗稱「叫哥哥」。

螿 [文] (jiāng) [粵] dzœŋ¹〔張〕寒蟬。

蟋 (xī) [粵] sik⁷〔色〕「蟋蟀」：蟲名，黑色。雄蟲翅上有發聲器，喜歡爭鬥。俗稱「蛐蛐兒」。

蟄 [文] (zhé) [粵] dzɐt⁹〔侄〕dzik⁹〔直〕(又) ❶蟲類冬眠或隱藏起來。如「蟄伏」。❷比喻人躲着不出來或不敢出來。如「蟄居(隱居)」。❸「驚蟄」：見834頁「驚」字。

螫 (shì) [粵] sik⁷〔適〕指有毒腺的蟲子用尾針刺人畜。

䗪(蟅) (zhè) [粵] dzɛ³〔借〕土鼈，地鼈。

蟑 (zhāng) [粵] dzœŋ¹〔章〕「蟑螂」也叫「蜚蠊」：一種很古老的昆蟲，家屋或船舶上都有。家裏的蟑螂棕紅色，有臭氣，對人有害。

螽 (zhōng) [粵] dzuŋ¹〔終〕❶蝗類昆蟲的總名。❷「螽斯」：①蝗類昆蟲，雄蟲長二寸左右，綠褐色，能發聲。雌蟲體大，尾端有產卵器。②[文]詩經篇名，也用爲祝人多子的詞。如「螽斯衍慶」。

螭 (chī) [粵] tsi¹〔雌〕❶像龍而沒有角的中國神話動物。宮殿階柱常雕成這種形狀。❷通「魑」，「螭魅」同「魑魅」。見845頁。

蟀 (shuài) [粵] sœt⁷〔率〕「蟋蟀」：見本頁「蟋」字。

螬 (cáo) [粵] tsou⁴〔曹〕「蠐螬」：見648頁「蠐」字。

螯(áo) ㊗ ŋou⁴〔遨〕ou⁴〔澳低平〕(俗)❶節足動物第一對腳的變形，尖端分兩歧，可以像鉗子開合，用來取食、自衛。蟹螯最強。❷図蟹的代稱。如「持螯把酒」。

蟒(mǎng) ㊗ mɔŋ⁵〔莽〕❶大蛇，長兩丈以上，有鱗，沒有毒牙。黃褐色，肚子白色。如「巨蟒」;「大蟒蛇」。❷明清兩代官員的朝服，用金線繡上蟒形。如「蟒袍」。

【螾】同「蚓」，見636頁。

【蝨】古「蚊」字，見636頁。

十二畫

蟠(pán)㊗pun⁴〔盤〕❶彎曲的樣子。如「龍蟠虎踞」。❷「蟠桃」：①一種扁圓形的桃兒，中間凹下，味甘美多汁。②中國神話傳說中的一種仙桃。如「蟠桃會」。❸「蟠踞」也作「盤踞」：把持據守。

蟛(蟚)(péng) ㊗ paŋ⁴〔彭〕「蟛蜞」也作「螃蜞」：一種小紅蟹，俗稱「鸚哥嘴」。

蟫図(yín)㊗tam⁴〔譚〕「蠹魚」的別名，參見649頁「蠹」字。

蟪(huì)㊗wɐi⁶〔惠〕「蟪蛄」：蟬類，長約七分，色青紫，翅有黑白紋。俗稱「伏天兒」。

蟥(huáng) ㊗ wɔŋ⁴〔黃〕「馬蟥」：見828頁「馬」字。

蟣(jǐ)㊗gei²〔己〕虱子的卵。

蟢(xǐ)㊗hei²〔喜〕「蟢子」也作「喜子」：長腳蜘蛛。

蟬(chán)㊗sim⁴〔禪〕❶有吻類昆蟲，黑褐色，頭短身長，雄蟬有發聲器。蟬卵產在樹枝而後落在地上，孵化以後從幼蟲到成蟲，期間很長，幼蟲潛伏地下，吸食樹根汁液，成蟲夏秋之間在樹上生活。俗稱「知了」。❷「蟬蛻」：①也作「蟬退」，蟬從幼蟲化爲成蟲時所脫下的皮，中醫用作藥。②比喻解脫。史記有「蟬蛻於濁穢」。❸「蟬聯」：繼續不斷。現在常指稱工作或職務的連任。

蟲(虫)(chóng)㊗tsuŋ⁴〔松〕❶昆蟲的通稱。常叫「蟲子」。❷動物的總名。古代說禽是羽蟲，獸是毛蟲，龜是甲蟲，魚是鱗蟲，人是倮蟲。❸「大蟲」：老虎。❹図「蟲蟲」：暑熱薰蒸的樣子。

蟮(shan)㊗sin⁶〔善〕「蛐蟮」：即是蚯蚓。

蟯(náo) ㊗ jiu⁴〔堯〕「蟯蟲」：也叫「守白蟲」，寄生在人的

直腸裏。雌蟲常在肛門附近排卵，引起奇癢。

十三至二十畫

蠊 (lián) 粵lim⁴〔廉〕「蜚蠊」：見640頁「蜚」字。

蠃 ▲(luǒ) 粵lo²〔裸〕「螺蠃」：見640頁「螺」字。

▲同「螺」，見645頁。

蠍 (蝎) (xiē) 粵hit⁸〔歇〕❶蜘蛛類毒蟲，胎生，長兩三寸，青黑色，顎上有觸鬚一對，頭胸都很短，腹部分十三節，尾部有毒鉤，能螫人。俗稱「蠍子」。❷「蛇蠍」：蛇跟蠍兩種有毒動物。引作比喻狠毒的人。如「毒如蛇蠍」。❸「蠍虎子」：壁虎。

蟹 (蠏) (xiè) 粵hai⁵〔懈〕❶「螃蟹」：甲殼類節足動物，全身有甲殼，有五對腳，第一對變成螯，橫着爬行得很快。❷「蟹黃」：蟹的卵巢，煮熟以後是橙黃色。❸「蟹爪蘭」：植物名，仙人掌科，肉質，莖多分枝，可跟同類植物嫁接，冬春開花，玫瑰紅色，盆栽放於室內，可供觀賞。

蠋 (zhú) 粵dzuk⁷〔捉〕蛾蝶類的幼蟲，形狀像蠶，是害蟲。

蠆 (chài) 粵tsai³〔次介切〕❶蠍的一種。❷「水蠆」：蜻蜓的幼蟲，生活在水裏。

蟾 (chán) 粵sim⁴〔禪〕❶「蟾蜍」的簡稱。❷「蟾蜍」：俗稱「癩蝦蟆」，兩棲動物，皮上有疣，能夠分泌毒液，不能鳴，常在陰濕的地方。❸中國神話傳說月球上有蟾蜍，所以常用「蟾兔」、「蟾桂」作月亮的代稱。

蟶 (chēng) 粵tsin¹〔青〕「蟶子」：軟體動物瓣鰓類，可以用人工在海濱繁殖，長兩寸多，殼長方形，肉像牡蠣，色白味美。

蟻 (螘) (yǐ) 粵ŋei⁵〔蟻〕ei⁵〔矮低上〕(俗)❶膜翅類昆蟲，體小，分頭胸腹三部，多呈紅褐色或黑色，喜歡在陰涼地下做窠羣居，分雌蟻、雄蟻、工蟻、兵蟻。雌雄蟻在春暖時生翅膀，出窠在空中飛行；工蟻與兵蟻無翅，大多數負責挖土築巢。雄蟻在交尾以後死去。❷囝比喻眾多。如「蟻聚」；「蟻附」。❸囝比喻微小。如「蟻寇」；「蟻命」。❹「蟻酸」學名「甲酸」：化學名詞，分子式 $HCOOH$，是一種低級脂肪酸，主要存在蜂蟻等昆蟲體內。

【蝎】同「蠟」，見本頁。

蠅 (yíng) [粤]jiŋ⁴〔迎〕❶雙翅類昆蟲，長三四分，灰黑色，頭上複眼很大，口器呈管狀，腿上有密毛，能帶病菌到食物上，是傳染病的主要媒介之一。❷比喻微小。如「蠅量級拳賽」；「蠅頭微利」。❸「蠅虎」：蜘蛛類昆蟲，體小，白色或灰色，善跳躍，不會結網，白晝活動，捕食蒼蠅。❹[文]「蠅營狗苟」：形容小人的貪心無厭跟無恥鑽營。

蠙 (bīn) [粤]bɐn¹〔賓〕「蚌」的別名。

蠓 (měng) [粤] muŋ⁵〔麻 蠬 切〕「蠛蠓」又稱「蚋蠣」：蟲名，比蚊子小，褐色或黑色，雌的吸人、畜血，雨後成羣飛出。

蠔 (níng) [粤] niŋ⁴〔寧〕liŋ⁴〔零〕[俗]「蠔蝦」：鹹水蝦，大的長五六寸。俗稱「對蝦」。

蠔 (háo) [粤]hou⁴〔毫〕「牡蠣」的別名。

蠖 (huò) [粤]wɔk⁹〔穫〕❶蛾類幼蟲，也叫「尺蠖」。❷[文]「蠖屈」：比喻人的暫時受屈。

蠘 (jié) [粤] dzit⁹〔捷〕動物名，即「梭子蟹(甲殼兩頭尖，螯有稜齒)」。

蠐 (qí) [粤]tsɐi⁴〔齊〕「蠐螬」：金龜子的幼蟲。

蠕(蝡) (rú) [粤] jy⁴〔如〕蟲子微動的樣子。如「蠕動」。

蠑 (róng) [粤]wiŋ⁴〔榮〕「蠑螈」：水陸兩棲的動物，形狀像蜥蜴。

【蠠】同「蘭」，見546頁。

蠛 (miè) [粤] mit⁹〔滅〕「蠛蠓」：見本頁「蠓」字。

蠜 [文](fán) [粤] fan⁶〔犯〕蟲名，即是「蟈蟈兒」。

蠟(蝎) (là) [粤]lap⁹〔立〕❶做燭的原料，從蜂房取出的是蜂蠟；用蠟蟲黏液做成的叫蟲白蠟。❷蠟燭的簡稱。如「洋蠟」；「蠟扦兒」。❸用蠟製成的東西。如「蠟人」；「蠟筆」。❹石油製品之一，可以作潤滑、打光、去汚等用途。如「汽車蠟」；「地板打蠟」。❺指黃色像蠟的東西。如「蠟梅」；「面色如蠟」。❻「味同嚼蠟」：淡然無味，像是吃蠟。❼[文]「蠟炬」：蠟燭。

蠡 ▲(lǐ) [粤]lɐi⁵〔禮〕❶[文]蟲子蛀木頭。❷「蠡縣」：縣名，在河北省。❸「蠡湖」：①在江蘇省無錫縣東南，是范蠡所開的。②在湖南省漢壽縣東。

▲[文](lí) [粤]lɐi⁴〔黎〕❶瓠瓜做的水舀子。❷「蠡測」：漢書「以蠡測海」的略語，意思是

「用水舀子去量海水」。比喻憑淺
見去揣度。

蠣 (lì)粵lei⁶〔麗〕❶「牡蠣」：見
422頁「牡」字。❷「蠣奴」：
寄居在牡蠣殼裏的小蟹。❸
「蠣黃」：牡蠣的肉。

蠢 (惷) (chǔn)粵tsœn²〔雌
准切〕❶蟲子爬動的
樣子。❷像蟲動。如「蠢動」。
❸愚笨。如「愚蠢」；「蠢材」。
❹人太胖。如「長得一副蠢樣
子」。❺「蠢蠢」：①蠕動的樣
子。如「蠢蠢欲動」。②動盪不
安的樣子。
【惷】同「蠢」，見本頁。

蠨 (xiāo)粵siu¹〔簫〕「蠨蛸」：
也稱「喜蛛」、「喜子」，一種
腳很長的小蜘蛛。

蠱 (gǔ)粵gu²〔古〕❶毒害人的
東西。如「蠱毒」。❷「蠱
惑」：誘惑使人心意迷亂。

蠲 (juān)粵gyn¹〔捐〕❶一種多
腳而行走緩慢的蟲。❷囝清
潔。如「蠲體(清潔身體)」。❸
囝免除。如「蠲免」。
【蠭】同「蜂」，見638頁。

蠹 (蠹、蝥) (dù)粵dou³
〔到〕 ❶ 蛀
蟲。❷蛀爛，腐蝕。如「戶樞
不蠹」。❸囝侵耗財物。如「蠹
蝕」。❹囝有害的。如「蠹
政」。❺「蠹魚」：能蛀蝕衣

服、書籍的小蟲，背部有銀白
色細鱗，尾毛有三根。

蠾 (quán)粵kyn⁴〔拳〕黃色小
甲蟲，喜歡吃瓜葉。俗稱
「守瓜」、「金花蟲」。

蠶 (cán)粵tsam⁴〔慚〕❶鱗翅類
昆蟲的幼蟲，全身十三個環
節，八對腳(頭部三對，腹部
四對，尾部一對)，吃桑葉，
經過四眠，脫四次皮以後吐絲
作繭，變成蛹，成蟲是蠶蛾。
蠶吐的絲可織綢緞。❷囝養
蠶。如「夫耕婦蠶」；「后妃親
蠶」。❸囝逐漸侵蝕。如「蠶
食」。

蠻 (mán)粵man⁴〔痳閒切〕❶強
橫而不講理，不守法，不守
分。如「蠻橫」；「野蠻」。❷強
悍，不服理。如「蠻幹」；「蠻
勁」。❸還沒開化，沒有文
明。如「蠻荒」。❹中國古代對
南方民族的泛稱。孟子書有
「南蠻鴃舌之人」。

蠼 (qú)粵fɔk⁸〔霍〕「蠼螋」：直
翅類昆蟲名，即是蓑衣蟲。
生在潮濕地方，能捕食蚜蟲，
屬於益蟲。

【血部】

血 (xuè) 粵hyt⁸〔何決切〕❶血液，高等動物體內脈管所含的紅色液體，從心臟湧出，循環全身，有分配養分，輸送廢物，營全身新陳代謝的功能。❷同一個祖先的。如「血統」;「血緣」。❸思慮，精神。如「心血」。❹指有豐富感情，能夠見義勇為的。如「血性」;「熱血青年」。❺勞力。如「血汗」;「血本」。❻紅色。如「血紅」;「血色」。❼指女人月經，行經叫「來血」。❽「血型」:人的血清跟血球相凝集的狀態。人類血液大致分四種類型:O型、A型、B型、AB型。由血型原理可以作法醫學上親子關係的鑑定跟醫學上輸血手術的實施。❾「血盆」:形容嘴大。如「血盆大口」。❿「血氣」:①比喻精力。如「血氣方剛」。②比喻生命。

二至十五畫

【衂】見卪部，70頁。

衄(衂、鼽) 図 (nǜ) 粵nuk⁹〔拿木切〕luk⁹〔陸〕(俗)❶鼻子出血的病。❷挫敗。如「敗衄」。

【衃】図同「釁」，見749頁。
【衇】同「脉」，見574頁。
【衆】同「眔」，見474頁。

衊 (衊) 図 (miè) 粵mit⁹〔滅〕❶污濁的血。❷捏造罪名，陷害別人。如「誣衊」。

【行部】

行 ▲(xíng)粵heŋ⁴〔恆〕❶走。如「步行」;「緩緩而行」。❷指人的動作。如「行為」;「行動」。❸出門到遠處去。如「旅行」;「送行」。❹為出門而準備的。如「行李」;「行裝」。❺發布。如「發行」;「行銷世界各國」。❻做。如「行事」;「行禮」。❼可以。如「這件事這樣做行不行」。❽誇獎人能幹。如「你真行」;「辦這事,他行,我不行」。❾滿足,達到目的。如「行了行了,別再添飯,吃不下了」。❿行書的簡稱。如「他喜歡寫半楷半行的字」。⓫古典詩歌的一種體裁。如「歌行」;「兵車行」;「麗人行」。⓬流動。如「行血」。⓭图出門時穿的衣服。史記曹相國世家有「趣治行」。⓮流通,傳遞,被人所知。如「以字行」;「著有詩集行世」。⓯將要,且。如「行將就木」。⓰图道路,詩經有「行有死人」。⓱酌酒奉客。如「行酒」。⓲歷經。如「行年七十(七十歲了)」。⓳「行徑」:①小路。韓愈詩有「山石犖確行徑微」。②泛指壞的行為。如「罪惡行徑」。

▲(xìng)粵heŋ⁶〔杏〕表現品德的行為舉止。如「品行」;「罪行」。

▲(háng)粵hoŋ⁴〔杭〕❶直排的。如「一目十行」;「行間距離三尺」。❷職業。如「三百六十行」;「行行出狀元」。❸商業貿易機構、店鋪。如「銀行」;「商行」;「車行」。❹兄弟姊妹按出生時間排列的次序。如「排行」;「你行二,弟弟行四」。❺年輩。如「行輩」;「甚愧丈人行」。❻軍隊。如「戎行」;「行伍出身」。❼图器物粗糙不好。如「行窳」;「行濫」。❽「行家」:①精通某種業務的人。②稱同一行業的人。

▲(hàng)粵hoŋ⁶〔項〕❶图剛強的樣子。如「子路,行行如也」;「行行鄙夫志」。❷「樹行子」:成行的樹木。

三至六畫

衎 图(kàn)粵hon³〔漢〕和樂。

衍 (yǎn)粵jin²〔演〕❶延長,推展。如「蔓衍」;「推衍」。❷图繁盛,眾多。如「人口蕃衍」。❸图平坦。如「平衍」。❹图多餘的。如「衍文」。❺

「敷衍」：見280頁「敷」字。

衒 (xuàn) 粵jyn⁶〔願〕誇耀。如「自衒」；「衒耀」。

術 ▲(shù) 粵sœt⁹〔述〕❶一切技藝。如「技術」；「武術」。❷方法，策略。如「算術」；「戰術」。❸「術語」：學術上所用表示特殊意義的語詞。❹「術數」：①法制治國的學術。②研究陰陽五行生尅制化之理，來推測人事吉凶的方法。

▲囚(suì) 粵sœy⁶〔睡〕通「遂」，郊外之地（古代一種行政區域）。禮記有「術有序，國有學」。

衕 (tòng) 粵tuŋ⁴〔同〕「衚衕」：見本頁「衚」字。

衖 ▲(lòng) 粵luŋ⁶〔弄〕❶小巷子。❷「衖堂」同「弄堂」，見194頁「弄」字。

▲同「巷」，見178頁。

街 (jiē) 粵gai¹〔皆〕❶市鎮上寬廣四通八達的道路。如「街道」；「逛街」；「街頭巷尾」。❷「街坊」：①左鄰右里。②囚鄰居。❸「街談巷議」：街巷中的談話和議論。引作指民間的輿論。

七至九畫

衙 (yá) 粵ŋa⁴〔牙〕a⁴〔亞低平〕(俗)❶從前稱官署。如「衙門」。❷屬於官署的。如「衙役」。

【衘】見金部，758頁。

衚 (hú) 粵wu⁴〔胡〕「衚衕」也作「胡同」：巷子。

衝 ▲(chōng) 粵tsuŋ¹〔充〕❶交通要道。如「要衝」；「衝要之處」。❷向前直走。如「衝向前去」；「衝鋒」。❸直着向上。如「怒髮衝冠」。❹「衝突」：①衝入敵人陣地發動攻擊。②意見不同，互相抵觸。❺「衝要」：緊要的地點、路口、河口等。❻「衝動」：不經過思考，沒有理智的突然的情緒或行為。❼「衝口而出」：沒經過思考，隨便說話。

▲(chòng) 粵tsuŋ³〔雌控切〕❶向。如「他衝着我傻笑」。❷充滿、強烈。如「文氣很衝」；「味道好衝」。❸勇猛。如「衝勁」。❹看，顧惜。如「衝你的面子，少算五塊錢」。❺打瞌睡。如「靠着椅背衝了一會兒」。

【衛】同「衞」，見653頁。

十至十八畫

衡 ▲(héng) 粵heŋ⁴〔恆〕❶秤物重量的工具。如「度量衡」。❷用秤來稱。如「衡其輕重」。❸比較，考慮，斟酌。

如「盱衡世局」；「衡量利害得失」。❹[文]屋子。如「衡宇」。❺山名，五嶽之一，在湖南省。❻姓。

▲[文]（héng）[粵]waŋ^{4}〔橫〕同「橫」。孟子書有「一人衡行於天下，武王恥之」。參見336頁「橫」字。

衞（衛）（wèi）[粵]wɐi^{6}〔位〕❶保護。如「自衞」；「保家衞國」。❷保護人或機關的人。如「警衞」；「侍衞」。❸從前在邊界附近駐兵防敵的地方。如「屯衞」；「天津衞」。❹周代國名，在今河北省南部、河南省北部一帶。❺姓。❻「衞生」：①保衞身體健康。②研究人類生理的機能，以謀求增進人類身體健康的學科。如「衞生學」。③一般說淸潔合乎衞生之道的。如「飯菜都很衞生」。❼「衞星」：①環繞在行星周圍運轉的星體。在太陽系裏，地球有一個衞星——月球；火星有兩個；土星有十個；天王星有五個；海王星有二個；冥王星有一個。②指「人造衞星（爲了特殊目的用火箭發射到大氣層以外，圍繞地球運行的人造物體）」。

衠（zhūn）[粵]dzœn^{1}〔津〕純粹，純眞。

衢[文]（qú）[粵]kœy^{4}〔渠〕❶四通八達的大路。如「通衢大道」。❷「衢道」：歧路。

【衣部】

衣 ▲(yī)⑧ji¹〔醫〕❶人身上穿的，蔽體禦寒的東西，多用各種纖維質料做成。如「衣服」；「豐衣足食」。❷包在器物外面的東西。如「砲衣」；「弓衣」；「糖衣藥丸」。❸菜蔬或果實外面的部分或外面的一層薄皮。李建勳詩有「移鐺剝芋衣」。❹裹在胎兒外面的膜。如「衣胞(簡稱「衣」)。❺姓。❻图「衣鉢」：佛教禪宗曾用衣鉢當做師徒傳統的信物。衣是袈裟；鉢是食具。後來引伸泛指一切師傅弟子的意思。如「衣鉢相傳」；「承其衣鉢」。❼「衣裳」：衣服的總稱(古時候上衣叫衣；下裙叫裳)。❽「衣冠禽獸」：穿着衣服，戴着帽子的禽獸。引伸比喻虛有其表，品德敗壞的人。

▲图(yì)⑧ji³〔意〕❶穿着。如「衣錦夜行」。❷給人衣服穿。如「解衣(yī)衣(yì)我」。

二至四畫

初 【初】見刀部，53頁。

表 ▲(biǎo)⑧biu²〔裱〕❶在外邊露着的。如「外表」；「表面」。❷顯示，把意思或情感顯露出來。如「發表」；「表同情」。❸宣布，說。如「閒話不表」；「表一表情由」。❹記號。如「表記」。❺模範、榜樣。如「表率」；「為人師表」。❻把事物分格分類排列的一種文件。如「圖表」；「調查表」。❼君主時代的奏章。如「出師表」。❽外親、姻親在稱呼上加上「表」。如「表親」；「表姊」；「姑表兄弟」。❾「表尺」：槍砲上的瞄準器。❿「表功」：故意顯示或宣揚自己的功勞。⓫「表白」：說明自己的心意，對人進行解釋，分清責任。⓬「表決」：用一定的方式取得多數意見而作出的決定。⓭「表現」：①顯露。②作為、作風。⓮「表情」：①表達感情。②顯露在面部或姿勢上的感情。

▲(biǎo)⑧biu¹〔標〕❶小的計時機器。如「鐘表」；「手表」。常寫作「錶」。❷表示度數的儀器。如「水表」；「電表」。

衩 ▲(chà)⑧tsa³〔岔〕❶衣裳兩旁開叉的地方。如「衩口」；「開衩」；「裙衩」。❷图開衩的衣着物。如「衩衣(開衩的便袍)」；「衩褲(開口不加束帶的褲子)」。

▲ (chǎ) 粵 tsa³〔岔〕❶「褲衩」：短褲。❷「袴衩」：短袴。

衫 (shān) 粵 sam¹〔三〕❶單衣，單褂。如「長衫」；「短衫」。❷衣服的通稱，「衣」常稱「衫」。如「襯衫」；「汗衫」；「青衫」。

袂 (mèi) 粵 mei⁶〔麻係切〕衣袖。如「把袂(見面)」；「分袂(離別)」。

衲 (nà) 粵 nap⁹〔納〕lap⁹〔立〕(俗) ❶ 圆縫補。如「百衲衣」。❷圆和尚穿的衣服。❸圆僧人的自稱。如「老衲」。❹同「納」，一種縫紉方法，用線密縫，使其堅固。如「衲鞋底」。

衵 (nì) 粵 nik⁷〔匿〕lik⁷〔礫〕(俗)內衣，婦女貼身的衣服。

袞 (袞) (gǔn) 粵 gwen²〔滾〕❶古時候君王的禮服。如「袞衣(卷龍衣)」。❷圆「袞袞」：①也作「滾滾」，大水流動的樣子。杜甫詩有「不盡長江袞袞來」。②形容其多。杜甫詩有「諸公袞袞登臺省」。❸「袞袞諸公」：指有社會地位和有權勢的一些人。

衿 (jīn) 粵 kem¹〔襟〕❶衣服前面有紐扣可以開合的部分。如「對衿」；「袍子上的大衿」。也作「襟」。❷圆古時候衣服上一直往下斜的交領。詩經有「青青子衿」。❸繫衣裳的帶子。如「衿纓」。❹「青衿」：古時學生所穿的青領衣服。引伸作秀才、學生的代稱。

祇 ▲圆 (qí) 粵 kei⁴〔其〕和尚穿的衣服，像袈裟。
▲ (zhǐ) 粵 dzi²〔止〕同「祇」。恰，正好，簡直是。見491頁。

衾 (qīn) 粵 kem¹〔襟〕❶大的被子。如「同衾共枕(比喻夫妻的恩愛)」。❷殮屍用的被子。如「衣衾棺槨」。❸「衾影無慚」：暗中不作虧心的事。

衷 (zhōng) 粵 dzuŋ¹〔終〕tsuŋ¹〔充〕(又)❶誠懇的心意。如「私衷」；「苦衷」；「言不由衷」。❷適當，適中。如斟酌雙方情形，使它適中。如「折衷」；「莫衷一是(不能成立確定的見解)」。❸圆穿在裏面貼身的便衣。❹姓。❺圆「衷腸」也作「衷曲」：心事。

衰 ▲ (shuāi) 粵 sœy¹〔須〕❶由強盛轉到微弱。如「盛衰」；「老而不衰」；「風勢漸衰」。❷圆「衰世」：衰微紛亂的時代。❸「衰衰」：①疲弊的樣子。②下垂的樣子。❹「衰變」：化學

上指放射性元素放射粒子後變成另一種元素的過程。

▲図(cuī)㊧tsœy¹〔崔〕❶按一定的等級遞降。如「等衰(等降)」；左傳有「自是以衰」。❷通「縗」，麻布做的喪服。❸「斬衰」：最重的喪服，不縫邊，用最粗的麻布做的。❹「齊衰」：次於斬衰的喪服，緝邊，用熟麻布縫製；齊衰又有服喪一年、五個月、三個月等不同的差別。

衽(袵)図(rèn)㊧jem⁶〔任〕❶衣襟。如「斂衽」。❷袖子。❸臥席。如「衽席」。❹棺材榫頭。❺把衣襟拉一拉，整理一下。如「衽襟」。❻睡臥。中庸有「衽金革」。

袁(yuán)㊧jyn⁴〔元〕❶図長衣。❷姓。

五畫

被▲(bèi)㊧pei⁵〔婢〕❶睡覺的時候蓋在身上的東西。如「被褥」；「棉被」。❷図覆蓋。如「被覆」。

▲(bèi)㊧bei⁶〔避〕❶受。如「被人恥笑」；「被大風吹壞」。❷被動性的助詞，表示這種動作是別人主動的。如「被選」；「被殺」。❸図達到。如「澤被天下」。

▲図(pī)㊧pei¹〔丕〕同「披」，見243頁。

袍(páo)㊧pou⁴〔葡〕❶一種形式肥大的外衣。如「道袍」。❷寬長而且有夾裏的外衣。如「棉袍」；「皮袍」；「夾袍」。❸図指衣服的前襟。公羊傳有「涕沾袍」。❹図「袍澤」也作「同袍」：稱軍隊裏的同事。如「袍澤之誼」。

袜▲(mò)㊧mut⁹〔末〕「袜胸」也作「抹胸」：圍裹胸部或肚子的小衣。俗稱「兜肚」。

▲「襪」的簡化，見664頁。

袤図(mào)㊧meu⁶〔茂〕❶泛指土地面積的長度。❷「廣袤」：南北的距離叫「袤」；東西的距離叫「廣」。

袋(dài)㊧dɔi⁶〔代〕❶裏外嚴密隔開，留一個開口用來塞裝東西的縫製或製造品。如「米袋」；「錢袋」。❷特指衣服上的口袋。如「胸袋」；「褲袋」。❸有容納或盛裝作用的部位或器具。如「腦袋」；「煙袋」。❹量詞。計算袋裝物品。如「一袋米」。

袒(襢)(tǎn)㊧tan²〔坦〕❶裸露，把身體的一部分光着。如「袒胸露懷」。❷庇護。如「偏袒」；「袒護」。

袈 (jiā) 粵ga¹〔加〕「袈裟」：俗稱「法衣」，和尚所穿的衣服。

袪 囡 (qū) 粵kœy¹〔驅〕❶袖口。❷舉袖的樣子。韓詩外傳有「孟嘗君明日袪衣請受業」。

袖 (xiù) 粵dzɐu⁶〔就〕❶衣衫從肩到腕的部分。俗稱「袖子」。❷把東西藏在袖裏不露出來。如「袖手旁觀」。❸「袖珍」：形容小型的或小巧的東西。如「袖珍日記」；「袖珍艦艇」。❹「領袖」：見813頁「領」字。
【袞】同「衮」，見655頁。

六畫

袱 (fú) 粵fuk⁹〔伏〕❶包裹、覆蓋用的布單。❷「包袱」：①包衣物用的布單。②用布單包起來的整包衣物。如「提着一件花布包袱」。③比喻經濟上、思想上的負擔。

裂 (liè) 粵lit⁹〔列〕❶破開。如「四分五裂」；「手腳凍裂」。❷分離，破壞。如「決裂」。❸囡剪裁。

裉 (裍) (kèn) 粵kɐŋ³〔卡凳切〕衣服在腋窩部分的接縫。

袷 ▲(jiá) 粵gap⁸〔甲〕兩層的衣服或袷褲等。又作「裌」。
▲囡(jié) 粵gip⁸〔劫〕❶古時交叉式的衣領。❷從前朝服上的曲領。

袺 囡(jié) 粵git⁸〔結〕把衣襟向上提。

袽 囡(rú) 粵jy⁴〔如〕破衣舊絮之類，古人用來塞船的漏洞。易經有「繻有衣袽」。

裁 (cái) 粵tsɔi⁴〔才〕❶用刀剪等把紙或布割裂、剪開。❷節制，壓抑。如「制裁」。❸刪除，削減。如「裁軍」；「裁減」。❹決斷。如「裁決」。❺文章的體式。如「體裁」。❻囡刎頸。如「自裁(自殺)」。❼安排，設計。如「獨出心裁」。❽「裁判」：①依法裁決判定兩方的爭論。②裁決比賽勝負。③體育比賽負責裁決勝負或糾紛的人。❾囡「裁奪」：審查事情，決定可否。❿「裁縫」：①裁剪縫製衣服。②專作衣服的工匠。⓫「裁度(duó)」：推度而加決斷。

裀 囡(yin) 粵jɐn¹〔因〕❶貼身穿的衣服。❷通「茵」，鋪在褥子上的毯子。見604頁。

袿 (guà) 粵gwa³〔卦〕同「褂」，見660頁。
【袴】同「褲」，見662頁。

衣部 (5-6) 袈袪袖袞袱裂裉袷袺袽裁裀袿袴 657

七畫

補 (bǔ) 粵 bou² 〔保〕 ❶ 把破洞、破裂的地方修好。如「縫補」；「補衣服」；「補漏洞」。❷ 把缺欠的添足。如「不夠的數量要補充」；「刊物沒有收到，請補寄一份」。❸ 填上空缺的地方或填入空缺的名次、職位。如「補缺」；「候補」；「遞補」。❹ 事後改正。如「補救」；「補過」。❺ 對身體健康有所幫助。如「滋補」；「補品」。❻「補白」：①寫些零碎的文字來填補紙面空白的地方。②書籍、報刊上填補空白的文字。③畫家用在款識上謙稱自己的作品，供人填補空白的牆壁。❼「補給」：軍事方面糧秣被服和軍火裝備的補充供給。

裒 図 (póu) 粵 peu⁴ 〔皮侯切〕 ❶ 收聚起來。如「裒斂」；「裒輯（編書蒐集資料）」。❷ 減去。如「裒多益寡」。

裊 (niǎo) 粵 niu⁵〔鳥〕 liu⁵〔了〕 (俗) ❶ 繚繞的樣子。❷「裊裊」：①繚繞的樣子。如「炊烟裊裊」。②音調悠揚好聽。如「餘音裊裊」。❸ 通「嫋」。「裊娜」同「嫋娜」，見143頁。

裏 (裡) (lǐ) 粵 lœy⁵〔呂〕 ❶ 內部，跟「表」相反。如「表裏如一」。❷ 靠後的，在內部的，跟「外」相反。如「裏層」；「裏屋」。❸ 指衣服被褥等不向外露的那一層。如「被裏」；「衣裳裏兒」。❹ 指地方。如「這裏」；「那裏」。❺ 指時間。如「夜裏」；「暑假裏」。❻ 表示範圍或表示含藏其中。如「家裏」；「話裏有話」；「笑裏藏刀」。❼「裏裏外外」：泛指內外；裏頭跟外頭。如「裏裏外外都站滿了人」。❽「裏應外合」：①內外夾攻。②外邊進攻，裏邊響應。

裌 (jiá) 粵 gap⁸〔甲〕 同「袷」。兩層的衣服或被褥等。如「裌衣」；「裌袍」。見657頁。

裘 図 (qiú) 粵 keu⁴〔求〕 ❶ 皮衣。如「輕裘肥馬」；「狐裘」。❷ 姓。❸「裘葛」：①從冬裘（冬天的皮衣）到夏葛（夏天穿的葛衣）。比喻一年之間的時光。②冬裘夏葛。指時序更替，寒暑變遷。

裙 (裠、帬) (qún) 粵 kwɐn⁴〔羣〕 ❶ 圍在腰下的服裝。如「學生裙」；「迷你裙」。❷ 工作時圍在腰下的布。如「圍裙」。❸ 鱉甲的邊緣。如「鱉裙」。❹「裙

帶」：①裙上的帶子。②指「裙帶官（因妻女、姊妹的關係而得到的官）」，含有譏諷的意思。

裝 (zhuāng)粵dzɔŋ¹〔莊〕❶穿着的衣物。如「服裝」；「軍裝」。❷出遠門用的行李。如「行裝」；「整裝出發」。❸修飾。如「裝扮」；「裝飾」。❹把東西貯放進去。如「包裝」；「一個箱子裝不下」。❺盛放的方法。如「匣裝」；「瓶裝」。❻假作。如「裝傻」；「裝糊塗」。❼安上，設備。如「安裝」；「裝一盞電燈」。❽書冊的裝訂形式。如「平裝」；「精裝」；「線裝」。❾「化裝」的簡稱。如「卸裝」；「演員上裝」。

裎 図(chéng)粵tsiŋ⁴〔呈〕光着身子。如「裸裎」。

裟 (shā)粵sa¹〔沙〕「袈裟」：見657頁「袈」字。

裋 図(shù)粵sy⁶〔樹〕僮僕等勞苦工作的人所穿的粗料子的短衣。

裔 図(yì)粵jœy⁶〔銳〕❶後代的子孫。如「後裔」；「苗裔」。❷邊，邊遠的地方。如「四裔」。❸姓。

裕 (yù)粵jy⁶〔預〕❶多，豐富，充足。如「富裕」；「充裕」。❷寬。如「寬裕」。❸從

容，不急迫。如「時間很優裕」。❹囝使其豐裕。如「福國裕民」；「光前裕後」。❺囝「裕如」：①充足的樣子。如「生活裕如」。②從容的樣子。如「應付裕如」。

【裡】同「裏」，見658頁。

八畫

裨 ▲(bì)粵bei¹〔卑〕補助而得到益處。如「無裨實際」；「大有裨益」。

▲(pí)粵pei⁴〔皮〕❶副的，偏的。如「裨將（副將）」。❷小的。如「裨海（小海）」。❸姓。

裱 (biǎo)粵biu²〔表〕❶「裱褙」：裝潢書畫。❷「裱糊」：①把紙糊在屋裏牆壁上或柱子上，使屋裏整潔美觀。②用紙糊在物品上，以增加美觀。

裴 (péi)粵pui⁴〔培〕❶姓。❷「裴回」同「徘徊」，見206頁。

裰 (duō)粵dzyt⁸〔掇〕❶縫補。如「補裰」。❷「直裰」：原指古時候的便服，後泛稱僧袍、道袍。

裸 (躶、臝)(luǒ)粵lɔ²〔倮〕❶沒有穿衣服，光着身子。如「裸體」；「赤裸」。❷露出肉體；又

指顯露本體。如「猿猴的顏面裸出」；「赤裸裸地說出來」。❸「裸麥」：禾本科，穀類，略似大麥而穗無芒，實的殼容易脫落，供食用。❹「裸裎」：不穿衣服，露出肉體。

褂 (guà)⊚gwa³〔卦〕外衣。如「短褂」；「長袍短褂」；「藍布褂子」。

裹 (guǒ)⊚gwɔ²〔果〕gɔ²〔加可切〕(俗)❶纏上，包住。如「把傷口用綳帶裹好」。❷包起來的物件。如「郵寄包裹」。❸包羅、收容進去。如「土匪退走的時候裹去了幾個村民」；「裹脅(威脅別人使其跟從做壞事)」。❹用嘴脣咂。如「小孩裹奶」。❺「裹足」：①停住步子，不往前去。如「裹足不前」。②女子纏足。

裾 (jū)⊚gœy¹〔居〕❶衣服的大襟。❷衣的前後幅。❸「裾裙」：衣服華盛的樣子。

裼 ▲(xī)⊚sik⁸〔昔中入〕❶脫去上衣。如「袒裼」。❷古時在皮裘外面穿的長衣。
▲(tì)⊚tik⁷〔惕〕嬰兒的包被。

製 (zhì)⊚dzei³〔祭〕❶造作器物。如「製造」；「製圖」；「釀製美酒」。❷裁成衣服。如「裁製衣服」。❸⊠作品，詩文著作。如「佳製」。❹⊠撰述。司馬子微傳有「明皇親製碑文」。❺⊠式樣，法式。漢書有「服短衣楚製」。

裯 ⊠(chóu)⊚tsɐu⁴〔囚〕❶蓋的被子。❷同「幬」，帳子。見184頁。

裳 ▲(cháng)⊚sœŋ⁴〔常〕❶古時候下身穿的衣服，男女都穿，像是繫在上衣外面的長裙子。❷⊠「裳裳」：光明的樣子。詩經有「裳裳者華」。
▲(shang)⊚sœŋ⁴〔常〕「衣裳」：衣服的總稱。

【裎】同「裎」，見657頁。
【裩】同「褌」，見661頁。

九畫

褙 (bèi)⊚bui³〔背〕「裱褙」：見659頁「裱」字。

褓(緥) ⊠(bǎo)⊚bou²〔保〕「襁褓」：見662頁「襁」字。

褊 ⊠▲(biǎn)⊚bin²〔扁〕❶小。如「褊狹」。❷「褊急」：度量小，性情急躁。
▲(pián)⊚pin⁴〔駢〕「褊褼」：衣裳飄動的樣子。

複 (fù)⊚fuk⁷〔福〕❶繁雜多的，不單一的。如「複姓」；「複數」。❷重疊。如「重複」。❸⊠有裏子的衣服。可

作比喻夾層的。如「複壁」。❹「複比」：兩個或兩個以上的比的前項相乘作前項，後項相乘作後項所構成的比。❺「複句」：由兩個或兩個以上的分句所組成的句子。❻「複印」：用機器將文件或圖樣印出同樣的副本。❼「複利」：計算利息的一種方法。即將本金所孳生的利息到期後又轉作本金再計利息。俗稱「利上滾利」。❽「複雜」：不單純。❾「複決權」：人民對於議會所通過的法律案或憲法案，有重行投票表決的權利，叫複決權。

褌(裩) 図 (kūn) 粵 gwen¹〔君〕袴子。

褐 (hè)粵hot⁸〔渴〕❶褐色，黃黑沒有光澤的顏色。❷古時的一種粗毛布做的衣服。❸図泛指貧賤的人（因古時貧賤的人多穿褐色衣服）。

褘 ▲図(huī)粵fei¹〔揮〕古時王后在祭祀時所穿的衣服。
▲(yī)粵ji¹〔衣〕同「禕」，見494頁。

褒(襃) (bāo)粵bou¹〔煲〕❶誇獎，讚美，跟「貶」相反。如「褒揚」；「褒獎」。❷古國名，故城在今陝西省褒城縣東南。❸「褒貶」：①讚揚跟貶斥。②指責的批評。

褚 (chǔ)粵tsy⁵〔柱〕❶図囊。❷図把綿裝到衣服裏。❸姓。

褮 ▲図(yòu)粵jeu⁶〔右〕形容服飾華美的樣子。
▲同「袖」，見657頁。

褕 図 (yú) 粵 jy⁴〔余〕❶「襜褕」：直襟的短衣。❷美。史記有「褕衣甘食」。

褎 ▲(xiù) 粵 dzeu⁶〔袖〕同「袖」，見657頁。
▲(yòu) 粵 jeu⁶〔又〕「褎褎」：盛的樣子。

十畫

褡 (dā) 粵 dap⁸〔搭〕❶「褡包」：繫在衣裳外頭的一種腰帶，用寬幅的布褶起來做的。❷「褡連」也作「褡褳」：一種裝錢物的口袋，中間開口，兩頭裝東西。

褟 (tā)粵tap⁸〔塌〕❶貼身穿的短衫。如「汗褟」。❷縫綴衣服的花邊。如「褟邊兒」；「褟縧子」。

褪 (tùn)粵ten³〔他印切〕❶脫。如「褪下一隻鐲子來」。❷縮，藏在裏面。如「褪手」；「把手褪在袖口裏」。❸脫落，消滅。如「花布褪了顏色」。

褦 ▲図(nài)粵nai⁶〔拿械切〕
lai⁶〔賴〕(俗)「褦襶(nài
dài)」：①図夏天所戴的涼
笠。程曉詩有「今世褦襶子，
觸熱到人家」。②說人不懂
事。

▲(lē)粵lɛ⁵〔離野切〕「褦襶
(lē de)」：①衣服肥大不合身
的樣子。②衣着不整潔的樣
子。

褲(袴、絝)(kù)粵fu³〔富〕
「褲子」：穿在
下身的衣服，包住腿，和裙子
不同。

褯(jiè)粵dzik⁹〔夕〕「褯子」：
包裹嬰兒下身來接屎尿用的
布。俗稱「尿布」。

褰 図(qiān)粵hin¹〔牽〕揭起。
如「褰裳涉水」。

褫 (chǐ)粵tsi²〔恥〕❶図把人身
上穿的衣服剝除。❷罷黜，
革除，不許享有。如「褫職」；
「褫奪公權」。

褥 (rù)粵juk⁹〔辱〕睡臥的時候
墊在身體下面的東西。如
「被褥」；「墊褥」。

【褧】同「絅」，見531頁。

十一至十二畫

褳 (lián)粵lin⁴〔連〕「褡褳」也
作「褡連」：見 661 頁「褡」
字。

褸 図(lǚ)粵lœy⁵〔呂〕❶衣襟。
❷「襤褸」：說衣服破爛。

襀 図(jī)粵dzik⁷〔即〕衣服上特
意做出來的摺兒，像現在的
裙褶之類。

襁(繦)図(qiǎng)粵kœŋ⁵
〔鎅〕❶「襁負」：用布
把小孩綑包起來背着。❷「襁
褓」：包幼兒的布。

褻 図(xiè)粵sit⁸〔屑〕❶不讓人
看見的貼身穿的衣服。如
「褻衣」。❷污穢，不清潔的。
如「褻器(多指便盆之類)」。❸
太親近，不莊重。如「狎褻」。
❹輕慢，不敬。如「褻瀆」。❺
常常相見。論語有「雖褻，必
以貌」。

襂 図(xiān)粵sin¹〔先〕「襂
(pián)襂」：衣裳飄動的樣
子。

襄 (xiāng)粵sœŋ¹〔商〕❶幫
助。如「襄助」；「共襄義
舉」。❷図完成。如「襄事」。
❸図除去。詩經有「牆有茨，
不可襄也」。❹姓。❺図「襄
羊」同「相羊」：徘徊，徜徉。

褶 ▲(zhě)粵dzip⁸〔摺〕❶裙幅
上疊出來的層兒。如「百褶
裙」。❷「褶曲」也作「褶皺」：
地質學上把地殼因冷縮致地層
成波狀、盆狀、鐘狀等屈曲凹
凸狀的稱爲褶曲；因褶曲而形

成的山脈稱爲「褶曲山」或是「褶曲山脈」。

▲囝(xí)⑧dzap⁹〔習〕❶「褶子」：古時的一種夾衣。❷「袴褶」：古時候一種騎馬作戰穿的衣服。'❸古「襲」字，見664頁。

【襃】同「褒」，見661頁。

襏 囝(bó)⑧but⁹〔撥〕「襏襫」：①雨衣。②做勞工的人所穿的又粗又結實的衣服。

襒 囝(bié)⑧bit⁸〔憋〕拂。史記有「平原君側行襒席」。

襆 囝(fú)⑧fuk⁹〔伏〕❶包袱。❷「襆被」：束裝、打鋪蓋捲。如「襆被而出」。❸同「幞」，見183頁。

襉 (jiǎn)⑧gan²〔柬〕裙幅的褶。

襓 (ráo)⑧jiu⁴〔搖〕劍鞘。

【襍】同「雜」，見795頁。

十三至十四畫

襞 囝(bì)⑧bik⁷〔壁〕衣服上的摺疊痕迹或緛紋。

襠 (dāng)⑧dɔŋ¹〔當〕❶兩條褲筒交叉的地方。如「袴襠」。❷兩腿的中間。如「腿襠」；「騎馬蹲襠式」。

襗 囝(duó)⑧dɔk⁹〔鐸〕褻衣。

襛 囝(nóng)⑧nuŋ⁴〔農〕luŋ⁴〔龍〕(俗)❶衣服很厚的樣子。❷說顏色很美。詩經有「何彼襛矣」。

襝 (liàn)⑧lim⁵〔殮〕❶「襝襹」：衣服下垂的樣子。❷「襝衽」：古時女子整理衣袖，拜手行禮；沿用作女子文言書信末尾表示敬禮的用語。

襘 囝(guì)⑧kui²〔繪〕衣領的會合處。左傳有「衣有襘」。

襟 (jīn)⑧kɐm¹〔衾〕❶衣服前面有紐扣，可以開合的部分。如「大襟」；「小襟」；「對襟」。也作「衿」。❷「連襟」也省稱「襟」：姊妹丈夫之間的互稱。如「襟兄」；「襟弟」。❸「襟懷」：指人的志氣，意志或氣量。

襜 囝(chān)⑧dzim¹〔尖〕❶古時候指衣服的底襟。❷衣服整齊的樣子。論語有「衣前後，襜如也」。❸搖動的樣子。

襚 囝(suì)⑧sœy⁶〔睡〕❶古時候送給死者的衣衾。❷古書上也用來稱一般賀禮的衣物。

襖 (ǎo)⑧ou²〔澳高上〕❶有襯裏的短衣。如「棉襖」；「皮襖」；「夾襖」。❷上衣的通稱。如「紅袴綠襖」。

【襢】同「袒」，見656頁。

襤 図(lán)粵lam⁴〔籃〕❶沒有縫邊緣的衣服。❷「襤褸」也作「襤縷」、「藍縷」：衣服破爛。

襦 図(rú)粵jy⁴〔如〕❶短襖。❷小孩的涎衣。❸細羅(絲織品)。

十五至十九畫

襮 図(bó)粵bɔk⁸〔博〕❶衣領。❷「表襮」：表明、剖白。

襬 (bǎi)粵bai²〔擺〕上衣、長袍、裙子等最下邊的部分。如「下襬」；「底襬」。

襭 図(xié)粵kit⁸〔竭〕把衣裳的下襬提起來兜東西。

襫 図(shì)粵sik⁷〔式〕「襏襫」：見663頁「襏」字。

襪(韈、韤) (wà)粵mɐt⁹〔勿〕❶「襪子」：穿在腳上鞋裏的織物，質料有布、絲、棉毛線、人造纖維等。如「絲襪」；「短襪」。❷「襪勒」：襪子的筒。

襲 (xí)粵dzap⁹〔習〕❶依照原有的不改。如「沿襲」；「因襲」。❷已往官爵或貴族名銜的父子相傳，世代接續。如「世襲」；「襲爵」。❸在對方沒有準備的時候突然攻擊。如「襲擊」；「偷襲」。❹図偷，不正當地取得。如「抄襲」；「襲奪」。❺整套的衣服。如「棉衣一襲」。❻図穿着。如「襲朝服」。❼図多加一層衣服。禮記有「寒不敢襲」。❽図侵害。❾図受。左傳有「故襲天祿」。❿図和，合。荀子有「齊秦襲」。

襯 (chèn)粵tsɐn³〔趁〕❶在裏面再托上一層，墊上一層。如「在這層紙底下再襯上一層紙」。❷陪伴，用別的東西從旁烘托，使主體顯明。如「青天有白雲襯着，非常美麗」。❸拿錢幫助人。如「幫襯」。❹「襯托」：①墊襯。②從旁陪襯烘托，使目標顯明。③用另一事物暗示來顯露本意。❺「襯裏」：襯在衣服裏的布，像領襯兒，袖襯兒。

襶 ▲図(dài)粵dai³〔帶〕「襶(nài)襶」：見662頁「襶」字。

▲(de)粵dɛ²〔嗲〕「襶(lē)襶」：見662頁「襶」字。

褶 (zhě)粵dzip⁸〔摺〕衣裙上摺疊成的一層層的痕迹。也作「褶」，見662頁。

襻 (pàn)粵pan³〔盼〕❶衣服上用布做的小圈，是鈕扣的一部分。如「鈕襻」；「扣襻」。❷人拉車或拉東西時套在肩上的

布帶或皮帶。❸扣住，使分開的東西連在一起。如「襻上針線」。

襉 囝(jiān)⑧gan²〔柬〕袍。左傳有「重襉衣裘」。

【西部】

西 囝(xià)⑧a³〔亞〕覆。

西 (xī)⑧sei¹〔犀〕❶方位，跟「東」相對，太陽落下的地方。如「日出東而歸於西」。❷囝向西行。漢書有「鼓行而西耳」。❸西洋的簡稱。如「西裝」；「西餐」。❹西班牙國的簡稱。❺姓。❻「西元」：也稱為「西曆」；「公曆」；「陽曆」；「公元」。是歐美通行的紀元，從耶穌誕生那年算起的。❼「西天」：①中國古代對印度的通稱(因印度古稱「天竺」，又位於中國之西)。如「西天取經」。②佛經指西方極樂世界。如「百年歸西天」。❽「西皮」：戲曲腔調名稱。西皮、二簧都是京劇曲調的主體。

三至七畫

要 ▲(yào)⑧jiu³〔衣照切〕❶索取，討取。如「要飯的」；「向他要帳」。❷收取，佔有或繼續保留，持有。如「這件衣料我要了」；「這本書我還要呢」。❸願意，想要。如「我要出門」；「要成功就不能不努力」。❹需要。如「我要一枝紅

鉛筆」。❺求。如「他要我替他辦一件事」。❻應該。如「要注意這個問題」;「你要知道，這不是容易的事」。❼快，將要。如「要下雨了」;「天要黑了」。❽重要的，受人重視的。如「主要」;「要人」。❾重要部分。如「提要」;「摘要」。❿「要麼」的簡語，表示選擇的意思。如「一件事要(麼)就是不做，要(麼)就是一口氣做成功」。⓫若，如果，表示假設的語氣。如「你要說不去可不成」;「要不快做，就趕不上了」。⓬[文]總括。如「以上所述，要爲勸人向善之宏旨」;「要言之，爲人應處處以誠字居心」。⓭「要不」:「要不然」的意思。如「我們去打球，要不就去游泳」。⓮「要不得」:①程度很深的意思。如「壞得要不得」;「麻煩得要不得」。②惡劣，敗壞而不可保存。如「這些水果爛了，要不得了」。

▲(yāo)[粵]jiu1〔腰〕❶懇求。如「要求」;「要功」。❷[文]約，約定。如「要約」。❸威脅，強迫。如「要挾」;「要盟」。❹[文]攔阻。如「要擊」;「要而殺之」。❺姓。❻[文]通「腰」，見579頁。

【栗】見木部，317頁。

【票】見示部，493頁。

【粟】見米部，522頁。

覃 ▲[文](tán)[粵]tam4〔談〕❶長。❷蔓延到。❸深廣。如「覃思(深思)」。❹姓。

▲(qín)[粵]tsɐm4〔尋〕姓。

【賈】見貝部，699頁。

十二至十九畫

覆(覄)(fù)[粵]fuk7〔福〕❶反過來，轉變位置或立場。如「反覆無常」;「翻來覆去」。❷翻倒。如「顛覆」;「覆車之戒」;「覆巢之下，安有完卵」。❸[文]翻過來，扣上。如「覆盆」。❹[文]倒出來。如「覆水難收」。❺[文]遮蓋。如「覆蓋」。❻回還。如「往覆」;「覆命」。❼重，又，再一次。如「覆核」。❽[文]隱伏。❾[文]「覆轍」:曾經翻過車的路。比喻以往失敗的老路子;又比喻供人反省警戒的舊事跟教訓。❿通「復」，回答。見208頁。

覈(hé)[粵]hɐt9〔瞎〕❶考查。如「審覈」;「覈稿」。❷仔細查對。如「覈對」;「覈實」;「覈算」。❸[文]深刻。後漢書有「峭覈爲方」的話。

【覇】同「霸」，見800頁。

【覉】同「羇」，見553頁。

【覊】同「羈」，見553頁。

【見部】

見 ▲(jiàn) [粵] gin^{3}〔建〕❶看到。如「目覩眼見」；「沒見他來」。❷辨識，看法。如「淺見」；「有成見」。❸拜會，訪問。如「謁見」；「拜見」。❹接待，會面。如「接見」；「見客」。❺被。如「見笑」；「見罪」。❻用在動詞的前面，表示尊敬對方，或是言詞上的禮貌。如「讓您見笑」；「請別見怪」。❼發現，看出來。如「挖坑見了水」；「打得見了血」。❽漸漸顯出或趨向於某種情勢。如「日見興旺」；「他的病見好」。❾遇到，碰到。如「見風就裂」；「新的照像底片不能見光」。❿聽到。如「聽見」。⓫「見方」：指正方形，縱橫長短相等。如「一尺見方(指一正方尺的面積)」。⓬「見外」：對人客氣而冷淡、疏遠，當外人看待。如「您這樣客氣，就有點見外了」。⓭「見習」：有一定的知識後初到工作中實習。如「見習技術員」。⓮「見解」：一個人對一個問題所有的理解和主張。⓯[文]「見罪」：①得罪於別人。②被責怪。⓰「見仁見智」也作「見仁見知」：各人的見解不同。⓱「見異思遷」：見到奇異的事物便改變原來的主意。比喻意志不堅定，喜愛不專一。⓲「見獵心喜」：①宋朝程顥年輕的時候喜歡打獵，年紀大了，看見別人打獵就覺得高興。引作比喻舊的喜好難忘，只要觸及它，便產生躍躍欲試的念頭。②比喻見到自己喜愛的東西，便產生要佔有它的念頭。

▲(xiàn) [粵] jin^{6}〔現〕❶同「現」：①顯露，發現。如「發見」；「情見乎詞」。②現成的。史記有「軍無見糧」。❷[文]舉薦。左傳有「齊豹見宗魯於公孟」。❸[文]加在棺材上的裝飾，棺材的幕罩。

三至九畫

貾 (yàn) [粵] jim^{3}〔厭〕「貾ロ」：地名，在浙江省。

覓(覔) (mì) [粵] mik^{9}〔汨〕❶找。如「尋覓」；「尋親覓友」。❷「覓保」：尋求保證人。

【現】見玉部，437頁。

規(槼) (guī) [粵] kwei^{1}〔虧〕❶條文，法則。如「條規」；「校規」。❷成例。如「陋規」；「墨守成規」。❸畫圓形的器具。如「圓規」；「兩脚

規」。❹謀算，打主意。如「規劃」；「規避」。❺矯正，勸勉。如「規勸」；「規過勸善」。❻「規矩」：①泛指畫方形圓形的器具(畫圓的器具叫「規」；畫方的器具叫「矩」)。②應該遵守的法則。如「這裏的規矩是辦公時間不可以談閒話」。③守紀律，行為端正老實。如「這個人很規矩，做事靠得住」。❼図「規復」：事態恢復。如「戰亂之後，迅速規復社會常態」。❽「規格」：對產品的大小、輕重、性能、質量等定下的標準。❾「規模」：①一定的制度跟程式。②大概的計劃。如「發展規模」。③局面，一切的形式跟設備。如「這間學校的規模很大」。

覘 (chān)粵dzim¹〔沾〕❶看，探看。❷「覘標」：測量標誌的一種。用木材或其他材料架起很高的標架，作為臨準的目標。

視 (眎、眡) (shì)粵si⁶〔示〕❶看。如「忽視」；「近視」。❷察看。如「監視」；「巡視」。❸看待。如「重視」；「視同棄權」。❹図比擬。如「以此視彼」。❺「視角」：從眼睛或透鏡到物體兩端相連的兩條直線所形成的角度。物體越近視角越大。❻「視野」：①用一隻眼睛凝視空間，所看到的外界範圍。②目光所看得到的範圍。

覡 図(xi)粵het⁹〔瞎〕從前替人向鬼神祝禱的男巫。

覥 (tiǎn)粵tin²〔他演切〕❶図同「靦」，見804頁。慚愧。❷「覥覥」同「腼腆」，見578頁。
【覥】見青部，802頁。

親 ▲(qīn)粵tsɐn¹〔嗔〕❶對父母的稱呼。如「雙親」；「母親」。❷稱謂上指有直接血統關係的親屬，跟「堂」、「表」相對。如「親兄弟」。❸跟「乾」等對稱。如「親娘」。❹戚屬。如「遠親」；「沾親帶故」。❺婚姻。如「結親」；「談親事」。❻愛，有好感。如「相親相愛」；「他們兩個人一見面就很親」。❼關係很近，親密。如「親人」；「親信」。❽本人的，自己的。如「親眼看見」；「親口告訴他」。❾接吻，或用面部接觸。如「親嘴」；「低下頭去親一親孩子」。❿図「親炙」：親承教誨。

▲(qìng)粵tsɐn³〔趁〕「親家」：夫妻雙方的父母之間彼此相互的稱呼。

覦 図(yú)粵jy⁴〔余〕「覬覦」：見669頁「覬」字。

【覎】見面部，804頁。

【覩】同「睹」，見476頁。

十至十八畫

覯 図(gòu)粵geu³〔究〕❶遇見，看到。如「實不多覯」。❷通「遘」，見735頁。❸通「逅」，見728頁。❹通「構」，見331頁。

覬 図(jì)粵gei³〔記〕❶希圖。如「覬幸（希圖徼幸）」。❷「覬覦」：抱着非分的希望。

覲 図(jìn)粵gen²〔僅〕gen⁶〔近〕(又)❶古時諸侯每年秋天進見天子。如「朝覲」；「入覲」。❷古書上也用來泛指相會，相見。左傳有「宣子私覲於子產」。❸「覲見」：進見一國的元首。

覷(覻、覰)図(qù)粵tsœy³〔趣〕❶偷看。❷看。如「面面相覷」。

覵(矙)図(jiàn)粵gan³〔澗〕偷看。孟子書上有「覵良人之所之」。

覺 ▲(jué)粵gɔk⁸〔角〕❶知曉、感受到。如「不知不覺走到了」；「覺得有點不舒服」。❷知道分辨別外界事物的能力。如「知覺」；「視覺」。❸明悟事理。如「先知先覺」。❹啟發，告訴。如「先知覺後知」。❺図睡醒。如「大夢誰先覺」。❻図發現，被人知道。如「覺察」；「發覺」。❼「覺悟」：彷彿醒了似的，對以前的過錯忽然明白過來。

▲(jiào)粵gau³〔教〕❶通常把睡眠叫「睡覺」，也可以用一個「覺」字代表睡覺這件事。如「覺睡得不夠」；「睡午覺」。❷睡眠一次叫「一覺」。如「一覺醒來」。

覼(覶)図(luó)粵lɔ⁴〔羅〕「覼縷」也作「羅縷」：把事情從頭到尾詳細地說出。如「覼縷詳述於下」。

覽 (lǎn)粵lam⁵〔攬〕❶觀看。如「一覽無遺」；「遊覽」。❷図接受。國策有「大王覽其說」。❸姓。

覿 図(dí)粵dik⁹〔敵〕❶拿禮物作爲初次見面禮。❷會見。

觀 ▲(guān)粵gun¹〔官〕❶看。如「旁觀」；「坐井觀天」。❷景象。如「外觀」；「奇觀」；「洋洋大觀」。❸意識。如「主觀」；「客觀」。❹遊覽。如「觀光」。❺對於事物的看法。如「人生觀」；「世界觀」。❻図「觀止」：所見的是盡美盡善，無以復加。如「歎爲觀止」。❼「觀念」：①由認知作用產生的意識，像感覺、知

覺、想念、想像等。②由外界感受而得的事物的心象。③顯現於心裏的過去的印象。❽「觀望」：①游目眺望。②猶豫不定。❾「觀摩」：觀察別人的好處而揣摩、研究、學習。❿「觀點」：從某一角度、立場對事物的看法。

▲(guàn)粵gun³〔貫〕❶道士廟。如「寺觀」。❷囚指小樓跟它上面的建築物。如「樓觀」。

【角部】

角 ▲(jiāo)粵gɔk⁸〔各〕❶有蹄類動物頭上或鼻前突出的堅硬東西，有防禦、攻擊功能。如「鹿角」；「牛角」。❷幾何學上指兩直線相會處所成的形狀。如「稜角」；「直角」；「銳角」；「鈍角」。❸凸出或凹下曲折的地方。如「拐角」；「牆角」。❹指方向。如「東北角上起火了」。❺額骨。如「額角」。❻古時軍中的一種吹器。如「號角」。❼量詞：①從整塊劃分成角形的。如「一角餅」。②整體的一部分。如「公園的一角」。③舊指公文的件數。如「一角公文」。❽輔幣單位之一。十角是一元。❾「角度」：①數學上指角的大小。②觀察的方向。如「兩人評論一件事，因為角度不同，所以意見也不一樣」。❿「角膜」：在眼球表面保護眼球的外膜。

▲(jué)粵gɔk⁸〔各〕❶競爭。如「角力」；「角逐」。❷古時五音(宮、商、角、徵、羽)之一。❸「角色」也作「腳色」：①擔任的職務。②戲劇演員按所扮演的人物性格分成的類型。舊時分「生、旦、淨、丑

等。③戲劇裏演員所扮的人物。④指有特殊才幹、顯露頭角的人。❹「角落」：比較隱祕，平常不容易發現的，靠邊靠角的地方。

▲(lù)⑧luk⁹〔陸〕別體作「甪」。地名用字。①「角直鎮」：在江蘇吳縣東南。②「角里」：古地名，在現在江蘇吳縣西南。

二至七畫

觔 (jin)⑧gen¹〔斤〕❶通「筋」。筋力。❷「觔斗」也作「筋斗」：見511頁「筋」字。❸通「斤」。重量單位名。見283頁。

觖 ⊗(jué)⑧kyt⁸〔決〕❶不滿意。❷「觖望」：達不到自己的希望而發生怨恨。❸通「抉」，見239頁。
【斛】見斗部，282頁。

觝 ⊗(dǐ)⑧dɐi²〔底〕❶⊗「觝排」：拒絕，抗拒。❷同「牴」，見423頁。

觚 ⊗(gū)⑧gu¹〔姑〕❶古代盛酒的器具。❷器物的稜角。❸古時用來寫字的木簡。如「操觚(提筆寫文章)」。❹方形。史記有「破觚爲圜(意思是改方直爲圓活)」。

觥 ⊗(gōng)⑧gweŋ¹〔轟〕❶古時候用兕角做的一種酒杯。❷盛大。如「觥飯(豐美的飯食)」。❸「觥觥」：形容剛直的樣子。❹「觥籌交錯」：形容宴會聚飲的熱鬧情況。

解 (解) ▲(jiě)⑧gai²〔哥乂切〕❶把密合的打開，鬆開，跟「捆」、「繫」相反。如「解鈕扣」；「解開繩子」。❷把對立的緊張局面打開。如「勸解」；「解圍」。❸分成幾部分。如「解剖」；「分解」。❹分離，散開。如「溶解」；「解體」。❺分析明白。如「解說」；「注解」。❻講說，剖析的話。如「詳解」。❼明瞭，曉得。如「了解」；「大惑不解」。❽意識。如「見解」。❾消除。如「解渴」；「解恨」。❿大便小便。如「大解」；「小解」。⓫脫去。如「解衣」；「解帶」。⓬「解決」：①事件結束。如「趕快把這件事解決了」。②破除了困難或疑難。如「解決問題」。③消滅、除去的意思。如「把敵人完全解決了」。⓭「解脫」：①解除束縛。如「解脫桎梏」。②佛教名詞。指修道到了最後階段，脫離煩惱、解除束縛，自在無礙的境界。⓮⊗「解囊」：解開口

袋。引作比喻出錢幫助別人或捐助公益。⑮図「解纜」：開船，船從停泊處解開繫纜，準備開航。⑯「解鈴繫鈴」：從老虎脖子上解鈴，惟有原繫鈴的人才辦得到。比喻解決糾紛困難，是誰惹的事就要由誰去了結。

▲(jiè)⑧gai³〔介〕❶有人跟着負責運送。如「起解」；「押解罪犯」。❷「解元」：科舉時代鄉試第一名。

▲(xiè)⑧hai⁶〔械〕❶姓。❷「解縣」：縣名，在山西省。❸「解池」：山西省解縣跟安邑縣之間的鹹水湖，產的鹽叫「解鹽」。

觜 ▲(zī)⑧dzi¹〔資〕❶貓頭鷹之類動物頭上的毛角。❷星名。二十八宿之一。

▲(zuī)⑧dzœy²〔嘴〕❶鳥嘴。❷「觜觿」：古代一種三角形的器物，銳端可作解繩結用。

觩 図(qiú)⑧keu⁴〔求〕❶角向上彎的樣子。❷弦撐得緊的樣子。

觫 図(sù)⑧tsuk⁷〔速〕「觳觫」：見本頁「觳」字。

八至十八畫

觭 図(jī)⑧gei¹〔基〕單個的。如「觭偶（單雙）」。

觱 (bì)⑧bit⁷〔必〕❶図「觱沸」：泉水湧出的樣子。❷「觱篥」：一種樂器，吹着響，像喇叭。

觳 図(hú)⑧huk⁹〔酷〕❶古時的量器。❷瘠薄。❸「觳觫」：害怕發抖的樣子。

觴 図(shāng)⑧sœŋ¹〔商〕酒杯。如「稱觴（舉杯祝賀）」；「濫觴（事物的起源）」。

觶 (zhì)⑧dzi³〔至〕古代的一種飲酒器。

觵 (gōng)⑧gweŋ¹〔轟〕同「觥」，見671頁。

觸 (chù)⑧dzuk⁷〔足〕❶碰，撞上，接上，遇着。如「接觸」；「一觸即發」。❷獸類用犄角頂東西。❸冒犯。如「觸怒」。❹感動。如「感觸（因為外界的事使內心有所感動）」。❺姓。❻「觸手」：棘皮動物和腔腸動物的軀幹裏伸出來的感覺器。形狀像長爪。像章魚、水母都有。❼「觸目」：目光所見到的。❽「觸角」又叫「觸鬚」：節足動物中的蜈蚣、蝦、螃蟹；軟體動物中的蝸牛、田螺等頭部的感覺器。❾「觸礁」：①船在海中撞着了暗礁。②比喻作事受阻。❿「觸

覺」：皮膚、毛髮等與物體接觸時所產生的感覺。⓫「觸類旁通」：由一件事悟出相類似的道理。

觿 図(xī)粵kwei⁴〔葵〕古時用獸骨做的解繩結的錐子。

【言部】

言 (yán) 粵jin⁴〔延〕❶ 說的話。如「有言在先」；「言多必失」。❷說。如「難言之隱」；「苦不堪言」。❸一個字。如「七言詩」；「共三十萬言」。❹一句話。如「一言興邦」；「一言以蔽之」。❺図助詞。詩經有「駕言出遊，以寫我憂」。❻姓。❼「言行」：言語跟行為。

二畫

訃 (fù)粵fu⁶〔付〕報喪。如「訃聞(報告喪事的束帖)」。

訂 (dìng)粵diŋ³〔錠〕❶商量，約定。如「訂約」；「私訂終身」。❷預約。如「訂閱」；「訂購」。❸改正。如「訂正」；「校訂」。❹釘。如「裝訂」。

訇 (hōng)粵gweŋ¹〔轟〕❶図形容聲音很大。如「訇然」；「訇訇」。❷「阿訇」：回教的掌教人。

計 (jì)粵gei³〔繼〕❶核算。如「計算」；「共計」。❷策略。如「妙計」；「緩兵之計」。❸謀劃，打算。如「計劃」；「為工作順利計」。❹測量計算度數、數量的儀器。如「溫度計」；「雨量計」。❺姓。❻「計

較」：①爭論。如「斤斤計較」；「不跟他計較」。②商量。如「大家詳細計較了半天，想出一個辦法」。

尥 図(qiú)粵kɐu⁴〔求〕迫。

三畫

討 (tǎo)粵tou²〔土〕❶征伐有罪的。如「聲討」；「東征西討」。❷尋究。如「研討」；「探討」。❸求乞。如「討飯」；「討教」。❹招惹。如「討厭」；「討人嫌」；「自討苦吃」。❺取，要回。如「討債」。❻娶。如「討老婆」。

託 (tuō)粵tɔk⁸〔托〕❶寄。如「寄託」；「託兒所」。❷委任，信任。如「信託」；「可以託六尺之孤」。❸吩咐，請求。如「請託」；「託他辦一件事」。❹推諉。如「託故不到」；「找個託辭拒絕他」。❺図「託大」：驕傲自大。❻「託夢」：舊時傳說鬼神在夢中把事情告訴人。❼「託福」：答覆別人問好的謙詞。如「全託您的福氣」。

訌 図(hóng)粵huŋ³〔控〕爭執，紛亂。如「內訌」。

記 (jì)粵gei³〔寄〕❶不忘。如「記得」；「記在心裏」。❷登載。如「記過」；「記帳」。❸登載事情的書或文章。如「日記」；「老殘遊記」。❹圖章。如「鈐記」；「圖記」。❺標誌，暗號。如「暗記」；「裹白巾為記」。❻「記取」：想起，記得，記住。❼「記念」：①想念，不忘記。②同「紀念品」。如「這枝筆你留下做記念吧」。❽「記者」：新聞事業中從事採訪工作的人的統稱。

訐 図(jié)粵kit⁸〔竭〕❶揭發，指責別人的短處。如「攻訐」。❷「訐直」：為人剛直，敢當面指責別人的過失。

訖 図(qì)粵gɐt⁷〔吉〕完結，終了。如「查訖（查過了）」；「收訖（收過了）」。

訏 図(xū)粵hœy¹〔虛〕❶說大話。❷大。詩經有「訏謨定命」。❸同「吁」，見79頁。

訊 (xùn)粵sœn³〔迅〕❶詢問。如「問訊」。❷法律上說的審問。如「審訊」；「訊究」。❸音信，消息。如「音訊」；「通訊社」。

訒 図(rèn)粵jen⁶〔刃〕話不易說出口的樣子。論語有「仁者，其言也訒」。

訓 (xùn)粵fen³〔糞〕❶教導。如「教訓」；「訓導」。❷字義的解釋。如「訓詁」。❸可以供參考、作法則的。如「遺訓」；

「不足爲訓」。❹「訓令」：上級對下級的一種公文。

訕 (shàn) 粵san³〔汕〕❶囵說話毀謗別人。如「訕謗」。❷囵「訕笑」：譏笑，諷刺。❸「訕臉」：故意作臉皮厚的樣子。

四畫

訪 (fǎng) 粵fɔŋ²〔紡〕❶尋求，探問。如「探訪」；「訪古」。❷探望親友。如「拜訪」；「訪問」。

訥 囵(nè) 粵nœt⁹〔拿術切〕lœt⁹〔律〕(俗) 說話不流利。如「木訥」；「訥訥不能言」。

訣 (jué) 粵kyt⁸〔決〕❶方法。如「訣竅」；「祕訣」。❷容易讀，容易記牢的語句。如「口訣」；「歌訣」。❸囵別離。如「訣別」。

訢 ▲囵(xīn) 粵jɐn¹〔欣〕❶快樂、高興的樣子。如「訢然」；「訢訢」。❷同「欣」，見343頁。

▲(xī) 粵hei¹〔希〕「天地訢合」：陰陽相得的樣子。

許 ▲囵(xǔ) 粵hœy²〔詡〕❶答應，認可，同意。如「許可」；「許吃不許吵」。❷給與。如「以身許國」。❸許婚的略語。如「許配」；「他家的小姐許給人家了」。❹預先應

允。如「許願」；「上月許了他一頓飯」。❺稱讚。如「稱許」；「讚許」。❻期望。如「期許」。❼大概，或者。如「或許」；「也許」；「許是他來了」。❽數目的多少。如「幾許」。❾些微。如「少許」。❿很(只用在形容時間長、數量多)。如「許久」；「許多」。⓫囵處所。如「不知何許人也」。⓬囵約計數目的詞。如「望之如三十許人也(看起來像三十來歲的人)」。⓭囵聽從，信任。孟子書有「明足以察秋毫之末，而不見輿薪，則王許之乎」。⓮周代國名，在現在河南省許昌縣。⓯姓。

▲囵(hǔ) 粵fu²〔苦〕❶「邪(yé)許」：象聲詞。用力抬東西時眾人一齊發出的聲音。❷「許許」：①伐木聲。詩經有「伐木許許」。②用力抬東西時眾人一齊發出的聲音。

設 (shè) 粵tsit⁸〔徹〕❶佈置，安排。如「設備」；「陳設」。❷辦理。如「設立」；「建設」。❸籌劃。如「設計」；「設法」。❹假使，如果。如「設使」；「設或」。❺懸擬，想像。如「設想」；「設身處地」。❻着色。如「設色」。❼囵佈置完備。史記有「居處兵衛甚設」。

---

❽「設身處地」：假定自己處在別人的那種境地來設想。

訟 (sòng)粵dzuŋ⁶〔頌〕❶打官司。請法官評理。如「訴訟」。❷图爭辯是非曲直。如「聚訟紛紜」。❸图責備。如「自訟(自責)」。❹图同「公」，公正的論言。如「訟言」。

訛(譌)(é)粵ŋɔ⁴〔鵝〕ɔ⁴〔柯低平〕(俗)❶图假的。如「訛言」。❷錯誤的。如「訛舛」；「以訛傳訛」。❸詐騙。如「訛人」；「訛詐」。

訝 (yà)粵ŋa⁶〔迓〕a⁶〔亞低去〕(俗)驚異，覺得奇怪。如「驚訝」；「訝異」。

訩 (xiōng)粵huŋ¹〔空〕❶爭辯。❷「訩訩」：①也作「詾詾」；喧擾不安的樣子。②氣勢猛烈的樣子。

五畫

詖 图(bì)粵bei³〔庇〕偏頗，不公平的話。如「詖辭」。

評 (píng)粵piŋ⁴〔平〕❶議論是非好壞。如「批評」；「評論」。❷判定。如「評分」；「評理」。❸「評傳」：為學者作傳，並且對他的學問思想加以評論。❹「評價」：①估價。②根據近於真理的條件，衡量文學藝術作品的價值。

詆 图(dǐ)粵dɐi²〔底〕❶罵，責備。如「痛詆其非」。❷「詆毀」：故意說人家的壞話。

詈 图(lì)粵lei⁶〔吏〕罵。如「詬詈不休」；「申申而詈」。

詁 图(gǔ)粵gu²〔古〕用現代語文解釋古代語文。如「訓詁」。

訶 (hē)粵hɔ¹〔呵〕❶大聲責備。如「訶責」。❷「訶子」：常綠喬木，葉子卵形，開黃色小花，果實像橄欖，可以入藥。俗稱「藏青果」。

詎 图(jù)粵gœy⁶〔巨〕怎，豈。如「詎料」；「詎能」。

詘 ▲图(qū)粵wɐt⁷〔屈〕❶屈服，折服。戰國策有「詘敵國」。❷冤屈。呂氏春秋有「宋王因怒而詘殺之」。❸「詘伸」同「屈伸」：彎曲伸展。

� ▲图同「黜」，見872頁。图(xù)粵dzœt⁷〔卒〕誘迫恫嚇。

詗 图(xiòng)粵gwiŋ²〔迥〕「詗察」：偵察，探消息。

詐 (zhà)粵dza³〔炸〕❶假裝的。如「詐死」。❷騙取。如「詐財」；「欺詐」。❸用言語試探。如「他說了些詐我的話」。

詔 (zhào)粵dziu³〔照〕❶告訴，教導。莊子書有「為人父者，必能詔其子」。❷從前

皇帝發的命令。如「詔書」。❸召見。

診 (zhěn)粵tsɐn²〔疹〕醫生看病。如「診斷」；「診所」。

註 (zhù)粵dzy³〔駐〕❶用文字解釋詞句。如「註釋」。通作「注」。❷解釋詞句所用的文字。如「附註」。❸記載。如「註銷」；「註冊」。

訾 ▲図(zī)粵dzi²〔止〕❶毀謗，說人壞話。如「不苟訾議」。❷量。如「訾粟而稅」。
▲(zǐ)粵dzi¹〔支〕姓。

詛 (zǔ)粵dzo²〔左〕「詛咒」：祈禱鬼神加災害給心裏仇恨的人。

詞 (cí)粵tsi⁴〔池〕❶一個或兩字以上合成的，能代表一個觀念的文字或語言。如「名詞」；「形容詞」。❷指有組織的或片段的語言、文字。如「歌詞」；「文詞」。❸一種長短句押韻的文體。唐代興起，宋代最盛。❹訴訟。如「詞訟」（同「辭訟」）。❺「詞尾」：附加在詞後的虛字。如「儍子」、「花兒」、「木頭」、「高高的」中的「子」、「兒」、「頭」、「的」。❻「詞性」：文法上指一個詞在句裏所表的意義，決定它所屬的詞類。❼「詞素」（英文morpheme）：語言裏最簡單

而不可再分出另有意義的部分。詞素和詞素相連，造成複雜的詞和語句。中文中只含有一個詞素的有「人」、「手」等；不止一個詞素的有「花兒」、「果子」等。❽「詞話」：①評論詞調源流跟作家得失的書，體裁有些像詩話。②小說的一種。如「金瓶梅詞話」。❾「詞牌」：填詞用的一種曲調。如「蝶戀花」；「水調歌頭」。❿「詞頭」：加在詞前的字，像「阿姨」、「老王」中的「阿」、「老」。⓫「詞窮」：理由不充分，說不出話來了。如「理屈詞窮」。⓬「詞類」：文法上按詞的意義、性質或作用所分成的若干類別。如「名詞」、「代名詞」、「動詞」、「形容詞」等等。⓭「詞藻」也作「辭藻」：詩文修飾常用的典故或華麗詞語。

訴 (愬)(sù)粵sou³〔素〕❶述說。如「訴苦」；「告訴」。❷打官司。如「訴訟」；「上訴」。

詒 図(yí)粵ji⁴〔移〕❶給。左傳有「叔向使詒子產書」。❷留傳。詩經有「詒厥孫謀」。❸同「貽」，見699頁。

詠 (yǒng)粵wiŋ⁶〔泳〕聲音高揚起降的唱、唸。如「歌

誄」；「吟詠」。又作「咏」。

【証】同「證」，見688頁。

六畫

誄 図(lěi)粵loi⁶〔睞〕❶哀悼死者的文字。❷敍述死者生平德行的文章。

該 (gāi)粵goi¹〔垓〕❶應當。如「該當何罪」；「不早了，該上學了」。❷作指示代名詞用，等於「此」。如「該員」；「該處」。❸欠。如「該帳」；「該人錢，要早還」。❹輪到。如「他表演完了，該你了」。❺図同「賅」。完備。如「該備」。見699頁。

詬 図(gòu)粵geu³〔究〕❶恥辱，汙辱。如「詬病」；「含詬忍辱」。❷辱罵。如「詬罵」。

詿 図(guà)粵gwa³〔卦〕❶錯誤。如「詿誤」。❷欺騙。

詭 (guǐ)粵gwei²〔鬼〕❶欺詐。如「詭計」；「詭詐」。❷図奇異。如「詭祕」；「詭譎」。❸図違反。如「言行相詭」。❹「詭辭」：①用假話應付。②顛倒黑白混淆是非的詭辯。

誇 (kuā)粵kwa¹〔夸〕❶說大話，不切實際。如「自誇」；「誇下海口」；「誇誇其談」。❷向別人衒耀自己。如「誇示」；「誇耀」。❸稱讚。如「誇獎」。

❹「誇張」：①誇大，言過其實。②修辭格式之一，運用豐富的想像，強調事物的特徵。如「飛流直下三千尺，疑是銀河下九天」便是運用誇張的寫法。

誆 (kuāng)粵hoŋ¹〔康〕說話不確實，騙人的。如「誆騙」；「你別拿假話誆人」。

話 (huà)粵wa⁶〔樺〕❶言語。如「說話」；「正經話」。❷談論。如「話別」；「話舊」。❸「話柄」：言語行為成了人家談笑的材料。❹「話梅」：用梅子醃製的一種又乾又鹹的零食。❺「話說」：說書或評話小說所用的發語詞。如「話說宋太宗年間，有……」。❻「話匣子」：①留聲機。②譏笑人話多，說個沒完。

詼 図(huī)粵fui¹〔灰〕滑稽有趣，引人發笑的言詞。如「詼諧」。

詰 ▲図(jié)粵kit⁸〔竭〕❶責問。如「詰責」。❷問，盤問。如「反詰」；「盤詰」。❸「詰旦」：第二天早上。
　▲(jí)粵get⁷〔吉〕❶「詰屈」：彎曲。❷「詰屈聱牙」指文字深奧，音調艱澀，難讀難懂。

678　言部　(5-6)　証誄該詬詿詭誇誆話詼詰

詮 図(quán)粵tsyn⁴〔全〕❶詳細解釋事理。如「詮釋」;「詮證」。❷事情的眞理。如「眞詮」。❸図「詮次」:選擇而類絞。

詳 (xiáng)粵tsœŋ⁴〔祥〕❶周到,完備。如「詳細」;「詳盡」。❷細細說明。如「內詳」;「未詳」。❸図「詳夢」:以所夢的事斷吉凶休咎。❹「詳詳細細」:周至完備。

詡 図(xǔ)粵hœy²〔許〕❶說大話。如「自詡」。❷言語敏捷氣壯。如「詡言」。❸「詡詡」:融洽地集合在一起的樣子。易林有「鮪鱮詡詡」。

詢 (xún)粵sœn¹〔荀〕❶查問。如「詢問」;「質詢」。❷徵求意見。如「諮詢」;「詢于四岳」。

訩 (xiōng)粵huŋ¹〔空〕「訩訩」同「訟訟」:見676頁。

詹 図(zhān)粵dzim¹〔尖〕❶姓。❷図多言。如「小言詹詹(喋喋不休的樣子)」。❸図通「占」,擇定。如「謹詹於某年某月某日爲小兒某某完婚」。

誅 図(zhū)粵dzy¹〔朱〕❶殺。如「伏誅」;「天誅地滅」。❷討伐。❸責備。論語有「於予與何誅」。❹罰。禮記有「以足蹙路馬芻有誅」。❺翦除。楚辭有「寧誅鋤草茅以力耕乎」。

詫 (chà)粵tsa³〔岔〕❶驚異。如「詫異」。❷図誇張。史記有「子虛過詫烏有先生」。

誠 (chéng)粵siŋ⁴〔成〕❶眞實。如「誠實」。❷図實在是,的確是。如「誠然」;「先生誠信人也」。❸図連詞,表示假設,有「如果」的意思。如「誠能如此,則國家幸甚」。

詩 (shī)粵si¹〔司〕❶用和諧聲調、優美詞藻寫的,表現感情的一種文體。有舊詩、新詩之分。舊詩文字簡練,合轍押韻,可以歌詠朗誦,又分古體跟近體兩種,每句的字數常相同;新詩不全講究押韻,每句字數也不一定。❷五經之一,「詩經」的簡稱。如「詩、書、易、禮、春秋」。❸「詩意」:①可以寫成詩歌的一種情思。②比喻某種賞心悅目的情調。如「富有詩意的文章」。❹「詩翁」:詩人的尊稱。

試 (shì)粵si³〔嗜〕❶考核。如「考試」;「試題」。❷探。如「試探」。❸嘗。如「試閣」;「試試看」。❹「試金石」:①一種石英石,黑色,質地很硬,把黃金在上面摩擦,可以辨別金的成分高低或眞假。②引作比喻一種可靠的檢驗方法。

訦 図(xīn) ⑧ sɐn¹〔身〕❶ 發言，問。❷「訦訦」：衆多的樣子。

詣 図(yì) ⑧ ŋei⁶〔毅〕ɐi⁶〔矮低去〕(俗) ❶ 往，到。如「詣闕」。❷學業或技能所達到的境地。如「造詣」。

七畫

誕(誔) (dàn)⑧dan³〔旦〕❶胡亂說話。如「荒誕不經」；「誇誕之言」。❷放蕩，怪異。如「放誕」；「怪誕」。❸生育。如「誕生」。❹生日。如「聖誕」；「壽誕」。❺図發語詞。詩經有「誕彌厥月」。

誥 (gào)⑧gou³〔告〕❶舊時一種告誡的文體。如「康誥」；「酒誥」。❷図帝王任命官吏或封贈的文書。如「誥命」；「誥封」。❸上級告訴下級。

誑 (kuáng)⑧gwɔŋ²〔廣〕kɔŋ⁴〔奇杭切〕(俗) ❶欺騙。如「誑騙」。❷「誑誕」：騙人的話。

誨 (huì)⑧fui³〔悔〕❶教導。如「諄諄教誨」；「誨人不倦」。❷図引誘。如「慢藏誨盜」；「誨盜誨淫」。

詼 図(jiá) ⑧ gap⁸〔甲〕「謙詼」：見690頁「謙」字。

誡 (jiè)⑧gai³〔戒〕❶警告，勸人警惕。如「告誡」。❷図禁令。❸箴言。如「十誡」。

誚 図(qiào)⑧tsiu³〔俏〕❶說話挖苦人。如「譏誚」。❷責備。如「誚讓」。

誌 (zhì)⑧dzi³〔至〕❶記錄。如「教室日誌」。❷標識。如「標誌」。❸記事的文字。如「墓誌」。❹事物的譜錄。如「地誌」；「名山誌」。❺表示。如「誌喜」；「誌哀」。❻通「痣」，見457頁。

誓 (shì)⑧sɐi⁶〔逝〕❶互相約定共同遵守的條件。如「盟誓」；「信誓旦旦」。❷告誡。如「誓師」。❸賭咒。如「發誓」。❹表示決心的言辭。如「立誓」；「宣誓」。

說 ▲図(shuō)⑧syt⁸〔雪〕❶用言語表情達意。如「說話」；「某人說」。❷解釋。如「說明」；「說清楚」。❸主張，立論。如「學說」；「著書立說」。❹評論。如「說長道短」；「說人閒話」。❺責備。如「被他說了一頓」。❻「說白」：戲曲戲曲中的道白。

　▲図(shuì)⑧sœy³〔稅〕言語打動別人的心，讓他聽從或採納。如「游說」；「說客」。

　▲図(yuè)⑧jyt⁹〔月〕「

「悅」，見219頁。

認 (rèn) 粵 jiŋ⁶〔移另切〕❶ 分辨，識別。如「認明」；「認清是非」。❷ 允許，表示同意、承受。如「認可」；「認罪」。❸ 雙方本無親屬關係而結成親屬。如「認領」；「認她做乾媽」。❹ 相識。如「認識」。❺「認生」：常指兒童怕見沒見過面的人。

誦 (sòng) 粵 dzuŋ⁶〔訟〕❶ 朗讀。如「背誦」；「朗誦」。❷ 讚美。如「稱誦」。

欸 ▲ (è，又èi) 粵 ɛ⁶ 感歎詞，表示答應，也表示招呼。如「欸，我知道了」；「欸，快來，該吃飯啦」。

▲ (ê，又éi) 粵 ɛ⁶ 歎詞，表示詫異。如「欸，這到底是甚麼回事」。

▲ (ê，又ěi) 粵 ɛ⁶ 歎詞，表示不以爲然。如「欸，話不能這麼說」。

▲ 図 (xī) 粵 hei¹〔希〕❶ 歎息聲。漢書有「勤欸厥生」。❷ 笑樂。楚辭有「欸笑狂只」。

誘 (yòu) 粵 jɐu⁵〔有〕❶ 教導。如「循循善誘」。❷ 勸，引。如「誘導」。❸ 以言語行動迷惑人。如「誘惑」；「誘敵」。

誣 (wū) 粵 mou⁴〔巫〕假造事實害人或是侮辱人。如「誣告」；「誣賴」；「誣陷」；「誣蔑」。

誤 (悮) (wù) 粵 ŋ⁶〔悟〕❶ 錯失。如「錯誤」；「失誤」。❷ 因爲自己的錯失而使別人或國家受害。如「誤人子弟」；「權臣誤國」。❸ 錯過。如「誤時」。❹ 耽擱。如「誤事」；「耽誤」。❺「誤差」：見到的跟實際所出現的偏差。❻「誤點」：錯過了規定的時間。如「火車誤點」。

語 ▲ (yǔ) 粵 jy⁵〔雨〕❶ 所說的話。如「國語」；「語言」。❷ 說話。如「不言不語」。❸ 兩個或幾個詞組成的不成句的話。如「說話」；「莊敬自強」；「整齊而清潔」等都是短語。❹ 代表語言的動作。如「旗語」；「手語」。❺ 図蟲鳥的鳴聲。如「鳥語花香」；「壁下秋蟲語」。❻ 図指成語或諺語。如「以理服人」；「脣亡則齒寒」等。❼「語病」：語文措詞失當的地方。❽「語調」：句子裏聲音的高低和快慢輕重。

▲ 図 (yù) 粵 jy⁶〔預〕❶ 告訴。如「居，吾語女」。❷ 教戒。如「主亦有以語肥也」。
【詩】同「悖」，見218頁。

八畫

誹 (fěi) 粵fei² 〔匪〕「誹謗」：造謠污衊，惡意攻擊。

談 (tán) 粵tam⁴ 〔潭〕❶彼此對語。如「談話」；「談論」。❷言論。如「無稽之談」；「老生常談」。❸姓。

調 ▲(tiáo) 粵tiu⁴ 〔條〕❶混合。如「調色」；「石灰調水」。❷配合。如「調味」；「調製」。❸和解。如「調理」；「調解」。❹戲弄。如「調笑」；「調弄」。❺適時，正常。如「風調雨順」；「飲食失調」。❻重新安排。如「調整」。❼「調和」：①和諧。如「色彩調和」。②融洽。❽「調味」：使味道均勻、香美。❾「調停」：從中調解、平息雙方發生的事端。

▲(diào) 粵diu⁶ 〔掉〕❶音樂的聲律。如「C調」；「曲調」。❷更動。如「調動」；「調換」。❸派遣，徵發。如「調遣」；「調兵」。❹安排，處置。如「調度」。❺才幹。如「才調」。❻風格。如「格調」。❼察訪，徵問。如「調查」。❽語音的高低。如「聲調」；「調值」。❾「調子」：①音樂的旋律。②人的腔調。❿「調皮」：①頑皮。②愛戲弄人。③狡猾不易應付。

諒 ▲(liàng) 粵lœŋ⁶ 〔亮〕❶寬恕。如「原諒」；「諒解」。❷推想。如「諒必」；「諒可」。❸誠實守信義。如「友直，友諒，友多聞」。❹圖固執。論語有「君子貞而不諒」。❺姓。

▲圖(liáng) 粵lœŋ⁴ 〔涼〕「諒闇」：皇帝居喪。

論 ▲(lùn) 粵lœŋ⁶ 〔客〕❶分析、爭辯事物的道理。如「評論」；「辯論」。❷研究。如「討論」。❸文體的一種，分析、評論事理的文章。如「論文」；「報紙的社論」。❹按照。如「論件計酬」；「論功行賞」。❺定罪。如「論罪」。❻當作，比作，視同，處理。如「以棄權論」；「告訴乃論」。

▲(lún) 粵lœŋ⁴ 〔倫〕❶「論語」：「四書」之一，是孔子的學生記載孔子言行的經典，共二十篇。❷姓。

課 (kè) 粵fɔ³ 〔貨〕❶學業。如「功課」；「課業」。❷抽稅。如「課以重稅」；「依法課稅」。❸稅收。如「國課」；「鹽課」。❹卜卦的一種。如「金錢課」。❺機關學校的基層單位名稱。如「文書課」；「庶務課」。❻教科書的一篇。如「今天老師講了一課書」。❼圖按照一定程式試用試驗，然後加以考核。

晉書有「勸課農桑」。❽「課程」：①功課的進程。②教學的科目。

淇 図(qī)⑨hei¹〔希〕騙人的話。

請 (qǐng)⑨tsiŋ²〔逞〕tsɐŋ²〔雌餅切〕❶懇求。如「請求」；「請人幫忙」。❷邀約。如「請客」。❸延聘。如「請家庭教師」。❹問候。如「請安」。❺敬詞：①放在動詞前面。如「請坐」；「請問」；「請進」。②拿、抱的敬詞。如「把神主請出來」。③表示再意。

爭(諍) 図(zhēng)⑨dzeŋ¹〔僧〕❶直言別人的過失。如「諍言」。❷通「爭」。如「諍訟(爭訟)」。見415頁。

豕 図(zhuó)⑨dœk⁸〔啄〕謠言。如「謠豕」。

諄 図(zhūn)⑨dzœn¹〔津〕「諄諄」：①教學不厭倦的態度。如「諄諄善誘」。②誠懇，苦口婆心的樣子。如「言者諄諄，聽者藐藐」。

諂(謟) (chǎn)⑨tsim²〔雌掩切〕巴結，討好。如「諂媚」；「諂諛」。

誰 (shuí，又讀shéi)⑨sœy⁴〔垂〕❶疑問代名詞，甚麼人。如「誰敲門哪」；「誰還沒洗澡哇」。❷不定代名詞，任

何人。如「這種小事誰都會做」。

諗 図(shěn)⑨sɐm²〔審〕❶深深了解。如「素諗先生專精醫術」。❷勸告。左傳有「昔辛伯諗周桓公」。❸思念。詩經有「將母來諗」。❹同「讅」，見689頁。

諏 図(zōu)⑨dzɐu¹〔周〕❶會商。如「諏吉(商定的好日子)」。❷詢問。如「諏訪」；「諮諏善道」。

誶 図(suì)⑨sœy⁶〔睡〕❶責罵。❷詢問。

誼 (yì)⑨ji⁴〔宜〕❶交情。如「情誼」；「友誼」。❷同「義」，見555頁。

誾 図(yín)⑨ŋɐn⁴〔銀〕ɐn⁴(俗)「誾誾」：①用和悅的態度規勸人家。論語有「誾誾如也」。②香氣濃。司馬相如賦有「芳酷烈之誾誾」。

諉 (wěi)⑨wɐi²〔委〕❶推卸，卸責。如「推諉」。❷藉口推辭。如「諉稱家中有事，不克前來」。❸図託。漢書有「尚有可諉者」。

九畫

諸(諸) (zhū)⑨dzy¹〔朱〕❶許多。如「諸位」；「諸先烈」。❷図「之」「於」兩字

言部 (8-9) 淇請諍豕諄諂誰諗諏誶誼誾諉諸 683

的合音。如「求諸己」。❸図「之」「乎」兩字的合音。如「鬼神之事有諸」。❹姓。❺「諸子」：①先秦至漢初的各學派學者。如「孔子」等。②指同期各學者的著作。如「孟子」；「孫子」等。❻「諸辯」：言詞善辯的樣子。

諞 ▲図(pián)⑧pin⁴〔駢〕花言巧語。如「諞言」。

▲(piǎn)⑧pin⁵〔皮踐切〕對人誇耀自己。

謀 (móu)⑧meu⁴〔牟〕❶計劃，營求。如「謀劃」；「謀生」；「謀事」。❷計策，方法。如「謀略」；「足智多謀」。❸暗中設計。如「謀害」；「謀殺」。❹商量。如「聚室而謀」。❺姓。❻「謀面」：相見。如「素未謀面」。

諷 (fěng)⑧fuŋ³〔花控切〕❶託詞規勸或指責人。如「諷刺」；「譏諷」。❷「諷誦」：背誦。❸「諷喻」：文學修辭格之一。借用故事寄托作者的諷刺、教導。

諦 図(dì)⑧dɐi³〔帝〕❶詳細地，審慎地。如「諦聽」；「諦視」。❷意義，道理。如「真諦」；「妙諦」。

諜 (dié)⑧dip⁹〔碟〕❶偵探敵人的舉動。如「諜報」。❷偵

探敵情或進行分化滲透的人員。如「間諜」；「保密防諜」。

諵 図(nán)⑧nam⁴〔南〕lam⁴〔藍〕(俗)「諵諵」：話多的樣子。

諾 (nuò)⑧nɔk⁹〔拿岳切〕lɔk⁹〔落〕(俗)❶答應的話。如「唯唯諾諾」。❷應允。如「許諾」；「諾言」。

謔 図(xuè)⑧jœk⁹〔若〕開玩笑。如「戲謔」；「諧謔」。

諱 図(huì)⑧wɐi⁵〔偉〕❶因有顧忌而不願意說或不敢說。如「諱言」；「隱諱」。❷舊時對死去的帝王或尊長不敢直接稱他們的名字，稱為「避諱」。也指所避諱的名字。❸「諱疾忌醫」：自己有病，不肯明白告訴醫生。比喻有過失怕聽別人勸告。❹図「諱莫如深」：嚴守祕密，不肯告訴人家。

諢 (hùn)⑧wɐn⁶〔混〕❶開玩笑，逗趣的話。如「插科打諢」。❷「諢名」：外號，綽號。

諫 図(jiàn)⑧gan³〔澗〕❶直言糾正長輩或上級的錯誤。如「勸諫」；「進諫」。❷止，挽救。論語有「往者不可諫，來者猶可追」。❸姓。❹「諫果」：橄欖的別名。

諧 (xié) 粵 hai⁴〔鞋〕❶ 和，合。如「和諧」。❷引人發笑的話。如「詼諧」；「諧謔」。❸図事情成功。如「事諧」。❹姓。

誠 図 (xián) 粵 ham⁴〔咸〕❶ 和。書經有「其不能誠於小民」。❷誠。書經有「至誠感神」。❸戲謔。

諠 (xuān) 粵 hyn¹〔圈〕❶ 通「諼」，見本頁。❷通「喧」，見95頁。

諼 図 (xuān) 粵 hyn¹〔圈〕❶ 忘記。詩經有「永矢勿諼」。❷詐。漢書有「虛造詐諼之策」。❸「諼草」也作「萱草」：古人傳說一種能使人忘憂的草。詩經有「焉得諼草」。

諶 図 (chén) 粵 sem⁴〔忱〕❶ 誠，信。❷姓。

諮 (zī) 粵 dzi¹〔之〕通「咨」。商量，詢問。如「諮詢」；「諮諏」。見87頁。

諤 図 (è) 粵 ŋok⁹〔岳〕ɔk⁹〔惡低入〕(俗)❶正直的話。❷「諤諤」：直言爭辯的樣子。

諳 図 (ān) 粵 em¹〔庵〕❶ 熟悉。如「熟諳」；「諳練」。❷記，背誦。三國志有「諳誦無滯」。

謁 図 (yè) 粵 jit⁸〔咽〕❶ 通名進見，拜見。如「晉謁」；「拜謁」。❷古稱通名請見的名

帖。❸姓。

諺 (yàn) 粵 jin⁶〔彥〕「諺語」：民間流傳的俗語，多是用簡單的語句反映出深刻的道理。如「遠水救不了近火」。

謂 (wèi) 粵 wei⁶〔胃〕❶図說。如「子謂韶，盡美矣」。❷図告訴。如「子謂子夏曰：女為君子儒，無為小人儒」。❸稱為，叫做。如「稱謂」；「富貴不能淫，貧賤不能移，威武不能屈，此之謂大丈夫」。❹「無謂」：無意義。❺「無所謂」：不要緊，沒關係。

諛 図 (yú) 粵 jy⁴〔如〕奉承討好。如「諂諛」；「阿諛」。

諭 図 (yù) 粵 jy⁶〔預〕❶上對下的命令。如「諭示」；「手諭」。❷図明白告訴。如「曉諭」。❸通「喻」，見96頁。

諰 (xǐ) 粵 sai²〔徙〕「諰諰」也作「鰓鰓」：恐懼的樣子。

諝 (xū) 粵 sœy¹〔胥〕❶才智。❷機謀。

【諡】同「謚」，見686頁。

十畫

謗 (bàng) 粵 pɔŋ³〔鋪放切〕惡意攻擊別人。如「毀謗」；「誹謗」。

謎 (mí) 粵 mei⁴〔迷〕❶影射事物的隱語，作成詞句供人猜

測的一種遊戲。如「謎語」；「燈謎」。❷還未弄明白或難解釋、難猜測的事理。如「這件事至今仍是一個謎」。❸「謎面」：謎語的題目。❹「謎底」：謎語的答案。❺「謎團」：一件事情或一件東西的道理始終想不透，也無法解釋。

謐 囡(mì)粵met⁹〔勿〕安靜。

謄 (téng)粵teŋ⁴〔藤〕鈔寫，鈔錄。如「謄寫」；「謄錄」。

謊 (huǎng)粵foŋ¹〔方〕❶不實在的話。如「說謊」；「謊言」。❷指商販索價不實。如「要謊」。

謇 囡(jiǎn)粵gin²〔加演切〕❶正直的樣子。北史有「外似謇正，內實諂諛」。❷口吃，說話艱難。如「因謇而徐言」。❸發語詞，沒意義。楚辭有「謇吾法夫前脩兮」。

講 (jiǎng)粵goŋ²〔港〕❶意義，道理。如「這句話還有得講嗎」。❷說，帶有分析說明的意思。如「講演」；「跟他講明白再做」。❸解釋義理。如「老師講課」；「請個老和尚講經」。❹講求。如「講衛生」。❺顧到，注重。如「講面子」；「工作要講效率」。❻商量。如「講和」；「講價錢」。❼較量。如「你是要講文的還是講武的」。❽「講究」：①研究。②力求完善完美。❾「講義」：按教學要求所編寫的教材。

謚(謚) (shì)粵si³〔試〕人死後，就其生前行迹所加的稱號。如「岳飛死後追封鄂王，謚武穆」。

謙 ▲囡(qiān)粵him¹〔哈淹切〕❶虛心，不自滿。如「謙和」；「謙虛」。❷易卦名。❸「謙謙」：謙遜的樣子。易經有「謙謙君子」。
　　▲囡(qiàn)粵him³〔欠〕通「慊」，滿足。見225頁。

謝 (xiè)粵dze⁶〔榭〕❶表示感激。如「道謝」；「感謝」。❷用委婉的話推辭。如「敬謝不敏」；「謝絕參觀」。❸道歉，認錯。如「謝罪」。❹花凋落。如「凋謝」。❺姓。

謏 囡(xiāo)粵seu²〔守〕小。如「謏聞(小有聲聞)」。

謅 (zhōu)粵dzeu¹〔周〕隨意亂說話。如「胡謅」。

謖 囡(sù)粵suk⁷〔縮〕「謖謖」：挺起的樣子。

謠 (yáo)粵jiu⁴〔搖〕❶憑空虛構的話。如「謠言」；「造謠」。❷民間隨口傳唱的歌。

如「民謠」。
【謠】同「歌」，見345頁。

十一至十二畫

謨 (mó) mou⁴〔毛〕計謀。如「遠謨」；「宏謨」。

謾 ▲(màn) man⁶〔慢〕輕慢，沒禮貌。如「謾罵」。
▲ (mán) man⁴〔蠻〕欺騙。如「欺謾」。

謬 (miù) meu⁶〔茂〕❶荒唐。如「荒謬」。❷錯誤。如「謬誤」。

謹 (jǐn) gen²〔緊〕❶小心，慎重。如「謹慎」。❷恭敬。如「謹候」；「謹稟」。

謦 (qǐng) hiŋ³〔慶〕❶咳嗽聲。❷「謦欬」：比喻言笑。如「親承謦欬」。

商(謫) (zhé) dzak⁹〔摘〕❶譴責。如「眾口交謫」。❷懲罰。如「貶謫(舊時做官的被降職)」。

謷 ▲(áo) ŋou⁴〔遨〕ou⁴〔澳〕低平 (俗) ❶說別人的壞話。❷大的樣子。❸「謷謷」：①眾人悲嘆的聲音。漢書有「吏緣為奸，天下謷謷然」。②眾口誹謗他人的樣子。
▲通「傲」，見34頁。

謳 (ōu) eu¹〔歐〕❶唱，吟。❷齊聲唱歌。❸「謳歌」：歌頌功德。

【謼】古「呼」字，見84頁。
【謿】同「嘲」，見689頁。

譜 (pǔ) pou²〔普〕❶記載人、物而分類編列的。如「族譜」；「食譜」。❷以格式示人，使有所遵循的。如「樂譜」；「棋譜」。❸按着歌詞編寫樂曲。如「譜曲」。❹大致的依據，打算。如「這件事我心裏還沒譜兒呢」。❺大約，左右。如「約七八十人之譜」。

譚 (tán) tam⁴〔談〕❶姓。❷同「談」。如「天方夜譚」；「老生常譚」。見682頁。

譊 (náo) nau⁴〔撓〕lau⁴〔離看切〕(俗)「譊譊」：爭辯不休的聲音。

譁 (huá) wa¹〔娃〕❶嘈雜，喧鬧。如「眾人大譁」。❷「譁然」：形容許多人聲音嘈雜地叫起來。❸「譁變」：軍隊叛變。❹「譁眾取寵」：以浮誇的言辭博取眾人的喜歡。

譏 (jī) gei¹〔基〕用隱語諷刺挖苦人家。如「譏笑」；「譏刺」。

譎 (jué) kyt⁸〔決〕欺詐。如「詭譎」。

譙 ▲(qiáo) tsiu⁴〔潮〕❶樓的別稱。❷姓。❸「譙樓」：古時候建在門上作瞭望用的高

樓。❹「譙譙」：羽毛殘舊的樣子。詩經有「予羽譙譙」。

▲図同「誚」，見680頁。

證(証)(zhèng)圖dziŋ³〔正〕❶足為憑據的文件。如「身分證」；「入境證」。❷用憑據、人物表明或斷定。如「證明」；「作證」。❸通「症」，見456頁。

譔 図(zhuàn)圖dzan⁶〔賺〕❶稱美。禮記有「論譔其先祖之美」。❷通「撰」，見268頁。

識 ▲(shí)圖sik⁷〔式〕❶知道，能辨認。如「認識」；「不識不知」。❷見解。如「見識」。❸所知道的道理。如「知識」；「常識」。

▲図(zhì)圖dzi³〔志〕❶記住。❷同「誌」，標誌，記號。見680頁。

譖 図(zèn)圖dzɐm³〔浸〕捏造事實，背後說人壞話。公羊傳有「夫人譖公於齊侯」。

譅 (sè)圖sɐp⁷〔澀〕說話遲鈍。如「訥譅」。

【譆】同「嘻」，見101頁。
【譌】同「訛」，見676頁。
【譍】同「應」，見229頁。

十三至十五畫

譬(pì)圖pei³〔屁〕❶比喻。如「譬如」；「譬喻」。❷図了解，明白。後漢書有「言之者雖戒，聞之者未譬」。

警(jǐng)圖giŋ²〔景〕❶戒備。如「警備」；「警戒」。❷告誡。如「警告」；「其言足以警世」。❸危急的消息。如「警報」；「火警」。❹覺悟。如「警悟」；「警覺」。❺敏捷。如「機警」。❻維持地方治安的人員。如「警察」。❼警察的簡稱。如「刑警」。

譫 図(zhǎn)圖dzim¹〔尖〕❶多言。❷「譫語」：生病神智不清時的妄語。

譟 図(zào)圖tsou³〔躁〕許多人呼喊的聲音。如「鼓譟」；「喧譟」。

議(yì)圖ji⁵〔矣〕❶表明意見的言論。如「議論」；「建議」。❷商量。如「商議」。❸評論，談論。如「非議」；「街談巷議」。❹文體之一，是論事的文章。如「奏議」；「駁議」。❺「議案」：在會議上討論的案件。通過的叫「議決案」。

譯(yì)圖jik⁹〔亦〕❶把一種語言、文字或文體，用另一種語言文字按原義變成另一種語言、文字或文體。如「中文英譯」；「文言譯成白話」。❷解釋經義。如「譯佛經」。❸「譯音」也作「音譯」：翻譯方法之

一，用另一種語言或文字按原來語言的讀音重新寫出或讀出。如 bus 音譯為「巴士」。❹「譯意」也作「意譯」：翻譯方法之一，將一種語言、文字的原來意思用另一種語言、文字讀出或寫出。如 bus 意譯為「公共汽車」。

護(hù)⑧wu⁶〔戶〕❶保衞。如「保護」；「護航」。❷救助。如「救護」；「看護」。❸掩蔽。如「袒護」；「護短」。❹姓。❺「護照」：出國旅行或轉運貨物時由政府發給的證明文件。

譴(qiǎn)⑧hin²〔遣〕❶斥責。如「譴責」。❷囡官吏獲罪謫降。

諝圆(zhōu)⑧dzeu¹〔周〕❶推測。後漢書虞詡傳有「以譎諝之，知其無能為也」。❷「諝張」：誇大欺人。

譽(yù)⑧jy⁶〔預〕❶稱讚。如「稱譽」；「讚譽」。❷名聲，美名。如「名譽」；「有神童之譽」。

【䌽】見辛部，724頁。
【讁】同「謫」，見687頁。

讀▲(dú)⑧duk⁹〔毒〕❶依文字唸。如「宣讀」；「朗讀」。❷閱書。如「閱讀」。❸研究，專攻。如「他讀理科，我讀文科」。

▲(dòu)⑧dɐu⁶〔豆〕讀文章時候，在沒完的句子或文詞下面，可以稍頓一頓的地方。如「句讀」。

譾(譾)圆(jiǎn)⑧dzin²〔剪〕淺。如「不揣譾陋」。

諗圆(shěn)⑧sɐm²〔審〕❶知悉。函牘中常用的字。也作「諗」。如「諗悉」；「諗知」。❷同「審」，見158頁。

十六至二十二畫

變(biàn)⑧bin³〔巴燕切〕❶事物的狀態或性質有了更改，跟原來的不同。如「變動」；「樣子全變了」。❷經過改換、更動以後，成為另一種樣子或不同的東西。如「蛻變」；「變魔術」。❸突然發生的重大禍亂或事件。如「兵變」；「七七事變」。❹臨機應付的方法。如「通權達變」；「機變」。❺假造。如「變造」。❻「變卦」：已經決定的事忽然改變。

讎(讐)(chóu)⑧tsɐu⁴〔囚〕❶圆應對，對答。詩經有「無言不讎」。❷圆應驗。史記有「其方盡多不讎」。❸圆酬價。史記有「讎數倍」。❹圆校對文字。如「讎校(jiào)」；「校讎」。❺同「仇」。

如「讎敵」;「同讎敵愾」。見17
頁。❻図同「儔」。如「讎匹（氣
勢力量相等的人）」。見37頁。
【讈】同「諂」，見683頁。

讋 図(zhé)粵dzip⁸〔摺〕❶害
怕。❷「讋服」：受威勢的逼
迫而屈服。

讌 (yàn)粵jin³〔燕〕聚在一處
喝酒。如「讌飲」。

讆 (wèi)粵ŋɐi⁶〔偽〕ɐi⁶〔矮低去〕
言 (俗)通「偽」，詐。見36頁。

讕 図(lán)粵lan⁴〔闌〕「讕
言」：誣賴捏造的話。如「無
恥讕言」。

讒 図(chán)粵tsam⁴〔慚〕說假
話毀謗好人。如「讒言」。

讖 図(chèn)粵tsɐm³〔雌蔭切〕
❶預言。如「讖語」。❷占驗
術數的書。如「讖緯」。

讓 (ràng)粵jœŋ⁶〔壤〕❶謙
虛。如「禮讓」。❷不與人
爭。如「讓步」。❸把自己的東
西給別人。如「出讓」。❹允
許。如「不讓他去」。❺使，
令。如「我讓他去買東西」；
「這件事讓我好難受」。❻躲
避。如「讓開，馬來了」。❼商
人對物價減收。如「讓價」。❽
図責備。如「責讓」。❾被。如
「筆讓弄壞了」。

讙 ▲(huān，又讀xuān)粵
fun¹〔歡〕図大聲喧嘩。史記

有「讙譁失禮」。
　　▲同「歡」，見346頁。

讘 図(zhé)粵dzip⁸〔摺〕「讘
諜」：多言的樣子。

讚 (zàn)粵dzan³〔贊〕❶誇獎，
稱美。如「讚許」;「讚揚」;
「稱讚」。❷文體的一種，以讚
美為主。如「像讚」;「小讚」。

讛 (yì)粵ŋɐi⁶〔藝〕ɐi⁶〔矮低去〕
(俗)同「囈」，夢中說話。見
106頁。

讜 図(dǎng)粵dɔŋ²〔黨〕直
言。如「讜論」;「讜言」。

讞 図(yàn)粵jin⁶〔彥〕公平審
判訴訟案件。如「定讞（案件
判定）」。

讟 図(dú)粵duk⁹〔毒〕毀謗，
怨恨。如「民無謗讟」。

【谷部】

谷 ▲(gǔ)⑧guk⁷〔菊〕❶兩山間流水的低道。如「山谷」；「谿谷」。❷深穴。如「幽谷」。❸窮困。詩經有「進退維谷」。❹姓。

　　▲(yù)⑧juk⁹〔玉〕「吐谷渾」：古國名，在今青海西。

　　▲「穀」字簡化，見501頁。

二至十畫

【卻】見卩部，70頁。
【郤】見邑部，741頁。
【欲】見欠部，343頁。

豁 ▲(huō)⑧kut⁸〔括〕❶殘缺，裂開。如「豁脣子」。❷捨棄，犧牲。如「豁着命幹」。

　　▲(huò)⑧kut⁸〔括〕❶寬敞明亮。如「豁亮」。❷開，開通。如「豁達」。❸開放，免除。如「豁免」。❹図深。如「豁險」。❺「豁然開朗」：由狹隘的幽暗一變而成為光明、寬敞。比喻通曉、領悟了道理。

　　▲(huá)⑧wa¹〔嘩〕「豁拳」同「划拳」：兩人各伸手指互猜數目決勝負的遊戲。通常在飲酒時進行。

谿 (xī)⑧hei⁴〔奚〕❶空。❷「勃谿」：衝突吵架。如「婦姑勃谿」。

【谽】同「溪」，見386頁。

【豆部】

豆 (dòu)粵deu⁶〔竇〕❶穀類植物，果實結成莢，種類很多。如「大豆」；「蠶豆」。❷像豆粒的東西。如「土豆(馬鈴薯)」；「山藥豆兒」。❸古時盛食品的木器。如「俎豆」；「籩豆」。❹姓。❺「豆蔻」：①多年生草本植物，葉片細長，初夏開花，淡黃色，果實扁球形，果仁香氣濃烈，可入藥。②比喻年輕未嫁的女子。如「豆蔻年華」。

三至九畫

豇 (jiāng)粵 goŋ¹〔江〕「豇豆」：穀類植物，一年生草本，花淡青或紫色，種子有紅、白、紫各色，莢細長，嫩莢跟種子可作菜吃。

豈 ▲(qǐ)粵hei²〔起〕反問的疑問副詞：①怎麼，哪裏。如「豈敢」；「豈有此理」。②難道。如「豈有它哉」。
▲囡(kǎi)粵hoi²〔海〕❶通「愷」，見224頁。❷通「凱」，見49頁。

豉 (chǐ)粵si⁶〔士〕「豆豉」：用豆製成的調味品。

豊 囡(lǐ)粵lɐi⁵〔禮〕古時候祭祀的禮器。

豎(竪) (shù)粵sy⁶〔樹〕❶直立。如「把旗杆豎起來」。❷書法的直筆。如「一橫一豎」。❸囡指未成年的男僕人。如「豎子」。❹囡舊時宮內的小臣。如「內豎」。

豌 (wān)粵 wun²〔碗〕「豌豆」：越年蔓生植物，羽狀複葉，夏初開蝶形花，結莢。嫩的連莢可吃，老的只吃所結的豆。嫩莖葉也可吃，俗稱「豆苗」，「豌豆苗」。

䂢 (chāi)粵tsak⁸〔策〕碾碎了的豆子、玉米等。如「豆䂢兒」。
【頭】見頁部，814頁。

十一至二十一畫

豐 (fēng)粵fuŋ¹〔風〕❶囡茂盛，興旺。如「豐盛」。❷厚，滿，多。如「豐滿」；「豐富」。❸農作物的收成好。如「豐年」；「豐收」。❹大。如「豐功偉績」。❺姓。

豔(艷) (yàn)粵jim⁶〔驗〕❶鮮明，華麗。如「嬌豔」；「鮮豔」。❷囡羨慕。如「豔羨」。❸容色豐滿美好。如「美豔」；「豔若夭桃」。❹囡有關愛情的。如「豔詩」；「豔

史」。❺囡形容文詞美妙。穀梁傳序說左傳是「左氏豔而富」。

【豕部】

豕 囡(shǐ)⓿tsi²〔始〕❶豬。❷「豕心」：貪心。

三至六畫

豗 囡(huī)⓿fui¹〔灰〕❶相擊。❷「喧豗」：喧鬧聲。

豝 囡(bā)⓿ba¹〔巴〕❶母豬。❷通「豝」，見554頁。

豚 囡(tún)⓿tyn⁴〔團〕❶小豬。❷「豚犬」：對別人謙稱自己的兒子。也作「犬子」、「小犬」、「豚兒」。

象(象) (xiàng) ⓿ dzœŋ⁶〔像〕❶陸上最大的動物，長鼻子，大耳朵，小眼睛，吃植物嫩芽和果實，可養馴幫人做工。兩個長牙突出口外，很值錢。產在非洲、印度、泰國等地方。❷囡象牙的簡稱。禮記有「笏，諸侯以象」。❸事物的形狀，狀態。如「形象」；「現象」。❹意念針對的人或事物。如「對象」。❺「象限」：全圓的四分之一。❻「象徵」：用具體事物表示或代表抽象的意義，例如白色是純潔的象徵。❼通「像」，見36頁。

豢 (huàn) 粵wan⁶〔患〕❶飼養家畜。如「豢養」。❷用利誘惑人。

豣 (豣) 囻(jiān) 粵gin¹〔堅〕大豬。詩經有「獻豣于公」。

七至十八畫

豪 (háo) 粵hou⁴〔毫〕❶才智出眾的人。如「豪傑」;「文豪」。❷俠義的舉動。如「豪舉」。❸高興做甚麼就做甚麼,不受拘束或限制。如「豪放」;「豪飲」。❹做人慷慨、痛快。如「豪爽」。❺大,雄偉。如「豪門」;「豪壯」。❻奢侈,華麗。如「豪客」;「豪華」。❼強橫的行為或強橫的人。如「巧取豪奪」;「土豪劣紳」。❽姓。❾「豪豬」:哺乳動物,頭像兔子,全身長棘毛,尖銳如針。俗稱「箭豬」。❿「豪釐」同「毫釐」:見356頁「毫」字。

豨 囻(xī) 粵hei¹〔希〕❶豬。❷「豨豨」:豬走路的聲音。

豭 囻(jiā) 粵ga¹〔加〕公豬。

豬 (猪) (zhū) 粵dzy¹〔朱〕❶脊椎哺乳類動物,頭大,鼻子和嘴都長,四肢短小,體胖多肉,肉可供食用,鬃可製刷子,皮可以製革。❷囻通「瀦」,見398頁。

豫 (yù) 粵jy⁶〔預〕❶囻喜悅。如「不豫」;「面有豫色」。❷囻安樂。如「逸豫亡身」。❸囻遊。孟子有「吾王不遊,吾何以休;吾王不豫,吾何以助。」❹河南省的別稱。如「豫劇」。❺古九洲之一,包括河南全省跟湖北、安徽、山東各省的一部分。❻「豫備」同「預備」:見813頁「預」字。❼「猶豫」:見429頁「猶」字。

豳 (bīn) 粵ben¹〔賓〕古國名,在現在陝西省栒邑縣西一帶。

貗 囻(lóu) 粵leu⁴〔留〕母豬。

豵 囻(zōng) 粵dzuŋ¹〔宗〕小豬。

豶 (fén) 粵fen⁴〔焚〕閹割過的豬。

【貛】同「獾」,見696頁。

【豸部】

豸 (zhì) 粵dzi⁶〔治〕❶沒有腳的蟲。像蚯蚓之類。❷⊠解除。左傳有「使郤子逞其志，庶有豸乎」。❸「蟲豸」：蟲類的通稱。有腳的叫蟲；沒有腳的叫豸。❹「獬豸」：見430頁「獬」字。

三至五畫

豹 (bào) 粵pau³〔炮〕❶猛獸名，像老虎而比較小。毛黃褐或赤褐色，多有黑色斑點，能爬樹，跳躍，性情兇殘。❷姓。❸⊠「豹變」：說人自貧賤而顯貴。

豺 (chái) 粵tsai⁴〔柴〕❶野獸名，跟狼同類異種，形狀像狗，大嘴，小耳朵，性情兇暴殘忍。❷「豺狼」：貪心殘暴的野獸。引作比喻心狠手辣的惡人。

犴 (hān) 粵hɔn⁴〔寒〕同「犴」，見425頁。

貂 (diāo) 粵diu¹〔刁〕寒帶地方一種野鼠，形狀像鼬，長約兩尺半，毛色黃黑或帶紫，尖嘴，有黑鬚，四肢短，尾巴有長毛。出產在遼東、北韓一帶，毛皮可做裘，很珍貴。

六畫

貊 (mò) 粵mɐk⁹〔陌〕同「貉」，種族名。見本頁。

貉 ▲(hé) 粵hɔk⁹〔鶴〕獸名，形狀像狸，尖頭尖鼻，毛皮可做裘。

▲(mò) 粵mɐk⁹〔陌〕❶種族名，即是「北狄(中國古代稱東北方的民族)」。❷靜。

貆 (huán) 粵wun⁴〔垣〕獸名，即是貛。

貅 (xiū) 粵jɐu¹〔休〕「貔貅」：見696頁「貔」字。

七至十八畫

貌(皃) (mào) 粵mau⁶〔麻效切〕❶面容。如「容貌」；「面貌」。❷形象，外觀。如「外貌」；「高大貌」；「貌合神離(外表情投意合而實際各有打算)」。

貍 (li) 粵lei⁴〔離〕❶動物名，形體像狐而比較小，尖嘴，四肢細短，尾毛長而蓬鬆。穴居近村野地，夜裏出來尋食。俗稱「野貓」。❷通「狸」，見427頁。

貓(猫) (māo) 粵mau¹〔魔敲切〕獸名，臉圓齒銳，腳底有厚肉團，走路沒有聲音，很會捉老鼠，是很得寵

的家畜。

貒 (tuān)粵tœn¹〔他荀切〕動物名，形狀像豬，嘴比較尖，前肢有銳爪，毛黃褐色。即是「豬貛」。

猰 図(yà)粵dzat⁸〔扎〕「猰㺄」：古代傳說中的一種猛獸，有像虎樣的利爪，吃人，跑得快。

㺄 図(yǔ)粵jy⁵〔雨〕「猰㺄」：見本頁「猰」字。

貔 (pí)粵pei⁴〔皮〕「貔貅」：①豹類猛獸。②比喻勇猛的軍隊。

獏 (mò)粵mɔk⁹〔莫〕❶奇蹄類哺乳動物，像豬，背灰白色，頭、肩、腹、四肢都是黑色，皮厚，尾短，鼻子長而突出。產於馬來、爪哇、南美等地。❷古代傳說中的一種像熊的野獸。爾雅說是「白豹」。

貙 (chū)粵kœy¹〔驅〕獸名，有狗那麼大，毛像狸。

貛 (獾、貆)(huān)粵fun¹〔歡〕野獸名，像野豬，毛長，能扒土，尾根有袋，能放臭氣，肉可吃，毛可製筆，有「豬貛」、「狗貛」、「狠貛」等種。

【貝部】

貝 (bèi)粵bui³〔輩〕❶軟體動物腹足、瓣腮兩類，統稱貝類。❷古代用貝殼所做貨幣。如「貝幣」；「貨貝」。❸姓。❹「貝雕」：用有色貝殼雕刻或鑲嵌而成的工藝品，種類很多，是中國的一種傳統技藝。

二至三畫

負(負)(fù)粵fu⁶〔付〕❶敗，輸。如「勝負」。❷擔任。如「擔負」。❸欠債。如「負債」。❹仗恃。如「負嵎頑抗」。❺背棄。如「忘恩負義」。❻遭受。如「負傷」；「負屈含冤」。❼具有。如「負有名望」；「素負盛名」。❽跟「正」相反。如「負號」；「正數和負數」。❾図「負負」：表示很慚愧的辭。後漢書有「負負，無可言者」。

貞 (zhēn，舊讀zhēng)粵dziŋ¹〔晶〕❶中國禮教中的一種道德觀念，指女子不失身，不改嫁。如「貞女」；「貞節」。❷立志堅定。如「忠貞」；「堅貞」。❸図卜卦。如「貞卦」。【則】見刀部，54頁。

貢 (gòng)粵guŋ³〔加控切〕❶夏朝田賦名稱。孟子書有「夏后氏五十而貢」。❷古代把物品進獻給君主。如「進貢」;「貢品」。❸姓。❹「貢獻」:提供自己的財力、勞力、智慧等給別人。

財 (cái)粵tsɔi⁴〔才〕❶錢幣貨物的總稱。如「財產」;「理財」。❷囝通「纔」,僅僅。漢書張騫傳有「餘財三千人到康居」。❸囝通「才」,才能,才識。孟子書有「有達財者」。

貤 (yí)粵ji⁴〔移〕❶重複。❷轉移。如「貤封」;「貤贈」。

【員】見口部,90頁。

四畫

貧 (pín)粵pɐn⁴〔頻〕❶收入少生活艱苦,跟「富」相反。如「貧民」;「貧困」。❷不足。如「貧血」;「貧乏」。❸繁複可厭。如「貧嘴賤舌(話多而刻薄)」。

販 (fàn)粵fan³〔泛〕fan²〔反〕(又)❶成批買進貨物,零星賣出,或從甲地買貨,運到乙地出售,賺取利潤。如「販賣」。❷指零售的商人。如「菜販」;「攤販」。

貪 (tān)粵tam¹〔他衫切〕❶求多,不知足。如「貪財」;

「貪多嚼不爛」。❷凡事不知休止,沒有個夠。如「貪杯」;「貪玩」。❸「貪污」:利用職務上的便利,非法取得財物的行為。

貫 (guàn)粵gun³〔灌〕❶連接不斷。如「聯貫」;「魚貫而入」。❷穿過。如「貫穿」;「貫通」。❸世居名籍。如「籍貫」。❹舊時穿錢的繩子。❺舊時把有孔的錢幣用繩子穿起來,每一千個為一貫。如「家財萬貫」。❻囝舊的辦事方法。論語有「仍舊貫(按舊方法、舊制度辦事)」。❼姓。

貨 (huò)粵fɔ³〔課〕❶商品的通稱。如「貨品」;「國貨」。❷錢幣。如「通貨」;「貨幣」。❸罵人的話。如「笨貨」;「賤貨」。❹囝賄賂。孟子書有「無處而餽之,是貨之也」。❺「貨郎」:搖搖小鼓賣針線化裝品等的小商販。

責 ▲(zé)粵dzak⁸〔窄〕❶在分內必須做的。如「盡責」;「負責」。❷詰問。如「責問」。❸要別人做到。如「責成」。❹指摘別人的過錯。如「責備」。❺處罰。如「責罰」。❻職分。如「職責」。❼囝鞭打。如「杖責」;「笞責」。❽「責難」:①囝(——nán)期望別人做到難

能的事。孟子書有「責難於君謂之恭」。②（——nàn）責備。

▲（zhài）⊜dzai³〔債〕古「債」字，見34頁。

【敗】見攴部，277頁。

五畫

貶（biǎn）⊜bin²〔扁〕❶減少。如「貶值」；「貶價」。❷官員被降級。如「貶謫」。❸給予不好的評價。如「貶低」。❹「貶詞」：含貶斥意義的詞，跟「褒詞」相反。如「勾當」、「無理取鬧」等。

買（mǎi）⊜mai⁵〔麻蟹切〕❶用貨幣換進物品，跟「賣」相反。如「買書」；「買米」。❷用金錢或其他手段取得自己所需要的東西。如「買名」；「買服人心」。❸「買賣」：生意，商業。如「做買賣」。

貿（mào）⊜mɐu⁶〔茂〕❶買賣，交易。如「貿易」。❷輕率、冒失。如「貿然參加」。❸「貿貿」：眼睛不明的樣子。

費▲（fèi）⊜fɐi³〔廢〕❶資用，款項。如「經費」；「費用」。❷用得過多而不合理。如「浪費」；「這樣做太費錢啊」。❸必有的損耗。如「消費」；「費時」。❹姓。❺「費解」：難解

釋；難了解。

▲（fèi，舊讀bì）⊜bei³〔臂〕古地名，在現在山東省費縣。

貸（dài）⊜tai³〔太〕❶借出或借入的通稱。如「貸款」；「信貸」。❷商業簿記上指支出。如「貸方」。❸寬恕。如「嚴究不貸」。❹推卸。如「責無旁貸」。

貼（tiē）⊜tip⁸〔帖〕❶粘。如「粘貼」；「貼廣告」。❷補不足。如「貼補」；「津貼」。❸妥當。如「妥貼」。❹切近。如「貼近」；「貼身」。

貴（guì）⊜gwɐi³〔桂〕❶地位高。如「貴賓」；「貴族」。❷價錢高。如「昂貴」；「價錢貴」。❸難得，有價值。如「人貴能自強」。❹受重視。如「難能可貴」。❺對人的敬稱。如「貴姓」；「貴處」。❻姓。

貺図（kuàng）⊜fɔŋ³〔放〕❶敬稱別人把東西賜給自己。如「辱蒙厚貺」。❷姓。

賀（hè）⊜ho⁶〔夏餓切〕❶慶祝人家的喜事。如「賀禮」；「賀喜」。❷祝頌。如「祝賀」。❸姓。

貯図（zhù）⊜tsy⁵〔柱〕儲存。如「貯藏」。

貰図（shì）⊜sɐi³〔世〕❶出租或出借器物。❷賒。如「貰

酒」。❸赦罪。如「貰赦」。

貲 [文](zī)[粵]dzi^1〔之〕❶計量。如「不可貲計」。❷「不貲」：錢財的數量很多，不可計量。如「所費不貲」。❸同「資」，錢財。見本頁。

貳 (èr)[粵]ji^6〔異〕❶「二」字的大寫。❷[文]副的。如「貳車」。❸[文]疑。如「任賢勿貳」。❹[文]背離，別異。如「攜貳」；「貳心」。❺姓。❻[文]「貳臣」：指稱仕二姓之臣。

貽 [文](yí)[粵]ji^4〔移〕❶贈送。詩經有「貽我彤管」。❷留傳。如「貽笑大方(留給認識的人嗤笑)」。

六至七畫

賁 ▲[文](bì)[粵]bei^3〔秘〕❶文飾，裝飾得很好。❷「賁臨」：客套語，形容客人光臨。

▲(bēn)[粵]bɐn^1〔奔〕❶姓。❷「虎賁」：古指勇士。

▲(fén)[粵]fɐn^4〔焚〕大。書經有「用宏玆賁」。

賃 (lìn)[粵]jɐm^6〔任〕❶租。如「租賃」；「賃金」。❷[文]傭工。如「賃舂(受雇替人舂米)」；「賃書(受雇替人繕寫)」。

賂 [文](lù)[粵]lou^6〔路〕❶以財物請託他人。如「賄賂」。❷財貨。左傳有「以王命，取賂而還」。

賅 (gāi)[粵]gɔi^1〔該〕豐富，完備。如「賅備」；「言簡意賅」。

賄 [文](huì)[粵]kui^2〔繪〕❶財貨。如「貪贓受賄」。❷送人財物企圖有所請託。如「賄賂」；「行賄」。

賈 ▲(jiǎ)[粵]ga^2〔假〕姓。

▲[文](gǔ)[粵]gu^2〔古〕❶做生意的人。如「行商坐賈」。❷賣出。如「賈其餘勇」。❸招致。如「賈禍」；「賈怨」。

▲[文]同「價」，見36頁。

資 (zī)[粵]dzi^1〔之〕❶財貨的總稱。如「資源」；「資產」。❷天賦的智慧。如「天資」；「資質」。❸費用，錢。如「車資」；「郵資」。❹經歷，身分。如「年資」；「資格」。❺供給。如「可資參考」。❻材料。如「資料」。❼姓。❽資本家的簡稱。如「資方」。

賊 (zéi)[粵]tsak^8〔拆〕❶[文]作亂造反的人。如「賊寇」；「國賊」。❷强盜、小偷的通稱。如「盜賊」。❸[文]傷害。如「戕賊」。❹[文]罵人的話。如「亂臣賊子」。❺邪的，不正派的。

如「賊目」;「賊頭賊腦」。

賓(賓) (bīn)⑧ben¹〔奔〕❶客人。如「賓客」;「賓至如歸」。❷図服從。如「賓從」。❸図以賓客的禮節相待。如「相賓」;「賓禮」。❹姓。

賕 図(qiú)⑧keu⁴〔求〕賄賂。如「受賕枉法」。

賑 図(zhèn)⑧dzen³〔振〕❶富。❷救濟。如「賑災」;「賑濟」。

賒 (shē)⑧se¹〔些〕❶買東西暫時不給錢。如「賒欠」;「賒帳」。❷図遠。王勃詩有「江山蜀道賒」。❸図通「奢」,浪費。後漢書有「戒在窮賒」。

八畫

賠 (péi)⑧pui⁴〔培〕❶償還損失。如「賠償」;「賠他一塊玻璃」。❷虧損。如「賠本」;「五千元都賠光了」。❸認錯道歉。如「賠禮」;「賠罪」;「賠不是」。

賣 (mài)⑧mai⁶〔邁〕❶拿東西換錢,跟「買」相反。如「賣水果」。❷衒耀本事。如「賣弄」;「賣乖」。❸害人利己。如「賣友求榮」。❹做事努力。如「賣力」;「賣勁」。

賦 (fù)⑧fu³〔富〕❶國民向國家繳納的稅。如「田賦」。❷天資。如「天賦」;「稟賦」。❸図授給。如「賦予全權」。❹作詩,誦詩。如「賦詩」。❺古文體之一。如「駢賦」;「赤壁賦」。❻詩經六義(賦、比、興、風、雅、頌)之一。❼図「賦閒」:比喻失業。晉潘岳有「閒居賦」。❽図「賦歸」:回去,回家。晉陶潛寫的「歸去來辭」便屬賦體。

賚 図(lài)⑧loi⁶〔睞〕賜予。

賡 図(gēng)⑧geng¹〔庚〕❶「繼續」。如「賡續」。❷「賡酬」:作詩互相贈答。

賤 (jiàn)⑧dzin⁶〔自現切〕❶物價或價值不高。如「賤賣」;「穀賤傷農」。❷地位低下。如「低賤」;「卑賤」。❸罵人自失身分的話。如「賤貨」;「賤骨頭」。❹図輕視。如「賤視」;「人皆賤之」。❺図自謙的詞。如「賤內(對人謙稱自己的妻子)」;「賤恙(謙稱自己的病)」。

賢(賢) ▲(xián)⑧jin⁴〔言〕❶能幹有德的人。如「賢能」;「聖賢」。❷善良。如「賢達」;「賢良」。❸對人的敬稱。如「賢弟」;「賢伉儷」。

❹姓。

▲図(xiàn)粵jin⁶〔現〕車轂所穿的大孔。

質▲(zhi)粵dzet⁷〔支壹切〕❶指物類的本體。如「流質」；「金質」。❷天性。如「氣質」；「本質」。❸樸實。如「質樸」；「質言」。❹詢問。如「質問」；「質詢」。❺「質子」：原子核內帶有正電的粒子。

▲図(zhì)粵dzi³〔置〕❶抵押。如「典質」。❷作為抵押的人或東西。如「人質」。

賙(zhōu)粵dzeu¹〔周〕「賙濟」也作「周濟」：救濟。

賬(zhèn)粵dzen³〔振〕❶錢銀財物出入的記載。如「記賬」；「賬目」。❷賒欠商店的貨款。如「欠賬」；「不認賬(也引作比喻不承認自己所做的事)」。

睛(qíng)粵tsin⁴〔情〕承受財物。如「睛受」。

賞(shǎng)粵sœŋ²〔想〕❶獎勵有功。如「賞罰分明」。❷讚美。如「讚賞」；「歎賞」。❸玩味，領會事物的美。如「欣賞」；「賞月」。❹敬稱別人加惠於自己的詞。如「賞光」；「賞臉」。❺姓。❻「賞心」：心情歡暢。❼「賞識」：見到人的才能或事物的優點而能加以欣賞。

賜(cì)粵tsi³〔次〕❶上給下，長輩給晚輩。如「賞賜」。❷恩惠。論語有「民到于今受其賜」。❸謙詞，用來語人家對自己所做的事。如「賜教」；「賜示」。

【賛】同「贊」，見702頁。
【贗】同「贗」，見880頁。

九至十一畫

賭(賭)(dǔ)粵dou²〔倒〕❶以財物計勝負的遊戲。如「賭博」。❷以預料來爭勝負。如「打賭」。❸負氣，意氣用事。如「賭氣」。❹「賭呪」：發誓。

賵図(fèng)粵fuŋ³〔諷〕贈財物幫助人辦喪事。所贈的車馬叫賵；貨財叫賻。

賴(lài)粵lai⁶〔籟〕❶依靠，憑藉。如「依賴」；「仰賴」。❷不承認自己作的約定。如「賴債」；「賴皮」。❸誣指人家做壞事。如「誣賴」；「大家都賴他偷東西」。❹怪罪，責備。如「學習成績不好，只能賴自己不努力」。❺姓。

賻図(fù)粵fu⁶〔付〕送財物幫助喪家辦理喪事。如「賻儀」。

購 (gòu) 粵 geu³〔究〕keu³〔扣〕(又) ❶買。如「購買」。❷図懸賞徵求。史記有「吾聞漢購我頭千金」。

賺 ▲(zhuàn) 粵 dzan⁶〔撰〕獲利。如「賺錢」。
▲(zuàn) 粵 dzan⁶〔撰〕陷害，詐騙。如「被賺」。

賽 (sài) 粵 tsoi³〔菜〕❶比較出優劣勝負。如「比賽」；「賽球」。❷勝過，超越。如「姊妹三人長得一個賽一個」。❸像，比得過。如「賽西施」；「蘿蔔賽梨」。❹迎祭神靈。如「迎神賽會」。❺姓。❻「賽璐珞」：英文 celluloid 的音譯。一種用樟腦、棉纖維、硫酸、硝酸等合成的化學製品，也叫假象牙，可做用具、玩具。
【賸】同「剩」，見56頁。
【賣】同「齎」，見880頁。

贄 図(zhì) 粵 dzi³〔至〕古代初次求見人時所送的禮物。如「贄見」；「贄儀」。

贅 (zhuì) 粵 dzœy⁶〔綴〕❶追逐，跟隨。如「這孩子總贅着我」。❷麻煩，多餘的。如「累贅」；「贅言」。❸用身體或實物換取金錢。如「贅子」。❹男子結婚後住在女家。如「入贅」；「贅婿」。

賾 図(zé) 粵 dzak⁸〔責〕深奧。如「探賾索隱」。

十二至十七畫

贇 (yūn) 粵 wɐn¹〔溫〕美好。常用於人名。

贊(贊) (zàn) 粵 dzan³〔讚〕❶幫助。如「贊助」。❷稱美，誇獎。也作「讚」。如「贊美」；「贊揚」。❸文體的一種。如「像贊」；「傳贊」。❹「贊禮」：行禮宣唱節目。❺「贊禮生」：宣唱的人。現在稱「司儀」。

贈 (zèng) 粵 dzeŋ⁶〔飯〕❶把東西送人。如「他贈我一本書」。❷國家給死去的有功的人跟他的尊長的一種榮譽稱號。如「追贈」。

贋(贗) 図(yàn) 粵 ŋan⁶〔雁〕an⁶〔晏低去〕(俗)僞造的物品。如「贋本」；「贋品」。

贍 図(shàn) 粵 sin⁶〔善〕❶供給生活費用。如「贍養家屬」。❷足夠。孟子書有「力不贍也」。❸豐富。後漢書有「文贍而事詳」。❹姓。

贔 図(bì) 粵 bei⁶〔避〕「贔屭」：相傳是龜類動物，也有說是龍所生的九子之一，能負重。常見的石碑下面的趺石，多是刻成贔屭的形狀，是取其力大

能負重之意。

贏 (ying)㊁jin⁴〔仍〕❶經商有盈利，有餘。如「贏利」；「贏餘」。❷勝，跟「輸」相反。如「輸贏」；「贏了這場球」。

贐 図(jin)㊁dzœn²〔凖〕送給遠行的人的財物。如「贐儀」。

【贇】同「贇」，見本頁。

【齎】見齊部，880頁。

贓 (zang)㊁dzɔŋ¹〔莊〕❶官吏受賄。如「貪贓」。❷竊盜所得的財物。如「贓物」；「賊贓」。

贖 (shú)㊁suk⁹〔熟〕❶拿錢把抵押品換回來。如「贖身」；「贖當」。❷繳納財物來抵銷罪過或免除刑罰。如「贖罪」。❸買。水滸傳有「自去贖一貼藥來」。

【贒】同「賢」，見700頁。

贛(贛) (gàn)㊁gɐm³〔禁〕❶江西省的別稱。❷「贛江」：水名，在江西省，流入鄱陽湖。

【赤部】

赤 (chì)㊁tsɛk⁸〔尺〕❶紅色。❷空無所有。如「赤貧」；「赤手」。❸裸露。如「赤腳」；「赤身」。❹熱烈，忠誠。如「赤誠」；「赤膽忠心」。❺赤金的簡稱。如「足赤」。❻図誅滅。如「不知一跌將赤吾之族也」。❼「赤子」：①初生的嬰兒。如「赤子之心(比喻純潔仁愛的天性)」。②図人民。❽「赤字」：支出超過收入的額數。

四至十畫

赦 (shè)㊁sɛ³〔舍〕❶饒恕罪犯，把刑罰免除。如「赦免」；「赦罪」。❷姓。

赧 図(nǎn)㊁nan⁵〔拿晚切〕lan⁵〔懶〕(俗)因為羞慚而臉紅。如「赧顏」。

赩 図(xì)㊁sik⁷〔色〕大紅色。

赫 図(hè)㊁hak⁷〔哈握切〕❶火紅的樣子。詩經有「赫如渥赭」。❷顯明盛大的樣子。如「顯赫」。❸生氣，發怒。詩經有「王赫斯怒」。❹図「赫然」：①發怒的樣子。②可驚可怕的。如「打開箱子，赫然是一

大堆珠寶」。❺図「赫赫」：①顯耀盛大的樣子。如「無赫赫之功」。②燥熱的樣子。詩經有「赫赫炎炎」。

裎 図 (chēng) ⑧ tsiŋ¹〔青〕同「赬」，見本頁。

赭 (zhě) ⑧ dzɛ²〔者〕❶赤土。❷赤色。❸燒光。史記有「伐湘山樹，赭其山」。

赬（赬） 図 (chēng) ⑧ tsiŋ¹〔青〕赤色。如「赬面長鬚」。

糖 (táng) ⑧ toŋ⁴〔唐〕❶図紅色。❷人的臉呈紫色。如「紫糖臉兒」。

【走部】

走 (zǒu) ⑧ dzɐu²〔酒〕❶步行。如「走路」；「小孩會走了」。❷奔逃。如「逃走」；「敗走」。❸往，去。如「走投無路」。❹泄漏。如「走漏消息」；「不小心說話走了嘴」。❺親友之間彼此常往來。如「他常往丈母娘家走」；「兩家已走得好親熱了」。❻味道或形態的失去或改變。如「走味」；「走樣」。❼下棋行子。如「走一步棋」。❽離開。如「火車開走了」。❾「走狗」：跟獵人四處打獵的狗。引伸作受人豢養而幫助作惡的人。

二至三畫

赴 (fù) ⑧ fu⁶〔付〕❶前往。如「赴會」。❷投。如「赴湯蹈火(比喻為了完成任務，不避危險)」。❸參加。如「挺身赴戰」。❹図報喪。如「赴告(訃告)」。

赳 図 (jiū) ⑧ gɐu²〔久〕dɐu²〔斗〕(俗)「赳赳」：勇武的樣子。詩經有「赳赳武夫」。

起 (qǐ) ⑧ hei²〔喜〕❶早晨離牀。如「起牀」；「早睡早起」。❷病愈。如「一病不起」

「他的病有了起色」。❸站立或從坐姿改爲立姿。如「起立」；「拂袖而起」。❹創立，興建。如「白手起家」；「平地起高樓」。❺開始。如「起初」；「從今天起」。❻發生，生出。如「起了疑心」；「頭上起了個包」。❼提取。如「起貨」；「起贓」。❽挖掘。如「把埋藏的東西起出來」。❾發動，提倡。如「起義」；「發起」。❿擬定。如「起個外號」；「起個大綱」。⓫自從。如「起這兒剪下去」；「起小兒就很認眞」。⓬抬高或上升。如「舉起」；「一起一落」。⓭放在動詞的後面：①表示動作的趨向。如「拿起筷子」；「說起這件事來」。②表示負擔，勝任。如「買不起」；「經得起考驗」。③表示夠格。如「看不起」；「瞧得起」。⓮「一起」：①羣，批。如「一起人走了」。②一塊兒。如「一起工作」。

五至六畫

趄▲囡(jū)粵dzœy¹〔追〕「趑趄」：見本頁「趑」字。

▲(qiè)粵tsɛ³〔雌借切〕「趔趄」：見本頁「趔」字。

超(chāo)粵tsiu¹〔昭〕❶跳過。如「超越」；「挾太山以超北海」。❷高出，多出來。如「入超」；「超速」。❸特出的。如「超人」。❹「超度」：佛教說救度死者脫離苦難。❺囡「超脫」：生性灑脫，不受世事所拘束。❻「超然」：沒有利害關係，因而比較公平客觀。

趁(趂)(chèn)粵tsen³〔襯〕❶順應機會把握時間去做。如「趁勢」；「趁早」。❷搭乘車船。如「趁車」；「趁船」。❸「趁心」也作「稱心」：遂了心願。

越(yuè)粵jyt⁹〔月〕❶通過。如「跨越」；「越界」。❷出了範圍。如「越軌」；「越俎代庖」。❸更加。如「越發」；「越大越懂事」。❹囡墜，跌(失敗，做錯事)。如「時恐隕越」。❺春秋時國名，其他包括現在江蘇、江浙兩省跟山東的一部分。❻浙江省的別稱。❼單指紹興一帶。如「越劇(紹興戲)」。❽姓。

趑(趦)囡(zī)粵dzi¹〔之〕「趑趄」：猶豫不敢前進的樣子。

趔(liè)粵lit⁹〔列〕「趔趄」：立腳不穩，腳步跟蹌的樣子。

【趍】同「趨」，見706頁。

七至十九畫

趕 (gǎn)粵gɔn²〔稈〕❶從後面追上去。如「追趕」;「迎頭趕上」。❷驅逐。如「趕走他們」;「把敵人趕出去」。❸跟在後面催促。如「趕羊」;「趕鴨子」。❹急忙地走。如「趕路」;「趕着去開會」。❺趁。紅樓夢第三回有「你們趕早打掃兩間屋子」。❻從速。如「趕快」;「趕夜工」。❼恰巧碰上。如「修房子偏趕上颳颱風」。

趙 (zhào)粵dziu⁶〔召〕❶囡指以物還人。如「奉趙」。❷古國名:①戰國的趙國,在現在河北南部跟山西西北部一帶。②東晉時劉曜在長安稱帝,史稱前趙。③東晉石勒滅前趙建立後趙。❸姓。

趟 (tàng)粵tɔŋ³〔燙〕次,回。如「請你再走一趟」;「他來過幾趟了」。

趣 ▲ (qù)粵tsœy³〔脆〕❶意味,興味。如「趣味」;「興趣」。❷走得很快。詩經有「左右趣之」。

▲囡同「促」,見28頁。
【趍】同「趨」,見705頁。

趨 (趍) ▲ (qū)粵tsœy¹〔吹〕❶傾向。如「趨向」;「趨勢」。❷囡趕着上前。如「趨前拜謁」;「趨而迎之」。

▲囡同「促」,見28頁。

趫 囡 (qiáo)粵kiu⁴〔喬〕❶形容人的善於攀緣升高、迅速奔跑。如「輕趫」;「趫捷若飛」。❷矯健。如「趫捷過人」。

趮 囡 (zào)粵tsou³〔燥〕同「躁」,見714頁。

趯 ▲囡同「躍」,見714頁。
▲ (tì)粵tik⁷〔惕〕書法稱筆鋒向上挑。如「乚」。

趲 (zǎn)粵dzan²〔盞〕❶走。❷催促,趕。如「趲馬向前」。

【足部】

足 ▲(zú)⑧dzuk⁷〔竹〕❶動物的下肢。一般指踝子骨以下的部位。❷器物的下部。如「鼎有三足」。❸夠，不缺欠。如「充足」；「知足」。❹多、滿、達到願望。如「富足」；「心滿意足」。❺達於極度的意思。如「玩足一天」；「至足樂也」。❻可以，堪。如「足以自豪」；「足供參考」。❼図值得。如「何足掛齒」；「微不足道」；「無足觀也」。❽「足下」：敬辭，對朋友的敬稱，常用於書信的開頭。跟「閣下」類同。

▲図(jù)⑧dzœy³〔最〕過，太甚。論語有「巧言令色，足恭（過份的恭順，以取媚於人）」。

二至五畫

趴 (pā)⑧pa¹〔扒高平〕❶胸腹朝下臥倒。如「趴在地上」。❷身體向前靠。如「趴在桌子上寫字」。

趵 図(bào)⑧pau³〔豹〕❶跳躍。❷「趵突泉」：在山東省濟南市，泉水從地下湧出，像是跳躍。

跗 (fū)⑧fu¹〔夫〕❶腳背。❷「跗坐」：盤腿打坐。參見708頁「跏趺」。

跀 (yuè)⑧jyt⁹〔月〕古代把腳砍掉的一種酷刑。

跂 ▲(qí)⑧kei⁴〔其〕❶多生出的腳趾頭。❷「跂跂」：蟲子蠕動爬行的樣子。

▲(qǐ)⑧kei⁵〔企〕通「企」。舉起腳後跟，踮起腳尖往前望。史記有「日夜跂而望歸」。

趾 (zhǐ)⑧dzi²〔止〕❶腳指頭。如「足趾」；「趾骨」。❷図踪跡。晉皇甫謐的高士傳有「仰頌逸民，庶追芳趾」。❸通「址」，見113頁。

趿 ▲図(sà)⑧sap⁸〔霎〕伸出腳去攝取。杜甫詩有「欲向何門趿珠履」。

▲(tā)⑧tat⁸〔撻〕「趿拉」：穿鞋只套上腳尖，拖着走。如「趿拉着鞋」。

【趼】同「跰」，見709頁。

跋 図(bá)⑧bet⁹〔拔〕❶翻山越嶺。❷寫在著作或字畫後面的一種短文。❸「跋涉」：在草間走叫跋；渡水叫涉。形容旅途的艱難。❹「跋扈」：形容人的態度傲慢，舉動強橫。

跛 ▲(bǒ)⑧bei¹〔巴梯切〕腳有毛病，走路身體不平衡。如「跛足」；「一顛一跛」。

▲図（bì）粵bei³〔臂〕偏，不正。禮記有「立毋跛」。

跑 ▲（pǎo）粵pau²〔鋪考切〕❶大步向前快走。如「賽跑」；「跑步」。❷逃走。如「逃跑」；「小偷跑了」。❸到。如「你們都跑來了」。❹為事情奔忙。如「跑新聞」；「跑單幫」。❺漏。如「跑電」；「跑油」。

▲（páo）粵pau⁴〔刨〕走獸用腳扒土。

跗 図（fū）粵fu¹〔夫〕❶腳背。❷花萼的房。

跌 （diē）粵dit⁸〔打歇切〕❶摔倒。如「跌了一跤」。❷物價下降。如「跌價」。❸図差失。如「差跌」。❹図「跌蕩」也作「跌宕」：①放縱不照規矩。②形容古文音節抑揚頓挫。韓愈的詩有「節奏頗跌蕩」。

跎 図（tuó）粵to⁴〔駝〕「蹉跎」：見712頁「蹉」字。

跅 図（tuò）粵tɔk⁸〔托〕「跅弛」：放蕩，不檢束自己的行為。

跏 図（jiā）粵ga¹〔加〕「跏趺」：佛教的盤腿坐法。

距 （jù）粵kœy⁵〔拒〕❶雞爪。❷公雞腳後像趾的突出部分。❸相隔相離，表示空間或時間的相違或心意的不相同。如「距今六十年」；「他們兩人的意見有距離」。❹通「拒」，見245頁。

跖 （zhí）粵dzɛk⁸〔隻〕❶腳掌。❷「盜跖」：古時大強盜的名字。

跚 図（shān）粵san¹〔山〕「蹣跚」：跛行的樣子。

跐 ▲（cǐ）粵tsi²〔始〕踐踏。紅樓夢有「跐着那角門的門檻子」。

▲同「踩」，見711頁。

▲（cī）粵tsi¹〔雌〕腳踩滑了。如「腳一跐，落下水去了」。

六至七畫

踩（踩） （duò）粵dɔ²〔躱〕頓足，拿腳連續踏地。如「踩腳」。

跳 ▲（tiào）粵tiu³〔眺〕❶兩腳離地使全身向上或向前的動作。如「跳高」；「跳遠」。❷一起一伏的運動。如「心跳」。

▲図（táo）粵tou⁴〔陶〕通「逃」。史記有「漢王跳」。見728頁。

路 （lù）粵lou⁶〔露〕❶人車行走的地方。如「公路」；「鐵路」。❷運輸線道。如「陸路」；「水路」。❸做事的方法。如「門路」；「路子」。❹比喻徑、方向。如「正路」；「邪

路」。❺條理。如「思路」;「理路」。❻方面。如「四路進攻」。❼種類。如「哪一路的貨色」;「他們是一路的人」。❽宋元兩代的行政區域,有如現在的省份。❾姓。

跟 囻(gēn)粵gen¹〔巾〕❶踵,腳的後部。如「腳後跟」。❷鞋襪後部裹住腳跟的部分。如「高跟鞋」;「換過鞋跟」。❸在後面追隨。如「跟從」;「跟踪」。❹從,隨侍。如「跟班」;「跟師傅學手藝」。❺和,與,同,及。如「他跟我是好朋友」;「張先生跟李老師到了」。❻比並,趕。如「跟不上時代」;「他的數學跟不上」。❼對,向。如「我跟他說了」。

跪 囻(guì)粵gwei⁶〔櫃〕兩膝着地直着腰股。如「跪拜」。

跨 囻(kuà)粵 kwa³〔胯〕kwa¹〔誇〕(俗)❶抬起一條腿向前或旁移動。如「跨着大步」。❷騎。如「跨馬」。❸用臂彎鈎着提。如「跨着菜籃子上菜場」。❹佩着,在腰上掛着。如「跨刀」。❺兼。如「他在別處還跨着一份兒差事」。❻附在旁邊。如「旁邊又跨着一行小字」。❼超越時間或地區之間的界限。如「跨年度」;「橫跨兩省」。❽同「胯」,見575頁。

跬 囻(kuǐ)粵kwei²〔誇矮切〕❶古時稱行人舉足向前踏一次為「跬」,舉足再踏第二次為「步」。❷「跬步」也作「蹞步」:半步。

跲 囻(jiá)粵gap⁸〔甲〕❶躓,跌倒。❷滯礙不暢。中庸有「言前定則不跲」。

跤 囻(jiāo)粵gau¹〔交〕❶小腿。❷跌倒。如「跌了一跤」。❸「摔跤」:二人角力的遊戲,以摔倒對方為勝。

胼(胼) (jiǎn)粵gin²〔加演切〕手腳因過度摩擦所生的厚皮。

跫 囻(qióng)粵kuŋ⁴〔窮〕腳步聲。

跣 囻(xiǎn)粵sin²〔冼〕光腳。

跦 囻(zhū)粵dzy¹〔朱〕「跦跦」:跳着走的樣子。左傳有「鸇鴿跦跦」。

跩 (zhuǎi)粵jei⁶〔移毅切〕鴨子走路時搖擺的樣子。如「一個胖子走路一跩一跩的」。

跐 (cǎi)粵tsai²〔雌解切〕❶囻「跐緝」:追捕盜匪。❷同「踩」,見711頁。

【跡】同「迹」,見728頁。

跟 ▲囻(liáng)粵lœŋ⁴〔良〕腳亂動的樣子。如「跳踉」。
▲(liàng)粵lœŋ⁶〔亮〕「踉

踚」也作「跟躃」：腳步亂，走起來搖搖晃晃的樣子。

跽 図(jì)粵gei⁶〔忌〕長跪。

跼 (jú)粵guk⁹〔局〕❶彎曲。❷不能舒伸（包括地方小，坐立不安）。如「跼蹐」；「跼天蹐地」。❸「跼促」同「侷促」、「局促」：①地方狹隘。如「居處跼促」。②指器量狹小。如「心胸跼促」。③匆促。杜甫詩有「告歸常侷促」。④不安適的樣子。如「侷（跼）促不安」。❹「跼躅」：走走停停的樣子。

趌 ▲(chì)粵tsi³〔次〕一隻腳走。
▲(xué)粵dzit⁸〔折〕往來盤旋的意思。水滸傳有「這西門慶又在門前兩頭來往趌」。

踊 図(yǒng)粵jun²〔湧〕❶跳。❷升。如「踊貴（物價上漲）」。❸斷足者所穿的麻鞋。

【踁】同「脛」，見576頁。

八畫

踏 (tà)粵dap⁹〔鰈〕❶腳着地。❷用腳踩東西。❸實地勘驗。如「踏看」；「踏勘」。❹步行。如「踏月」；「踏青」；「踏雪尋梅」。

踢 (tī)粵tek⁸〔他隻切〕❶用腳觸動東西。如「踢球」；「踢毽子」。❷「踢達」：腳步聲。

踝 (huái)粵wa⁵〔華低上〕❶腳上兩旁凸起的骨。如「踝子骨」。❷腳跟。

踣 図(bó)粵bak⁹〔白〕❶仆倒。呂氏春秋有「將欲踣之，必高舉之」。❷滅亡。左傳有「踣其國家」。

踮 (diǎn)粵dim³〔店〕提起腳跟，用腳尖着地。如「踮着腳向前看」。

踖 図(jí)粵dzik⁷〔即〕❶踐踏。禮記曲禮有「毋踖席」。❷「踖踖」：①恭敬的樣子。②慚愧的樣子。③敏捷。

踦 ▲図(jǐ)粵gei²〔己〕小腿。爾雅釋蟲有「蠨蛸，長踦」。
▲(yǐ)粵ji²〔倚〕刺，觸。莊子書上有「膝之所踦」。
▲(qī)粵kei¹〔崎〕❶一隻腳。❷運氣不好。

踐 (jiàn)粵tsin⁵〔池免切〕❶用腳踏地。如「踐踏」。❷實行。如「實踐」；「踐履」。❸図至，到。如「重踐其地」。❹「踐約」：履行預先約定的事。

踘 図(jū)粵guk⁷〔谷〕古人用熟皮做外殼的毬（球）。

踞 図(jù)粵gœy³〔句〕❶蹲着。❷坐在上面。如「龍蟠虎踞」。

踥 图(qiè)粵tsip⁸〔妾〕❶「踥蹀」：走路的樣子。❷「踥蹀」：往來的樣子。

踡 图(quán)粵kyn⁴〔拳〕「踡跼」：局促不能伸展的樣子。

踔 图(chuō)粵tsœk⁸〔卓〕❶超越。❷高遠。如「踔絕」；「踔遠」。

踟 图(chí)粵tsi⁴〔池〕「踟躕」：①徘徊的樣子。②相連的樣子。

踩(跴) 图(cǎi)粵tsai²〔雌解切〕用腳在上面踏。如「踩了一腳泥」。

踧 图(cù)粵tsuk⁷〔促〕❶「踧踖」：恭敬不安的樣子。❷通「蹙」，見713頁。

踠 图(wǎn)粵jyn²〔宛〕曲腳。後漢書有「馬踠餘足」。

【踪】同「蹤」，見713頁。

九畫

蹁 图(pián)粵pin⁴〔駢〕❶走路腳不正的樣子。❷「蹁躚」：①兜圈子走路。②舞蹈的動作。如「蹁躚起舞」。

踶 图▲(dì)粵dei⁶〔弟〕踏，踢。
▲(zhī)粵tsi²〔始〕「踶跂」：用心為義的樣子。

蹀 图(dié)粵dip⁹〔蝶〕❶舞蹈。❷「蹀蹀」：小步走路的樣子。❸「蹀躞」也作「躞蹀」：①馬進行的樣子。②慢慢走路的樣子。

踱 (duó)粵dɔk⁹〔鐸〕緩步走路。如「踱方步」；「一個人在屋子裏踱來踱去」。

蹄(蹏) (tí)粵tei⁴〔提〕❶獸類動物趾端有角質的保護物。如「豬蹄」；「馬蹄」。❷「蹄筌」：漁獵的用具。後引伸作比喻事情的迹象。

踽 图(jǔ)粵gœy²〔舉〕❶「踽踽」：獨行的樣子。❷「踽僂」：曲背。

踵 图(zhǒng)粵duŋ²〔董〕❶腳後跟。引伸作「鞋跟」。莊子有「納履而踵決（穿鞋時鞋跟部分的幫子裂開）」。❷跟着前人的步子走，繼續前人所做的事業。如「踵武」。❸追。漢書有「踵軍後數十萬人」。❹到、至。如「踵門」；「踵謝」。❺因襲。如「踵事增華」。

踏 (chǎ)粵tsa¹〔叉〕❶腳踩到泥水裏。如「一腳踏在爛泥裏」。❷加入的意思。如「這件事你不能踏在裏頭」。

踹 ▲(chuài)粵tsai²〔雌解切〕❶踢。如「把門踹開」。❷破

壞。如「一樁買賣被人給踹了」。❸腳踏。元曲有「怎肯踹劉家門徑」。

　▲図(shuàn)粵tsyn²〔喘〕❶腳跟。❷躍。淮南子有「踹足而怒」。

蹿 図(chuǎn)粵tsyn²〔喘〕舛。如「蹿駁」。

蹂 図(róu)粵jen⁴〔柔〕❶踐踏。❷「蹂躪」：①踐踏。漢書有「百姓奔走相蹂躪」。②摧殘。如「慘遭蹂躪」。

踰 図(yú)粵jy⁴〔余〕同「逾」，越過。如「踰矩(不守規矩)」；「踰閑(不守禮法)」。見734頁。

踴 図(yǒng)粵juŋ²〔湧〕❶跳躍爭先。如「踴躍」。❷図「踴貴」也作「踊貴」：見710頁。

十至十一畫

蹈 図(dǎo)粵dou⁶〔道〕❶腳踏步。如「舞蹈」；「手舞足蹈」。❷照着實行。如「循規蹈矩」。❸跳下。如「蹈水而死」；「赴湯蹈火」。❹図沿襲不改。如「蹈常襲故」。

蹓 図(liù)粵lau⁴〔留〕「蹓躂」同「溜達」：見385頁「溜」字。

蹋 図(tà)粵dap⁹〔踏〕❶踏。❷図「蹋鞠」：古代一種踢皮毬的習武遊戲。❸「槽蹋」：見525

頁「槽」字。

蹇 図(jiǎn)粵dzin²〔展〕❶跛。❷遲鈍。如「蹇澀」。❸驕傲。如「驕蹇」。❹姓。❺「蹇滯」：事情不順利。

蹐 (ji)粵dzik⁸〔脊〕後腳緊接着前腳，用極小的步子走路。

蹌 ▲図(qiāng)粵tsœŋ¹〔槍〕❶走動的樣子。❷「蹌蹌」：舞蹈或行走的樣子。

　▲(qiàng)粵tsœŋ³〔唱〕「跟蹌」：見709頁「跟」字。

蹊 ▲(xī)粵hɐi⁴〔兮〕❶図踐踏。左傳有「牽牛以蹊人之田」。❷図小路。如「蹊徑」。

　▲(qī)粵hɐi¹〔希〕「蹊蹺」：可疑，奇怪。如「這件事情來得有些蹊蹺」。

蹉 図(cuō)粵tsɔ¹〔初〕❶「蹉跌」：差誤，錯失。❷「蹉跎」：①光陰虛度。如「蹉跎歲月」。②失足，顛蹶。白居易詩有「見我昔榮遇，念我今蹉跎」。

【踍】同「蹄」，見711頁。

蹦 図(bèng)粵baŋ⁶〔葡硬切〕❶跳躍。如「蹦蹦跳跳」。❷「蹦蹦戲」：北方不用大鑼大鼓的一種小戲。

蹕 図(bi)粵bɐt⁷〔畢〕❶古時帝王出行，沿路要先清道，禁止通行。如「警蹕」。❷帝王出

行的車駕。如「駐蹕」。

蹣 ▲図(mán)粵mun⁴〔門〕逾越。

▲(pán)粵pun⁴〔盆〕「蹣跚」：走路一瘸一拐的樣子。

蹚 (tāng)粵tɔŋ¹〔湯〕❶踩到爛泥或在淺水裏行走。如「蹚水行走」；「蹚了一腳泥」。❷翻土除草。如「蹚地」。❸比喻墮落或危險的行為。如「蹚渾水(隨着人作惡事)」。

蹡 ▲図(qiāng)粵tsœŋ¹〔槍〕行走的樣子。如「蹡蹡」。

▲(qiàng)粵tsœŋ³〔唱〕「跟蹡」同「跟蹌」：見709頁「跟」字。

蹢 ▲図同「蹄」，見715頁。

▲図(dí)粵dik⁷〔的〕蹄子。詩經有「有豕白蹢」。

蹠 (zhí)粵dzik⁸〔即中入〕❶腳掌。❷図踐踏。楚辭有「眇不知其所蹠」。

蹧 (zāo)粵dzou¹〔租〕「蹧蹋」、「蹧踐」同「糟蹋」、「糟踐」：見525頁「糟」字。

蹤(踪) (zōng)粵dzuŋ¹〔宗〕❶腳印。也指人或物的形影。如「行蹤」；「芳蹤」；「蹤迹」。❷叢集或逗留。如「蒼蠅蹤過的東西，吃了要鬧肚子」。❸図追隨。隨書有「質菲薄而難蹤」。

蹙 図(cù)粵tsuk⁷〔促〕❶迫，促。詩經有「政事愈蹙」。❷皺，縮。如「蹙眉」；「顰蹙」。❸「蹙蹙」：縮斂的樣子。

蹞 (kuǐ)粵kwei²〔誇矮切〕同「跬」，見709頁。

【蹟】同「迹」，見728頁。

十二至二十畫

蹩(蹾) (bié)粵bit⁹〔別〕❶図跛。❷「蹩腳」：①跛腳。②品質不良。如「蹩腳貨」。③潦倒失意。

蹼 (pǔ)粵pok⁸〔撲〕水鳥趾間的膜。如「鴨掌上有蹼」。

蹯 (fán)粵fan⁴〔煩〕獸類的腳。如「熊蹯」。

蹬 (dèng)粵dɐŋ⁶〔鄧〕❶腳踏，踩東西。如「蹬他一腳」。❷図「蹭蹬」：見714頁「蹭」字。

蹲 ▲(dūn)粵dœn¹〔敦〕❶彎着腿站着，像坐的樣子，但臀部不着地。如「蹲在地上看螞蟻搬家」。❷停留，呆。如「蹲在家裏不出門」。❸把東西往地上重重一放。如「小心玻璃，別用力蹲」。❹把容器向下振動。如「把糖罐蹲一蹲，舀點沙溏糖來」。

▲(cún)粵tsyn⁴〔存〕「蹲蹲」：①舞的樣子。詩經有「蹲

蹲舞我」。②行步穩重的樣子。

蹶 ▲(jué)㊜kyt⁸〔決〕❶失足跌倒。❷挫失。如「一蹶不振」。❸「蹶然」：受驚而猛起的樣子。

▲(juě)㊜kyt⁸〔決〕「尥蹶子」：見164頁「尥」字。

蹻 ▲同「蹺」，見本頁。

▲図(jiǎo)㊜giu²〔繳〕❶通「屩」，草鞋。❷「蹻勇」：勇武有力。❸「蹻蹻」：①驕的樣子。詩經有「小子蹻蹻」。②強壯勇武的樣子。詩經有「其馬蹻蹻」。

蹺 (qiāo)㊜hiu¹〔梟〕❶抬腳，抬腿。如「把腿蹺起來」。❷豎起大拇指。如「蹺起大拇指稱讚」。❸「高蹺」：踩着木棍表演的一種遊藝。❹「蹺蹊」同「蹊蹺」：見712頁「蹊」字。

蹭 (cèng)㊜sɐŋ³〔沙凳切〕❶慢慢走，慢慢做，似乎有故意延緩的意思。如「快點兒，做事不能這樣磨蹭」。❷輕微地摩擦。如「只蹭破了表皮，沒關係」。❸図「蹭蹬」：失敗不如意的樣子。杜甫詩有「蹭蹬多拙為」。

蹴(蹵) 図(cù)㊜tsuk⁷〔促〕❶用腳踢東西。如「蹴鞠(踢毬)」。❷踏，踩。如「一蹴而就(一下子就能做好，有一步登天的意思)」。

【蹰】同「躕」，見715頁。

躃(躄) 図(bì)㊜bik⁷〔壁〕兩條腿都殘廢不能走。禮記有「瘖聾跛躃」。

躉 (dǔn)㊜dɐn²〔墩〕整數，整批。如「躉買躉賣」。

躂 (tà)㊜tat⁸〔撻〕①図頓腳。②「蹓躂」：見712頁「蹓」字。

躅(躕) 図(zhú)㊜dzuk⁹〔俗〕❶蹤迹。如「軌躅」。❷「躑躅」：見715頁「躑」字。

躇 (chú)㊜tsy⁴〔廚〕「躊躇」：見本頁「躊」字。

躁 (zào)㊜tsou³〔燥〕❶性急。如「暴躁(心浮氣躁)」；「戒驕戒躁」。❷擾動，不安靜。如「少安勿躁」。

躋 図(jī)㊜dzɐi¹〔擠〕登、上升。

躊 (chóu)㊜tsɐu⁴〔囚〕❶「躊躇」：①猶豫不決。②住足不前。❷図「躊躇滿志」：得意自滿的樣子。

躍 (yuè)㊜jœk⁸〔約〕❶跳。如「跳躍」；「一躍而過」。❷図形容高興的樣子。如「歡呼雀躍」；「歡躍不已」。❸図激動地。孟子書有「搏而躍之」。❹

「躍躍」：①心情很激動而不能自制的樣子。如「躍躍欲試」。②図高興的樣子。韓愈文有「得利則躍躍以喜」。

躒 ▲図(lì)粵lik⁷〔礫〕走動。大戴禮有「騏驥一躒，不能千里」。

▲ (luò) 粵lɔk⁸〔烙〕「逴躒」：超過一切的樣子。

躐 図(liè)粵lip⁹〔獵〕❶跳過。如「躐等(不按次序，逾越等級)」；「躐進」。❷踏、踩。如「凌躐(踐踏)」。

躑 図(zhí)粵dzak⁹〔擲〕「躑躅」：①走路時徘徊不前的樣子。如「躑躅街頭」。②植物名，落葉灌木，葉橢圓形，邊緣有毛狀齒，春季開花，像杜鵑花，俗稱「山躑躅」。

躓 図(zhì)粵dzi³〔至〕❶遇到阻礙而絆倒。❷事情不順利。如「中年遭躓」。

躔 図(chán)粵tsin⁴〔前〕❶踐踏。❷「躔次」：日月星辰所踐歷的度次。

躕(蹰) 図(chú)粵tsy⁴〔廚〕「踟躕」：見711頁「踟」字。

躚 図(xiān)粵sin¹〔仙〕❶「躚躚」：跳舞美妙的姿態。❷「蹁躚」：見711頁「蹁」字。
【躚】同「蹮」，見881頁。

蹀 図(xiè)粵sip⁸〔攝〕「蹀蹀」：①同「蹀蹀」，見711頁「蹀」字。②同「蹀蹀」，見711頁「蹀」字。

躡 (niè)粵nip⁹〔聶〕lip⁹〔獵〕(俗)❶図踩，踏。❷図在後面追。❸「躡足」：①踩別人的腳。②插身參加。❹「躡蹀」同「蹀蹀」：見本頁「蹀」字。❺「躡手躡腳」：輕步行走的樣子。

躥 (cuān)粵tsyn¹〔村〕❶向上跳。如「貓躥上房頂」。❷湧濺，急瀉。如「躥稀(瀉肚)」。❸對人動怒。如「他聽這話就躥了」。

躧 図(xǐ)粵sai²〔徙〕❶舞鞋。❷拖着鞋走。如「躧履」。

躦 (zuān)粵dzyn²〔轉〕向上或向前的動作。如「跳跳躦躦」

躪 図(lìn)粵lœn⁶〔吝〕殘踏傷害。如「蹂躪」。

躩 図(jué)粵fɔk⁸〔攫〕❶跳。❷「躩步」：疾走的樣子。如「蹇裳躩步」。

【身部】

身 ▲(shēn)粵sen¹〔辛〕❶軀體的總稱；有時專指軀幹。如「身體」；「身材」；「身首異處」。❷物體的中部或主要部分。如「車身」；「樹身」。❸親自。如「親身」；「身歷其境」。❹人的品節。如「修身」；「立身」。❺人的名分，地位。如「身敗名裂」；「出身寒微」。❻懷孕。如「身孕」；「有身」。❼図一己的才力。論語有「事君能致其身」。❽図自稱的詞，等於「我」。三國志蜀志有「身是張益德也」。❾図年。書經有「文王受命惟中身」。❿佛家輪回說的一世。如「前身」(是「前生」、「前世」、「前一輩子」)。⓫衣服一套。如「我做了一身新衣服」。⓬「身手」：本領。如「大顯身手」。⓭「身世」：人的經歷和際遇。⓮「身分」：①人的出身、在社會上及法律上的地位或資格。②東西的品質。如「這塊布的身分很好」。③図排場，尊嚴。儒林外史有「這高先生雖是一個前輩，卻全不做身分」。⓯「身後」：死後。

▲(juān)粵gyn¹〔捐〕「身

毒」：印度的別稱，也叫「天竺」。

三至十一畫

躬(躳)(gōng)粵guŋ¹〔弓〕❶身體。如「鞠躬」；「政躬康泰」。❷図親自。如「躬行實踐」；「事必躬親」。❸彎身屈體。如「躬身為禮」。

【射】見寸部，160頁。

躭(dān)粵dam¹〔擔〕❶遲延。❷同「耽」，見565頁。❸通「擔」，見269頁。

【躰】同「體」，見837頁。

躲(躱)(duǒ)粵do²〔朵〕❶把身體藏起來。如「躲藏」；「躲避」。❷避開。如「躲雨」；「明槍易躲，暗箭難防」。❸「躲懶」：偷工，故意不做分內該做的事。❹「躲債」：欠債不還，避開債主。❺「躲躲閃閃」：畏縮的樣子。

躺(tǎng)粵toŋ²〔倘〕❶平臥。如「躺下」；「一躺就睡著了」。❷「躺椅」：一種可以在上面躺臥的長椅子。

【裸】同「裸」，見659頁。

躴(hā)粵ha¹〔蝦〕身體彎下，向人行禮的樣子。如「躴腰」(也作「哈腰」)。

軀図(qū)粵kœy¹〔驅〕❶身體。如「七尺之軀」；「為國

捐軀」。❷「軀殼」：指有形的身體，是對無形的精神說的。

【車部】

車 ▲(chē)粵tse¹〔奢〕❶陸上代步的交通工具的總稱。如「火車」;「汽車」。❷借輪軸作助力的器具。如「水車」;「風車」;「紡車」。❸用機械製成圓形的器物。如「車陀螺」。❹灌田時用水車引水。如「車水」。❺用縫衣車縫製衣服。如「車衣」。❻指機器。如「車牀」;「車間」。❼姓。❽「車載斗量」：形容很多，不容易數。

▲(jū)粵gœy¹〔居〕❶象棋棋子之一。❷図「車水馬龍」：形容來往的車馬很多，很繁華熱鬧的樣子。

一至二畫

軋 ▲(yà)粵at⁸〔壓〕❶碾壓。如「汽車軋死一條蛇」;「壓路機把路軋平了」。❷図排擠。如「傾軋」。❸「軋軋」：①紡織機的響聲。②車聲。

▲(zhá)粵dzat⁸〔紮〕「軋鋼」：把鋼坯壓成一定形狀的鋼材。

▲(gá)粵gat⁸〔加壓切〕❶查帳。如「軋帳」。❷交朋友。如「軋朋友」。

軌 (guǐ)粵gwai²〔鬼〕❶車兩輪之間的距離。❷車轍。❸法則。如「軌範」;「軌則」。❹「軌道」:①專為火車、電車行駛而鋪設的鐵軌。②行星繞太陽或人造衛星環繞星球運行的路線。③應遵守的法度。

軍 (jūn)粵gwen¹〔君〕❶保衞國土的武裝部隊或有關設施。如「軍隊」;「軍用物資」。❷陸軍的編制名,三師為一軍。❸兵士的通稱。如「軍人」。❹舊時流放罪人到遠地服役。如「充軍」。❺圐屯兵。左傳有「軍於瑕以待之」。❻宋代行政區域名。

三至五畫

軒 (xuān)粵hin¹〔牽〕❶圐古時一種有篷的車。❷圐車的通稱。如「高軒」;「朱軒繡軸」。❸圐古時車前高起的部分。❹有窗戶的長廊或小房間。如「明軒」;「小軒」。❺高。如「軒敞」。❻「軒轅」:①黃帝的號。②星名。③複姓。❼圐「軒昂」:①高舉的樣子。②氣度高超的樣子。❽圐「軒然」:①笑的樣子。②很大的糾紛、論爭。如「軒然大波」。❾圐「軒輊」:車前高的部分叫軒;車後低的部分叫輊。合起來比

喻高或下,輕或重。如「不分軒輊」。

軔 (rèn)粵jen⁶〔刃〕❶阻止車輪旋轉的木條。引伸作事情的開始。如「發軔」。❷阻止。❸通「仞」,見19頁。

軏 (軏) (yuè)粵jyt⁹〔月〕古時車輛兩邊裝木條一根,一頭裝在車軸上,一頭搭在拉車的牛馬上,保持車輛平衡。

軟 (輭) (ruǎn)粵jyn⁵〔遠〕❶柔,跟「硬」相反。如「柔軟」;「軟糖」。❷懦弱,不堅強。如「軟弱」;「欺軟怕硬」。❸不能自持。如「耳軟」。❹不忍。如「心軟」。❺事物不豐美或薄弱無力。如「菜軟」;「戲碼兒軟」。❻沒力了。如「站得腿軟了」。❼柔和。如「軟語」。

軛 (軛) (è)粵ak⁷〔厄〕古時車衡兩端的弓形木,用來駕在牲口脖子上的。【斬】見斤部,284頁。

軨 (líng)粵liŋ⁴〔零〕❶車欄。❷車輪。

軻 (kē)粵ɔ¹〔柯〕❶兩木相續的車軸。❷「轗軻」:見723頁「轗」字。

軹 (zhǐ)粵dzi²〔止〕❶車軸兩端。❷車廂兩旁橫直交結

的欄木。

軸 ▲(zhóu)⑭dzuk⁹〔俗〕❶從車輪的中心穿過，用來控制車輪的轉動的橫杆。如「車軸」。❷旋轉物的中心。如「地軸」；「軸心」。❸像車軸的東西。如「畫軸」。❹図樞要的地位。如「當軸」。❺量詞，計算有軸的東西，同「件」。如「書畫數軸」。

▲(zhòu)⑭dzuk⁹〔俗〕演劇稱在同一次演出中排在最末的一齣戲爲「大軸子」；「大軸子」的前一齣爲「壓軸子」。

軫 図(zhěn)⑭tsɐn²〔診〕❶車後的橫木。❷車的通稱。❸輾轉思念。如「軫念」。❹憐憫、哀痛。如「軫恤」。❺星名，二十八宿之一。

軼 (yì)⑭jɐt⁹〔日〕❶超過。如「軼蕩」。❷散失。如「軼事（正史沒記載的瑣事）」。

軺 図(yáo)⑭jiu⁴〔搖〕小的馬車。

軤 (hū)⑭fu¹〔夫〕姓。

軲 (gū)⑭gu¹〔姑〕「軲轆」：①車輪。②滾動，轉。如「別讓球軲轆了」。

【軨】同「軖」，見718頁。

六畫

輅 図(lù)⑭lou⁶〔路〕❶車。❷古代車前給人牽挽的橫木。

較 ▲(jiào)⑭gau³〔教〕❶同類的事物相比。如「比較」；「較量」。❷對比之中顯得有所不同的。如「成績較佳」；「面積較小」。❸數學上兩數的差。❹図概略的。如「較略」；「大較」。❺図顯明。如「彰明較著」。

▲図(jué)⑭gɔk⁸〔各〕同「角（jué）」，互相競爭。見670頁。

輇 図(quán)⑭tsyn⁴〔全〕❶沒有輻的車輪。❷小，淺薄。如「輇才」。❸通「銓」，見758頁。

輊 図(zhì)⑭dzi³〔至〕車後較低的部分。參見718頁「軒輊」。

輈 図(zhōu)⑭dzɐu¹〔周〕❶古代駕小車用的曲木。❷「輈張」：①強橫。②驚怕的樣子。

軾 図(shì)⑭sik⁷〔式〕古時車前供扶手用的橫木。左傳有「登軾而望之」。

載 ▲(zài)⑭dzɔi³〔再〕❶交通工具裝運客貨。如「載客四人」；「裝載貨物」。❷図承受。如「載重量」。❸紀錄。如「記載」。❹充滿。如「怨聲載

道」。❺回再。如「載拜(再拜)」。❻回乃，於是。如「載欣載奔」；「載歌載舞」。❼回開始。孟子書有「湯始征，自葛載」。

▲(zǎi)粵dzɔi²〔宰〕一年的時間。如「一年半載」；「在位七十載」。

畲 (shē)粵sɛ⁴〔蛇〕「畲民」：畲族的古稱，見452頁「畬」字。

七畫

輔 (fǔ)粵fu⁶〔付〕❶古時車兩旁的夾木。❷首都附近的地區。如「畿輔」。❸從旁協助。如「輔助」；「輔導」。❹古時稱宰相。如「輔相」；「首輔」。❺回面頰。❻姓。❼「輔音」：發音時，氣流從肺葉向外流出，經過口腔或鼻腔受障礙所形成的音質。如拼音字母b、d、g等，參見附錄一。

輕 (qīng)粵hiŋ¹〔兄〕hɛŋ¹〔哈疒切〕(語)❶分量小，跟「重」相反。如「輕重」；「輕於鴻毛」。❷簡易。如「輕便」；「輕而易舉」。❸卑賤。如「輕骨頭」。❹看不起。如「輕視」；「輕敵」。❺不莊重。如「輕浮」；「輕佻」；「輕舉妄動」。❻微小。如「輕寒」；「年紀輕」。

❼沒有負擔或壓迫的感覺。如「輕鬆」；「無債一身輕」。❽低弱。如「輕聲細語」。

輒(輒) 回(zhé)粵dzip⁸〔接〕❶常是這樣，總是如此。如「動輒得咎」。❷專擅，獨，特。晉書有「甘受專輒之罪」。

輓 (wǎn)粵wan⁵〔挽〕❶拉車。左傳有「或輓之，或推之」。❷哀悼死人的詞。如「輓歌」；「輓聯」。❸回晚。如「輓近(晚近)」。

【輌】同「輛」，見721頁。

八至九畫

輩 (bèi)粵bui³〔貝〕❶長幼的行次。如「輩分」；「前輩」；「後輩」。❷回表示複數，等列。如「我輩(我們)」；「汝輩(你們)」。❸人的一生。如「一輩子」。❹「輩出」：一代接一代地出現。多指優秀人才。如「英雄輩出」。

輗 回(ní)粵ŋei⁴〔倪〕ɐi⁴〔矮平〕(俗)古時大車的車轅跟轅頭橫木相接的關鍵。

輦 (niǎn)粵lin⁵〔離免切〕❶古代用人力拉的車。❷秦漢以後稱皇帝專用的車。❸回運載。如「輦金馱帛」。

輌（輌） (liàng) 粵 lœŋ⁶〔亮〕量詞，多指車。如「三輌汽車」。

輪(lún) 粵 lœn⁴〔倫〕❶車、船、機器上轉動的平圓形物。如「車輪」；「輪船」。❷平圓形的。如「日輪」；「月輪」。❸照次序循環更換。如「輪流」；「輪替」；「輪到我了」。❹圖大。如「輪奐」。❺輪船的簡稱。如「江輪」；「海輪」。❻圖計算面積的縱度。南北叫「輪」；東西叫「廣」。❼循環一周。如「一輪」。❽姓。❾「首輪」：第一次在電影院公開放映的電影。❿「輪廓」：①物體外周或圖形的邊緣。②指事情的概略。

輨圖(guǎn) 粵 gun²〔館〕包裹車轂兩端的鐵。

輞(wǎng) 粵 mɔŋ⁵〔網〕車輪周圍的框子。

輬(liáng) 粵 lœŋ⁴〔涼〕「輼輬」：見722頁「輼」字。

輝（輝）(huī) 粵 fei¹〔揮〕❶光彩。如「光輝」。❷「輝煌」：①光明奪目。如「燈火輝煌」；「金碧輝煌」。②顯著。如「成績輝煌」。

輟圖(chuò) 粵 dzyt⁸〔綴〕停止。如「輟學」；「中輟」。

輜(zī) 粵 dzi¹〔之〕❶古時有帷幔的車。❷「輜重」：①行李。②軍用物資的總稱。

輻(fú) 粵 fuk⁷〔福〕❶車軸跟輪圈之間的直木。❷「輻射」：物理學名詞，光和熱的散佈不需要中間物質作媒介，而直線傳到遠處，像太陽的熱能射到地面的過程。❸圖「輻湊」也作「輻輳」：形容很密的聚在一起。

輯(jí) 粵 tsɐp⁷〔緝〕❶收集，聚攏。如「輯錄」；「編輯」。❷整套書的一部分。如「叢書第一輯」。❸圖和睦。如「輯睦」。

輴圖(chūn) 粵 tsœn¹〔春〕❶載靈柩的車。❷古時在泥地裏用的交通工具。

輸（輸）(shū) 粵 sy¹〔書〕❶轉運。如「運輸」；「輸送」。❷圖貢獻。如「捐輸」；「踴躍輸將」。❸敗。如「輸贏」。

輮(róu) 粵 jeu⁴〔由〕❶車輪的外周。❷圖通「蹂」，踐踏。漢書有「亂相輮蹈」。參見712頁。

輶(yóu) 粵 jeu⁴〔猶〕「輶軒」：古代使臣所乘的輕便車。

輳圖(còu) 粵 tseu³〔湊〕❶車輪上的直棍。❷「輻輳」：見本

頁「輻」字。

【輭】同「軟」，見718頁。

【輼】同「輼」，見本頁。

十至十一畫

轂▲(gū)⑧guk⁷〔谷〕「轂轆」：車輪。

▲(gǔ)⑧guk⁷〔谷〕❶車輪中心點可以穿軸的圓圈。❷車的代稱。漢書有「轉轂百數」。❸「推轂」：①幫人成事。史記有「推轂高帝就天下」。②舉薦賢才。史記有「其推轂士及屬丞史」。❹「轂擊肩摩」：形容人車很多。

轄(xiá)⑧het⁹〔瞎〕❶車軸兩頭約制車輪的鐵鍵。❷管理。如「管轄」；「直轄市」。❸囡車聲。

輾▲囡(zhǎn)⑧dzin²〔展〕「輾轉」：①循環反覆，形容睡不着覺。詩經有「輾轉反側」。②轉折，不是直接的。如「他吃盡苦頭，由淪陷區輾轉跑到後方」。

▲同「碾」，見487頁。

輼(輼)(wēn)⑧wɐn¹〔溫〕「輼輬」：古代的一種臥車。

輿(輿)(yú)⑧jy⁴〔余〕❶囡車。如「舍舟就輿」。❷囡轎子。如「肩輿」；「竹輿」。❸地。如「輿圖」。❹公眾的。如「輿論」。

轅(yuán)⑧jyn⁴〔元〕❶和車軸相連，伸向前面的兩條駕車用的長木。❷衙署。如「行轅」；「轅門」。

轆(lù)⑧luk⁷〔碌〕❶「轆轤」：汲水用具。❷囡「轆轆」：車聲。❸「轂轆」：見本頁「轂」字。

轇(jiū)⑧gau¹〔膠〕「轇轕」也作「糾葛」：糾紛的意思。

轉▲(zhuǎn)⑧dzyn²〔支院切〕❶旋動。如「車輪轉動」。❷改換方向。如「轉身」；「向右轉」。❸遷徙。如「轉移」。❹運輸。如「轉運」。❺返回。如「轉去」。❻間接傳送。如「轉交」；「轉播」。❼「轉文」：談話中引用典故成語。❽「轉注」：中國文字學所說的六書之一，指意義相似或字形相通、字音相近的字互相轉用。像用「考」解「老」。❾囡「轉蓬」：秋天，蓬草枯乾，隨風飄轉，比喻身世飄零。❿「轉捩點」：轉變的關鍵。

▲(zhuàn)⑧dzyn³〔鑽〕❶旋繞，就地繞着圈子動。如「轉圈兒」；「天旋地轉」。❷「轉向」：①迷失方向。②思想傾向的轉變。❸「轉轉」：有

「逛一逛」、「走一走」、「遛遛」的意思。如「隨便轉轉」。

十二至十六畫

轔 囡(lín)⑧lœn⁴〔倫〕❶門檻。❷車走動的聲音。如「車轔轔，馬蕭蕭」。

轎 囡(jiào)⑧giu⁶〔撬〕giu²〔繳〕(語)「轎子」：一種前後用人抬的交通工具。

轍 囡(zhé)⑧tsit⁸〔設〕❶車輪在地上碾過的痕跡。如「轍迹」。❷辦法。如「遇到這種情形，他就沒轍了」。❸歌曲詞句的韻。如「這歌詞做得不合轍」。❹「找轍」：找出說詞來彌補早先的錯失。

轗 囡(kǎn)⑧hɐm²〔坎〕「轗軻」：道路不平，車走得不順。比喻人做事不順手，境況不好。

轘 囡(huán)⑧wan⁶〔患〕古時用車來分裂罪人身體的一種酷刑。即是「車裂」，俗稱「五馬分屍」。

轕 囡(gé)⑧gɔt⁸〔葛〕「轇轕」：見722頁「轇」字。

轟 囡(hōng)⑧gwɐŋ¹〔肱〕❶震耳的聲音，包括打雷、開炮、飛機引擎或許多車同時走，許多人同時發出的大的聲音。❷用大炮或炸彈加以破壞。如

「轟擊」；「轟炸」。❸驅逐。如「轟走」；「把他轟出去」。❹「轟動」：同時感動多數人或引起多數人的注意。❺「轟轟烈烈」：①做得有聲有色的情形。②比喻事業偉大，氣勢盛大。

轡 囡(pèi)⑧bei³〔臂〕馬韁。如「按轡徐行」。

轢 囡(lì)⑧lik⁷〔礫〕❶車輪碾過。❷欺壓。

轣 (lì)⑧lik⁹〔力〕「轣轆」：①車軌道。②汲水器。

轤 囡(lú)⑧lou⁴〔盧〕「轆轤」：見722頁「轆」字。

【辛部】

辛 (xīn)粵sen¹〔新〕❶天干的第八位。❷辣味。如「辛辣」。❸勞苦。如「辛苦」；「辛勤」。❹悲傷。如「辛酸」。❺姓。

五至九畫

辜 (gū)粵gu¹〔孤〕❶罪。如「無辜」；「死有餘辜(罪惡很大，即使處死也抵償不了罪過)」。❷背負，對不住。如「辜負」。❸姓。❹囮「辜榷」：獨佔、壟斷。

辟 ▲(bì)粵pik⁷〔闢〕❶囮古時指君主。如「復辟(失位君主復位；引指被消滅的制度復活)」。❷囮徵召。如「辟引」。❸驅除。如「辟邪」。❹「辟易」：退避。❺囮通「避」，見737頁。

　▲囮(pì)粵pik⁷〔闢〕❶刑法。如「大辟(古時死刑)」。❷同「闢」，見783頁。❸同「僻」，見36頁。

【皋】古「罪」字，見551頁。

辣(辢) (là)粵lat⁹〔離滑切〕❶薑、蒜、辣椒等刺激性滋味。❷猛烈，刻毒。如「辣手」；「手段毒辣」。

【辤】同「辭」，見本頁。

辦 (bàn)粵ban⁶〔扮〕❶處理事務。如「辦事」。❷懲罰。如「辦罪」；「依法究辦」。❸購買。如「採辦」；「辦貨」。

辨 (biàn)粵bin⁶〔便〕❶判別，認出來。如「辨別」；「分辨是非」。❷「辨白」：分辨明白。

十二至十四畫

辭(辤) (cí)粵tsi⁴〔池〕❶代表某些觀念的語言或文字。如「文辭」；「言辭」。❷告別。如「辭別」；「告辭」。❸不接受，推卻。如「推辭」；「辭謝」。❹解脫。如「辭職」；「辭退」。❺躲避。如「不辭勞勞」；「萬死不辭」。❻文體的一種。如「楚辭」；「歸去來辭」。❼「辭訟」同「詞訟」；「辭藻」同「詞藻」。見677頁「詞」字。

【瓣】見瓜部，442頁。

【辮】見糸部，547頁。

辯 (biàn)粵bin⁶〔辨〕❶爭論是非曲直。如「辯論」；「爭辯」。❷能說善道。如「這個人有辯才」。❸「辯駁」：根據理由來指明別人的錯誤。

【辰部】

辰 (chén) 粵sen⁴〔臣〕❶地支的第五位。❷十二時之一。上午七時到九時。❸泛指時間。如「吉日良辰」。❹對在天體運行的星體的泛稱。如「日月星辰」。❺囟光陰。揚雄的法言有「辰乎辰，曷來之遲而去之速」。❻囟時運。如「生不逢辰」。❼通「晨」，見295頁。

三至十二畫

辱 (rǔ) 粵juk⁹〔肉〕❶羞恥。如「奇恥大辱」。❷使他人蒙羞。如「侮辱」；「辱國」。❸敬詞，用在稱人來自己的地方或有所吩咐，有承蒙的意思。如「辱蒙」；「辱承指教」。

【唇】見口部，90頁。

【脣】見肉部，576頁。

【晨】見日部，295頁。

農（辳） (nóng) 粵nuŋ⁴〔濃〕luŋ⁴〔龍〕(俗) ❶種田的事業。如「農業」；「務農為業」。❷種田的人。如「農人」；「吾不如老農」。❸「農曆(也稱夏曆、陰曆)」：中國的曆法，分二十四節氣，對農事安排很有益處。

【蝕】見虫部，639頁。

辴 囟(zhěn) 粵tsen²〔診〕笑的樣子。莊子書有「辴然而笑」。

【辵部】

辵 図(chuò)⑨tsœk⁸〔卓〕忽走忽停的樣子。

三畫

迄 図(qì)⑨ŋet⁹〔屹〕et⁹(俗)❶至，到。如「自古迄今」。❷終究，到底。如「迄未成功」。

巡(廵) (xún)⑨tsœn⁴〔秦〕❶往來察看。如「巡察」；「巡夜」。❷遍。如「酒過三巡」。❸「逡巡」：見730頁「逡」字。

迅 (xùn)⑨sœn³〔信〕❶快。如「迅速」；「迅捷」；「迅走」。❷図「迅雷」：突然發的響雷。

迤(迆) ▲(yǐ)⑨ji⁵〔以〕❶図斜屈着延伸。❷延伸，向(專指方向位置)。如「迤東(某地的東邊)」；「迤北(某地的北邊)」。❸図「迤邐」：①連接的樣子。②一路走去曲折綿延的樣子。
▲図(yí)⑨ji⁴〔而〕「逶迤」：見732頁「逶」字。

迂 (yū)⑨jy¹〔于〕❶說人不通世務，言行不切實。如「迂腐」；「迂闊」；「這個人太迂」。❷「迂迴」也作「迂回」：彎曲，繞遠路。❸「迂緩」：遲鈍，緩慢。

四至五畫

返 (fǎn)⑨fan²〔反〕❶図歸還。如「返璧」；「免息返本」。❷轉回。如「返鄉」。❸図更換。呂氏春秋有「返瑟而弦」。

迒 図(háng)⑨hoŋ⁴〔杭〕❶獸類走過留下的痕迹。❷道路。

近 (jìn)⑨gen⁶〔格刃切〕❶距離不遠。如「近來」；「走近路」。❷淺顯易解。如「淺近」。❸相似。如「近似」；「近乎」。❹親密。如「親近」。❺合乎。如「不近情理」。❻「近水樓台」：處在最便利的地位。

迍 図(zhūn)⑨dzœn¹〔津〕「迍邅」同「屯邅」：走路緩慢或遲疑不進的樣子。

迓 (yà)⑨ŋa⁶〔訝〕a⁶〔亞低去〕(俗)迎接。如「迎迓」。

迎(迊) ▲(yíng)⑨jiŋ⁴〔仍〕❶接。如「迎接」；「迎候」。❷朝着，向着。如「迎風」；「迎頭」。❸揣摩別人的意思，向人討好。如「迎合」；「逢迎」。❹「迎刃而解」：事情容易處理、解決。
▲(yìng)⑨jiŋ⁶〔認〕到某處

慢。

去接來。如「迎親(新郎到女家迎娶)」。

迕 囡(wǔ)粵ŋ⁶〔誤〕❶違逆。漢書有「莫敢復迕」。❷相遇。

迫(廹) (pò)粵bik⁷〔碧〕bak⁷〔波羅切〕(又)❶用威勢壓逼。如「壓迫」;「威迫利誘」。❷急切。如「迫切」;「迫不及待」。❸靠近了。如「迫近」。❹囡狹窄。後漢書有「西州地勢局迫」。

迨 囡(dài)粵dɔi⁶〔代〕❶及,等到。如「迨後」。❷趁。如「迨其不備而擊之」。

迪(廸) (di)粵dik⁹〔敵〕❶囡進。如「迪吉(舊時書信裏常用的客套話)」。❷開導。如「啟迪」。

迭 (dié)粵dit⁹〔秩〕❶輪流。如「更迭」。❷屢。如「迭次」。❸止。如「叫苦不迭」。

迢 (tiáo)粵tiu⁴〔條〕遙遠。如「千里迢迢」;「迢迢牽牛星」。

迦 (jiā)粵ga¹〔加〕譯音字。如「迦南」;「釋迦牟尼」。

迥(逈) 囡(jiǒng)粵gwiŋ²〔炯〕❶大。如「迥然不同」。❷遠。如「江湖迥且深」。❸「迥迥」:遙遠的樣子。

述 (shù)粵sœt⁹〔術〕❶說明。如「絞述」;「述說」。❷遵循、繼續前人的事業或說明他人的學說。如「述而不作」;「父作之,子述之」。❸「述職」:公務人員向上級報告執行職務的情形。

迮 囡(zé)粵dzak⁸〔責〕❶迫。後漢書陳忠傳有「共相壓迮」。❷倉卒。公羊傳有「今若是迮而與季子國」。❸姓。

【迤】同「迤」,見726頁。
【迯】同「逃」,見728頁。

六至七畫

迸(迸) ▲(bèng)粵biŋ³〔併〕❶散開,發射。如「迸裂」;「火星子亂迸」。❷跳躍。

▲(bīng)粵biŋ²〔丙〕通「屏」。排斥。見167頁。

逄 (páng)粵pɔŋ⁴〔旁〕姓。

迷 (mí)粵mei⁴〔謎〕❶分辨不清。如「迷路」;「迷離」。❷受惑。如「迷惑」;「酒色迷人」。❸醉心於某一件事。如「戲迷」;「球迷」。❹心中昏亂。如「昏迷」;「意亂神迷」。❺「迷你」:英文mini的音譯,意為小巧玲瓏。如「迷你裙」;「迷你車」。

逃(逃) (táo) 粵 tou⁴〔陶〕 ❶ 避開。如「逃避」；「逃難」。❷ 出奔。如「逃命」；「逃亡」。❸「逃之夭夭」：表示逃跑，帶有詼諧諷刺的意思。

退 (tuì) 粵 tœy³〔蛻〕 ❶ 向後倒走，跟「進」相反。如「後退」；「退步」。❷ 謙讓。如「退讓」。❸ 離職。如「退職」；「退休」。❹ 消除原有的責任義務。如「退保」；「退役」。❺ 離去。如「退席」；「早退」。❻ 消除，降低。如「退燒」；「退潮」。❼ 圖 柔和。如「退然」。❽ 圖 緩慢、畏縮的意思。論語有「求也退」。❾ 脫落。如「退色」。❿「退化」：①生物某一個器官的構造、作用等，漸漸簡單或是慢慢喪失的現象。②不上進而逐漸落伍。

逆 (nì) 粵 ŋak⁹〔額〕jik⁹〔亦〕(又) ❶ 不孝父母。如「逆子」。❷ 違背，違反。如「逆倫」。❸ 倒，反。跟「順」相反。如「逆境」；「逆流」。❹ 叛亂。如「叛逆」；「逆賊」。❺ 圖 預先。如「逆料」；「逆覩」。❻ 圖 迎接。春秋有「祭公來，遂逆王后于紀」。❼ 圖「逆旅」：旅館。❽「逆耳」：忠告的話不容易被接受。

适 ▲ 圖 (kuò) 粵 kut⁸〔括〕 ❶ 迅速。❷ 同「适」，見729頁。
▲「適」的簡化，見735頁。

逅 圖 (hòu) 粵 hɐu⁶〔後〕「邂逅」：見737頁「邂」字。

迴(廻) (huí) 粵 wui⁴〔回〕 ❶ 環繞。如「巡迴」；「迴旋」。❷ 曲折。如「迴形夾」；「迴廊」。❸ 同「回」，返去，歸來。見107頁。

迹(跡、蹟) (jì) 粵 dzik⁷〔即〕 ❶ 腳印。如「足迹」；「蹤迹」。❷ 事物的遺痕。如「血迹」；「痕迹」。❸ 前代或前人留下的文物。如「遺迹」；「古迹」。❹ 圖「迹迹」：來往不安的樣子。

追 (zhuī) 粵 dzœy¹〔狙〕 ❶ 從後面趕上去或跟着。如「追趕」；「窮寇莫追」。❷ 回憶。如「追想」；「追念」。❸ 上溯已往。如「追究」；「追溯」。❹ 圖 逐。左傳有「追戎於濟西」。❺ 事後補救或補做。如「追加」；「追悼」；「追認」；「來者猶可追」。❻ 竭力探求。如「追問」；「追求真理」。❼ 指戀愛求偶的企慕。如「他追張小姐三年了，也沒有追到手」。

送 (sòng) 粵 suŋ³〔宋〕 ❶ 贈給。如「贈送」；「送他一本書」。❷ 傳遞，運。如「送信」；「送

情」;「送貨」。❸陪着走路。如「護送病人」;「送小弟弟回家」。❹對人表示惜別。如「送行」;「送別」。❺供應。如「送電」;「送水」。❻犧牲了,糟蹋掉。如「斷送」;「送死」。

逸 図(yí)粵ji⁴〔移〕❶「逸譯」:翻譯,把一種文字譯成另一種文字。❷同「移」,遷徙。見498頁。
【迴】同「迴」,見727頁。
【廼】同「乃」,見第7頁。

逋 図(bū)粵bou¹〔襃〕❶逃亡。如「逋逃」。❷拖欠。如「逋負」。❸遲延。如「逋留」。

逢 (féng)粵fuŋ⁴〔馮〕❶遇到。如「萍水相逢」。❷図迎合。如「逢迎」。❸「逢場作戲」:①賣藝的人遇到合適的地方便開場表演。②偶然爲之,不是經常如此。

逗 (dòu)粵dɐu⁶〔豆〕❶停留不進。如「逗留」。❷引弄。如「逗趣」;「逗人發笑」。❸「逗號」:標點符號之一,表示一句話中間的停頓。

透 (tòu)粵tɐu³〔他幼切〕❶通過。如「透過」;「陽光透進了簾子」。❷洩露。如「透漏祕密」。❸徹底。如「透徹」;「剔透」。❹極度的。如「桃子熟透了」;「這些人壞透了」。❺超

出。如「透支」。❻周徧。水滸傳有「卻得施恩上下使錢透了,不曾受害」。

逖(邊) 図(tì)粵tik⁷〔惕〕遠。書經有「逖矣西土之人」。

途 (tú)粵tou⁴〔徒〕❶道路。如「中途」。❷「途徑」:①進身的路徑。②事物的初步方法或要訣。

适 図(kuò)粵kut⁸〔括〕「适」的本字,多用於人名。

通 ▲(tōng)粵tuŋ¹〔他空切〕❶暢達。如「流通」;「通暢」。❷全部,總共。如「通共」;「通盤籌劃」。❸往來,交好。如「通商」;「通家之好」。❹明白,曉得。如「通情達理」;「精通中文」。❺貫徹。如「通透」;「豁然貫通」。❻傳達。如「通知」;「通電」。❼普遍,一般。如「通病」;「通行」。❽順利。如「萬事亨通」。❾非夫婦而發生性的關係。如「通姦」;「私通」。❿勾串。如「串通」;「通同作弊」。⓫淺顯的,適合於一般人的。如「通俗讀物」。⓬量詞:①打鼓一陣叫一通。如「三通鼓」。②文書或電報一件叫一通。⓭「通史」:通貫古今的史書。⓮「通訊」:一種比消息詳細和生動

的新聞體裁。⑮「通過」：①穿過，走過。如「這條街太窄，大車不能通過」。②經過。如「通過閱讀，可開闊眼界」。③提案得到同意。如「通過一項決議」⑯「通紅」：十分紅。

▲(tòng)⑧tuŋ¹〔他空切〕用於量詞時的語音。

連 (lián)⑧lin⁴〔憐〕❶接，合。如「連合」；「連接」。❷接續不斷。如「連綿」；「連選連任」。❸帶，加進去。如「連本帶利」；「連根拔起」。❹陸軍編制，三排為一連。❺介詞，跟「把」、「將」的用法相同。如「連那本書一起帶來」。❻介詞，用來提前賓語，跟「把」、「將」的用法大略相同，但是語意不一樣，常用「也」、「都」在後面跟它呼應。如「你連那本書也帶來」；「連我都不知道」。❼連詞，表示進一層的意思。如「連最隱祕的地方都查遍了，也沒查出來」。❽姓。❾「連天」：①接連幾天。如「連天下雨」。②不停的。如「叫苦連天」。③震天。如「喊殺連天」。④遠望好像跟天相接。如「水連天」。❿「連詞」：也叫「連接詞」，連接詞、詞組或句子的詞。如「和」、「而」、「或者」、「但是」等。

逛 (guàng)⑧kwaŋ³〔框高去〕出門閒遊。如「逛街」；「隨便逛逛」。

逕 ⊠(jìng)⑧giŋ³〔敬〕❶直接。如「有關戶籍問題，逕向戶政事務所詢問」。❷通「徑」，小路。見206頁。

逑 ⊠(qiú)⑧keu⁴〔求〕匹配，配偶。詩經有「窈窕淑女，君子好逑」。

逡 ⊠(qūn)⑧sœn¹〔荀〕❶退。漢書有「有功者上，無功者下，則羣臣逡」。❷「逡巡」：心中有顧慮，游移不前的樣子。

逍 (xiāo)⑧siu¹〔消〕「逍遙」：自由自在，不受拘束。

這 ▲(zhè)⑧dze⁵〔自野切〕❶指示代名詞，指較近的時間、地方或事物，跟「那」相反。如「這時」；「這裏」；「這個」。❷此時，此刻。如「我這就走」。❸「這麼」：如此。如「別走得這麼快」。

▲(zhèi)⑧dze⁵〔自野切〕「這一」兩字的合音，指數量時不限於一。如「這些」；「這年」；「這件事」。

逐 (zhú)⑧dzuk⁹〔俗〕❶在後面追着。如「逐北」；「追逐」。❷趕走。如「逐客令」；「驅逐出境」。❸爭奪。如「角

逐」。❹順序。如「逐一查問」；「逐條說明」；「逐漸加強」。❺「逐日」：①一天天，每天。②囵追趕。如「夸父逐日」。❻囵「逐鹿」：比喻羣雄並起，爭奪權位。現在常用作比喻爭勝的意思。

逞 (chěng) 粵 tsiŋ² 〔拯〕❶努力表現出來。如「逞能」；「逞強」。❷強作支撐。如「心裏雖然爲難，表面還要逞着」。❸囵放縱。如「逞凶」；「逞其私欲」。

逝 (shì) 粵 sɐi⁶ 〔誓〕❶囵去。論語有「逝者如斯夫」。❷死。如「逝世」；「長逝」。

造 ▲ (zào) 粵 dzou⁶ 〔做〕❶製作。如「製造」；「造船」。❷建築。如「建造」；「營造」。❸虛構。如「造謠」；「捏造」。❹農作物收穫的次數。如「早造」；「晚造」；「一年三造」。❺姓。❻「造化」：①指天，創造化育之意。②福氣。如「我沒有這麼大造化」。❼「造反」：①叛亂。②俗稱小孩子胡鬧。❽「造作」：①作爲，製造。②故意做出的不自然的行爲。❾囵「造物」：天。古人認爲萬物是天創造的。也常作「造物者」。

▲ (zào，舊讀 cào) 粵 tsou³

〔躁〕❶成就，培養到一種地步。如「造就」；「造詣」。❷囵時代。如「末造」。❸囵指相對的人。如「兩造」。❹囵到、去。如「造訪」；「造府」。❺囵「造次」：急迫，倉卒。

速 (sù) 粵 tsuk⁷ 〔促〕❶快。如「速成」。❷囵招請。如「不速之客」。❸「速香」：香料名。❹「速寫」：①文學體裁之一，散文的一種。②繪畫方法之一，在短時間內用簡練的線條畫出人物、景象的神態。

八畫

逮 ▲ (dài) 粵 dɐi⁶ 〔弟〕dɔi⁶ 〔代〕(又) ❶捉，追捕。如「逮捕」。❷囵及。如「力有不逮」。

▲ (dǎi) 粵 dɐi⁶ 〔弟〕捉，捕。如「貓逮老鼠」。

逯 (lù) 粵 luk⁹ 〔陸〕❶囵無目的的行動。淮南子有「逯然而往」。❷姓。

逵 囵 (kuí) 粵 kwɐi⁴ 〔葵〕四通八達又有旁道的大路。

逭 囵 (huàn) 粵 wun⁶ 〔換〕逃避。如「罪無可逭」。

進 (jìn) 粵 dzœn³ 〔晉〕❶向上或向前，跟「退」相反。如「上進」；「進步」。❷走到裏面。如「請進」；「非請勿進」。❸囵

薦引。如「引進」;「進賢」。❹呈獻。如「進貢」;「進呈」。❺收入。如「進帳」;「進項」。❻輩行。如「先進」;「後進」。❼舊式房屋分成幾個前後部分,每一部分叫一進。如「兩進的四合房」。

週 (zhōu) ⓟdzɐu¹〔舟〕❶循環。如「週而復始」。❷一星期。如「週刊」;「週末」。❸一整年。如「十週年紀念」。❹通「周」,普遍。如「衆所週知」。

逴 図(chuō)ⓟtsœk⁸〔卓〕遠。

逶 図(wēi)ⓟwɐi¹〔威〕「逶迤」也作「逶迆」、「逶移」、「委蛇」:①道路或河道彎曲而綿長的樣子。②委曲自得的樣子。

逸 (yì)ⓟjɐt⁹〔日〕❶安樂,閒在。如「安逸」;「一勞永逸」。❷図放縱。如「淫逸」。❸図奔跑。如「馬逸不能止」。❹図逃亡。如「以逸逃於襄」。❺図隱居。論語有「興威國,繼絕世,舉逸民」。❻図散失。如「逸書」。❼図超過尋常。如「逸羣」;「逸品」。❽図幽雅的。如「逸興」。❾図釋放。左傳有「乃逸楚囚」。❿図「逸事」也作「軼事」:正史沒有記載的瑣事。

【逥】同「歸」,見348頁。
【逿】同「逖」,見729頁。
【遊】同「遊」,見734頁。
【遠】同「遠」,見735頁。

九畫

逼(偪) (bī)ⓟbik⁷〔碧〕❶強迫。如「逼迫」。❷切近。如「逼近」;「逼眞」。❸險狹。如「岸狹勢逼」。

遍 (biàn)ⓟpin³〔片〕❶次數。一次叫一遍。❷同「徧」,滿,全,到處。見208頁。

達 ▲図(dá)ⓟdat⁹〔第辣切〕❶通。如「通達」;「直達車」;「四通八達」。❷顯貴。如「顯達」;「達官貴人」。❸明白事理。如「明達」;「達理」。❹到。如「到達」;「抵達」。❺告訴。如「轉達」;「傳達」。❻興旺。如「發達」。❼図常行不變的。如「達德」。❽姓。❾「達觀」:看透了一切,不被境遇所影響。

▲図 (tà) ⓟtat⁸〔撻〕「挑(tāo)達」:輕薄,品行不好的樣子。

道 (dào)ⓟdou⁶〔盜〕❶路。如「道路」;「街道」。❷義理,正當的事理。如「道理」;「得道多助」。❸方法。如「門道」;「以其人之道,還治其人之

身」。❹道教(中國漢民族固有的宗教，創立於東漢)的簡稱。如「道經」、「道袍」、「道觀(道教的廟)」。❺道士的簡稱。如「老道」、「貧道」。❻說，講，言。如「常言道」、「一語道破」、「胡說八道」。❼表示情意。如「道謝」、「道歉」、「道賀」。❽行動的方向。如「志同道合」。❾線條。如「紅道兒」、「臉上有一道子」。❿量詞：①長條狀的。如「一道河」。②路上的關口，出入口。如「一道關」、「兩道門」。③則，條。如「三道題」、「一道命令」。④種。如「一道菜」。⓫図引導。論語有「道之以政」。⓬図從，由。漢書有「道太原入定代地」。⓭舊地方行政區域名，在省與縣之間。⓮舊官名。如「道台」、「道員」。⓯姓。⓰「道地」：真實。如「這是道地的貨色」。

遁(遯) (dùn) ⑧ dœn⁶〔頓〕❶逃，避。如「逃遁」、「夜遁」。❷隱去。如「隱遁」。❸「遁世」：避世。❹「遁辭」：理屈辭窮時用來應付的話。

過 ▲(guò) ⑧ gwɔ³〔瓜課切〕gɔ³〔個〕(俗)❶超越。如「過分」、「過多」。❷太甚。如「過獎」、「過慮」。❸差失。如「犯過」、「過失」。❹經過一段時間或空間。如「過河」、「過了三天」。❺經過。如「過冬」、「過日子」。❻交情深，可互通財物或以某些語言或行爲相對待。如「過財」、「咱們倆過得着」。❼傳導。如「過電」。❽次，遍。如「他的錢一天不知要數多少過」。❾図訪問。如「過訪」、「過從」。

▲(guo) ⑧ gwɔ³〔瓜課切〕gɔ³〔個〕(俗)❶跟「來」或「去」連用，表示動作的趨向。如「轉過去吧」、「扭過頭來」。❷用在動詞後面，表示已經、曾經的意思。如「吃過飯」、「洗過澡」。

▲(guō) ⑧ gwɔ³〔瓜課切〕gɔ³〔個〕(俗)❶「過福」：指人享受已經夠好而不知足。如「這樣的衣服還嫌不好，你太過福了」。❷姓。

遑 図(huáng) ⑧ wɔŋ⁴〔黃〕❶急。如「遑急」、「遑遽」。❷閒暇。如「不遑」、「未遑」。❸「遑遑」：忽忙不安的樣子。

遒 ▲図(qiú) ⑧ tsɐu⁴〔囚〕❶剛健，強勁。❷盡。楚辭有「歲忽忽而遒盡兮」。

▲図(jiū) ⑧ tsɐu⁴〔囚〕木叢。

遐 囡(xiá)粵ha⁴〔霞〕❶遠。如「名聞遐邇」。❷長久。如「遐齡」。

遄 囡(chuán)粵tsyn⁴〔全〕❶往來頻數而急速。易經有「以事遄往」。❷快,迅速。詩經有「胡不遄死」。

遂 ▲(suì)粵sœy⁶〔睡〕❶順暢,如願。如「順遂」;「遂心」。❷囡成功。如「謀事未遂」;「百事乃遂」。❸道,通路。如「遂道」。❹囡就,即。如「後遂無問津者」。❺囡終竟。史記高祖本紀有「及高祖貴,遂不知老父處」。❻囡因循。荀子書有「小事殆乎遂」。❼囡登進。書經有「顯忠遂良」。

▲(suì)粵sœy⁶〔睡〕「半身不遂」:身體一側發生癱瘓。

遏 囡(è)粵at⁸〔壓〕❶阻止。如「遏阻」;「聲勢浩大,不可遏止」。❷壓抑。如「遏抑」;「怒不可遏」。❸賊害。詩經大雅有「無遏爾躬」。

遊(遊) (yóu)粵jeu⁴〔由〕❶走動。如「遊行」;「遊街」。❷閒逛。如「遊覽」;「遊玩」。❸到遠地去。如「遊學」;「遊子」。❹交友往來,或拜師學習。如「交遊」;「從遊」。❺貪玩而不做正事。如「遊手好閒」。❻囡遊說。孟子書有「子好遊乎」。❼囡「遊刃有餘」:比喻技巧熟練,作事不費力。

違 (wéi)粵wɐi⁴〔惟〕❶不遵守,不依從。如「違法」;「違約」。❷離別。如「久違」。❸囡「違和」:身體失調因而致病。❹囡「違心」:說的話跟本意相反。如「違心之論」。

逾 囡(yú)粵jy⁴〔余〕❶過,超越,越過。如「逾限」;「逾分」;「逾牆」。又作「踰」。❷愈,更加。淮南子主術篇有「亂乃逾甚」。

遇 (yù)粵jy⁶〔預〕❶碰到。如「遇難」;「他鄉遇故知」。❷機會,遭際。如「際遇」;「機遇」。❸囡待。如「禮遇」;「待遇」。❹囡融洽相處。孟子書有「吾之不遇魯侯,天也」。

運 (yùn)粵wɐn⁶〔混〕❶事物移動或旋轉。如「運轉」;「運行」。❷搬送東西。如「運送」;「運輸」。❸使用。如「運用」;「運筆」。❹氣數。如「命運」;「運氣」。❺囡南北的距離(地的東西叫廣;南北叫運)。如「廣運百里」。❻「運河」:人工開鑿的河道。❼「運動」:①物體改變位置的現象。②以健身為目的的遊戲競技。③為求達

到一種目的而鑽營奔走。④在社會羣眾間散播思想，宣傳主張，以求實現一種目的的。❽「運籌帷幄」：主持戰略的釐訂與執行。

【遉】同「偵」，見32頁。

十畫

遞 (dì) 粵dɐi⁶〔第〕❶更換。如「遞補」；「更遞」。❷傳送。如「傳遞」；「郵遞」。

遢 (ta) 粵tap⁸〔塔〕「邋遢」：見738頁「邋」字。

遝 図(tà)粵dap⁹〔踏〕「雜遝」：眾多的樣子。

遛 ▲(liú)粵lɐu⁴〔留〕「逗遛」也作「逗留」：停留不前。

▲(liù)粵lɐu⁶〔漏〕❶緩步而行。❷「遛達」也作「溜達」：散步。

遘 図(gòu)粵gɐu³〔究〕kɐu³〔扣〕(又)遇，遭遇。

遣 (qiǎn)粵hin²〔顯〕❶發，送。如「遣送」；「遣散」。❷差使。如「差遣」；「派遣」。❸排解。如「消遣」。❹放逐。如「遣歸故郡」。

遜 (xùn)粵sœn³〔迅〕❶図辭讓。如「遜位」；「遜國」。❷謙恭。如「謙遜」；「出言不遜」。❸較差一點的。如「遜色」；「稍遜一籌」。

遙 (yáo)粵jiu⁴〔姚〕❶遠。如「遙望」。❷「遙控」：從遠處控制機械或儀器的操作。

遠 (远) ▲(yuǎn)粵jyn⁵〔軟〕❶指空間、時間的距離或品類的相差，跟「近」相反。如「路遠」；「久遠」。❷相差很大。如「我遠不如他」。❸延長，長久。如「綿遠」。❹深奧。如「深遠」。❺「遠足」：以運動爲目的的短程徒步郊遊。

▲図(yuàn)粵jyn⁶〔縣〕❶避開。如「親賢臣，遠小人」。❷疏而不近。國語有「諸侯遠己」。❸離去。論語有「不仁者遠矣」。

【遡】同「溯」，見387頁。
【遟】同「遲」，見736頁。

十一畫

遮 ▲(zhē)粵dzɛ¹〔嗟〕❶攔住。如「遮擋」；「遮住去路」。❷掩蔽。如「遮掩」；「遮蓋」。

▲(zhě)粵dzɛ¹〔嗟〕沖淡，隱瞞。如「遮羞」；「酸能遮鹹」。

遰 (dài)粵dɐi⁶〔第〕「迢遰」：遙遠的樣子。

適 ▲(shì)粵sik⁷〔色〕❶切合，相當。如「適當」；「合適」。❷正。如「適中」。❸図舒服。

如「舒適」;「身體不適」。❹図剛巧。如「適值」;「適逢其會」。❺図剛才。如「適從何來」。❻図往,去,到。如「遠適異邦」。❼図女子出嫁。如「適人」。

▲図 (di)粵 dik⁷〔的〕同「嫡」,見144頁。

遭 (zāo)粵dzou¹〔租〕❶逢,遇到。如「遭遇」;「遭殃」。❷次數。如「第一遭」。❸周匝。如「繩子多繞幾遭,免得散開了不好收拾」。

遨 図(áo)粵ŋou⁴〔熬〕ou⁴〔澳低平〕(俗)遊。如「遨遊」。
【遜】同「遁」,見733頁。
【還】同「還」,見737頁。

十二畫

遼 (liáo)粵liu⁴〔聊〕❶遠。如「遼遠」;「遼闊」。❷河名。(遼河,在河北省)。❸朝代名,是東胡族耶律阿保機所建,據有中國蒙古跟東北一帶,最盛時兼有河北、山西等省的一部分,前後二百一十年(公元916—1125),後被金所滅。

遴 ▲(lín)粵lœn⁴〔倫〕慎選人才。如「遴選」。
▲通「咨」,見80頁。

遷 (遷) (qiān)粵tsin¹〔千〕❶搬移。如「遷徙」;「安土重遷」。❷變更。如「變遷」;「見異思遷」。❸公務員調職。如「升遷」;「左遷(降職)」。❹「遷延」:①後退不前。②拖延。❺「遷就」:委屈自己以求適合環境或別人。

選 (xuǎn)粵 syn²〔損〕❶挑揀。如「選擇」;「選拔」。❷選舉的簡稱。如「大選」;「普選」。❸最好的。如「上選」;「一時之選」。❹輯錄成冊的作品。如「文選」;「詩選」;「散文選」。❺「選手」:從多數人中選出來的能手。

遲 (遲) ▲(chí)粵tsi⁴〔池〕❶行動緩慢。如「遲緩」;「事不宜遲」。❷不敏捷。如「遲鈍」。❸晚。如「遲到」。❹図游息。如「棲遲」。❺姓。❻「遲遲」:遲緩的樣子。❼「遲疑」:猶豫不決。
▲図(zhì)粵dzi³〔至〕❶待,望。後漢書有「朕思遲直士」。❷及。漢書有「遲帝還,趙王死」。

遶 (rào)粵jiu⁵〔繞〕同「繞」,圍繞。見545頁。

遵 (zūn)粵dzœn¹〔津〕❶照着吩咐、常理或法令做事。如「遵命」;「遵守」。❷図循。詩

經有「遵彼汝墳」。❸圀「遵養時晦」：隱居待時。

遺 ▲(yi)粵wei⁴〔惟〕❶丟掉。如「遺失」；「遺落」。❷留下來的。如「遺像」；「遺墨」。❸脫落。如「遺漏」；「補遺」。❹不自覺的排泄。如「遺尿」。❺遺失的東西。如「路不拾遺」。❻圀「遺珠」：比喻好的人才被埋沒。❼「遺臭」：留傳惡名。如「遺臭萬年」。❽「遺傳」：生物親子之間有血統關係，由生殖細胞的特殊因素而使兩代生物在體態、性情、疾病等方面，有種種相似的現象。❾圀「遺愛」：仁愛遺留在後世。

　▲圀(wèi)粵wei⁶〔位〕餽贈。

遹 圀(yù)粵wet⁹〔華睇切〕❶遵循。❷發語詞。詩經有「遹駿有聲」。

【暹】見日部，299頁。

十三至十九畫

邂 圀(xiè)粵hai⁶〔械〕「邂逅」亦作「邂遘」：無意中相遇。

避 (bi)粵bei⁶〔鼻〕❶躲開。如「逃避」；「避雨」。❷免除。如「避免」；「避雷針」。

邁 (mài)粵mai⁶〔賣〕❶抬起腿向前行。如「邁步」。❷超過。如「邁過去」。❸老。如

「年邁」。❹通「勱」，見61頁。

還(还) ▲(huán)粵wan⁴〔環〕❶去而復回。如「還鄉」；「萬里長征人未還」。❷償付。如「還本」；「還債」。❸回報。如「還手」；「還以顏色」；「以牙還牙」。❹「還價」：①買東西時嫌價錢高，說出願付的較低價錢或交易條件的行為。像要求降價、增加數量、提早或推遲交貨期、改變付款方式等。②引伸比喻辦事時提出諸多要求或條件。如「他辦事總是要討價還價」。

　▲(hái)粵wan⁴〔環〕❶猶、尚。如「時間還早」。❷仍舊。如「還是老樣子」。❸更。如「今天比昨天還熱」。❹或者。如「是走呢，還是不走呢」。❺再，又。如「我還有一件事要辦」。

　▲圀通「旋」，見287頁。

遽 (jù)粵gœy⁶〔巨〕❶急忙。如「急遽」。❷恐懼。如「惶遽」。❸猝然，忽然。如「遽聞」。❹圀驛車。左傳有「且使遽告于鄭」。

邅 圀(zhān)粵dzin¹〔煎〕「迍邅」：見726頁「迍」字。

邀 (yāo)粵jiu¹〔腰〕❶招引。如「邀請」；「不邀自來」。❷叨受。如「諒邀同意」。❸稱重

量。如「邈斤論兩」;「邈邈看，這條魚有多重」。❹囡遮留。晉書有「於半道邈之」。

邈 囡(miǎo)粵 miu⁵〔秒〕❶遠，渺。如「邈邈」;「邈然」。❷同「藐」，輕視。見625頁。

邃 囡(suì)粵sœy⁶〔睡〕❶遠。如「邃古」。❷精深。如「邃密」。

邇 囡(ěr)粵ji⁵〔耳〕❶近。如「密邇」;「名聞遐邇」。❷接近。書經有「惟王不邇聲色」。

邊(边) (biān)粵bin¹〔鞭〕❶物的外緣。如「邊緣」。❷方位。如「一邊」;「前邊」。❸行政區與行政區之間或國與國之間的交界處。如「邊界」。❹衣裙的緣飾。如「緄邊兒」。❺姓。❻「邊際」:①邊界。②頭緒。如「說話不着邊際」。

邋 ▲(lā)粵lap⁹〔立〕「邋遢」:①不整潔。②做事不仔細的樣子。
▲ 囡 (liè) 粵 lip⁹〔獵〕「邋邋」:旌旗搖動的樣子。

邏 (luó)粵lɔ⁴〔羅〕❶巡察。如「巡邏」。❷「邏輯」:英文 *logic* 的音譯。①思維的規律。如「這句話不合邏輯」。②研究思維的形式和規律的科學。常稱「邏輯學」、「論理學」、「理則學」。

邐 囡(lǐ)粵lei⁵〔里〕「迤邐」:見726頁「迤」字。

【邑部】

邑 囡(yì)粵jep⁷〔泣〕❶國。❷市鎮。如「都邑」。❸縣的別稱。如「邑人(同縣的人)」。❹通「悒」，見219頁。

三畫

邙 (máng)粵moŋ⁴〔亡〕「北邙」：山名，在河南洛陽縣東北。

邗 (hán)粵hɔn⁴〔寒〕❶古國名，在今江蘇省江都縣。❷「邗溝」：古水名，即現在江蘇境內的運河。

邛 (qióng)粵kuŋ⁴〔窮〕❶囡勞，病。詩經有「維王之邛」。❷丘。詩經有「邛有旨苕」。❸「邛崍」：山名，在四川省。也叫「崍山」。

邕 (yōng)粵juŋ¹〔翁〕❶囡同「雍」，和睦。見794頁。❷同「壅」，見123頁。

四畫

邦(邦) (bāng)粵bɔŋ¹〔幫〕❶國家。如「邦交」；「民為邦本」。❷「聯邦」：若干小國合成一個國家。

邠 (bīn)粵ben¹〔賓〕❶古國名，即現在陝西省邠縣。❷通「份(bīn)」，見19頁。

邡 (fāng)粵fɔŋ¹〔方〕「什邡」：縣名，在四川省。

那 ▲(nà)粵na⁵〔尼也切〕la⁵〔離也切〕(俗)❶指示代名詞。指較遠的時間、地方或事物，跟「這」相反。如「那時」；「那些」；「那裏」；「那個」。❷「那麼」：①表式樣的副詞，那樣子。如「你何必那麼生氣呢」。②表承接的連詞。如「他既然不來，那麼我就走了」。

▲(nèi)粵na⁵〔尼也切〕la⁵〔離也切〕(俗)「那一」的合音，指數量時不限於一。如「那個」；「那些」；「那年」；「那件事」。

▲(nǎ)粵na⁵〔尼也切〕la⁵〔離也切〕(俗)疑問或詰問詞，等於文言的「何」。也作「哪」。如「只道梅花發，那知柳亦新」；「那有這種事，我不相信」。

▲(nǎi)粵na⁵〔尼也切〕la⁵〔離也切〕(俗)「那一」兩字的合音，是單指一個的表疑問指示代名詞。也作「哪」。如「請問您要找那位」。

▲(nè)粵na⁵〔尼也切〕la⁵〔離也切〕(俗)承接詞。如「那麼」；「那麼樣」；「那麼着」。

▲(nā)粵nɔ¹〔挪高平〕lɔ¹〔拉柯切〕(俗)姓。

▲図 (nuó) 粵 nɔ⁴〔挪〕lɔ⁴〔羅〕(俗)❶如何。左傳有「棄甲則那」。❷多。詩經有「受福不那」。❸美。如「那豎（美好的童子）」。

邪 ▲(xié) 粵 tsɛ⁴〔斜〕❶不正當的思想或行為。如「邪僻」；「邪行」。❷中醫說不正常的氣候使人生病。如「風邪」。❸妖異，怪誕。如「妖邪」；「邪教」。

▲図 (yé) 粵 jɛ⁴〔爺〕❶表疑問或感歎，同「耶」。莊子有「天之蒼蒼，其正色邪」。❷「邪許(hǔ)」：許多人做勞力工作時同時發出的呼應聲。

邢(邢) (xíng) 粵 jiŋ⁴〔刑〕❶春秋時國名，在現在河北省邢台縣西南。❷姓。
【邨】同「村」，見310頁。
【祁】見示部，491頁。

五畫

邶 (bèi) 粵 bui³〔貝〕古國名，在現在河南省汲縣一帶。
邴 (bǐng) 粵 biŋ²〔丙〕❶古地名，在現在山東省費縣東南。❷姓。
邳 (pī) 粵 pei⁴〔皮〕❶古地名，在現在山東省滕縣南。❷姓。

邸 (dǐ) 粵 dɐi²〔底〕❶王公的府第；現在也作要人宅第的通稱。如「官邸」。❷図旅舍。如「旅邸」。❸姓。
邰 (tái) 粵 tɔi⁴〔臺〕❶古國名，在現在陝西省武功縣境。❷姓。
邯 (hán) 粵 hɔn⁴〔寒〕「邯鄲」：①市名，在河北省。②複姓。
邱 (qiū) 粵 jɐu¹〔休〕❶同「丘」。❷姓。本作「丘」，因為避孔子的名諱，改成「邱」。見第4頁。
邵 (shào) 粵 siu⁶〔紹〕姓。

六畫

郃 (hé) 粵 hɐp⁹〔合〕❶「郃陽」：縣名，在陝西省。❷姓。
邽 (guī) 粵 gwɐi¹〔歸〕❶古地名：①「上邽」，在現在甘肅省天水縣境。②「下邽」，在現在陝西省渭南縣境。❷姓。
郊 (jiāo) 粵 gau¹〔交〕❶城外。如「郊區」；「四郊」。❷古時祭天的典禮。如「郊祀(在郊外祭天或祭地)」。
郄 (xì) 粵 gwik⁷〔郤〕❶姓。❷図同「郤」，見741頁。
郇 ▲(xún) 粵 sœn¹〔荀〕❶古國名，在現在山西省猗氏縣西

南。❷図「郇廚」：唐朝郇公韋陟，講究美食。所以後來寫信謝人筵宴，常說「飽飫郇廚」。

▲(xún 又讀 huán)（粵）sœn¹〔荀〕姓。

邳　図(zhì)（粵）dzɐt⁹〔姪〕❶極、至。❷姓。

邾　(zhū)（粵）dzy¹〔朱〕❶古國名，在現在山東省鄒縣。❷姓。

郕　(chéng)（粵）siŋ⁴〔成〕古國名，在現在山東省寧陽縣北。

耶　▲図(yé)（粵）je⁴〔爺〕❶表示疑問的助詞，相等於現代漢語中「呢」、「嗎」。如「是耶非耶」。❷同「爺」，見417頁。

▲(yē)（粵）je⁴〔爺〕外國字的音譯。如「耶穌」；「耶路撒冷」。

郁　▲図(yù)（粵）juk⁷〔沃〕❶有文采的樣子。如「雲霞紛郁」。❷溫暖。❸姓。❹「郁郁」：①文章盛的樣子。②香氣散射的樣子。

▲「鬱」的簡化，見843頁。

【邢】同「邢」，見740頁。

七畫

郛　図(fú)（粵）fu¹〔呼〕郭，外城。

郎（郎）(láng)（粵）lɔŋ⁴〔狼〕❶古人對青年男子的美稱。如「顧曲周郎(指周瑜)」。❷青年人的通稱。如「女郎」。❸舊時妻子稱丈夫。如「郎君」。❹舊稱人家的兒子。如「令郎」。❺舊指從事某種職業的人。如「牛郎」；「賣貨郎」。❻舊時官名。有「侍郎」；「員外郎」等。❼姓。❽「郎中」：①俗稱醫生。②舊時官名。

郜　(gào)（粵）gou³〔告〕❶古國名，在現在山東省城武縣東南。❷姓。

郝　(hǎo)（粵）kɔk⁸〔確〕姓。

郟　(jiá)（粵）gap⁸〔夾〕❶姓。❷図堂屋的東西兩廂房。前堂的叫「廂」；後堂的叫「郟」。

郡　(jùn)（粵）gwɐn⁶〔跪刃切〕舊時地方行政區域名，比現在的縣稍大。

郤　(xì)（粵）gwik⁷〔隙〕❶姓。❷通「隙」，見789頁。

郗　(xī)（粵）tsi¹〔雌〕姓。

郢　(yǐng)（粵）jiŋ²〔映〕❶春秋時楚國都城，在現在湖北省江陵縣。❷図「郢匠」：楚國郢都一名巧匠。能在鼻端塗上粉沫，然後閉上眼睛，揮動大斧

削去鼻端的粉沫而不傷鼻子。後用「郢匠」比喻文章高手，請人修改自己的詩文也常用「郢政(請郢匠指正)」、「郢斲」作敬詞。

八畫

部 (bù)⑧bou⁶〔步〕❶統率。如「所部不滿千人」。❷政府機關名稱。如「外交部」；「國防部」。❸門類。如「部門」；「部首(按漢字形體偏旁分成的門類)」。❹部位，部分。如「局部」；「外部」。❺量詞：①指成套的書籍。如「一部辭典」；「一部小說」。②指車輛或機器。如「一部汽車」；「一部機器」。❻「部落」：①人民聚居的地方。②還沒組成國家的民族。❼「部署」：佈置。

郯 (tán)⑧tam⁴〔談〕❶古國名，在現在山東省郯城縣西南。❷姓。

郲 (lái)⑧loi⁴〔來〕❶古地名，在現在河南省滎澤縣境。❷姓。

郭 (guō)⑧gwok⁸〔國〕gɔk⁸〔各〕(俗)❶外城。如「城郭(城外的圍牆)」。❷物體的外部。如「劍郭(劍鞘)」。❸姓。

郪 (qī)⑧tsei¹〔妻〕「郪丘」：古地名，在現在山東省東阿縣境。

郴 (chēn)⑧sɐm¹〔深〕縣名，在湖南省。

郵 (yóu)⑧jɐu⁴〔由〕❶舊時傳遞官文書。馬遞叫置，步遞叫郵。❷傳遞信件。如「郵遞」。❸有關郵務的。如「郵費」；「郵件」；「郵包」。❹「郵局」：「郵政局」的簡稱，專司寄遞公私文件的機關。❺「郵票」：貼在郵件上表明已納付郵資的憑證。有通用郵票，紀念郵票等。

郫 (pí)⑧pei⁴〔皮〕縣名，在四川省。

郰 (zōu)⑧dzɐu¹〔鄒〕春秋時代魯國的邑名，在現在山東曲阜東南。

九至十一畫

郿 (méi)⑧mei⁴〔眉〕❶郿縣，在陝西省。❷古地名：①周朝的郿邑，舊城在現在陝西省郿縣的東北。②春秋時魯國都邑名，在現在山東省東平縣境。

都(都) ▲(dū)⑧dou¹〔刀〕❶國家的中央政府所在地。如「首都」；「國都」。❷較大的城市。如「都市」；「大都會」。❸囡總共。如「都為一冊」；「都五十萬言」。

▲(dōu)粵dou¹〔刀〕❶皆，俱，通通，統統。如「他們都來了」。❷說出結果表示程度已深。如「腿都站麻了」；「天都快亮了」。

鄄(juàn)粵gyn³〔眷〕❶古地名，即春秋時代的衞國。❷「鄄城」：舊縣名，在現在山東省濮縣。

鄂(è)粵ŋɔk⁹〔岳〕ɔk⁹〔惡低入〕(俗)❶春秋時楚邑，在現在湖北省武昌縣。❷湖北省的別稱。❸姓。

鄆(yǎn)粵jin²〔演〕「鄆城」：縣名，在河南省。

鄆(yùn)粵wɐn⁶〔運〕❶姓。❷「鄆城」：縣名，在山東省。

鄉▲(xiāng)粵hœŋ¹〔香〕❶通稱人口比較稀少的地區。如「鄉村」；「鄉下」。❷比縣低一級的行政區域名稱。如「鄉政府」。❸稱自己出生地或祖籍。如「家鄉」；「鄉音」。❹稱同縣或同省的人。如「鄉親」；「老鄉」；「同鄉」。

▲因同「嚮」，見105頁。

鄒(zōu)粵dzɐu¹〔周〕❶縣名，在山東省。❷姓。

鄔(wū)粵wu¹〔烏〕姓。

鄖(yún)粵wɐn⁴〔云〕縣名，在湖北省。

鄙(鄙)(bǐ)粵pei²〔痞〕❶因邊遠的地區。如「邊鄙」。❷輕視。如「鄙視」；「鄙夷」。❸對人謙稱自己。如「鄙人」；「鄙見」。

鄚(mào)粵mɔk⁹〔莫〕「鄚州鎮」：在河北省任丘縣。

鄜(fū)粵fu¹〔夫〕縣名，在陝西省。現已改爲富縣。

鄠(hù)粵wu⁶〔戶〕鄠縣，在陝西省。

鄢(yān)粵jin¹〔烟〕❶姓。❷「鄢陵」：縣名，在河南省。

鄞(yín)粵ŋɐn⁴〔銀〕ɐn⁴(俗)❶縣名，在浙江省。❷姓。

鄘(yōng)粵juŋ⁴〔容〕古國名，在現在河南省汲縣境。

十二至十九畫

鄱(pó)粵bɔ³〔播〕「鄱陽」：①湖名，在江西省。②縣名，在江西省。現已改爲波陽。

鄲(dān)粵dan¹〔丹〕「邯鄲」：見740頁「邯」字。

鄧(dèng)粵dɐŋ⁶〔第杏切〕❶縣名，在河南省。❷姓。

鄰(隣)(lín)粵lœn⁴〔倫〕❶住在貼近的人家。如「鄰右」；「鄰居」。❷接壤的。如「鄰國」；「鄰縣」。❸因周代的基層組織，每五戶爲一鄰。

鄭 (zhèng) 粵 dzɛ⁶〔自病切〕❶春秋時國名，在現在河南省新鄭縣一帶。❷隋末王世充自立稱王，國號鄭；在現在河南省洛陽縣。❸姓。❹「鄭重」：嚴謹慎重的態度。

鄯 (shàn) 粵 sin⁶〔善〕鄯善縣，在新疆省。

鄶 (kuài) 粵 kui²〔繪〕❶古國名，在現在河南省密縣境。❷姓。❸左傳吳季札觀周樂曾說「自鄶以下無論矣」，後人用「自鄶以下」形容卑劣到了不屑評論的地步。

鄴 (yè) 粵 jip⁹〔業〕❶古縣名，在現在河南省臨漳縣境。❷姓。

鄒 (zōu) 粵 dzeu¹〔周〕❶古國名，即「鄹」。❷「鄹城」也作「郰城」：在山東省曲阜縣東南，是孔子的故鄉。

鄺 (kuàng) 粵 kwɔŋ³〔礦〕kɔŋ³〔抗〕(俗)姓。

鄝 (líng) 粵 liŋ⁴〔靈〕鄝縣，在湖南省。

鄷 (fēng) 粵 fuŋ¹〔封〕❶姓。❷「鄷都」也作「豐都」：縣名，在四川省。

酈 (lì) 粵 lik⁹〔力〕姓。

酇 図(zàn) 粵 dzan³〔贊〕周代的地方組織，每一百戶為一酇。

【酉部】

酉 (yǒu) 粵 jeu⁵〔有〕❶地支的第十位。❷「酉時」：十二時辰之一，下午五點到七點。

二至三畫

酊 ▲ (dǐng) 粵 diŋ²〔頂〕「酩酊」：見746頁「酩」字。
▲ (dǐng) 粵 diŋ¹〔丁〕英文tinctvre的音譯。溶於酒精的藥劑。如「酊劑」；「安息香酊」。

酋 (qiú) 粵 jeu⁴〔由〕❶盜匪的頭目。如「匪酋」。❷「酋長」：部落的領袖。

配 (pèi) 粵 pui³〔佩〕❶兩姓結婚。如「婚配」；「配偶」。❷使性畜交合。如「配種」。❸對某種事有資格、身分或能力。如「不用功不配做好學生」。❹分派。如「分配」；「配給」。❺調和。如「配藥」；「配色」。❻附加，對主體有陪襯、幫助作用的。如「配角」；「配享」。❼補不足或殘缺。如「配鑰匙」；「門上的玻璃破了，該配一塊」。❽古時流放罪犯。如「發配」；「配軍」。❾「配方」：按處方調配成藥物的藥劑。❿「配音」：在銀幕上，按角色的

口型、動作、情節，配上對白、解說或音樂的過程。

干 (gān) 粵 gɔn¹〔干〕在化學上，凡由無機酸縮水而成的氧化物，統稱酸酐，簡稱「酐」。

酒 (jiǔ) 粵 dzɐu²〔走〕❶用米、麥、高粱或葡萄等發酵釀製而成的飲料，大都含有酒精，有刺激性。❷「酒母」：釀酒的麯。❸「酒色」：①酒和女色。引作比喻一種不正當的嗜好。如「沉迷酒色」。②臉上有飲過酒的樣子。如「面有酒色」。❹「酒精」：酒經過蒸餾而得的無色液體，俗稱「火酒」，化學上叫「乙醇」，分子式 C_2H_5OH，可作燃料、溶劑、消毒劑等。

酎 (zhòu) 粵 dzɐu⁶〔就〕❶很醇的酒。❷「酎金」：漢代諸侯的貢金。

酌 (zhuó) 粵 dzœk⁸〔雀〕❶斟酒。如「自飲自酌」。❷飲酒宴會。如「喜酌」；「小酌」。❸酒。如「清酌」。❹商量，考慮。如「商酌」；「酌辦」；「酌量」。

四至六畫

酕 図 (máo) 粵 mou⁴〔毛〕「酕醄」：極醉的樣子。

酚 (fēn) 粵 fɐn¹〔分〕「苯酚」：也叫「石炭酸」，一種無色針狀結晶的有機化合物，分子式 C_6H_5OH，易溶於水，可作防腐殺菌劑。

酖 ▲図 (dān) 粵 dam¹〔耽〕❶嗜酒。❷「酖酖」：安樂的樣子。
▲図 (zhèn) 粵 dzɐm⁶〔朕〕同「鴆」，見855頁。

酞 (tài) 粵 tai³〔太〕化學名詞，是有機化合物中的一類。

酗 (xù) 粵 hœy²〔許〕❶撒酒瘋。❷「酗酒」：喝酒沒節制。

酡 図 (tuó) 粵 tɔ⁴〔駝〕酒後臉發紅的樣子。如「酡顏」。

酤 図 (gū) 粵 gu¹〔姑〕❶賣酒。❷買酒。

酣 (hān) 粵 hɐm⁴〔含〕❶図酒喝得高興。如「酒酣耳熱」。❷充暢痛快。如「酣睡」；「酣戰」。

酢 ▲図 (zuò) 粵 dzɔk⁹〔鑿〕客人向主人敬酒。如「酬酢」。
▲同「醋」，見747頁。

酥 (sū) 粵 sou¹〔蘇〕❶用煮沸的牛乳羊乳製成的酪類食物。如「酥酪油」。❷用油和麵製成的鬆脆食品。如「鳳梨酥」；「酥油餅」。❸比喻東西的柔膩鬆澤。如「酥髮」；「酥胸」。❹

身體痠軟無力的感覺。如「酥麻」。

酩(mǐng)⓪ miŋ⁵〔皿〕「酩酊」：大醉的樣子。韓愈詩有「遇酒即酩酊，君知我是誰」。

酮(tōng)⓪ tuŋ⁴〔同〕化學名詞。由羰基和碳氫基結合而成的有機化合物的總稱，通式為 R—CO—R。如「丙酮(CH_3COCH_3)」，在工業上用做溶劑。

酪(lào)⓪ lɔk⁸〔烙〕❶用動物乳汁做的半凝固食品。❷用果實做的糊狀食品。如「杏仁酪」。

酰(xiān)⓪ sin¹〔先〕「酰基」：化學上可以用 R·CO— 表示的原子團。如「苯甲酰基(C_6H_5CO—)」。

酯(zhǐ)⓪ dzi²〔止〕酸和醇反應脫水而成的有機化合物，通式為 R—COO—R。如「醋酸乙酯($CH_3COOC_2H_5$)」。脂肪的主要成分就是幾種高級的酯。

酬(酧、詶)(chóu)⓪ tseu⁴〔囚〕❶勸酒。❷報答。如「酬勞」；「論件計酬」。❸實現，達到願望。如「壯志未酬」。❹用詩文相贈答。如「唱酬」；「酬對」。

❺「酬酢」：①飲酒時主客互相敬酒。②唱和，應對。③朋友交往。

七畫

酺(pú)⓪ pou⁴〔葡〕許多人聚集喝酒。

酶(mèi)⓪ mui⁴〔梅〕❶一種有機的膠狀物質，對生物的化學變化起催化作用，發酵就是靠酶的作用。舊稱「酵素」。❷⊠酒，酒母。

酴(tú)⓪ tou⁴〔途〕❶⊠酒母，酵母。❷「酴醾」：①⊠麥酒沒去渣滓的。②花名，即是「荼蘼」。

酹(lèi)⓪ lyt⁸〔劣〕lai⁶〔賴〕(又)把酒灑在地上祭神或立誓。

酷(kù)⓪ huk⁹〔斛〕❶酒味厚。❷暴虐，狠毒。如「殘酷」；「酷刑」。❸很，極。如「酷暑」；「酷似」；「酷愛」。

酵(jiào)⓪ gau³〔教〕hau¹〔敲〕(又)「發酵」：含糖類的流質因為化學作用發生黴菌，起沫變酸的過程。

酲(chéng)⓪ tsiŋ⁴〔程〕酒醒以後身體不舒服。如「宿酲未解」。

酸(suān)⓪ syn¹〔孫〕❶五味(酸、甜、苦、辣、鹹)之

一，醋一樣的味道。❷食物剛要腐壞的味道。❸悲痛。如「辛酸」；「令人酸楚」。❹笑人小氣或貧窮。如「窮酸」。❺化學上稱能在水溶液中產生氫離子(H^+)的物質。也作酸類的簡稱。如「硫酸(H_2SO_4)」；「硝酸(HNO_3)」。❻男女間因愛情而起的妒忌。❼國同「痠」，見457頁。

八畫

㾺 國(pēi)粵pui¹〔胚〕沒過濾的酒。

醄 國(táo)粵tou⁴〔陶〕「醄醴」：見745頁「醴」字。

醁 國(lù)粵luk⁹〔陸〕酒名，「醽醁」的簡稱。

醌 (kūn)粵kwɐn¹〔昆〕有機化合物中的一類，含有兩個羰基的。

醊 國(zhuì)粵dzyt⁸〔綴〕把酒灑在地上祭神。

醇(醕) (chún)粵sœn⁴〔純〕❶濃厚的酒。❷國純正不雜。如「醇粹」。❸謙厚謹慎持重的樣子。如「醇樸」；「醇厚」。❹有機化合物的一類，通式是$CnH_{2n+1}OH$，醫藥用的酒精就是乙醇。

醉(酔) (zuì)粵dzœy³〔最〕❶喝酒太多，神志不清。如「醉漢」；「醉鬼」。❷酒浸食物。如「醉蟹」；「醉棗兒」。❸專心或沉迷某事。如「心醉六經」；「醉心文藝」。❹「醉翁之意」：醉翁亭記有「醉翁之意不在酒」語句，後引作比喻本意不在此，或別有用心。

醋 ▲(cù)粵tsou³〔措〕❶酒發酵用米、麥、高粱等釀成的酸味液體，可作調味品。如「做酸辣湯要放醋」。❷用醋醃製的食品。如「醋薑」。❸俗稱男女之間因愛情而引起的嫉妒。如「吃醋」。
　　▲(zuò)粵dzɔk⁹〔鑿〕同「酢」，見745頁。

醃 (yān)粵jip⁸〔衣接切〕用鹽浸漬食物。如「醃肉」；「醃蘿蔔」。

九至十一畫

醍 國(tí)粵tɐi⁴〔提〕「醍醐」：①酥酪上像油脂的凝結物。②比喻人品的醇美。

醐 國(hú)粵wu⁴〔胡〕「醍醐」：見本頁「醍」字。

醑 國(xù)粵sœy²〔水〕美酒。

醒 (xīng)粵siŋ²〔沙影切〕❶跟睡着的狀態相反。如「睡醒了」。❷消除酒精對神經的麻

醒。如「醒酒」。❸由迷惑中覺悟過來。如「醒悟了」。❹「醒目」：①精警可引人注意。如「字大醒目」。②聰明。如「這孩子很醒目」。③図不睡。宋詩有「醒目常不眠」。

【醕】同「醇」，見747頁。

【醖】同「醞」，見本頁。

醚 (mí)粵mei⁴〔迷〕有機化合物的一類，通式是 $R—O—R$。醫藥上常用的麻醉劑乙醚（$C_2H_5OC_2H_5$），便是醚類的重要代表物。

醣 (táng)粵toŋ⁴〔唐〕化學上稱可以用 $Cm(H_2O)n$ 表示的有機化合物，也即是碳水化合物。澱粉和糖類裏的葡萄糖、蔗糖等都是醣。

醢 図(hǎi)粵hɔi²〔海〕肉醬。

醛 (quán)粵tsyn⁴〔全〕❶有機化合物的一類，通式為 $R—CHO$，工業上的用途很廣。❷乙醛（$CO_3—CHO$）的通稱，在醫藥上供催眠止痛之用。

醡 (zhà)粵dza³〔炸〕壓酒的器具。

醜 (chǒu)粵tsɐu²〔丑〕❶難看。如「醜陋」；「長得很醜」。❷羞恥。如「家醜」；「醜聞」。❸惡劣。如「醜行」；「醜

聲」。❹図相類。孟子書有「今天下地醜德齊」。❺図眾人。詩經有「執訊獲醜」。❻指小人、惡人。如「羣醜」。

醞（醞）(yùn)粵wɐn³〔蘊〕❶釀酒。❷「醞釀」：①釀酒。②比喻積漸成事。

醥 図(piāo)粵piu⁵〔皮881切〕清酒。

醪 (láo)粵lou⁴〔牢〕❶濁酒。❷「醇醪」：醇酒，濃酒。

醨 図(lí)粵lei⁴〔離〕薄酒。

醬 (jiàng)粵dzœŋ³〔漲〕❶用豆、麴等製成的一種調味食品。如「甜麴醬」；「豆瓣醬」。❷通稱搗爛如泥的食物。如「肉醬」；「果子醬」。❸用醬醃的食品。如「醬菜」；「醬黃瓜」。

醫（毉）(yī)粵ji¹〔衣〕❶治療疾病。如「醫病」。❷能治病的人。如「醫生」。

十二至二十畫

醭 (bú，舊讀pú)粵buk⁹〔僕〕pok⁸〔樸〕(又)醋或醬油放久了，浮面上生出的白點。

醱 (pō)粵put⁸〔潑〕❶酒再釀。如「醱醅」。❷「醱酵」也作「發酵」：①加酵母在麴粉裏使麴粉發鬆。②物質受細菌的影

響發生酸化作用。

醮 図(jiào)粵dziu³〔照〕❶和向道士設壇祈神。如「打醮」。❷図特指女人再嫁。如「再醮」。

醯 図(xī)粵hei¹〔希〕❶醋。❷「醯基」：化學名詞，凡是由某酸根失去跟它化合價同數的氧原子，而生出同價的「基」。

醲 (nóng)粵nuŋ⁴〔農〕luŋ⁴〔龍〕(俗)❶厚酒。❷通「濃」，見395頁。

醴 図(lǐ)粵lei⁵〔禮〕❶甜酒。❷甘泉。

醵 図(jù)粵gœy⁶〔巨〕kœk⁹〔其若切〕(又)❶湊錢一起飲酒。❷湊、聚集。如「醵資」。

醺 (xūn)粵fen¹〔分〕酒醉。如「醉醺醺」。

【醻】同「酬」，見746頁。

醼 図(yàn)粵jin³〔燕〕❶同「宴」，後漢書有「到府醼飲」。見155頁。❷同「讌」，見690頁。

醿(釄、䑃）図(mí)粵mei⁴〔眉〕「酴醿」：見746頁「酴」字。

釀 (niàng)粵jœŋ⁶〔讓〕❶製酒。如「釀酒」。❷酒。如「佳釀」。❸図事情逐漸演化形成。如「醞釀」。

靁 図(líng)粵liŋ⁴〔零〕「醽靁」：古美酒名。

醼 図(jiào)粵dziu³〔照〕把杯子裏的酒喝乾。

釁（釁、衅）(xìn)粵jen⁶〔刃〕❶古人製成新鐘鼓後，要用牛羊的血塗在縫隙上並且用牛羊祭。如「釁鐘」；「釁鼓」。❷找藉口生事。如「挑釁」。❸「釁浴」：用芳香的草藥薰身沐浴。❹「釁隙」：意見不合，感情有裂痕。

釃 ▲図(shī，又讀shāi)粵si¹〔私〕把已經造好的酒去糟濾清。
　▲同「醨」，見748頁。

釅 (yàn)粵jim⁶〔驗〕❶酒醋味道醇厚。❷液體濃厚。如「釅茶」。
【醶】同「釅」，見本頁。

【采部】

采 図(biàn)粵bin⁶〔便〕辨別。

一至十三畫

采 ▲(cǎi)粵tsɔi²〔彩〕❶図有彩色的帛。❷摘取。如「采集」;「采風錄」。❸彩色。如「五采」。❹稱讚,叫好。如「采聲」;「喝采」。❺人的神態。如「丰采」;「神采」。

　▲(cài)粵tsɔi³〔菜〕「采地」:古卿大夫所封的地,又稱「采邑」、「食邑」。

【彩】見彡部,203頁。

【悉】見心部,219頁。

釉 (yòu)粵jɐu⁶〔又〕瓷器表面所塗的一種光滑的物質。如「上釉」;「彩釉」。

【番】見田部,451頁。

釋 (shì)粵sik⁷〔式〕❶解說。如「注釋」;「解釋」。❷消散。如「釋疑」;「冰釋」。❸解放。如「開釋」;「假釋」。❹放下。如「手不釋卷」;「如釋重負」。❺中國用作釋迦牟尼的簡稱。❻有關佛教的。如「釋子(釋迦弟子,通稱和尚)」;「釋典(佛教經典)」;「釋教(佛教)」。

【飜】同「翻」,見559頁。

【里部】

里 ▲(lǐ)粵lei⁵〔李〕❶家鄉。如「鄉里」;「榮歸故里」。❷古時居民聚居的地方。五家為鄰;五鄰為里。❸小巷。如「德仁里」;「天樂里」。❹長度單位(1公里＝1000米)。❺姓。❻図「里正」:①古官名,負責管理一里(二十五戶人家)。②指擔任里正的人。

　▲「裏」的簡化,見658頁。

二畫

重 ▲(zhòng)粵tsuŋ⁵〔池勇切〕❶分量大,跟「輕」相反。如「舉重若輕」。❷物體的分量。如「體重」;「五斤重」。❸濃厚。如「重賞」;「油太重」;「顏色重」。❹價格高。如「重金」;「重價收購」。❺嚴。如「重刑」。❻「重力」:物理學上稱地球對物體的吸引力。也叫「地心引力」。

　▲(zhòng)粵dzuŋ⁶〔仲〕❶要緊的。如「重地」;「重要」。❷特別注意、關切。如「重視」;「重文輕武」。❸不輕率。如「慎重」;「持重」。❹數量多。如「繁重」。❺図很,極。禮記有「壹似重有憂者」。

---

❻囡增益，加上。漢書有「是重吾不德也」。❼囡更，又。漢書有「見犯乃死，重負國」。❽囡難。國策有「故王重見臣也」。❾「重心」：①物理名詞，物體重量的集中點，不論物體的位置如何改變，物體都圍繞着這一點保持平衡。②比喻事物的重要部分。

▲(chóng)⑧tsuŋ⁴〔松〕❶複疊。如「重複」；「重疊」。❷層。如「困難重重」；「飛過萬重山」。❸再，另。如「重新」；「重修舊好」；「字寫錯了要重寫」。❹「重九」：陰曆九月初九日。也叫「重陽」。❺「重五」：中國民間節日，陰曆五月初五。也叫「重午」、「端午」、「端陽」。

四畫

野 (yě)⑧je⁵〔冶〕❶郊外。如「郊野」；「野地」。❷民間，不屬於政府的。如「朝野」；「在野黨」。❸沒經過人工馴養或培植的動植物。如「野獸」；「野草」。❹粗鄙無禮。如「野蠻」；「撒野」。❺界限，範圍。如「視野」。❻囡質樸。論語有「質勝文則野」。❼「野心」：①放縱，不馴服。如「狼子野心」。②指對名利，權位

的強烈慾望。如「野心家」；「野心勃勃」。❽「野味」：在山林中獵得的禽獸，可供看饌的。❾「野餐」：①帶食物在郊野吃。②一種便於攜帶的熟食。

五至十一畫

量 ▲(liáng)⑧lœŋ⁴〔良〕❶計算物體的大小、長短、輕重、多少。如「丈量」。❷商議。如「商量」。

▲(liàng)⑧lœŋ⁶〔亮〕❶計算物體容積的器具，像升、斗、斛等。❷容得下的限度。如「容量」；「酒量」。❸指人心胸容人的程度。如「氣量」；「量小非君子」。❹數的多少。如「大量輸出」；「重質不重量」。❺估計、審度。如「量入為出」；「不自量力」。

釐 ▲(li)⑧lei⁴〔離〕❶整理，改正。如「釐定」；「釐革」；「敬請釐正」。❷數量單位：①長度單位，一尺的千分之一。②地積單位，一畝的百分之一。③重量單位，一兩的千分之一。❸小數名：①一的百分之一。②利率：年利一釐(本金的百分之一)；月利一釐(本金的千分之一)。❹姓。

▲囡(xī)⑧hei¹〔希〕福。如「春釐」；「新釐」；「年釐」。

【金部】

金 (jīn)粵gɐm¹〔今〕❶一種貴重金屬元素，化學符號 *Au*，質較軟，色黃，俗稱「金子」、「黃金」；可以製貨幣或各種裝飾品。❷金屬的通稱。如「五金」；「合金」。❸金錢的簡稱。如「現金」；「金額」。❹比喻堅固。如「金城湯池」。❺比喻珍貴。如「金諾(守信不渝的諾言)」；「金玉良言」。❻朝代名。女真族所建，姓完顏氏，滅遼侵宋，佔有現在的東北各省，內蒙古的一部分，黃河流域各地以及江蘇、安徽北部地方，為宋朝的大患，後為蒙古所滅。一共經過一百二十年(公元1115—1234)。❼五行(金、木、水、火、土)之一。❽八音之一。❾姓。❿「金蘭」：金堅蘭香。比喻朋友情投意合，沿用指結義兄弟。⓫「金烏玉兔」：古指太陽跟月亮。

一至三畫

釓 (gá)粵ga¹〔加〕一種稀有金屬元素，化學符號 *Gd*。性質跟釤相似，但是它的氧化物跟硫化物都帶淡紅色，跟鉻相同。又譯作「鈪」。

釔 (yǐ)粵jyt⁹〔月〕一種金屬元素，化學符號 *Yt*，容易燃燒，可以做白熱燈罩。

釙 (pō)粵pok⁸〔樸〕一種放射性的金屬元素，化學符號 *Po*，顏色像鎳，放射性比鈾強三百倍。

釜 (fǔ)粵fu²〔苦〕❶古烹飪器名(即現在的鍋)。❷古量名，容六斗四升。❸「釜底抽薪」：將釜下面的柴草抽掉。比喻從根本上解決問題。

釘 ▲(dīng)粵diŋ¹〔丁〕dɛŋ¹〔疔〕(語)❶「釘子」：一種用金屬或竹木做成，可以貫穿物體，使其固着的條狀東西。如「鐵釘」；「螺絲釘」。❷通「盯」，注視。見470頁。❸通「靪」，見805頁。

▲(dìng)粵dɛŋ¹〔疔〕用鐵鎚(榔頭)砸釘子，把東西固定住。如「釘(dìng)釘(dīng)子」；「把木條釘在牆上」。

釕 ▲(liào)粵liu⁶〔料〕「釕銱」：門窗上的絞鈕。也叫「屈戌(兒)」。

▲(liǎo)粵liu⁵〔了〕金屬元素之一，化學符號 *Ru*，常摻雜在鉑礦裏，色青白如銅，質堅性脆。

釗 (zhāo)粵tsiu¹〔超〕❶勉力。❷文遠。❸姓。

針(鍼) (zhēn)粵dzɐm¹〔斟〕❶縫紉或刺繡、編結用來引線的細長工具。如「繡花針」;「毛線針」。❷針形的東西。如「大頭針」;「指南針」。❸用針刺人的經絡來治病。如「針灸」。❹西醫注射液體。如「打針」。❺「針鋒相對」:針尖對針尖。比喻雙方在各方面都尖銳對立。

釩 (fán)粵fan⁴〔凡〕金屬元素,化學符號V,多存在鐵礦裏,銀白色,是煉鋼用的材料。

釣 (diào)粵diu³〔弔〕❶用鉤子捕魚。如「釣魚」。❷誘取,騙取。如「沽名釣譽」。❸釣鉤的簡稱。如「垂釣」。

釷 (tǔ)粵tou²〔土〕一種金屬元素,化學符號Th,是灰白色的粉末,能在低溫下發光,可以作煤氣燈的紗罩。

釹 (nǎi)粵nai⁵〔奶〕lai⁵〔離蟹切〕(俗)「釹」的另一種譯名,見本頁。

釹 (nǚ)粵nœy⁵〔女〕lœy⁵〔呂〕(俗)一種罕有的金屬元素,化學符號Nd,色微黃,多用於光學方面。

釭 (gāng)粵gɔŋ¹〔江〕❶燈。如「銀釭」。❷車轂內外的鐵圈。

鈕 (kòu)粵kɐu³〔叩〕❶鍍金。❷衣紐。如「紐鈕」;「鈕子」。

釵 (chāi)粵tsai¹〔猜〕從前婦女頭上戴的一種首飾,由兩股的簪子合成。如「金釵」;「荊釵布裙」。

釧 (chuàn)粵tsyn³〔串〕❶帶在臂上或腕上的鐲子。如「釵釧」。❷姓。

釬 (qiān)粵tsin¹〔千〕「釬子」:用金屬做成的一頭尖的長鋼棍,多用來在礦石上打洞。

釤 ▲(shān)粵sam¹〔三〕❶一種金屬元素,化學符號Sm,灰白色,堅硬像鋼。❷文大鐮刀。
▲文(shàn)粵sam³〔所鑑切〕砍、劈。

鈠 (yě)粵ja⁵〔也〕金屬元素「釔」的舊譯名,見752頁。
【釬】同「銲」,見761頁。

四畫

鈈 (bù)粵bɐt⁷〔不〕「鈽」的另一種譯名,見755頁。

鈀 ▲(pá)粵pa⁴〔把〕同「耙」,破土塊的農具。見563頁。
▲(bǎ)粵ba²〔把〕一種金屬

元素，化學符號 *Pd*，色白如銀，合金可以作鋼筆尖、錶殼、醫療器械等。

鈁 (fāng) ⓜfoŋ¹〔方〕❶古時一種方口的量器。❷「鈁」的又一譯名，見763頁。

鈇 ⓧ(fū) ⓜfu¹〔夫〕❶鍘刀。❷通「斧」，見283頁。

鈍 (dùn) ⓜdœn⁶〔頓〕❶不銳利。如「這把刀很鈍」。❷ⓧ事物進行不順利。如「利鈍」。❸腦筋不靈活，做事不快。如「遲鈍」。❹「鈍角」：數學名詞，大於一個直角而小於二個直角的角。

鈦 (tài) ⓜtai³〔太〕一種罕有金屬元素，化學符號 *Ti*，分佈在石英和礬土裏，純粹的鈦，顏色灰白，非常堅硬。

鈉 (nà) ⓜnap⁹〔納〕lap⁹〔立〕(俗)❶打鐵。❷一種金屬元素，化學符號 *Na*，銀白色，固體，柔軟如蠟，遇水就發熱，常和其他物質化合，在工業上用途很大，是化學上很重要的還原劑。

鈕 (niǔ) ⓜneu²〔扭〕leu²〔拉嘔切〕(俗)❶印鼻。❷通「紐」，見528頁。

鈣 (gài) ⓜkɔi³〔丐〕一種金屬元素，化學符號 *Ca*，色白有光，比鉛稍硬，有延展性，在濕空氣裏氧化很快，大理石、石灰石、石膏等都是它的化合物。

鈧 (kàng) ⓜkoŋ³〔抗〕一種罕有金屬元素，化學符號 *Sc*。又譯作「鏮」、「鎆」。

鈥 (huǒ) ⓜfɔ²〔火〕一種罕有的金屬元素，化學符號 *Ho*。

鈜 ⓧ(hóng) ⓜweŋ⁴〔宏〕金屬撞擊聲。

鈒 ▲(jí) ⓜkɐp⁷〔吸〕「鍺」的又一譯名，見765頁。

▲(sè) ⓜsap⁸〔颯〕古時一種像戟的兵器。

斫 ▲ⓧ(jīn) ⓜgɐn¹〔斤〕同「斤」，砍樹用的斧。見283頁。

▲(yín) ⓜŋɐn⁴〔銀〕ɐn⁴(英)「斫鍔」：器物凹下處叫斫；凸起處叫鍔。

鈞 (jūn) ⓜgwɐn¹〔均〕❶古量名，三十斤為鈞。❷尊稱上級或長輩的詞。如「鈞座」、「鈞安」。❸ⓧ製陶器所用的轉輪。❹姓。❺通「均」，見113頁。

鈐 (qián) ⓜkim⁴〔鉗〕❶印章，蓋印。如「鈐記」；「鈐印」。❷ⓧ車轄。❸ⓧ鎖。如「鈐鍵」。❹ⓧ矛柄。

鈔 (chāo) ⓜtsau¹〔抄〕❶紙幣，鈔票。如「外鈔」；「台

元大鈔」。❷指錢財。如「讓你破鈔」。❸通「抄」，謄寫，剽竊。見240頁。

釾(yá)⑱ŋa⁴〔牙〕a⁴〔亞低平〕(俗)元素「鑰」的又一譯名，見771頁。

【欽】見欠部，344頁。
【鈞】同「鈞」，見756頁。
【鈆】同「鉛」，見757頁。

五畫

鈸(bó)⑱bet⁹〔拔〕兩個周邊扁平而中央凸起的圓銅片，互相敲擊發聲的樂器。

缽(bō)⑱but⁸〔巴括切〕❶盛東西的器具，較碗、盂大。❷和尚盛飯的盂。

鉑(bó)⑱bok⁹〔薄〕❶一種金屬元素，俗稱「白金」。化學符號 Pt。展性、延性很強，不受酸鹼的侵蝕。用處很多，可以作坩堝、砝碼、電極等，也可作裝飾品。❷通「箔」，金屬薄片。見513頁。

鉳(bò，又讀běi)⑱bek⁷〔北〕一種放射性金屬元素，化學符號 Bk。又譯作「錇」、「鋂」。

鉋(鑤)(bào)⑱pau⁴〔炮〕❶削平木材的工具。如「鉋子」。❷用鉋子刮或用鉋牀等機器削刮。如「把這塊木板鉋薄一些」。❸「鉋花」：鉋落的薄木片。

鉍(bì)⑱bit⁷〔必〕一種金屬元素，化學符號 Bi，也叫「蒼鉛」，可與鉛、錫等製成合金。

鈽(bù)⑱bou³〔布〕放射性金屬元素，化學符號 Pu，爆炸時放出原子能，是發生原子能的重要原料。又譯作「鈈」、「鏷」。

鉕(pǒ)⑱po²〔頗〕❶一種放射性金屬元素，化學符號 Pm。❷図銅鐸。

鈹▲図(pī)⑱pei¹〔披〕❶大針。❷刀劍類的兵器。
　　▲(pí)⑱pei⁴〔皮〕一種金屬元素，化學符號 Be，富延展性，銀白色，六角形的結晶。合金質堅而輕，可用來製飛機機件。在原子能研究及製造X光管中，都有重要用途。又譯作「錻」、「鉻」。

鉬(mù)⑱muk⁹〔目〕一種金屬元素，化學符號 Mo，銀白色，堅硬，鎔度極高，可做合金。

鈿(diàn)⑱din⁶〔電〕❶用金片製成的花形飾物。❷「螺鈿」：用金、銀、殼鑲嵌成的器物。

鉈 (tā)粵ta¹〔他〕一種金屬元素，化學符號Tl，顏色跟硬度像鉛。

▲同「砣」，見483頁。

鉭 (tǎn)粵tan²〔坦〕一種金屬元素，化學符號Ta，形狀性質跟鈮相似，有延性、展性，可以做電燈泡裏的細絲。

鈮 (ní)粵nei⁴〔尼〕lei⁴〔離〕(俗)一種罕有金屬元素，化學符號Nb，可作製造不鏽鋼的原料(舊譯名是「鈳」，化學符號Cb)。

鈴 (líng)粵liŋ⁴〔零〕❶用金屬製成圓殼，下面稍爲裂開，內裝鐵丸，一搖動就會發聲。如「鈴鐺」。❷一種形狀像小鐘，中懸金屬片，風一吹就會相觸作聲。即是從前設於宮殿樓閣簷角的鈴鐸。❸像鈴的東西。如「啞鈴」。

鉚 (mǎo)粵mau⁵〔卯〕用釘子把金屬物連在一起。如「鉚接」；「鉚釘」。

鉤(鈎) (gōu)粵ŋeu¹〔勾〕eu¹〔歐〕(俗)❶古代的一種兵器，形狀像劍而曲。❷形狀彎曲的用具，頭端尖銳。如「魚鉤」；「秤鉤」。❸漢字楷書的一種末端彎曲的筆法，即是 亅、乛、乚 等的形狀。❹図探取。如「鉤取」。❺用針粗縫的一種縫紉法。如「鉤貼邊」。❻描畫。如「鉤輪廓」。❼「鉤心鬥角」：①図宮室結構的交錯而緻密。②鬥心眼兒；用盡心機，極意經營或苦心佈置。

鈷 (gǔ)粵gu²〔古〕❶一種金屬元素，化學符號Co，灰白色，硬度和延展性都比鐵高，又有磁性，可以用它和別的金屬製成較硬的合金，醫學上用它的放射性同位素(鈷六十)透射癌症部位，是治療癌症的重要方法。❷図「鈷鉧」也作「鈷鏻」：熨斗。

鉲 (kā)粵ka¹〔卡〕一種放射性元素，化學符號Cf。又譯作「鐦」。

鈳 (kē)粵ho¹〔呵〕「鈮」的舊譯名，見本頁。

鉫 (jiā)粵ga¹〔加〕「鎵」的舊譯名，見768頁。

鉀 (jiǎ)粵gap⁸〔甲〕❶金屬元素，化學符號K，銀白色，樣子像蠟，遇水起化學變化，發生氫氧化鉀，所以要泡在石油裏保存。❷図通「甲」，護身衣。見448頁。

鉅 (jù)粵gœy⁶〔具〕❶図鋼鐵。❷通「巨」，見176頁。❸通「詎」，見676頁。

鉛（鈆）▲(qiān)粵jyn⁴〔元〕❶一種金屬元素，化學符號Pb，色青，質軟，在空氣裏容易氧化，可以製造很多種的合金跟器具。❷「黑鉛」俗稱石墨，是一種純碳質的礦物，研成粉末，攙入黏土，可以製鉛筆心。❸「鉛丹」：鉛和氧的化合物，色鮮紅，可以做顏料。❹「鉛字」：用鉛、錫、銻等合金製成的供印刷用的活字。

▲(yán)粵jyn⁴〔元〕❶「鉛山」：縣名，在江西省。❷同「沿」，循。荀子書有「鉛之重之」。

鉗(qián)粵kim⁴〔黔〕❶挾持。如「鉗制」。❷夾東西的工具。如「火鉗」；「老虎鉗」。❸古時用鐵器鎖脖子的刑法。❹姓。

鉉図(xuàn)粵jyn⁵〔軟〕❶扛鼎具。❷扛鼎。

鉏▲(chú)粵tsɔ⁴〔鋤〕❶図誅滅。❷姓。❸同「鋤」，見762頁。

▲(xú)粵tsœy⁴〔徐〕古國名，在今河南省滑縣東。左傳有「后羿自鉏遷于窮石」。

鉦▲(zhēng)粵dziŋ¹〔征〕❶古時一種銅製的軍中樂器，形狀像鏡。❷図「鉦鼓」：古時候行軍，要停住就敲鉦，要前進就打鼓。後用「鉦鼓」比喻軍事行動。

▲(zhèng)粵dziŋ³〔政〕「鑽」的舊譯名，見771頁。

鈰(shì)粵si³〔市〕一種金屬元素，化學符號Ce，有延展性，燃燒時可以發光。

銖図(shù)粵sœt⁹〔術〕❶長針。❷引導。❸刺。如「劇目銖心」。

鈾(yóu)粵jeu⁴〔由〕一種放射性的金屬元素，化學符號U，銀白色，質堅硬，在酸裏容易溶化。是產生原子能的重要元素。

鈺図(yù)粵juk⁹〔玉〕❶珍寶。❷硬金屬。

鉞(yuè)粵jyt⁹〔月〕大斧，一種古代兵器。

【鉄】同「鐵」，見772頁。

六畫

銤(mǐ)粵mei⁵〔米〕「鐵」的又一譯名，見762頁。

銘(míng)粵miŋ⁴〔名〕❶図在器物上刻紀念(警惕自己或讚頌他人)的文字。如「銘其功於豐碑」。❷図永遠記住。如「銘之肺腑」。❸文體的一種，記述功德或用以警惕自己。如「墓誌銘」；「座右銘」。

銱 (diào) 粵diu³〔弔〕「釘銱」：釘在門窗上可以把門窗扣住的絞鈕。

銚 ▲(diào) 粵diu⁶〔掉〕「銚子」：高高的像壺一樣的燒水或煮東西的炊具，有一個把兒和一個出水口。
▲(yáo) 粵jiu⁴〔姚〕❶図大鋤。❷姓。

銩 (diū) 粵diu¹〔丟〕一種罕有的金屬元素，化學符號Tm或Tu，形狀像鑷，用途不多。

銅 (tóng) 粵tuŋ⁴〔同〕一種用處很廣的金屬元素，化學符號Cu，紅棕色，有光澤，俗稱「紅銅」或「紫銅」，跟其他金屬做成合金，就成了青色或白色，富於延展性，極易傳熱、導電。

銠 (lǎo) 粵lou⁵〔老〕一種稀有的化學金屬元素，符號Rh，顏色灰白，質堅硬。化學實驗用的鉑質器具可加入銠來增高硬度。

鉻 ▲(gè) 粵gok⁸〔各〕一種金屬元素，化學符號Cr，色灰黑如鋼，鉻度很高，不容易氧化，和鐵的合金叫做「鉻鋼」，韌性和硬度都很大。
▲(gé) 粵gok⁸〔各〕古時的一種兵器，即是「鉤」。

銈 (guī) 粵gwei¹〔歸〕同「硅」，見484頁。

銧 (guāng) 粵gwɔŋ¹〔光〕gɔŋ〔江〕(俗)「鐳」的舊譯名，見772頁。

銬 (kào) 粵kau³〔靠〕❶鎖住手腕的刑具。如「鐐銬」；「手銬」。❷用手銬束縛。如「把犯人銬起來」。

鉿 (hā) 粵ha¹〔哈〕一種金屬元素，化學符號Hf，存在於含鋯的礦物中，性質也很像鋯。

鉸 (jiǎo) 粵gau²〔絞〕❶用剪子剪東西。❷剪刀。❸工業鑽牀的一種切削法。如「鉸兩個孔，鉸到穿透為止」。❹「鉸鏈」：裝在器物或門窗上，以便開關的兩張連結的金屬片，俗稱「合葉」。

銓 (quán) 粵tsyn⁴〔全〕❶図衡量輕重。❷選擇官吏。如「銓選」。❸「銓敘」：審查公務員任用資格跟核定官階等級。

銎 図(qióng) 粵kuŋ⁴〔窮〕斧子上裝柄的部分。

銛 図(xiān) 粵tsim¹〔簽〕兵器鋒利。

銜 (xián) 粵ham⁴〔咸〕❶馬勒口器具。如「放銜縱馬」。❷用嘴叼。如「燕子銜泥」。❸図懷，含。如「銜冤」；「銜

恨」。❹接連。如「銜接」。❺
図接受，奉。如「銜命」。❻官
階、官職的名稱。如「職銜」；
「頭銜」。❼指人的姓名。如
「領銜」。

銑 ▲(xiǎn)粵sin²〔癬〕❶図最
有光澤的金屬。❷「銑鐵」：
初鍊的鐵。也叫「鑄鐵」、「生
鐵」。

▲(xǐ)粵sin²〔癬〕❶「銑
刀」：鋼鐵製造機械上的一種
旋轉刀，可把材料割削成一定
的形狀。❷「銑牀」：裝置着銑
刀的大機器。❸「銑工」：割削
工作或負責這種工作的人。

銂 図(xíng)粵jiŋ⁴〔刑〕古時候
祭祀盛羹羹的器具，兩耳三
足，有蓋。如「銂鼎」。

銍 (zhì)粵dzi³〔至〕割稻用的短
鐮刀。

銖 (zhū)粵dzy¹〔朱〕❶古量
名，二十四銖等於一兩。漢
朝錢幣有「五銖錢」。❷比方極
輕微的。如「錙銖必較」(參見
765頁「錙」字)；「銖兩悉稱(輕
重相當，沒有絲毫出入)」。

成 (chéng)粵siŋ⁴〔成〕人名。
明朝末年有阮大鋮。

銃 (chòng)粵tsuŋ³〔雌控切〕❶
図斧頭裝柄的部分。❷舊時
指槍械之類的火器。如「火
銃」；「鳥銃」。

銣 (rú)粵jy⁴〔如〕一種金屬元
素，化學符號Rb，色銀白
微黃，輕軟，在空氣或水裏能
自己燃燒，很像鉀。碘化銣可
作藥，治眼、喉和皮膚的病。

銫 (sè)粵sik⁷〔色〕一種金屬元
素，化學符號Cs，色白質
軟，極易氧化，存在礦泉、海
水跟植物裏。

銨 (ǎn)粵on¹〔安〕「銨根」：化
學上的陽性複根之一，分子
式是NH_4，性質和鉀相似。舊
譯作「錏」。

鉺 ▲(ěr)粵ji⁵〔耳〕一種金屬元
素，化學符號Er，氧化物
是鮮紅色粉末。
▲図(èr)粵ji⁶〔異〕鉤。

銥 (yī)粵ji¹〔衣〕一種金屬元
素，化學符號Ir，存在鉑礦
裏，白色，有光澤，和鉑的合
金可以製造鋼筆尖等。

銪 (yǒu)粵jɐu⁵〔有〕一種罕有
金屬元素，化學符號Eu，
色淡紅，工業上用途不廣。

銦 (yīn)粵jɐn¹〔因〕一種金屬
元素，化學符號In，產量很
少，銀白色，質柔軟而韌，可
以跟鉛、鈉等製成合金。

銀 (yín)粵ŋɐn⁴〔垠〕ɐn⁴(俗)❶
一種金屬元素，化學符號
Ag，色白，有光輝，富延展
性，是良好導體，用來製貨

幣、器皿等。❷指貨幣。如「銀元」；「銀根(指市場上週轉的現金)」。❸像銀的白亮顏色。如「銀幕(放映電影的屏幕)」。❹「銀耳」：又名「白木耳」，生於栓皮櫟、麻櫟、枹等枯樹上，形像雞冠，含膠質，白色半透明，味甘，是清涼補品，產於四川、貴州等地。❺「銀行」：辦理存款、放款、滙兌，儲蓄等業務的信用機構，一般分商業銀行及中央銀行兩類。❻「銀河」：太陽所在的星系，是由很多恆星所組成的天體。

【銕】同「鐵」，見772頁。

【錚】同「錚」，見764頁。

七畫

鈸 (bó)⑧but⁹〔撥〕❶「鈚」的另一譯名，見755頁。❷「鈸」的又一譯名，見755頁。

鋇 (bèi)⑧bui³〔貝〕金屬元素，化學符號 Ba，顏色或白或黃，有延展性，容易和氧化合。

鋪 ▲(pū)⑧pou¹〔披高切〕❶攤開，展平。如「鋪被褥」；「平鋪直敍(說話寫作沒有文采)」；「在路上鋪一層沙子」。❷図偏。❸図「鋪首」的簡稱，安裝門環的底盤。❹「鋪陳」：①詳細敍述。②陳設，佈置。

▲(pù)⑧pou³〔披澳切〕俗寫作「舖」。❶商店。如「鋪子」；「店鋪」。❷睡眠的牀位。如「牀鋪」。❸地名用字。如「十里鋪」。

鋥 (zèng)⑧tsiŋ⁴〔呈〕器物經過磨擦後閃光耀眼。如「鋥亮」。

鋂 (měi)⑧mui⁵〔每〕一種放射性金屬元素，化學符號 Am。又譯作「鎇」。

鋩 (máng)⑧moŋ⁴〔忙〕「鋒鋩」也作「鋒芒」：刀劍的尖端。

鋒 (fēng)⑧fuŋ¹〔風〕❶兵器的銳利部分。如「刀鋒」；「鋒刃」。❷銳利。如「鋒利」。❸器物的尖銳部分。如「筆鋒」。❹隊伍的前列，又指在前領頭的人。如「先鋒」。

鋌 ▲(dìng)⑧diŋ³〔訂〕同「錠」，金銀鎔鑄成一定的形式。見763頁。

▲図(tǐng)⑧tiŋ⁵〔挺〕走得很快的樣子。如「鋌而走險」。

鋱 (tè)⑧tik⁷〔惕〕一種罕有金屬元素，化學符號 Tb，呈黑色或棕色的粉狀，用途很少。

銻 (tī)⑧tɐi¹〔梯〕一種金屬元素，化學符號 Sb，銀白色，有光輝，質脆，容易破

碎，可加在鉛錫裏鑄鉛字，也可做顏料、藥品等。

銩(tū)粵tuk⁷〔禿〕「鈺」的又一譯名，見758頁。

鋃(láng)粵loŋ⁴〔郎〕❶図「銀鐺」也作「瑯璫」：①拘繫罪犯用的鐵鎖鍊。如「鋃鐺入獄」。②金屬的聲音。如「鐵索鋃鐺」；「鐘聲鋃鐺」。❷「鑭」的又一譯名，見774頁。

鋰(lǐ)粵lei⁵〔里〕一種金屬元素，化學符號Li，質地比鉛軟，光亮像銀子，是金屬裏最輕的，在空氣中不容易氧化，可以製造合金。

鋁(lǚ)粵lœy⁵〔呂〕一種金屬化學元素，化學符號Al，質地輕，不長鏽，銀色，用途很廣。

鋯(gào)粵gou³〔告〕一種金屬元素，化學符號Zr，結晶體很堅硬，可以做煤氣燈的紗罩。

銾(gōng)粵huŋ³〔控〕金屬元素「汞」的另一種寫法，見362頁。

銃(kè)粵hɐk⁷〔克〕「鉻」的另一種譯名，見767頁。

銲(hǎn)粵hɔn²〔罕〕一種新的人造放射性元素的暫譯名，由鉲跟氖15合成，是美國科學家在公元1970年發現的，命名為 hahnium，原子序數是105。

銲(釬)(hàn)粵hɔn⁶〔汗〕用錫或合金接合其他金屬或填補金屬物的缺口。如「電銲」；「銲接」。又作「焊」。

鋏(jiá)粵gap⁸〔夾〕❶夾取東西的金屬器具。如「鋏子」。❷図劍。❸図劍的柄。

鋦▲(jú)粵guk⁹〔局〕一種放射性元素，化學符號Cm。又譯作「鋸」。
▲ (jū) 粵 gœy¹〔居〕同「鋸」，見764頁。

銶図(qiú)粵kɐu⁴〔求〕鑿子一類的工具。

鋟図(qǐn，又讀qìn)粵tsim¹〔簽〕雕刻。

銷(xiāo)粵siu¹〔消〕❶把金屬鎔化。如「銷毀」。❷把貨品賣出去。如「銷售」；「推銷」。❸除去，解除。如「註銷」；「銷假」。❹通「消」，見376頁。

鋅(xīn)粵sɐn¹〔辛〕❶一種金屬元素，化學符號Zn，舊名叫「亞鉛」。顏色青白，鍍在鐵上可免生鏽，工業上用處很多。❷「鋅華」：①也叫「氧化鋅」、「鋅白」或「亞鉛華」，即是一氧化鋅，把鋅在空氣中加熱，冷卻以後變成的白色粉

末；是重要的白色染料，又可製碳皮膚病藥膏。②屬碳酸鹽酸類，也叫「水鋅礦」，呈白堊狀塊，不透明，能溶於鹽酸。

鋗 ▲図(xuān)粵hyn¹〔圈〕❶小盆。❷古時溫食物的器具。

▲図(juān)粵gyn¹〔捐〕❶「鋗人」也作「涓人」：宮廷裏掌管掃除工作的人。❷玉的響聲。

誌 図(zhì)粵dzi³〔志〕通「銘」，見757頁。

鋤(耡) (chú)粵tsɔ⁴〔池娥切〕❶一種去草翻土的農具。如「鋤頭」。❷用鋤整地。如「鋤地」。❸剷除。如「鋤奸」。

鋋 図(yán)粵jin⁴〔言〕古時的一種鐵把短矛。

銳 (ruì)粵jœy⁶〔睿〕❶指刀、槍等的快、尖利，跟「鈍」相反。如「銳利」。❷図指鋒利的兵器。如「披堅執銳」。❸敏捷，快。如「感覺敏銳」。❹強，有生氣，有力量。如「銳氣」；「銳不可當」。❺精強的力量。如「養精蓄銳」。❻図謂意志堅決。如「銳志苦讀」。❼図瑣細，無關重要。❽「銳角」：數學名詞，小於一個直角的角。

銼 (cuò)粵tsɔ³〔挫〕❶古代一種大口的烹飪器。❷鋼製的上面有細小尖刺的器具，用來打磨銅、鐵、竹、木等東西使它平滑。如「銼子」；「銼刀」。❸用銼刀磨東西。如「把鋸銼一銼」。❹摧折，不順利。如「銼敗」。

鋨 (é)粵ŋɔ⁴〔娥〕ɔ⁴〔柯低平〕(俗)一種金屬元素，化學符號Os，色蒼白，硬度很高，可以製電燈泡的燈絲或鋼筆尖。

鋣 図(yé)粵je⁴〔爺〕「鏌鋣」：見769頁「鏌」字。

鋙 図(wú)粵ŋ⁴〔吳〕「鋘鋙」：見764頁「鋘」字。

鋈 図(wù)粵juk⁷〔沃〕❶古代一種白色的金屬。❷古時用銀鍍物品。

鋊 ▲図(yù)粵juk⁹〔玉〕❶碳鉤子，可以鉤鼎耳及爐碳。❷磨子的齒兒用久變滑了，刀鈍了。如「這把刀鋊了」。

▲図(gǔ)粵guk⁷〔谷〕「鈸」的舊譯名，見755頁。

【銹】同「鏽」，見771頁。

八畫

錶 (biǎo)粵biu¹〔標〕隨身攜帶的小型計時器。

錇 ▲(péi)粵pui⁴〔陪〕「鉳」的又一譯名，見755頁。
▲図同「缶」，見549頁。

鍆 (mén)粵mun⁴〔門〕一種放射性金屬元素，化學符號Md。

錳 (měng)粵maŋ⁵〔猛〕一種金屬元素，化學符號Mn，灰白色，性質硬脆，很像生鐵；和鐵混合製成的合金叫「錳鋼」，可以做火車的車輪等。二氧化錳可供瓷器或玻璃着色之用。

鈁 (fǎ)粵fat⁸〔法〕一種放射性的金屬元素，化學符號Fr。又譯作「鈁」。

鍀 (dé)粵dɐk⁷〔得〕「鉻」的又一譯名，見767頁。

錠 (dìng)粵diŋ³〔訂〕❶古代蒸食物的器具。❷金屬鎔鑄成的一定的形式。如「金錠」；「一錠白銀」。❸墨、金錠的計量單位。如「墨一錠」；「金一錠」。❹成塊的或大粒的中藥。如「萬應錠」。❺「錠子」：紡紗用來絞成線縷的工具。

錟 ▲(tán)粵tam⁴〔談〕古代的一種長矛。
▲通「銛」，見758頁。

錼 (nài)粵nɔi⁶〔奈〕lɔi⁶〔誄〕（俗）一種放射性金屬元素，化學符號Np。又譯作「錼」。

錸 (lái)粵lɔi⁴〔來〕一種金屬元素，化學符號Re，可作接觸劑。

錄 (lù)粵luk⁹〔陸〕❶抄寫。如「抄錄」。❷記載。如「記錄」。❸採取。如「錄用」。❹記載事物的冊子或書籍。如「同學錄」；「回憶錄」。

鋁 (lù)粵luk⁹〔陸〕「鋁」的舊譯名，見758頁。

鎵 (gá)粵ga¹〔加〕「釓」的又一譯名，見752頁。

鋼 (gāng)粵gɔŋ³〔降〕❶經過精煉，不含磷、硫等雜質的鐵，含碳百分之0.15至百分之1.7，比熟鐵更堅硬更富於彈性，是工業上極重要的原料。❷「鋼精」也作「鋼種」：商業上指製造日用器具的鋁。如「鋼精鍋」；「鋼種鍋」。❸「鋼鐵」：比喻堅強，堅定不移。如「鋼鐵意志」。

錮 (gù)粵gu³〔固〕❶鑄銅鐵來杜塞孔隙。❷禁閉。如「禁錮」。❸堅固。❹通「痼」。如「錮疾」（也作「痼疾」）。見458頁。

錁 (kè)粵fɔ³〔貨〕「錁子」：金銀鑄成的小錠。

錹 (kěn)粵hɐŋ²〔肯〕「鈧」的又一譯名，見754頁。

鋱(kū)粵fɐt⁷〔忽〕「鏞」的又一譯名，見767頁。

錕(kūn)粵kwɐn¹〔昆〕「錕鋙」也作「錕鋘」：古代的寶刀或寶劍的名字。

錵(huā)粵fa¹〔花〕「釷」的舊譯名，見754頁。

錦(jǐn)粵gɐm²〔感〕❶一種有彩色花紋的絲織品。如「織錦」。❷形容美麗鮮明。如「春光如錦」。❸比喻華美。如「錦匣」；「錦箋」。❹比喻花樣繁多。如「什錦」。❺姓。❻「錦繡」：①絲織品的美麗花紋。織成花紋的是錦；刺成五彩的是繡。②比喻華美有文采。如「錦繡河山」；「錦繡前程」。❼「錦上添花」：美上加美。

鋸▲(jù)粵gœy³〔據〕❶薄鋼片製成，邊緣有尖齒，用來斷開木頭或鋼鐵的工具。如「電鋸」；「拉鋸」。❷用鋸把東西斷開。如「鋸樹」；「鋸木頭」。❸放射性元素「鍋」的又一譯名。

▲(jū)粵gœy¹〔居〕❶「鋸子」：一種特製的用來綴合破裂的瓷器、陶器的兩腳鉤釘。❷「鋸碗」：用鋸子綴合起來的瓷器、陶器。

錡図(qí)粵kei⁴〔其〕古人用的鍋一類的器具。

鍁(xiān)粵jɐn¹〔欣〕鏟之類的工具。

錢▲(qián)粵tsin⁴〔前〕❶指金屬貨幣。通常都是圓形的，舊時的錢幣有的中心有孔。如「銅錢」。❷泛指錢財。如「有錢有勢」。❸指費用。如「車錢」。❹形狀像銅錢的。如「榆錢(榆樹的莢)」；「錢兒癬」。❺重量單位，十分是一錢，十錢是一兩。❻姓。

▲図(jiǎn)粵dzin²〔剪〕古時的農具，即是「銚(大鋤頭)」。

錫(xī)粵sɛk⁸〔沙隻切〕❶一種金屬元素，化學符號*Sn*，顏色青白，很亮，不長鏽，比鉛硬，但是韌性大，有延展性，可以製合金。❷図賜與，賞賜。如「錫福」。❸図僧人所用錫杖的簡稱。如「卓錫」。❹姓。

錚(铮)図(zhēng)粵dzɐŋ¹〔增〕❶金屬撞擊時發出的聲響。如「錚錚」；「錚鏦」。❷同「鉦」，見757頁。

錐(zhuī)粵dzœy¹〔追〕❶鑽孔用的一頭尖銳的器具。如「錐子」。❷形狀如錐子的器具。如「桿錐(起螺絲釘的工具)」；「改錐」。❸指一頭尖的東西。如「毛錐(毛筆)」；「圓錐體」。

錘 (chuí)粵 tsœy⁴〔徐〕❶掛在秤上配合秤桿稱分量的鐵塊。常稱「秤錘」或「秤坨」。❷古兵器,柄的上端有一個金屬的圓球。如「銅錘」。❸用錘敲打。如「千錘百鍊」。又作「鎚」。

錙 (zī)粵 dzi¹〔資〕❶古時的重量單位,六銖爲一錙。❷「錙銖」:比喻極其輕微。如「錙銖必較」。

錯 ▲(cuò)粵 tsɔ³〔挫〕❶不對,不正確。如「錯字」;「認錯」。❷壞。如「感情不錯」。❸岔開。如「錯車」。❹「錯覺」:跟事實不符的知覺,常表現於視、聽、觸方面。

▲(cuò)粵 tsɔk⁸〔雌惡切〕❶交叉,雜亂。如「觥籌交錯」;「縱橫交錯」。❷图磨刀石。❸图古代的鍍金。❹图「錯落」:參差不齊,雜亂無秩序。如「錯落其間」。

▲图(cù)粵 tsou³〔醋〕❶安置。如「無所錯足」。❷廢棄。如「舉直錯諸枉」。❸施行。

錒 (ā)粵 a¹〔丫〕一種放射性金屬元素,化學符號 Ac,由鎄蛻變而生出來的。

錏 (yà)粵 a³〔亞〕「銨」的舊譯名,見759頁。

錛 (bēn)粵 bɐn¹〔奔〕❶「錛子」:一種削平木頭的工具,柄長,形如榔頭,頂端有橫刃。❷用錛子砍削。

九畫

鍺 (鍺) (zhě)粵 dzɛ²〔者〕一種金屬元素,化學符號 Ge,灰色,很脆,在常溫下有光澤,是重要的半導體。

鈲 (pài)粵 pai³〔派〕「鏷」的另一種譯名,見770頁。

鍢 (méi)粵 mei⁴〔眉〕「鎇」的另一種譯名,見760頁。

鎂 (měi)粵 mei⁵〔美〕一種金屬元素,化學符號 Mg,銀白色,遇高熱能燃燒,發出極白亮的光,可作照相閃光或製作信號彈之用;又可用來製作合金,製造一般器具或飛機。

錨 (máo)粵 nau⁴〔撓〕lau⁴〔離看切〕(俗)穩定船身所用的鐵製大鉤子(四鉤或兩鉤)。上端有鐵鍊相連,拋到水底或岸上,使船停住。

鍗 (dì)粵 dɐi³〔帝〕「碲」的另一譯名,見486頁。

鍍 (dù)粵 dou⁶〔渡〕把一種金屬薄薄地附着在別種金屬物器的表面上。如「電鍍」;「鍍金」。

鍛(煅)（duàn）粵dyn³〔煅〕❶打鐵，把金屬燒紅，再用鐵錘搥打。❷銲。如「鍛接」。❸「鍛煉」也作「鍛鍊」：①把金屬鎔化精煉。②通過運動，使身體強壯。如「鍛煉身體」。

鍮 図（tōu）粵teu¹〔偷〕「鍮石」：即黃銅(銅跟鋅的合金)。

錇（nuò）粵nɔk⁹〔諾〕lɔk⁹〔落〕（俗）一種放射性元素，化學符號 No。

鍊（liàn）粵lin⁶〔練〕❶用火冶製金屬使它精熱。如「千錘百鍊」。❷比喻寫作時對於造句、用詞，盡量求其精美。如「鍊句」；「鍊字」。❸通「鏈」，見769頁。❹通「煉」。如「鍊丹」。見407頁。

鍋（guō）粵wɔ¹〔窩〕❶烹煮用的器具。如「飯鍋」；「沙鍋」。❷有些器物的圓形似鍋的部分。如「烟袋鍋」。

鍇 図（kǎi）粵kai²〔崎歹切〕精製的鐵。

鍰 図（huán）粵wan⁴〔環〕❶古代重量單位，百鍰為三斤。❷「罰鍰」：罰金的代稱。

鎪 図（sōu）粵seu¹〔收〕用鋼絲鋸、挖、刻木頭。如「椅背上的花紋是鎪出來的」。

鎡 図（zī）粵dzi¹〔支〕「鎡基」：古代鋤頭一類的農具。

鍠 図（huáng）粵wɔŋ⁴〔王〕❶古代一種形狀像劍，但有三面刃的兵器。❷「鍠鍠」：鐘鼓的聲音。

鍵（jiàn）粵gin⁶〔件〕❶門上的鎖或插管之類的木棍或金屬棍。❷風琴、鋼琴的琴面上，設有狹長木條一列或數列，用手指一按就會發聲的裝置。如「琴鍵」。❸図鎖簧。❹図古時放在車軸兩端管住車輪不脫離的小橫棍。❺姓。❻「關鍵」：①閉門的橫木和加鎖的木門。②比喻機關或事物的扼要部分。

鍥 図（qiè）粵kit⁸〔揭〕❶用刀刻。荀子書有「鍥而不舍，金石可鏤」。❷弄斷。

鍬（鍫）（qiāo）粵tsiu¹〔超〕挖土剗土的器具。

鍘 図（zhá）粵dzat⁸〔扎〕❶一種底下有槽，一頭固定，用以剆草用的大刀；常稱「鍘刀」。❷用鍘刀切東西。如「鍘草」。❸古時候一種腰斬的酷刑。

鍾（zhōng）粵dzuŋ¹〔宗〕❶盛酒的器具。如「酒鍾」。❷古時的容量單位，一鍾容六斛四斗。如「萬鍾之粟」。❸聚，集中。如「鍾靈毓秀」。❹姓。❺

「鍾離」：複姓。

鍤 (chā) 粵tsap⁸〔插〕❶劃泥土的器具，即是鍫。❷縫衣用的長針。

鍶 (sī) 粵si¹〔私〕一種金屬元素，化學符號Sr，銀白色結晶，性質柔軟像鉛，在高熱中發深紅色的火焰。

鍔 図(è) 粵ŋok⁹〔岳〕ok⁹〔惡低入〕(俗)❶刀劍的刃。❷「釿鍔」：器物上凹凸不平、不齊整的部位。

鎄 (āi) 粵oi¹〔哀〕「鑀」的另一種譯名，見773頁。

鍪 (móu) 粵meu⁴〔謀〕❶古代的一種炊器。❷「兜鍪」：古代打仗時所戴的一種形似頭盔的帽子。

【鍼】同「針」，見753頁。

【鑒】同「鑒」，見773頁。

十畫

鎛 (bó) 粵bok⁸〔博〕❶古時的一種大鐘。❷古時鋤之類的農具。

鎊 (bàng) 粵boŋ⁶〔磅〕英文pound的音譯。英國的貨幣單位(原來是金幣，一鎊合二十先令，一先令合十二便士，後來改十進制)，一鎊合一百便士。

鎝 (dá) 粵dap⁸〔答〕一種放射性的金屬元素，化學符號Tc。又譯作「鍀」、「鎝」。

鎿 (ná) 粵na⁴〔拿〕la⁴〔勞霞切〕(俗)「錼」的又一譯名。

鎳 (niè) 粵nip⁷〔聶高入〕lip⁷〔獵高入〕(俗)一種金屬元素，化學符號Ni，銀白色，有光澤，不生鏽，可以製器具或貨幣，也可以製各種合金。

鎏 図(liú) 粵leu⁴〔流〕❶質地很好的金子。❷同「旒」。如「晃鎏」。見288頁。

鎦 (liú) 粵leu⁴〔流〕❶一種金屬元素，化學符號Lu，用途很少。❷古「劉」字，見57頁。

鎘 (gé) 粵gak⁸〔隔〕一種金屬元素，化學符號Cd，顏色青白像鋅，比鋅的延展性大。硫化物可作黃色顏料，跟汞的合金可填補蛀齒的小孔。

鎧 (kǎi) 粵hoi²〔凱〕「鎧甲」：古時戰士所穿的護身的鐵甲。

鏍 (kū) 粵fu³〔庫〕一種新的人造放射性元素的暫譯名，是公元1964年發現的，由鈈跟氖合成，命名爲kurchatovium，原子序104。也譯作「鉅」(另有原子序104的新元素是「鑪」)。

鎬 ▲図 (hào) 粵 hou⁶〔浩〕❶「鎬鎬」：光明的樣子。❷「鎬京」：古地名，在現在陝西省長安縣西北，是周武王建都的地方。

▲(gǎo) 粵 gou²〔稿〕類似鋤的農具，掘地用的。

鎵 (jiā) 粵 ga¹〔家〕一種金屬元素，化學符號 Ga，色青白或灰白，質地硬脆，有光澤，可製合金，又可代替水銀製溫度計、鏡子等。

鎗 (qiāng) 粵 tsœŋ¹〔昌〕❶能發射子彈的武器。如「手鎗」；「步鎗」。❷図金屬的響聲。❸同「槍」，見332頁。

鎴 (xī) 粵 sik⁷〔色〕「鎴」的舊譯名，見767頁。

鎋 図 (xiá) 粵 het⁹〔瞎〕通「轄」，是古時候車軸頭穿着的鐵鍵。見722頁。

鎮 (zhèn) 粵 dzen³〔振〕❶壓，壓服。如「鎮壓」。❷使靜止，安定。如「鎮靜」；「鎮痛劑」。❸把冰放在食物近旁，使它變涼。如「冰鎮酸梅湯」。❹大的市集。如「城鎮」；「市鎮」。❺行政區域單位。如「鄉鎮」。❻図整，全。如「鎮日」。

鎚 (chuí) 粵 tsœy⁴〔徐〕也作「鎚」。❶敲擊東西的工具。如「鐵鎚」。❷敲擊。如「鎚打」。

鎔 (熔) (róng) 粵 juŋ⁴〔容〕❶用火融化金屬。如「鎔化」；「鎔解」。❷図鑄器的模型。❸「鎔點」：物質由固體熔為液體所必需的一定溫度。也叫「鎔融點」、「鎔變」。

鎖 (suǒ) 粵 sɔ²〔所〕❶加在門上或箱子上，使人不能隨便打開的器具。如「銅鎖」；「對號鎖」。❷用鎖封住。如「把大門鎖上」。❸封閉。如「封鎖」。❹以鐵鏈拘繫。如「拘鎖」。❺鏈子。如「鎖鐐」；「披枷帶鎖」。❻眉毛蹙緊。如「愁眉深鎖」。❼一種縫紉法，用線順着布邊密密縫緊。如「鎖邊」；「鎖扣子眼」。

鎰 図 (yì) 粵 jet⁹〔日〕古代的重量單位，合二十兩或二十四兩。

鎢 (wū) 粵 wu¹〔烏〕一種金屬元素，化學符號 W，灰色，有光澤，質極硬，可製電燈泡絲；鋼裏加少量的鎢成為鎢鋼，是重要軍用工業原料。【鵭】同「鎢」，見773頁。

十一畫

鏢 (biāo) 粵 biu¹〔標〕❶兵器，樣子像槍頭，投射能傷人。

鏢 如「飛鏢」;「鏢刀」。❷「保鏢」:舊時受雇護送商人攜帶財物走遠路或押運貨物的武士。❸「鏢局」:經營保鏢業務的處所。❹「鏢客」:從事保鏢職業的人。

鏌 図(mò)粵mok⁹〔莫〕「鏌鋣」也作「莫邪」:古寶劍名。

鋪 (mǎn)粵mun⁵〔滿〕「鋪」的又一譯名,見760頁。

鏝 (màn)粵man⁶〔慢〕❶泥水匠塗牆壁用的抹子。如「鏝刀」。❷錢幣沒有字的背面。❸「鏝胡」:古時一種沒有利刃的戟。

鏑 (dí)粵dik⁷〔嫡〕❶箭頭。❷一種金屬元素,化學符號 Dy,產量很少。

鏜(鏜) ▲(tāng)粵tɔŋ¹〔湯〕❶擊鼓聲或敲鑼聲。❷一種中樂器,像小銅盤,用小木板敲打。❸「鏜鏜」:①鼓聲。②泛指大的聲音。❹「鏜鞳」也作「鞺鞳」:鐘鼓的聲音,或特指擊鼓的聲音。
▲(táng)粵tɔŋ⁴〔堂〕金屬工業的一種工作法,泛指車削外圓、圓孔、圓錐孔等。如機械工具機件有鏜刀、鏜桿、鏜牀等。

鏤 (lòu)粵leu⁶〔漏〕❶雕刻。如「雕鏤」。❷姓。

鏐 図(liú)粵leu⁴〔流〕純美的黃金。

鏈 (liàn)粵lin²〔拉演切〕❶由許多金屬小環連綴起來的長條。如「錶鏈」;「鏈子」;「鏈條」。❷「鉸鏈」:見758頁「鉸」字。❸「鏈黴素」:是由鏈黴菌製成的殺菌劑,能治傷寒跟結核病。

鍊 (kàng)粵kɔŋ³〔抗〕「鈧」的又一譯名,見754頁。

鏗 (kēng)粵heŋ¹〔亨〕❶金屬物或瓦石撞打的聲音。❷図鐘聲。❸琴瑟聲。❹「鏗鏘」:形容聲音響亮和諧。如「鏗鏘悅耳」。

鏌 (hàn)粵hɔn³〔漢〕「銲」的又一譯名,見761頁。

鏡 (jìng)粵geŋ³〔加柄切〕❶在玻璃後面塗上水銀,可以照出物體的影像。如「鏡子」。❷透光玻璃片之類所做的器具。如「眼鏡」;「望遠鏡」。❸借別的事情來做參考或警惕。如「鏡戒」;「借鏡」。❹「鏡花水月」:比喻空幻不實在的東西。

鏘 (qiāng)粵tsœŋ¹〔槍〕❶玉石撞擊聲。❷「鏘鏘」:狀聲詞。❸「鏗鏘」:見本頁「鏗」

字。

鏹(鏹)▲囡(qiǎng)粵kœŋ5〔襁〕❶串錢的索。❷古時指錢幣。如「白鏹(銀子)」。
▲(qiǎng)粵kœŋ5〔襁〕「鏹水」：硫酸、硝酸、鹽酸等鏹酸液的通稱。

鑴(xī)粵sik7〔色〕「鈭」的舊譯名，見759頁。

鏇(xuàn)粵syn4〔船〕❶用刀回旋削東西。❷「鏇子」：①溫酒的器具。又作用鏇子溫酒。如「把酒鏇熱了喝」。②銅做的器具，樣子像盆，底和口一樣大，周圍的邊直上直下。❸「鏇工」：木工或鐵工利用旋轉的機牀把材料製成圓形、圓柱形或圓錐形。

鏟(chǎn)粵tsan2〔產〕❶「鏟子」：剷東西用的鐵器的通稱。如「鐵鏟」；「飯鏟」。❷「鏟幣」：古代一種鏟形錢幣。❸通「剷」，見56頁。

鎩(shā)粵sat8〔殺〕❶摧殘，殘破。如「鎩羽(比喻失志或挫敗)」。❷古時的一種長矛。❸元素「釤」的舊譯名，見753頁。

鏨(zàn)粵dzam6〔暫〕❶雕刻。如「鏨花(在木頭或金屬上刻花)」。❷「鏨子」：雕刻用的小鏨子。

鏃囡(zú)粵dzuk9〔族〕❶箭頭。❷鋒利。

鏦囡(cōng)粵tsuŋ1〔沖〕❶矛。❷用矛戟衝刺。❸「鏦鏦」：金屬相撞擊聲。

鏖(鏊)(ào)粵ŋou6〔傲〕ou6〔澳低去〕(俗)烙餅用的平底鍋。

鏵(huá)粵wa4〔華〕耕地的農具。如「鏵犂」。

鏰(bèng)粵beŋ1〔崩〕原指清末發行的無孔小銅幣，後泛指小的硬幣。如「金鏰子」；「銅鏰兒」。

鏖囡(áo)粵ou1〔澳高平〕雙方艱苦激戰，殺傷很多。如「赤壁鏖兵」。

鏂囡(ōu)粵eu1〔歐〕古時的容量單位，二斗為一鏂。

鏞(yōng)粵juŋ4〔庸〕大鐘，古時的一種樂器。

【鏁】同「鎖」，見768頁。

十二畫

鏷(pú)粵pok8〔撲〕❶囡生鐵。❷一種鋼系的放射性金屬元素，化學符號Po，能蛻變成鋼。

鐠(pǔ)粵pou2〔普〕金屬元素，化學符號Pr，淺黃色，化合物常現出綠色，可作

陶器的顏料。

鐨 (fèi) 粵 fei³〔廢〕一種放射性元素，化學符號Fm。

鐇 (fán) 粵 fan⁴〔凡〕「釩」的舊譯名，見753頁。

鐙 ▲(dèng) 粵 deng³〔凳〕「馬鐙」：掛在馬鞍兩旁給騎馬的人踏腳用的東西。
▲图同「燈」，見411頁。

鏺 (pō) 粵 put⁸〔潑〕❶一種裝有長柄的鐮刀。❷图芟除。引伸作討平之義。

鐓 ▲图(duì)粵 dœy⁶〔隊〕戈矛的柄末端的銅鐏。
▲(dūn)粵 dœn¹〔敦〕「公鐓」：重量單位，一千公斤叫一公鐓，現在一般寫作「公噸」。

鍚 ▲(tàng)粵 tɔŋ³〔燙〕木匠磨平木材的一種工具。
▲(tāng)粵 tɔŋ¹〔湯〕「鍚鑼」：小銅鑼。

鐃 (náo)粵 nau⁴〔撓〕lau⁴〔離肴切〕(俗) ❶古時軍中的樂器，像鈴而無舌。❷銅製而合擊的樂器。大的叫鐃；小的叫鈸。❸图「鐃歌」：軍歌。❹通「撓」，見267頁。

鐒 (láo)粵 lou⁴〔勞〕一種放射性元素，化學符號Lw。

鐐 (liào)粵 liu⁴〔遼〕❶古時鎖犯人兩腳的刑具。如「腳

鐐」；「腳鐐子」。❷图純美的銀。❸图有孔的鑪。

鐦 (kāi)粵 hoi¹〔開〕「鉲」的又一譯名，見756頁。

鐎 图(jiāo)粵 dziu¹〔招〕「鐎斗」也叫「刁斗」：古時一種有柄的調飲食的器皿，後來軍中在夜間敲打它來做信號。

鐧 ▲(jiān)粵 gan²〔簡〕古兵器，用銅或鐵做的，樣子像鞭，有四稜長而無刃，上端略小，下端有柄。
▲图(jiàn)粵 gan³〔諫〕車軸鐵。

鐝 (jué)粵 kyt⁸〔決〕「鐝頭」：刨土的器具。

鐍 (jué)粵 kyt⁸〔決〕❶图有舌的環。❷「扃鐍」：箱篋裝鎖地方。

鏽(銹) (xiù)粵 seu³〔獸〕❶金屬表面所生的氧化物。如「鐵鏽」。❷金屬品被氧化物黏牢。如「門鎖鏽住了」。❸小麥的一種病，發生像鐵鏽的小斑點。如「黃鏽病」。

鐘 (zhōng)粵 dzuŋ¹〔中〕❶銅做的樂器，敲撞着發聲。如「鐘鼓齊鳴」。❷到時間可以發出聲響的計時器。如「鬧鐘」；「時鐘」。❸指時刻、時間。如「早晨六點鐘」。

鐏 図(zūn)粵dzœn¹〔津〕戈柄下端銅製的圓錐形部分。

十三畫

鏈 (dá)粵dat⁹〔達〕「鉭」的又一譯名，見756頁。

鐺 ▲(dāng)粵dɔŋ¹〔當〕❶「鐺鐺」：表示聲音。❷「鈴鐺」：即是鈴。❸図「銀鐺」：見761頁「銀」字。
▲(chēng)粵tsaŋ¹〔撐〕❶図古時一種有腳的鍋。如「茶鐺」；「藥鐺」。❷現在通用的一種烹飪器，淺平無腳，像大鐵盤子，用來烙餅或炒菜。

鐸 図(duó)粵dɔk⁹〔踱〕❶古時的一種大鈴鐺，是宣布教化用的。裝金舌的叫「金鐸」；裝木舌的叫「木鐸」。❷「木鐸」的簡稱。

鐵(鉄、鐡、銕)(tiě)粵tit⁸〔梯歇切〕❶一種金屬元素，化學符號Fe，色灰白，有光澤，可以製各種實用器具，用途很廣。❷比喻堅強、剛正。如「鐵漢」；「鐵面無私」。❸黑灰色的。如「鐵青的臉」。❹決定不變。如「鐵定」；「鐵案」。❺兵器的代稱。如「手無寸鐵」。❻姓。❼図「鐵馬」：①配有鐵甲的戰馬。②掛在屋簷間的金屬小片，風一吹動，會發出聲音(現在一般人叫「風鈴」)。❸自行車的俗稱。❽「鐵窗」：比喻牢獄。

鎌 ▲同「鐮」，見774頁。
▲(gá)粵ga¹〔加〕「釓」的舊譯名，見763頁。

鐯(鐯)(zhuō)粵dzœk⁸〔灼〕❶刨地的鎬。如「鐯鈎」。❷用鐯刨。如「鐯高粱」；「鐯玉米」。

鐳 (léi)粵lœy⁴〔雷〕❶一種放射性金屬元素，也叫「鐳錠」，化學符號Ra。鐳跟鐳的化合物，有不斷放出光、熱和各種射線的特性，其中有一種射線能破壞癌症細胞使它皺瘤，因此可用於治療癌症。❷図瓶跟壺之類的器具。

鐮 (lián)粵lim⁴〔廉〕❶「鐮刀」：農家收割或割草的用具。❷「火鐮」：從前有一種打火的器具，用鐵做的。

鑥 (lǔ)粵lou⁵〔魯〕「鉚」的又一譯名，見755頁。

鐶 (huán)粵wan⁴〔環〕金屬的環子，圓形有孔，可以貫穿的東西。如「鎖鐶」。

鐻 図(jù)粵gœy⁶〔巨〕❶古時一種像鐘的樂器。❷同「虡」，見633頁。

鐫（鎸）図（juān）粵dzyn¹〔尊〕❶雕刻。如「鐫刻」。❷官員降級或免職。如「鐫級」；「鐫黜」。

鐲（zhuó）粵dzuk⁹〔濁〕❶戴在腕上的環形裝飾品，通稱「鐲子」或「手鐲」。如「玉鐲」；「銀鐲」。❷図古時軍中的樂器，形如小鐘。

鑀（ài）粵oi³〔愛〕一種放射性金屬元素，化學符號Es。又譯作「鎄」。

鐭（ào）粵ou³〔澳〕「鋨」的又一譯名，見762頁。

鐿（yì）粵ji³〔意〕金屬元素，化學符號Yb，是白色粉狀物，用途很少。

十四畫

鑌（bīn）粵ben¹〔賓〕「鑌鐵」也作「賓鐵」：精鍊的鐵。

鎎（gài）粵kɔi³〔概〕「鈣」的另一譯名，見755頁。

鑊 図（huò）粵wɔk⁹〔獲〕古時煮東西用的大鍋，像沒有腿的鼎。

鑑（jiàn）粵gam³〔監〕❶審察，仔細看。如「鑑賞」；「鑑別」。❷図鏡子。如「波平如鑑」。❸図照。如「水清可鑑」。❹指可以做警戒的事。如「殷鑑」；「前車之鑑」。

鑒（鑒）（jiàn）粵gam³〔監〕❶書信裏常用的開頭語。如「台鑒」；「鈞鑒」。❷同「鑑」，見本頁。

鑄（zhù）粵dzy³〔注〕❶把金屬鎔化，倒在模子裏使它凝固，做成各種形狀的器物。如「鑄鉛字」。❷造成。如「鑄成大錯」。❸「鑄鐵」：通稱「生鐵」，也叫「銑鐵」，由鐵礦砂最初煉出來的鐵。

鑔（chǎ）粵tsa²〔雌啞切〕一種樂器，即是小型的鈸。如「敲鑼打鑔」。

鑐▲図（xū）粵sœy¹〔須〕❶鎖簧。❷甲，打仗穿的護身衣。

▲（rú）粵jy⁴〔如〕一種新的人造放射性元素的暫譯名，是美國科學家在公元1969年發現，由鉲跟碳12和碳13合成，命名爲rutherfordium，原子序104（另有原子序104的新元素是「鐒」）。

【鑪】同「鑪」，見772頁。

十五畫

鑣（biāo）粵biu¹〔標〕❶夾在馬嘴裏的鐵鏈。又指馬嘴上的環子，也指馬。如「分道揚鑣（志趣不同，各走各路）」。❷同「鏢」，見768頁。

金部 （13-15） 鐫鐲鑀鐭鑌鎎鑊鑑鑒鑄鑔鑐鑪鑣　773

鑞 (là) 粵lap⁹〔立〕❶通稱「白鑞」或「錫鑞」，也叫「銲藥」。是鉛和錫相合而成的合金。質軟而鎔點低，用來銲接金屬。❷「鑞鎗頭」：比喻有名無實。

鑸 (lǜ) 粵lou⁵〔魯〕「鎦」的又一譯名，見767頁。

鑢 図(lǜ) 粵loey⁶〔淚〕❶磋骨角銅鐵的器具，即是錯刀。❷磨治。

鑕 図(zhì) 粵dzet⁷〔質〕古刑具，即是砧板類的東西，用斧砍殺的時候把它墊在受刑者的身底下。

鑠 (shuò) 粵sœk⁸〔削〕❶用火把金屬鎔化。如「眾口鑠金（比喻讒言傷人）」。❷消損，毀壞。❸同「爍」，見414頁。

鏂 (ōu) 粵eu¹〔歐〕「銪」的舊譯名。

鏐 (yōu) 粵jeu¹〔憂〕「銪」的又一譯名，見759頁。

【鉋】同「鉋」，見755頁。
【鑛】同「礦」，見490頁。

十六畫至十八畫

鑪 (lú) 粵lou⁴〔盧〕❶同「爐」，見414頁。❷通「罏」，見550頁。

鑫 (xīn) 粵jem¹〔音〕興盛，錢財多。是人名、商店字號常用的字。

鑭 (lán) 粵lan⁴〔蘭〕金屬元素，符號 *La*，色澤像鐵，有延展性，遇空氣就氧化，可製合金。

鑲 (xiāng) 粵sœŋ¹〔商〕❶把東西嵌進去，或把東西配製在邊緣的地方。如「鑲花邊」；「鑲寶石的指環」。❷指旗的正色之外鑲上其他顏色的邊。❸清代滿人兵制統屬，分正黃、正白、正紅、正藍、鑲黃、鑲白、鑲紅、鑲藍等「八旗」。❹「鉤鑲」：古代一種劍類的兵器。❺「鑲牙」：配補脫落了的牙齒。

鑱 図(chán) 粵tsam⁴〔慚〕❶古時一種刨土掘草根用的鐵器，有長柄。❷指銳利的器具。❸通「劖」，刺鑿，砍斷。見57頁。

鑰 ▲(yào) 粵jœk⁹〔若〕「鑰匙」：開鎖的器具。
▲(yuè) 粵jœk⁹〔若〕図鎖。

鑷 (niè) 粵nip⁹〔聶〕lip⁹〔獵〕（俗）❶拔除毛髮或夾取細小東西的器具。通稱「鑷子」。❷用鑷子拔除毛髮或夾取東西。

鑵 (guàn) 粵gun³〔貫〕汲水的器具。

鑱 ▲図(cuàn) 粵tsyn³〔串〕古代的一種兵器，即是短矛、

小稍。

▲（cuān）粵 tsyn¹〔村〕「冰
鑹」也作「冰攛」：古時鑿冰用
的工具，像大的鐵錐子。

十九畫至二十畫

鑼 （luó）粵 lɔ⁴〔羅〕形狀平圓像
銅盤的樂器，邊上穿繩，手
提着，用槌敲打發聲。如「敲
鑼打鼓」。

鑾 （luán）粵 lyn⁴〔聯〕❶馬脖子
下掛的鈴鐺。指皇帝出行的
時候所用的車或轎。如「鑾
儀」；「鑾輿」。❷ 皇帝的代
稱。如「鑾駕」。❸「金鑾殿」：
唐代的宮殿名，後來沿用稱皇
帝所居的正殿。

鑽 ▲（zuān）粵 dzyn³〔轉〕❶穿
通，扎透。如「鑽孔」。❷穿
過去，進入。如「鑽山洞」；
「鑽到水裏」。❸指運用種種人
事關係以求達到目的。如「鑽
營」。❹同「鑚」，見715頁。

▲（zuǎn）粵 dzyn³〔轉〕穿
孔。如「鑽了一個洞」。

▲（zuàn）粵 dzyn³〔轉〕❶木
工、鐵工所用的穿孔器具，通
稱「鑽子」。如「電鑽」。❷金剛
石。如「鑽石」。

钂 図（tǎng）粵 dɔŋ²〔黨〕一種古
代兵器，樣子像半月形，有
柄。

鑊 図（jué）粵 kyt⁸〔決〕古時一
種掘地用的農具（即是大
鍬、大鋤之類）。

鑿 ▲（záo）粵 dzɔk⁹〔擢〕❶挖削
木頭、石頭的器具。通稱
「鑿子」。❷把東西打一個洞使
它穿通。如「鑿孔」。

▲（zuò）粵 dzɔk⁹〔擢〕❶図器
物上的卯眼（即凹入的地方）。
❷明確。如「確鑿不移」。❸對
於說不通的道理，勉強附會解
釋。如「穿鑿附會」。❹図「鑿
鑿」：①鮮明的樣子。詩經有
「白石鑿鑿」。②確實的意思。
如「言之鑿鑿」。

【長部】

長 ▲(cháng)粵tsœŋ⁴〔祥〕❶跟「寬」相對，指有邊之物表面相對兩短邊的距離。如「這塊布長三丈」。❷兩端距離大，跟「短」相反。如「路很長」。❸久遠。如「長久」;「長生不老」;「長夜漫漫」。❹慢慢的，仔細的。如「從長計議」。❺專精某種技能、優點。如「專長」;「擅長」;「各有所長」。❻做得特別好，最能做。如「展其所長」;「他長於寫作」;「以詩詞見長」。❼常。如「細水長流」;「門雖設而長關」。❽囫大。如「願乘長風破萬里浪」。❾「長短」:①長度，尺寸。②指死喪等意外的變故。如「萬一有甚麼長短」。③是非，好壞。如「議論長短」。

▲(zhǎng)粵dzœŋ²〔掌〕❶輩分高。如「長輩」。❷排行最大。如「長子」。❸年齡比別人大。❹主管人，領導人。如「校長」;「首長」。❺發育，滋生。如「生長」;「頭上長個瘡」。❻生成。如「他長得漂亮」。❼增加，擴大。如「長進」;「長見識」。❽囫進展。

如「日有所長」。❾「長孫」:①孫兒中最大的。②複姓。

▲囫(zhàng)粵dzœŋ⁶〔象〕多餘的。如「身無長物」。

【門部】

門 (mén)⑧mun⁴〔瞞〕❶設在房屋或牆的進出口可以開合的東西。單扇的叫「戶」；雙扇的叫「門」。如「小心門戶」。❷進出口的地方。如「海門」；「國門」。❸家族。如「一門忠烈」。❹家庭。如「五福臨門」。❺指家族的地位。如「門楣」；「門當戶對」。❻形狀跟作用都像門的東西。如「水門」；「電門」；「足球門」。❼人體若干器官的部位，大多是重要通路。如「肛門」；「幽門」。❽宗派。如「佛門」；「孔門弟子」。❾種類。如「分門別類」。❿路數，訣竅。如「門徑」；「竅門」。⓫關鍵。如「眾妙之門」。⓬指門口。如「門可羅雀」。⓭計算砲的單位。如「一門大砲」。⓮囡守門。⓯囡攻門。⓰姓。⓱「門徒」：門生，徒弟。

一至三畫

閂 (shuān)⑧san¹〔山〕❶拴門的橫木。如「門閂」。❷插上門閂，把門關緊。如「把門閂好」。

閃 (shǎn)⑧sim²〔陝〕❶囡躲在門裏向外偷看。❷偏着身體避開。如「閃開」。❸影子一動，就不見了。如「人影一閃」。❹天空中放電時的亮光。如「閃電」。❺光一明一滅的樣子。如「燈光一閃一閃的」。❻動作太猛，扭了筋。如「閃了腰」。❼姓。❽「閃閃」：閃爍動搖的樣子。如「電光閃閃」。❾「閃爍」也作「閃鑠」：①亮光閃動不定的樣子。②說話吞吞吐吐的，不肯直截了當說實話。如「閃爍其詞」。

閉 (bì)⑧bei³〔蔽〕❶關上門。❷停止使用，完結。如「關閉」；「閉幕」。❸阻塞不通。如「閉塞」；「閉氣」。❹姓。❺囡「閉月羞花」：形容女子的容貌非常美麗。❻囡「閉門卻掃」：不跟外間交通。❼「閉門造車」：閉起門來製造車子。比喻自作主張不合實際。

閈 囡 (hàn)⑧hɔn⁶〔汗〕❶里門。❷圍牆。

閆 (yán)⑧jim⁴〔炎〕同「閻」，見780頁。

【問】見口部，93頁。

四畫

閔 (mǐn) 粵men⁵〔敏〕❶憂患，指疾病死亡這一類事。❷通「憫」，見227頁。❸通「黽」，「閔免」同「黽勉」：見874頁。

開 (kāi) 粵hoi¹〔哈哀切〕❶啟，跟「關」相反。如「開門」。❷花朵綻放，綻裂。如「開線」；「梅花盛開」。❸通達。如「看得開」。❹拓殖。如「開疆闢土」。❺起始。如「開始」。❻啟行，駕駛。如「開船」；「開飛機」。❼列出來，寫出來。如「開發票」；「開單據」。❽挖，掘。如「開礦」；「開採」。❾建造，設立。如「開工廠」；「開國紀念」。❿除去。如「開除」；「開革」。⓫分離。如「離開」；「分不開」。⓬教導，啟發，指引。如「開蒙」。⓭支付費用。如「開支」；「開銷」。⓮得。如「開罪」。⓯放寬，儘量的。如「開懷痛飲」；「你敢開肚子吃吧」。⓰沸。如「開水」；「開鍋」。⓱割破。如「開膛」；「開一個西瓜」。⓲穿透，明白。如「把話說開了」。⓳舉行。如「開會」；「開談判」。⓴發射，放。如「開槍」；「開砲」。㉑整張紙的分割。如「對開(二分之一張)」；「三十二開的書」。㉒金的成色(以二十四開為純金)。carat的簡譯；也譯稱「卡拉特」。如「十四開金」。㉓形容高興，笑。如「開心」；「開顏」。㉔酒飯擺出來吃。如「開飯」；「筵開百席」。㉕衣服分叉的部位。如「開衩」。㉖揭曉。如「開獎」；「開標」。㉗姓。

閌 図(kàng) 粵kɔŋ³〔抗〕高大，盛大。

閎 図(hóng) 粵weŋ⁴〔宏〕❶巷衕的門。❷寬，大。如「構築閎偉」；「言詞閎誕(說大話)」。❸姓。

間 ▲(jiān) 粵gan¹〔奸〕❶當中。如「兩人之間」。❷房屋的量詞。如「一間房子」。❸指地方。如「田間」；「字裏行間」。❹指時間。如「晚間」；「夜間」。

▲(jiàn) 粵gan³〔諫〕❶空隙。如「間隙」；「間不容髮」。❷隔開。如「間隔」。❸分化。如「離間」；「反間」。❹打聽情報的人。如「間諜」。❺事物要經過第三者才發生的，跟「直接」相反。如「間接」。❻「間道」：僻道，抄近的小路。

閒 ▲(xián)粵han⁴〔嫻〕❶安靜的樣子。如「安閒自在」。❷沒有事情做的時候。如「閒暇」；「賦閒」。❸跟正事無關的。如「閒談」；「閒書」。❹

「閒雲野鶴」：比喻悠閒自在，沒有拘束。

▲図同「間」，見778頁。

閑 (xián) 粵 han⁴〔閒〕❶図栅欄。❷図防範。如「防閑」。❸図法度，規律。如「踰閑(不守禮法)」。❹同「閒」，見778頁。❺図通「嫻」，見145頁。

閏 (rùn) 粵 jœn⁶〔潤〕曆法上說每過幾年積餘的時間。陰曆是三年一個閏月，五年兩閏；陽曆是四年閏出一天，放在二月裏。

【悶】見心部，219頁。

五至六畫

閘 (zhá) 粵 dzap⁹〔雜〕❶水門。如「水閘」。❷車輛上的煞車裝置。如「手閘」；「腳登閘」。❸可以操縱機械開合的機件。如「閘盒兒」。

閛 (pēng) 粵 piŋ¹〔砰〕關門聲。聊齋誌異有「但見室門閛然而合」。

【鬧】同「鬧」，見842頁。

閩 (mǐn) 粵 men⁵〔敏〕❶福建省的別稱。❷國名，五代十國之一。❸「閩江」：水名，在福建省。

閥 (fá) 粵 fet⁹〔伐〕❶指在某方面有特殊勢力或影響力的。如「軍閥」；「財閥」。❷機械的

活門或閘。❸「閥閲」：①舊時仕宦人家大門外左邊的石柱叫閥；右邊的石柱叫閲。②仕宦人家常將功奬貼在閥閲上。引作指功績。③泛指有權勢的家庭。如「閥閲之家」。

閣 ▲ (gé) 粵 gɔk⁸〔各〕❶樓房。如「樓閣」。❷藏書的房舍。如「藏經閣」；「文淵閣(庋藏四庫全書，在北京紫禁城裏)」。❸指女子的臥房。如「閨閣」；「出閣(出嫁)」。❹「內閣」的簡稱。如「閣揆」；「閣議」。❺姓。❻「閣下」：對人的敬稱。常用作書信的開頭或外交場合。

▲同「擱」，見271頁。

▲ (gāo) 粵 gɔk⁸〔各〕供有神的寺觀的小樓。如「呂祖閣(供呂洞賓)」。

閤 ▲ (gé) 粵 gɔk⁸〔各〕❶図大門旁邊的單扇小門兒。❷同「閣」，見本頁。

▲ (hé) 粵 hɐp⁹〔盒〕同「闔」。如「閤第光臨」。見782頁。

閨 (guī) 粵 gwɐi¹〔歸〕❶図上圓下方的圭形小門。❷指女人住的房間。如「閨房」。❸「閨女」：①處女。②女兒的別稱。

閡 (hé) 粵 het⁹〔瞎〕阻隔。如「隔閡」。

【聞】見耳部，567頁。

【閞】同「開」，見842頁。

【関】同「關」，見782頁。

七至八畫

閬 (làng) 粵 loŋ⁵〔朗〕❶ 図 高門。❷図「閬閬」：高大，空曠，明朗的樣子。❸「閬中」：四川省山名、縣名。

閭 図(lǘ) 粵 loey⁴〔雷〕❶古時的基層民政單位，二十五戶組成一個閭。後來作聚居者的通稱。如「閭里(鄉里)」。❷宗族。如「三閭大夫」。❸姓。❹「閭閻」：①里巷的門。②比喻民間。

閫 図(kǔn) 粵 kwen²〔綑〕❶門檻。❷由門檻引伸為內室。如「閫闈」。❸由內室引伸為「婦女」。如「閫範」。❹古時用為軍事的專稱。如「閫寄(派出將領授以全權)」；「專閫(指統兵在外的)」。❺「閫奧」：本指室內深處。後引作比喻學問、事理的精微深奧。三國誌有「究其閫奧」。

閱 (yuè) 粵 jyt⁹〔悅〕❶ 觀，看。如「閱讀」；「閱覽」。❷檢驗。如「檢閱」；「閱兵」。❸經歷。如「閱歷」。❹「閥閱」：

見779頁「閥」字。

闖 (chuài) 粵 dzat⁸〔扎〕「闖闖」同「掙挫」：見 256 頁「掙」字。

【誾】見言部，683頁。

閽 図(hūn) 粵 fen¹〔昏〕❶門，常特指宮門。如「叩閽(有極大冤屈向皇帝訴說)」。❷守門的人。如「閽人」。

閶 図(chāng) 粵 tsœŋ¹〔昌〕「閶闔」：①古人傳說的天門。②指皇宮的正門。③蘇州城門名。

閼 ▲図(è) 粵 at⁸〔壓〕「閼塞」：阻塞，壅塞。

▲ (yān) 粵 jin¹〔烟〕「閼氏(zhī)」：漢時稱匈奴單于的妻。

▲ (yù) 粵 jy³〔于高去〕「閼與」：古代邑名，在現在山西省和順縣。

閹 (yān) 粵 jim¹〔淹〕❶割去雄性生殖器官。如「閹雞」「閹豬」。❷図稱宦官(太監)。如「閹寺」。❸「閹人」：被閹割的人。引作「太監」的代稱。

閺 (wén) 粵 men⁴〔文〕「閺鄉」：縣名，在河南省。

閻 (yán) 粵 jim⁴〔炎〕❶図里中的門，引伸做里巷。❷姓。❸「閻王」本作「閻羅」：梵文譯名，佛家說的管地獄的神，是

十殿閻王的第五殿。

閾 囨(yù) 粵 wik⁹ [域] ❶門檻。❷限隔起來。如「界閾」。

崢 (zhèng) 粵 dzaŋ¹ [掙] 「閶閗」同「掙挫」：見256頁「掙」字。

【閗】同「閱」，見842頁。

九至十畫

闆 (bǎn) 粵 ban² [板] 「老闆」也作「老板」：指店主。

闌 (lán) 粵 lan⁴ [蘭] ❶門口橫格的柵門。如「憑闌」。❷囨擅自，妄。如「闌入(擅自進入)」。❸囨晚，盡。如「夜闌人靜」。❹「闌干」：①用竹、木、金屬或石頭等製成的遮攔物。也作「欄杆」。②橫斜的樣子。劉方平詩有「更深月色半人家，北斗闌干南斗斜」。③囨涕泗縱橫的樣子。白居易詩有「夜深忽夢少年事，夢啼妝淚紅闌干」。❺「闌尾」：盲腸上的蟲樣垂；醫學上稱盲腸炎即是闌尾炎。❻囨「闌珊」：衰弱，凋散。如「春意闌珊」;「意興闌珊」。

闊 (濶) (kuò) 粵 fut⁸ [花括切] ❶寬廣，跟「狹窄」相反。如「道路寬闊」。❷寬度。❸奢侈豪華的。如「闊綽」;「闊人」。❹囨思想陳舊而且不知變通。如「迂闊」。❺囨「闊達」：胸襟廣闊，無所拘泥。

闃 囨(qù) 粵 gwik⁷ [隙] 寂靜。正氣歌有「陰房闃鬼火」。

闋 囨(què) 粵 kyt⁸ [決] ❶關上門。❷終止。如「服闋(服完喪)」;「樂闋(樂曲奏完)」。❸量詞。歌一曲叫「一闋」。

闍 ▲ (shè) 粵 sε⁴ [蛇] 「阿闍梨」：梵語，指品學高尚的和尚。
　▲囨(dū) 粵 dou¹ [刀] 城門台。

闇 ▲ (àn) 粵 ɐm³ [暗] ❶囨閉門。如「闇閣讀書」。❷暗，不亮。如「闇室」。❸愚昧，胡塗。如「闇弱」;「昏闇」。❹「闇然」：不明顯的樣子。
　▲(àn) 粵 ɐm¹ [庵] 守喪的屋子。

闈 (wéi) 粵 wei⁴ [維] ❶囨宮中的旁門。❷囨宮廷裏后妃住的地方。如「宮闈」。❸囨內室;指父母住的房間，引伸作父母。❹舊指「試院」。現在指考試時辦理命題、印卷的場所。❺「入闈」：指有關命題、印卷的工作人員進入闈場工作。

【闉】同「窆」，見505頁。

闒 図(tà) 粵tap⁸〔榻〕❶樓上的門。❷鐘鼓聲。❸「闒茸」：形容人愚劣、猥賤。

闐 図(tián) 粵tin⁴〔田〕❶盛，充滿。❷形容聲音喧囂響亮。如「喧闐社鼓」；「雷聲闐闐」。

闔 (hé) 粵hɐp⁹〔合〕❶總，合。如「闔第光臨」；「闔府統請」。❷閉。如「開闔」。❸図「闔扇」：門扇。

闓 図(kǎi) 粵hɔi²〔海〕❶開門。❷通「愷」，見224頁。❸通「凱」，見49頁。

闕 ▲(què) 粵kyt⁸〔決〕❶図舊時宮門外兩旁的望樓建築在高台上面。❷図舊時指皇帝所住的宮殿。如「宮闕」。❸姓。
▲図(quē) 粵kyt⁸〔決〕古用作「缺」字。❶過錯。如「闕失」。❷空缺。如「闕文」；「闕字」。❸「闕疑」：有了疑問，暫時擱置等待解決。
▲図(jué) 粵gwɐt⁹〔掘〕通「掘」，見255頁。

闖 ▲(chuǎng) 粵tsɔŋ²〔廠〕❶突入。如「闖進去」。❷歷練。如「闖練」；「他闖出膽量來了」。❸惹起。如「闖禍」。❹同「串」，來往出入的意思。儒林外史有「那闖學堂的書客」。
▲(chuàng) 粵tsɔŋ³〔創〕❶撞。如「他把我闖倒了」。❷「闖蕩」：離家在外，四處謀生。如「闖蕩江湖」。

十一至十三畫

關(関、関) (guān) 粵gwan¹〔瘝〕❶頂門的橫木，即是門閂。❷閉合。跟「開」相反。如「關門」。❸禁閉，拘留。如「把他關起來」。❹息。如「關燈」。❺古時在邊境上或出入要道所設的隘門。如「關塞」；「邊關」。❻進出口貨交稅的地方。如「海關」；「關卡」。❼樞紐，重要的轉捩點。如「關鍵」；「緊急關頭」。❽牽連。如「關係」；「關聯」。❾軍隊發餉。如「關餉」(也作「領餉」)。❿顧念。如「關心」；「關注」。⓫由人代為陳說。如「關說」。⓬中醫指兩骨相連的地方。如「關節」。⓭舊文體之一。如「關文(官府間平行的文書)」。⓮姓。⓯「關於」：介詞，表示某種動作所牽涉的一定範圍。如「關於這件事，我全不知道」。⓰「關係」：①人跟人之間或人與物之間的連屬情形。如「他跟我有點親戚關係」。②連帶的影響。如「每個人的行為都跟社

會的盛衰有關係」。❸要緊。如「沒關係(即是不要緊)」。
【闚】同「窺」，見505頁。

闞 ▲図(kàn)粵hɛm³〔瞰〕❶図偷看。❷姓。
▲図(hǎn)粵ham³〔喊〕同「𠵅」，見842頁。

闠(huì)粵kui²〔繪〕❶市上的門。❷「闤闠」：見本頁「闤」字。

闡図(chǎn)粵dzin²〔展〕tsin²〔淺〕(又)❶說明。如「闡述」；「闡明」。❷宣揚。如「闡揚」；「闡發」。❸図開，廣，盡。史記有「闡開天下」。

闢(pì)粵pik⁷〔辟〕❶開拓。如「開天闢地」。❷斥除，反駁。如「闢謠」；「闢除邪說」。

闥図(tà)粵tat⁸〔撻〕❶皇宮裏的小門。❷門。如「排闥直入」。

闤図(huán)粵wan⁴〔環〕❶街市的牆。❷「闤闠」：①市上的牆和市上的門。引作市上的代稱。如「出入闤里，周旋闤闠」。②泛稱街市的商店。❸泛稱街道。
【闇】同「闇」，見842頁。

【阜部】

阜 図(fù)粵feu⁶〔埠〕❶土山。詩經有「如山如阜」。❷大。如「阜成兆民」。❸豐盛，衆多。如「物阜民豐」。

三至四畫

阡 (qiān)粵tsin¹〔千〕❶田埂。❷図墓道。❸姓。❹「阡陌」：田間小路。東西向的叫阡；南北向的叫陌。

阢 図(wù)粵ŋet⁹〔兀〕et⁹(俗)「阢隉」同「杌隉」：危險，不安穩的樣子。

阫 図(péi)粵pui⁴〔培〕牆。莊子有「日中穴阫」。

阰 図(pí)粵pei⁴〔皮〕古時楚國南部的山名。

防 (fáng)粵fɔŋ⁴〔妨〕❶隄，築在河邊、海邊以擋水的建築物。如「隄防」。❷預先戒備。如「防火」；「預防」。❸預先戒備或防守的工作。如「佈防」；「邊防」。❹図禁止。❺姓。❻図「防微杜漸」：謹慎防止弊病的發生跟擴大。

阱 (穽) (jǐng)粵dziŋ⁶〔靜〕在地面上挖掘深坑，上面做好偽裝，是捕捉野獸用的。如「陷阱」。

阮 (ruǎn) ⑩ jyn² 〔院〕 ❶ 古樂器「阮咸（琵琶之類）」的簡稱。❷姓。❸ 图 「阮囊羞澀」：比喻錢少不夠用。

陑 (院) 图 (è) ⑩ ak⁷ 〔握〕 ҽk⁷ (又) ❶ 險地。如「阸塞」；「險阸」。❷ 阻塞、窮困。如「困阸」。

【阯】同「址」，見113頁。
【阬】同「坑」，見112頁。
【阹】同「陡」，見785頁。
【阪】同「坂」，見112頁。

五畫

陂 ▲图 (bēi) ⑩ bei¹ 〔卑〕 ❶ 山旁坡地。❷ 池塘的岸壁。❸「陂塘」：小池。

▲ (pō) ⑩ pɔ¹ 〔坡〕「陂陀」：險阻，不平坦的樣子。

▲ (pí) ⑩ pei⁴ 〔皮〕「黃陂」：縣名，在湖北省。

附 (坿) (fù) ⑩ fu⁶ 〔付〕 ❶ 依傍。如「依附」。❷ 增益，加多。如「附加」；「附錄」。❸ 連帶。如「附帶」；「附件」。❹ 跟從別人的意思。如「附議」；「隨聲附和」。❺「附庸」：①中國古時候附屬於諸侯的小國。②指附屬的事物。❻「附庸國」：為了保全本國的安全，而依賴鄰近大國的勢力，聽人指揮，受人庇護的國家。

坫 图 (diàn，又讀 yán) ⑩ dim³〔店〕臨近於危殆。用在複音詞作「坫危」。

陀 图 (tuó) ⑩ tɔ⁴ 〔駝〕 ❶「陂陀」：見本頁「陂」字。❷「頭陀」：行腳僧。❸「沙陀」：① 複姓。②西突厥的部落名。❹「陀螺」：兒童玩具，下端有尖針，繞上細繩，急甩出去在地上旋轉。

阻 (zǔ) ⑩ dzɔ² 〔左〕 ❶ 隔。如「阻隔」。❷ 攔，擋。如「阻止」；「阻撓」。❸图 艱難。

阼 图 (zuò) ⑩ dzou⁶ 〔造〕 ❶ 古人迎客所站的東階。如「阼階」。❷ 古時天子即位。如「踐阼」。

阿 ▲图 (ē) ⑩ ɔ¹ 〔柯〕 ❶ 大土山。❷ 彎曲處。如「山阿」；「河水之阿」。❸ 倚靠。如「阿衡（古時天子倚仗為治理國事，敦勵品德的大臣）」。❹ 偏袒，逢迎。如「阿諛」；「守正不阿」。❺ 大。如「阿房宮」。❻姓。❼「東阿」：縣名，在山東省。❽「阿膠」：中藥名，可治肺病及一切風病。❾「阿彌陀佛」：梵文 Amitabha buddha（阿彌陀婆佛陀）音譯的簡稱，意譯為無量壽佛、無量光佛、無量清淨佛。

▲(ā)粵a³〔亞〕❶加在稱呼上的詞頭。如「阿母」;「阿爺」。❷譯音字。如「阿拉伯」;「阿根廷」;「阿富汗」;「阿爾巴尼亞」。❸「阿斗」:三國時期蜀后主劉禪的小名,因庸碌無能,不能振興蜀漢。後引作指懦弱無能,不思振作的人。❹「阿們」:英文 amen 的音譯,基督教祈禱完畢時的用語,意思是「心願如此」。

▲(ǎ)粵a²〔啞〕感歎詞,表驚疑。如「阿!竟有這樣的事」。

▲(a)粵a¹〔丫〕助詞,同「啊」。如「給他通知阿」。
【阽】同「陌」,見784頁。

六畫

陌(mò)粵mɐk⁹〔脈〕❶囝田間的小路。如「阡陌」。❷「陌生」:沒見過或不熟悉的。如「陌生人」;「陌生環境」。

陋(lòu)粵leu⁶〔漏〕❶不完備。如「簡陋」。❷長相不好看。如「醜陋」;「其貌寢陋」。❸壞的。如「陋習」;「陋規」。❹淺薄少見聞。如「鄙陋」;「孤陋寡聞」。❺窄小。如「陋室」;「陋巷」。❻卑賤。如「卑陋」。

陔囝(gāi)粵goi¹〔該〕❶層,重。❷「九陔」:指天上。

降
▲(jiàng)粵gɔŋ³〔鋼〕❶從上落下。如「降落」;「喜從天降」。❷壓低,貶抑。如「降級」;「降格以求」。❸囝出現,誕生。龔自珍詩有「我勸天公重抖擻,不拘一格降人才」。

▲(xiáng)粵hɔŋ⁴〔杭〕❶服從,屈伏。如「投降」;「降服」。❷使用大力制伏對手。如「降龍伏虎」。

限(xiàn)粵han⁶〔何爛切〕❶界。如「界限」。❷「門限」:門檻。❸規定的時空或動作範圍。如「限期完工」;「限制活動」。❹窮盡,極。如「無限」。

七畫

陛(bì)粵bei⁶〔幣〕❶古時皇帝宮殿裏的台階。❷「陛下」:古時臣民對皇帝的尊稱。

陡(斗)(dǒu)粵deu²〔斗〕❶地勢高峭。如「陡峭」。❷突然。如「陡然」。

陘囝(xíng)粵jiŋ⁴〔形〕❶連綿的山脈中斷的地方。❷「竈陘」:竈的邊緣。

陟囝(zhì)粵dzik⁷〔職〕❶升,登高。詩經有「陟彼南山」。

---

❷進用。如「黜陟(斥退或進用)」。

陣 (zhèn) ⓟ dzen⁶〔自刃切〕❶軍隊的行列、形勢或雙方交戰的戰場。如「戰陣」;「臨陣脫逃」。❷事勢或動作連續若干時間而停止。如「下了一陣大雨」。❸段落,指時間。如「這一陣子較忙」。

除 (chú) ⓟ tsy⁴〔徐〕❶囟台階。如「灑掃庭除」。❷去掉。如「開除」;「為民除害」。❸算術裏把一個數分成相同的若干份。如「六除以三等於二」。❹囟實授官職。如「眞除」。❺更易。如「除夕(大年夜)」。❻「除非」:①表示不計算在內,像「除了」。如「那條小山路,除非他,沒有人認識」。②表示唯一的條件連詞,像「唯有」、「只有」。如「若要人不知,除非己莫為」。

陝 (shǎn) ⓟ sim²〔閃〕❶陝西省的簡稱。❷陝縣,在河南省。

陜 (xiá) ⓟ hap⁹〔匣〕古「狹」字,見427頁。

陞 (shēng) ⓟ sing¹〔升〕通「升」,高升。如「陞官」。見66頁。

院 (yuàn) ⓟ jyn²〔宛〕❶圍牆裏面,房子四周或前後的空地。如「院落」;「庭院」。❷場所。如「醫院」;「書院」。❸高等學府的名稱。如「文學院」;「大學各院系」。❹行政官署。如「法院」;「行政院」。❺行政院等中央政府五院的簡稱。如「院會」;「院令」。
【陒】同「峭」,見172頁。

八畫

陪 (péi) ⓟ pui⁴〔培〕❶伴隨。如「陪伴」。❷在某種工作當中從旁協助。如「陪審」;「陪襯(陪伴襯托主體,使他更加顯明)」。❸通「賠」。如「陪罪」;「陪禮」。見700頁。

陴 囟 (pí) ⓟ pei⁴〔皮〕舊時城上的短牆。

陶 ▲(táo) ⓟ tou⁴〔桃〕❶燒窯製作瓦器。❷瓦器。如「陶瓷」。❸教化。如「陶冶」;「陶鑄」。❹喜,快樂。如「共陶暮春時」。❺姓。❻囟「陶陶」:①快樂。如「樂陶陶」。②漫長的樣子。楚辭有「冬夜兮陶陶」。
　　▲(yáo) ⓟ jiu⁴〔搖〕❶「皋陶」:虞舜時候的賢臣。❷和樂的樣子。詩經有「君子陶陶」。

陵 (líng) ⓟ ling⁴〔零〕❶大土山。如「丘陵」;「岡陵」。❷

帝王的墳墓。如「陵墓」;「十三陵」。❸動侵犯,欺負。也作「凌」。如「盛氣陵人」。❹動踰越。❺動「陵夷」:逐漸衰敗。❻動「陵替」:敗壞,多指綱紀廢弛。

陸 ▲(lù)粵luk⁹〔綠〕❶名高出水面的平地。如「陸地」;「登陸」。❷指旱路。如「陸路」。❸姓。❹名「陸沉」:①大陸無水而自沉,比喻禍由人造而非天災,如發生重大變亂之類。②指人的昏昧不解世事,論衡有「知古而不知今,謂之陸沉」。③比喻隱居。❺名「陸離」:五顏六色,參差不齊的樣子。
▲(liù)粵luk⁹〔綠〕「六」字的大寫,見42頁。

陷 (xiàn)粵ham⁶〔何纜切〕❶掉進去,沉下去。如「淪陷」。❷攻破。如「衝鋒陷陣」。❸缺點,不完美的部分。如「缺陷」。❹設計害人。如「陷害」;「誣陷」。❺「陷阱」:①捕獸的深坑。②害人的計謀。

陳 ▲(chén)粵tsɐn⁴〔塵〕❶排列,擺設。如「陳列」;「陳設」。❷述說。如「陳述」。❸舊的,年代長的。如「陳跡」;「陳年紹酒」。❹腐朽的,不能用的。如「陳腐」。❺動宣揚。

禮記有「事君欲諫不欲陳」。❻春秋國名,在河南開封到安徽亳縣一帶。❼朝代名。陳霸先受禪於梁,國號陳,建都建康,後又降於隋。❽姓。❾「陳皮」:曬乾的黃橘皮或橙皮,可以做藥。
▲古「陣」字,見786頁。

陲 (chuí)粵sœy⁴〔垂〕邊疆。如「邊陲」。

陬 (zōu)粵dzɐu¹〔周〕❶角落。如「陬隅」。❷山腳。如「山陬海澨(指邊遠的地方)」。❸指聚集居住的小地方。如「陬落」。❹農曆正月。如「陬月」;「孟陬」。

陰(隂) ▲(yīn)粵jɐm¹〔音〕❶跟「陽」相對:①陰電(負電)。②指女性的。如「陰性」。③指月亮。如「太陰」。④凹下的。如「陰文圖章」。⑤關於鬼魂的。如「陰間」;「陰宅」。⑥不明顯,不外露的。如「陰溝」。❷天上有濃雲遮住太陽的天氣,跟「晴」相對。如「陰雨」;「陰晴不定」。❸太陽照不到的地方。如「樹陰」。❹「光陰」的簡稱,指時間。如「大禹惜寸陰」。❺名山的北面或水的南岸。如「華山之陰」;「淮水之陰」。❻背面。如「碑陰」。❼不光明

的，祕密的。如「陰謀」；「陰私」。❽險詐，用暗計傷人。如「使陰着兒」。❾照着月亮運行的情形所定的曆法。如「陰曆」。❿指男女的生殖器。如「陰部」；「陰莖」。⓫姓。⓬「陰德」：不被人知道的好德行。

▲（yín）粵 jɐm³〔蔭〕通「蔭」，見620頁。

▲阴（àn）粵 ɐm¹〔庵〕「諒（liáng）陰」：皇帝居喪。

九畫

隊（duì）粵 dœy⁶〔第類切〕❶排列成羣的行列。如「成羣結隊」。❷一羣。如「一隊人馬」。❸有組織的兵。如「軍隊」；「游擊隊」。❹有組織的團體。如「籃球隊」；「武裝船隊」。

隄（堤）（dī）粵 tɐi⁴〔提〕❶建在河、湖、海邊的防水建築物。如「河隄」；「隄岸」。❷「隄防」同「提防」：①築隄防水。②引作小心防備。

隉阢（niè）粵 nip⁹〔聶〕lip⁹〔獵〕（俗）危險，不安。如「阢隉」。

隆（lóng）粵 luŋ⁴〔龍〕❶大，豐盛。如「隆重」；「隆情厚誼」。❷興旺。如「生意興隆」；「國運昌隆」。❸高起來。如「隆準」；「隆起」。❹姓。❺「隆冬」：很冷的冬天。

隍阞（huáng）粵 woŋ⁴〔皇〕❶環繞在城牆外面的壕溝。有水的叫池；沒水的叫隍。❷「城隍」：①城牆跟壕溝。②傳說陰間的審判官。

階（堦）（jiē）粵 gai¹〔佳〕❶石級。如「台階」。❷上進的路徑。如「階梯」。❸等級。如「官階」；「九等三階」。❹樂音高低的次序。如「音階」。❺阞事情的來由。如「厲階」。❻「階級」：①高低的等級。②指社會地位或經濟地位相同，利害相關的多數人。如「貴族階級」；「資產階級」；「工人階級」。

隋（suí）粵 tsœy⁴〔徐〕❶朝代名（公元581—618），北周的楊堅封隨公，後來篡周，滅陳，統一中國，便把隨改成隋做國號，前後三十八年，被唐所滅。❷姓。

陽（yáng）粵 jœŋ⁴〔羊〕❶跟「陰」相對：①陽電（正電）。②指男性的。如「陽性」。③指太陽。如「陽光」。④凸上的。如「陽文圖章」。⑤指人間的。如「陽間」；「陽宅」。⑥明顯的，外露的。如「陽溝」。❷晴

朗的天氣。如「艷陽天」。❸囡溫和。詩經有「春日載陽」。❹囡山的南面或水的北岸。如「華山之陽」；「汝水之陽」。❺正面。如「碑陽」。❻照太陽天象所定的曆法。如「陽曆」。❼假裝的，在表面上的。如「陽奉陰違」。❽男性生殖器。如「陽具」。❾姓。❿囡「陽月」：陰曆十一月的別名。爾雅書上有「十月為陽」。⓫「陽春」：①溫暖的春天。②囡俗稱陰曆十月。如「小陽春」。③囡比喻惠政。李白詩有「長嘯梁甫吟，何時見陽春」。④琴曲名。如「陽春白雪」。⑤囡比喻高妙的文學作品。岑參詩有「獨有鳳凰池上客，陽春一曲和皆難」。⑥縣名，在廣東省西南部。

隈 囡(wēi)粵wui¹〔偎〕山或水流彎曲的地方。如「山隈」；「水隈」。

隅 囡(yú)粵jy⁴〔如〕❶角落。如「四隅」。❷邊側的地方。如「海隅」。

隃 ▲(yú)粵jy⁴〔如〕❶囡同「逾」，見734頁。❷「隃麋」：漢朝的縣名，在今陝西省汧陽縣東；這地方產墨，所以詩文裏也把墨稱為隃麋。

▲同「遙」，見735頁。

【陰】同「陰」，見787頁。

十畫

隔(隔) ▲(gé)粵gak⁸〔格〕❶阻障。遮斷。如「隔壁」；「隔一堵牆」。❷分離。如「隔別」；「遠隔千里」。❸經過。如「隔日」。❹不能通洽。如「隔閡」。❺「隔肢」：①用手在人的脅下搔弄，使他發癢而笑。②比喻有意使人為難。

▲(gē)粵gak⁸〔格〕「隔褙」：①硬的厚布片，是從前民間做鞋幫內襯用的材料。②一種作縫紉內襯材料的硬紙板。

隙(隙) (xì)粵gwik⁷〔瓜益切〕kwik⁷〔誇益切〕(又)❶裂縫，洞。如「間隙」。❷空閒的時間。如「農隙」。❸有了機會。如「乘隙」。❹空着的。如「隙地」。❺仇恨。如「嫌隙」；「與之有隙」。

隘 ▲(ài)粵ai³〔挨高去〕❶險要的地方。如「要隘」；「關隘」。❷狹窄。如「路面狹隘」。

▲同「阨」，見784頁。

隗 (wěi)粵eŋi⁵〔蟻〕ei⁵〔矮低上〕(俗)❶姓。❷囡同「嵬」，見174頁。

隕 ▲(yǔn)粵wen⁵〔允〕❶墜落。如「隕石」;「隕越」。❷通「殞」,見351頁。

▲(yuán)粵jyn⁴〔元〕「幅隕」同「幅員」:見182頁「幅」字。
【隗】同「塢」,見120頁。

十一至十六畫

際 (jì)粵dzɐi³〔祭〕❶交接。如「交際」。❷遇合。如「際會」;「際遇」。❸邊,涯。如「山際」;「水際」。❹彼此之間。如「國際」;「春秋之際」。❺時候。如「青黃不接之際」。❻當,值。如「際此危難」。❼中間,裏面。如「腦際」。

障 (zhàng)粵dzœŋ³〔帳〕❶阻礙隔斷。如「障礙」;「阻障」。❷防衞。如「保障」。❸保護或遮擋的東西。如「屏障」。

隔 (yōng,舊讀yóng)粵juŋ⁴〔容〕同「墉」,見121頁。
【隔】同「隔」,見789頁。
【隙】同「隙」,見789頁。
【隤】同「頹」,見814頁。
【隣】同「鄰」,見743頁。

險 (xiǎn)粵him²〔哈掩切〕❶阻難。如「險阻」。❷要隘的地點。如「險隘」;「無險可守」。❸安危成敗難以預料的。如「探險」;「冒險」。❹心地陰毒。如「陰險」;「人心險惡」。❺幾乎,差點。如「險遭毒手」。❻指意外災害不幸事件。如「人壽保險」。

隨 (suí)粵tsœy⁴〔徐〕❶跟着。如「跟隨」;「隨同」。❷聽從,任憑,由。如「隨便」;「隨意」;「隨你便」。❸順應。如「隨機應變」。❹表示兩種動作同時做,或一個跟着一個的動作。如「隨聽隨忘」;「隨傳隨到」。❺像,相似。❻姓。❼図「隨即」:立刻,接着。❽「隨筆」:筆記。常用作散文集的書名。

隧 (suì)粵sœy⁶〔睡〕❶地下通道。如「隧道」。❷地下坑穴,古時帝王葬禮所用。左傳有「晉侯請隧」。

隩 ▲図(yù)粵juk⁷〔郁〕❶河流彎曲的地方。❷可以居住的地方。書經有「四隩既宅」。❸通「燠」,見414頁。

▲(ào)粵ou³〔澳〕❶同「澳(yù)」,河流彎曲的地方。❷通「奧」,見133頁。

隮 図(jī)粵dzɐi¹〔擠〕❶虹。詩經有「朝隮于西」。❷通「躋」,見714頁。

隰 (xí)粵dzap⁹〔習〕❶図低濕的地方。如「隰皋」。❷図新闢的田。詩經有「徂隰徂畛」。

【隶部】

❸縣名，在山西省。

隱 ▲(yǐn)粵jen²〔忍〕❶不明顯。如「隱約」;「隱語(不把話直說而借別的詞作暗示)」。❷藏匿。如「隱藏」。❸痛苦。如「探求民隱」。❹憐傷。如「惻隱」。❺「隱士」:①隱居不做官的人。②善說隱語的人。

▲図(yìn)粵jen³〔印〕憑，倚。孟子有「隱几而臥」。

隳 図(huī)粵fei¹〔揮〕毀壞。

隴 (lǒng)粵luŋ⁵〔壟〕❶甘肅省的簡稱。❷「隴山」:山名，陝西六盤山南段的別稱。❸図通「壟」，高地。見123頁。

隶 図▲(dài)粵doi⁶〔代〕dɐi⁶〔弟〕(又) 同「逮」，見731頁。

▲「隸」的簡化，見本頁。

隸(隸、隷) (lì) 粵 dɐi⁶〔弟〕❶舊時供使喚而地位卑賤的人。如「奴隸」;「皁隸」。❷附屬。如「隸屬」。❸漢字字體之一。如「篆、隸、行、草、楷」。❹姓。❺「隸書」:也稱隸字。書法字體之一，相傳是秦朝程邈所作，是從小篆減省而成的字體。

【隹部】

隹 図(zhuī)粵dzœy¹〔追〕短尾鳥的總稱。

二畫

隻 (zhī)粵dzɛk⁸〔脊〕❶計算動物的量詞。如「三隻小鳥」。❷稱單件的。如「一隻襪子」。❸單獨，一個。如「形單影隻」；「片紙隻字」。❹「隻眼」：精到的見解，獨特的看法。如「獨具隻眼」。

隼 (sǔn)粵dzœn²〔準〕❶鳥名，跟鷹同類而比較小，背青黑色，性情兇猛，捕食小動物。養馴了可以幫人打獵。❷「鷹隼」：鷹跟隼的合稱。引作比喻兇猛。

三畫

雀 ▲(què)粵dzœk⁸〔爵〕❶鳴禽類鳥名，特指「麻雀」。體長兩三寸，褐色，有黑斑，平時捕食蟲類，稻麥熟的時候吃稻麥。常在簷下或牆洞做窩。❷有些鳥也叫雀。如「孔雀」；「金絲雀」。❸「雀斑」：人面頰上所生的褐色斑點。❹「雀躍」：像麻雀一樣跳着。比喻高興得跳起來。

▲(qiāo)粵dzœk⁸〔爵〕「雀子」：即是「雀斑」。

【售】見口部，92頁。

四畫

雇(僱) (gù)粵gu³〔故〕❶出錢請人做事。如「雇用」。❷受人雇用的人。如「雇傭」；「雇員」。❸租賃。如「雇車」；「雇船」。

集 (ji)粵dzap⁹〔習〕❶聚合。如「集合」。❷一種定期交易的市場。如「市集」；「趕集」。❸彙合許多著作而成的書。如「文集」；「詩集」。❹大部頭的書分上下冊的，或從後面接續的。如「上集」；「續集」。❺中國古時圖書分類法的一種。如「經、史、子、集」。❻図成就。書經有「大統未集」。❼図羣鳥停息樹上。如「黃鳥于飛，集于灌木」。

雄 (xióng)粵huŋ⁴〔紅〕❶動植物的性別，陽性的，跟「雌」相對。如「雄雞」；「雄蕊」。❷指強有力、威武。如「雄壯」；「雄赳赳」。❸指人超羣出眾。如「英雄」；「一代梟雄」。❹遠大的計謀，心志。如「雄心」；「雄圖」。❺指勝利。如「一決雌雄」。❻指能控制一面的豪強。如「雄長」；「戰國七

雄」。❼強硬有力的言論。如「雄辯」。❽「雄黃」：砒跟硫的化合物。可製黃色顏料，也可以做藥。

雅 (yǎ)粵ŋa⁵〔瓦〕a⁵〔啞低上〕〔俗〕❶高尚、不俗氣的。如「文雅」；「雅人雅事」。❷正派的。如「雅樂」。❸囡對人表示客氣的敬詞。如「雅正」；「雅教」。❹囡素常，向來。如「雅善鼓瑟」；「子所雅言」。❺囡甚。如「雅以為美」。❻解釋字義的書。如「爾雅」；「廣雅」。❼囡交情。漢書有「無一日之雅」。❽囡詩經六義（賦、比、興、風、雅、頌）之一。❾囡優美的樣子。如「雅觀」；「嫻雅」。❿姓。

雁 (鴈) (yàn)粵ŋan⁶〔贋〕an⁶〔晏低去〕〔俗〕❶「大雁」也叫「鴻雁」：游禽類的水鳥，茶褐色，形狀像鵝。飛行時很有秩序。秋分後飛到南方，春分以後飛到北方，所以稱牠「候鳥」。❷「雁行」：①有秩序的排列着。②囡比喻兄弟。也作「雁序」。❸「雁陣」：比喻羣飛的行列整齊，像軍隊排列的陣勢。
【焦】見火部，405頁。

五畫

雊 囡 (gòu)粵geu³〔究〕雄雉鳴。

雎 (鴡) (jū)粵dzœy¹〔狙〕❶「雎鳩」：一種水鳥。❷通「趄」，見705頁。

雋 (隽) ▲(juàn)粵syn⁵〔吮〕❶囡「雋永」：①鳥肉肥美，滋味深長。②引作指文辭有趣而耐人尋味。❷姓。
▲ (jùn)粵dzœn³〔俊〕同「俊」，才智超人。如「英雋」。

雉 (zhì)粵dzi⁶〔自〕❶鶉雞類野禽，俗稱「山雞」、「野雞」。雄的羽毛很美，尾羽長兩三尺，可以作裝飾。❷城牆上的矮牆。如「雉堞」(也叫「女牆」)。❸長度單位，古代城以長三丈，高一丈爲「雉」。

雌 (cí，舊讀cī)粵tsi¹〔蚩〕❶動植物的性別，陰性的，跟「雄」相對。如「雌獅」；「雌蕊」。❷指女人。❸失敗。如「一決雌雄」。❹申斥、叱責。如「挨雌」。❺通「呲」。如「雌牙露嘴」。❻囡柔弱、退藏的意思。如「雌伏」；「知其雄，守其雌」。❼「雌黃」：①一種金屬礦物，跟雄黃同類，黃色，可供繪畫。②比喻改易文字。古人寫字用黃紙，寫錯了，就用雌黃塗去再改寫。③囡議論是非。如「信口雌黃（故

意掩沒真相，隨意譏評別人)」。❽「雌雄」：①雌性與雄性。②比喻勝負，高低。③成對的。如「雌雄劍」。

雍 図(yōng)⑧juŋ¹〔翁〕❶和諧。如「雍和」。❷古九州之一。❸図擁有。國策有「雍天下之國」。❹姓。❺「雍雍」：鳥和鳴的聲音。詩經有「雍雍鳴雁」。❻「雍穆」：和睦的樣子。❼「雍容」：有威儀的樣子。

六至九畫

雒 (luò)⑧lɔk⁸〔烙〕❶白鬣黑身的馬。❷「雒南」：縣名，在陝西省。❸「雒容」：縣名，在廣西省。❹通「洛」，水名。見371頁「洛河」。

雕 (diāo)⑧diu¹〔刁〕❶刻鏤。如「雕塑」；「浮雕」。❷用彩畫裝飾。如「雕弓」；「雕牆」。❸同「鵰」，見858頁。❹同「凋」，見48頁。❺「雕蟲小技」：雕刻小蟲的技藝，比喻沒有什麼了不起的小技能。

雖 (suī)⑧sœy¹〔須〕連詞，表示推想或轉折，有「縱然」、「即使」等意義。如「雖然」；「雖死猶生」。

十畫

臛 (huò)⑧wɔk⁸〔華惡切〕一種可以磨碎作顏料的紅石。如「丹臛(最好的紅顏料)」。

雞(鷄) (jī)⑧gɐi¹〔加西切〕❶一種家禽，肉跟蛋都是滋養品。❷「雞眼」：足趾等處因緊壓或摩擦而起的硬顆粒，常嵌入皮裏，使人痛苦。❸「雞尾酒」：用白蘭地、威士忌加果汁、香料、糖等調合的一種冷酒。❹「雞鳴狗盜」：形容各種人才都有；含卑視意。

雛 (chú)⑧tsɔ⁴〔鋤〕tsɔ¹〔初〕(又)❶剛孵出的幼禽。如「雞雛」；「雛燕」。❷「雛形」：①照着實物的模樣縮小的模型。②事物剛在發展的初步模樣。❸「雛兒」：①原指剛孵出的幼禽。引作比喻沒有經歷世事的少年。②比喻初做事不老練的人。③少女。④舊日稱剛做妓女的女人。

雙(隻) ▲(shuāng)⑧sœŋ¹〔商〕❶兩個，成對的。如「一雙鞋」；「雙手萬能」。❷偶數的，跟「單」相對。如「雙數」；「雙日」。❸加倍的。如「雙料」。❹匹敵。如「舉世無雙」。❺「雙簧」：一種雜技，一人表演動作，另一人躲在他背後說說唱唱。❻図

「雙鯉」：書信的代稱。●❼「雙管齊下」：比喻文章的意義雙關或事情的同時並進。

▲(shuàng)粵sœŋ¹〔商〕❶姓。❷「雙棒」：孿生子。

雜（襍）(zá)粵dzap⁹〔集〕❶許多種類、樣式不同的東西，或身分不同的人物聚集在一起。如「雜貨」；「男女混雜」。❷亂。如「雜亂」；「人多嘴雜」。❸混合，摻進去。如「摻雜」；「雜在人羣裏」。❹正項以外的。如「雜支」。❺瑣碎的東西。如「雜物」。也作「什」。❻不純粹的。如「雜種」。❼戲劇裏不重要的腳色，從前的傳奇和現在的漢劇都有。❽「雜文」：文學體裁之一，散文的一種。直接而迅速地反映社會事變的短小論文。❾「雜誌」：定期出版物，像週刊、月刊等。❿「雜拌」：①各種乾果攙雜在一處，是年節的食品。②北方人吸的葉子煙，由幾種煙葉攙和而成的。

巂(suī)粵sœy⁵〔髓〕「越巂」：縣名，在四川省。

雝(yōng)粵juŋ¹〔翁〕図同「雍」，見794頁。

【瞿】見目部，478頁。

難▲(nán)粵nan⁴〔拿閑切〕lan⁴〔蘭〕(俗)❶不容易。如「困難」。❷不能斷定的口氣，而在意思上偏重於不可、不能、不敢。如「難免」；「難保」。❸不好的。如「難看」；「難聽」。❹使人感到不好辦。如「這件事可真把我難住了」。❺「難受」也作「難過」：①不能忍受。②不舒服。③傷心。❻「難為」：①不易為。如「家婦難為」。②使人為難。如「他已經很忙，別再難為他了」。③多虧，表示感謝。如「難為你冒雨給我送來雨傘」。❼「難為情」：①心裏不安。②不好意思。❽図「難兄難弟」：①原指兄弟才德都很好，不分高低。要讚美其兄便難為其弟，要讚美其弟便難為其兄。後比喻兄弟才德俱優。②比喻兩人感情很好，同甘共苦。

▲(nàn)粵nan⁶〔拿限切〕lan⁶〔爛〕(俗)❶災患。如「災難」。❷責問。如「責難」。

▲図(nuó)粵nɔ⁴〔挪〕lɔ⁴〔羅〕(俗)❶草木茂盛的樣子。詩經有「有葉其難」。❷同「儺」，見38頁。

離 (li)⑧lei⁴〔梨〕❶分開，分散。如「離別」；「離羣而索居」。❷相隔的遠近。如「距離」。❸違反。如「離心」；「離經叛道」。❹解除已存的關係。如「離婚」；「脫離關係」。❺奇異不合正理。如「離奇」。❻八卦之一，卦形為「☲」，象徵「火」。❼「離子」：也稱「游子」。把酸、鹼、鹽類物質溶在水裏，各有一部分能分解，成為帶有陰陽電荷的游動小質點。帶負電的叫「負離子」或「陰離子」；帶正電的叫「正離子」或「陽離子」。❽囹「離離」：①繁盛的樣子。②禾穗兒下垂的樣子。③憂傷、剝裂的樣子。楚辭有「曾哀淒欷，心離離兮」。❾「離心力」：(Centrifugal force) 物理學名詞，物體作圓周運動時，出現有飛脫之勢的力量。方向跟「向心力」相反。

【雞】同「鷄」，見862頁。
【讎】見言部，689頁。

【雨部】

雨 ▲(yǔ)⑧jy⁵〔語〕❶空氣中的水蒸氣上升到天空中遇冷而凝結成小水珠，積重而下降到地面的水滴。如「下雨」；「雨過天青」。❷「雨水」：二十四節氣之一，在陽曆二月十九日前後。❸「雨露」：比喻恩惠。如「雨露均霑」。❹「雨後春筍」：春天下雨後竹筍長得又快又多。比喻蓬勃生長，大量出現。

▲囹(yù)⑧jy⁶〔遇〕❶下雨，降雨。如「雨竟日(下了一天雨)」。❷從天降下。如「雨雹」；「天雨雪」。

三至四畫

雪 ▲(xuě)⑧syt⁸〔說〕❶雨點在空中遇到冷，凝結成六角形的白色冰花。如「大雪紛飛」。❷洗除。如「雪恥」；「報仇雪恨」。❸囹白色的。如「雪膚」。❹「小雪」：二十四節氣之一，在陽曆十一月二十二日前後。❺「大雪」：二十四節氣之一，在陽曆十二月七日前後。❻「雪茄」：英文 cigar 的音譯，烟葉製成的捲烟。❼「雪裏蕻」：像芥菜的蔬菜，味

道稍辛辣，醃了以後加肉絲炒了做菜吃。❽図「雪泥鴻爪」：比喻人行蹤不定，偶然相遇。

　▲(xuè) 粵syt⁸〔說〕形容詞：①「雪白」：形容極白。②「雪亮」：形容很亮。

雩 ▲(yú) 粵jy⁴〔余〕❶古時祭神求雨的一種祭典。❷「雩都」：縣名，在江西省。

　▲図(yù) 粵jy⁶〔遇〕虹。

雱 図(páng) 粵poŋ⁴〔旁〕雪下得很多的樣子。詩經有「北風其涼，雨雪其雱」。

雰 図(fēn) 粵fɐn¹〔分〕❶霧氣。污染的空氣。❷「雰雰」：霜雪很大的樣子。詩經有「雨雪雰雰」。

雯 図(wén) 粵mɐn⁴〔文〕「雯華」：美麗的雲彩。

雲 (yún) 粵wɐn⁴〔云〕❶地面的水蒸氣上升，遇冷後凝成在天上飄浮的細微水點。如「雲彩」；「浮雲」。❷形容多。如「萬商雲集」；「士女如雲」。❸任意漂蕩。如「雲遊四方」。❹雲南省的簡稱。如「雲貴高原」。❺姓。❻図「雲泥」：雲指天，泥指地。比喻地位的高下懸殊。❼「雲烟」：①雲氣和烟霧。指極高的地方。②比喻飛動的樣子。杜甫詩有「揮毫落筆如雲烟」。③比喻容易消失的事物。如「過眼雲烟」。❽図「雲漢」：天河，銀河。

五畫

雹 (báo) 粵bɔk⁹〔薄〕雨點在空中遇到極冷的空氣，凝結成的冰塊。常在夏季隨暴雨降下。如「雹雨」；「下雹」。

電 (diàn) 粵din⁶〔殿〕❶物質固有的一種「能」，分正負(也叫陰陽)兩種。靜電的正負相觸，會發生放電作用，爆出光和熱，可以用來作為動力，並可利用它來照明。❷「電報」、「電信」的簡稱。如「急電」；「電碼」；「電文」。❸利用電力運轉機械的器具，多數冠用「電」字。如「電扇」；「電鍋」。❹形容時間短促，行動快捷。如「電光石火」；「風馳電掣」。❺電流打擊。如「我給電了一下」。❻指閃電。如「雷電」。❼「電子」：(electron) 物質是由原子構成的。而原子是由電子跟核子構成的。一個原子裏通常有若干個粒子繞着核子運行，就像太陽系行星繞日一樣。這些帶有一定負電的粒子叫做「電子」。❽「電腦」：電子計算機 (electronic computer) 的俗名，電子腦 (electronic brain) 的簡稱。是一種利用電

子技術的計算工具，種類很多，可以用高速度解答數學上的難題，執行書記工作等；也可以記錄所指示的程式，作合邏輯的決定，處理資料；又可代替人類控制各類自動化設備。❾「電離」：中性分子或原子受電流或高能射線的作用後，形成離子的過程。❿「電子束」：由密集的自由電子作定向運動所形成的電子流。⓫「電子學」：研究電子或離子運動規律及其應用的學科。⓬「電離層」：高空中的大氣在太陽光(主要是紫外線)的照射下，氣體分子電離為離子和自由電子後所形成的電子較為密集的氣層，電離層能將空中的無線電波折回地面。

雷 (léi) 粵 lœy⁴〔儡〕❶空中帶多量異種電的雲層相接近時，電衝破中間空氣的絕緣而放電，發生強大的聲音，跟長曲的火花。這種聲音叫「雷」；火花叫「閃電」。如「打雷」；「雷聲隆隆」。❷能爆炸的火器，如「地雷」；「水雷」。❸比喻盛大，猛烈。如「雷厲風行」；「大發雷霆」。❹姓。❺「雷同」：①完全一樣。②跟人家的文章重複，意指抄襲。❻「雷動」：①雷聲震動。②比喻

聲音宏大或羣情激動。如「歡聲雷動」。❼「雷達」：英文 radar 的音譯，意譯為「無線電探測器」。它是一種電子裝置系統，利用無線電波測量目標物的方向、距離、速度跟高度。通常用來偵察或引導空中或海上的交通工具；或辨認不明的航行器等移動物體；或供移動物體辨認山峯、暗礁等固定物體。

零 (líng) 粵 liŋ⁴〔伶〕❶不成整數的。如「零碎」。❷數的空位，阿拉伯數目作「0」。如「106」；「3－3＝0」。❸尾數。如「零頭」。❹草木枯落，衰落。如「凋零」；「零落」。❺滴落。如「感激涕零」。❻攝氏溫度表上的冰點。如「零下十度」。❼姓。❽図「零丁」也作「伶仃」：孤單一人無所依靠。如「孤苦零丁」。

六至八畫

需 (xū) 粵 sœy¹〔須〕❶有所求。如「需求」；「需要」。❷費用。如「軍需」。❸図遲疑。左傳有「需，事之賊也」。

霈 (pèi) 粵 pui³〔沛〕❶來得恰是時候的雨水。如「霈霖」；「甘霈」。❷比喻帝王的恩澤。柳宗元文有「霈澤斯

降」。

霉 (méi)粵mui⁴〔梅〕東西受潮因而變色或長出白色的毛狀物。如「發霉」；「霉爛」。

霆 (tíng)粵tiŋ⁴〔停〕突然而起的雷聲，霹靂。如「雷霆」。

霄 (xiāo)粵siu¹〔消〕❶天空。如「雲霄」。❷「霄壤」：指天和地。形容相差極遠。如「霄壤之別」。

霂 (mù)粵muk⁹〔木〕「霢霂」：見800頁「霢」字。

霅 ▲図(shà)粵sap⁸〔霎〕迅疾的樣子。如「霅爾霅落」。
▲(zhà)粵dzip⁸〔摺〕「霅溪」：水名，在浙江省。

震 (zhèn)粵dzen³〔振〕❶激烈的動盪。如「震盪」；「地震」。❷害怕或情緒大大地激動。如「震驚」；「震悼」。❸図雷擊。春秋有「震夷伯之廟」。❹図迅雷。詩經有「燁燁震電」。❺八卦之一，卦形為「☳」。象徵雷震。❻「震旦」：①東方日出的意思。②印度古時稱中國為*Cinisthāna*，古書譯作「震旦」。

霏 (fēi)粵fei¹〔非〕「霏霏」：形容大雪紛飛的情景。詩經有「雨雪霏霏」。

霓(蜺) (ní)粵ŋɐi⁴〔倪〕ɐi⁴〔矮低平〕(俗)❶虹的

外圈。物理學上稱為「副虹」；古人常把虹與外圈蜺合稱為「虹霓」。❷図雨。孟子書有「若大旱之望雲霓」。❸図有各種彩色的衣。如「霓裳」。❹「霓虹燈」：一種商業廣告燈，用玻璃管裝氖氣或水銀蒸氣等，通電以後能放出各色絢爛奪目的光輝。

霖 (lín)粵lɐm⁴〔林〕雨水連下許多天都不停。如「甘霖(對農田有益的雨)」。

霍 (huò)粵fɔk⁸〔攫〕❶形容速散。如「霍然」；「揮霍」。❷姓。❸「霍亂」：英文 *cholera* 的意譯。是一種急性的傳染病，病原體是霍亂弧菌，染患這種病，會上吐下瀉而肚子絞痛。重的幾小時後就會因為脫水而死。預防方法是打預防針，注意飲食。❹図「霍霍」：①形容急而快的聲音。木蘭辭有「磨刀霍霍向豬羊」。②光的樣子。劉子翬詩有「晚電明霍霍」。

霑 (zhān)粵dzim¹〔沾〕❶弄濕。如「霑衣」。❷図受到恩惠。如「霑惠」。

霎 (shà)粵sap⁸〔颯〕❶図小雨。❷「霎時」：很短的時間。

九至十一畫

霞 (xiá) 粵ha⁴〔遐〕❶陽光照在薄雲上所映出的光彩。如「晚霞」;「朝霞」。❷指服飾帶有光彩的。如「鳳冠霞帔」。

霜 (shuāng) 粵sœŋ¹〔商〕❶近地面的水蒸氣遇冷結成的微細顆粒。如「下霜」。❷白色像霜的粉末。如「柿霜」;「砒霜」。❸形容白色。如「一事無成兩鬢霜」。❹冷酷。如「冷若冰霜」。❺高潔。如「心懷霜操」。

霙 (yīng) 粵jiŋ¹〔英〕❶雪花。唐玄宗詩有「雲密遽飄霙」。❷雨和雪一齊落下。❸「霙霙」:形容白雲。

霤(**雷**) (liù) 粵lɐu⁶〔陋〕❶屋簷上的水往下滴。❷裝在屋簷下接雨水的長槽。如「水霤」。

【**霛**】同「靈」,見801頁。

霢(**霡**) (mài) 粵mɐk⁹〔脈〕「霢霂」:小雨。

霪 (yín) 粵jɐm⁴〔淫〕「霪雨」同「淫雨」:久下不停的雨。如「霪雨爲災」。

霧 (wù) 粵mou⁶〔務〕❶靠近地面的水蒸氣,遇冷凝成細微的漂浮瀰漫着地面的小水點。如「霧裏看花」;「風吹霧散」。❷像霧的。如「烟霧」。❸形容迷惑恍惚,想不透的道理。如「如墮五里霧中」。❹「霧都」:指倫敦。如「霧都孤兒」。

霨 (wèi) 粵wɐi³〔畏〕雲起的樣子。

十二至十四畫

露 ▲(lù) 粵lou⁶〔路〕❶靠近地面的水蒸氣,在夜裏遇冷凝成小水珠,附着在物體上的。如「朝露」;「露水」。❷顯現出,沒有遮蔽。如「暴露」;「露宿」。❸熬煉植物蒸餾而得的飲料或酒類。如「玫瑰露」;「地骨露」。❹「白露」:二十四節氣之一,在陽曆九月八日前後。❺「寒露」:二十四節氣之一,在陽曆十月八日前後。❻「露布」:①古稱檄文或戰勝的報告書。②不封口的書信。❼「露骨」:①屍骨暴露。②比喻說話、寫文章的用意直接而不加隱藏。

▲(lòu) 粵lou⁶〔路〕顯現,出現。如「露面」;「露了馬腳」。

霰 (xiàn) 粵sin³〔線〕雨點遇到冷空氣凝成的雪珠,常在下雪之前降下。

霸(**覇**) (bà) 粵ba³〔壩〕❶仗着財勢作惡的壞

人。如「惡霸」。❷用強力奪取佔據。如「霸道」;「霸佔」。❸中國春秋時代五個強大的諸侯。如「五霸」。

霹 (pi) 粵pik⁷〔闢〕「霹靂」:①囡急雷。②急雷的響聲。

霾 (mái) 粵mai⁴〔埋〕❶大風捲起地上的塵土,再慢慢飄落的現象。詩經有「終風且霾」。❷「陰霾」:①指天氣陰暗。②形容際遇不好。

霽 囡(jì) 粵dzei³〔祭〕❶雨住了,霧散了,雪不下了。如「大雪初霽」;「秋雨新霽」。❷比喻怒氣消失。如「天威且霽」。❸「霽月」:①雨後的明月。②說人胸懷開朗。如「光風霽月」。

十六至十七畫

霴 囡(dài) 粵dɔi⁶〔代〕「霴霴」:見本頁「霴」字。

靂 (靂) (lì) 粵lik⁷〔礫〕「霹靂」:見本頁「霹」字。

靈 (灵) (líng) 粵liŋ⁴〔零〕❶最精明,最能幹,地位最高。如「人為萬物之靈」。❷機敏,不呆板。如「靈巧」;「靈活」。❸應驗。如「靈效」;「靈驗」。❹指人的精神,跟「肉體」相對。如「靈魂」;「心靈」。❺古人指神鬼。如「神靈」。❻屬於死人的。如「靈位」;「靈柩(裝着死人的棺材)」;「移靈」。❼囡舊時謚法,無道謚「靈」。❽姓。❾囡「靈犀」:比喻兩心相通。李商隱詩有「心有靈犀一點通」。❿「靈感」:①文學、藝術方面因精神高度集中,情緒高漲或由某一事物所觸發,而突然表現出來的創造能力。根據英文 *inspiration* 意譯而來。②宗教指「超乎自然作用的一種精神感應」。

靄 (ǎi) 粵ɔi²〔藹〕❶囡雲。如「暮靄沉沉」。❷「靄靄」:①雲氣濃厚的樣子。陶潛詩有「靄靄停雲,蒙蒙時雨」。②暗淡,昏昧的樣子。高蟾詩有「明月斷魂清靄靄,平蕪歸思綠迢迢」。

靉 囡(ài) 粵ɔi²〔藹〕「靉靆」:①雲層厚。如「朝雲靉靆」。②眼鏡的別名。

【青部】

青▲ (qīng) 粵 tsiŋ¹〔淸〕
tsɛŋ¹〔語〕❶顏色：①綠色。
如「踏青」；「青草」。②淡藍
色。如「青天白日」；「雨過天
青」。③黑色。如「青布」；「青
衣」。❷少年時代。如「青春」；
「青年」。❸蛋白。如「蛋青」。
❹図竹皮。如「殺青」；「汗
青」。❺泛指青色的莊稼、花
草等。如「青菜」；「青萍」。❻
青海省的簡稱。❼古九州之
一，在現在山東東部跟遼寧遼
河以東一帶。❽姓。❾「青
天」：①晴朗無雲的天空。②
舊時說賢明廉潔的官吏。如
「包青天」；「青天大人」。❿
「青史」：古時寫在竹簡上的史
書。引作歷史的代稱。如「名
垂青史」。⓫「青雲」：①德高
望重。如「青雲之士」。②在高
位。如「平步青雲」；「青雲直
上」。⓬「青眼」也作「青眼」：
①眼睛正視，眼珠在正中間，
跟「白眼」相對。表示對人的尊
重或喜愛。②図借指知心朋
友。如「客愁青眼別，家喜玉
人歸」。⓭「青梅竹馬」：幼小
兒女結伴嬉戲，天真而不避嫌
疑。李白詩有「郎騎竹馬來，

遶牀弄青梅」。⓮「青黃不
接」：舊穀已經吃完了，新穀
還沒熟的時候。比喻不能接
續，偶然也有缺乏的意思。
▲図同「菁」，見609頁。

五至七畫

靖 (jìng)粵dziŋ⁶〔靜〕❶平安。
如「平靖」。❷図平定（作動
詞用）。如「綏靖」；「靖難」。
❸姓。

靚 ▲図(jìng)粵dziŋ⁶〔靜〕指粉
黛妝飾。如「靚妝」。
▲(liàng)粵lɛŋ³〔拉柄切〕粵
方言。漂亮，好看。

八畫

靛 (diàn) 粵 din⁶〔電〕青色染
料，用藍草葉子的汁和水跟
石灰沉澱而成。如「靛青」；
「靛藍」。

靜(静) (jìng)粵dziŋ⁶〔淨〕❶
沒有任何聲音。如
「靜悄悄的」；「夜深人靜」。❷
停止，跟「動」相反。如「靜
止」；「風平浪靜」。❸安定。
如「靜謐」；「安靜」。❹「靜
脈」：脊椎動物把血液從身體
各部分運回心臟的血管的總
稱。

【鶄】見鳥部，858頁。

【非部】

非 ▲(fēi)⑧fei¹〔飛〕❶表示否定，跟「是」相反。如「非賣品」。❷不。如「非去不可」。❸不合。如「非法」；「非禮」。❹過失。如「文過飾非」。❺責怪，反對。如「非攻」；「無可厚非」。❻阿非利加洲的簡稱。如「非洲」。❼「非非」：①太玄，離事實太遠。如「想入非非」。②囡非議錯誤的人或事(第一個「非」作動詞)。❽「非常」：①特別的，不平常。②囡突然來的禍患，漢書有「修武備，備非常」。❾囡「非難(nàn)」：責備，責問。如「無可非難」。❿「非同小可」：形容事態很重大，不尋常，了不起。如「人命關天，非同小可」。⓫「非驢非馬」：驢和馬雜交所生的騾，既不像驢，又不像馬。引作比喻什麼也不像，不倫不類，不成樣子。

▲囡(fěi)⑧fei²〔匪〕同「誹」。如「腹非(內心作了壞批評)」。見682頁。

一至七畫

【韭】見韭部，809頁。
【斐】見文部，282頁。

【悲】見心部，219頁。
【翡】見羽部，558頁。
【蜚】見虫部，640頁。
【裴】見衣部，659頁。

靠 (kào)⑧kau³〔銬〕❶依賴。如「倚靠」。❷接近。如「靠近」。❸依着。如「靠牆坐着」。❹信賴。如「誠實可靠」。❺傳統戲曲服裝。舊小說或舊戲裏描寫的武士所披的鎧甲。❻「靠山」：比喻所依賴的人。❼「靠背」：①椅背。②披鎧甲的人。如「靠背老生(舊戲裏披甲的武老生)」。❽「靠不住」：指人言行不實在。不可信賴。

【輩】見車部，720頁。

十一畫

靡 ▲(mǐ)⑧mei⁵〔美〕❶順勢而倒。如「披靡」。❷衰弱，不能振起。如「委靡不振」。❸囡奢侈。如「靡麗」。❹囡無。如「室靡器物」。❺「靡靡」：①不振作。②低級趣味。如「靡靡之音」。③囡行步遲緩的樣子。詩經有「行邁靡靡」。

▲(mí)⑧mei⁴〔眉〕❶不必要的消費。如「靡費」。❷「靡爛」也作「糜爛」：①毀傷，摧殘。左傳有「靡爛獄中」。②腐爛。

【面部】

面(靣)▲(miàn) 粵 min⁶〔麪〕 ❶ 臉。如「面孔」;「笑容滿面」。❷ 當面的,直接的。如「面談」;「面交」。❸ 物的外表。如「地面」;「封面」。❹ 事理物品的一邊。如「正面」;「反面」;「光明面」;「黑暗面」。❺ 方位。如「東面」;「西面」;「這一面」。❻ 向,對着。如「面山而居」;「達摩面壁(南北朝時候的高僧,天竺人,是中國佛教禪宗的第一人,據說是面壁九年而化)」。❼ 見。如「一面之交」;「素未謀面」。❽ 情形,局勢。如「市面」;「局面」。❾ 量詞。如「一面國旗」;「一面鏡子」。❿ 幾何學上稱線移動所生的形迹,有長有寬沒有厚。如「平面」;「面積」。⓫ 包圍立體的平面。如「六面體」。⓬「面子」:①體面光榮。如「愛面子」。②情面。如「大公無私,不講面子」。⓭「面目」:①面貌。如「猙獰面目」。②面子。如「我有何面目見人」。③事物的外部狀況。如「面目一新」。⓮「面積」:物體表面的大小。⓯「面壁」。①佛教用語,面對牆壁默坐靜修。②面對牆壁站立,是舊時學校對學生的一種體訓。

▲「麪」的簡化,見867頁。

二至十四畫

【勔】見力部,60頁。

靦 ▲図(tiǎn)粵tin²〔他演切〕慚愧的樣子。如「靦顏」;「有靦面目」。

▲同「腼」,見578頁。

靧 図(huì)粵fui³〔悔〕洗臉。

靨 図(yè)粵jip⁸〔衣接切〕頰上的小渦。如「笑靨」(俗稱「酒窩兒」)。

【革部】

革 ▲(gé)粵gak⁸〔隔〕❶去掉毛的獸皮。如「皮革」;「西裝革履」。❷改,除去。如「改革」;「革職」。❸中國古代「八音」之一。❹古代軍人穿的甲冑。國策有「兵革大強,諸侯畏懼」。❺姓。❻「革命」:①從前指順應多數人要求的政權的轉移。如「湯武革命,順天應人」。②現在指在政治、經濟或社會等方面的根本改變。如「工業革命」。

▲图(jí)粵gik⁷〔擊〕危急。如「病革」。

二至四畫

靪 (dīng)粵diŋ¹〔丁〕❶補鞋底。❷「補靪」也作「補釘」:衣服鞋襪破了加以補綴的地方。

【勒】見力部,60頁。

靰 (wù)粵wu¹〔烏〕「靰鞡」:東北地區冬天穿的一種用皮革做的鞋,裏面墊着靰鞡草。

【靭】同「韌」,見808頁。

靶 (bǎ)粵ba²〔把〕射擊的目標。如「打靶」;「鎗靶子」。

▲同「跁」,見707頁。

靸 ▲(sǎ)粵sap⁸〔颯〕❶图沒有後幫的草鞋。❷北方勞動者穿的布鞋,鞋面上有三尖形。❸穿鞋時將後幫踩在腳跟下,拖着走。紅樓夢有「寶玉靸了鞋,便迎出來」。

靳 (jìn)粵gen³〔艮〕❶古時用四匹馬拉車,夾轅中間兩匹服馬當胸的皮帶叫靳。❷图吝嗇。後漢書有「悔不小靳,可至千萬」。❸图戲弄羞辱。左傳有「宋公靳之」(「戲而相愧曰靳」)。❹姓。

靴(鞾) (xuē)粵hœ¹長筒的鞋。如「皮靴」;「雨靴」。

靷 (yǐn)粵jen⁵〔引〕一頭繫在牛馬胸前,一頭繫在車軸上,用來牽引的皮帶。

五至六畫

鞄 ▲图(páo)粵pau⁴〔刨〕「鞄工」:鞋匠。

▲(bāo)粵bau⁶〔鮑〕軟皮做的小箱子。

韈 (mò)粵mut⁹〔末〕❶襪。❷「韈鞨」:古代中國東北種族之一。周代叫「肅慎」;漢代叫「挹婁」;隋唐叫「韈鞨」;後來叫「女眞」;宋代建立金朝。

鞑 (dá)粵dat⁸〔笪〕「韃鞑」:見807頁「韃」字。

【韶】同「韺」,見876頁。

靿 (yào)粵au[3]〔拗〕靴面跟靴筒連接的彎曲部分，靴筒，襪筒。如「靴靿兒」;「襪靿兒」。

鞅 図(yǎng，又讀yāng)粵jœn[2]〔怏〕jœn[1]〔央〕(又)❶馬脖子綁的皮帶。❷「鞅掌」：煩勞。詩經有「王事鞅掌」。

鞁 (bèi)粵bei[6]〔備〕❶鞍轡的統稱。❷同「韛」，見807頁。

【靽】同「絆」，見530頁。

鞏 (gǒng)粵guŋ[2]〔拱〕❶図用皮革捆束物品。❷堅固：①作形容詞。如「基礎鞏固」。②作動詞。如「鞏固國防」。❸縣名，在河南省。❹姓。❺「鞏膜」：眼球外表很細緻又很韌的白膜。

鞋(鞵) (xié)粵hai[4]〔諧〕一種腳上的穿着物，可以保護腳，也可以增加美觀。質地有皮、布、木、乾草、化學製品等。如「皮鞋」;「拖鞋」。

鞍(峖) (ān)粵ɔn[1]〔安〕「馬鞍」：擱在馬背上的騎墊。前後兩頭高起，中間凹下，左右兩邊下垂，形狀像橋。

七至八畫

鞔 (mán)粵man[4]〔蠻〕把皮革撐開，使四周貼在器物的框子上。如「鞔鼓」。

鞓 図(tīng)粵tiŋ[1]〔他丁切〕皮帶。

鞘 ▲(qiào)粵tsiu[3]〔俏〕裝刀、劍的套子。如「刀鞘」;「劍鞘」。

▲(shāo)粵sau[1]〔梢〕「鞭鞘」：拴在鞭子頭上的細皮條。

鞚 (kòng)粵huŋ[3]〔控〕拴在馬脖子上的控制馬用的皮帶跟繩索。

鞠 (jū)粵guk[7]〔谷〕❶彎曲。如「鞠躬」。❷図撫育。如「鞠育」。❸図幼小的孩子。如「鞠子」。❹図古代的足球。如「蹋鞠」(那時的「足球」是皮子做的外殼，中間塞滿了羽毛，叫「毬」)。❺図「鞠躬盡瘁」：不辭勞苦，盡力於國事。

鞡 (la)粵la[1]〔啦〕「靰鞡」：見805頁「靰」字。

【鞟】同「鞹」，見807頁。

九畫

鞤(幫) (bāng)粵bɔŋ[1]〔邦〕鞋兩邊側面部分。如「鞋鞤」(常寫作「鞋幫」)。

鞭 (biān)粵bin[1]〔邊〕❶古兵器的一種。如「鋼鞭」;「竹節鞭」。❷趕牲口或抽打人的用具。如「馬鞭子」;「皮鞭子」。

❸用鞭子抽打。如「鞭打」;「鞭撻」。❹成串的砲仗。如「鞭砲」;「放鞭」。❺「鞭長莫及」:鞭長不及馬腹。比喻勢力有所不及。❻figure「鞭辟入裏」也作「鞭辟近裏」:①形容文章的言辭透徹深刻。②形容努力向學,功夫切實。

鞨 figure(hé)粵hot⁸〔渴〕❶鞋。❷「靺鞨」:見805頁「靺」字。

鞬 figure(jiān)粵gin¹〔肩〕掛在馬鞍邊盛弓箭的器具。

鞠 figure(jū)粵guk⁷〔谷〕❶審問犯人。如「鞠訊」。❷窮困。詩經有「鞠人忮忒」。

鞦 (qiū)粵tseu¹〔秋〕❶「鞦韆」原作「秋千」:一種運動遊戲器具。在門形的高架上拴兩根繩子,繩子下端繫著板子,人在木板上可站可坐,或登或推,使之運動,也可以休閒。❷同「鞧」,見本頁。

鞣 (róu)粵jeu⁴〔由〕❶figure熟皮。❷製造皮革,使它柔軟。如「這塊皮子已經鞣過了」。❸「鞣酸」:化學品名,常稱單寧酸(tannic acid),簡稱單寧(tannin),可供製造皮革、墨水或染色、醫藥之用。

鞥 (ēng)粵eŋ¹〔鶯〕馬韁。

鞧 (qiū)粵tseu¹〔秋〕後鞧,套車時拴在駕轅牲口屁股上的皮帶子。又作「鞦」。

十至十七畫

鞴 (bèi)粵bei⁶〔備〕❶把鞍轡等套在馬身上。如「鞴馬」。❷「鞴鞴」:見本頁「鞴」字。

鞳 figure(tà)粵tap⁸〔塔〕「鞺鞳」:見本頁「鞺」字。

韝 (鞲) (gōu)粵geu¹〔溝〕❶figure保護臂膀的皮套子。❷「韝鞴」:風箱、唧筒、抽氣機筒等裏面的活塞。
【鞵】同「鞋」,見806頁。
【韃】同「鞾」,見806頁。

鞺 figure(tāng)粵toŋ¹〔湯〕「鞺鞳」也作「鏜鞳」:鐘鼓的聲音。

鞹 (鞟) figure(kuò)粵 kwɔk⁸〔廓〕kɔk⁸〔確〕(俗)❶整張曬乾不去毛的獸皮。❷皮革的別稱。

鞥 (wēng)粵juŋ¹〔翁〕靴勒。

【鞾】同「靴」,見805頁。

鞽 (qiáo)粵kiu⁴〔喬〕馬鞍拱起的地方。

韃 (dá)粵tat⁸〔撻〕❶「韃子」:從前漢族人對北方少數民族的統稱。❷「韃靼」:①種族名,本是靺鞨的一部分,唐朝末年才叫「韃靼」。②國名。元

朝亡後，其宗族逃往漠北所建的國。

韂 (chǎn)粵dzim¹〔占〕馬鞍子下面墊的東西。

【韁】同「繮」，見546頁。

【韈】同「襪」，見664頁。

韆 (qiān)粵tsin¹〔千〕「鞦韆」：見807頁「鞦」字。

韉 (jiān)粵dzin¹〔煎〕馬鞍下面的墊褥。木蘭辭有「西市買鞍韉」。

【韋部】

韋 (wéi)粵wɐi⁵〔偉〕❶熟的皮革，去毛加工製成的柔軟的獸皮。❷姓。❸「韋編」：用皮連綴的竹簡。

三至十五畫

韌(靭) (rèn)粵jɐn⁶〔刃〕❶柔軟堅牢並能伸縮的。如「韌性」；「堅韌」。❷「韌帶」：①人體骨節相接連部分的富有堅韌性的纖維。②介殼動物絞合部分的堅韌而能伸縮的膜。

韎 ⊠(mèi)粵mui⁶〔妹〕❶染赤色的草。❷古時東夷的樂名。

韍 ⊠(fú)粵fɐt⁷〔弗〕❶古時候用韋製成的用以蔽膝的祭服。❷繫印璽的帶子。漢書有「奉上璽韍」。

韓 (hán)粵hɔn⁴〔寒〕❶國名：①戰國七雄之一，最盛時擁有現在陝西省東部跟河南省西北部的土地，後來被秦所滅。②位於亞洲東北部朝鮮半島上。現分裂為南北兩個政權。北方政權稱「朝鮮人民民主共和國」，俗稱「北韓」或「北朝鮮」；南方政權稱「大韓民

國」，俗稱「南韓」或「南朝鮮」。❷江名，發源福建，經廣東潮汕平原入南海。❸姓。

韙 图(wěi)粵wei⁵〔偉〕❶是。常跟否定字連用。❷「不韙」：「不是」、「不對」的意思。左傳有「犯五不韙，而以伐人」。

韜 (tāo)粵tou¹〔滔〕❶弓劍的匣子。❷图打仗的智謀計策、兵法。如「韜略」。❸图隱藏。如「韜光」。

韞 (韫) 图(yùn)粵wen³〔慍〕❶藏。陸機的文賦上有「石韞玉而山暉」。❷「韞匵」：藏才不露。

【韡】同「韡」，見807頁。

韡 图(wěi)粵wei⁵〔偉〕❶「韡韡」也作「煒燁」：①光明的樣子。②美的樣子。❷「韡韡」：光明的樣子。

【韈】同「襪」，見664頁。

【韭部】

韭 (韭) (jiǔ)粵geu²〔九〕❶「韭菜」：蔬菜名，葉子是扁平、細長，開小白花，葉和花嫩時可吃。如「炒韭菜」。❷「韭黃」：黃嫩的韭菜。

【音部】

音 ▲(yīn)⑨jem¹〔陰〕❶聲。如「聲音」;「音波」。❷樂器所發或人所唱的好聽的聲音。如「音樂」;「音律」。❸囻敬稱他人的言語。如「德音」;「玉音」。❹消息,也常指書信說。如「佳音」;「回音」。❺「音韻」也作「聲韻」:文字的聲紐和韻部;研究音韻的學術叫「音韻學」或「聲韻學」。

▲囻(yìn)⑨jem³〔蔭〕通「蔭」。左傳有「鹿死不擇音」。見620頁。

四至十三畫

【歆】見欠部,344頁。

韶 (sháo)⑨siu⁴〔時遙切〕❶相傳古代虞舜所製的樂曲名。❷囻美的,好的。如「聰明韶秀」。❸囻「韶光」也作「韶華」:①指美麗的春景。②指青年的好時光。③時光,光陰。

韻(韵)(yùn)⑨wen⁵〔允〕wen⁶〔運〕(又)❶和諧好聽的聲音。如「琴韻悠揚」。❷說話的每一個音節收尾部分的聲音,像táng是由t和áng拼成的,áng就是韻;t是聲。❸文雅、有風致、有情趣的。如「風韻」;「韻致」;「韻味」。❹「韻腳」:詩詞歌賦等韻文在句的末尾所押的韻。

響 (xiǎng)⑨hœŋ²〔享〕❶聲音。如「沒有響聲」;「沒聽見響兒」。❷發出聲音。如「響箭」;「鬧鐘直響」。❸回聲。如「響應」;「影響」。❹聲音大。如「響亮」。❺因為有勢力或有信用,所說的話容易生反應。如「他到哪兒都叫得響」。❻「響尾蛇」:①一種毒蛇,長七八尺,尾端有角質輪,振動起來能發聲。對附近生物的體溫或物體所發的熱有銳敏的探測感覺能力。②一種空對空的飛彈。這種飛彈發射之後,能像響尾蛇一樣,順着敵方的飛行器物航線裏所留下的熱力,高速度追蹤上去,加以射擊爆炸。❼囻「響遏行雲」:所唱的聲音傳送得很遠,把天上的雲都遏止住了;強調形容聲音的高亮與美妙。

【頁部】

頁 (yè) 粵 jip⁹〔葉〕❶書、畫的單張。如「册頁」;「活頁」。❷量詞,書或印刷品的一面(正反兩面是兩頁)。如「第三頁」。❸成片層的。如「頁岩」;「百頁窗」。

二至三畫

頂 (dǐng) 粵 diŋ²〔鼎〕❶頭的最上部。如「頭頂」;「禿頂」。❷指最上部。如「山頂」;「樓頂」。❸最。如「頂好」;「頂重要」。❹放在頭上承戴着。如「頭頂着食盒」。❺頭部跟上面的東西接觸。如「他頂着門框了」。❻用腦袋撞。如「羊也會頂人」。❼支撐,抵擋,和來勢相抗。如「敵人來了你頂得住嗎」。❽觸犯。如「頂撞」;「頂嘴」。❾從下面向上推動。如「種子發了芽,把土頂起來」。❿相當於,等於。如「一個人頂兩個人用」。⓫承當,代替,補充。如「冒名頂替」;「夜班由他頂着」;「由你頂他的缺」。⓬計算帽子、帳子、轎子等的單位詞。如「一頂帽子」;「一頂帳子」;「三頂花轎」。⓭「頂珠(用像珊瑚、寶石、水晶等圓珠形的東西做成帽結,裝飾在帽頂中央。清朝時用不同的頂珠表示不同的官階)」的簡稱。如「頂戴」;「頂子」。⓮財產的出價承受或標價出讓。如「招頂」;「頂了一處房子」。

頃 ▲ (qīng) 粵 kiŋ¹〔傾〕傾側。

▲ (qǐng) 粵 kiŋ²〔崎映切〕❶地積計算單位,田地一百畝叫「一頃」。❷短時間。如「頃刻」;「少頃」。❸剛才,不久以前。如「頃接來信」。

頇 (hān) 粵 hon¹〔哈安切〕「頇顢」:見817頁「顢」字。

項 (xiàng) 粵 hoŋ⁶〔巷〕❶⊠脖子的後部。❷脖子。如「頸項」;「項練」。❸事物的條目。如「項目」;「事項」。❹事物的件數。如「十項運動」。❺種類。如「這一項買賣」。❻「款項」的簡稱,指錢說。如「存項」;「進項」。❼在代數式裏不用加、減、等、不等……這些符號相連結的單式叫「項」。如「單項式 $(4x^2y)$」;「多項式 $(2x^3y^2 + 4x^2y + x + y)$」。❽姓。❾⊠「項背」:脖子和脊背,比喻前後。

須 ▲ (xū) 粵 sœy¹〔需〕❶必得,應當。如「仍須努力」;

「務須注意」。❷圖等待。如「摩厲以須」。❸片刻，一會兒。如「斯須」；「須臾」。❹舊小說裏常用做「本來」的意思。如「我和你須是親兄弟」。❺舊小說裏常用來表示語氣的轉折，即是「卻」的意思。如「他須是故意來賺你的」；「孫老闆須不是這般人」。

▲「鬚」字的古體，見841頁。

順 (shùn)粵sœn⁶〔時潤切〕❶向着相同方向的，跟「逆」相對。如「順風而行」；「順流而下」。❷沿着，靠着。如「順着河邊走」。❸服從，不違背。如「順從」；「順理成章」。❹適合，暢達，不彆扭。如「文句通順」；「這枝筆用着順手」；「唱起來很順口」。❺整理。如「順一順頭髮」。❻弄合適了，正過來。如「順過船來」。❼有條理。如「通順」。❽調和。如「風調雨順」。❾便，趁便。如「順手關門」；「順路到這兒來」；「順頌起居(就便問好，書信的末尾常用)」；「順祝安好」。❿「順手牽羊」：乘便不告而取。多指盜竊的行為。⓫「順水推舟」：比喻乘機行事。

四畫

頒 (bān)粵ban¹〔班〕❶發給，賜給。如「頒獎」；「頒發」。❷宣布，公布。如「頒布」；「頒行」。

頓 ▲(dùn)粵dœn⁶〔鈍〕❶短暫的停止。如「停頓」。❷圖碰觸地面。如「頓首(磕頭)」；「頓足(跺腳)」。❸圖受到挫折，不得意。如「困頓」；「頓躓」。❹安置，整理。如「安頓」；「整頓」。❺表示次數。如「吃一頓飯」；「被他數訓了一頓」。❻忽然，立刻。如「頓然覺悟」；「頓時想起來了」。❼姓。

▲(dú)粵duk⁹〔毒〕「冒(mò)頓」：漢朝初年匈奴一個君主的名字。

頏 圖(háng)粵hɔŋ⁴〔杭〕❶「頡頏」：見813頁「頡」字。❷通「吭」，見80頁。

頎 圖(qí)粵kei⁴〔其〕身材高的樣子。如「頎長」；「身頎肩闊」。

頌 (sòng)粵dzuŋ⁶〔仲〕❶稱讚別人的好處。如「頌揚」；「歌頌」。❷文體之一，稱揚功德的詩歌或文章。如「橘頌」；「中華頌」。❸圖詩經六義(賦、比、興、風、雅、頌)之一。

頑 (wán)粵wan⁴〔還〕❶囮愚蠢沒有靈性的。如「頑石」;「冥頑不靈」。❷固執,不容易改變的。如「頑固」;「頑強」。❸小孩子淘氣,調皮。如「頑皮」;「頑童」。❹玩,嬉戲。紅樓夢有「不過是一時的頑話兒罷了」。

預 (yù)粵jy⁶〔譽〕❶事前,在先。如「預防」;「預先」。古書上通作「豫」。❷參加到裏邊去。如「參預」;「干預」。也作「與」。❸「預算」:①預先估計錢財收支的數目。如「經費預算」。②預計,事前計算。如「經費收支要先預算一下」。

項 (xū)粵juk⁷〔勖〕guk⁷〔谷〕(又)「頊頊」:見815頁「頊」字。

【煩】見火部,406頁。

五至六畫

頗 (pō又讀pǒ)粵po²〔回〕❶不平正。如「偏頗」。❷很,相當地。如「文筆頗佳」;「頗以為念」。❸囮略微。史記有「周以來乃頗可著」。❹姓。

領 (lǐng)粵liŋ⁵〔嶺〕leŋ⁵〔語〕❶衣服上圍着脖子的部分。如「硬領」;「高領兒」。❷指脖子的部分。如「領巾」;「引領(伸着脖子)」。❸事物或文章的重

要部分。如「要領」;「綱領」;「提綱挈領」。❹量詞:①用於衣服。如「一領青衫」。②用於蓆、箔等。如「一領蓆子」;「一領箔」。❺統率,引帶着。如「領兵」;「率領」。❻接受,取。如「領獎」;「領款」。❼治理,管轄,擁有主權的。如「佔領」;「領土」。❽才能。如「本領」。❾了解,曉悟。如「領悟」;「領略」。❿「領事」:一國根據協議派駐他國的代表。⓫「領袖」:①衣服的領和袖。引作指作為表率的人。②國家、政治團體、羣衆組織等的最高領導人。⓬「領銜」:連名中的第一個署名。

【碩】見石部,487頁。

【潁】同「泮」,見367頁。

頦 ▲囮(hái)粵hoi⁴〔霞呆切〕顋底下的部分,即是「下巴」。
▲(kē)粵hoi⁴〔霞呆切〕「下巴頦(兒、子)」:即是下巴,指嘴下面到喉頭上面的部分。

頜 ▲(gé)粵gɐp⁸〔鴿〕
▲(hé)粵gɐp⁸〔鴿〕構成口腔上部和下部的骨頭和肌肉組織(上部的叫上頜;下部的叫下頜)。

頡 ▲(xié)粵kit⁸〔竭〕❶囮直着脖子。❷姓。❸囮「頡頏」:①鳥飛的樣子(向上飛叫「頡」;

向下飛叫「頡」)。張衡賦有「交頸頡頏」。②借用作不相上下的意思。晉書有「頡頏名輩」。③剛直傲慢的樣子。如「頡頏以傲世」。

▲(jié)⓹kit⁸〔竭〕「倉頡」:上古人名,相傳他創造文字。

頫 ▲図同「俯」,見29頁。

頫 ▲(tiào)⓹tiu³〔跳〕同「眺」,見474頁。

【潁】見水部,392頁。

七至八畫

頻 図(pin)⓹pen⁴〔貧〕❶屢次。如「頻仍」;「頻煩」。❷急迫。詩經有「國步斯頻」。❸同「顰」,見817頁。

頭 ▲(tóu)⓹teu⁴〔投〕❶人身上最高的部分。如「頭頂」。❷指頭髮說。如「剃頭」;「梳頭」。❸東西最前或最上的一部分。如「船頭」;「這本書的頭半部寫得不錯」。❹物體的一端。如「兩頭尖」。❺首領。如「頭領」;「頭目」;「頭子」。❻事情的開端。如「有頭有尾」;「凡事起頭難」。❼條理。如「頭頭是道」。❽着落,線索。如「這個案子總算有了頭緒了」。❾剩下的東西或殘餘的一小部分。如「零頭」;「香烟頭」。❿第一,上等,次序在前的。如「頭等坐位」;「頭號人物」;「頭等技術」。⓫量詞:①指牲畜。如「一頭牛」;「兩頭豬」。②指像頭的東西。如「五頭蒜」。③指事物。如「這頭親事不太合適」。⓬一邊,一方面。如「這頭」;「那頭」。⓭「處」的意思。如「盡頭」。⓮指人體的某一部位。如「眉頭」;「肩頭」;「舌頭」。⓯作名詞的詞尾用。如「石頭」;「木頭」;「拳頭」。⓰方位詞詞尾。如「前頭」;「後頭」;「裏頭」;「上頭」。⓱指事物的有趣味或有可做的價值。如「這有什麼說頭」;「這本小說沒看頭」。

頹(穨、隤)(tuí)⓹tœy⁴〔提渠切〕❶図頭禿。❷精神委靡不振。如「頹喪」;「頹唐」。❸図倒塌。如「頹垣斷壁」;「泰山其頹」。❹「頹風」:敗壞的風俗。❺図「頹然」:柔順的樣子。晉書有「容貌質素,頹然若不足者」。

頷 (hàn)⓹hem⁵〔霞凜切〕❶下巴頷的底下部分。如「虎頭燕頷」。❷點頭(表示應允)。如「笑而頷之」。

頲 (tǐng)⓹tiŋ⁵〔艇〕頭挺直的樣子。

頮 図(hui)⑨fui³〔悔〕通「靧」，見804頁。

頰 (jiá)⑨gap⁸〔夾〕❶面部兩旁顴骨以下的部分。如「臉頰」。❷図「緩頰」：替人說情，求恕。

頸 (jǐng)⑨gɛŋ²〔加餅切〕❶脖子，頭跟軀幹相連的部分。如「長頸鹿」。❷瓶口下面的部分。如「瓶頸」；「長頸瓶」。

頛 (chuà)⑨tsat⁸〔察〕❶強的樣子。❷超逸出去。如「頛外(超出了範圍)」；「我並沒有什麼頛外的事」。

頤 図(yí)⑨ji⁴〔宜〕❶臉頰。俗稱「頤幫子」。如「解頤(開口笑)」。❷指身體的保養。如「頤養」；「頤神」。❸沒有實質意義的助聲詞。史記有「夥頤，涉之爲王沈沈者」(「夥頤」是表示驚贊的聲音)。❹「頤指」：不說話而稍微動一下頤下的肉來表情指示。漢書有「頤指如意」。❺「頤和園」：中國著名園林之一，原爲帝王的行宮花園，在北京西郊。

【穎】見禾部，501頁。

【頴】同「穎」，見501頁。

顆 ▲(kē)⑨fɔ²〔火〕❶形狀像小圓粒的東西。如「花生顆」。❷量詞，指粒狀的東西。如「一顆花生」；「一顆珠子」。

▲図(kě)⑨fɔ²〔火〕土塊。

穎 (jiōng)⑨gwiŋ²〔炯〕一種像苧麻的草，可以紡織成布。

顇 (cuì)⑨sœy⁶〔睡〕sœy⁵〔緒〕(又)「顦顇」同「憔悴」：見227頁。

九至十畫

題 (tí)⑨tɐi⁴〔提〕❶図額。如「題眉」。❷對詩、文章、演講或一件事情所標立的名目。如「題目」；「標題」。❸寫在上面。如「題字」；「題詩」。❹評論。如「品題」。❺奏章。如「題本(與政務、軍事、錢糧等公事專用，私事則用奏本，清代取銷題本，統用奏本)」。❻提，述說。元曲有「休題舊事了」。

顓 図(zhuān)⑨dzyn¹〔專〕❶謹愼而良善的樣子。歐陽修文有「性顓而好古」。❷愚昧，糊塗。如「顓蒙」。❸「顓頊」：黃帝的孫子。❹「顓孫」：複姓。

顋(腮) (sāi)⑨sɔi¹〔鰓〕面部的兩旁，俗稱「顋幫子」。

額 (é)⑨ŋak⁹ak⁹〔握低入〕(俗)❶頭的前面，眉毛以上頭髮以下的部分俗稱「腦門子」、

「腦門兒」。如「額角」；「額骨」。❷規定的數目。如「名額」；「額外」。❸門上的牌匾。如「匾額」。❹図「額手」：舉手到前額部位，表示敬禮或祝賀。如「額手稱慶」。❺「碑額」：碑的頂端。

顎 (è)粵ŋɔk⁹〔岳〕ɔk⁹〔惡低入〕(俗)❶組成口腔的頂壁。人和哺乳動物分前、後兩部。前部由骨組織構成，稱為「硬顎」；後部由肌肉組成，稱為「軟顎」。❷同「腭」，見579頁。

顏 (yán)粵ŋan⁴〔眼低平〕an⁴〔晏低平〕(俗)❶色彩。如「顏料」；「五顏六色」。❷臉上的表情，面容。如「和顏悅色」；「笑逐顏開」。❸図臉面(體面、名譽)。如「無顏見人」；「靦顏無恥」。❹姓。❺「顏色」：①色彩。如「顏色鮮豔」。②図臉色。史記有「顏色憔悴，形容枯槁」。③利害。如「給他一點顏色看看」。

顒 図(yóng)粵juŋ⁴〔容〕❶大。❷嚴正的樣子。❸向慕。如「顒望」。❹「顒顒」：①態度溫和的樣子。詩經有「顒顒卬卬，如圭如璋」。②向慕。後漢書有「凡百君子，靡不顒顒」。

顛 (diān)粵din¹〔癲〕❶図頭頂。詩經有「有馬白顛」。❷図最高的地方，頂端。如「顛峯」；「山顛」。❸図始，根本。如「顛末」。❹倒、跌。如「顛躓」；「顛撲不破(無論怎樣跌、打都不破，比喻理論正確不能推翻)」。❺倒轉，挫折。如「顛沛流離」。❻遭受搖晃震盪。如「顛簸」；「路不好，車顛得厲害」。❼跳起來快跑。如「連跑帶顛」。❽「顛倒」：①上下或前後次序倒置。如「這兩個字應該顛倒過來」。②錯亂。如「神魂顛倒」。③反倒。如「顛倒歷史」。❾「顛狂」也作「癲狂」：神經錯亂，言行不正常。

類 (lèi)粵lœy⁶〔淚〕❶種別，同種的。如「同類」；「物以類聚」。❷相似。如「類似(差不多，好像)」；「相類」。❸図大都，大概。如「類能言之」；「類皆如此」。❹図善。詩經有「克明克類」。❺図偏。左傳有「刑之頗類」。❻姓。❼「類書」：舊式詞典；或按事物性質分類編排；或按字詞次序編成的工具書的統稱。❽「類推」：在不同的事物中，依照相類似之點，由其一來推知其他。如「以此類推」。

囟(xìn)粵sœn³〔信〕「囟門」：人頭頂上稍靠前額的部分，也就是初生嬰兒頭頂上看得出跳動的未合縫的地方。也叫「凶門」、「頂門」、「額顱」、「顖腦門」。

顙图(sǎng)粵sɔŋ²〔爽〕❶前額，腦門。如「廣顙(寬腦門)」。❷「稽顙(屈膝下拜，叩頭至地)」的簡稱。漢書有「稽顙請罪」。

頔图(yǐ)粵ŋei⁵〔蟻〕ei⁵〔矮低上〕(俗)安靜。

願(yuàn)粵jyn⁶〔縣〕❶樂意，肯。如「自願」；「甘心情願」。❷祝，希望。如「但願如此」；「願天下有情人終成眷屬」。❸所希望的。如「願望」；「心願」；「如願以償」。❹答謝神佛。如「還願」。❺图羨慕。荀子有「小人莫不延頸舉踵而願曰」。

十一至十八畫

顢(mān)粵mun⁴〔瞞〕「顢頇」：①形容糊塗，不明事理。②懶散，做事漫不經心。紅樓夢有「顢頇了事」。

顧(gù)粵gu³〔故〕❶回頭看，轉頭看。如「回顧」；「左顧右盼」。❷图看。如「四顧無人」。❸關心。如「顧念」；「照顧」。❹注意到，考慮到。如「奮不顧身」；「顧此失彼」。❺图到來。如「枉顧」。❻图但。如「顧乃」；「欲加援手，顧力有不及」。❼图乃。如「顧所願耳」。❽姓。

顥图(hào)粵hou⁶〔浩〕光白明亮的樣子。楚辭有「天白顥顥」。

顦(qiáo)粵tsiu⁴〔潮〕「顦顇」同「憔悴」：見227頁。

顫▲(zhàn)粵dzin³〔戰〕因為寒冷或驚惶引起身體發抖，打哆嗦。如「顫抖」。
　▲(chàn)粵dzin³〔戰〕❶物體振動。❷「顫悠」：顫動。❸「顫巍」：顫動搖曳的樣子。

顯(xiǎn)粵hin²〔遣〕❶可以清楚明白看出來。如「顯著」；「顯而易見」。❷表現，表露出來。如「顯露」；「顯現」。❸聲望好，地位高。如「顯貴」；「顯要」。❹图對自己的先人的尊稱(常加上「顯」字)。如「顯考」；「顯妣」。❺姓。❻「顯赫」：形容聲名昭著或權勢極大。

顬图(rú)粵jy⁴〔如〕「顳顬」：見818頁「顳」字。

顰图(pín)粵pen⁴〔頻〕❶眉蹙的樣子。如「顰眉」。❷憂愁不樂的神情。

顱 (lú) ⑧lou⁴〔勞〕❶腦蓋，頭骨。如「頭顱」；「顱骨」。❷囟頭部。如「圓顱方趾(泛指人類)」。

顳 (niè) ⑧nip⁹〔捏〕lip⁹〔獵〕(俗)「顳顬」也作「顳骨」：鬢骨。即「耳門骨」。

顴 (quán) ⑧kyn⁴〔權〕「顴骨」：眼下頰上突起的部分。

【風部】

風 ▲(fēng) ⑧fuŋ¹〔封〕❶空氣流動的現象。如「颳大風」；「風和日麗」。❷教化。如「風化」；「遺風」。❸俗尚。如「風俗」；「風氣」。❹景象。如「風景」；「風光」。❺人的態度，氣概。如「風度」；「風韻」。❻傳說。如「風聞」；「風言風語」。❼消息。如「走露風聲」；「聞風而來」。❽詩經六義(賦、興、比、風、雅、頌)之一。❾中醫所指的風、寒、暑、濕、燥、火六種病因之一。如「風濕」；「風疹」；「抽風」；「羊癇風」。❿神采。如「風采」。也作「丰」。⓫姓。⓬「風土」：地方的風俗人情跟地理環境的總稱。如「風土人情」。⓭「風月」：①比喻眼前的景色，安閒消遣的事情。②比喻男女戀愛的事。⓮「風水」：迷信的人相信房屋或墳地的方向以及環境地脈、山勢、水流等會決定吉凶福禍。⓯「風化」：①教育感化。如「風化天下」。②風俗教化。如「有傷風化(多指男女關係)」。③地質名詞，指岩石受大氣、風、雨的侵蝕而發生化學分解

的現象。④化學名詞，指水合物在空中失去一部分或全部結晶水而分解的現象。⓰「風頭」：①情勢。②顯露自己的所長，以博得大眾的讚譽。如「出風頭」。⓱「風馬牛」：牲畜吸引異性叫「風」。馬牛不同類，不同性別也不會相吸引。所以「風馬牛」是說事情互不相干。原句是左傳的「風馬牛不相及」。⓲「風風雨雨」：沒有確實根據的流言或評論。

▲囝(fèng)⑧fuŋ³〔諷〕❶吹。如「春風(fēng)風(fèng)人」。❷同「諷」，見684頁。

五至九畫

颱(tái)⑧toi⁴〔臺〕「颱風」：由太平洋上赤道附近低氣壓形成的熱帶風暴。常在關島或菲律賓羣島附近發生，挾着旋轉的強力，甚至帶有豪雨，因此風過之處常常成災。

颯(颯)(sà)⑧sap⁸〔圾〕❶囝風聲。如「有風颯然而至」。❷囝衰落。如「庭草颯以萎黃」。❸「颯爽」：豪邁矯健。如「英姿颯爽」。

颭(zhǎn)⑧dzim²〔支掩切〕風使物顫動。柳宗元詩有「驚風亂颭芙蓉水，密雨斜侵薜荔牆」。

颳(guā)⑧gwat⁸〔刮〕❶風吹。如「樹被風颳倒了」。❷「颳風」：起風。

颶囝(jù)⑧gœy⁶〔巨〕發生在海上的猛烈的旋風。

颺囝(yáng)⑧jœŋ⁴〔陽〕❶讓風颺跑了。❷飛跑了。❸通「揚」，見260頁。

颸(sī)⑧si¹〔思〕涼風。如「輕扇動涼颸」。

颼(sōu)⑧seu¹〔收〕❶風吹。如「被風颼乾了」。❷狀聲的字。如「只聽得門外颼的一聲，一個彈子飛了進來」。❸「颼颼」：①風聲。②雨聲。

十至十二畫

飇(飈)(yáo)⑧jiu⁴〔遙〕「飄飇」：見本頁「飄」字。

飀(liú)⑧leu⁴〔留〕「飀飀」：微風吹動的樣子。如「微風飀飀」。

飄(飃)(piāo)⑧piu¹〔漂〕❶隨風晃動。如「飄揚」；「飄來飄去」。❷囝旋風。爾雅有「迴風為飄」(迴風即是旋風)。❸「飄搖」也作「飄飇」：隨風擺動。如「楊柳隨風飄搖」。❹「飄飄」：①風吹的樣子。陶潛文有「風飄飄而吹衣」。②飛的樣子。如「雁飄飄

而南飛」。③落下的樣子。如
「大雪飄飄」。④恍惚的樣子。
如「飄飄然」;「飄飄欲仙」。

飂 ▲囵(liáo)粵liu⁴〔聊〕「飂
戾」:風聲。

　　▲(liù)粵luk⁹〔陸〕「飂風」:
西風。

飆(飈、飇)囵(biāo)粵
biu¹〔標〕暴
風。如「狂飆」。

【飛部】

飛 (fēi)粵fei¹〔非〕❶有翅膀的
動物、昆蟲或航空器騰空往
來。如「飛騰」;「鳥飛」;「運輸
機起飛」。❷比喻快。如「飛
奔」;「飛漲」。❸比喻高。如
「飛橋」;「飛樓」。❹物體在空
中飄蕩。如「飛雪」;「飛沙走
石」。❺囵沒有根據的流言。
如「飛語」;「飛短流長」。❻意
外的。如「飛禍」。❼「飛黃騰
達」:飛黃,古代傳說中跑得
很快的神馬。引伸作比喻人驟
然得志,官職、地位升得很
快。

【飝】同「麤」,見559頁。

【食部】

食 ▲(shí)粵sik⁹〔蝕〕❶吃。如「飲食」;「食不甘味」。❷人吃的東西。如「食宿」;「豐衣足食」。❸餵動物的飼料。如「豬食」;「雞食」。❹囻俸祿,薪給。論語有「君子謀道不謀食」。❺虧蝕。如「日食」;「月食」。❻囻「食言」:失信,說了沒做到。❼「食指」:①手的第二指。②囻比喻人口。如「食指浩繁」。

▲囻(sì)粵dzi⁶〔自〕拿食物給人吃。如「食之以果餌」。

▲ (yì)粵ji⁶〔異〕「食其(jī)」:古人名,漢朝有酈食其、審食其。

二至三畫

飣 囻(dìng)粵diŋ³〔訂〕「餖飣」:見823頁「餖」字。

飢 (jī)粵gei¹〔基〕餓。如「飢餓」;「飢不擇食」。

【飧】同「餐」,見823頁。

飥 (tuō)粵tok⁸〔托〕「餺飥」:餅類食品。

飦 (zhān)粵dzin¹〔煎〕囻同「饘」,見825頁。

飧(飱) 囻(sūn)粵syn¹〔孫〕❶晚餐。❷熟食。❸簡單的飯食。❹用水泡飯。

四至五畫

飯(飰) (fàn)粵fan⁶〔犯〕❶煮熟了的米糧。如「大米飯」;「小米飯」。❷餐,吃飯。如「飯後散步」。❸囻餵,飼。如「飯牛」。❹囻「飯僧」:布施飯食給和尚。

飩 (tún)粵ten¹〔吞〕「餛飩」:見824頁「餛」字。

飭 囻(chì)粵tsik⁷〔斥〕❶謹嚴。如「謹飭」。❷整治。如「整飭」。❸命令。如「飭知」;「飭令」。❹告誡。如「申飭」。

飪(餁) (rèn)粵jem⁶〔任〕煮熟。如「烹飪」。

飲 ▲(yǐn)粵jem²〔衣審切〕❶喝。如「飲酒」;「飲茶」。❷專指喝酒。如「小飲」;「痛飲」。❸可喝的東西。如「飲料」。❹含,忍。如「飲恨」;「飲泣」。❺「飲彈」:身為槍彈所擊中。❻「飲羽」:箭深入至沒羽。形容力量極強。

▲(yìn)粵jem³〔蔭〕❶叫牲口喝水。如「飲馬」。❷囻使人喝。如「飲之以酒」。

飫 囻(yù)粵jy³〔衣恕切〕❶飽。如「飽飫」。❷賜。如「飫賜」。❸燕食。詩經有「飲酒之飫」。

【飫】同「餧」，見824頁。

飽 (bǎo)⑨bau²〔波考切〕❶吃夠了。❷充分。如「飽學」；「飽經世故」。❸豐富，充滿。如「飽滿」。❹「飽和點」：①化學上稱兩物相遇而成某種現象的一定限度。

飿 図(duò)⑨dœt⁷〔多卒切〕「餶飿」：見824頁「餶」字。

飾 (shi)⑨sik⁷〔式〕❶裝點綴使其美觀。如「裝飾」；「修飾」。❷假託。如「飾詞」；「飾說」。❸裝戴品。如「首飾」；「衣飾」。❹扮演。如「他在空城計裏飾諸葛亮」。❺図遮掩。如「文過飾非」。❻図「飾終」：尊榮死者的典禮。

飼 (sì)⑨dzi⁶〔自〕餵養(多指畜養鳥獸等)。如「飼養」；「飼雞」。

飴 図(yi)⑨ji⁴〔宜〕麥芽糖，糖漿。

六至七畫

餂 図(tiǎn)⑨tim⁵〔提染切〕鈎取，特指運用言辭來探引出真情。孟子書有「以言餂之」。

餄 (hé)⑨hɐp⁹〔合〕「餄餎」：一種用蕎麥麪軋成的食品；有的地區稱為「河漏」。

餎 (le)⑨lɛk⁹〔仂〕「餄餎」：見本頁「餄」字。

餃 (jiāo)⑨gau²〔狡〕一種以麪粉做皮，裏面包餡，略成三角形的食品。如「水餃」；「燙麪餃」。

餉 (xiǎng)⑨hœŋ²〔享〕❶軍糧。如「糧餉」。❷軍警的薪給。如「薪餉」。❸図請人吃東西或送人東西。如「餉客」；「餉遺」。

餌 (ěr)⑨nei⁶〔膩〕lei⁶〔利〕(俗)❶糕餅之類的食品。如「餅餌」。❷泛指各種吃的物品。如「果餌」；「藥餌」。❸誘魚上鈎的魚食。❹引誘，特指以利誘人。如「餌敵」；「餌以重利」。❺図吃。後漢書有「馬援在交趾，常餌薏苡實」。

養 ▲(yǎng)⑨jœŋ⁵〔仰〕❶供給生活。如「養家」。❷餵牲畜或蟲鳥等動物。如「養蠶」；「養鴿子」。❸培植花卉。如「養花」。❹生育。如「生養」。❺對身體的調理休息。如「養傷」；「養病」。❻對事物的保護，修補。如「養路」。❼指人品德的修練工夫。如「修養」；「涵養」。❽有益人體生長或保健的。如「養料」；「營養」。❾教育，熏陶。如「養育人才」。❿姓。

▲図(yàng)⑨jœŋ⁶〔讓〕晚輩供養長輩。如「子欲養而親

不在」。

【餈】同「糍」，見524頁。

【蝕】見虫部，642頁。

【飪】同「飪」，見821頁。

【餅】同「餅」，見本頁。

餑 (bō)粵but⁹〔撥〕「餑餑」：一種麨粉做的餅餌。

餔 ▲図(bū)粵bou¹〔襃〕❶古時指申時吃飯。❷吃。如「餔啜(吃跟喝)」。

　　▲(bǔ)粵bou⁶〔步〕通「哺」，見88頁。

餖 図(dòu)粵dɐu⁶〔豆〕「餖釘」：①供陳設的食品。②比喻文章裏故意堆砌的詞藻。

餒 (něi)粵nœy⁵〔女〕lœy⁵〔呂〕(俗)❶飢餓。❷膽怯，心虛。如「氣餒」。❸図魚腐爛。論語有「魚餒而肉敗」。

餕 図(jùn)粵dzœn³〔進〕❶剩下的食物、飯食。❷吃人家所吃剩的食物。

餐(湌、飧)(cān)粵tsan¹〔雌奸切〕❶吃。如「聚餐」；「飽餐一頓」。❷飯食。如「西餐」；「自助餐」。❸吃一頓飯叫一餐。如「一日三餐」。

餗 図(sù)粵tsuk⁷〔促〕放在鼎裏的食品。

餓 (è)粵ŋɔ⁶〔臥〕ɔ⁶〔柯低去〕(俗)❶飢，不飽。如「飢餓」。❷「餓膈」：比喻貪得無厭。

餘 (yú)粵jy⁴〔如〕❶剩。如「剩餘」。❷多出的。如「其餘」。❸図末。如「餘事」。❹零數，約計之詞。如「三十餘」。❺後。如「研討之餘」。❻「餘暇」：空閒的時候。❼「餘興」：正事辦完，後附的趣味遊戲。

八至九畫

餅(餅)(bǐng)粵biŋ²〔丙〕bɛŋ²〔語〕❶用麨粉做成烙熟的食品。如「烙餅」；「月餅」。❷扁圓形的東西。如「鐵餅」；「豆餅」。

餤 ▲図(dàn)粵dam⁶〔啖〕同「啖」，見91頁。

　　▲図(tán)粵tam⁴〔談〕進。詩經有「亂是用餤」。

餜 (guǒ)粵gwɔ²〔果〕gɔ²〔加可切〕(俗)「餜子」：一種用麨做的油炸食品。俗稱「油條」、「油炸餜」。

館(舘)(guǎn)粵gun²〔管〕❶房舍，特指供應食宿的地方。如「飯館」；「旅館」。❷居住或寄居。❸官署或其他場所的名稱。如「大使館」；「博物館」。❹授徒教學的地方。如「蒙館」；「國術

館」。❺以技術服務社會的商店。如「理髮館」;「印字館」。

餛 (hún) ⑧wen⁴〔云〕「餛飩」:用薄䴬片裹餡煮熟的食品。

餞 (jiàn) ⑧dzin³〔箭〕❶用酒食送行。如「餞行」;「餞別」。❷「蜜餞」:①用蜜、糖浸漬果品。②經過蜜、糖餞漬的果品。如「蜜餞橄欖」。

餡 (xiàn) ⑧ham⁵〔霞覽切〕ham²〔哈減切〕(又)餅餌等食品中所包的糖或肉、菜等細屑食料。如「豆沙餡兒的包子」;「拌餡子包餃子吃」。

餲 図(è)⑧ek⁷〔呃〕❶食物哽住咽喉使氣不順。❷「餲餲」:打嗝聲。元稹詩有「醉眼漸紛紛,酒聲頻餲餲」。
【餚】同「肴」,見572頁。
【餧】同「餵」,見本頁。

餮 図(tiè)⑧tit⁸〔鐵〕「饕餮」:見825頁「饕」字。

餱 (餱) 図(hóu)⑧heu⁴〔侯〕乾糧。詩經有「迺裹餱糧」。

餬 (hú)⑧wu⁴〔胡〕❶用米、麥煮成粥樣的食物。❷「餬口」:勉強維持生活。

餳 (xíng)⑧tsiŋ⁴〔晴〕❶図用麥芽製成的糖稀。❷眼睛半睜半閉,眼色黏滯不靈,打不起精神來的樣子。如「眼睛發

餳」。

餵 (餧) (wèi)⑧wɐi³〔畏〕❶把食物放進人嘴裏讓他吃。如「餵奶」;「餵小孩」。❷飼養,使牲口或動物吃。如「餵牛」;「餵貓」。

餲 (ài)⑧ai³〔隘〕食物經久腐臭變味。

餷 (chā)⑧dza〔渣〕邊煮邊攪。如「餷狗食」。

十至十一畫

餺(餺) 図(bó)⑧bɔk⁸〔博〕「餺飩」:餅類食物。

餾 (liù)⑧leu⁶〔漏〕❶已熟的食物再蒸熱。如「餾饅頭」。❷「蒸餾」:把液體加熱使它氣化再凝成液體的辦法。❸「乾餾」:把固體物質密閉加高熱,使它的成分分解的辦法。

餶 図(gǔ)⑧gwɐt⁷〔骨〕「餶飿」:即是現在的餛飩。

餽 (kuì)⑧gwɐi⁶〔跪〕贈送。如「餽贈」;「餽以土產」。

餼 図(xì)⑧hei³〔氣〕❶把食物送給人。❷準備宰殺供祭祀的牛羊等活牲口。如「餼羊」。❸米糧。

餿 (sōu)⑧sɐu¹〔收〕食物腐敗而變味。

饁 囡(yè)粵jip⁸〔衣接切〕送飯給田裏耕作的人。詩經有「饁彼南畝」。

【餻】同「糕」，見524頁。

饃(饝)(mó)粵mɔ⁴〔磨〕❶一種麵製食品，常指饅頭。如「白麵饃饃」。❷一種小的鍋餅。如「牛肉燴饃」。

饅(mán)粵man⁶〔慢〕「饅頭」：用麵粉發酵蒸製的食品。

饉(jǐn)粵gen²〔僅〕收成不好，荒年。如「饑饉」（五穀不熟叫「饑」；菜蔬不熟叫「饉」）。

饈(xiū)粵seu¹〔收〕美味的食物。如「珍饈」。

十二至二十二畫

饋(kuì)粵gwei⁶〔跪〕❶進食於尊長。❷同「餽」，見824頁。

饑(jī)粵gei¹〔基〕❶荒年。如「饑荒」。❷通「飢」，見821頁。

饌(籑)(zhuàn)粵dzan⁶〔撰〕❶酒食菜肴。如「盛饌」；「肴饌」。❷囡吃，喝。論語有「有酒食，先生饌」。

饒(ráo)粵jiu⁴〔搖〕❶寬恕。如「饒恕他這一次」。❷另外添加而不取代價。如「饒給你這一個」。❸牽累。如「這事件把他饒在裏頭了」。❹儘管，任憑。紅樓夢有「饒這麼嚴，他們還偷空兒鬧個亂子來」。❺囡多，豐富。如「物產豐饒」。❻姓。❼「饒舌」：多言。

饊(sǎn)粵san²〔散〕「饊子」：用麵做成一束細絲之後用油炸成的食品。

【饍】同「膳」，見581頁。

饕(tāo)粵tou¹〔滔〕「饕餮」：①惡獸名。古鐘鼎彝器多刻這種獸形作裝飾。②比喻凶惡的人。③貪財叫「饕」；貪吃叫「餮」。

饗(xiǎng)粵hœŋ²〔享〕❶大宴賓客。❷通「享」，見16頁。

饘(zhān)粵dzin¹〔煎〕稠濃的粥。

饔(yōng)粵juŋ¹〔翁〕❶熟食。❷早餐。❸「饔飧」：早餐和晚餐。

饜(yàn)粵jim³〔厭〕❶吃飽。❷滿足。如「貪得無饜」。

【饟】同「餉」，見本頁。

【饝】同「饃」，見本頁。

饞(chán)粵tsam⁴〔慚〕❶貪吃。如「嘴饞」；「又饞又懶」。❷貪心，對某一種事物

發生貪得的念頭。如「眼饞」。❸蔬菜要用多量的油肉烹炒才好吃的。如「菠菜很饞，油少了不好吃」。❹「饞涎」：因貪饞而引起的涎水。如「饞涎欲滴」。

饢 ▲ (nǎng) ⑨ nɔŋ⁴〔曩〕lɔŋ⁵〔朗〕(俗)拚命地往嘴裏塞食物。

▲ (náng) ⑨ nɔŋ⁴〔曩〕lɔŋ⁴〔狼〕(俗)少數民族主要食物之一，用小麥、玉米、高粱烤製成的麵餅。

【首部】

首 (shǒu) ⑨ seu²〔守〕❶図頭，腦袋。如「昂首」；「搔首弄姿」。❷領頭的。如「首長」。❸最高的，第一的。如「首次」；「首席代表」。❹開始，最先的。如「首創」；「起首」。❺出首告發犯罪事實。如「出首」；「自首」。❻量詞，詩歌一篇叫一首。如「唐詩三百首」。❼図「首肯」：點頭表示允可。

馗 (kuí) ⑨ kwɐi⁴〔葵〕❶同「逵」，見 731 頁。❷「鍾馗」：傳說中能捉鬼驅邪的人。相傳他生得樣貌極醜，曾考中狀元但不被皇帝接納，故死後決心除盡天下妖孽。

馘(聝) (guó) ⑨ gwik⁷〔隙〕古代戰時割下所殺敵人左耳，用作計功的證物。如「斬馘甚眾」。

【香部】

香 (xiāng) 粵hœŋ¹〔鄉〕❶氣味芬芳，跟「臭」相反。如「花香」；「香噴噴的」。❷吃得睡得舒服。如「吃得真香」；「睡得很香」。❸比喻受歡迎、重視。如「吃香」；「這種貨色現在很香」。❹親密，和好。如「他們兩人香得不得了」。❺用鼻子聞，又轉成親吻的意思。如「張太太香她小兒子的臉」。❻用香料做的細條物，燃燒拜祭鬼神，有的用來驅除蚊蟲。如「線香」；「蚊香」。❼指女子。如「香消玉殞」；「憐香惜玉」。❽形容女子的東西。如「香巾」；「香束」。❾囡光榮，好名氣。如「姓名萬古香」。❿香料，天然有香味的東西。如「檀香」；「沉香」。⓫姓。

馥 (fù) 粵fuk⁷〔福〕❶香氣。❷「馥郁」：香氣濃烈。

馨 ▲(xīn) 粵hiŋ¹〔兄〕香，香氣可以傳播到遠處的。也引伸做流芳久遠的意思。如「馨香」；「垂馨千祀」。

▲(xīng) 粵hiŋ¹〔兄〕❶語助詞，跟「般」、「樣」用法相同。❷「爾馨」也作「寧馨」：意思是如此、這般、這樣，是六朝時候的語詞。❸「寧馨兒」：沿用作小兒的美稱。

【馬部】

馬 (mǎ) 粵ma⁵〔碼〕❶奇蹄類哺乳動物，頭頸長而有鬣，吃草，能跑，力氣大，馴養成家畜可以載重走遠路，作農工動力或供軍用，皮可以製革。❷古時投壺遊戲計算投入箭枝的計數。近代用籌計數。如「籌馬」。現寫作「碼」。❸姓。❹「馬力」：①英文 horse power 的意譯，汽機跟其他發動機計算力量的標準。能在一秒鐘之內把一公斤重的東西舉高七十五公尺所做的功爲一馬力。②馬的氣力。如「路遙知馬力」。❺「馬上」：①國指用武力奪取天下。漢書有「馬上得天下」。②立刻，即時。如「馬上就來」。❻「馬達」也作「摩托」：英文 motor 的音譯，即是發動機(內燃機或電動機)。❼國「馬齒」：①由馬的牙齒磨損與脫換生長的情形可以判斷其年齡。②人自謙年紀老大而事業無成。如「馬齒徒增」。❽「馬蟥」：水裏的蟲子，長三四寸，背灰綠色，是水蛭的最大的一種。也叫「馬鼈」、「馬蛭」。❾「馬口鐵」：塗錫防鏽的薄鐵板。也叫「白鐵」。❿「馬克數」：測量噴射飛機速度的計算單位名稱(是爲了紀念奧國科學家爾斯提·馬克而定的)。⓫「馬首是瞻」：跟隨着行動。如「唯他馬首是瞻(跟着他走，聽從他的決定)」。⓬「馬馬虎虎」：勉強可以應付。

二至三畫

馮 ▲(féng)粵fuŋ⁴〔逢〕姓。
▲國(píng)粵pɛŋ⁴〔朋〕通「憑」，見227頁。

馭 國(yù)粵jy⁶〔預〕通「御」。趕車；管理，支配。見208頁。

馱 ▲(tuó)粵tɔ⁴〔駝〕在背上背着，多數指牲口來說。如「馬馱着貨物」；「東西太多，雇牲口來馱」。
▲(duò)粵dɔ⁶〔惰〕牲口馱着的東西。蘇軾詩有「瘦馬解鞍馱」。

馴 (xún)粵sœn⁴〔純〕❶牛馬順從人的指揮；引伸泛指順從，不倔強，不抵抗。如「溫馴」；「馴良」。❷指文章典雅美好，行爲善良。如「馴行」；「詩文雅馴」。❸國漸漸地。如「馴至」。

馵 國(zhù)粵dzy³〔注〕後左腿白色的馬。

馳 (chí) 粵tsi⁴〔池〕❶車馬很快地往前進。如「馳騁」。❷快跑。如「奔馳」。❸図心思向往。如「神馳」;「馳念」。❹図追趕敗敵。❺傳揚。如「馳名」;「馳譽」。❻図去而不留。三國志有「年與時馳」。❼図「馳檄」:①急速傳遞的公文。②把公文迅速傳送。

四至五畫

駁 (bó) 粵bok⁸〔博〕❶馬的皮色不純;引伸指顏色或事物亂雜。如「斑駁」;「駁雜」。❷爭辯,否認。如「辯駁」;「他的話不值得一駁」。❸裝運貨物。如「駁運」。❹駁船(載運客貨的小船)的簡稱。如「貨駁」;「鐵駁」。❺「駁回」:法律用語,法庭對訴訟當事人的要求認為沒有道理,不予處理的批復。如「駁回上訴」。

駃 ▲図 (jué) 粵kyt⁸〔決〕「駃騠」:駿馬。
▲(kuài) 粵fai³〔快〕快。元好問詩有「駃雨東南來」。

馹 ▲図(rì) 粵jet⁹〔日〕舊時驛站傳送文書或載人用的馬或車。
▲「驛」字的俗寫,見834頁。

駜 図(bì) 粵bet⁹〔拔〕馬肥壯的樣子。

駊 図(pǒ) 粵po²〔回〕「駊騀」:①搖蕩。②高大的樣子。

駓 図(pī) 粵pei¹〔披〕黃白雜毛的馬。

駙 図(fù) 粵fu⁶〔付〕❶舊時用多匹馬駕車,除了正駕車(駕轅)的馬之外,其餘拉套的副馬叫「駙」。❷「駙馬」:古官名,漢朝設置駙馬都尉;魏晉以後,皇帝的女婿都授官駙馬都尉,因此沿稱公主的丈夫為駙馬。

駘 ▲(tái) 粵toi⁴〔臺〕❶図劣馬。❷疲鈍。❸図「駘背」也作「鮐背」:指人老壽。❹「駕駘」:見本頁「駕」字。
▲(dài) 粵toi⁵〔殆〕「駘蕩」:①形容景色舒放的樣子。如「春光駘蕩」。②態度安祥。

駝(馳) (tuó) 粵to⁴〔佗〕❶駱駝。❷駱駝的。如「駝峯」;「駝絨」。❸指人背部彎曲。如「駝背」;「駝子」。❹使畜牲背部背東西。

駑 図(nú) 粵nou⁴〔奴〕lou⁴〔勞〕(俗)❶最下等的劣馬。❷比喻才能低下的人。如「駑下」;「駑鈍」。❸「駑駘」:①劣等的不中用的馬。②低庸的人。

駕(jià)粵ga³〔架〕❶用牲口拉車。如「駕車」。❷騎着。如「駕鶴西歸」；「騰雲駕霧」。❸操縱車船或飛機行駛。如「駕駛」；「駕機投誠」。❹管理，指揮。如「駕馭」。❺車馬跟乘具的總稱。如「並駕齊驅」。❻對人的敬稱。如「勞駕」；「敬請駕臨寒舍」。❼「駕輕就熟」：駕輕便的車走很熟的路。比喻擔任熟悉的工作。

駒(jū)粵kœy¹〔拘〕❶壯馬，幼馬。如「千里駒」。❷幼小的騾或驢。如「驢駒子」。❸姓。

駉図(jiōng)粵gwiŋ¹〔瓜英切〕❶牧馬地。❷「駉駉」：馬肥壯的樣子。

駐(zhù)粵dzy³〔注〕❶車馬停住不走。如「駐馬」。❷停留。如「軍隊駐紮」；「駐外使節」。❸図保持。如「駐顏」。❹図「駐蹕」：帝王出行止宿處。

駛(shǐ)粵sei²〔洗〕❶快跑，跑得快。如「駿馬飛駛」。❷指像馬一樣迅捷的事物。如「流光如駛」；「飛駛而去」。❸操縱車船。如「駕駛汽車」；「駛船遊湖」。

駔▲図(zǎng)粵dzɔŋ²〔支港切〕「駔儈」：①「牙儈(買賣馬匹的經紀人)」的舊稱。②指牙儈的狡捷者。
▲図(zù)粵dzou²〔早〕駿馬。
▲(cǎng)粵tsɔŋ²〔廠〕「駔子」：流氓。

駟図(sì)粵si³〔試〕❶古時駕一輛車的四匹馬，或是套上四匹馬拉着的車。❷泛指馬。禮記有「若駟之過隙」。❸「駟不及舌」：即俗語說的「一言既出，駟馬難追」。比喻話一說出口，雖用四匹馬的車也追不及，收不回來。有出言不能反悔的意思。

【罵】見网部，552頁。

六至七畫

駮(bó)粵bɔk⁸〔博〕❶図古書裏所說的一種猛獸。❷同「駁」，見829頁。

駱(luò)粵lɔk⁸〔烙〕❶「駱駝」：單稱作「駝」，反芻偶蹄類哺乳動物，體高八九尺，性情馴良，能載重在沙漠裏走遠路，有「沙漠之舟」的稱號。❷黑鬣的白馬。❸古時種族名。在今日滇、黔、桂等省地方的叫「駱越」；在今日越南地方的叫「甌駱」。❹姓。

駭(hài)粵hai⁵〔蟹〕❶害怕，吃驚。如「驚駭」；「駭異」。

❷囫擾亂。戰國策宋策有「國人大駭」。❸可驚可怕的。如「驚濤駭浪」。

駪 囵(shēn)粵sɐn¹〔申〕「駪駪」：眾多的樣子。詩經有「駪駪征夫」。

駬 囵(ěr)粵ji⁵〔耳〕「騄駬」：古代良馬名。

【駡】同「罵」，見552頁。
【駢】同「駢」，見本頁。

駼 囵(tú)粵tou⁴〔途〕「騊駼」：見本頁「騊」字。

駾 囵(tuì)粵tœy³〔退〕驚慌奔跑直衝。詩經有「混夷駾矣」。

駿 (jùn)粵dzœn³〔俊〕❶良馬。如「八駿圖」；「駑駿不分」。❷形容狗的壯健。如「十駿犬」。❸巨大。如「駿業(稱頌別人的事業的話)」。❹迅速。如「駿發」。

駸 (qīn)粵tsɐm¹〔侵〕「駸駸」：①囵馬跑得很快的樣子。詩經有「載驟駸駸」。②形容事物經過很快。

騂 囵(xīng)粵siŋ¹〔星〕❶牛馬毛皮的紅色，或稍帶黃的紅色。❷「騂騂」：形容弓的調和的樣子。詩經有「騂騂角弓」。

騁 (chěng)粵tsiŋ²〔逞〕❶直着向前快跑。如「馳騁」。❷囵舒展，放開。如「騁目」；「騁懷」。

騀 囵(ě)粵ŋɔ⁵〔我〕ɔ⁵〔柯低上〕(俗)「駊騀」：見829頁「駊」字。

騃 囵(ái)粵ŋɔi⁴〔呆〕ɔi⁴〔愛低平〕(俗)傻，笨。如「童騃」；「癡騃無知」。
【騁】同「騮」，見832頁。

八至九畫

駢 (骈) (pián)粵pin⁴〔胼〕❶囵兩匹馬並行。❷囵並列的，雙的。如「駢指」。❸「駢文」：講究排偶對句而聲韻的文體。❹囵「駢枝(qí)」：「駢拇枝指」的省略語，人手上的大拇指多生出一指，成六指。比喻多餘而無用的東西。

騑 囵(fēi)粵fei¹〔非〕❶駛轅的馬。車前駕轅的叫「服」；兩旁的叫「騑」，也叫「驂」。❷「騑騑」：馬不停地往前走。詩經有「四牡騑騑」。

騊 囵(táo)粵tou⁴〔徒〕「騊駼」：①馬。②囵良馬所。漢官有騊駼監。

騄 囵(lù)粵luk⁹〔綠〕「耳騄」也作「騄駬」：古代良馬名。

騍 囵(kè)粵fɔ³〔課〕「騍馬」也作「課馬」：母馬。

騏 囵(qí)粵kei⁴〔其〕❶有青黑色紋理的馬。❷駿馬。❸

「騏驥」：千里馬。

騎 ▲(qí)⑧kɛ⁴〔其耶切〕❶兩腿分開，跨着乘坐。如「騎馬」；「騎自行車」。❷跨在兩邊。如「騎牆」；「蓋騎縫章」。❸「騎虎難下」：比喻事情不能中途停止，難以罷手。

　　▲図(qí, 舊讀jì)⑧kei³〔冀〕❶馬兵。如「鐵騎」；「輕騎」。❷指馬。如「坐騎」。❸對軍中一人一馬的合稱。如「單騎」；「千騎」。

騅 (zhuī)⑧dzœy¹〔錐〕青白雜色的馬。

【騌】同「騌」，見本頁。
【騐】同「驗」，見834頁。

騙 (piàn)⑧pin³〔片〕❶跳跨上馬背騎馬；也泛指抬腿橫跳。如「騙腿」；「從板凳上騙過去」。❷做假欺人。如「欺騙」。❸欺詐而取得利益。如「騙錢」。❹「騙子」：騙取財物的人。

扁 (piàn)⑧pin³〔片〕抬腿橫跳。

騠 図(tí)⑧tɐi⁴〔提〕「駃騠」：古代駿馬名。

騧 図(wō)⑧wɔ¹〔窩〕❶嘴上黑色的黃馬。❷同「蝸」，見642頁。

騤 図(kuí)⑧kwɐi⁴〔葵〕「騤騤」：馬強壯的樣子。詩經

有「四牡騤騤」。

騞 図(huō)⑧wak⁹〔或〕指用刀剖解東西的聲音。莊子有「奏刀騞然」。

騌 (騑) (zōng)⑧dzuŋ¹〔宗〕同「鬃」，見840頁。

騖 (wù)⑧mou⁶〔務〕❶図奔馳。❷放縱地追求。如「好高騖遠」；「心無旁騖」。❸「騖外」：不守本分，不專心於工作。

十畫

騰 ▲(téng)⑧tɐŋ⁴〔藤〕❶奔跑，跳躍。如「奔騰」；「騰越」。❷上升。如「飛騰」；「物價騰貴」。❸讓出來。如「騰些時間」；「騰出房間給客人住」。❹乘，騎着。如「騰雲駕霧」。❺挪動。如「騰挪」。❻「騰騰」：①盛大發散出的樣子。如「熱氣騰騰」；「殺氣騰騰」。②遲緩的樣子。如「慢騰騰」。③図形容睡或醉的樣子。歐陽修詞有「半睡騰騰春睡足」。④図羣鳥飛的樣子。元曲有「騰騰的鳥起林梢」。

　　▲(tēng)⑧tɐŋ⁴〔藤〕「騰地」：猛然的意思。

騮 (驑、骝) 図(liú)⑧lɐu⁴〔留〕「驊騮」：見834頁「驊」字。

騫 [文](qiān)[粵]hin¹〔軒〕❶高揚起來的樣子。如「騫騰」;「騫飛」。❷通「搴」，拔取。見262頁。

騭(騭) [文](zhì)[粵]dzɐt⁷〔質〕❶公馬。❷乘馬登高。❸排定，安排。❹「陰騭」:舊指人的吉凶禍福都是由天來暗中安排定的;又通常也把「陰騭」作「陰德(做了有德惠的事情而不讓人知道)」。

騸 (shàn)[粵]sin³〔扇〕❶割掉牛馬的睾丸或卵巢，使牠不能生殖。❷「騸馬」:騸過的馬。❸「騸樹」:接樹。

騶 [文](zōu)[粵]dzɐu¹〔周〕❶古時主持駕馭車馬的小吏。❷古時前導或後隨的騎士。❸姓。

騷 (sāo)[粵]sou¹〔搔〕❶動盪不定。如「騷亂」。❷擾動使人不安。如「騷擾」。❸淫蕩。如「騷婦」。❹[文]憂。楚辭「離騷」即是「遭憂」。後來也用騷指詩文的事。如「騷人墨客」。❺心中委屈而不平。如「牢騷」。❻腥臭的氣味。❼[文]「騷騷」:①很急很快的樣子。禮記有「騷騷爾則野」。②風吹動的樣子。

十一畫

驃 ▲(piào)[粵]piu³〔票〕❶[文]驍勇的樣子。❷[文]馬跑得很快的樣子。❸「驃騎(jì)」:古時武官將軍的一種名號。

▲(biāo)[粵]biu¹〔標〕黃白色的馬。

驀 [文](mò)[粵]mɐk⁹〔默〕忽然。如「驀然」。

騾(鸁) (luó)[粵]lœy⁴〔雷〕❶「騾子」:驢和馬交配而生的雜種牲口，樣子像驢，又像馬，身體比驢高大，頭跟耳朵都長，能負重，走遠路，但是只有一代，不能生育。❷「騾馱(duò)子」:專作馱東西來往的騾子。

驅 (qū)[粵]kœy¹〔拘〕❶走，跑。如「並駕齊驅」;「長驅直入」。❷領着頭走在前面。如「先驅」;「負弩前驅」。❸趕馬，趕牲口;也泛指趕走，轟走。如「驅逐」;「驅蟲劑」。❹逼使，差遣。陶潛詩有「飢來驅我去」。

騺 [文](zhì)[粵]dzi³〔至〕馬太肥重的樣子。史記有「惠公馬騺不能行」。

驂 [文](cān)[粵]tsam¹〔參〕❶古代用三匹馬拉車，車前駕轅的馬叫「服」;兩旁的馬叫「驂」，也叫「騑」。❷指一輛套上三匹馬的車。❸「驂乘(shèng)」:

古時乘車陪坐在車右邊的人。

驄 図(cōng)粵tsuŋ¹〔沖〕毛色青白相雜的馬。

驁 図(ào)粵ŋou⁴〔遨〕ou⁶〔澳低去〕(俗)❶駿馬。❷馬不馴良。❸形容人的性情高傲倔強。如「桀驁不馴」。

十二畫

驊 図(huá)粵wa⁴〔華〕「驊騮」：古代良馬。

驕 (jiāo)粵giu¹〔嬌〕❶自大。如「驕傲」；「驕橫」。❷図馬不馴良。如「驕驁」。❸図特別寵愛寶貴的。如「驕子」；「驕兒」。❹図猛烈的。如「驕陽」。❺図輕視。如「驕敵」。❻「驕兵」：恃衆憑強的軍隊。

驍 図(xiāo)粵hiu¹〔梟〕❶指戰士的勇猛迅捷。如「驍將」；「驍勇善戰」。❷好馬。

驏 (chǎn)粵tsan²〔產〕不加鞍轡的馬。

驌 図(sù)粵suk⁷〔叔〕「驌驦」：古時駿馬的名字。

十三畫

驚 (jīng)粵giŋ¹〔京〕gɛŋ¹〔語〕❶害怕。如「驚慌」；「驚心動魄」。❷駛馬受驚而發狂、亂跑。如「馬驚車亂」。❸震動。如「驚天動地」；「大驚小

怪」。❹擾亂。如「驚動」；「驚擾」。❺「驚風」：中醫說的小兒腦子發炎的病。❻「驚世駭俗」：形容人的言論或行為跟一般的不同，使人覺得特別驚奇。

驛 図(yì)粵jik⁹〔亦〕「驛站」：①舊時用馬傳遞文書，中途供人馬休息的處所。②清代的郵政制度。各省內地所設的叫「驛」；專為軍報而設的叫「站」。

驗(验) (yàn)粵jim⁶〔豔〕❶檢查。如「檢驗」；「驗血」。❷考查。如「測驗」；「考驗」。❸有功效。如「靈驗」；「驗方」。❹經過嘗試有了心得。如「經驗」。❺図證明。史記有「何以為驗」。

【驘】同「騾」，見833頁。
【驦】同「驈」，見832頁。

十四至二十畫

驟 図(zhòu)粵dzau⁶〔棹〕❶図馬跑得很快。❷形容快，突然。如「驟雨」；「驟然」。❸「步驟」：指工作進行的次序。

驢 図(lǘ)粵lou⁴〔勞〕哺乳類奇蹄類動物，比馬小，耳朵長，性情溫馴，能負重耐勞。

驥 図(jì)粵kei³〔冀〕❶千里馬。❷比喩傑出的人才。曹

操詩有「老驥伏櫪，志在千里」。❸「附驥」也作「附驥尾」：蒼蠅附在驥尾上也能奔騰千里。引作謙稱自己倚靠別人而成名。

驤 図(xiāng)粵sœŋ¹〔商〕❶馬跑而抬頭的樣子。❷図「驤騰」：比喩奮起前進。❸「龍驤虎視」：形容抱負遠大。

驦 図(xiāng)粵sœŋ¹〔商〕「驦驦」：見834頁「驦」字。

【驩】同「歡」，見346頁。

驪 図(lí)粵lei⁴〔離〕❶純黑的馬。❷兩馬共拉一輛車子。❸驪龍(黑色的龍)的簡稱。如「驪珠」。❹山名，在陝西省。❺図「驪珠」：①古人指驪龍頷下的名貴寶珠。②稱寫文章能表現扼要精彩爲「探驪得珠」。③龍眼的別名。❻図「驪歌」：別離的時候唱的歌。

驫 (biāo)粵biu¹〔標〕衆馬。

【骨部】

骨 ▲(gǔ)粵gwɐt⁷〔橘〕❶脊椎動物體內支持身體的堅硬支架。如「骨骼」；「脊椎骨」。❷東西內部的支架。如「扇骨子」；「鋼骨水泥」。❸指人的品質、氣概。如「風骨」；「傲骨」。❹図比喩死人。晉書有「下無怨骨，上無怨人」。❺図指死屍。杜甫文有「朱門酒肉臭，路有凍死骨」。❻「骨肉」：骨和肉。比喩血統關係最接近的人，像父母、兒女、兄弟、姊妹等。❼「骨董」：①古舊的東西。也寫作「古董」。②物品落水的聲音。❽図「骨鯁」也作「骨骾」：①比喩正直。②常連作「骨鯁在喉，不吐不快」或「骨鯁在喉，一吐爲快」。鯁是魚骨，魚骨留在喉間，非吐出來不可。比喩直爽發言，沒有隱瞞的意思。

▲(gú)粵gwɐt⁷〔橘〕❶「骨力」：①強健有力。②硬而平整。如「這張紙眞骨力」。❷「骨碌」：滾動的樣子。如「一骨碌就爬起來」。❸「骨頭」：①動物身體內部的支架。②譏笑人品行、容貌不好。如「賤骨頭」；「懶骨頭」。

▲（gū）粵gwet⁷〔橘〕「骨朵兒」：即是花苞，還沒開的花朵。

三至六畫

骭 図（gàn）粵gɔn³〔幹〕❶小腿骨，也叫「脛骨」。❷指小腿。

骫 図（wěi）粵wɐi²〔委〕❶曲枉。如「骫法（枉法徇情）」。❷委曲。如「骫曲」。❸鍾聚，集中。太玄有「禍所骫也」。❹「骫骳」：屈曲。漢書有「其文骫骳」。

骱 （xiè）粵hai⁶〔械〕❶骨節之間兩塊骨頭相連接的地方。❷「脫骱」：骨節連接的地方受傷，相連接的地方脫落。

骰 （tóu）粵tɐu⁴〔投〕sik⁷〔色〕（又）「骰子」（也寫作「色子」）：一種賭具。是用牛骨、象牙或塑膠做成的小方塊，六面，分刻一、二、三、四、五、六的點子。

骯 ▲（āng）粵hɔŋ⁴〔杭〕ɔŋ¹（又）「骯髒」：不清潔。
▲図（kǎng）粵kɔŋ³〔抗〕「骯髒（zǎng）」也作「抗髒」：①說身體很胖。②高亢剛直的樣子。

骳 図（bèi）粵bɐi⁶〔備〕「骫骳」：見本頁「骫」字。

骶 （dǐ）粵dɐi²〔底〕❶図臀部。❷「骶骨」：由五塊骶椎合成的骨，上連腰椎，下連尾骨。也叫「尾閭骨」或「尾椎骨」。

骷 （kū）粵fu¹〔枯〕「骷髏」：乾枯而呈灰白色的死人頭骨。也叫「骷髏頭」。

骴 図（cī）粵tsi¹〔雌〕❶骨頭上的爛肉。❷上面還有爛肉的骨頭。

骼 （gé）粵gak⁸〔格〕❶骨頭。如「骨骼」。❷図枯骨，乾了的骨頭。

骻 （kuà）粵kwa³〔胯〕❶図腰骨。❷同「胯」，見575頁。

骸 （hái）粵hai⁴〔鞋〕hɔi⁴〔霞呆切〕（又）❶骨頭。如「骸炭（骼炭）」。❷指屍體。如「屍骸」。❸指人體。如「四肢百骸」。

骺 （hóu）粵hɐu⁴〔侯〕「骺骨」：脊類動物在長形的骨兩端，不規則或扁骨周圍生出的骨塊。

七至十五畫

骾 図（gěng）粵gɐŋ²〔梗〕kɐŋ²〔卞肯切〕（語）❶骨頭卡喉子。如「骨骾在喉」。❷通「鯁」，見848頁。
【骽】同「腿」，見579頁。

髀 図(bì)⑧bei²〔俾〕❶髈股，大腿根。❷膝部以上的大腿骨。❸図「髀肉復生」：長久不騎馬，腿襠的肥肉又長起來。古代武士常用作感慨自己沒有機會作戰立功；後來用作自歎不被重用的意思。

髁 図(kē)⑧fo¹〔科〕❶大腿骨。❷膝蓋骨。❸骨關節端呈圓丘狀的部分。

髂 図(qià)⑧ka³〔崎亞切〕腰骨。

髆 (bó)⑧bɔk⁸〔博〕同「膊」，肩。見579頁。

髈 ▲(pǎng)⑧pɔŋ⁵〔蚌〕「蹄髈」：豬腿根的轉彎處。
▲同「膀」，見579頁。

髏 (lóu)⑧lɐu⁴〔流〕❶「骷髏」：見836頁「骷」字。❷「髑髏」：見本頁「髑」字。

髐 図(xiāo)⑧hau¹〔敲〕枯骨灰白無潤澤的樣子。

髑 図(dú)⑧duk⁹〔獨〕「髑髏」同「骷髏」：死人的頭骨。

體(躰)▲(tǐ)⑧tɐi²〔睇〕❶人或其他動物的全身。如「身體」；「體態」。❷指四肢或其他部分。如「四體不勤」；「五體投地」。❸指一些有形的東西，東西的本質。如「物體」；「液體」；「固體」。❹形狀。如「形體」；「具體而微

(有那種樣子，但是比較小)」。❺一定的制度、格式、規模。如「政體」；「體例」；「文體」。❻同等類的。如「一體遵照」；「全體參加」。❼親身經驗、參加的，從實際仔細察看的。如「體會」；「體驗」。❽為人着想。如「體諒」；「體貼」。❾図原則。如「中學為體，西學為用」。❿數學上指有長、闊、厚的形體。如「體積」；「圓椎體」。⓫「體己」也作「梯己」：①不為別人所知的私人財物。如「他積攢了一些體己」。②極貼近的。如「說體己話」；「他有體己人」。⓬「體系」：由許多要素構成的有秩序、有系統的結構。如「工業體系」。⓭「體面」：①美觀。如「他打扮得很體面」。②光榮，有好名譽。如「他這件事做得很體面」。③體統。如「這樣胡作非為還成什麼體面」。
▲(tī)⑧tɐi²〔睇〕「體己」的「體」的又讀。

髒 ▲(zāng)⑧dzɔŋ¹〔莊〕不乾淨。如「衣服髒了，該換了」。
▲図(zǎng)⑧dzɔŋ³〔壯〕「骯(kǎng)髒」：見836頁「骯」字。

髓 (suǐ) 粵 sœy⁵〔緒〕❶ 骨頭中間像脂肪的東西。如「脊髓」;「骨髓」;「敲骨吸髓」。❷ 動物的腦子。如「腦髓」。❸ 事物的精華。如「理論的精髓」;「發揚中華文化的精髓」。❹ 物質內部凝結像脂肪的。如「石髓」。❺ 指植物莖的中心的組織。

髕 (bìn) 粵 ben³〔殯〕同「臏」,膝蓋骨。見582頁。

髖 (kuān) 粵 fun¹〔寬〕「髖骨」: 臀部骼骨、坐骨、恥骨的總稱。

【高部】

高 (高) (gāo) 粵 gou¹〔糕〕❶ 跟「低」相反:① 由下到上的距離遠。如「高樓」;「山高水深」。② 等級在上的或程度較深。如「高年級」;「高等學校」。③ 超過一定水準的。如「高手」;「見識很高」。④ 聲音響亮。如「高音」;「高呼」;「嗓門高」。❷ 物體從上到下的長度。如「身高五尺」。❸ 平面形從「頂」到「底」的垂直距離。如「三角形的面積是高乘底長的二分之一」。❹ 指年紀老。如「高年」;「高齡」。❺ 指價貴。如「高價」。❻ 好,優良。如「高醋」;「高材生」。❼ 熱烈,盛大。如「興高采烈」。❽ 品德好。如「清高」;「高尚」。❾ 敬辭。如「高見」。❿ 姓。⓫「高低」:① 優和劣。如「難分高低」。② 深淺輕重。如「遇事要先看看高低再做打算」。③ 無論如何。如「他高低不肯」;「你高低要去一趟」。④ 到底,總算是。如「高低他是打敗了」。⓬ 図「高足」:① 良馬,駿馬(漢代將馬分成高足、中足、低足三類)。② 優秀的受教弟子(敬稱別人的學

生）。⓭囝「高枕」：比喻安閒沒有憂慮。如「高枕無憂」。⓮「高腔」：一種地方戲曲腔調，清代中葉很盛行。原來叫「弋陽腔」(弋陽是江西省的縣名)，簡稱「弋腔」。⓯囝「高屋建瓴」：居高臨下，佔據有利的地位。

【髟部】

髟 囝(biāo)粵biu¹〔標〕頭髮長長的，垂下來的樣子。

三至四畫

髡(髠) 囝(kūn)粵kwɐn¹〔坤〕❶古代的一種刑罰，剃去男子的頭髮(那時男子是留髮的)，作為犯罪的標識。❷引伸指修剪樹枝樹葉，使枝幹看起來光禿禿的。

髦 (máo)粵mou⁴〔毛〕❶囝小孩兒的頭髮前面垂到眉際。❷囝馬鬣。❸囝稱有才能的人。詩經有「烝我髦士」。❹「時髦」：趨向時尚。

髣 (fǎng)粵foŋ²〔訪〕「髣髴」同「彷彿」：見204頁。

【髩】同「鬢」，見840頁。
【髤】同「髹」，見840頁。
【髣】同「鬅」，見841頁。

五畫

髮 (fà)粵fat⁸〔法〕❶人類頭上的毛。如「頭髮」；「理髮」。❷跟頭髮有關的東西。如「髮蠟」；「髮夾」。❸像頭髮的。如「髮菜」。❹「髮妻」：原配夫妻。如「結髮夫妻」。❺「髮指」：頭髮直豎，形容憤怒到

了極點。如「令人髮指」。❻「毫髮」：一寸的千分之一。所以形容極爲細微。

髴(fú)粵fet⁷〔弗〕❶图女人的首飾。❷「髴髴」：見839頁「髴」字。

髫图(tiáo)粵tiu⁴〔條〕❶小孩額前下垂的髮。如「黃髮、垂髫」。❷比喻幼年。如「髫齡」；「髫齔」。

髯(髥)图(rán)粵jim⁴〔炎〕❶長鬍子。也專指臉頰上的鬚。❷指鬍鬚多的人。❸「髯口」：京劇演員所掛的鬍鬚。

髭(zī)粵dzi¹〔之〕❶图嘴邊上的鬍子。長在嘴脣之上的叫髭；嘴脣之下的叫鬚。❷毛髮直豎張散。

六至九畫

髻(jì)粵gei³〔繼〕頭髮縮在頭頂上。如「椎髻」；「鬖髻」。

髹(髤)图(xiū)粵jeu¹〔休〕❶赤黑色的漆。❷用漆塗抹物品。

剺(lí)粵lei⁶〔利〕lei¹〔拉希切〕(語)「鬎剺」：見841頁「鬎」字。

髽(zhuā)粵dza¹〔揸〕❶图古時婦人在喪期之中把麻加在頭髮裏縮成髻。禮記有「魯婦人之髽而弔也」。❷「髽髻」：把頭髮縮在頭上的一種梳妝形式。

【髯】同「剃」，見54頁。

髼(péng)粵peŋ⁴〔朋〕❶頭髮散亂的樣子。如「髼着頭」。❷「髼鬆」：頭髮鬆散的樣子。

鬈(quán)粵kyn⁴〔拳〕頭髮彎曲美好的樣子。如「鬈髮」。

鬃(騌、騣、鬉)(zōng)粵dzuŋ¹〔宗〕獸類頸上的毛。如「馬鬃」；「豬鬃」。

鬆(sōng)粵suŋ¹〔嵩〕❶指頭髮散亂。如「髼鬆」(髼也作蓬)。❷不緊。如「鞋帶鬆了」「機器上的螺絲釘鬆了」。❸放開，解開。如「鬆綁」；「一鬆手，氣球就飛了」。❹不煩重，不緊要。如「工作很輕鬆」；「這件事稀鬆平常，無關緊要」。❺物質脆軟不堅密。如「土質很鬆」；「又鬆又脆的餅乾」。❻不嚴格。如「檢查得鬆」；「管理得太鬆」。❼精神懈怠。如「鬆懈」。❽一種肉食品，把肉的纖維做成乾的分散開的形狀，用來就飯吃。如「肉鬆」；「魚鬆」。

鬏(jiū)粵tseu¹〔秋〕頭髮盤成的髻。

剌 (là) 粵lat⁹〔辣〕「剌剌」也作「瘌瘌」：頭上長禿瘡。

鬍 (hú) 粵wu⁴〔胡〕鬍子，鬍鬚。如「落腮鬍」。

鬋 図(jiān)粵dzin¹〔煎〕❶女子鬢髮下垂的樣子。❷剪髮，理髮。

【鬋】同「鬋」，見840頁。

十至十九畫

鬑 図(lián) 粵lim⁴〔廉〕「鬑鬑」：①鬢髮疏長的樣子。②形容鬍鬚長的樣子。

鬐 図(qí)粵kei⁴〔奇〕馬脖子上部的長毛。如「馬鬐」(也叫「馬鬃」、「馬鬣」)。

鬒 図(zhěn)粵tsen²〔診〕頭髮多，頭髮黑。詩經有「鬒髮如雲」。

鬘 (mán)粵man⁴〔蠻〕❶図頭髮美麗好看的樣子。❷「華鬘」：印度一種習俗，連貫成串，作裝飾用的花環。

鬜 図(qiān)粵han¹〔慳〕禿頭。

鬚 (xū)粵sou¹〔蘇〕❶長在頤頰子下面的毛。如「鬍鬚」；「鬚髮皆白」。❷哺乳動物像老鼠、貓、狗、虎、豹等的觸鬚；節足動物的昆蟲類甲殼類等體上所生的觸角。❸植物的芒蕊。如「花鬚」。❹「鬚眉」：

①鬚眉跟眉毛。②男子的代稱。如「不讓鬚眉(稱讚女人有剛氣，跟男子爭高低)」。

鬙 図(sēng)粵dzeŋ¹〔僧〕「鬅鬙」同「鬅鬆」：頭髮散亂的樣子。

鬟 (huán)粵wan⁴〔環〕❶図婦女的髮髻；或指把頭髮挽成環狀的形式。如「雲鬟」；「雙鬟」。❷婢女。如「丫鬟」。

鬢(鬓)(bìn)粵ben³〔殯〕耳朵前邊兩頰地方的頭髮。如「鬢角」；「霜鬢」。

鬣 図(liè) 粵lip⁹〔獵〕❶「鬣鼠」：頭髮向上指的樣子。❷鬍子。左傳有「使長鬣者相」。❸獸類脖子上的長毛。❹鳥頭上的毛。❺魚類鰓旁邊的小鰭。❻蛇鱗。❼松針。

鬤(鬤)(zuǎn)粵dzyn²〔轉〕通「纂」，女人的髮髻。見547頁。

【鬥部】

鬥(鬦、鬭、鬪)(dòu)
deu³〔多幼切〕❶爭打。如「爭
鬥」;「鬥毆」。❷競賽,比個
高下。如「鬥力」;「鬥智」。❸
遇合,把成套的兩件東西湊在
一起。如「鬥榫子」。❹図通
「逗」,招引。如「我不鬥你,
你反鬥我」。❺姓。❻「鬥
爭」:①雙方互相衝突,一方
圖求戰勝另一方。如「權力鬥
爭」。②批判,打擊。③奮
鬥。

五至十七畫

鬧(閙)(nào)⑨nau⁶〔淖〕
lau⁶〔離效切〕(俗)❶
喧擾,吵嚷。如「吵鬧」;「又
哭又鬧」。❷人多,聲音雜。
如「熱鬧」;「鬧市」。❸發作。
如「鬧脾氣」;「鬧情緒」。❹指
病的發生。如「鬧肚子」;「鬧
氣喘」。❺指比較激烈的事態
發生。如「鬧事」;「鬧風潮」。
❻弄,搞。如「鬧不清楚」;
「鬧來鬧去一事無成」。❼戲
耍,開玩笑。如「鬧着玩兒」;
「別跟他鬧了」。❽結果,落
得。如「打不成狐狸,鬧一身

臊」。❾使,有某種原因來促
成。如「鬧得大家都不高興」;
「鬧得他勉強同意了」。❿図盎
然,旺盛。如「紅杏枝頭春意
鬧」。⓫「鬧得慌」:①吵得
很。②病痛不安。如「他心裏
鬧得慌」。

鬨(閧)(hòng)⑨huŋ³〔控〕
huŋ⁶〔霞弄切〕(又)❶
許多人在一起吵。如「鬨鬨」;
「起鬨」。❷「鬨堂」同「哄堂」:
形容眾人同時發出笑聲。如
「鬨堂大笑」。

鬩(閱)図(xì)⑨jik⁷〔抑〕❶
互相爭訟。國語周
語有「兄弟讒鬩」。❷「鬩牆」:
兄弟失和相爭。詩經有「兄弟
鬩於牆,外禦其務(侮)」。

鬫図(hǎn)⑨ham³〔喊〕老虎吼
聲。詩經有「鬫如虓虎」。

【鬦】同「鬥」,見本頁。

【鬪】同「鬥」,見本頁。

鬮(jiū)⑨geu¹〔鳩〕❶「抓鬮
(兒)」:在小紙條兒上做記
號,搓成紙團,跟沒有做記號
或做不同的記號的紙團混在一
起,抽取出來,以賭勝負或決
定某種事情。❷「肉鬮(兒)」:
皮膚外表的瘤狀小突起。

鬯 囡(chàng) 粵tsœŋ³〔唱〕❶古時祭祀用的一種香酒。❷同「暢」。如「草木鬯茂」;「春風和鬯」。見298頁。

鬱(欝、欎) 囡(yù)粵wet⁷〔屈〕❶心裏愁悶。如「鬱悶」;「鬱鬱寡歡」。❷凝聚,不舒散。如「鬱積」;「鬱結」。❸樹木繁茂的樣子。如「葱鬱」。❹姓。❺「鬱鬱」:①心中悶悶不歡樂。如「鬱鬱不樂」。②草木茂盛的樣子。古詩有「鬱鬱園中柳」。❻「鬱壘神荼」:見492頁「神荼鬱壘」。

鬲 ▲囡(gé)粵gak⁸〔隔〕❶阻隔。漢書有「鬲閉門戶」。❷「膠鬲」:商朝一個賢人。

　▲(lì)粵lik⁹〔力〕古時的一種鼎。

【翮】見羽部,559頁。

【融】見虫部,644頁。

鬷 囡(zōng)粵dzuŋ¹〔宗〕❶古時稱釜類的器皿。❷總。詩經有「以鬷假無言」。❸姓。

鬻 ▲囡(yù)粵juk⁹〔肉〕❶賣。如「鬻文為生」;「賣官鬻爵」。❷生養。禮記有「毛者孕鬻」。❸年幼。詩經有「鬻子之閔斯」。❹姓。

　▲囡(zhù)粵dzuk⁷〔祝〕「粥」的本字。左傳有「饘於是,鬻於是」。見522頁。

【鬼部】

鬼 (guǐ) 粵gwei²〔軌〕❶迷信的人認為人死了以後,「靈魂」會變成鬼。禮記有「人死曰鬼」;「眾生必死,死必歸土,此之謂鬼」。❷指有嗜好的人。如「酒鬼」;「賭鬼」。❸指某種行為或癖性不好的人。如「小氣鬼」;「冒失鬼」。❹做弊,裝假。如「搞鬼」;「都是他弄的鬼」。❺陰險,不正當,不光明。如「鬼把戲」;「鬼頭鬼腦」。❻靈巧,機警,聰明。如「鬼斧神工」;「這孩子真鬼」。❼胡亂。如「鬼混」。❽比喻「沒有人」或「沒有誰」的意思。如「鬼相信」;「鬼知道」。❾星名,二十八宿之一。❿「鬼蜮」:指暗中害人的壞人。如「鬼蜮伎倆」。⓫「鬼臉」:①戲劇中常用的一種面具。②故意裝出一種怪相嚇人或逗人。如「扮鬼臉」。⓬「鬼門關」:①古代關名,在廣西省。②因通往「鬼門關」的道路僻遠難走,故常引作比喻艱險的際遇。⓭「鬼鬼祟祟」:比喻態度不光明。

四至八畫

魁 (kuí) 粵fui¹〔灰〕❶領頭的人物,首領。如「罪魁」。❷首選,第一。明代科舉分五經取士,每一經的首選人叫經魁;五個經魁簡稱「五魁」。後來稱考試或比賽得到第一名叫「奪魁」。❸指體態高大,強壯。如「魁梧」。❹「魁星」:①北斗七星的第一星。②北斗第一至第四星的總稱。③舊時說魁星是掌管文運的神。

魂 (hún) 粵wen⁴〔雲〕❶傳說能離開人的身體而存在的精神。如「魂魄」;「魂不附體」。❷「靈魂」的簡稱:①指人或物的精神。如「國魂」。②指感覺的意念。如「神魂顛倒」;「黯然魂銷」。

魃 (bá) 粵bet⁹〔拔〕古人說是造成旱災的神。

▲魄 (pò) 粵pak⁸〔拍〕❶指依附在人身體上而顯現的精神。如「氣魄」;「失魂落魄」。❷指人的身體與神氣。如「體魄」。❸圖指月亮不圓的時候殘缺黑暗的部分。如「月魄」;「朒魄」。❹圖同「粕」,古書的「糟粕」也作「糟魄」。❺「魄力」:做事的決心跟毅力。

▲ (tuò) 粵 tok⁸〔托〕「落魄」:說人窮困潦倒的樣子。

魅 (mèi)粵mei⁶〔未〕❶図作祟害人的鬼怪。如「魑魅」。❷「魅力」：很能吸引人的一種神態或力量。

魆 (xù)粵fet⁷〔忽〕「黑魆魆」：光線昏暗的樣子。元曲有「魆地裏(暗地裏)」。

魈 (xiāo)粵siu¹〔消〕❶古時傳說的一種山裏的妖精，夜間出來害人。❷「山魈」：①古時傳說的一條腿的鬼怪。②狒狒一類的猛獸，樣子很怪，產在非洲西岸。

【醜】見酉部，748頁。

魋 (tuí)粵tœy⁴〔頹〕野獸名，即是「赤熊」。

魎 (liǎng)粵lœŋ⁵〔兩〕「魍魎」：見本頁「魍」字。

魏 ▲(wèi)粵ŋɐi⁶〔偽〕ɐi⁶〔矮低去〕(俗)❶朝代名：①三國時曹丕所建，在現在淮河以北，黃河一帶，後來被司馬炎所滅(公元220—265)。②晉朝末年鮮卑族拓跋珪所建，史稱「後魏」或「北魏」；國土在黃河流域一帶(公元386—534)。後來分東西兩國，東魏被高洋所篡，建立北齊(公元550—577)；宇文覺篡西魏，國名叫北周(公元557—581)。❷「戰國七雄」之一，晉大夫魏斯跟韓、趙瓜分晉國所建，據有河南北部、山西西南部一帶地方，後來被秦國所滅(公元前403—225)。❸図高大的樣子。如「魏闕(高大的宮門)」。❹姓。
▲図同「巍」，見175頁。

魍 図(wǎng)粵mɔŋ⁵〔網〕「魍魎」也作「罔兩」、「蝄蜽」：①古人傳說的木石精靈。如「魑魅魍魎」。②影子外層的淡影。

十一至十四畫

魔 (mó)粵mɔ¹〔麼〕❶神話或傳說裏說的一種害人的鬼怪。如「魔鬼」；「妖魔鬼怪」。❷能使人迷惑的一種吸引力。如「魔力」。❸過度的嗜好成癖或着迷。如「入魔」。❹奇幻的。如「魔術」。

魑 図(chī)粵tsi¹〔雌〕「魑魅」：古人傳說山林裏能害人的怪物。

魘 (yǎn)粵jim²〔掩〕做惡夢，睡夢中亂說亂動。如「夢魘」。

【魚部】

魚 (yú)⑧jy⁴〔余〕❶水產的動物，大都有鱗，有鰭，冷血，卵生，用鰓呼吸，大部分可供食用或製造魚膠。❷形狀像魚的東西。如「鱷魚」。❸古書裏同「漁」字。易經繫辭有「以佃以魚」。❹姓。❺図「魚水」：如魚得水。①比喻進入了十分適合自己的環境之中。②古書裏用來形容君臣之相得，彼此相處得非常愉快。③比喻夫婦的相愛。如「魚水和諧」；「魚水之歡」。❻「魚肉」：①魚和肉。②図魚跟肉都是被人割食的東西，比喻任人凌虐迫害。如「人為刀俎，我為魚肉」。③図比喻用暴力欺壓。如「魚肉鄉里」。❼「魚翅」：用大型或中型鯊魚身上的鰭乾製而成的一種上等食品，常用於名貴筵席。❽図「魚貫」：排成一串依照次序前進。如「魚貫而入」。❾図「魚雁」：①古人用紙綾做魚形信封，繫雁腳上傳信到遠方。②書信的代稱。如「魚雁往還」。

二至四畫

魛 (dāo)⑧dou¹〔刀〕「魛魚」：即是「刀魚」，也叫「鱭魚」、「帶魚」。體狹長扁薄，像尖刀形，背色黃褐，腹面銀白色，生活在近海，春季游到江河口上產卵。

鮀 (tuō)⑧tɔk⁸〔托〕同「鱓」，見853頁。

魟 (hōng)⑧huŋ¹〔空〕「魟魚」：魚名，也叫「海鷂魚」。體形扁平，沒有鱗，胸部扁大作斜方形或團扇狀，尾部狹小，骨骼全部是軟骨，背上有銳棘，腹鰭尾鰭都很小，沒有臀鰭，生活在近海沙底，捕食魚類跟甲殼類。

魴 (fáng)⑧foŋ⁴〔妨〕魚名，脊鰭有硬刺，身體又扁又寬，通稱「鯿魚」。

魨 (tún)⑧tyn⁴〔團〕一種有毒的魚。即是「河豚」。

魶 (nà)⑧nap⁹〔納〕lap⁹〔立〕(俗)❶兩棲類的鯢魚。史記司馬相如傳有「禺禺鱋魶」；漢書作「禺禺魼鰨」。❷通「魶」，見851頁。

魯 (lǔ)⑧lou⁵〔老〕❶笨，愚鈍。如「粗魯」；「愚魯」。❷周代國名，在現在山東省西部。❸山東省的別稱。❹姓。❺図「魯魚亥豕」：篆文「魯」字跟「魚」字，「亥」字跟「豕」字，

字形接近，易發生寫錯認錯的事。引作比喻文字傳寫錯誤。❻図「魯殿靈光」；「靈光」是漢朝魯恭王的宮殿名，經過戰亂還「巋然獨存」。引作比喻現時僅存的年高德劭的先輩人物。

魷(yóu)⑧jeu⁴〔由〕「魷魚」：也叫「柔魚」，頭大，有十條觸腳，尾端肉鰭是扁三角形，是烏賊魚的一類，可供食用。

【魡】同「鮫」，見本頁。

【魦】同「鯊」，見849頁。

五至六畫

鮑▲(bào)⑧bau⁶〔步效切〕❶「鮑魚」：用鹽醃的鹹魚，有腥味。如「鮑魚之肆(比喻腥臭惡劣的環境)」。❷姓。
▲(bào)⑧bau¹〔包〕「鮑魚」：鰒魚的俗稱，味道鮮美。

鮒図(fù)⑧fu⁶〔付〕❶即是「鯽魚」。莊子外物篇有「車轍有鮒魚焉」。❷蝦蟆。

鮍(pī)⑧pei⁴〔皮〕「鰟鮍」：見851頁「鰟」字。

鮁(魞)(bà)⑧bet⁹〔拔〕「鮁魚」：背部黑藍色，腹部兩側銀灰色，生活在海洋中。

鮊(bó)⑧bak⁹〔白〕「鮊魚」：身體側扁，嘴向上翹，生活在淡水中。

鮃(píng)⑧ping⁴〔平〕「鮃魚」：體形側扁，兩眼都在身體的左側，有眼的一側灰褐色或深褐色，無眼的一側白色，常見的有牙鮃、斑鮃等。

鮐(tái)⑧tɔi⁴〔臺〕❶「鮐魚」：河豚的別名。❷図「鮐背」也作「鮐背」：指年老的人(老年人皮膚消瘦，背駝，像鮐魚)。

鮀(tuó)⑧tɔ⁴〔駝〕同「鯊」❶，見849頁。

鮎(nián)⑧nim⁴〔拿嚴切〕lim⁴〔廉〕(俗)「鮎魚」：頭大，嘴寬，有長鬚，尾巴是扁的，身上很滑，沒有鱗，可吃。另有「鮷」、「鯷」、「鯘」、「鯷」、「鯰」等別名。

鮆(jì)⑧tsɐi⁵〔池蟻切〕同「鱭」，見854頁。

鮂(qiú)⑧tsɐu⁴〔酬〕「鮂魚」：即是「鰍魚」。

魼図(qū)⑧kœy¹〔拘〕比目魚。漢書司馬相如傳有「禺禺魼鰨」。也作「鱋」。

鮓(zhǎ)⑧dza³〔炸〕經過醃製的魚，像現在的醃魚、糟魚之類。

鮣(yìn)⑧jen³〔印〕一種溫帶海魚，約兩尺長，尾端較細。鱗小。口寬有齒。頭上有

橢圓形吸盤，可吸着在別的魚或船底移往遠處。也叫「印頭魚」。

【鮌】同「鯀」，見849頁。

【穌】見禾部，501頁。

鮭 ▲(guī)粵gwei¹〔歸〕❶「鮭魚」：一種海魚，長紡錘形，背部藍灰色，腹部銀白色，肉味很美，秋天游到江河裏產卵。❷河豚的別名。

▲(xié)粵hai⁴〔鞋〕「鮭菜」：魚類佳看的總稱。杜甫詩有「自愧無鮭菜」。

鮚 (jié)粵git⁸〔結〕蛤蚌類，長一寸左右，殼內常有小蟹寄居。

鮦 ▲(tóng)粵tung⁴〔同〕魚名，即是「鱧」。見853頁。

▲(zhòu)粵dzeu⁶〔宙〕「鮦陽」：地名，在安徽省。

鮫 (jiāo)粵gau¹〔交〕熱帶海洋裏一種軟骨類的大魚，長一兩丈，性情兇猛，又稱「鯊魚」。鰭可製成「魚翅(中國筵席的上等食品)」；皮可以製刀鞘等。

鮮 ▲(xiān)粵sin¹〔先〕❶活魚。如「鮮魚」。❷新殺的魚獸鳥類。如「海鮮」；「鮮肉」。❸滋味好的。如「鮮湯」；「魚湯很鮮」。❹新的，不陳的。如「鮮花」；「鮮果」。❺色彩明亮、光豔。如「鮮明」；「鮮豔照人」。❻姓。❼「鮮卑」：魏、晉時候東北的一個部族。

▲(xiǎn)粵sin²〔冼〕少，不多。又作「尠」、「尟」。如「鮮見」；「鮮有」。

鮞 (ér)粵ji⁴〔而〕❶魚子。❷一種魚名。

鮧 (yi)粵ji⁴〔而〕「鯷鮧」：見852頁「鯷」字。

▲(ti)粵tei⁴〔提〕同「鯷」，見850頁。

鮪 (wěi)粵fui²〔花潰切〕「鮪魚」：即是「鱘魚」。見583頁。

【鯗】同「鯗」，見850頁。

七畫

鮷 (ti)粵tei⁴〔提〕同「鯷」，見850頁。

鯉 (lǐ)粵lei⁵〔里〕❶「鯉魚」：一種淡水魚，身體寬扁，口有短的觸鬚兩對，鱗有金黃色，鰭帶淡紅色，背黑腹黃，肉可以吃。❷図「鯉素」：書信的代稱。唐朝人寄信常用尺素(書寫用的白絹)結成鯉魚形狀；古樂府也有「呼童烹鯉魚，中有尺素書」。

鯁 (gěng)粵geng²〔梗〕❶図魚骨。❷指魚骨頭卡在嗓子裏。如「骨鯁在喉」。❸正直。如「鯁直」(和「梗直」、「耿直」

鯀(鮌)(gǔn)粵 gwen² 〔滾〕
❶大魚。❷古人名，夏朝大禹的父親。

鯇(huàn)粵 wan⁵〔挽〕「鯇魚」又叫「草魚」：身體微綠色，鰭微黑色，生活在淡水中，是中國特產的重要魚類之一，又作「鯶」。

鮿图(zhé)粵 dzip⁸〔接〕魚乾。漢書有「鮿鮑千鈞」。

鯈(chóu)粵 tseu⁴〔囚〕「鯈魚」：也叫「白鰷」、「鰷魚」、「鮂魚」，見852頁「鰷」。

鯊(鯊)(shā)粵 sa¹〔沙〕❶魚名，長五六寸到七八寸，體形略扁，頭大眼小，尾部是圓扇形，俗稱「蝦虎」。❷「鯊魚」：又叫「沙魚」，熱帶海洋裏一種軟骨類的大魚，長一兩丈，性情兇猛。鰭可製成「魚翅」；皮可製刀鞘等。又作「鮫」。

八畫

鯰(niàn)粵 nim⁶〔念〕lim⁶〔離驗切〕(俗)「鯰魚」：即「鮎魚」，見847頁。

鯛(diāo)粵 diu¹〔凋〕「鯛魚」：身體扁圓，顏色紅紫，鰭堅硬，顎有硬齒，產在近海。又叫「銅盆魚」、「棘鬣魚」。

鯢(ní)粵 ŋei⁴〔倪〕ɐi⁴〔矮低平〕(俗)❶「鯢魚」：兩棲類的動物，有四條腿，像蝾螈而大，長三四尺。❷指雌的鯨魚。❸图小魚。❹図通「齯」，「鯢齒」同「齯齒」，見881頁「齯」字。❺「鯢鰌」：即是「泥鰍」。

鯪(líng)粵 liŋ⁴〔零〕❶鯉魚。❷廣東省產的一種魚，形狀像鯽魚，俗稱「土鯪魚」。❸「鯪鯉」：一種小獸，全身有角質的鱗甲，愛吃螞蟻。俗稱「穿山甲」。

鯤(kūn)粵 kwen¹〔昆〕❶古時傳說的極大的魚。❷图魚子。❸図「鯤鵬」：泛指極大的魚跟鳥。

鯨(jīng)粵 kiŋ⁴〔瓊〕❶「鯨魚」：海裏的一種哺乳動物，大的有六七丈，鼻孔生在頭的上邊，常鑽出水面噴水、呼吸，皮、肉可以吃，脂肪可以製油。❷「鯨吞」：像鯨魚一樣吞食。比喻併吞別國土地。❸図「鯨鯢」：比喻兇惡的人。

鮸(miǎn)粵 min⁵〔免〕「鮸魚」：也叫「鱉魚」，身體長形而側扁，棕褐色，生活在海中，肉可以吃。

鯜(qiè)粵 tsip⁸〔妾〕魚名，常是三條魚一同游行，前面一條，後面跟着兩條像婢妾一

般。又名「妾魚」。

鯖(qīng)粵tsiŋ¹〔青〕「鯖魚」：也叫「青魚」，背青黑，腹部銀白色，肉味鮮美。

▲図(zhēng)粵dziŋ¹〔征〕古時候魚和肉調製的雜燴菜。

餡(xiàn)粵ham⁶〔陷〕「餡魚」：即是「鰄魚」。

鯗(鮝)(xiǎng)粵sœŋ²〔想〕「鯗魚」：乾的鹹魚。

鯧(chāng)粵tsœŋ¹〔昌〕「鯧魚」：產在近海，體形扁圓，頭小，鱗細。

鯔(zī)粵dzi¹〔支〕魚名，棲在海口半鹹水中，體長，頭大，背灰腹白。

鯫図(zōu)粵dzeu¹〔周〕❶小魚。❷形容小的樣子。❸「鯫生」：①比喻愚陋的小人。②比喻小生。古人常用作自稱的謙詞。西廂記有「嘆鯫生不才，謝多嬌錯愛」。

九畫

鯿(biān)粵bin¹〔邊〕「鯿魚」：即是「鯾魚」。

鯾(biān)粵bin¹〔邊〕硬骨魚名，身體扁寬，頭小尾尖，鱗細，味很美，生在湖沼裏。也叫「魴魚」。

鰒(fù)粵fuk⁷〔福〕「鰒魚」：也叫「鮑魚」，和螺螄同類，是海生軟體動物，長約兩寸，淡黃色，橢圓形，味鮮美。

鰈(dié)粵dip⁹〔蝶〕❶比目魚。❷比目魚的一種，兩眼都生在右側，常以左側貼沙而臥產，生於太平洋。❸図「鰈鶼」也作「鶼鰈」：比目魚跟比翼鳥，引作比喻夫妻。
▲同「鰏」，見849頁。

鰆(chūn)粵tsœn¹〔春〕「鰆魚」：形狀像鮁魚而稍大，尾部兩側有棱狀突起。生活在海中，肉供食用。

鯷(tí)粵tei⁴〔提〕大鮎魚。

鰁(quán)粵tsyn⁴〔泉〕「鰁魚」：深棕色，有斑紋的一種淡水魚。

鯶(hùn)粵wen⁶〔運〕「鯶魚」：即「鯇魚」，體圓筒形，肉厚而鬆，也叫「草魚」。

鰉(huáng)粵woŋ⁴〔皇〕「鰉魚」：鱘魚的俗稱。也叫「鱘鰉」。

鯽(jì)粵dzik⁷〔績〕「鯽魚」：樣子像鯉魚，脊背高起，青褐色；肚子大，暗白色；頭跟嘴都小；產在江河淡水裏。

鰍(鰌)(qiū)粵tseu¹〔秋〕一種常把身子鑽在泥

裏，只把嘴露出來的魚，身體細長像圓棍，顏色青黑，沒有鱗，尾巴扁形。俗稱「泥鰍」。

鰕（xiá）⑨ha¹〔哈〕同「蝦」，見642頁。

鰂 ▲（zéi）⑨tsak⁸〔賊〕「烏鰂」：也叫「墨魚」，海產的軟體動物，有十條觸腳；體內有墨囊，遇險就噴墨逃脫，肉可以吃。
▲（zé）⑨dzɛk⁷〔則〕「鰂魚涌」：地名，在香港島東部。

鰓 ▲（sāi）⑨soi¹〔腮〕魚類的呼吸器，在頭部的兩側。
▲図（xǐ）⑨sai²〔徙〕「鰓鰓」：憂懼的樣子。如「不必鰓鰓過慮」。

鰐（鱷）（è）⑨ŋɔk⁹〔岳〕ɔk⁹〔惡低入〕(俗)「鰐魚」也作「鱷魚」：兇猛的大爬蟲，樣子像蜥蜴，身長有一丈多的，嘴大，牙尖，有四隻腳，鱗甲堅硬，尾巴有力，生活在熱帶的河裏，捉動物吃。有一種生活在中國長江裏的「揚子鰐」，體型比較小，吃魚、蛙，不傷人。

鰋（yǎn）⑨jin²〔演〕即是鮎魚。

【鰌】同「鰍」，見850頁。
【鰛】同「鰮」，見852頁。

十畫

鰨（tǎ）⑨tap⁸〔塔〕❶兩棲類的「鯢魚」。❷比目魚的一種，也叫「鰨目魚」，又通稱「鰈」。

鰜（nà）⑨nap⁹〔納〕lap⁹〔立〕(俗)「鰜魚」也作「魶魚」、「納魚」：一種像鱉而無甲、無足、有尾，口在腹下的魚。

鰥 ▲（guān）⑨gwan¹〔關〕❶沒有妻的成年男子。又作「矜」、「鰥」。❷「鰥魚」：一種大魚，即是「鱤魚」。
▲図（kūn）⑨kwɛn¹〔昆〕通「鯤」，魚子。見849頁。

鰜（jiān）⑨gim¹〔兼〕❶比目魚。❷指眼睛併集在左側的比目魚（眼睛併集在右側的比目魚叫「鰈」）。

鰭（qí）⑨kei⁴〔其〕魚身上游泳撥水的器官，由排列着的細刺連着薄膜構成，有脊鰭、尾鰭、胸鰭、腹鰭等幾種。

鰧（téng）⑨tɐŋ⁴〔騰〕「鰧魚」：身體黃褐色，頭大眼小，下頜突出，有兩個背鰭。常棲息在海底。

鰟（páng）⑨pɔŋ⁴〔旁〕「鰟鮍」：魚名，形狀像鯽魚，體長二三寸，生活在淡水中。

鰣（shí）⑨si⁴〔時〕「鰣魚」：身體扁長，色白鱗圓，皮下脂

肪很多，生長在海裏，初夏到江水中產卵，肉多細刺，味很鮮美。

鰩 (yáo) 粵 jiu⁴〔搖〕❶「文鰩魚」：也叫「飛魚」，胸鰭很大，會飛掠出水面幾尺高。❷「海鰩魚」：即是「魟魚」。

鰮（鰗）(wēn) 粵 wen¹〔溫〕「鰮魚」：即是「沙丁魚」，體長幾寸到一尺多，嘴大，下顎長，樣子像紡錘，鱗粗大容易剝落，背部青黑色，腹部圓白有光，常是在海裏成羣擠着游，肉味很美，多數製成罐頭食品。

十一畫

鰾 (biào) 粵 biu¹〔標〕❶魚類內臟的一部分，形狀是一個透明的氣囊，可自由脹縮，調節魚的身體比重，使魚在水裏漂起來或是沉下去。通稱「魚鰾」、「魚胞」。❷「鰾膠」也叫「魚膠」：用魚鰾煮成的膠。❸用鰾膠黏東西。如「把椅頭鰾一鰾」。

鰻 (mán) 粵 man⁴〔蠻〕man⁶〔慢〕（又）「鰻魚」：也叫「鰻鱺」、「白鱔」，樣子像鱔魚，皮很厚，有黏液，肉鮮美。

鰵 (mǐn) 粵 men⁵〔敏〕「鰵魚」：一種海魚，長兩三尺，鱗很小，尖嘴。

鰷 (tiáo) 粵 tiu⁴〔條〕「鰷魚」：體形狹長，有細鱗，肉內多細骨。

鰳 (lè) 粵 lek⁹〔勒〕❶「鰳魚」：一種海魚，樣子像鰣魚，頭小鱗細，腹下有硬鰭，可以製成鹹魚。❷「鰳鯗」：曬乾的鰳魚。

鰱 (lián) 粵 lin⁴〔連〕「鰱魚」：也叫「白鰱」，身體扁，頭小，鱗細，青脊背，白肚皮，產在湖沼淡水裏。

鰼（䲡）(xí) 粵 dzap⁹〔習〕❶「鰼鰌」：即是「泥鰍」。❷「鰼水」：縣名，在貴州省。

鱈 (xuě) 粵 syt⁸〔雪〕「鱈魚」：也叫「大口魚」，產在寒冷的深海，有三尺多長，頭大，肉潔白，肝臟可以製成含豐富甲丁兩種維生素的魚肝油。

鰶 (zhú) 粵 dzuk⁹〔逐〕「鰶鯬」：也叫「魚膏」，用魚腸和魚鰾煮熟凝凍的食品，切片蘸薑醋來吃。

鱅 (yōng) 粵 jung⁴〔庸〕「鱅魚」，俗稱「胖頭魚」，形狀像鰱，頭較大。

鱄 ▲ (zhuān) 粵 dzyn¹〔專〕產在洞庭湖的一種魚。

▲ (tuán) 粵 tyn⁴〔團〕古書說的一種像鯽的魚，身上長着鬃

毛。據說這種魚出現天下就會大旱。

【鰲】同「鼇」，見874頁。

十二畫

鱍 㘝(bō)㊂but⁹〔撥〕「鱍鱍」：魚跳的樣子。

鱗 (lín)㊂lœn⁴〔倫〕❶魚類和爬蟲類等動物覆瓦似地長在身體表面的透明小薄片。如「魚鱗」；「蛇鱗」。❷比喻形像魚鱗聚列很多。如「鱗集」；「鱗傷」。❸㘝「鱗爪」：①「一鱗半爪」的簡語，比喻事物的一小部分或殘餘部分。②比喻瑣小細微的事情。❹「鱗鱗」：層層魚鱗的樣子。蘇軾詩有「曲池流水細鱗鱗」。❺㘝「鱗次櫛比」也作「櫛比鱗次」：排列如魚鱗，接連靠近有如梳齒。形容房屋等排列的緊密。

鱖 (guì)㊂gwɐi³〔桂〕「鱖魚」：俗稱「花鯽魚」，體色淡黃，有黑斑點，背鰭有硬刺，肉味鮮美。

鱋 㘝(qū)㊂kœy¹〔拘〕同「魼」，見847頁。

鱘(**鱏**) (xún)㊂tsɐm⁴〔尋〕「鱘魚」：一丈多長的大魚，產在江河和近海的深水中，青背白肚，鱗是斜方形的，鼻子突出，口在鼻下，肉可以吃。

鱔 (shàn)㊂sin⁵〔善 低上〕「鱔魚」：也叫「黃鱔」，身體細長像鰻魚，沒有顯著的鱗，全身褐色，肚皮發黃，生活在淺水泥洞裏。

鱒 (zūn)㊂dzyn¹〔尊〕「鱒魚」：頭較圓，鱗細，身體最長的有兩尺多。夏季上溯到河裏產卵，秋末冬初回到海裏。肉可以吃。

鰹 (jiān)㊂gin¹〔堅〕「鰹魚」：身體呈紡錘形，大部分沒有鱗，腹白，背蒼黑。

【鱉】同「鼈」，見874頁。

十三畫

鱧 (lǐ)㊂lɐi⁵〔禮〕「鱧魚」：也叫「烏魚」、「黑魚」、「七星魚」，身體圓而長，色黑，有斑點，棲在河湖池沼中。

鱤 (gǎn)㊂gɐm²〔感〕「鱤魚」：又叫「鰥魚」、「鮨魚」，古書上寫作「魠」，是一種體形很大(大約有三四十斤)的魚，生在江湖中，嘴寬大；頰像鮎魚而色黃，鱗像鱒魚而稍細。

鱞 (guān)㊂gwan¹〔關〕❶「鱞魚」：一種像手指粗，長約八寸的魚，產在廣東惠州，可烹作羹肴。❷同「鰥」，指沒有妻的成年男子。見851頁。

鱠 図 (kuài) 粵 kui² 〔繪〕通「膾」，經過細切的魚、肉。見582頁。

鱟 (hòu) 粵 heu⁶〔後〕一種有甲殼的海魚，像螃蟹，有十二隻腳，尾巴細長像劍，卵可做醬。

鱣 ▲ (zhān) 粵 dzin¹〔煎〕鱘鰉一類的魚。
▲同「鱔」，見853頁。

十四至二十二畫

鱭 図 (jì) 粵 tsɐi⁵〔池蟻切〕「鱭魚」：即是「鮆魚（刀魚）」。

鱮 図 (xù) 粵 dzœy⁶〔序〕「鱮魚」：即是「鰱魚」。

鱨 (cháng) 粵 sœŋ⁴〔常〕「鱨魚」：形狀像鮎魚，鰭有刺，肚子和脊背都是黃色的，也叫「黃鱨魚」。

鱸 (lú) 粵 lou⁴〔盧〕「鱸魚」：產在沿海，身體狹扁，一二尺長，白色，有黑點，頭大鱗細，鰓的前部像鋸齒，肉味鮮美。
【鱷】同「鰐」，見851頁。

鱺 (lí) 粵 lei⁴〔離〕「鰻鱺」：見852頁「鰻」字。
【鱻】古「鮮」字，見848頁。

【鳥部】

鳥 ▲ (niǎo) 粵 niu⁵〔裊〕liu⁵〔了〕(俗) ❶脊椎動物的一類，溫血卵生，全身有毛，兩腳能行走，兩翼能飛。❷「鳥媒」：捉鳥的人把鳥拴住，用來招引旁的鳥，以便捕捉。這拴着的鳥就叫做鳥媒；又叫「囮子」。❸図「鳥道」：比喻險峻的山道。❹図「鳥獸散」：指人像鳥獸的紛亂散去。形容離散時候的沒有秩序。❺図「鳥盡弓藏」：史記越世家有「蜚（飛）鳥盡，良弓藏」；意思是禽鳥獵盡，獵弓就收起來不用了。引作比喻天下平定，國君就把功臣冷落了。
▲ (diāo) 粵 diu²〔多妖切〕同「屌」。舊小說（如水滸傳）寫北方土話常用。見167頁。

二至四畫

鳧（凫）(fú) 粵 fu⁴〔扶〕❶一種水鳥，即是野鴨子，棲於湖沼地方，肉味鮮美。❷「鳧水」：游泳。

鳩 (jiū) 粵 gɐu¹〔溝〕❶一種樣子像鴿子似的鳥，種類很多。如「斑鳩」。❷図集合。如「鳩集」；「鳩工庀材」。❸図

「鳩形鵠面」：形容餓得很枯瘦的樣子。

鳴 (míng) ⑨ min⁴〔名〕❶禽獸或昆蟲的叫喚或發出聲音。如「雞鳴」；「驢鳴」；「蟬鳴」。❷泛指一切的發聲。如「雷鳴」；「鐘鳴」；「汽笛長鳴」。❸囝使發出聲音來(即是敲擊、打響的意思)。如「鳴金(敲鑼)」；「鳴砲」。❹表示出來。如「鳴謝」；「不平之鳴」。❺囝著稱，有聲望。如「以詩鳴於時」。❻囝「鳴鼓而攻」：號召大家一起指斥攻擊。

鳳 (fèng) ⑨ fun⁶〔奉〕❶「鳳凰」也作「鳳皇」：古人傳說的一種代表祥瑞的鳥，據說是一種很美麗的鳥，是高貴的鳥類的領袖。雄的叫「鳳」；雌的叫「凰」。❷鳳凰的簡稱。如「百鳥朝鳳」。❸姓。❹囝「鳳毛麟角」：比喻罕少而珍貴。

鳲 (shī) ⑨ si¹〔司〕「鳲鳩」：即「布穀鳥」，又名「郭公」。比鵓鴣稍小，樣子像杜鵑，穀雨以後到夏至這段期間鳴叫，聲音像是催告農家「布穀」。

鳶 (yuān) ⑨ jyn¹〔冤〕❶一種兇猛的鳥，比鷹小，常稱「鷂鷹」，又叫「鷂子」、「老鷹」。❷囝「紙鳶」：風箏。

鳾 (shī) ⑨ si¹〔師〕鳥名，背青灰色，腹淡褐色，嘴尖而長，尾短，腳短爪強，捕食林中蟲類。

鴇 (bǎo) ⑨ bou²〔保〕❶一種像雁而稍大一點的鳥，身上有黑色斑紋，不善於飛。❷「鴇母」：妓女的假母。又叫「老鴇子」。

鴂 (鴃 ▲ (jú) ⑨ gwik⁷〔隙〕❶同「鶪」，即是「伯勞」(一種善鳴而兇猛的小鳥)。❷囝「鴂舌」：古時指蠻夷的語言。如「南蠻鴂舌之人」。

▲ (júe) ⑨ kyt⁸〔決〕❶「鶗鴂」：見859頁「鶗」字。❷「鷤鴂」：見863頁「鷤」字。

鶄 (zhī) ⑨ dzi¹〔支〕「鶄鵲」：一種鳴禽，由額部到眼的周圍是純黑色；從頭上到後頸以及喉胸之間是暗濃的琉璃色，翼長五六寸，大部分黑色，尾跟翼一樣長，嘴峯長一寸多。

鴆 (zhèn) ⑨ dzɐm⁶〔朕〕❶相傳是一種毒鳥。雄的叫運日；雌的叫陰諧。羽毛紫綠色，放在酒裏，人喝了會中毒而死。❷「鴆酒」：用鴆毛泡成的毒酒，簡稱「鴆」。如「飲鴆止渴」。❸同「酖 (zhèn)」，見745頁。

鴉(鵶)(yā)粵a¹〔丫〕❶烏鴉，一種黑色的鳥，也叫「老鴉」；「老鵶」。❷図比喻黑色。如「鴉鬢」；「鴉髻」。❸「鴉色」：指紅青色；又叫「鴉青」。❹「鴉片」：麻醉藥名稱，是英文 *opium* 的音譯，是刺取未熟的罌粟果實的汁漿凝乾而成，味苦，性毒，醫藥上用作鎮痛麻醉劑。❺「鴉鬢」：①同「丫鬢」，即是婢女。②図同「鴉髻」：指婦女黑色的髮髻。李白詩有「黃頭奴子雙鴉鬢」。

【鴈】同「雁」，見793頁。

五畫

鴕(tuó)粵tɔ⁴〔駝〕「鴕鳥」：一種在沙漠生活的大鳥，產在非洲、美洲、澳洲的沙漠地帶，氣力大，走得快，翅膀小，不能高飛，羽毛可做裝飾品。

鴒(líng)粵liŋ⁴〔零〕❶「鶺鴒」：見860頁「鶺」字。❷図「鴒原」也作「脊令」：比喻兄弟。詩經小雅有「脊令在原，兄弟急難」。

鴣(gū)粵gu¹〔姑〕❶「鴣鴿」：鴿子的一種，產在台灣。❷「鷓鴣」：見861頁「鷓」字。

鴝(qú)粵kœy⁴〔渠〕「鴝鵒」：一種能摹仿人說話的鳥，全身黑色，頭和背部有些發綠，俗稱「八哥兒」。

鴞(xiāo)粵hiu¹〔囂〕❶「鴟鴞」：見本頁「鴟」字。❷通「梟」，見323頁。

鴟(chī)粵tsi¹〔癡〕❶図鷂鷹。❷比喻兇惡的形象。如「鴟目虎吻」。❸「鴟尾」：安置在屋脊上的瓦製的獸形裝飾物。❹「鴟鴞」：①一種小鳥，即是「鷦鷯」，也就是「鶹鷅」。②同「鴟鴞」。❺「鴟鴞」：貓頭鷹。

鴨(yā)粵ap⁸〔鴨子〕：一種家禽，嘴扁腿短，趾有連蹼，善游水，不能高飛，鴨肉和鴨蛋是通常的食品。

鴦(yāng)粵jœŋ¹〔央〕「鴛鴦」：見本頁「鴛」字。

鴥(鴧)(yù)粵wɐt⁹〔華屹切〕❶図飛得很快的樣子。詩經秦風有「鴥彼晨風」。❷「鴥隼」：猛禽類隼的一種，個兒不大，棲在荒野，飛行迅速，捕食其他小鳥，產在亞、歐兩洲。

鴛(yuān)粵jyn¹〔淵〕❶「鴛鴦」：①水鳥，比鴨小，羽毛美麗，雌雄雙雙游棲而不分離。②以鴛鴦的不分離，比喻夫妻或情侶交好。常略作

「鴛」。如「締訂鴛盟」;「鴛夢重溫」。③比喻成對的東西。如「鴛鴦瓦」;「鴛鴦劍」。❷図通「鵷」,「鴛鸞」同「鵷鸞」,見859頁。

【鴟】同「雎」,見793頁。

六畫

鴷 図(liè)粵lit⁹〔列〕鳥名,即是啄木鳥。

鴿 (gē)粵gep⁸〔蛤〕gap⁸〔夾〕(又)「鴿子」:也稱「鵓鴿」,有家鴿、野鴿兩種。家鴿記憶力強,可以訓練牠傳遞書信。

鴰 (guā)粵kut⁸〔括〕❶「老鴰」:即是烏鴉。❷「鶬鴰」:即是灰鶴。

鴻 (hóng)粵hung⁴〔洪〕❶一種水鳥,比雁大,頸和背部灰褐色,腹部白色。❷図大。如「鴻文」;「鴻儒」。❸図書札。如「展讀來鴻」。❹図鴻爪:比喻往事的痕跡。如「雪泥鴻爪」。❺図「鴻雁」:①原是詩經小雅的篇名,讚美周宣王能安集離散,後來用來稱呼災亂流離的人民。也作「哀鴻」。②泛指鴻或雁之類的水鳥。如「鴻雁南飛」。❻「鴻溝」:①図秦朝衰亡之後,楚項羽跟漢劉邦兩方分界的一條河,即是河南省的賈魯河。②引伸比喻明顯的區分界限。如「判若鴻溝」。❼図「鴻鵠」:大鳥。

鴴 (héng)粵heng⁴〔行〕一種體形細小的鳥,嘴短而直,只有前趾,沒有後趾,多羣居海濱。

鵁(鵁) (jiāo)粵gau¹〔交〕「鵁鶄」:一種水鳥,腿長,頭上有紅毛冠,頭頸褐色,身上有白色和綠色的文彩。

鵂 (xiū)粵jeu¹〔休〕❶「鵂鶹」:貓頭鷹。❷「鵂鶹」:貓頭鷹的一種,身體小而眼睛圓大,有兩個毛角像耳朵。

鵃 (zhōu)粵dzeu¹〔舟〕「鶻鵃」:見860頁「鶻」字。

鴯 (ér)粵ji⁴〔而〕「鴯鶓」:一種鳥,身體像駝鳥,樣子像火雞,產在澳洲。

鷃 (yàn)粵an³〔晏〕同「鷃」,「鷃雀」同「鷃雀」,見861頁。

【鵐】同「鵝」,見859頁。

七畫

鵓 (bó)粵but⁹〔勃〕❶「鵓鴿」即是鴿子。❷「鵓鳩」:鳩的一種,全身黑褐色,下雨以前叫聲急促,俗稱「水鵓鴣」。

鵜 (tí)粵tei⁴〔啼〕❶「鵜鶘」:也叫「淘河」。一種比鵝大的

水鳥，羽毛灰白色，嘴長，嗉子下面有一個大的喉囊，捕食魚類。❷「鵜鴣」：即是「鸕鷀」。見859頁。

鵚 (tū)⑧tuk⁷〔禿〕「鵚鶖」：即是「禿鶖」，也單稱「鶖」。

鵠▲(hú)⑧huk⁹〔斛〕❶即是「天鵝」，像雁而略大，羽毛全白，頸長，尾跟腳都短，飛得很高，鳴聲洪亮。❷图比喻像鵠靜靜站着、探着脖子的樣子。如「鵠立」；「鵠候」。

▲(gǔ)⑧guk⁷〔谷〕練習射箭的目標，即是「箭靶子」。如「鵠的」；「鵠子」。

鵑 (juān)⑧gyn¹〔捐〕「杜鵑」：見308頁「杜」字。

鵝(鵞、鵞) (é)⑧ŋɔ⁴〔俄〕⁴〔柯 低 平〕

(俗)❶家禽，像鴨而比鴨大，頸長，羽毛有白的有灰的，不會飛。❷「鵝毛」：①鵝的羽毛。②形容東西像鵝毛那樣輕微。如「千里送鵝毛，禮輕情意重」。③形容片片飄落的大雪。如「鵝毛雪」；「鵝毛大雪」。❸「鵝黃」：嬌美的淡黃色。

鵡 (wǔ)⑧mou⁵〔武〕「鸚鵡」：見863頁「鸚」字。

鵒 (yù)⑧juk⁹〔浴〕「鴝鵒」：見856頁「鴝」字。

【鵤】同「鸜」，見859頁。

八畫

鵬 (péng)⑧paŋ⁴〔彭〕❶古人說的一種大鳥，能一下子飛幾千里遠。莊子有「鵬之背，不知其幾千里也；怒而飛，其翼若垂天之雲」。❷形容遠大，沒有限制。如「鵬程萬里(祝賀人前程遠大)」。❸图「鵬舉」：奮發直上。

鵩 (fú)⑧fuk⁹〔服〕图一種貓頭鷹之類的鳥，在夜裏叫得很難聽，古人認為牠是不祥之鳥。

鵰 (diāo)⑧diu¹〔刁〕一種兇猛的大鳥，鉤形嘴，身長三四尺，羽毛是深褐色，能捕食野兔、山羊等動物。

鶆 (lái)⑧lɔi⁴〔來〕「鶆鳩」也作「來鳩」：即是「鵻鳩」。見861頁「鵻」字。

鶊 (gēng)⑧ gɐŋ¹〔庚〕「鶬鶊」：黃鶯的別名。

鵾 (kūn)⑧ kwɐn¹〔坤〕「鵾雞」：一種像鶴那樣大的鳥，長頸，紅嘴，身上黃色。

鶄 (jīng)⑧dziŋ¹〔精〕「鵁鶄」見857頁「鵁」字。

鵲 (què)⑧ dzœk⁸〔雀〕❶「鵲鵲」：一種像烏鴉而尾巴長

的鳥，脖子、肚子是白色，頭和背部是黑色，認為它的叫聲是預報喜兆。❷図「鵲起」：①乘時而起。形容興盛。如「聲譽鵲起」。②形容退避的迅速。

鶇(dōng)粵duŋ¹〔東〕鳥名，嘴細長而側扁，翅膀長而平，羽毛多呈淡褐色，善於飛翔，叫聲動聽。

鴿(qiān)粵tsim¹〔簽〕❶鳥啄食東西。❷比喻用話諷刺人。如「我兩句話就鴿得他臉紅了」。

鶉(chún)粵sœn⁴〔純〕❶「鵪鶉」：鳥名，頭小尾禿，羽毛有暗黃色的條紋，雜有黑白色的斑點，鶉性好鬥，肉可吃，味美。也有人養鶉互鬥來賭錢的，叫「鬥鶉」。❷図「鶉衣」：比喻補綴的破衣服。如「鶉衣百結」。❸図「鶉居」：比喻居無定所。

鵪(ān)粵em¹〔庵〕鳥名，和鶉同類，沒有斑點，跟鶉合稱「鵪鶉」。

鵷図(yuān)粵jyn¹〔寃〕❶「鵷鶵」：鸞鳳之類的鳥。❷「鵷行」、「鵷鷺」：指朝官行列。
【鵙】同「鶪」，見本頁。
【鴰】同「鴉」，見856頁。

九畫

鶓(miáo)粵miu⁴〔苗〕「鷸鶓」：見857頁「鷸」字。

鶗(tí)粵tɐi⁴〔提〕「鶗鴃」也作「鶙鴃」：杜鵑的別名。

鵾(kūn)粵kwen¹〔坤〕「鵾雞」也作「鶤雞」：①古時一種三尺長的雞。②鳳凰的別稱。

鶡(hé)粵hɔt⁸〔渴〕❶「鶡雞」：鳥名，像野雞，羽毛青色或黑黃色，性好鬥。❷「鶡冠」：古武士用鶡的尾羽裝飾的帽子。

鶘(hú)粵wu⁴〔胡〕「鵜鶘」：見857頁「鵜」字。

鶪(鵙、鶪)(jú)粵gwik⁷〔隙〕鳥名，也叫「伯勞」、「博勞」，是鳴禽類的小鳥，上嘴鉤曲而銳利，背色灰褐，尾長，叫的時候尾羽上下運動。兇猛，捕食蟲、魚、小鳥。秋天會把食物儲藏做冬糧。

鶖(qiū)粵tseu¹〔秋〕水鳥名，像鶴而大，頸長嘴扁，頭禿眼紅，也有喉囊，兇猛，捕食魚、蛇、幼鳥。也叫「禿鶖」；「鶬鶖」。

鶒(鷘、鷘、鶒)(chì)粵tsik⁷〔斥〕「鸂鶒」：見863頁

鳥部 (8-9) 東鵮鶇鶉鵪鵷鵙鴰鶓鶗鵾鶡鶘鶪鶖鶒　859

「瀉」字。

鶥(méi)粵mei⁴〔眉〕鳥名，眼周圍的羽毛像畫的眉毛，叫聲動聽，俗稱「畫鶥」。

鶚(è)粵ŋɔk⁹〔岳〕ɔk⁹〔惡低入〕(俗)一種兇猛的鳥，樣子像鷹，足趾中間有連膜，背黑褐色，腹部白色，能下水或在水面飛翔，捕食魚類。也叫「魚鷹」。

鶩(wù)粵mou⁶〔務〕❶即是鴨子。常指野鴨。❷図指像鴨子一樣羣集。如「趨之若鶩」。

鷀(鶿)(cí)粵tsi⁴〔池〕「鸕鷀」：見863頁「鸕」字。

十畫

鷈(鷉)(tī)粵tei¹〔梯〕「鷿鷈」：見862頁「鷿」字。

鶹(liú)粵lɐu⁴〔流〕「鶹鶹」：見857頁「鶹」字。

鶻▲(gǔ)粵gwet⁷〔骨〕❶「鶻鵃」：像山雀而小的鳥，尾短，青黑色，喜歡叫。❷「鶻鳩」：即是「班鳩」。

▲(hú)粵wet⁹〔華睹切〕❶鷹類的鳥，也叫「隼」。❷図「鶻突」：糊塗。❸「回鶻」同「回紇」：中國古時西北方的部族名。

鷇図(kòu)粵kɐu³〔扣〕❶初生的小鳥。❷「鷇音」：小鳥卵出時的叫聲。引申作比喻人所說的話是非難定。❸「鷇食」：小鳥靠母鳥餵東西吃。比喻只知仰賴而不求自立。

鶴(hè)粵hɔk⁹〔學〕❶「仙鶴」又叫「白鶴」：鳥名，頭頂紅，身子白，嘴頸和兩腿都長，翅膀大，飛得很快，鳴聲高朗。❷指風箏。如「放鶴(放風箏)」。❸「灰鶴」：①即「鶬鴰」。②即「鸛」。❹「鶴立」：①図直立着盼望。②「鶴立雞羣」的簡語。比喻人的才能超羣出眾，不同凡俗。❺図「鶴俸」：指官吏的俸祿。❻図「鶴唳」：鶴鳴(常和「風聲」連用)。如「風聲鶴唳，草木皆兵(形容驚恐不安的情況)」。

鶺(jí)粵dzik⁸〔即中入〕dzɛk⁸〔隻〕(又)「鶺鴒」：鳴禽類的鳥，形狀像燕，背青灰，腹白頸黑，飛行呈波狀，常飛到水邊，捕食害蟲。

鶼(jiān)粵gim¹〔兼〕❶「鶼鶼」：傳說中的「比翼鳥」，一目一翼，總是兩隻一起飛。❷図「鶼鰈」：比喻夫婦像比翼鳥一樣相親相愛。

鶱図(xiān)粵hin¹〔軒〕鳥飛的樣子。

鶵(chú)粵 tsɔ⁴〔鋤〕tsɔ¹〔初〕
(又)❶同「雛」，見794頁。
❷「鶵鶵」：見859頁「鵮」字。

鶬(cāng)粵 tsɔŋ¹〔倉〕❶「鶬
鶊」也作「倉庚」：即是黃
鶯。❷「鶬鴰」也作「鶬雞」：體
大如鶴，長頸高腳，羽毛是灰
色的。又叫「灰鶴」。

鶲(wēng)粵 juŋ¹〔雍〕一種體
小的益鳥，嘴扁平，吃害
蟲。

鷁(yì)粵 jik⁹〔亦〕❶一種水
鳥，像大的白鷺鷥，能高
飛，不怕風。古時候船頭上喜
歡畫這種鳥。❷「鷁首」也作
「艗首」：文言用作船的代詞。

鷂(yào)粵 jiu⁶〔耀〕❶「鷂
鷹」：一種兇猛的鳥，樣子
像鷹而比較小，捕食小鳥。❷
「鷂子」：①即「鷂」。②指風箏
(紙鳶)，放風箏也說「放鷂
子」。

鷃(yàn)粵 an³〔晏〕❶「鶤」的
別名。❷「鷃雀」也作「鳿
雀」：泛指小鳥。

鶯(鸎)(yīng)粵 eŋ¹〔鶯〕❶
「黃鶯」：鳥名，又
叫「黃鸝」、「倉庚」，背部灰黃
色，腹部灰白色，尾黑色，叫
的聲音很好聽。❷图「鶯遷」：
賀人升職或遷居的用語。詩經
有「伐木丁丁，鳥鳴嚶嚶，出
自幽谷，遷於喬木」；禽經有
「鶯鳴嚶嚶」。❸「鶯鶯燕燕」：
形容一些年輕女子。
【鷄】同「雞」，見794頁。
【鶋】同「鵮」，見859頁。

十一畫

鷚(liù)粵 leu⁶〔漏〕❶古書裏說
遲生的小雞。❷一種叫得很
好聽的小鳥，羽毛茶褐色，爪
很長，善於步行，又能飛上高
空。也叫「告天鳥」、「雲雀」、
「百靈」，古時候也叫「天鷚」。

鷙(zhì)粵 dzi³〔至〕❶「鷙鳥」：
指兇猛的鳥，像鷹、鵰、
鶻、鶚之類。❷图形容人的性
情勇猛兇狠。如「鷙悍」；「為
人深鷙」。

鷓(zhè)粵 dzε³〔借〕❶「鷓
鴣」：鳥名，樣子像斑鳩，
胸部有白色圓點，頭頂紫紅
色，羣棲在地上，營巢土穴
中，吃昆蟲蚯蚓等。叫聲像是
說「行不得也哥哥」。❷「鷓鴣
天」：詞牌名。❸「鷓鴣菜」：
一種藻類植物，可以做驅蛔蟲
的藥。

鷟(zhuó)粵 dzɔk⁹〔鑿〕「鸑
鷟」：見863頁「鸑」字。

鷞▲(shuāng)粵 sœŋ¹〔商〕同
「鸘」，「鷞鳩」同「鸘鳩」：見
862頁「鸘」字。

▲(shuǎng)粵soŋ²〔爽〕「鷞鳩」也作「爽鳩」、「鶒鳩」：一種猛禽類的鳥，跟鷹相似，毛色有黑條紋和赤褐色跟白色的斑。

鷗(ōu)粵eu¹〔歐〕❶一種水鳥，頭大嘴曲，翅闊尾短，身上蒼灰色，脖子、肚子白色。視力敏銳，常飛翔湖海上，捕食魚類。❷圕「鷗波」：比喻隱居的人，安閒自適，像是鷗在水中浮游的樣子。❸圕「鷗盟」：形容隱居的人，喜歡遠居在荒村湖畔，好像跟鷗鳥有盟約似的。

鷖 圕(yī)粵ji¹〔衣〕❶即是鷗鳥。詩經有「鳧鷖在涇」。❷即是鳳凰。離騷有「駟玉虬以乘鷖兮」。❸青黑色。
【鷖】同「鷗」，見859頁。

十二畫

鷯(雞)(liáo)粵liu⁴〔聊〕「鷦鷯」：見本頁「鷦」字。

鷺(lù)粵lou⁶〔路〕❶水鳥名，樣子像鶴而比較小，羽毛純白色，頭頂有細長的白毛。棲息各地沼澤中，捕食魚類。簡稱「鷺」，有「白鷺」、「蒼鷺」、「綠鷺」等。❷圕「鷺序」：白鷺在空中常是大的飛在前面，小的跟在後面，次序不亂。引作比喻官員上朝按官級大小所排的班次。

鷦(jiāo)粵dziu¹〔焦〕「鷦鷯」：又叫「巧婦」，一種小鳥，長約三寸，嘴尖，羽毛灰色而有黑褐色的條紋。

鷲(jiù)粵dzeu⁶〔就〕即是「鵰」。

鷴(鷼)(xián)粵han⁴〔閑〕「白鷴」：一種像山雞的鳥，色白有黑紋，嘴和爪子紅色，尾部羽毛很長。

鷥(sī)粵si¹〔詩〕「鷺鷥」：即「白鷺」，見本頁「鷺」字。

鸕(sù)粵suk⁷〔縮〕「鸕鷞」也作「鸕鶒」：一種水鳥，樣子像雁，頸長，毛綠色，皮可作裘。

鷸(yù)粵wet⁹〔華 睄切〕loet⁹〔律〕(又)❶一種水鳥，嘴長，羽毛茶褐色，常在水田或池沼捕食小魚、貝類或昆蟲。俗稱「翠鳥」、「翡翠」、「魚狗」。❷圕「鷸蚌相爭，漁翁得利」：比喻雙方爭持不下，使第三者從中取利。

十三畫

鷿(鷉)(pì)粵pik⁷〔僻〕「鷿鷉」：一種水鳥，蒼黑色，白肚子，翅膀小，不善

於飛，潛水卻很靈巧，捕食魚類。

鸂 (xī)⑧keı¹〔溪〕「鸂鶒」：一種水鳥，像鴛鴦而稍大，羽毛紫色，也叫「紫鴛鴦」。

鷽 (xué)⑧hok⁹〔學〕鳴禽類小鳥，黑頭灰背，胸前紅色，叫的聲音很好聽。又叫「山鵲」。

鸇 (zhān)⑧dzin¹〔煎〕一種猛禽，好像鷂鷹，羽毛青黃色，常常捕食鳩鴿燕雀等。

鷹 (yīng)⑧jin¹〔英〕❶一種兇猛的鳥，頭扁，上嘴像彎鉤，腳趾有鉤爪，眼力強，捕食小禽獸。俗稱「老鷹」、「蒼鷹」。❷「鷹犬」：①鷹和獵犬，打獵時常用牠們追逐禽獸。②比喻供人役使，為非作惡的人。❸图「鷹揚」：比喻威武奮揚，像鷹飛一般。

十四至十九畫

鸋 (níng)⑧niŋ⁴〔寧〕liŋ⁴〔零〕(俗)「鸋鴂」也作「寧鴂」：即是「鷦鷯」，一種小鳥。

鸑 (yuè)⑧ŋɔk⁹〔岳〕ɔk⁹〔惡低入〕(俗)❶「鸑鷟」：①一種水鳥，像鴨而比較大。②古時所說的一種祥瑞的鳥，即是鳳凰的別名。❷山名，在甘肅省兩當縣東。

鸕 (lú)⑧lou⁴〔勞〕「鸕鷀」：一種水鳥，大略像烏鴉，白脖子，長嘴，能潛水捕魚，打魚的人常馴養來捕魚。俗稱「水老鴉」、「魚鷹子」。

鸘 (shuāng)⑧sœŋ¹〔商〕「鷫鸘」：見862頁「鷫」字。

鸚 (yīng)⑧jiŋ¹〔英〕❶「鸚鵡」：產於熱帶地方的一種鳥，毛色美麗，有各種顏色，能學人說話。❷「鸚哥」：①「鸚鵡」的俗稱。②鸚鵡一類的鳥，比較小些，一般是綠毛紅嘴，尾巴長，也能學人說話。

鸛 (guàn)⑧gun³〔貫〕一種水鳥，樣子像鶴，頭頂不紅，身上灰白色，嘴長而直，築巢在水邊的高樹上，捕食魚介。俗稱「老鸛」、「灰鶴」。

鸜 (qú)⑧kœy⁴〔渠〕同「鴝」，「鸜鵒」也作「鴝鵒」：見856頁。

鸝 (lí)⑧lei⁴〔離〕「黃鸝」：即是「黃鶯」。見861頁「鶯」字。

鸞 (luán)⑧lyn⁴〔聯〕❶古時傳說的一種鳥，據說和鳳凰是同類，羽毛五彩美麗。❷通「鑾」，鈴鐺。如「鸞刀(刀環上面有小鈴鐺的刀)」；「鸞車(車上裝着鈴，走起來有好聽聲響的車)」。❸「鸞鳳」：①图比喻善良的人。後漢書有「所謂放

鴟梟而囚鸞鳳」。②比喻英俊。如「鸞鳳之姿」。③比喻夫婦。如「鸞鳳和鳴（像鳳凰飛舞，和鳴鏘鏘。常用作祝頌新婚夫婦美滿和好的祝詞）」。❹ 囝「鸞輿」同「鑾輿」：指皇帝出行時所用的車輛等。

【鹵部】

鹵 (lǔ) 粵lou⁵〔老〕❶ 含鹼性不適宜種植的土地。如「鹵地」。❷ 鹵地的鹹水。如「鹵水」。❸ 囝通「魯」，遲鈍、癡笨。如「頑鹵」。❹ 囝通「擄」，掠奪。如「鹵獲敵砲三百門」。❺ 粗率，冒冒失失的。如「鹵莽」。❻ 囝通「櫓」，大的盾。史記有「伏屍百萬，流血漂鹵」。❼ 姓。❽「鹵素」：化學上稱「氟、氯、溴、碘、砈」五個元素。

九至十畫

鹹 (xián) 粵ham⁴〔函〕❶ 五味之一，像鹽的滋味，跟「淡」相反。如「酸、甜、苦、辣、鹹」。❷ 用鹽醃過的食物。如「鹹魚」；「鹹肉」；「鹹菜」。❸ 表示帶鹽分的。如「鹹水」；「鹹湖」。

鹺 囝 (cuó) 粵tsɔ⁴〔鋤〕❶ 鹹。如「鹺魚（即是鹹魚）」。❷ 鹽。辦理鹽務。如「鹺務」。

十三畫

鹼 (鹸、碱、城) ᵍⁱᵃⁿ粵

gan²〔柬〕❶ 泥土裏的一種質

料，就性質上說是「鹵」，提出來就是「鹼」。可以用來洗衣服，去油垢，並用以製造肥皂、玻璃等。❷指陶器受鹼性侵蝕，彩釉剝落。如「好好的一個筆洗，怎麼就鹼了呢」。❸磚牆築成之後，表面起的白色斑痕。如「新砌的牆全鹼了」。❹化學上也將「鹽基」稱作「鹼」。❺「鹼類」：（alkalis）化學名詞，簡稱鹼。凡是鹽基容易溶於水的，像氫氧化鈉、氫氧化鉀，都屬鹼類。

鹽 ▲（yán）粵jim⁴〔炎〕❶食品中鹹味的原料，分海鹽、池鹽、井鹽等。可供食用；工業上也有很多用途。如「食鹽」；「工業用鹽」。❷化學名詞。鹽類化合物的簡稱。❸姓。❹「鹽基」：（bases）化學名詞。凡是化合物含有氫氧（OH），能跟酸發生作用生出鹽跟水，溶液能使紅色試紙變成藍色的，都叫鹽基，也叫鹼。❺「鹽酸」：也叫「氫氯酸」，分子式HCl，氫化氫的水溶液，味酸性烈，工業上用途多。

▲（yàn）粵jim⁶〔豔〕囵用鹽醃食物。禮記有「屑桂與薑，以灑諸上而鹽之」。

【鹿部】

鹿（lù）粵luk⁹〔陸〕❶一種馴獸，黃褐色的毛，有白斑。公鹿頭上長犄角，分歧像樹枝；母的不長。生在樹林裏，聽覺嗅覺都很靈敏。❷要獵取的對象（常指帝位）。如「逐鹿（爭天下）」。❸姓。❹囵「鹿」同「碌碌」、「錄錄」、「逯逯」。❺「鹿砦」：舊時軍營為了防備敵人的突擊，在營地之外用尖頭竹木排植在地上；或就地砍倒樹木，削尖大枝，用木樁排列釘住，尖梢朝外像鹿角似的，叫「鹿砦」。也叫「鹿角」、「鹿角柵」。❻「鹿死誰手」：①囵古時比喻不知道天下（帝權）落在誰手裏。②比喻共同爭奪的東西不知被誰奪得。

二至九畫

麂（jǐ）粵gei²〔己〕一種像鹿的小獸，比狗大些。公的有短角，皮很柔軟，可做手套等材料。

麀囵（yōu）粵jeu¹〔休〕❶母鹿。❷指雌性的。左傳有「忘其國恤，而思其麀牡」。

麃 ▲図(biao)粵biu¹〔標〕❶耕田。❷「麃麃」:威武的樣子。

▲同「麀」,見本頁。

麅 (páo)粵pau⁴〔刨〕「麅子」:一種像鹿的獸,身體較小,黃褐色,臀部有白斑點,肉可以吃。也作「麃」。

麇 ▲(jūn)粵gwen¹〔君〕獸名,即是「麕」,見867頁。

▲図(qún)粵kwen⁴〔羣〕❶成羣。如「麇集」;「麇至」。❷束縛。左傳有「麇之以入」。

麈 (zhǔ)粵dzy²〔主〕❶鹿類動物,略像駱駝,脖子下面有囊。頭像鹿;腳像牛;尾巴像驢;可以做拂塵。又叫「駝鹿」,俗稱「四不像」。❷図麈尾的簡稱。如「揮麈」。

麋 (mí)粵mei⁴〔眉〕❶鹿類之一,比鹿稍大,雄的青黑色,雌的褐色。雄麋的角又大又長,每年分枝,枝粗短。麋的性情怯弱,跑得很快。❷姓。

【麐】同「麟」,見867頁。

麑 図(ni)粵ŋei⁴〔倪〕ei⁴〔矮低平〕(俗)❶小鹿。❷「狻麑」同「狻猊」:獅子的別名。

麗 ▲(lì)粵lei⁶〔厲〕❶華美,好看。如「美麗」;「秀麗」;「壯麗」;「富麗」;「風和日麗」。❷

図附着。如「附麗」;「日月麗乎天」。❸姓。

▲(li)粵lei⁴〔離〕❶図遭遇,落入。詩經有「魚麗於罶」。❷「麗水」:縣名,在浙江省。❸「高麗」:也稱「高句(gōu)麗」:古國名,在朝鮮半島。

麓 図(lù)粵luk⁷〔轆〕山腳。如「山麓(指從平地登山的開頭一段的山坡地帶,再往上就是山腰)」。

麕 ▲(jūn)粵gwen¹〔君〕同「麇」,見866頁。

▲図(qún)粵kwen⁴〔羣〕「麇」的別體字,「麇集」也作「麕集」:成羣集攏。

麒 (qí)粵kei⁴〔其〕「麒麟」:古獸名,據說公的叫麒,母的叫麟。古人傳說的一種罕見的野獸,比鹿大,背上有五彩的毛,是「仁獸」,有聖人的時候才出現。

麛 (mí)粵mei⁴〔迷〕❶幼小的鹿。❷図通稱幼小的獸。

十至二十二畫

麝 (shè)粵sɛ⁶〔射〕❶一種反芻動物,像鹿而小,不長犄角。公麝的上顎露出細長的犬牙,臍部有香腺,在交尾期香腺的分泌更旺盛。獵人取牠的香腺做成「麝香」,供人做香料

跟藥品。產在雲南、西藏等地。❷「麝香」的簡稱。如「蘭麝之香」。

麞（獐）^(zhāng) ⑨ dzœŋ¹ 〔章〕❶獸名，形狀像鹿而比較小，不長犄角，母的牙露出口外。毛黃黑色。皮極細軟。跑得快。❷「香麞子」：即是「麝」。❸「麞頭鼠目」：比喻貧賤或險惡的小人相貌。

麟^(lín) ⑨ lœn⁴ 〔倫〕❶「麒麟」的簡稱。如「鳳毛麟角（比喻罕見而珍貴的東西）」。❷「麟兒」：「麒麟兒」的簡詞，是讚美嬰兒的詞，常用來稱讚別人的兒子。❸「麟經」：孔子作春秋，據說是絕筆於獲麟，因此後人稱春秋為「麟經」或「麟史」。❹図「麟麟」：形容光明的樣子。

鹿鹿（麁、麤）^(cū) ⑨ tsou¹ 〔操〕　　通「粗」，見522頁。

【麥部】

麥^(mài)⑨mɛk⁹〔脈〕❶禾本科穀類植物，通常分大麥、小麥兩種。小麥做食糧，大麥造酒製糖。❷姓。❸図「麥浪」：風吹麥田，麥子起伏像是波浪。❹「麥克風」：英文 *microphone* 的音譯。一種能使聲音擴大的裝置。意譯為「播音器」、「擴音器」。

麪（麵）^(miàn) ⑨ min⁶ 〔面〕❶麥粉或別種糧食磨成的粉末。如「麪粉」；「小米麪兒」。❷麪食的通稱。❸粉末。如「胡椒麪」；「藥麪兒」。❹麥粉或其他糧食磨成的粉所做的細條食物。如「麪條」；「炒麪」。❺吃在嘴裏有鬆粉、爛軟的感覺。如「麪甜瓜」；「這個白薯很麪」。

麩（麱、粰、秄）^(fū) ⑨ fu¹ 〔呼〕「麩皮」也叫「麩子」：從小麥粒上磨下來的碎皮，可作禽畜的飼料。

麰 図 ^(móu) ⑨ mɛu⁴ 〔謀〕大麥。

麴（麯）^(qū) ⑨ kuk⁷ 〔曲〕guk⁷〔谷〕（又）❶把麥子或白米蒸過，使它發酵之後

再曬乾而成的塊狀物，可用來釀酒，也叫「酒母」、「酒麴」。❷姓。

麴 (qū) 粵 kuk⁷〔曲〕guk⁷〔谷〕(又) ❶同「麯」，見867頁。❷姓。

【麵】同「麪」，見867頁。

【麻部】

麻 (麻) (má) 粵 ma⁴〔蔴〕❶麻類植物的總稱，種類很多，有大麻(不結子的大麻叫枲麻)、苧麻、亞麻、黃麻、胡麻等等。有的莖皮可以作紡織原料，有的種籽可作榨油原料。也作「蔴」。❷麻類莖稈的韌皮纖維，經過製造後可以紡織東西。如「麻布」；「麻繩」。❸身體的局部失去知覺。如「麻木」；「腿壓麻了」。❹用藥物使人神經麻痹，意識模糊。如「麻醉」；「麻藥」。❺難受的感覺。如「肉麻」；「聽了讓人脊梁發麻」。❻表面不平，不光滑。如「這種紙一面光，一面麻」。❼麻布做成的喪服。如「披麻帶孝」。❽姓。❾「麻子」：出天花留下的瘢痕。也簡稱「麻」。如「麻臉」。❿「麻疹」也作「痲疹」：一種皮膚上起紅色小顆粒的急性傳染病，小兒容易傳染。⓫「麻胡」：①也作「麻虎子」、「馬虎子」，恐嚇小孩兒的詞，意思是可怕的老妖精或猛獸之類。如「別鬧了，大麻胡來了」。②面麻多鬚。⓬「麻煩」：①煩瑣，煩擾，難辦。如「這件事

眞麻煩」;「這個人好麻煩」。
②請託的話。如「麻煩你替我
辦辦這件事」。⓭「麻將牌」也
作「麻雀牌」:始於清代的一種
遊戲。

麼(麼) ▲(mó)粵mo¹〔魔〕
　図細小。如「么麼小
醜」。

　▲(ma)粵ma¹〔媽〕同
「嗎」。如「可不是麼」。

　▲(má)粵ma¹〔媽〕「幹麼」
(是「做什麼」的意思)。如「你
要這個幹麼」。

　▲(me)粵mo¹〔魔〕助詞:①
表示疑問的詞。如「爲甚麼」。
②表示含蓄的語氣。如「本來
就不是麼」。③表示語氣的加
強。如「多麼」。④表示轉折。
如「這麼」;「那麼」。

麾 図(huī)粵fei¹〔揮〕❶古時軍
　用的一種旗子。如「旌麾」;
「麾節旌旗」。❷指揮。如「麾
軍前進」。❸「麾下」:①將帥
的部下。②對將帥的敬稱。

【摩】見手部,264頁。
【磨】見石部,488頁。
【糜】見米部,524頁。
【縻】見糸部,542頁。
【靡】見非部,803頁。
【魔】見鬼部,845頁。

麋 (méi)粵mei⁴〔眉〕「麋子」同
　「糜子」:見524頁「糜」字。

【黃部】

黃(黄) (huáng)粵woŋ⁴〔皇〕
❶一種像金子的顏
色,黃是四原色之一,其他的
三原色是紅、藍、黑。❷說事
情做不成。如「這一筆生意眼
看要黃」。❸說諾言不實現。
如「他答應的事情大概會黃」。
❹「黃帝」的簡稱。如「炎黃子
孫」。❺姓。❻「黃色」也簡作
「黃」:①指黃的顏色。②形容
庸俗混亂,或涉及色情方面
的。如「黃色刊物」;「他這個
笑話太黃了」。❼図「黃口」:
①幼小的孩子。隋朝戶口以男
女三歲以下爲「黃」,唐朝以初
生的嬰兒爲「黃」。②比喻人淺
薄幼稚(是辱罵人的詞)。如
「黃口小兒」;「黃口孺子」。③
指雛鳥,小雀。說苑有「孔子
見羅者,其所得者皆黃口
也」。❽「黃牛」:①一種反芻
動物。也泛指水牛以外的一般
耕牛。②俗話形容人失約、賴
皮,對事情逃避責任的意思。
如「到時候你一定要來,不能
黃牛」。③指包攬壟斷而從中
取利的人(壟斷戲票、車票而
高價出售的叫戲票黃牛、車票
黃牛)。❾図「黃泉」也作「九

泉」：俗稱人死後所住的地方（指「地下」）。⑩「黃梅」：①已經熟的梅子。②梅子熟的時節，是農曆三四月的時候。這時候常是連日陰雨。俗稱「黃梅雨」、「黃梅天」。③湖北省的縣名。⑪「黃連」：草名，莖長一尺多，開小白花，結黃色果。根可入藥，這藥味極苦；所以也常用「黃連」比喻苦味。⑫「黃道日」：吉利的日子。⑬図「黃卷青燈」：佛經跟佛前供設的燈。形容禮佛者的生活或所居處所。

黇 (tiān)粵tim¹〔添〕「黇鹿」：鹿的一種，角的上部扁平或呈掌狀，尾略長，性溫順。

黈 図(tŏu)粵teu²〔拖口切〕❶黃色。❷增益。馬融賦有「猶以二皇聖哲黈益」。

黌 図(hóng)粵hung⁴〔洪〕❶「黌宮」：古時稱學校。❷「黌舍」也作「黌宇」：古時的校舍。

【黍部】

黍 (shǔ)粵sy²〔鼠〕❶一種穀類植物，穀實叫「黍子」，輾出的米叫「黃米」。黃米帶黏性，有黃白黑幾種，可以釀酒或磨粉做糕。❷「角黍」：粽子的別稱。❸「玉蜀黍」：一種穀類植物。俗稱「玉米」。

黎 (lí)粵lei⁴〔犂〕❶図指大眾，老百姓。如「黎民」；「羣黎」；「黎首」；「黎元」；「黎庶」。❷黑。如「黎黑」。❸中國少數民族之一，住在海南島。❹姓。❺「黎明」也作「遲明」、「遲旦」：早晨天將亮的時候。

黏 (nián)粵nim⁴〔拿炎切〕lim¹〔拉淹切〕(俗)❶凝結像膠而一接觸就粘住的樣子。如「黏液」；「這膠水兒已經不黏了」。❷膠附，粘住。如「黏貼」。❸說小孩兒纏住人不放。如「這個孩子真黏」。❹図「失黏」：指舊詩的詩句平仄不調。

黐 図(chi)粵tsi¹〔雌〕❶黏。❷一種有黏性用以捕鳥的木膠。韓愈詩有「譬彼鳥黐黐」。【黐】見麻部，869頁。

【黑部】

黑 (hēi) ⑧hɐk⁷〔刻〕❶一種像墨汁或生煤的顏色。黑是四原色之一，其他三原色是紅、藍、黃。如「黑頭髮」；「白紙寫黑字」。❷光線暗。如「黑夜」；「天快黑了」。❸隱祕的，非公開的。如「黑市」；「黑話」。❹私。如「他把錢都黑起來了」。❺壞的，不正當的。如「黑心」；「黑店」。❻姓。

三至四畫

【墨】見土部，121頁。

默 (mò) ⑧mɐk⁹〔墨〕❶靜靜地沒有聲音。如「靜默」；「默禱」。❷暗地裏。如「默許」；「默契」。❸只憑記憶讀出或寫出。如「默誦」；「默寫」；「這課書我默不出來」。❹図「默然」：不出聲。❺図「默默」：①不說話，不做聲。如「默默無言」。②図形容不得意的樣子。

黔 (qián) ⑧kim⁴〔鉗〕❶図黑色。如「黔首(秦漢時候指百姓)」。❷貴州省的別稱。❸姓。❹図「黔驢之技」也作「黔驢技窮」：柳宗元文章「黔之

驢」中所描述的故事，老虎第一次見到驢，以為是龐然大物，不敢走近，只躲在樹林中窺察。後來，老虎發覺驢並沒有甚麼特殊技能，便走近牠，驢只抬蹄一踢，老虎大喜，猛跳上前把驢吃掉。引作比喻虛有其表，而本領有限；又比喻能力本來不強，這一下更暴露了缺點，被人看穿。

五畫

黛 (dài) ⑧dɔi⁶〔代〕❶青黑色。❷青黑色的顏料，古時女人用來畫眉。❸指婦女的眉毛。梁元帝詩有「怨黛舒還斂」。❹「黛綠年華」：指美人的青春時代。

點 (diǎn) ⑧dim²〔打掂切〕❶指小的痕迹，或凹凸的部分。如「斑點」；「疵點」。❷液體成為一滴一滴的。如「雨點」；「點點的淚珠」。❸漢字的筆劃，即(、)。如「三點水(氵)」。❹句讀的標誌。如「標點」。❺向別的東西上面輕碰一下。如「蜻蜓點水」；「瞎子拿枴棍兒點着地向前走」。❻把液體滴進去。如「點眼藥水」。❼指定。如「點菜」。❽指示。如「指點」。❾諷示，暗示。如「他聽了，知道是點這

件事」;「拿話點他,他也不明白」。❿一一檢查。如「點收」;「檢點」。⓫裝飾。如「點綴」;「裝點門面」。⓬點心食品的簡稱。如「茶點」;「西點」。⓭用火接觸,使它燒着。如「點火」;「點燈」。⓮指所在的地方。如「地點」;「終點」。⓯指一定的限度。如「冰點」;「沸點」。⓰指事物的某一部分或某一方面。如「優點」;「要點」。⓱計時的單位。如「上午八點」;「差五分便是九點」。⓲幾何學上只有位置而沒有長、寬、厚度的抽象觀念,也指線的端界,又指兩線相交之處。⓳跟「面」相對,指特定或單獨的事物。如「重點指示」;「敵人只佔據了點而沒有控制到面」。⓴頭或手向前一動。如「點頭」;「他向我這邊指指點點的」。㉑少或小。如「一點兒」;「小不點兒」。㉒囝改竄文字。如「點定」;「點竄」。㉓囝玷污、玷辱。司馬遷文有「適足以發笑而自點耳」。㉔「點字」:盲人用的文字,在厚紙上用針刺成凸起的圓點所組成的文字符號(也有用點字機打的),盲人用手指頭摸,便可知道是什麼字。㉕「點綴」:在事物上略加裝飾。如「點綴

風景」。

黜 (chù) 粵dzœt⁷〔卒〕❶貶免或革職。如「黜免」;「黜陟」。❷斥退。如「黜斥」。

黝 (yǒu) 粵jɐu²〔柚〕黑色。如「黝黑的皮膚」;「黑黝黝的」。

六至八畫

點 図(xiá)粵kit⁸〔揭〕❶聰明、靈巧。如「點慧」。❷狡猾。如「狡點」。

黟 (yī)粵ji¹〔衣〕❶図烏木。❷図黑的樣子。❸安徽省縣名。

黨 (dǎng)粵dɔŋ²〔擋〕❶志同道合的人合組的有組織、有主義的政治團體。如「政黨」;「黨部」。❷稱呼意氣相投常在一起的朋友。如「他們倆是同黨」。❸図親族、姻戚。如「父黨(舊指同宗族的人)」;「母黨(母親的家族)」。❹図幫助,對人親近偏袒。如「阿黨」;「黨同伐異」;「羣而不黨」。❺古代地方組織,五百家為黨。

黧 図(lí)粵lɐi⁴〔黎〕黑裏帶黃的顏色。如「面目黧黑」。

黥 図(qíng)粵kiŋ⁴〔擎〕❶古時在犯人的額上刺字的刑罰,「墨刑」的別稱。❷「黥徒」:額上刺有黑記號的犯人。

黢 (qū)粵tsœt⁷〔出〕黑。如「黢黑的頭髮」。

九至十五畫

黯 (àn)粵em²〔闇〕❶深黑色。❷「黯淡」同「暗淡」：①不光明的樣子。②陳舊不新的樣子。③景象悲慘的樣子。❸囡「黯然」：心神沮喪的樣子。如「黯然銷魂」。

黰 囡(zhěn)粵tsɐn²〔診〕古人指人的頭髮又黑又亮的樣子。

黴 (méi)粵mei⁴〔眉〕❶囡臉黑。淮南子脩務訓說「舜黴黑(大舜臉上很黑)」。❷「黴菌」：(mold, fungus)①低等植物，有許多形態，寄生在織物，皮革，食物，腐朽植物，動物體，或其他有機體的表面；有的如粉末團，有的如絨毛。有白黴、青黴等多種。②蕈類菌，是細絲狀體，與藻類合稱菌藻植物。③細菌也屬黴菌的一種。

黲 囡(cǎn)粵tsam²〔慘〕❶淺青黑色。❷食物發霉壞了的顏色。

黶 囡(yǎn)粵jim²〔掩〕「黶子」：皮膚上的小黑點。俗稱「痣」。

黷 囡(dú)粵duk⁹〔讀〕❶時常麻煩人家，教人討厭。❷褻慢，不莊敬。書經有「黷于祭祀」。❸「黷武」：濫用兵，好打仗。如「窮兵黷武」。

【黹部】

黹 (zhǐ)粵dzi²〔旨〕「針黹」：指刺繡、縫紉等。紅樓夢有「看書下棋，或做針黹」。

黻 図(fú)粵fet⁷〔忽〕古代禮服上刺繡的花紋，半青半黑，像「亞」的形狀。

黼 図(fǔ)粵fu²〔斧〕❶古禮服上刺繡的花紋，半黑半白，像一對斧頭的形狀。❷「黼黻」：①衣裳繪繡的花紋。②比喻文章。

【黽部】

黽 図(mǐn)粵men⁵〔敏〕「黽勉」：勉力，努力。

四至十二畫

黿 (yuán)粵jyn⁴〔元〕大鼈，頭上的皮不平，像有疙瘩。俗稱「癩頭黿」。

鼂 ▲図(zhāo)粵dziu¹〔招〕同「朝(zhāo)」。楚辭有「甲之鼂吾以行」；漢書有「鼂不及夕」。

▲同「晁(cháo)」，見294頁。

【鼃】同「蛙」，見638頁。

鰲(**鼇**) (áo)粵ŋou⁴〔遨〕ou⁴〔澳低平〕(俗)❶古時候傳說是海裏的大龜。❷「鰲頭」：①指舊時皇帝殿前的台階正中所鑴的鰲頭。②稱科舉時中了狀元為「獨佔鰲頭」。

鼈(**鱉**) (biē)粵bit⁸〔憋〕爬蟲類動物，形狀像龜，俗稱「甲魚」；「團魚」；「王八」。圓形背甲的邊緣有特厚而柔軟的「鼈裙」，是美味的佳肴。

鼉 (tuó)粵tɔ⁴〔駝〕爬蟲類動物，形狀像鱷魚，長兩丈多，四隻腳，生在江裏湖裏。

俗稱「鼉龍」、「豬婆龍」，是中國特產。

【鼎部】

鼎 (dǐng)粵diŋ²〔頂〕❶三條腿兩個耳子的青銅器。可以做種種用途，如烹飪、煉丹、煮藥、煎茶、焚香等等。又相傳是夏禹鑄九鼎作傳國之寶。故稱改朝換代爲「鼎革」、「定鼎」。❷重大有力。如「鼎力」；「一言九鼎」。❸囡指三方面對立。如「鼎立」。❹囡正當，方才。如「鼎盛之年」。❺囡更新。如「鼎新」。❻囡「鼎沸」：像水在鼎裏沸騰。形容聲勢洶湧。❼囡「鼎食」：列鼎而食。古時候諸侯吃飯列五鼎，卿大夫列三鼎。後來稱富貴人家爲「鼎食之家」。❽囡「鼎湖」：古代傳說黃帝乘龍升天的地方。❾「鼎鼎」：盛大的樣子。如「鼎鼎大名」。❿囡「鼎鼐」：①比喻宰相的職位。②比喻調味。如「調和鼎鼐」。

鼏 (mì)粵mik⁹〔覓〕鼎的蓋子。

鼐 (nài)粵nai⁵〔乃〕lai⁵〔離蟹切〕(俗)最大的鼎。

鼒 (zī)粵dzi¹〔之〕口小的鼎。

【鼓部】

鼓(皷) (gǔ)⑧gu²〔古〕❶用木片箍成圓桶形，上下兩頭蒙上牛羊皮，敲起來有鼕鼕的聲音，是一種樂器。如「大鼓」;「鼓號樂隊」。❷図打鼓。如「填然鼓之」。❸拍，擊。如「鼓掌」。❹振動。如「鼓動」;「鼓翼」。❺激動。如「鼓勵」;「鼓舞」。❻図喧譁吵鬧。如「鼓譟」。❼図彈奏。如「鼓瑟」;「鼓琴」。❽古時夜裏每一更打鼓報時。引作更的代稱。如「三鼓(三更)」;「五鼓」。❾漲起來的樣子。如「鼓鼓囊囊」;「看她鼓着頤幫子，一臉不高興」。❿「鼓吹」:①図指中國古代各種樂器合奏的樂曲。帝王、大官宴飲或出門時，都要盛列演奏，有時也由皇帝賜給有功的臣下。②提倡，宣揚，讚揚。

鼕 (dōng)⑧duŋ¹〔冬〕「鼕鼕」:鼓聲。

【瞽】見目部，478頁。

鞀(鞉) (táo)⑧tou⁴〔逃〕兩旁有耳的小鼓。

鼙 図(pí)⑧pei⁴〔皮〕❶中國古時軍中的戰鼓。❷「鼙鼓」:在馬上敲的戰鼓。

鼛 図(gāo)⑧gou¹〔高〕大鼓。

鼞 (tēng)⑧teŋ¹〔他亨切〕「鼞鼞」:鼓聲。

【鼠部】

鼠 (shǔ) 粵sy²〔暑〕❶「老鼠」：俗稱「耗子」，齧齒類哺乳動物，種類很多，繁殖力極強。一般的家鼠形體小，尾巴長，膽怯，善跑，門齒發達，喜歡啃東西。生在洞穴裏，夜出找食，時常損壞衣物，是傳染鼠疫病毒的主要媒介。❷「鼠竄」：像老鼠一般亂竄。引作比喻卑鄙、膽怯、倉皇逃竄等等不好的行為。❸图「首鼠」：遲疑躊躇不決的意思，常作「首鼠兩端」(也作「首施兩端」)。❹图「鼠思」：憂思。❺「鼠輩」：鄙視他人的詈詞。❻图「鼠技」：人技多而才小，不能適於應用(參見本頁「鼫」字)。

四至十畫

鼢 (fén) 粵fen⁴〔焚〕鼴鼠。

鼥 (bá) 粵bet⁹〔拔〕「鼧鼥」：見本頁「鼧」字。

貂 (diāo) 粵diu¹〔雕〕同「貂」，毛皮可以作皮衣，很貴重。史記貨殖傳有「狐貂裘千皮」。見695頁。

鼧 (tuó) 粵tɔ⁴〔佗〕「鼧鼥」：也叫「土撥鼠」，鼫鼠類，樣子像水獺，能掘地，毛皮可以做皮衣。產在中國東北。

鼰 (qú) 粵kœy⁴〔劬〕「鼰鼱」：一種小鼠，粟褐色，捕食小蟲，產於中國東北。

鼫 (shí) 粵sɛk⁹〔石〕❶一種鼠，頭像兔子，毛有黑、白、褐等色，在田裏吃莊稼，對農作有害。❷據說是一種「五技鼠」，荀子勸學篇稱為「梧鼠」，有「梧鼠五技而窮」(「能飛不能上屋，能緣不能窮木，能游不能渡谷，能穴不能掩身，能走不能先人」)之說。引伸作比喻人技多才小而不適於應用為「鼠技」。❸松鼠或鼯鼠的別名。

鼪 (shēng) 粵sɛŋ¹〔生〕鼬鼠。

鼬 (yòu) 粵jɛu⁶〔又〕「鼬鼠」：也叫「黃鼬」，即是「黃鼠狼」。體長一尺多，毛黃褐色，專吃小禽的血或鳥蛋；肛門腺能分泌臭液，嚇阻強敵而脫逃。尾上的毛可以製毛筆(「狼毫筆」)。

鼫 (hé) 粵hɔk⁹〔鶴〕鼫類。鹽鐵論有「燕(yān)鼫代黃(燕國的鼫，代國的黃馬)」。

鼯 (wú)粵ŋ⁴〔吾〕「鼯鼠」:也
叫「飛鼠」,形狀像松鼠,腹
旁從前肢到後肢生着薄膜,能
在樹林子裏像飛一樣跳,生在
樹洞裏,吃果實跟樹芽。

鼱 (jīng)粵dziŋ¹〔精〕「鼩鼱」:
見877頁「鼩」字。

鼴(鰋) (yǎn)粵jin²〔演〕「鼴
鼠」:又名「鋭鼠」、
「隱鼠」。北方叫「地裏排子」。
黑色,五寸多長,前肢特別有
力,能掘地,夜裏出來,捕食
昆蟲、蚯蚓,也吃植物的根。

鼷 (xī)粵hɐi⁴〔兮〕❶一種小老
鼠,灰黑色,腹部稍淡。❷
㊀形容小的孔穴。如「鼷穴」。

【鼻部】

鼻 (bí)粵bei⁶〔避〕❶動物呼吸
器官的通氣口;同時因為腔
內黏膜佈滿嗅神經,也是司嗅
覺的器官。從外面看,人的鼻
子分為鼻梁、鼻孔、鼻尖、鼻
翅、鼻根。俗稱「鼻子」。❷器
物上有孔可以穿透或是突出而
帶孔的部分。如「針鼻(針
眼)」;「印鼻」。❸㊀始,第一
個。如「鼻祖」。

鼾 (hān)粵hɔn⁴〔寒〕睡着的時
候口鼻發出的聲音。俗稱
「打鼾」。

衄 (nǜ)粵nuk⁹〔拿欲切〕luk⁹
〔陸〕㊁同「衄」,鼻出血。
見650頁。

齆 (pào)粵pau³〔炮〕同「齆
(pào)」,見466頁。

齁 (hōu)粵hɐu¹〔哈鈎切〕❶吃
了太鹹或太甜的東西以後所
發生的感覺。如「齁得難受」。
❷極,很,非常。如「齁苦」
「齁鹹」。❸「齁齁」:熟睡時鼻
子出氣的聲音。

齆 (齆鼻) (wèng)粵uŋ³〔甕〕鼻
子堵塞不通氣。如
「說話齆聲齆氣的」。

齅 (xiù)粵tsɐu³〔嗅〕同「嗅」
見98頁。

齇 (zhā) ⑧dza¹〔渣〕鼻子上的
紅斑。如「酒齇鼻」。

齈 (nàng) ⑧noŋ⁶〔拿項切〕loŋ⁶
〔浪〕(俗)鼻腔不通暢,說話
發音不正確。如「齈鼻子」;
「齈鼻兒」。

【齊部】

齊 ▲(qí)⑧tsɐi⁴〔池危切〕❶平
整一致,相等。如「齊步」;
「一刀切得很齊」。❷同,並。
如「齊唱」;「齊心」。❸排列。
如「並駕齊驅」。❹完備。如
「齊全」;「齊備」。❺囝整治。
如「齊家」。❻朝代名。南北朝
時候有南齊(蕭道成所建,公
元479—502),北齊(高洋所
建,公元550—577)。❼周朝
分封的國名,在現在山東省東
部;到了戰國時候被田氏所
篡,成了七雄之一,後來被秦
國所滅。❽指山東省(因為山
東是古齊國的地方)。❾姓。
❿囝「齊人之福」:譏笑有妾的
人。是由孟子「齊人有一妻一
妾」的故事演出來的語詞。⓫
囝「齊大非耦」(「耦」也作
「偶」):春秋時鄭國太子忽不
敢娶齊僖公的女兒所說的話,
以後成了指婚姻不相稱的成
語。比喻不敢仰攀的意思。⓬
囝「齊東野語」:孟子書上指齊
國東部鄉野人說的話。比喻不
足憑信的荒唐說法。

▲囝同「齋戒」的「齋」。見
880頁。

▲囝 (jì) ⑧dzɐi⁶〔滯〕「火

齊」：①指治金或兵器鍛鍊火燒的程度，俗稱「火候」。②稱珠玉之類。

▲[文](zī)[粵]dzi1〔之〕❶衣服的下襬。論語有「攝齊升堂」。❷一種喪服。如「齊衰」。❸通「粢」，見522頁。

三至九畫

齋 (zhāi)[粵]dzai1〔支佳切〕❶指莊敬潔淨，安靜守禮。如「齋戒沐浴」。❷信仰宗教的人所吃的素食。如「花齋(定期而非每日素食)」；「和尚吃齋」。❸[文]送食物給僧徒。如「齋僧」。❹指可以安居靜修的屋子。如「書齋」。❺古時指太學學舍。宋史有「外學爲四講堂百齋」。❻商店、飯店有用「齋」做字號的。

齎(賫、賷)[文](jī)[粵]dzɐi1〔擠〕❶送東西給人。如「齎送年禮」。❷挾抱，心裏一直存着。如「齎恨」；「齎志」。

齏 [文](jī)[粵]dzɐi1〔擠〕❶粉碎。如「齏粉」。❷用來調味的細碎辛辣的食物或菜末。

【齒部】

齒 (chǐ)[粵]tsi2〔矢〕❶牙，人和動物嘴裏咀嚼食物的器官。如「牙齒」。❷東西的排列像牙齒的形狀的。如「鋸齒」；「齒輪」。❸[文]指年齡。如「齒次(長幼次序)」；「齒讓(以年歲相讓)」。❹[文]當做同類。如「齒遇」；「不齒(羞與爲伍)」。❺[文]說。如「啟齒(開口說話，對人有所祈求)」；「掛齒(說到，提到)」；「未曾齒及(沒說到)」。❻[文]觸。如「齒劍(指自刎或被殺)」。❼[文]量馬的歲數。如「馬齒徒增(古人常用作自謙年老無能)」。❽[文]指象牙說。❾[文]「齒冷」：譏笑。❿[文]「齒齒」：排列像齒的樣子。韓愈詩有「白石齒齒」。

二至五畫

齔 [文](chèn)[粵]tsɐn3〔趁〕❶小孩換奶牙(脫去乳齒換恒齒)。❷指換牙年齡的兒童。如「童齔之子」。

齕 [文](hé)[粵]hɐt9〔瞎〕用牙咬東西。

齘 [文](xiè)[粵]hai6〔械〕❶上下牙齒互相摩擦。❷東西相接之處參差不能密合。

齟 図(bà)粵 ba¹〔巴〕牙齒外露。

齗 (yín)粵 ŋen⁴〔銀〕en⁴(俗) ❶牙根的肉。❷図「齗齗」：爭辯的樣子。

齙 (bāo)粵 bau⁶〔鮑〕「齙牙」：牙齒生得不齊，露在嘴外面。

齠 図(tiáo)粵 tiu⁴〔條〕❶兒童換牙（乳齒脫落，新長恒齒）。❷指幼年。如「齠年」；「齠齡」。❸「齠齔」：①齠與齔。指兒童換牙。②指換牙的年齡。比喻童稚。

齡 図(líng)粵 liŋ⁴〔玲〕年歲。如「年齡」；「遐齡（高壽）」。

齟 図(jǔ)粵 dzœy²〔咀〕「齟齬」：①牙齒參差不正。②比喻意見不合。

齣 (chū)粵 tsœt⁷〔出〕❶傳奇中的一回。❷中國舊戲劇大都是傳奇演變而來的，故把戲劇裏所演的從開始到結束的一段故事稱爲「一齣」。❸一陣，一回。如「一齣子」；「打一齣子、罵一齣子」。

齜 (zī)粵 dzi¹〔資〕❶張嘴露牙。如「齜牙咧嘴」；「齜着牙笑」。❷牙齒不正。

六至九畫

齧 (嚙、囓)(niè)粵 jit⁹〔熱〕❶咬。

如「鼠夜出齧物」。❷「齧臂」：比喻極誠心的盟誓。

齦 ▲(yín)粵 ŋen⁴〔銀〕en⁴(俗)牙根的肉。俗稱「牙牀子」。如「牙齦」；「齒齦」。
▲(kěn)粵 hen²〔很〕咬。
【齦】同「咬」，見88頁。

齪 (齰)(chuò)粵 tsuk⁷〔促〕「齷齪」：見本頁「齷」字。

齬 図(yǔ)粵 jy⁵〔語〕「齟齬」：見本頁「齟」字。

齯 図(ní)粵 ŋei⁴〔危〕ei⁴(俗)「齯齒」：①指老年人牙齒脫落之後又重生的新牙齒。②象徵長壽。

齮 図(yǐ)粵 ji²〔倚〕❶側着咬。❷「齮齕」：①毀傷。②指人事上的妒忌排擠。

齲 図(qǔ)粵 gœy²〔舉〕「齲齒」：因口腔不清潔，食物渣滓發酵，產生酸類，侵蝕牙齒的釉質而形成空洞。俗稱「蛀牙」、「蟲牙」。

齷 (wò)粵 ɐk⁷ak⁷〔握〕(又)「齷齪」：①急促而氣量狹小的樣子。②不乾淨。

齵 図(yú)粵 jy⁴〔余〕牙齒不正。引伸說參差不整的樣子。如「齵差」。
【齶】同「腭」，見579頁。
【齩】同「咬」，見88頁。

【龍部】

龍 ▲(lóng)⑧luŋ⁴〔隆〕❶神話傳說的一種有鬚、有角、有鱗、有脚的大爬蟲，能在天上飛，地上走，水裏游。也能興雲作雨。❷中國君主時代，拿龍來比喻皇帝。如「眞龍天子」；「龍顏大悅」。❸比喻特別有本事的人。如「人中之龍」；「藏龍臥虎」。❹図高大的馬。如「龍馬(指八尺高以上的馬)」。❺看風水的人把山的氣勢稱爲「龍」。如「地龍」。❻姓。❼「龍套」：①京劇裏的一種服飾。②泛稱用這種服飾的演員(多指扮演帝王貴官的侍衞或兵卒)。③自謙地位低，能力小，只是幫閒打雜。如「跑龍套的」。❽図「龍鍾」：①年老體弱舉動不便。如「老態龍鍾」。②潦倒的樣子。白居易詩有「莫問龍鍾惡官職，且聽淸脆好文章」。❾「恐龍」：古代一種有脚、有尾的大爬蟲，種類很多，體形各異。曾稱霸一時，現已絕種。❿「水龍」：①植物名，又名「過江龍」。多年生草本，橫生泥中，具白色呼吸根，可供藥用。②指自來水。如「水龍頭(自來水管放水的出口)」。⓫「龍蟠虎踞」(「蟠」也作「盤」)：比喩地勢很險要。

▲図(lǒng)⑧luŋ⁵〔隴〕通「壟」，見123頁。

三至四畫

【龐】見广部，193頁。

龑 (yǎn)⑧jim⁵〔染〕含意是「飛龍在天」。多用於人名。

六畫

龔 (gōng)⑧guŋ¹〔公〕姓。

龕 (kān)⑧hɐm¹〔堪〕❶供佛像的小閣。如「神龕」；「佛龕」。❷塔，塔下小室。❸通「戡」，見232頁。

【聾】見耳部，569頁。

【襲】見衣部，664頁。

【讋】見言部，690頁。

【龜部】

龜 ▲(guī)⊕gwei¹〔歸〕❶爬蟲類動物，頭像蛇，眼小，嘴大，身體扁圓，腹背部有硬的甲殼，甲殼上有凹紋，四肢有鱗片。頭、腳、尾可以縮進甲內。營兩棲生活。性遲緩，壽命長。❷囵龜甲的簡稱。論語有「龜玉毀於櫝中」。❸「龜甲」：①龜的甲殼，乾製後可以入藥。中藥上稱爲「龜版」。②古時候在龜甲（或獸背）上刻了問卜的文字，然後用火燒烤，就上面所燒成的裂紋來判斷吉凶。③指占卜用的東西。④指龜甲上所刻的古文字。常稱「龜甲文」、「甲骨文」、「龜甲獸骨文字」。❹囵「龜兆」：預兆。❺囵「龜坼」：田裏的泥土因爲天乾旱而裂開，有如龜甲上的紋。❻囵「龜鑑」：龜是龜甲，鑑是鏡子；龜甲可以占卜吉凶，鏡子可以照出美醜。引作比喻警戒和反省。

▲囵(jūn)⊕gwen¹〔君〕同「皸」，皮膚因爲寒凍而裂開。如「龜裂」。

▲(qiū)⊕geu¹〔溝〕「龜玆(cí)」：漢代西域國名，在現在新疆庫車縣。

【龠部】

龠 (yuè)⊕jœk⁹〔若〕❶古代的吹奏樂器名，像笛子而比較短，有三個或六個孔。「籥」的本字。❷古代的量器，形狀像爵，容納一千二百黍；也代表容量名，比合小。

【龡】古「吹」字，見81頁。
【龢】古「和」字，見83頁。
【龥】古「籲」字，見521頁。

漢語拼音方案

一　字母表

字母	A a	B b	C c	D d	E e	F f	G g
名稱：	ㄚ	ㄅㄝ	ㄘㄝ	ㄉㄝ	ㄜ	ㄝㄈ	ㄍㄝ

	H h	I i	J j	K k	L l	M m	N n
	ㄏㄚ	ㄧ	ㄐㄧㄝ	ㄎㄝ	ㄝㄌ	ㄝㄇ	ㄋㄝ

	O o	P p	Q q	R r	S s	T t
	ㄛ	ㄆㄝ	ㄑㄧㄡ	ㄚㄦ	ㄝㄙ	ㄊㄝ

	U u	V v	W w	X x	Y y	Z z
	ㄨ	ㄞㄝ	ㄨㄚ	ㄒㄧ	ㄧㄚ	ㄗㄝ

V 只用來拼寫外來語、少數民族語言和方言。

字母的手寫體依照拉丁字母的一般書寫習慣。

二　聲母表

b	p	m	f	d	t	n	l
ㄅ玻	ㄆ坡	ㄇ摸	ㄈ佛	ㄉ得	ㄊ特	ㄋ訥	ㄌ勒

g	k	h		j	q	x
ㄍ哥	ㄎ科	ㄏ喝		ㄐ基	ㄑ欺	ㄒ希

zh	ch	sh	r	z	c	s
ㄓ知	ㄔ蚩	ㄕ詩	ㄖ日	ㄗ資	ㄘ雌	ㄙ思

在給漢字注音的時候，爲了使拼式簡短，zh ch sh 可以省作 ẑ ĉ ŝ。

三 韻母表

	i 丨 衣	u ㄨ 烏	ü ㄩ 迂
a ㄚ 啊	ia 丨ㄚ 呀	ua ㄨㄚ 蛙	
o ㄛ 喔		uo ㄨㄛ 窩	
e ㄜ 鵝	ie 丨ㄝ 耶		üe ㄩㄝ 約
ai ㄞ 哀		uai ㄨㄞ 歪	
ei ㄟ 欸		uei ㄨㄟ 威	
ao ㄠ 熬	iao 丨ㄠ 腰		
ou ㄡ 歐	iou 丨ㄡ 憂		
an ㄢ 安	ian 丨ㄢ 烟	uan ㄨㄢ 彎	üan ㄩㄢ 寃
en ㄣ 恩	in 丨ㄣ 因	uen ㄨㄣ 溫	ün ㄩㄣ 暈
ang ㄤ 昂	iang 丨ㄤ 央	uang ㄨㄤ 汪	
eng ㄥ 亨的韻母	ing 丨ㄥ 英	ueng ㄨㄥ 翁	
ong (ㄨㄥ) 轟的韻母	iong (ㄩㄥ) 雍		

(1) "知、蚩、詩、日、資、雌、思"等字的韻母用 i。

(2) 韻母ㄦ寫成 er，用做韻尾的時候寫成 r。

(3) 韻母ㄝ單用的時候寫成 ê。

(4) i 行的韻母，前面沒有聲母的時候，寫成 yi（衣），ya（呀），ye（耶），yao（腰），you（憂），yan（烟），yin（因），yang（央），ying（英），yong（雍）。

u 行的韻母，前面沒有聲母的時候，寫成 wu（烏），wa（蛙），wo（窩），wai（歪），wei（威），wan（彎），wen（溫），wang（汪），weng（翁）。

ü 行的韻母，前面沒有聲母的時候，寫成 yu（迂），yue（約），yuan（寃），yun（暈）。ü 上兩點省略。

ü 行的韻母跟聲母 j, q, x 拼的時候，寫成 ju（居），qu（區），xu（虛），ü 上兩點也省略；但是跟聲母 l, n 拼的時候，仍然寫成 lü（呂），nü（女）。

(5) iou, uei, uen 前面加聲母的時候，寫成 iu, ui, un，例如 niu（牛），gui（歸），lun（論）。

(6) 在給漢字注音的時候，爲了使拼式簡短，ng 可以省作 ŋ。

四　聲調符號

陰平	陽平	上聲	去聲
ˉ	ˊ	ˇ	ˋ

聲調符號標在音節的主要母音上，輕聲不標。例如：

媽 mā	麻 má	馬 mǎ	罵 mà	嗎 ma
（陰平）	（陽平）	（上聲）	（去聲）	（輕聲）

五　隔音符號

a, o, e 開頭的音節連接在其他音節後面的時候，如果音節的界限發生混淆，用隔音符號（'）隔開，例如 pi'ao（皮襖）。

廣州標準粵音聲韻調表

(國際音標注音)

一 聲母表

(十九個)

b〔ba〕巴　　　p〔pa〕扒　　　m〔ma〕嗎　　　f〔fa〕花
d〔da〕打　　　t-〔ta〕他　　　n〔na〕拿　　　l〔la〕啦
g〔ga〕家　　　k〔ka〕卡　　　ŋ〔ŋa〕牙　　　h〔ha〕蝦
gw〔gwa〕瓜　kw〔kwa〕誇　dz〔dzi, dza〕　　ts〔tsi, tsa〕
　　　　　　　　　　　　　　　資，揸　　　　雌，差
s〔si, sa〕　　　j〔ja〕也　　　w〔wa〕華
思，沙

二 韻母表

(五十三個)

1. 單純韻母：a〔呀〕　　　i〔衣〕　　　　u〔烏〕
　　　　　　 ɛ〔些之韻〕　œ〔靴之韻〕　y〔於〕
　　　　　　 ɔ〔痾〕

2. 複合韻母：ai〔唉〕　　　au〔拗〕　　　ɐi〔翳〕
　　　　　　 ɐu〔歐〕　　　ei〔卑之韻〕　iu〔腰〕
　　　　　　 ou〔澳〕　　　ɔi〔哀〕　　　œy〔居之韻〕
　　　　　　 ui〔隈〕

3. 帶鼻聲韻母：
　　　m 收音　am〔菴〕　　　ɐma〔庵〕　　　im〔淹〕

---

	n 收音	an〔晏〕	ɐn〔根之韻〕	in〔烟〕
		ɔn〔安〕	œn〔津之韻〕	un〔豌〕
		yn〔鴛〕		
	ŋ 收音	aŋ〔罌〕	ɐŋ〔鶯〕	ɛŋ〔廳之韻〕
		iŋ〔英〕	ɔŋ〔盎〕	œŋ〔香〕
		uŋ〔甕〕		

4. 促音韻母:

	p 收音	ap〔鴨〕	ɐp〔急之韻〕	ip〔葉〕
	t 收音	at〔壓〕	ɐt〔不之韻〕	it〔熱〕
		ɔt〔喝之韻〕	œt〔卒之韻〕	ut〔活〕
		yt〔月〕		
	k 收音	ak〔軛〕	ɐk〔厄〕	ɛk〔隻之韻〕
		ik〔益〕	ɔk〔惡〕	œk〔腳之韻〕
		uk〔屋〕		

5. 自成音節韻母　m〔唔〕　　　　ŋ〔吳〕

三　聲調表

名稱	例		字	
(1) 高平聲	詩（si¹）		分（fɐn¹）	
(2) 高上聲	史（si²）		粉（fɐn²）	
(3) 高去聲	試（si³）		訓（fɐn³）	
(4) 低平聲	時（si⁴）		焚（fɐn⁴）	
(5) 低上聲	市（si⁵）		憤（fɐn⁵）	
(6) 低去聲	事（si⁶）		份（fɐn⁶）	
(7) 高入聲	昔（sik⁷）		忽（fɐt⁷）	
(8) 中入聲	錫（sik⁸）		○（fɐt⁸）	
(9) 低入聲	蝕（sik⁹）		佛（fɐt⁹）	

九聲字例

(1) 高平聲	天	風	花	生	山	東	鄉	村
(2) 高上聲	總	統	左	手	好	紙	寫	稿
(3) 高去聲	再	次	見	證	放	哨	試	探
(4) 低平聲	時	常	雲	遊	河	南	田	園
(5) 低上聲	老	母	婦	女	有	雨	買	米
(6) 低去聲	內	地	道	路	腐	敗	賣	字
(7) 高入聲	竹	屋	即	刻	不	必	急	速
(8) 中入聲	摸	索	刮	殺	托	觫	結	髮
(9) 低入聲	雜	木	白	綠	昨	日	十	月

註:
(1) j 爲半元音。凡韻之主要元音爲〔i〕，而前又無其他輔音時，則冠以〔j〕，如 ji 衣，jiŋ 英，jik 益，jiu 要 等。

(2) 凡韻之主要元音爲〔y〕，而前又無其他輔音時，則亦冠以〔j〕，如：jy 於，jyn 鴛，jyt 月等。

(3) w 爲半元音。凡韻之主要元音爲〔u〕，而前又無其他輔音時，則冠以〔w〕，如：wu 烏，wui 回，wun 換，wut 話等。

(4) 粵音九聲，一律統一用"1"代表高平，"2"代表高上，"3"代表高去，"4"代表低平，"5"代表低上，"6"代表低去，"7"代表高入，"8"代表中入，"9"代表低入。

(5) 粵音變調因係多屬口語詞之變調而本書字的讀粵音沒有變調，所以從略。

標點符號用法簡表

名 稱	符 號	用 法 說 明	舉 例
句 號	。	用在敍述句的末尾，表示一句說話的意思表達完畢，語氣完結之後的停頓。	①這句話很清楚。 ②這些道理，我都明白了。
逗 號	，	用在句子裏面，表示一句話之間的停頓。為的是把意思分開，也是為了方便閱讀。	①少壯不努力，老大徒悲傷。 ②為編排方便，請參閱其他符號的例句。
頓 號	、	①表示一句話中並列的詞或詞組之間的停頓。 ②用在表示次序的數目字之後的停頓。	①銅、錫、鐵、鉛，都是金屬礦物。 ②學習語文，必須「六多」： 一、多聽，二、多說， 三、多讀，四、多寫， 五、多記，六、多想。
分 號	；	①表示一句話中間並列分句之間的停頓。 ②表示句子的意思完了，但其中的意思還不夠，或是要補充語氣，使底下的句子跟上面的句子合成更完備的一整句。	①他們的手，握在一起；他們的心，貼在一起。 ②人人都喜歡熱鬧；他卻喜歡寂寞和冷靜。

名　稱	符　號	用　法　說　明	舉　　　例
冒　號	：	①總起下文，或總結上文，表示前後句的意思相等。 ②用在正式提引句之前，表示後邊是提引的話。 ③用在書信跟講稿的稱呼之後。	①這次會議有兩大目的：一是交流工作經驗；一是釐定以後的政策。 ②品行優良，求學用功，身體強健：這是做一個好學生的必要條件。 ③俗語說：「一年之計在於春，一日之計在於晨。」 ④志興學兄：你好！
問　號	？	用在問句之後，表示懷疑、發問或反問。但間接的疑問，沒有問話口氣的便不能用問號。	①你會唱這支歌嗎？ ②這句話的意思你明白了嗎？ ③中國人死都不怕，還怕困難嗎？ ④我是想知道你究竟懂不懂。
感歎號	！	①表示強烈的感情或願望。 ②表示加強語氣的命令、斥責、招呼。	①說來說去，原來你還沒聽懂啊！ ②但願他能夠了解我這番苦心！ ③趕快去！我們每次都遲到，太不應該了！ ④喂！朋友！仔細想想吧！

名　稱	符　號	用　法　說　明	舉　　例
引　號 注 ①	「　」 『　』 " " ' '	①用在引用語（別人的話、成語、對話的一段語句等）的開頭或末尾，表示引用部分。 ②用來表示特定的稱謂或需要着重指出的部分。 ③用來表示諷刺或否定的意思。	①他一再說：「大家應該牢記『有恒爲成功之本』這句話。」 ②「沙發」跟「咖啡」一樣，都是「外來語」。 ③闖進別人家裏打人、強要東西，卻說是爲了「保護」人家的「安全」——這難道不是強盜所爲。
括　號	（　） 〔　〕	用以表示文中的說明或注釋部分。	①古代的印度，把全國人民分成四等：就是婆羅門（僧侶）、利帝利（貴族和武士）、吠舍（工商農）與及首陀（奴隸）。
破折號	——	①表示底下是解釋、說明的部分，有括號的作用。 ②表示意思的遞進。 ③表示意思的轉折。	①這個專輯——「香港青少年問題」——如果弄得好的話，可喚起社會人士的關注。 ②固態——液態——氣態，這程序又稱物質三態。 ③她現在沒甚麼事做，而我又正需要用人——我想熟門路的總比生手好得多。

名　稱	符　號	用　法　說　明	舉　　　　　例
連接號	——	用來表示時間、地點、數目等的起止。	①抗日戰爭時期（1937年——1945年） ②「香港——廣州」直通快車
省略號	……	①表示話沒說完，沒寫完，語氣沒完結。 ②表示在這個地方省略或刪去了一部份。	①「快……快些報警，有人想……」 ②這間工廠有很多產品，例如車床、電機、變壓器、水泵、電線……等。
專名號	——	多用在直排的文字，標在文字的左邊，來表明人名、地名、時代、朝代、年號、國家、山川、湖泊、機關組織、道路……等名稱。	文天祥、岳飛 唐、宋、元、明、清 咸豐、嘉慶 美國、英國、日本 恒山、太湖
書名號 注②	《　》 〈　〉	表明是圖書、雜誌、報紙、文件、文章、書裏的篇章、戲劇、歌曲、詞牌之類的標題名稱。	《紅樓夢》　《小朋友畫報》 《日內瓦國際紅十字會公約》　《牡丹亭》　《滿江紅》　《談〈紅樓夢〉的藝術》

名　稱	符號	用　法　說　明	舉　　　例
音界號 注③	·	①用在外國人名音譯成中國文字的姓氏與名字之間。 ②表示書名及其篇名的間隔。	① 差利·卓別靈 ②《詩經·國風·關雎》
着重號	·	表示文中需要強調的部份。（多用在橫行排印，加在字行下邊。）	批評家的職務不但是剪除惡草，還得灌漑佳花——佳花的苗。 　　魯迅：《並非閒話(三)》
隔音號	'	書面上分隔音節的符號，多在漢語拼音時用。	如 pī'ao(皮襖)別於 pīao (漂)；jí'e(飢餓)別於 jíe(借)

附注: ① " "『 』叫雙引號; ' '「 」叫單引號。" "' '多用於橫行文字; 『 』「 」多用於直行文字。只需要一種引號時, 橫行文字用 " ", 直行文字用『 』「 」都可以。引號中再用引號時, 橫行文字一般雙引號在外, 單引號在內; 直行文字則多是單引號在外, 雙引號在內。

② 書名號內再用書名號時, 雙書名號《 》在外, 單書名號〈 〉在內。書名號原用 "〜〜〜"

③ 用在人名時多稱爲音界號; 用在書名時則多稱爲間隔號。

中國歷代都邑、起訖年數表

說明：(一) 黃帝、唐堯、虞舜，遠古時代，情況不很明確；東周以前年數，
史家計算也多有出入。

(二) 東周春秋十四國和戰國七雄、東晉五胡十六國、五代時候的十
國，都另有附表。

(三) 五胡十六國，五代十國、遼、西夏、金，雖非正統，但為期很
長，影響很大，所以插列在表裏。

朝　　　代		建都（今地）	起訖（公元）
黃帝		有熊（河南新鄭）	前2690——2590
唐		平陽（山西臨汾）	前2333——2234
虞		蒲阪（山西永濟）	前2233——2184
夏		陽翟（河南禹縣） 安邑（山西安邑） 平陽（山西平陽）	前2183——1752
商		亳（安徽亳縣） 殷（河南安陽）	前1751——1111
周朝	西周	鎬（陝西長安西南）	前1111—— 771
	東周	洛邑（河南洛陽） 春秋時代 戰國時代	前 770—— 256 前 722——481 前 403——221
秦		咸陽（陝西咸陽）	前 221——206

朝	代	建都（今地）	起訖（公元）
漢朝	西漢	長安（西安市）	前206——公元8
	新	長安（西安市）	9——23
	東漢	洛陽（河南洛陽）	25——220
三國	魏	洛陽（河南洛陽）	220——265
	蜀	成都（四川成都）	221——263
	吳	建業（南京市）	222——280
晉朝	西晉	洛陽（河南洛陽）	265——316
	東晉	建康（南京市）	317——420
	五胡十六國		304——439
南朝	宋	建康（南京）	420——479
	齊	建康（南京）	479——502
	梁	建康（南京）	502——557
	陳	建康（南京）	557——589
北朝	北魏	盛樂（綏遠境） 平城（山西大同） 洛陽（河南洛陽）	386——534
	東魏 北齊	鄴（河南臨漳） 鄴（河南臨漳）	534——550 550——577

朝　　　代		建都（今地）	起訖（公元）
北朝	西魏	長安（西安市）	535——557
	北周	長安（西安市）	557——581
隋		大興（西安市）	581——618
唐		長安（西安市）	618——907
五代	後梁	汴梁（河南開封）	907——923
	後唐	洛陽（河南洛陽）	923——936
	後晉	汴梁（河南開封）	936——946
	後漢	汴梁（河南開封）	947——950
	後周	汴梁（河南開封）	951——960
	十　　國		902——979
宋朝	北宋	汴梁（河南開封）	960——1127
	南宋	臨安（浙江杭州）	1127——1279

朝　　代	建都（今地）	起訖（公元）
遼	上京（熱河林西）	916——1125
西　夏	興慶（寧夏銀川）	1038——1227
金	會寧（松江阿城南） 燕京（北平市） 汴梁（河南開封）	1115——1234
元	大都（北平市）	1279——1368
明	金陵（南京市） 北京（北平市）	1368——1644
清	北京（北平市）	1644——1911

附表①： 春秋十四國簡表

「春秋時代」因孔子據魯史作春秋而得名，是東周的前期，共242年（自魯隱公元年至魯哀公十四年，就是周平王四十九年至周敬王三十九年，公元前722——481年）。春秋五霸：一說是齊桓公、宋襄公、晉文公、秦穆公、楚莊王；一說是齊桓公、晉文公、楚莊王、闔閭、越王勾踐。

國名	爵位	姓	始　封	與周室關係	都　　　城	今　　　　　地	滅其國者
齊	侯	姜	太公望	武王勳臣	營丘臨淄	山東昌樂臨淄	田氏所篡
魯	侯	姬	周公旦	武王弟	曲阜	山東曲阜	楚國
曹	伯	姬	叔振鐸	武王弟	陶邱	山東定陶	宋國
衞	侯	姬	康叔	武王弟	朝歌	河南淇縣	秦國
鄭	伯	姬	桓公友	屬王子	新鄭	河南新鄭	韓國
宋	公	子	微子啟	商紂王庶兄	商丘	河南商丘	齊國
陳	侯	媯	胡公滿	虞舜後裔	宛丘	河南淮陽	楚國
蔡	侯	姬	蔡叔度	武王弟	新蔡	河南上蔡	楚國
燕	伯	姬	召公奭	武王勳臣	薊	北平	秦國
晉	侯	姬	唐叔虞	武王子	故絳新絳	山西翼城曲沃	三家分割
秦	伯	嬴	非子	顓頊後裔	雍	陝西鳳翔	始皇一統
楚	子	芉	熊繹	顓頊後裔	丹陽郢	湖北秭歸江陵	秦國
吳	子	姬	太伯	文王伯父	姑蘇	江蘇吳縣	越國
越	子	姒	無餘	夏少康庶子	會稽	浙江紹興	楚國

附表②: 戰國七雄簡表

「戰國時代」因漢劉向所著戰國策而得名,是東周的後期,共183年(自周威烈王二十三年韓、趙、魏三家分晉起,至秦王政二十六年吞滅六國止;公元前403至221年)。

國名	姓氏	始封	爵位	始僭王號者	始稱王年次	都城	今地	滅亡時間
秦	嬴	非子	伯	惠文王	公元前337年	咸陽	陝西咸陽	公元前206年(公元前221年統一)
楚	芊	熊繹	子	武王	公元前740年	郢壽春	湖北江陵安徽壽縣	公元前223年
燕	姬	召公奭	侯	易王	公元前332年	薊	河北宛平北	公元前222年
齊	田	田和	侯	威王	公元前378年	臨淄	山東臨淄	公元前221年
趙	原嬴姓後氏趙	烈侯籍	侯	武靈王	公元前325年	邯鄲	河北邯鄲	公元前228年
韓	原姬姓後氏韓	景侯虔	侯	宣惠王	公元前332年	陽翟新鄭	河南禹縣新鄭	公元前230年
魏	原姬姓後氏魏	文侯斯	侯	惠王	公元前370年	安邑大梁	山西安邑河南開封	公元前225年

附表③： 五胡十六國簡表

「五胡十六國」因北魏崔鴻所著十六國春秋而得名，成爲一個時代名稱，自前趙建國（晉惠帝永興元年）至北魏統一北方（南朝宋文帝元嘉十六年），共136年（公元304至439年）。

國號	建國者	族種	國　　　都	起(公元)	訖(公元)	滅其國者
前趙（初號漢）	劉　淵	匈奴	初平陽（山西臨汾縣）遷長安（陝西省城）	304	329	後趙
後趙	石　勒	羯	初襄國（河北邢臺縣）遷鄴（河南臨漳縣）	319	351	冉魏
前秦	苻　洪	氐	長安	350	394	西秦
後秦	姚　萇	羌	長安	384	417	東晉
西秦	乞伏國仁	鮮卑	苑川（甘肅楡中縣）	385	431	夏
前燕	慕容廆	鮮卑	初龍城（熱河朝陽縣）遷鄴	307	370	前秦
後燕	慕容垂	鮮卑	中山（河北定縣）	384	409	北燕
南燕	慕容德	鮮卑	廣固（山東益都縣）	398	410	東晉
北燕	馮　跋	漢	龍城	409	436	拓跋魏
前涼	張　駿	漢	姑臧（甘肅武威縣）	324	376	前秦

附表④： 五代時候的十國簡表

十國與五代並立，除北漢（創建者劉崇是後漢劉知遠之弟，沙陀人）外，其他九國的創建者都是漢人，分布在長江流域及其以南；年祚都比五代的任何一代爲長，文物也爲五代所不及。前期六國原都是唐朝的藩鎮；後期四國（荊南、後蜀、南唐、北漢）是在五代的時期所建。十國以外，當時還有劉守光所建的燕（河北），李茂貞所建的岐（陝西），都滅於後唐。

國名	創建者	建 都	據 地	起(公元)	訖(公元)	滅其國者
吳	楊行密	廣陵及金陵	淮南、江南、江西	902	937	南 唐
吳越	錢 鏐	杭州	兩浙（浙江）	902	978	宋
前蜀	王 建	成都	東西川及陝、甘的一部分	903	925	後 唐
楚	馬 殷	潭州（長沙）	湖南跟黔桂一部	907	951	南 唐
閩	王審知	福州	福建	909	945	南 唐
南漢	劉 隱	廣州	嶺南（兩廣）	909	971	宋
荊南	高季興	江陵	荊州（湖北）	913	963	宋
後蜀	孟知祥	成都	四川、陝南	934	965	宋
南唐	徐知誥（即李昇）	金陵	淮南、江西、湖南福建	937	975	宋
北漢	劉 崇	太原	河東（山西）	951	979	宋

國號	建 國 者	族種	國　　　　都	起 (公元)	訖 (公元)	滅其國者
後涼	呂　光	氐	姑臧	386	403	後　秦
南涼	禿髮烏孤	鮮卑	樂都（青海樂都縣）	397	414	西　秦
北涼	沮渠蒙遜	匈奴	張掖（甘肅張掖縣）	401	439	拓跋魏
西涼	李　暠	漢	敦煌（甘肅敦煌縣）	400	420	北　涼
夏	赫連勃勃	匈奴	統萬（陝西橫山縣）	407	431	拓跋魏
成漢（前蜀）	李　雄	巴氐	成都	304	347	東　晉

〔以下是十六國之外的〕

代	拓跋猗盧	鮮卑	盛樂（綏遠和林格爾）遷平城（山西大同）	310	376	前　秦
冉魏	冉　閔	漢	鄴	350	352	前　燕
西燕	慕容泓	鮮卑	長安，遷長子（山西長子縣）	384	394	後　燕
仇池	楊茂搜	氐		296	506	先爲前秦所滅復立後爲拓跋魏所滅
蜀後蜀	譙　縱	漢	成都	405	413	晉
北魏	拓跋珪	鮮卑	平城，遷洛陽	386	534	分裂爲東、西兩魏。

度量衡（公　制）表

長度: 米

1 千米（km）＝1,000 米（m）

1　米（m）＝100 釐米（cm）

1 釐米（cm）＝10 毫米（mm）

面積: 平方米

1 平方千米（km²）＝1,000,000 平方米（m²）

1 平方米　（m²）＝10,000 平方釐米（cm²）

1 平方釐米（cm²）＝100 平方毫米（mm²）

容量: 升

1 立方米（m³）＝1,000 升（l）

1　升（l）＝1,000 毫升（ml）

重量: 克

1 公噸（t）＝1,000 千克（kg）

1 千克（kg）＝1,000　克（g）

註: 長度及面積的計算單位「千米」也作「公里」；「米」也作「公尺」；「釐米」也作「公分」；「毫米」也作「公釐」。
重量的計算單位「千克」也作「公斤」。

附表①： 公制、英制換算表

項　別	公　制	英　制
長　度	1 釐米 1 米 1 千米	0.3937 吋 3.2808 呎 1.0936 碼 0.6214 哩
面　積	1 平方毫米 1 平方釐米 1 平方米 1 平方千米	0.0020 平方吋 0.1550 平方吋 10.7636 平方呎 1.1960 平方碼 0.3861 平方哩
容　量	1 毫升 1 升 1 立方米	0.0610 立方吋 1.7606 品脫 0.22　加侖 220　加侖
重　量	1 克 1 千克 1 公噸	0.0353 安士 2.2046 磅 0.9842 噸

附表②: 英制、公制換算表

項　別	英　制	公　制
長　度	1 吋 1 呎 1 碼 1 哩	25.4　毫米 30.48　釐米 0.9144米 1.6093千米
面　積	1 平方吋 1 平方呎 1 平方碼 1 平方哩	6.4514平方釐米 929.03　平方釐米 0.8361平方米 2.5898平方千米
容　量	1 立方吋 1 品脫 1 加侖	16.387 毫升 0.5680升 4.5460升
重　量	1 安士 1 磅 1 噸	28.3495克 0.4536千克 1.0160公噸

化學元素表

原子序	元素	符號	原子序	元素	符號	原子序	元素	符號	原子序	元素	符號
1	氫	H	28	鎳	Ni	55	銫	Cs	82	鉛	Pb
2	氦	He	29	銅	Cu	56	鋇	Ba	83	鉍	Bi
3	鋰	Li	30	鋅	Zn	57	鑭	La	84	釙	Po
4	鈹	Be	31	鎵	Ga	58	鈰	Ce	85	砈	At
5	硼	B	32	鍺	Ge	59	鐠	Pr	86	氡	Rn
6	碳	C	33	砷	As	60	釹	Nd	87	鍅	Fr
7	氮	N	34	硒	Se	61	鉅	Pm	88	鐳	Ra
8	氧	O	35	溴	Br	62	釤	Sm	89	錒	Ac
9	氟	F	36	氪	Kr	63	銪	Eu	90	釷	Th
10	氖	Ne	37	銣	Rb	64	釓	Gd	91	鏷	Pa
11	鈉	Na	38	鍶	Sr	65	鋱	Tb	92	鈾	U
12	鎂	Mg	39	釔	Yt	66	鏑	Dy	93	錼	Np
13	鋁	Al	40	鋯	Zr	67	鈥	Ho	94	鈽	Pu
14	矽	Si	41	鈮	Nb	68	鉺	Er	95	鋂	Am
15	磷	P	42	鉬	Mo	69	銩	Tm	96	鋦	Cm
16	硫	S	43	鎝	Tc	70	鐿	Yb	97	鉳	Bk
17	氯	Cl	44	釕	Ru	71	鎦	Lu	98	鉲	Cf
18	氬	Ar	45	銠	Rh	72	鉿	Hf	99	鑀	Es
19	鉀	K	46	鈀	Pd	73	鉭	Ta	100	鐨	Fm
20	鈣	Ca	47	銀	Ag	74	鎢	W	101	鍆	Md
21	鈧	Sc	48	鎘	Cd	75	錸	Re	102	鍩	No
22	鈦	Ti	49	銦	In	76	鋨	Os	103	鐒	Lr
23	釩	V	50	錫	Sn	77	銥	Ir	104	(鑪)	
24	鉻	Cr	51	銻	Sb	78	鉑	Pt	105	(鐬)	
25	錳	Mn	52	碲	Te	79	金	Au			
26	鐵	Fe	53	碘	I	80	汞	Hg			
27	鈷	Co	54	氙	Xe	81	鉈	Tl			

簡繁體對照檢字表

（說明）

一、目的： 中國漢字數以萬計，經過了歷年的文字演變、改革，出現了部分有繁體、簡體之分的漢字。部分漢字簡化後，已難弄清它該屬於哪一部首，究竟是哪一個字的簡化，「簡繁體對照檢字表」便是為解決這一問題而編排的。

二、筆畫： 字表裏的字，按照簡體字的筆畫多少，從二畫至二十五畫分開編排。同筆畫的字，按起筆（開頭所寫的第一筆）以橫、豎、撇、點、折排列。其中四畫至二十畫各筆畫的字數較多，都分別標出了起筆的類別。

辨認起筆類別，除了一般單純的橫（一）、豎（丨）、撇（丿）、點（丶）、折（乛）以外，各種斜撇（ノ）、直撇（丿）都歸作【丿】筆，其他（一乀乙乚㇄）都歸作【乛】筆。

查到的字旁括號中相應的字就是該字的繁體字，按接着所標的頁次，便可在字典的正文中查到字的讀音、字義。

三、舉例： 「龙」字在五畫【一】，字旁邊的〔龍〕字，就是它的繁體字，接着882就是字典正文中〔龍〕字所在的頁次。

「复」字在九畫【丿】，字旁邊上下排列的〔復〕

〔複〕〔覆〕⑧ 都是它的繁體字,也即是說:「復」、「複」、「覆」三個字都簡化作「复」。〔覆〕⑧ 字後面所附的⑧符號,意思是見本字表最後的注釋⑧。

「荣」字在九畫【一】。「绣」字在十畫【フ】。

二畫

厂〔廠〕	192
卜〔蔔〕	617
儿〔兒〕	40
几〔幾〕	186
了〔瞭〕	478

三畫

干〔乾〕①	11
〔幹〕	185
亏〔虧〕	633
才〔纔〕	548
万〔萬〕	613
与〔與〕	587
千〔韆〕	808
亿〔億〕	37
个〔個〕	29
么〔麼〕	869
广〔廣〕	192
门〔門〕	777
义〔義〕	555
卫〔衛〕	653
飞〔飛〕	820
习〔習〕	557
马〔馬〕	828
乡〔鄉〕	743

四畫

【一】

丰〔豐〕	692
开〔開〕	778
无〔無〕	406
韦〔韋〕	808
专〔專〕	161
云〔雲〕	797
艺〔藝〕	628
厅〔廳〕	193
历〔歷〕	348
〔曆〕	299
区〔區〕	65
巨〔鉅〕	756
扎〔紮〕	529
〔紥〕	532
车〔車〕	717

【丨】

冈〔岡〕	171
贝〔貝〕	696
见〔見〕	667

【丿】

气〔氣〕	359
升〔陞〕	786
〔昇〕	292
凶〔兇〕	39
长〔長〕	776
仆〔僕〕	35
币〔幣〕	183

从〔從〕	207
仑〔侖〕	25
仓〔倉〕	31
风〔風〕	818
仅〔僅〕	34
凤〔鳳〕	855
乌〔烏〕	404

【、】

闩〔閂〕	777
为〔為〕	416
斗〔鬥〕	842
忆〔憶〕	229
订〔訂〕	673
计〔計〕	673
讣〔訃〕	673
认〔認〕	681
讥〔譏〕	687

【乛】

丑〔醜〕	748
队〔隊〕	788
办〔辦〕	724
邓〔鄧〕	743
劝〔勸〕	61
双〔雙〕	794
书〔書〕	301

五畫

【一】

击〔擊〕	270
戈〔戔〕	231
扑〔撲〕	266
节〔節〕	515
术〔術〕	652
札〔劄〕	56
〔剳〕	56
龙〔龍〕	882
厉〔厲〕	72
劢〔勱〕	61
布〔佈〕	22
灭〔滅〕	384
东〔東〕	311
轧〔軋〕	717

【丨】

占〔佔〕	23
卢〔盧〕	469
业〔業〕	330
旧〔舊〕	588
帅〔帥〕	180
归〔歸〕	348
叶〔葉〕②	613
号〔號〕	633
电〔電〕	797
只〔隻〕	792
〔祇〕	491
叽〔嘰〕	101

叹〔嘆〕100	讦〔訐〕674	**六畫**	轨〔軌〕718
〔歎〕345	讱〔訒〕674	【一】	尧〔堯〕118
【丿】	讧〔訌〕674	玑〔璣〕441	划〔劃〕56
们〔們〕28	讨〔討〕674	动〔動〕60	迈〔邁〕737
仪〔儀〕37	写〔寫〕158	执〔執〕117	毕〔畢〕451
丛〔叢〕75	让〔讓〕690	巩〔鞏〕806	【丨】
尔〔爾〕418	礼〔禮〕495	圹〔壙〕123	贞〔貞〕696
乐〔樂〕335	讪〔訕〕675	扩〔擴〕272	师〔師〕181
处〔處〕632	讫〔訖〕674	扪〔捫〕252	当〔當〕452
冬〔鼕〕876	训〔訓〕674	扫〔掃〕257	〔噹〕102
鸟〔鳥〕854	议〔議〕688	扬〔揚〕260	尘〔塵〕121
务〔務〕60	讯〔訊〕674	场〔場〕118	吁〔籲〕④521
刍〔芻〕596	记〔記〕674	亚〔亞〕14	吓〔嚇〕104
饥〔饑〕825	【乛】	芗〔薌〕625	虫〔蟲〕646
饤〔飣〕821	辽〔遼〕736	朴〔樸〕336	曲〔麯〕867
【丶】	边〔邊〕738	机〔機〕337	团〔團〕110
邝〔鄺〕744	出〔齣〕881	权〔權〕342	〔糰〕525
冯〔馮〕828	发〔發〕462	过〔過〕733	吗〔嗎〕97
闪〔閃〕777	〔髮〕839	协〔協〕67	屿〔嶼〕175
兰〔蘭〕630	圣〔聖〕566	压〔壓〕123	岁〔歲〕348
汇〔滙〕65	对〔對〕161	厌〔厭〕72	回〔迴〕728
〔彙〕201	台〔臺〕585	库〔庫〕71	岂〔豈〕692
头〔頭〕814	〔檯〕340	页〔頁〕811	则〔則〕54
汉〔漢〕390	〔颱〕819	夸〔誇〕678	刚〔剛〕55
宁〔寧〕③157	纠〔糾〕526	夺〔奪〕133	网〔網〕539
它〔牠〕422	驭〔馭〕828	达〔達〕732	【丿】
讦〔訐〕674	丝〔絲〕534	夹〔夾〕130	钆〔釓〕752

钇〔釔〕	752	负〔負〕	696	讲〔講〕	686	阳〔陽〕	788
朱〔硃〕	484	犷〔獷〕	431	讳〔諱〕	684	阶〔階〕	788
迁〔遷〕	736	犸〔獁〕	429	讴〔謳〕	687	阴〔陰〕	787
乔〔喬〕	95	凫〔鳧〕	854	军〔軍〕	718	妇〔婦〕	141
伟〔偉〕	33	邬〔鄔〕	743	讵〔詎〕	676	妈〔媽〕	143
传〔傳〕	34	饣〔飠〕	821	讶〔訝〕	676	戏〔戲〕	233
伛〔傴〕	35	饦〔飥〕	821	讷〔訥〕	675	观〔觀〕	669
优〔優〕	37	饧〔餳〕	824	许〔許〕	675	欢〔歡〕	346
伤〔傷〕	34			讹〔訛〕	676	买〔買〕	698
伥〔倀〕	31	**〔、〕**		䜣〔訢〕	675	纤〔紆〕	527
价〔價〕	36	壮〔壯〕	419	论〔論〕	682	红〔紅〕	527
伦〔倫〕	29	冲〔衝〕	652	讻〔訩〕	676	纣〔紂〕	527
伧〔傖〕	33	沧〔滄〕	48	讼〔訟〕	676	纤〔纖〕	543
华〔華〕	609	妆〔妝〕	137	讽〔諷〕	684	〔纖〕	548
伙〔夥〕⑤	127	庄〔莊〕	606	农〔農〕	725	纥〔紇〕	526
伪〔偽〕	36	庆〔慶〕	226	设〔設〕	675	驮〔馱〕	828
向〔嚮〕	105	刘〔劉〕	57	访〔訪〕	675	驯〔馴〕	828
后〔後〕	205	齐〔齊〕	879	诀〔訣〕	675	异〔䢱〕	828
会〔會〕	302	产〔產〕	446	讻〔讙〕	690	纨〔紈〕	527
杀〔殺〕	352	闭〔閉〕	777			约〔約〕	527
合〔閤〕	779	闬〔閈〕	777	**〔乛〕**		级〔級〕	528
众〔衆〕	650	问〔問〕	93	寻〔尋〕	161	纩〔紃〕	527
〔羅〕	474	闯〔闖〕	782	尽〔盡〕	468	纩〔纊〕	547
爷〔爺〕	417	关〔關〕	782	〔儘〕	37	纪〔紀〕	527
伞〔傘〕	33	灯〔燈〕	411	导〔導〕	162	驰〔馳〕	829
创〔創〕	56	汤〔湯〕	382	异〔異〕	452	纫〔紉〕	527
杂〔雜〕	795	忏〔懺〕	230	孙〔孫〕	149		
		兴〔興〕	587	阵〔陣〕	786	**七畫**	

【一】		坟〔墳〕	122	还〔還〕	737	旸〔暘〕	298
寿〔壽〕	125	护〔護〕	689	矶〔磯〕	489	邮〔郵〕	742
麦〔麥〕	867	壳〔殼〕	353	佥〔僉〕	133	困〔睏〕	474
玛〔瑪〕	439	块〔塊〕	119	〔龐〕	65	员〔員〕	90
场〔場〕	439	声〔聲〕	567	歼〔殲〕	351	呗〔唄〕	88
进〔進〕	731	报〔報〕	118	来〔來〕	24	听〔聽〕	568
远〔遠〕	735	拟〔擬〕	271	欤〔歟〕	345	呛〔嗆〕	97
违〔違〕	734	芜〔蕪〕	623	轩〔軒〕	718	呜〔嗚〕	99
韧〔韌〕	808	苇〔葦〕	613	连〔連〕	730	别〔彆〕	200
划〔劃〕	55	芸〔蕓〕	623	轫〔軔〕	718	财〔財〕	697
运〔運〕	734	觅〔覓〕	606	轨〔軌〕	718	刬〔剗〕	697
抚〔撫〕	266	苁〔蓯〕	620	**【丨】**		囵〔圇〕	108
坛〔壇〕	122	苍〔蒼〕	617	卤〔鹵〕	864	诳〔誆〕	667
〔罎〕	550	苤〔蓓〕	608	〔滷〕	389	帏〔幃〕	182
〔壞〕	123	苌〔萇〕	610	邺〔鄴〕	744	岖〔嶇〕	174
抟〔摶〕	264	严〔嚴〕	105	坚〔堅〕	117	岗〔崗〕	172
坏〔壞〕	124	芦〔蘆〕	628	时〔時〕	294	岘〔峴〕	172
抠〔摳〕	265	劳〔勞〕	60	县〔縣〕	541	帐〔帳〕	181
㧟〔擓〕	254	克〔剋〕	54	里〔裏〕	658	岚〔嵐〕	173
扰〔擾〕	272	苏〔蘇〕	629	呓〔囈〕	106	**【丿】**	
坝〔壩〕	124	〔囌〕	106	呆〔獃〕	429	针〔針〕	753
贡〔貢〕	697	极〔極〕	328	〔騃〕	831	钉〔釘〕	752
折〔摺〕	265	杨〔楊〕	330	呕〔嘔〕	100	钊〔剑〕	753
抢〔掄〕	254	两〔兩〕	41	园〔園〕	109	钋〔釙〕	752
抢〔搶〕	262	丽〔麗〕	866	旷〔曠〕	300	钌〔釕〕	752
扨〔搗〕	267	医〔醫〕	748	围〔圍〕	109	乱〔亂〕	11
坞〔塢〕	120	励〔勵〕	61	吨〔噸〕	102	体〔體〕	837

佣〔傭〕	35	状〔狀〕	425	沥〔瀝〕	398	识〔識〕	688
伐〔俊〕	30	亩〔畝〕	450	沦〔淪〕	378	诇〔詗〕	676
彻〔徹〕	209	庑〔廡〕	192	沧〔滄〕	387	诈〔詐〕	676
余〔餘〕	823	床〔牀〕	419	沨〔渢〕	383	诉〔訴〕	677
佥〔僉〕	34	库〔庫〕	189	沟〔溝〕	385	诊〔診〕	677
谷〔穀〕	501	疖〔癤〕	461	沩〔潙〕	394	诋〔詆〕	676
邻〔鄰〕	743	疗〔療〕	460	沪〔滬〕	390	诌〔謅〕	686
肠〔腸〕	579	应〔應〕	229	沈〔瀋〕	398	词〔詞〕	677
龟〔龜〕	883	这〔這〕	730	怀〔懷〕	229	诎〔詘〕	676
犹〔猶〕	429	庐〔廬〕	193	怄〔慪〕	227	诏〔詔〕	676
狈〔狽〕	427	弃〔棄〕	326	忧〔憂〕	226	译〔譯〕	688
鸠〔鳩〕	854	围〔圍〕	779	怅〔悵〕	221	诒〔詒〕	677
条〔條〕	322	闱〔闈〕	781	怆〔愴〕	225	**【乛】**	
岛〔島〕	172	闲〔閑〕	779	穷〔窮〕	505	灵〔靈〕	801
邹〔鄒〕	743	〔閒〕	778	灾〔災〕	401	卮〔戹〕	167
饨〔飩〕	821	间〔間〕	778	祃〔禡〕	494	〔屓〕	169
饩〔餼〕	824	闵〔閔〕	778	补〔補〕	658	层〔層〕	168
饪〔飪〕	821	闷〔悶〕	219	证〔證〕	688	迟〔遲〕	736
饫〔飫〕	821	闰〔閏〕	778	诂〔詁〕	676	张〔張〕	199
饬〔飭〕	821	闲〔閖〕	778	诃〔訶〕	676	驱〔驅〕	200
饭〔飯〕	821	灿〔燦〕	413	启〔啟〕	91	际〔際〕	790
饮〔飲〕	821	灶〔竈〕	506	评〔評〕	676	陆〔陸〕	787
系〔係〕	27	炀〔煬〕	408	诅〔詛〕	677	陇〔隴〕	791
〔繫〕	546	沄〔澐〕	394	诋〔詆〕	676	陈〔陳〕	787
【丶】		沅〔潕〕	394	波〔詖〕	676	坠〔墜〕	122
冻〔凍〕	48	沣〔灃〕	399			陉〔陘〕	785
泽〔澤〕	48	沤〔漚〕	391	波〔詖〕	676	妪〔嫗〕	145

妩〔嫵〕	146	纽〔紐〕	528	苹〔蘋〕	628	厕〔厠〕	190
〔斌〕	142	纾〔紓〕	529	茑〔蔦〕	618	〔廁〕	190
妫〔媯〕	145	纮〔紘〕	528	范〔範〕	515	奋〔奮〕	133
刭〔剄〕	54	**八畫**		茔〔塋〕	120	态〔態〕	224
劲〔勁〕	59	**【一】**		茕〔煢〕	407	瓯〔甌〕	444
鸡〔雞〕	861	玮〔瑋〕	439	茎〔莖〕	606	欧〔歐〕	345
〔鷄〕	794	环〔環〕	441	枢〔樞〕	335	殴〔毆〕	353
纬〔緯〕	541	责〔責〕	697	枥〔櫪〕	341	垄〔壟〕	123
纭〔紜〕	530	现〔現〕	437	柜〔櫃〕	340	郏〔郟〕	741
驱〔驅〕	833	表〔錶〕	762	㭐〔根〕	327	轰〔轟〕	723
纯〔純〕	529	玱〔瑲〕	439	板〔闆〕	781	顷〔頃〕	811
纰〔紕〕	528	规〔規〕	667	枞〔樅〕	335	轭〔軛〕	723
纱〔紗〕	529	甌〔甄〕	65	松〔鬆〕	840	斩〔斬〕	284
纲〔綱〕	537	拢〔攏〕	272	枪〔槍〕	332	轮〔輪〕	721
纳〔納〕	528	拣〔揀〕	259	〔鎗〕	768	轱〔軲〕	718
纤〔縴〕	529	垆〔壚〕	123	枫〔楓〕	328	软〔軟〕	718
驳〔駁〕	829	担〔擔〕	269	构〔構〕	331	鸢〔鳶〕	855
纵〔縱〕	544	顶〔頂〕	811	丧〔喪〕	96	**【丨】**	
纶〔綸〕	536	拥〔擁〕	270	杰〔傑〕	33	齿〔齒〕	880
纷〔紛〕	528	势〔勢〕	61	画〔畫〕	451	虏〔虜〕	632
纸〔紙〕	529	拦〔攔〕	273	枣〔棗〕	327	肾〔腎〕	577
纹〔紋〕	530	扯〔攤〕	269	卖〔賣〕	700	贤〔賢〕	700
纺〔紡〕	528	拧〔擰〕	271	郁〔鬱〕	843	昙〔曇〕	299
驴〔驢〕	834	拨〔撥〕	266	矾〔礬〕	490	昆〔崑〕	173
驮〔馱〕	829	择〔擇〕	270	矿〔礦〕	490	〔崐〕	173
驭〔馭〕	829	挢〔撟〕	262	砀〔碭〕	486	晛〔晛〕	295
纼〔紖〕	529	茏〔蘢〕	629	码〔碼〕	487		

国〔國〕	108	钏〔釧〕	753	径〔徑〕	206	铀〔鈾〕	822
畅〔暢〕	298	钐〔釤〕	753	〔迳〕	730	饴〔飴〕	822
昽〔曨〕	105	钓〔釣〕	753	舍〔捨〕	256	【、】	
虮〔蟣〕	646	钝〔鈍〕	753	刽〔劊〕	57	变〔變〕	689
黾〔黽〕	874	钒〔釩〕	753	郐〔鄶〕	744	庞〔龐〕	193
鸣〔鳴〕	855	钔〔鍆〕	763	怂〔慫〕	226	庙〔廟〕	191
咛〔嚀〕	104	钕〔釹〕	753	籴〔糴〕	525	疖〔癤〕	458
罗〔羅〕	552	钖〔鍚〕	764	觅〔覓〕	667	疠〔癘〕	461
〔囉〕	105	钗〔釵〕	753	贪〔貪〕	697	疡〔瘍〕	459
岩〔巖〕	175	钑〔鈒〕	754	贫〔貧〕	697	剂〔劑〕	57
岽〔崬〕	175	制〔製〕	660	戗〔戧〕	232	废〔廢〕	192
帜〔幟〕	183	迭〔叠〕	453	肶〔膍〕	581	闸〔閘〕	779
岭〔嶺〕	175	〔疊〕	453	肤〔膚〕	580	闹〔鬧〕	842
刿〔劌〕	57	刮〔颳〕	819	肿〔腫〕	579	闺〔閏〕	779
剀〔剴〕	56	侠〔俠〕	27	胀〔脹〕	577	郑〔鄭〕	744
凯〔凱〕	49	侥〔僥〕	35	肮〔骯〕	836	卷〔捲〕	255
峄〔嶧〕	175	侦〔偵〕	32	胁〔脅〕	575	炜〔煒〕	408
败〔敗〕	277	侧〔側〕	32	周〔週〕	732	炝〔熗〕	408
账〔賬〕	701	凭〔憑〕	227	迩〔邇〕	738	炉〔爐〕	414
贩〔販〕	697	侨〔僑〕	35	鱼〔魚〕	846	浅〔淺〕	379
贬〔貶〕	698	侩〔儈〕	36	狞〔獰〕	430	泷〔瀧〕	398
图〔圖〕	110	货〔貨〕	697	备〔備〕	33	泸〔瀘〕	398
购〔購〕	702	侪〔儕〕	37	枭〔梟〕	323	泪〔淚〕	377
贮〔貯〕	698	侬〔儂〕	36	饯〔餞〕	824	泺〔濼〕	397
【丿】		岳〔嶽〕	175	饰〔飾〕	822	注〔註〕	677
钍〔釷〕	753	质〔質〕	701	饱〔飽〕	822	泞〔濘〕	396
钎〔釺〕	753	征〔徵〕⑥	209	饲〔飼〕	822		

泻〔瀉〕398
泼〔潑〕392
泽〔澤〕396
泾〔涇〕376
怜〔憐〕227
怿〔懌〕229
学〔學〕150
宝〔寶〕159
宠〔寵〕159
审〔審〕158
帘〔簾〕519
实〔實〕157
诓〔誆〕678
诔〔誄〕678
试〔試〕679
诖〔詿〕678
诗〔詩〕679
诘〔詰〕678
诙〔詼〕678
诚〔誠〕679
郏〔郟〕743
衬〔襯〕664
袆〔褘〕661
视〔視〕668
诛〔誅〕679
话〔話〕678
诞〔誕〕680

诟〔詬〕678
诠〔詮〕679
诜〔詵〕680
诀〔訣〕680
诮〔誚〕687
诰〔誥〕687
诡〔詭〕678
询〔詢〕679
诣〔詣〕680
诤〔諍〕683
该〔該〕678
详〔詳〕679
诧〔詫〕679
诨〔諢〕684
诩〔詡〕679

【ㄱ】

肃〔肅〕569
隶〔隸〕791
录〔錄〕763
弥〔彌〕201
〔瀰〕399
鸢〔鳶〕855
陕〔陝〕786
陉〔陘〕790
驽〔駑〕829
驾〔駕〕830
参〔參〕73

艰〔艱〕592
线〔綫〕540
〔線〕540
绀〔紺〕531
绁〔紲〕531
绂〔紱〕530
练〔練〕540
组〔組〕532
驵〔駔〕830
驴〔驢〕548
绉〔縐〕531
绅〔紳〕532
绌〔絀〕531
细〔細〕531
驶〔駛〕830
驸〔駙〕829
驹〔駒〕830
终〔終〕531
织〔織〕545
骀〔駘〕833
绚〔絢〕541

驻〔駐〕830
绊〔絆〕530
驼〔駝〕829
绋〔紼〕530
绌〔絀〕531
绍〔紹〕531
驿〔驛〕834
绎〔繹〕546
经〔經〕535
驷〔駟〕829
绐〔紿〕530
绔〔絝〕531
贯〔貫〕697
妫〔媯〕141

九畫

【一】

贰〔貳〕699
帮〔幫〕183
珑〔瓏〕441
顶〔頂〕811
赇〔賕〕808
赅〔賅〕808
挜〔掗〕257
挝〔撾〕270
项〔項〕811
挢〔撟〕265
挞〔撻〕269

挟〔挾〕	250	荤〔葷〕	612	鸦〔鴉〕	856	蛊〔蠱〕	647
挠〔撓〕	267	荥〔滎〕	386	郦〔酈〕	744	【丨】	
赵〔趙〕	706	荦〔犖〕	424	郏〔郟〕	742	战〔戰〕	233
贲〔賁〕	699	荧〔熒〕	409	咸〔鹹〕	864	觇〔覘〕	668
挂〔掛〕	254	荨〔蕁〕	621	砖〔磚〕	488	点〔點〕	871
挡〔擋〕	269	胡〔鬍〕	841	砗〔硨〕	484	临〔臨〕	584
垲〔塏〕	119	荩〔藎〕	626	砚〔硯〕	485	览〔覽〕	669
挢〔撟〕	267	荪〔蓀〕	617	砜〔碸〕	485	竖〔竪〕	508
垫〔墊〕	120	荫〔蔭〕	620	厘〔釐〕	751	〔豎〕	692
挤〔擠〕	271	荬〔蕒〕	621	面〔麵〕	867	尝〔嘗〕	100
挥〔揮〕	258	荭〔葒〕	612	〔麪〕	867	〔嚐〕	104
挦〔撏〕	268	荮〔葤〕	614	牵〔牽〕	423	眍〔瞘〕	477
蛰〔鷙〕	833	药〔藥〕	628	鸥〔鷗〕	862	眬〔矓〕	300
荐〔薦〕	624	蒴〔薊〕	616	龚〔龔〕	882	哄〔鬨〕	780
荚〔莢〕	605	标〔標〕	333	残〔殘〕	351	〔鬪〕	842
贳〔貰〕	698	栈〔棧〕	326	殇〔殤〕	351	哑〔啞〕	93
荛〔蕘〕	622	栉〔櫛〕	341	轱〔軲〕	719	显〔顯〕	817
荜〔蓽〕	618	栊〔櫳〕	341	轲〔軻〕	718	哓〔嘵〕	101
带〔帶〕	181	栋〔棟〕	325	轳〔轤〕	723	哔〔嗶〕	99
茧〔繭〕	546	栌〔櫨〕	341	轴〔軸〕	719	贵〔貴〕	698
荞〔蕎〕	622	栎〔櫟〕	341	轵〔軹〕	718	贶〔貺〕	699
荟〔薈〕	624	栏〔欄〕	341	轶〔軼〕	719	虾〔蝦〕	642
荠〔薺〕	626	柠〔檸〕	340	轷〔軤〕	719	蚁〔蟻〕	647
荡〔蕩〕	621	柽〔檉〕	339	轸〔軫〕	719	蚂〔螞〕	643
〔盪〕	469	树〔樹〕	338	轹〔轢〕	723	虽〔雖〕	794
垩〔堊〕	117	鸹〔鴰〕	855	轺〔軺〕	719	骂〔駡〕	104
荣〔榮〕	333	鸻〔鴴〕	855	轻〔輕〕	720	〔罵〕	552

哕〔噦〕	104
剐〔剮〕	56
郧〔鄖〕	743
勋〔勛〕	61
〔勳〕	60
哗〔嘩〕	101
响〔響〕	810
哙〔噲〕	103
哝〔噥〕	102
哟〔喲〕	96
峡〔峽〕	172
峣〔嶢〕	175
帧〔幀〕	182
罚〔罰〕	551
峤〔嶠〕	174
贱〔賤〕	700
贴〔貼〕	698
贶〔貺〕	698
贻〔貽〕	699
【丿】	
钙〔鈣〕	754
𫓧〔鏂〕	770
⿰钅从〔鏦〕	770
钛〔鉱〕	754
铁〔鉄〕	754
钚〔鈈〕	753
钛〔鈦〕	754
⿰钅牙〔釾〕	755
钝〔鈍〕	754
钞〔鈔〕	754
钟〔鐘〕	771
〔鍾〕	766
钡〔鋇〕	760
钢〔鋼〕	763
钠〔鈉〕	754
钥〔鑰〕	774
钦〔欽〕	344
钧〔鈞〕	754
钤〔鈐〕	754
钨〔鎢〕	768
钩〔鉤〕	755
钪〔鈧〕	754
钫〔鈁〕	754
钬〔鈥〕	754
钮〔鈕〕	754
钯〔鈀〕	753
毡〔氈〕	357
氢〔氫〕	360
选〔選〕	736
适〔適〕	⑦735
种〔種〕	500
秋〔鞦〕	807
复〔復〕	208
〔複〕	660
〔覆〕	⑧666
笃〔篤〕	516
俦〔儔〕	37
俨〔儼〕	38
俩〔倆〕	29
俪〔儷〕	38
俫〔倈〕	29
𫢸〔僩〕	35
⿰亻达〔㒓〕	36
贷〔貸〕	698
顺〔順〕	812
俭〔儉〕	36
剑〔劍〕	57
鸧〔鶬〕	861
须〔須〕	811
〔鬚〕	841
胧〔朧〕	306
胨〔腖〕	577
胪〔臚〕	582
胆〔膽〕	581
胜〔勝〕	60
脉〔脈〕	574
胫〔脛〕	576
舣〔艤〕	591
飐〔颭〕	819
鸨〔鴇〕	855
狭〔狹〕	427
狮〔獅〕	429
独〔獨〕	430
狯〔獪〕	430
狱〔獄〕	430
狲〔猻〕	429
贸〔貿〕	698
𬢊〔覼〕	669
饵〔餌〕	822
饶〔饒〕	825
蚀〔蝕〕	642
饷〔餉〕	822
饴〔飴〕	822
饸〔餄〕	822
饺〔餃〕	822
饼〔餅〕	823
𫗧〔餂〕	822
【丶】	
峦〔巒〕	175
弯〔彎〕	201
孪〔孿〕	150
娈〔孌〕	147
迹〔跡〕	709
〔蹟〕	713
将〔將〕	160
奖〔獎〕	133
疮〔瘡〕	459
疯〔瘋〕	458

亲〔親〕	668	达〔達〕	394	诗〔詩〕	689	娅〔婭〕	142
旂〔旗〕	288	浃〔浹〕	375	诬〔誣〕	681	娆〔嬈〕	145
飒〔颯〕	819	浇〔澆〕	393	语〔語〕	681	娇〔嬌〕	145
阄〔鬮〕	781	浈〔湞〕	384	袄〔襖〕	663	绣〔繡〕	545
闱〔闈〕	779	浉〔溮〕	388	袆〔禕〕	661	绹〔綑〕	535
闻〔聞〕	567	浊〔濁〕	395	诮〔誚〕	680	绖〔絰〕	532
阂〔閡〕	783	测〔測〕	383	祢〔禰〕	495	绗〔絎〕	546
闽〔閩〕	779	浍〔澮〕	395	误〔誤〕	681	绑〔綁〕	535
闾〔閭〕	780	浏〔瀏〕	397	诰〔誥〕	680	绒〔絨〕	534
闿〔闓〕	782	济〔濟〕	396	诱〔誘〕	681	结〔結〕	533
阀〔閥〕	779	浐〔滻〕	391	诲〔誨〕	680	绔〔絝〕	535
阁〔閣〕	779	浑〔渾〕	382	诳〔誑〕	680	骁〔驍〕	834
阆〔閬〕	780	浒〔滸〕	390	鸩〔鴆〕	855	绕〔繞〕	545
养〔養〕	822	浓〔濃〕	395	说〔說〕	680	〔遶〕	736
姜〔薑〕	624	浔〔潯〕	393	诵〔誦〕	681	绖〔絰〕	532
类〔類〕	816	浕〔濜〕	397	诶〔誒〕	681	骄〔驕〕	834
娄〔婁〕	142	恸〔慟〕	226			骅〔驊〕	834
总〔總〕	544	恺〔愷〕	224	**【フ】**		绘〔繪〕	546
炼〔煉〕	407	恻〔惻〕	223	垦〔墾〕	122	骆〔駱〕	830
炽〔熾〕	412	恼〔惱〕	222	昼〔晝〕	295	骈〔駢〕	831
烁〔爍〕	414	恽〔惲〕	224	鸪〔鴣〕	855	㲋〔騳〕	835
烂〔爛〕	415	侬〔儂〕	228	费〔費〕	698	骎〔駸〕	831
烃〔烴〕	404	举〔舉〕	587	逊〔遜〕	735	骍〔騂〕	831
炷〔燭〕	414	觉〔覺〕	669	陨〔隕〕	790	绞〔絞〕	533
洼〔窪〕	505	宪〔憲〕	228	险〔險〕	790	骇〔駭〕	830
洁〔潔〕	393	窃〔竊〕	506	贺〔賀〕	698	统〔統〕	532
洒〔灑〕	399	诚〔誠〕	680	恝〔懟〕	229	绗〔絎〕	532
				垒〔壘〕	123		

给〔給〕 532
绚〔絢〕 534
绛〔絳〕 533
络〔絡〕 532
绝〔絕〕 533
敩〔斆〕 280

十畫

【一】

⿰韦华〔韡〕 809
艳〔艷〕 593
〔豔〕 692
珰〔璫〕 441
项〔項〕 813
珲〔琿〕 438
蚕〔蠶〕 649
顽〔頑〕 813
盏〔盞〕 468
掴〔摑〕 268
捞〔撈〕 267
载〔載〕 719
赶〔趕〕 706
盐〔鹽〕 865
埘〔塒〕 119
捆〔綑〕 536
损〔損〕 263
埙〔塤〕 120
〔壎〕 123
埚〔堝〕 118
⿰土寿〔壔〕 123
捡〔撿〕 270
贽〔贄〕 702
挚〔摯〕 265
热〔熱〕 410
捣〔搗〕 261
壶〔壺〕 124
聂〔聶〕 568
莱〔萊〕 608
莲〔蓮〕 619
莳〔蒔〕 617
莴〔萵〕 613
⿱艹条〔蓧〕 618
⿱艹间〔蕳〕 622
获〔獲〕 431
〔穫〕 502
⿱艹陈〔蔯〕 620
莸〔蕕〕 623
恶〔惡〕 221
〔噁〕 102
䓖〔藭〕 627
莹〔瑩〕 440
莺〔鶯〕 861
鸪〔鴣〕 856
莼〔蒓〕 617
〔蓴〕 620
栖〔棲〕 326
桡〔橈〕 336
桢〔楨〕 329
档〔檔〕 338
⿰木军〔楎〕 328
桥〔橋〕 337
桦〔樺〕 337
桧〔檜〕 339
桩〔樁〕 335
样〔樣〕 335
贾〔賈〕 699
⿰丽彡〔彲〕 203
逦〔邐〕 738
唇〔脣〕 576
挛〔攣〕 271
砺〔礪〕 490
砾〔礫〕 490
础〔礎〕 490
硁〔硜〕 484
砻〔礱〕 490
顾〔顧〕 817
轼〔軾〕 719
轾〔輊〕 719
轿〔轎〕 723
辀〔輈〕 719
辁〔輇〕 719
辂〔輅〕 719
较〔較〕 719
鸫〔鶇〕 859
顿〔頓〕 812
趸〔躉〕 714
毙〔斃〕 351
致〔緻〕 541
匦〔匭〕 65

【丨】

龀〔齔〕 880
鸬〔鸕〕 863
鸭〔鴨〕 856
虑〔慮〕 226
监〔監〕 468
紧〔緊〕 537
党〔黨〕 872
唛〔嘜〕 99
晒〔曬〕 300
晓〔曉〕 299
唝〔嗊〕 97
唠〔嘮〕 101
哗〔嘩〕 299
晖〔暉〕 297
眬〔矓〕 479
晕〔暈〕 298
鸮〔鴞〕 856
唢〔嗩〕 98
㖞〔喎〕 96

琏〔璉〕440　　栊〔櫳〕342　　颅〔顱〕818　　铒〔鉺〕759
琐〔瑣〕440　　梼〔檮〕340　　啧〔嘖〕100　　铓〔鋩〕760
麸〔麩〕867　　棂〔欞〕342　　悬〔懸〕230　　铕〔銪〕759
掳〔擄〕267　　啬〔嗇〕98　　嗬〔嚆〕105　　铗〔鋏〕761
掴〔摑〕264　　匮〔匱〕65　　咽〔嚥〕99　　铙〔鐃〕771
鸷〔鷙〕861　　酝〔醞〕748　　呐〔吶〕104　　铛〔鐺〕772
掷〔擲〕272　　厣〔厴〕72　　跄〔蹌〕712　　铝〔鋁〕761
掸〔撣〕267　　硕〔碩〕487　　蛎〔蠣〕649　　铜〔銅〕758
壶〔壺〕124　　硖〔硤〕484　　蛊〔蠱〕649　　锦〔錦〕758
悫〔慤〕226　　硗〔磽〕489　　蛏〔蟶〕647　　铟〔銦〕759
据〔據〕270　　砜〔碸〕488　　蛱〔蛺〕640　　铠〔鎧〕767
掺〔摻〕265　　硚〔礄〕489　　蛴〔蠐〕648　　铏〔鉶〕766
掼〔摜〕265　　鸪〔鴣〕857　　累〔纍〕547　　铢〔銖〕759
职〔職〕568　　鹥〔鷖〕857　　啸〔嘯〕101　　铣〔銑〕759
聍〔聹〕568　　聋〔聾〕569　　帻〔幘〕183　　铥〔鈺〕758
萚〔蘀〕629　　龚〔龔〕882　　崭〔嶄〕174　　铤〔鋌〕760
萝〔蘿〕630　　袭〔襲〕664　　逻〔邏〕738　　铧〔鏵〕770
萤〔螢〕644　　殒〔殞〕351　　帼〔幗〕183　　铨〔銓〕758
营〔營〕414　　殓〔殮〕351　　赈〔賑〕700　　铩〔鎩〕770
萦〔縈〕542　　狲〔猻〕694　　婴〔嬰〕146　　铪〔鉿〕758
莹〔瑩〕549　　赉〔賚〕700　　赊〔賒〕700　　铫〔銚〕758
蒉〔蕢〕627　　辄〔輒〕720　　赇〔賕〕700　　铭〔銘〕757
萧〔蕭〕622　　辅〔輔〕720　　【丿】　　铬〔鉻〕758
萨〔薩〕627　　辆〔輛〕721　　铡〔鍘〕759　　铦〔銛〕758
梦〔夢〕127　　堑〔塹〕121　　铐〔銬〕758　　铚〔銍〕759
觋〔覡〕668　　【丨】　　铑〔銠〕758　　铖〔鋮〕759
检〔檢〕339　　龁〔齕〕880　　　　　铮〔錚〕764

铯〔銫〕 759
铰〔鉸〕 758
铱〔銥〕 759
铴〔鐋〕 771
铲〔鏟〕 770
铳〔銃〕 759
铵〔銨〕 759
银〔銀〕 759
铷〔銣〕 759
矫〔矯〕 481
秸〔稭〕 500
秽〔穢〕 502
秾〔穠〕 502
䅉〔穧〕 502
笺〔箋〕 514
笼〔籠〕 520
笾〔籩〕 520
债〔債〕 35
偿〔償〕 37
偻〔僂〕 34
躯〔軀〕 716
皑〔皚〕 465
衅〔釁〕 749
衔〔銜〕 758
舻〔艫〕 591
盘〔盤〕 468
鸼〔鵃〕 857

龛〔龕〕 882
鸽〔鴿〕 857
鸺〔鵂〕 857
鸹〔鴰〕 857
鸻〔鴴〕 857
敛〔斂〕 281
颏〔頦〕 815
领〔領〕 813
矫〔矯〕 481
脶〔腡〕 578
脸〔臉〕 581
象〔像〕 36
𩽹〔魹〕 846
𫚉〔魟〕 846
𫚈〔鱮〕 854
猎〔獵〕 431
猫〔貓〕 695
猡〔玀〕 431
猕〔獼〕 431
馃〔餜〕 823
馄〔餛〕 824
馅〔餡〕 824
馆〔館〕 823
𫗴〔餤〕 823
𫗹〔䬵〕 824

【、】

鸾〔鸞〕 863

麻〔蔴〕 621
庼〔廎〕 191
痒〔癢〕 461
䴔〔鵁〕 857
𫛭〔鶤〕 859
旋〔鏇〕 770
阈〔閾〕 781
阉〔閹〕 780
阊〔閶〕 780
阋〔鬩〕 842
阌〔閿〕 780
阍〔閽〕 780
阎〔閻〕 780
阏〔閼〕 780
阐〔闡〕 783
阇〔闍〕 781
𬮱〔闚〕 669
羟〔羥〕 555
盖〔蓋〕 615
粝〔糲〕 525
断〔斷〕 284
兽〔獸〕 431
焖〔燜〕 411
渍〔漬〕 391
鸿〔鴻〕 857
渎〔瀆〕 397
渐〔漸〕 390

渑〔澠〕 394
渊〔淵〕 381
渔〔漁〕 392
淀〔澱〕 394
渗〔滲〕 391
惬〔愜〕 222
惭〔慚〕 226
惧〔懼〕 230
惊〔驚〕 834
惮〔憚〕 227
惨〔慘〕 226
惯〔慣〕 226
𫌀〔襘〕 663
𫌇〔襛〕 663
裈〔褌〕 661
裆〔襠〕 663
𫋷〔襓〕 663
祷〔禱〕 495
祸〔禍〕 494
谌〔諶〕 685
谋〔謀〕 684
谍〔諜〕 684
𫍰〔諰〕 685
𫍲〔謏〕 686
𬤝〔䜈〕 686
谏〔諫〕 684
皲〔皸〕 466

谐〔諧〕	685	〔勛〕	61	绾〔綰〕	539	蒉〔蕢〕	621
谑〔謔〕	684	绪〔緒〕	540	绿〔綠〕	536	蒋〔蔣〕	620
谒〔謁〕	685	绫〔綾〕	536	缘〔緣〕	543	蒌〔蔞〕	619
谓〔謂〕	685	骐〔騏〕	831	骖〔驂〕	833	韩〔韓〕	808
谔〔諤〕	685	续〔續〕	547	缀〔綴〕	538	椟〔櫝〕	340
谕〔諭〕	685	绮〔綺〕	537	缁〔緇〕	538	〔圚〕	65
谖〔諼〕	685	骑〔騎〕	832			椤〔欏〕	342
谗〔讒〕	690	绯〔緋〕	536	**十二畫**		赏〔賞〕	701
谙〔諳〕	685	绰〔綽〕	538	**【一】**		椭〔橢〕	336
谚〔諺〕	685	骒〔騍〕	831	琼〔瓊〕	441	椠〔槧〕	341
谛〔諦〕	684	绲〔緄〕	537	堇〔菫〕	720	鹁〔鵓〕	857
谜〔謎〕	685	绳〔繩〕	546	鼋〔黿〕	874	鹂〔鸝〕	863
谝〔諞〕	684	骓〔騅〕	832	趋〔趨〕	706	鹈〔鵜〕	858
谞〔諝〕	685	骕〔驌〕	834	揽〔攬〕	274	觃〔覎〕	669
谘〔諮〕	685	骗〔騙〕	831	颉〔頡〕	813	靓〔靚〕	802
诚〔誠〕	685	骐〔駒〕	831	掭〔掭〕	268	觇〔覘〕	668
【乛】		骡〔騄〕	831	揿〔撳〕	262	逻〔邏〕	735
弹〔彈〕	200	维〔維〕	538	搀〔攙〕	273	硷〔鹼〕	864
堕〔墮〕	121	绵〔綿〕	538	蛰〔蟄〕	645	确〔確〕	488
随〔隨〕	790	绶〔綬〕	538	絷〔縶〕	543	詟〔讋〕	690
粜〔糶〕	526	绷〔綳〕	542	搁〔擱〕	271	殚〔殫〕	351
隐〔隱〕	791	〔繃〕	542	搂〔摟〕	264	颏〔頦〕	815
婵〔嬋〕	145	绸〔綢〕	538	揾〔搵〕	274	雳〔靂〕	801
婶〔嬸〕	146	绺〔綹〕	536	联〔聯〕	567	辌〔輬〕	721
颇〔頗〕	813	绻〔綣〕	537	酝〔醖〕	748	轵〔軹〕	720
颈〔頸〕	815	综〔綜〕	538	塿〔塿〕	120	轺〔軺〕	721
绩〔績〕	543	绽〔綻〕	537	蒇〔蕆〕	622	辋〔輞〕	721
				赍〔賷〕	621		

桼〔桼〕	334	嵘〔嶸〕	175	铿〔鏗〕	760	颓〔頹〕	814
暂〔暫〕	299	嵚〔嶔〕	174	锄〔鋤〕	762	筼〔篔〕	519
辍〔輟〕	721	嵝〔嶁〕	174	锂〔鋰〕	761	筑〔築〕	517
辎〔輜〕	721	颎〔顝〕	817	锅〔鍋〕	766	筜〔簹〕	518
翘〔翹〕	559	赋〔賦〕	700	锆〔鋯〕	761	筛〔篩〕	517
【丨】		赌〔賭〕	701	锇〔鋨〕	762	牍〔牘〕	421
靶〔靶〕	881	赎〔贖〕	703	锈〔銹〕	762	傥〔儻〕	38
龅〔齙〕	880	赐〔賜〕	701	〔鏽〕	771	傧〔儐〕	37
龃〔齟〕	881	赒〔賙〕	701	锉〔銼〕	762	储〔儲〕	38
辈〔輩〕	720	赔〔賠〕	700	锋〔鋒〕	760	傩〔儺〕	38
凿〔鑿〕	775	睛〔睛〕	701	锌〔鋅〕	761	傻〔儍〕	37
辉〔輝〕	721	赑〔贔〕	702	锎〔鐦〕	771	惩〔懲〕	229
赏〔賞〕	701	**【丿】**		铜〔鐧〕	771	御〔禦〕	494
睐〔睞〕	476	铺〔鋪〕	767	锐〔銳〕	762	颌〔頜〕	813
睑〔瞼〕	478	铤〔鋌〕	762	锑〔銻〕	760	释〔釋〕	750
喷〔噴〕	102	铻〔鋙〕	761	银〔銀〕	761	腊〔臘〕	582
畴〔疇〕	453	铘〔鋣〕	760	铻〔鋙〕	762	腘〔膕〕	581
践〔踐〕	710	铼〔錸〕	761	锏〔錭〕	762	鱿〔魷〕	847
跞〔躒〕	715	铸〔鑄〕	773	铪〔鉿〕	762	鲔〔鮪〕	852
遗〔遺〕	737	锗〔鐒〕	771	锓〔鋟〕	761	鲀〔魨〕	846
蛱〔蛺〕	639	铺〔鋪〕	760	锔〔鋦〕	761	鲉〔魶〕	846
蛲〔蟯〕	646	铼〔錸〕	763	锕〔錒〕	765	鲁〔魯〕	846
蛳〔螄〕	644	铽〔鋱〕	760	犊〔犢〕	424	鲂〔魴〕	846
蛴〔蠐〕	648	链〔鏈〕	769	鹐〔鵮〕	858	颖〔穎〕	392
蝀〔蟪〕	641	铿〔鏗〕	769	鹑〔鶉〕	858	颍〔潁〕	410
鹃〔鵑〕	858	销〔銷〕	761	鹕〔鶘〕	858	飔〔颸〕	819
喽〔嘍〕	99	锁〔鎖〕	768	鹅〔鵝〕	858	觞〔觴〕	672

鸽〔鴿〕859	满〔滿〕388	鹔〔鷫〕862	瘿〔癭〕801
飗〔飀〕819	滤〔濾〕397	嫒〔嬡〕146	墙〔牆〕419
飚〔飆〕819	滥〔濫〕396	嫔〔嬪〕146	撄〔攖〕273
触〔觸〕672	滗〔潷〕393	缴〔繳〕541	蔷〔薔〕624
雏〔雛〕794	滦〔灤〕400	缫〔繰〕542	蔑〔蠛〕650
馎〔餺〕824	漓〔灕〕399	缙〔縉〕541	蔺〔藺〕628
馍〔饃〕825	滨〔濱〕396	缜〔縝〕542	蔼〔藹〕629
馏〔餾〕824	滩〔灘〕399	缚〔縛〕541	鹕〔鶘〕859
馇〔饊〕825	滪〔澦〕396	缛〔縟〕542	槚〔檟〕339
馅〔餡〕825	滟〔灎〕400	辔〔轡〕723	槛〔檻〕340
【、】	〔灧〕400	缝〔縫〕543	槟〔檳〕340
酱〔醬〕748	滢〔瀅〕398	骝〔騮〕832	槠〔櫧〕341
鹒〔鶊〕859	慑〔懾〕230	缟〔縞〕541	酽〔釅〕749
鹓〔鵷〕859	誉〔譽〕689	缠〔纏〕547	酾〔釃〕749
痴〔癡〕461	鲎〔鱟〕854	缡〔縭〕543	酿〔釀〕749
瘅〔癉〕460	骞〔騫〕833	缢〔縊〕542	霁〔霽〕801
鹏〔鵬〕858	寝〔寢〕157	缣〔縑〕541	愿〔願〕817
韵〔韻〕810	窥〔窺〕505	缤〔繽〕547	殡〔殯〕351
阖〔闔〕782	窦〔竇〕506	骗〔騙〕833	辕〔轅〕722
阗〔闐〕782	谨〔謹〕687	氎〔氎〕357	辖〔轄〕722
阙〔闕〕782	谩〔謾〕687	**十四畫**	辗〔輾〕722
阚〔闞〕782	谪〔謫〕687	【一】	【丨】
誊〔謄〕686	谢〔謝〕689	瑷〔璦〕441	龇〔齜〕881
粮〔糧〕525	〔讜〕689	鹅〔鵝〕859	龈〔齦〕881
数〔數〕280	谬〔謬〕687	赘〔贅〕702	鳖〔鱉〕847
滟〔灧〕400	【フ】	觏〔覯〕669	鹖〔鶡〕859
潍〔濰〕399	辟〔闢〕783	韬〔韜〕809	颗〔顆〕815

睐〔睞〕477　锗〔鐯〕769　鲗〔鰂〕851　窭〔窶〕505
睑〔瞼〕478　镍〔鎳〕767　鲚〔鱭〕854　谭〔譚〕687
暧〔曖〕300　锫〔錇〕766　鲛〔鮫〕848　谮〔譖〕688
踌〔躊〕714　锃〔鎝〕766　鲜〔鮮〕848　褛〔褸〕662
踊〔踴〕712　锗〔鍣〕767　鲟〔鱘〕853　谯〔譙〕687
蹋〔躂〕715　镀〔鍍〕765　鲵〔鯢〕849　谰〔讕〕690
蜡〔蠟〕648　镁〔鎂〕765　鲴〔鯝〕848　谱〔譜〕687
蝈〔蟈〕645　镂〔鏤〕769　鲐〔鮐〕848　谲〔譎〕687
蝇〔蠅〕648　镃〔鎡〕766　飔〔颸〕819
蝉〔蟬〕646　钻〔鑽〕771　飙〔飆〕819　【乛】
鹗〔鶚〕860　锔〔鋦〕765　馑〔饉〕825　嫱〔嬙〕146
嘤〔嚶〕105　鸳〔鴛〕859　馒〔饅〕825　鹙〔鶖〕860
赙〔賻〕701　鸶〔鷥〕863　　　　　　缥〔縹〕542
罂〔罌〕549　稳〔穩〕502　【丶】　　憝〔憝〕230
赚〔賺〕702　箦〔簀〕517　銮〔鑾〕775　骠〔驃〕833
鹘〔鶻〕860　篑〔簣〕516　瘗〔瘞〕460　缦〔縵〕543
鹓〔鵷〕859　箨〔籜〕520　瘘〔瘻〕460　骡〔騾〕833
　　　　　　箩〔籮〕521　阃〔閫〕783　缧〔縲〕543
【丿】　　　箪〔簞〕518　阄〔鬮〕842　缨〔纓〕548
锲〔鍥〕766　箓〔籙〕520　鲞〔鯗〕850　骢〔驄〕834
锴〔鍇〕766　箫〔簫〕519　鲞〔鯗〕850　缩〔縮〕544
锶〔鍶〕767　舆〔輿〕722　糁〔糝〕525　缪〔繆〕542
锷〔鍔〕767　膑〔臏〕582　鹚〔鶿〕860　缫〔繅〕544
锹〔鍬〕766　鲑〔鮭〕848　潇〔瀟〕398
锸〔鍤〕767　鲒〔鮚〕848　潋〔瀲〕399　十五畫
锻〔鍛〕766　鲔〔鮪〕848　潍〔濰〕397　【一】
锼〔鎪〕766　鲖〔鮦〕848　潆〔瀠〕398　耧〔耬〕564
锾〔鍰〕766　　　　　　　赛〔賽〕702　璎〔瓔〕442
　　　　　　　　　　　　　　　　　　叇〔靆〕801

齿愁〔愁〕228
撵〔攆〕272
撷〔擷〕272
撺〔攛〕273
聩〔聵〕568
聪〔聰〕568
觐〔覲〕669
鞑〔韃〕807
鞒〔鞽〕807
蕲〔蘄〕629
赜〔賾〕702
觳〔觳〕860
蕴〔蘊〕629
樯〔檣〕339
樱〔櫻〕342
飘〔飄〕819
靥〔靨〕804
魇〔魘〕845
餍〔饜〕825
霉〔黴〕873
辘〔轆〕722
缪〔繆〕722
【丨】
龉〔齬〕881
龈〔齦〕881
觑〔覷〕669
瞒〔瞞〕477

题〔題〕815
鹓〔鵷〕861
颙〔顒〕816
踬〔躓〕715
踯〔躑〕715
蝾〔蠑〕648
蝼〔螻〕645
噜〔嚕〕104
嘱〔囑〕106
颛〔顓〕815
颚〔顎〕816
髋〔髖〕837
【丿】
镊〔鑷〕774
镇〔鎮〕768
镉〔鎘〕767
锴〔鍇〕775
镌〔鐫〕768
镍〔鎳〕767
镎〔鎿〕767
镏〔鎦〕767
镐〔鎬〕768
镑〔鎊〕767
镒〔鎰〕768
镓〔鎵〕768
镔〔鑌〕773
镆〔鏌〕769

铽〔鋱〕774
镈〔鎛〕767
赞〔贊〕518
篓〔簍〕517
鹏〔鵬〕860
鹐〔鵮〕861
鹌〔鵪〕860
鹒〔鶊〕861
鹔〔鷫〕861
鲕〔魳〕849
鲠〔鯁〕848
鲡〔鱺〕854
鲢〔鰱〕852
鲣〔鰹〕853
鲥〔鰣〕851
鲤〔鯉〕848
鲦〔鰷〕852
鲧〔鯀〕849
飐〔颭〕820
鲩〔鯇〕849
鲫〔鯽〕850
觯〔觶〕672
馓〔饊〕825
馔〔饌〕825
【丶】
瘗〔瘞〕461
瘫〔癱〕462

斋〔齋〕880
颜〔顏〕816
骞〔騫〕860
鹕〔鶘〕860
鹤〔鶴〕860
鲨〔鯊〕849
澜〔瀾〕399
额〔額〕815
谳〔讞〕690
褴〔襤〕664
谴〔譴〕689
谵〔譫〕688
谍〔諜〕688
蝥〔蝥〕645
赈〔賑〕725
【乛】
履〔履〕168
驿〔驛〕834
缳〔繯〕547
缴〔繳〕545
缮〔繕〕545
缯〔繒〕545
缲〔繰〕546

十六畫
【一】
颟〔顢〕804
擞〔擻〕272

鑞〔鑞〕774	驃〔驃〕835	贛〔贛〕703	顴〔顴〕818
臜〔臜〕583	**二十一畫**	灝〔灝〕399	躓〔躓〕715
鱖〔鱖〕853	礜〔礜〕817	**二十二畫**	**二十五畫**
鱔〔鱔〕853	躚〔躚〕715	鸛〔鸛〕863	饟〔饟〕826
鱗〔鱗〕853	鱧〔鱧〕853	鑲〔鑲〕774	钁〔钁〕775
鱒〔鱒〕853	鱨〔鱨〕853	鑱〔鑱〕774	戁〔戁〕230
【乛】	鱣〔鱣〕854	**二十三畫**	
驤〔驤〕835	顥〔顥〕462	趱〔趲〕706	

（注釋）

①「乾坤」、「乾隆」的「乾」讀「前（qián）」，不簡化。

②叶韻的「叶」讀「協（xié）」。

③作門、屏之間解的「宁」（古字，罕用）讀「柱（zhù）」，爲了避免「宁」與「寧」的簡化字混淆，改爲「宁」。

④喘吁吁、長吁短歎的「吁」仍讀「虛（xū）」。

⑤文言中作「衆多」解的「夥」不簡化。

⑥「宮商角徵羽」的「徵」仍讀「止（zhī）」，不簡化。

⑦古人名「南宮适」、「洪适」的「适」（多用於人名）讀「括（kuò）」。這字本作「适」，爲了避免混淆，可恢復本字「适」。

⑧「答覆」、「反覆」的「覆」簡化作「复」，「覆蓋」、「顛覆」仍用「覆」。

⑨「藉口」、「憑藉」的「藉」簡化作「借」，「慰藉」、「狼藉」等的「藉」仍用「藉」。

部首索引